I0588191

A E
& I

Madre que estás en los cielos

Autores Españoles e Iberoamericanos

Pablo Simonetti

Madre que estás en los cielos

Planeta

Diseño de cubierta: Peter Tjebbes
Diagramación: Antonio Leiva

Avda. 11 de Septiembre 2353, 16º piso. Santiago, Chile.

1ª edición: septiembre 2004
13ª edición: julio 2008

Inscripción Nº 141.715
ISBN: 956-247-351-1

Impreso en: Quebecor World Chile S.A.

A mi madre, Eliana Borgheresi

Salimos de la adolescencia con un modo, con una impronta, con un gesto vital. Nuestros actos y deliberaciones no son otra cosa que metamorfosis de este gesto y la culpa posterior que inevitablemente lo acompaña.

JULIA BARTOLINI

No deseo pasar por el final que me espera. Los doctores me indicaron un tratamiento de quimioterapias para vivir un par de años en condiciones razonables. La sola mención de esa palabra insípida me llenó de molestia. ¿Quién más que yo podía juzgar lo que era "razonable"? Tendida en la aparatosa cama de la clínica, les exigí que precisaran su significado: la sensación en el cuerpo, los efectos secundarios de la terapia, el dolor, la independencia para moverme, cuánto tiempo de conciencia despejada, los principales indicios de la muerte cercana, incluso pedí que me relataran cómo sería el final desde el punto de vista de mis hijos. Durante la misma conversación, indagué acerca del rumbo que tomarían las cosas si no me sometía al tratamiento: cuatro meses sintiéndome bien, con una sensación de cansancio en aumento y episodios de dolor; luego un desarreglo progresivo hasta morir a más tardar dentro de ocho meses.

Lo único placentero de esa entrevista fue observar la tensión en los rostros de los doctores. A cada pregunta, a cada nueva precisión requerida, en sus ojos asomaba una mezcla de rigor científico sujeto a examen con un brote de alarma, de moral escandalizada. No están acostumbrados a que sus 'recomendaciones' sean puestas en entredicho.

¿Por qué fui tan lejos? La explicación es sencilla: mi madre murió de cáncer. Yo la vi morir, cada día, cada hora, durante lo que se suponía también serían dos razonables años. Nadie puede borrar de mi memoria el dolor en sus ojos enturbiados, ni la confusión de su mente al estar bajo los efectos de la morfina; tampoco nadie logrará hacerme olvidar su humillación cuando no consiguió ir al baño por sí sola. Gracias a Dios, después de cada vejación a su pudor, de cada punzada, de cada pérdida de conciencia, me devolvió la calma con una sonrisa. De ella aprendí que uno también muere para los demás.

Ya sola en la habitación, giré la cabeza hacia un crucifijo de bronce que colgaba junto a la cama. Buscaba consuelo. El símbolo conservó su aspecto ferroso, sin ofrecerme siquiera un destello de su pulimentada superficie como indicio de la presencia de Dios. Desde la primera consulta al doctor intuí que se trataba de algo grave. Su mirada huidiza, el ceño fruncido, las palabras escogidas con exceso de cuidado. Los semblantes de los radiólogos dijeron lo mismo. Durante una ecotomografía, uno de ellos llamó a una improvisada junta médica para que observaran la pantalla. Yo no quise mirar.

Llega el final: sólo esta idea ocupaba mis pensamientos y rebotaba en las paredes del cuarto hospitalario esa mañana. Llega el final, me decía, y la reacción a tal noticia era nula. Ni llanto, ni un agobio repentino por haber dejado algún cabo suelto, ni una natural desesperación por extender la vida, por volver a creerme inmortal. Se acaba —me dije—, *finito*, ya no hay nada que hacer, sólo esperar a que el pulso termine por extinguirse.

Por un capricho de la luz artificial, mi rostro se reflejaba en el vidrio que cubría una deslavada reproducción de Renoir. Un óvalo, dos ágatas, un desordenado marco de bucles negros. Mi piel mediterránea se había vuelto escamosa a causa de la calefacción. Pero era el olor a desinfectante, el olor a enfermedad, lo que más me desagradaba. La vista desde el noveno piso, el piso de los cancerosos, dominaba el sur de Santiago y no contribuía a levantar el espíritu. Un cielo cerrado imperaba sobre bodegas y pequeñas industrias, una oxidada composición de techos de zinc en diversas pendientes, interrumpida por algunos edificios del peor gusto arquitectónico.

Regresaron mis hijos. Al verlos entrar experimenté el primer sentimiento reconocible frente a lo que ocurría: me apenó la idea de perderlos, presentir el dolor que les ocasionaría mi muerte. Sus cuerpos se recortaron en el blanco de las paredes. Se habían reunido con los doctores en la sala de visitas, al final del pasillo. Seguramente cada uno se había formado una opinión sobre lo que yo debía hacer.

El primero en hablar fue Juan Alberto, el mayor. El pelo rubio cayéndole suelto sobre la frente y su delgadez lo hacían verse menor que sus cincuenta y cinco años. No estaban de acuerdo. Cuando deseaban transmitirme una opinión de consenso recurrían a la complicidad que María del Pilar, la segunda, había mantenido conmigo desde que era niña. No me fue difícil anticipar cuál sería el consejo de Juan Alberto. Se esfuerza por vencer su humana naturaleza con la razón y aunque se trate de circunstancias complejas, donde los sentimientos y las pasiones toman parte, busca dar con un principio racional que regule el desarrollo futuro en torno al asunto. Es obvio entonces que tampoco pueda soportar la irracionalidad que demuestra el cuerpo humano al enfermarse. A medida que ha envejecido se ha vuelto hipocondríaco y su afición a la medicina lo tiene convertido en consejero médico de la familia y de sus amigos. Domina casi todas las especialidades. No sería precisamente ésa la ocasión de cambiar su modo de enfrentar las cosas.

—Mamá, usted debe confiar en los doctores. Ellos saben lo que hacen y lo hacen cien veces al mes. Confíe, las quimioterapias han mejorado y no son tan desagradables como antes. Ya no se pierde el pelo. Estuve averiguando si en Estados Unidos hay drogas mejores que acá para este tipo de cáncer, pero me aseguraron que son las mismas. Ayer llamé a la Clínica del doctor Hermanssen en Nueva York.

—¿Ayer ya lo sabías? —lo interrumpí.

—No con seguridad, pero nos advirtieron que era lo más probable. Hermanssen es el principal especialista en cáncer al colon con metástasis en el hígado. El tratamiento es el mismo. El oncólogo que la ve llegó de Estados Unidos hace menos de un año y está al tanto de todo lo nuevo que ha salido. Dos años, mamá, es mucho tiempo y pueden descubrirse nuevos tratamientos.

El foco de sus apáticos ojos azules no coincidió ni por un instante con la línea de los míos. Su exposición era una forma de aplacar el miedo, de evitar el vacío en el estómago, era una estrategia para no sufrir.

Los demás permanecían cabizbajos: el desacuerdo era grande, sin duda. De inmediato acudí a tranquilizar a María Teresa con una mirada conciliadora. De los cuatro es la que más se violenta ante cualquier discrepancia. Su personalidad explosiva, la incapacidad de mantenerse dentro de contexto, las sumas y restas de un carácter rencoroso, le impiden razonar. El cuerpo de vedette no es otra cosa que el reflejo exterior de la intensidad de sus emociones. Su mente hierve y sólo un arrebato le permite seguir respirando, sólo la herida que provoca el filo de sus palabras parece calmarla. Cuando vi que se aprestaba a hablar temí que de un par de insultos hiciera trizas la frágil armonía que hasta el momento había imperado.

—No, mi amor, no diga nada, ya sé, ya sé que piensa de otra manera, pero no se exalte.

—No estoy exaltada, mamá, no se preocupe. A veces puedo hablar sin decir brutalidades —afirmó. Se acercó a la cama y me dio un beso en la frente.

Sentí un nudo en la garganta. Su gesto era la más clara constatación de la gravedad del momento y me hizo absorber de golpe la idea de que estaba desahuciada. Ese gesto de la Tere fue más explícito que la clínica descripción de los doctores.

—Yo no puedo darle un consejo —dijo con la voz agrietada—. Es su decisión. Antes del diagnóstico le pregunté a otra gente, y me aseguraron que esta cuestión de las quimios es para ganar plata. Incluso hablé con un gastroenterólogo amigo y me dijo que su cáncer es muy grave. Seis meses, dos años... ¡Ay! Mamita... que sea su decisión. No sé si quiere pasar por las quimios, usted siempre pregonó que después de la agonía de la abuela, prefería no hacer nada si le daba cáncer. Yo no sé, a la Chabela las quimios no le hacen mal, en cambio he visto a otras muriéndose...

—Mamá —interrumpió Pilar—, la Tere tiene razón —han sido buenas hermanas—, nadie más que usted puede decidir. Yo sé que ha dicho que no se haría nada. Quizá es una buena idea que se haga la primera quimio y vea cómo se siente. No sé, puede que hasta el cáncer se detenga. Vaya uno a saber. Si se siente mal, las deja y punto.

El aire ecuánime de María del Pilar, alojado en un rostro más claro que el mío, de líneas definidas y aire de limpieza, me mortificó. Aun tratándose de la muerte de su madre daba con la exacta nota de sensatez.

Andrés se hallaba en una esquina de la habitación, sentado en un estrecho sofá. Él es mi debilidad, mi concho. Se fue de Chile hace veinte años y no había regresado hasta ahora. Vive en Nueva York. A pesar de sus cuarenta y cinco años, todavía lo siento como si fuera mi niño. Cuando se enteró que estaba enferma, se vino a Chile de inmediato. Ayer me aseguró que se quedará hasta que me sane o me muera. Le rogué que no lo hiciera: "Ya he vivido, hijo, no hay necesidad de que postergues tu vida por mí". Está empecinado en quedarse, quizá como una manera de compensar un sentimiento de culpa por no haber estado aquí durante tanto tiempo.

Mientras hablaban sus hermanos, sus ojos negros absorbían la luz en vez de reflejarla. De su mirada surge por lo común la esperanza, sin ningún pudor ni el menor sentido de la realidad. Tantas veces vi apagarse ese fulgor ingenuo, contrariado por la agresividad de la vida, pero cada vez volvió a brotar milagrosamente. En ese momento su mirada parecía no hallar su generosa fuente. Una de mis tareas, antes de irme, consistirá en dejar el camino abierto para que el brillo retorne a esos ojos. Para mí será una forma de inmortalidad.

Andrés se demoró en hablar un segundo más allá del ritmo establecido por los demás. Al notarlo, sus hermanos se volvieron hacia él, molestos por los aires de estrella que le endilgan. Le gusta llamar la atención, no puedo negarlo, pero en esas circunstancias su natural exhibicionismo se hallaba postergado por otros instintos y lo que en verdad sucedía es que no tenía claro cómo actuar ni qué decir. Ya lo había visto reaccionar así durante la niñez. Si el problema superaba su comprensión, o mejor dicho, si no era capaz de incorporarlo al flujo de sus emociones, se paralizaba. Unos instantes después, se alzó con dificultad del sofá donde se había atrincherado, se acercó a un lado de la cama, me tomó una mano y me miró implorante, como si pidiera permiso para no dar su opinión.

—Todo va a ser para mejor. Confía en el Señor, acuérdate de confiar —dije.

—Estoy tranquilo, mamá —respondió con voz grave, mientras me acariciaba el dorso de la mano.

Este diálogo de seguro molestó a Juan Alberto; desde siempre despreció la fragilidad de Andrés y su afán de protagonismo en los asuntos familiares. Yo me moría y, sin embargo, me preocupaba de que Andrés estuviera tranquilo —era con seguridad el juicio de Juan Alberto y no estaba lejos de la verdad—.

Aprecié el esfuerzo que hicieron para no explotar en mutuas recriminaciones. Pasar por una conversación trascendente, dándose espacio para que cada uno expresara su opinión, debió ser un ejercicio difícil. Y se los agradezco: al menos, todavía, la idea de tener la misma madre los apacigua, o tal vez me engaño y el apaciguamiento se debió a la presencia de la muerte. Por lo general, ninguno de mis hijos tolera que se diga una frase completa que discrepe de su punto de vista sin interrumpir a su interlocutor, más aún si es un tema en que me hallo involucrada. Cada uno lucha por que yo sea "su" madre, y que con mi manera de pensar o a través de mis decisiones demuestre que mi halo maternal recae sobre él, sobre ella, dejando fuera a los demás. Cada uno lee entre líneas si yo privilegio su manera de ver la vida por sobre las visiones de los otros. Está más allá de sus posibilidades aceptar que todos estuvieron en mi vientre; es su campo de batalla, su Jerusalén, cada cual lo reclama como suyo. No me envanezco de ello. A veces intento consolarme pensando que, embarcada en la audaz empresa de tener una familia feliz, les di demasiado, tanto como para que ahora exijan todo para sí. Pero no me presto a engaño: el gesto vital que repetí una y otra vez para que una familia deformada como la mía se constituyera, es una verdad que no voy a eludir ahora que terminan mis días. Por eso escribo. No se trata de una indagación morbosa... es tan sólo que... quisiera pedir perdón y, si es posible, perdonarme. Quisiera entrar en la muerte sin miedo y sin culpa. Quisiera en estas páginas recorrer el camino que siguió mi familia hasta su lamentable estado actual. ¿Cómo se gestaron rencores tan hondos y separaciones insalvables, a pesar de haberme entregado en cuerpo y alma a lograr lo contrario? ¿Por qué mis hijos ven en la familia un campo minado más que un refugio? ¿Por qué cada uno ha decidido vivir su vida fuera del alcance de la vista de los demás? Son todas preguntas que me acosan: ahora que debo aguardar la muerte con obligada paciencia y reconcentrada humildad, tal vez halle una nueva perspectiva que me permita acercarme a sus respuestas.

2

Cité a mi habitación al gastroenterólogo, al oncólogo, al cirujano, al doctor jefe del piso y a los jóvenes residentes a cargo de los controles diarios. Continuaba en la clínica, a pesar de haber expresado mi deseo de volver a la casa. Su insistencia en pasarme hasta por la última máquina de su "avanzado" centro de diagnóstico me mantenía cautiva.

La forma de reaccionar frente a mi decisión fue un espectáculo gracioso y sanador. Se lanzaron sobre mí, como si estuviera privándolos del derecho a ejercer su santa profesión, como si la sencilla respuesta, "no voy a hacerme nada", fuera una falta de respeto. Me inclino a pensar que les arrebaté la posibilidad de vivir un trozo de su vida, que sería reemplazado, sólo minutos más tarde, con otro paciente. Al negarme, les infligí una pequeña muerte. Se enfrentaron al abismo por una milésima de segundo, su biografía estuvo en entredicho en esa fracción de tiempo. Esos eminentes doctores, acostumbrados a la crueldad de la muerte, se horrorizaron al encarar el fugaz demonio; y ninguno de ellos encontró espacio en medio de su sorpresa para notar que yo, una vieja de setenta y siete años, en el mismo instante en que ellos alzaban sus ruegos al cielo para curarme de una pasajera locura, hacía frente a un demonio que no me abandonaría hasta el último minuto de conciencia.

Cuando les comuniqué a mis hijos la decisión que había tomado, Juan Alberto salió del cuarto sin decir palabra. Y lo entiendo, cómo no lo voy a entender, si es mi hijo, el mayor, a quien he podido pesar, más que a ningún otro, en la balanza de mis observaciones. Tiene miedo. Sin duda piensa que sus consejos son lo mejor para mí. Es su manera de expresarme cariño. Volverá a estudiar mi "cuadro" e insistirá otra vez, y me veré obligada a decirle, "hijo, soy yo la enferma, déjeme en paz". Y saldrá de la habitación donde estaré desfalleciendo con la certeza de que estoy loca, que hizo lo que estuvo en sus manos, que no tiene la responsabilidad de tener por familia a un atado de dementes, y se alejará del problema hasta sentir una incuestionable distancia. No es mi madre la que muere, se dirá, es la loca que habita en ella la que desea morir. Y enfrentará el fin desde una ribera segura. Y cuando a través de un catalejo vea naufragar a sus hermanos, también los culpará por su insensatez.

A los cuatro que quedamos en la habitación, nos tomó un instante recomponer nuestro ánimo. No éramos tan desalmados como para no sentir que con Juan Alberto una parte de nosotros salía por la puerta. Mis adoradas hijas soltaron lágrimas sin cambiar el rostro. Cuánto hubiese deseado ahorrarles esas lágrimas, como tantas veces lo hice, con una promesa, una canción, un abrazo. Ya ninguno de los que estaban ahí contaba con la inocencia suficiente para que su dolor se disipara gracias a la magia del consuelo materno. Aun Andrés, el niño eterno, se hallaba indefenso ante la muerte y yo nada podía hacer. Les ofrecí mis brazos. Cómo me reconfortó sentir sus olores, el roce de la oreja de Andrés, las mejillas húmedas de mis hijas. Lloramos un rato y luego acaricié sus rostros, mientras ellos acariciaban el lugar de mi cuerpo que les quedaba más cerca. Me pregunto si sienten lo mismo que yo cuando toco sus pieles. Todavía recuerdo la suavidad y el aroma de la piel de mi madre. Ni siquiera después de muerta, mientras la vestía, perdió esas cualidades.

Me había preparado para hablarles. Deseaba expresarles mis sentimientos y cómo quería que tomaran las cosas.

—Haremos esto bien. Ya he vivido toda una vida y lo que no hice ya no lo hice. Mis equivocaciones con ustedes no las puedo enmendar. Deseo que me perdonen. Echo de menos a su padre y, desde que se fue, no le he encontrado mayor asunto a la vida. Lo único que me queda verdaderamente vivo son ustedes, pero ya cada uno tiene su propio mundo y yo tengo que contentarme con lo que me quieran contar, cuando les alcanza el tiempo para hacerlo. No se los reprocho, es natural, pero comprendan que me aburro *abbastanza*. Todas esas cosas entretenidas en que ustedes están embarcados, sus familias, sus proyectos, son en mi caso parte de un pasado lejano. Su padre estuvo enfermo ocho años, murió hace doce. Ya mi vida quedó atrás. Prefiero morir tranquila, sin aferrarme. Me quiero ir, nada más. Ustedes me podrán guardar en su corazón, no necesitan estar conmigo. Búsquenme en sus hermanos, yo estoy en cada uno de ustedes, también en Juan Alberto.

—Si las cosas fueran tan sencillas —intervino Andrés—, no estaríamos llorando. Deje que cada uno pase por este trance a su manera, ya es bastante difícil como para además poner buena cara.

—No quise decir eso, Andrés...

—Ya, mamá, usted tiene que hallarle el lado bueno a todo. Deje que lloremos un poco, y también dése permiso para llorar —intercedió la Pili, fiel a su práctica honestidad.

—Es que no estoy desesperada. Claro que tengo pena —y esto lo dije con un par de lágrimas en los ojos—. Si ustedes son todo lo que tengo.

—Yo voy a llorar y harto —dijo la Tere con una risa entrecortada por las lágrimas—, le guste o no.

3

Los árboles habían estallado en hojas durante mi estancia en la clínica. Del polvillo verde depositado en las ramas de los plátanos orientales de la Costanera —cuatro días antes, cuando iba hacia la clínica acompañada de María del Pilar, sin la menor sospecha de lo que ocurriría— había nacido un verdor que me hirió la vista. Cuánto dolor y emoción he experimentado a lo largo de la vida durante el tránsito del invierno a la primavera, cuánta felicidad y martirio han estado unidos a estos pasos del frío a la luz, de los troncos desnudos a la redondez de sus renuevos. Me emocioné ese día en el auto, con María del Pilar nuevamente junto a mí, no por la muerte próxima, sino por esos árboles; no porque contemplaría su despertar por última vez, sino por ese verdor innato, esa madera noble que se recrea año tras año; me sobrecogía el paisaje por lo mismo que me ha sobrecogido desde niña: la fragilidad de la belleza, la instantánea revelación de Dios.

Por muchos años evité acercarme a la primera rosa que abría en mi jardín. Al verla me ahogaba una especie de angustia que escondía como un secreto vergonzoso. Su aroma contenido, su timidez, su gloria, su valentía, su humildad de debutante, su intimidad, su color franco, su tacto. Esa rosa moriría dentro de una semana, tal vez dos si el clima se mantenía fresco, y yo lamentaba su pérdida de antemano; Dios me había dado su esplendor para perderlo, para enseñarme cuán lejos me hallaba de él. De qué espíritu me hablan —me decía—, de qué maravillosas virtudes, de qué sacrificios, nada en mí puede igualarse a esa rosa, nada, ni la mayor de las misericordias. Esa tarde pensaba en la rosa y no en mi muerte. Es extraño, lo sé, pero al recorrer los parques con la mirada desde la ventanilla del auto de María del Pilar, lloraba porque una vez más era primavera.

Volver a la casa a encontrarme con los lugares y objetos que han sido mis compañeros de viaje, no resultó fácil. El primero que surgió en el camino fue mi barrio por más de cuarenta y cinco años, la cuadrícula detrás de la iglesia de la Inmaculada Concepción, entre avenida Vitacura y Américo Vespucio. Los potreros que rodeaban la casa recién estrenada el año 54, calcinados por el sol del verano y plenos de pastos y flores silvestres en la primavera, se fueron poblando de construcciones lujosas como la nuestra y también de casas pareadas que se levantaron gracias a la Ley Pereira. Las calles son arboladas y su comercio amable. Aún subsisten el Almac, las empanadas Don Matías y la panadería rosada. Lamentablemente, hace unos años autorizaron construir en altura y los edificios se han ido acercando más y más a nuestra cuadra. El insoportable ruido de las obras y las detonaciones hace pensar que una manada de elefantes con patas de concreto avanza en nuestra dirección.

Cuando llegamos a la casa, el estilo moderno de un piso, siempre joven gracias a una acertada arquitectura, con su extenso techo horizontal que va más allá de sus muros exteriores, mostró por primera vez ante mis ojos los signos de la edad. Mi época y su arquitectura de pronto se revelaban añejas, dueñas sólo de un valor testimonial. El barniz de las maderas se descascaraba, los helechos de la entrada semejaban resecas plumas de vodevil y en la piedra bajo mis pies florecían manchas, derrames de todo tipo: aceite, helado, una botella de vino, el vómito de un perro vago, leche, la sangre de Andrés por una caída en bicicleta. Aquí he vivido, me dije, como un epitafio que debiera grabarse junto a la puerta de las casas que han sido amadas.

Al moverme en ella siento una comodidad que va más allá de la amplitud de los pasillos y de las proporciones de los recintos. Esta casa es una prolongación de mí misma, una traza de mi vida tan valiosa como espero que sean estas páginas. Y voy por los dormitorios y sus secretos, por el living y sus fiestas, por el comedor y su actual silencio. Creo estar oyendo a Alberto llegar con muebles y objetos adquiridos en remates, acompañado de su pandilla: el cura Pérez, único sacerdote no holandés de la parroquia de Vitacura, y Bob Sutter, su gran amigo, el hombre que más sabía en Chile de mueblería y arte colonial. Y en el reverso de esta imagen, lo veo ya enfermo, contemplando uno u otro de esos muebles, como si en ellos buscara la clave para recuperar su pasado.

Lo mío no es un apego material. Me gustaría morir aquí, no lo niego, pero no me importa perder esta casa a manos de la muerte. Cuando me cierren los ojos, ya nada de esto tendrá sentido y mis recuerdos y mis sentimientos, y los pasillos y camas de esta casa, viajarán conmigo adonde me toque ir y no me los arrebatarán jamás. Que vengan las constructoras y la demuelan, que la hagan explotar por los aires, que acumulen piso sobre piso en esta tierra acostumbrada a una carga más ligera, ya no estaré y a nadie le importará, menos a mí, que me encontraré ocupada en otros afanes.

Antes de ir a mi habitación le pedí a María del Pilar que me acompañara a dar un paseo por el jardín. Eran alrededor de las cinco y media y la luz se filtraba a través de los árboles del poniente. Deseaba ver mis azaleas y mis camelias en flor y, si era posible, traer conmigo al escritorio la primera rosa. Me sentía tan atraída hacia ella, sin siquiera haberla visto, que cualquier pena me parecía soportable. Allí estaba, más altanera de lo que imaginé. Quizá fue el color malva, sólo posible gracias a decenas de hibridaciones, el que me hizo pensar que había orgullo en ella. Sin embargo, cuando me acerqué para cortarla, su virtud venció mis aprensiones. Si mi vida hubiese sido la de una rosa, estaría conforme. En este instante la tengo frente a mí, junto a la pantalla del computador. Aún tiemblan sus pétalos cuando dejo entrar el aire en la mañana. Todavía percibo su aroma al cortejarla con mi nariz. Durará un día más sometida al calor de la calefacción, pero me ha regalado su belleza como estímulo para seguir adelante. Mi vida no ha sido la de una rosa, pero al menos la he tenido por ejemplo.

Al entrar a mi dormitorio me recibió su aroma característico que, según quiero creer, todavía conserva huellas de la colonia de Alberto. Me alegré de hallarme en ese entorno más benévolo que la clínica, logrado gracias a la calidez de las texturas y la luz ruinosa que se cuela por la tarde a través de los ventanales que miran hacia la cordillera. Mi dormitorio es un lugar bastante particular: fotos familiares sobre una mesa baja donde descansa la televisión; indulgencias de los últimos tres Papas, la del Papa Luciani sin firmar; una colección de imágenes religiosas desplegada en la pared donde está la puerta de entrada y del baño, a la derecha de la cama —en la otra corren las ventanas—; sobre el respaldo de la cama cuelga un cristo de marfil que Alberto compró en un remate de los años sesenta; en la pared opuesta, un gran cuadro quiteño de una virgen mestiza custodia el sofá para las visitas de enfermo. Me va a ser de utilidad en los próximos meses.

Mientras recorría ese mundo privado, de un modo fugaz imaginé la escena de mi muerte. Mis hijos en torno a la cama. Quizá mis yernos sentados más atrás, en el sofá. Me reconfortó pensar que todo ocurriría entre esas paredes. Me hizo sentir que pasaría de un abrazo a otro, desde mis cosas y personas más queridas hacia una naturaleza distinta del amor. Desperté de la imagen como de un sueño infinitesimal, llamé a María del Pilar que se había rezagado en la cocina y me puse en sus manos para las labores de embellecimiento. Cuando llegaran el resto de mis hijos y mis nietos, quería proyectar la imagen de una mujer optimista y, sobre todo, sana.

4

La espera no es grata. Es una de las razones que me han impulsado a escribir. Será una distracción para no caer en el vicio de acechar el avance de la enfermedad. Los doctores me aseguraron cuatro meses "razonablemente" buenos y, creo, por lo bien que me siento —los malestares no pasan de una que otra indigestión—, que pueden ser todavía más. Escribir será una forma de meditación y recapitular el pasado me hará sentir acompañada. Planeo escribir durante las mañanas, cuando esté sola, mientras sienta el flujo de la vida en las manos. Qué otra cosa podría hacer al final de mis días sino esto. Si algo hice, aparte de ser madre a tiempo completo, fue escribir. Las horas libres en el escritorio —el mismo en el que me hallo ahora—, cuando los niños ya dormían, el trajín de Olimpia en la cocina se había extinguido y Alberto oía la radio o veía la televisión por la noche, eran momentos atesorados. Los peligros del día, las amenazas sobre mis hijos, la ausencia de mi marido, cedían paso a la satisfacción de tenerlos a todos al alcance del oído, protegidos por mi vigilia. Experimentaba, cómo no, la misma alegría de quien regresa a casa después de un productivo día de trabajo. Otro día más se sumaba a la empresa de la vida. Esa paz, personificada por la acogedora luz del escritorio, se traducía en un potente estímulo.

Así es como me he pasado parte de la existencia escribiendo cartas. Sí, simples y ordinarias cartas. De todos mis corresponsales, mi hermano Joaquín ha sido el más pródigo y persistente: vive en Tucson, Arizona. Se fue de Chile hace más de cuarenta años. No volveré a verlo. Detesta los aviones, o mejor dicho, cualquier cosa que se mueva. Cuando partió junto a su esposa y sus tres hijos todavía niños, decidió viajar en barco, seguro de que le sentaría mejor que un viaje de veintitrés horas con seis escalas, encerrado en la asfixiante cabina de un avión. Al llegar a su destino me escribió jurándome que nunca más cometería la estupidez de viajar lejos, cualquiera fuese el medio de transporte. La mayor parte de la travesía se la había pasado sometido a las traiciones repentinas de su estómago. Hasta hoy ha mantenido su promesa. Su aversión al movimiento es tan visceral que ni aun cuando maneja su auto se siente tranquilo; no pasa de los sesenta kilómetros por hora y no se atreve a entrar en las *freeways*: las serpientes atronadoras, como las llama. Ya me anunció que no vendrá. Como compensación enviará dos cartas a la semana en vez de una, como lo ha hecho sin falta desde que se fue. Le propuse que tuviéramos correspondencia por e-mail, pero se negó. Mi querido hermano es anticuado, enamorado de las formas, y para él escribir pasa tanto por el contenido como por la caligrafía. Ha reunido una admirable colección de estilográficas. Me escribe con una Parker 51, alimentada con una tinta azul casi negra que encarga por correo a una casa especializada. Le he contado de mi deseo de escribir acerca de nuestra niñez y la casa paterna. Se lo he planteado en estos términos, como una simple rememoración. A pesar de la intimidad que nos ha dado la correspondencia, además del amor que nos profesamos, no veo la necesidad de revelarle mis verdaderos motivos.

Joaquín tiene una memoria prodigiosa, es capaz de recordar el nombre de nuestros vecinos cuando vivíamos en la calle Viña del Mar, el número de los tranvías que abordábamos en la esquina, por avenida Vicuña

Mackenna, el tres y el seis según me indica en una de sus últimas cartas, el nombre de las personas que visitaban la casa, si eran socialistas, radicales o derechistas, cuál era su apariencia, incluso recuerda los zapatos con florcitas de seda que usaba la tía Susana Insunza, pariente lejana de nuestra madre: "una extravagancia para una mujer que se decía comunista". Sus cartas han sido siempre memoriosas, llenas de anécdotas que me alegra recordar. Ahora que sabe de mi proyecto, ya ha enviado tres cartas extensísimas y organizadas por épocas, separadas unas de otras por los principales hitos de la familia. Una de ellas trae un dibujo a grafito del rostro de la mamá cuando era joven y en otra ha dibujado en tinta china una perspectiva de las fachadas victorianas de la calle Viña del Mar, entre ellas la de nuestra casa en el número catorce. En cada misiva me cuenta una anécdota. En la primera relató el día de mi nacimiento. Es cuatro años mayor que yo. No guarda recuerdos directos de la ocasión, pero sabe perfectamente que nací en la casa, "con la ayuda del doctor Canales y de la matrona Núñez, que, como dijo la abuela, no llevaba el pelo recogido como hubiese sido de esperar". Me abruma su inmensa capacidad para describir, para dar cuenta del más mínimo detalle o incidente. Estas cartas son un regalo para mi imaginación. Yo las infiltro de emociones, no las más espontáneas y observables, sino aquellas que conjeturamos. Joaquín, en cambio, las deja fuera. No creo que las ignore, estamos hechos de la misma fibra, sólo las omite. Se contenta con entregar el material extenso y minucioso de sus recuerdos, porque el ancho cauce de las emociones, para él, y esto lo he presentido desde que éramos niños, se parece mucho a una *freeway*, una "serpiente atronadora", de la cual, una vez adentro, es imposible salir.

Joaquín vive para recordar y por lo mismo odia la modernidad, a los punks, a los homosexuales, a los demócratas. Todos ellos amenazan con exterminar el mundo donde él alguna vez fue feliz. Lo satisface que se mantenga el orden de las cosas. Orden, ése es el código genético que nos une. Mis experiencias en este sentido lo atestiguan. Por razones que no he conseguido descifrar, de pronto todo converge —por obra de una epidemia de miedo a cualquier cosa, a todo, a lo que aún no se constituye— hacia un estricto sentido del orden. Cada vez que soy asaltada por ese miedo, todo a mi alrededor es posible sujeto de ser ordenado, desde el escritorio y el closet hasta la vida de mis hijos.

Es una pena que no vaya a utilizar gran parte del material que Joaquín me ha comenzado a enviar, que se torna abrumador si además considero las centenas de cartas que mantengo en cajas en el último closet. De todos modos, me alegra tener un registro inmejorable de esos tiempos, con las más acabadas descripciones de personajes y escenarios.

Tal vez pueda rescatar algunas nociones que me ayuden a entender lo que ocurrió con la familia que Alberto y yo formamos.

5

El intercambio epistolar más valioso lo he mantenido con Andrés, mi hijo menor. Hace veinte años abandonó Chile y de no mediar la noticia de la enfermedad no habría considerado volver. No le tiene amor a su país. Tampoco a su familia. Guarda malos recuerdos de su padre, mantiene una relación cariñosa pero distante con sus hermanas, y siente una profunda animadversión hacia Juan Alberto. Conmigo se lleva bien, luego de haberme sometido a continuas pruebas de amor, fidelidad y renuncia. Cuando recién partió tampoco quería saber nada de mí. Creo que fue mi persistencia en el correo la responsable de su cambio de actitud. Alejado de todo lo que le era conocido y cercano, mi voz a través de una carta semanal debió cooperar a su rendición. Cada vez que habla de Chile, afirma que es un país que le hizo mal y que todo lo que hoy tiene de bueno su existencia se lo debe a su decisión de partir, cuando tenía veinticinco años.

Andrés fue un niño ordenado, obediente y dado a la erudición. Esta manera de ser le brindaba buenos resultados en los estudios. Cursó los doce años en el colegio del Verbo Divino y desde cuarta preparatoria en adelante sacó las mejores notas de su curso. Los curas celebraban su genio para las matemáticas y su sobresaliente capacidad de concentración. Lo más asombroso era el escaso tiempo que dedicaba al estudio. Según sus profesores, su atención a lo expuesto en clases era tan intensa, que luego le bastaba con hojear sus cuadernos a modo de repaso. De los cuatro, Andrés fue el que menos trabajo me dio en cuanto a los estudios. Juan Alberto, en cambio, me tuvo encima como un cancerbero durante los dos últimos años de enseñanza media, única manera de que alcanzara notas satisfactorias. Llegado el momento, esas notas le facilitaron su ingreso a la Escuela de Ingeniería de la Universidad Católica. Con mis hijas fue diferente. A María del Pilar le iba bastante bien, pero igual me pedía ayuda; creo que apreciaba la compañía mientras hacía las tareas. No dedicaba mucho tiempo a los cuadernos y su interés por lo general recaía en algún juego que había ideado para después de su hora de estudio. María Teresa, en cambio, permanecía sentada durante horas frente a su pequeño escritorio. El resultado era injusto, si se consideraban las horas invertidas por una y la otra. María del Pilar estaba entre las cinco mejores alumnas. María Teresa, a pesar de todos sus esfuerzos, ni siquiera alcanzaba la media del curso inferior. Si le ofrecía ayuda, se enojaba y me decía que podía hacerlo sola. Para suma de males, las monjas teresianas evidenciaban su predilección por María del Pilar. Más que en las notas, ésta se basaba en la conducta y en la apariencia. María del Pilar era una niña con un rostro fino y agraciado, impecable para vestir y peinarse; sus indisciplinas, que de seguro las tenía, pasaban inadvertidas a la vigilancia de las monjas. El rostro de María Teresa era menos delicado, de rasgos más gruesos, aunque llegó a ser tan atractiva como María del Pilar cuando se hizo mujer. De niña causaba una sensación extraña al mirarla. Su carácter inquieto, la voz sonora y su imposibilidad de mantener el uniforme limpio y el peinado en orden terminaban de condenarla ante los ojos severos de las religiosas. Y como si lo anterior no fuera suficiente, también era dada a la risa, una risa estentórea, muy propia de sus genes italianos. De tanto en tanto recibía un llamado de la madre rectora para darme un mal informe de María Teresa. Mi sentido del orden se despertaba con la llamada y María Teresa recibía alguna forma de castigo. Sus llantos, altisonantes como su risa, con los años dejaron de conmoverme. Si no era una buena alumna al igual que su hermana, al menos sería una señorita de modales impecables.

Alberto era quien exigía las buenas notas; él mismo fue un alumno destacado en el Instituto Nacional, sin embargo sus padres no le permitieron entrar a la universidad. Era el mayor entre sus primos y su aprendizaje debía ser en la empresa familiar, la mueblería que manejaban sus tíos. Como consecuencia de aquella decisión tan estúpida como arbitraria, siempre añoró ser profesional y llegó a idolatrar la enseñanza que se entrega en las aulas universitarias. Por estas razones, una condición sine qua non impuesta a cada hijo cuando alcanzó los cursos de humanidades, fue concentrarse en los estudios, porque su deber era ingresar a la universidad a una carrera prestigiosa.

A mí tampoco me permitieron asistir a la universidad. Recuerdo a mi padre, en una de las lúgubres cenas familiares, dictando la sentencia: "La universidad no es para mujeres". Las monjas de la Compañía de María, congregación a cargo del colegio donde estudié las humanidades, le rogaron a mi madre que intercediera ante él. Ellas tenían grandes expectativas puestas en mí. Era la segunda del curso. Pero no hubo manera de hacerlo cambiar de parecer. Años más tarde, supe por Joaquín que la superiora, como último recurso, había visitado el local de la calle Monjitas. Mi padre, Maurizio Bartolini Onetto, un italiano de tomo y lomo, taciturno y todavía endurecido por los esfuerzos de su familia para surgir luego de inmigrar a Chile, no le ofreció ni una silla para sentarse a la octogenaria madre Jacinta, una mujer artrítica que de sólo verla despertaba compasión.

A los ruegos de la religiosa en pro de mis estudios universitarios, al parecer mi padre le habría respondido: "Les agradezco la educación que le han dado a Julia, pero ella dejó de ser asunto de ustedes. Ahora le pediría que se fuera, no creo que a los clientes les parezca apropiado que una religiosa esté dentro de la tienda".

Con sus buenas artes, mi madre logró durante el verano que siguió a estos intentos, que me permitiera estudiar contabilidad y secretariado bilingüe en un instituto conocido por aceptar sólo a señoritas de buen estatus social. El argumento de mi madre fue más o menos el siguiente: "Si a esta niñita le sucede una desgracia, si se queda viuda o si hay una guerra, será necesario que sepa valerse por sí misma". Viudez, desgracia, guerra, conceptos que resquebrajaron la cerrada visión que mi padre mantenía acerca del asunto.

Ella había calibrado su argumento con precisión para no arriesgarse a una nueva derrota. Doña Assunta Onetto, mi abuela paterna, había quedado viuda en 1893, con mi padre en su vientre, al ser acuchillado mi abuelo por un asaltante en uno de los muelles de Génova, desde donde zarpaban los barcos de inmigrantes. No pudo permanecer en Italia; había vendido todas sus pertenencias con el fin de reunir el dinero que terminó en el bolsillo del ladrón. El hermano de mi abuelo, el tío Giancarlo, la trajo consigo a Chile con tres meses de embarazo. Mi padre nació en Valparaíso el 23 de octubre de 1893, mientras la familia daba sus primeros pasos en nuestro país. Por lo tanto, viudez y desgracia eran para él realidades cercanas. En cuanto a la posibilidad de verme inmersa en una guerra futura, él nació en un país que comenzaba a dejar atrás una guerra civil. Pero la que más pesaba en su juicio era la Primera Guerra Mundial, causante de que mi abuela y él perdieran el rastro de sus parientes en Italia. El único sueño que esa triste mujer podía albergar, el retorno a su país, quedó sepultado bajo los escombros europeos.

Mi abuela Assunta vivió con nosotros desde que tuve uso de razón. Era una mujer seca, tan distinta a mí que yo no llegaba a reconocer nuestra consanguinidad ni en su físico ni en sus gestos. De corta estatura, con un mentón dominante, llevaba siempre un vestido negro hasta el suelo, de género basto y pliegues amplios en el faldón; usaba su pelo desde luego sin teñir recogido en un tomate y prácticamente no hablaba. Sus ojos suaves traicionaban esa dureza. No era descariñada ni mucho menos, permanecía atenta a las necesidades de los demás, especialmente a las de Joaquín y las mías. Murió en su cuarto, ubicado al otro lado del patio, cuando yo tenía diez años. Sentí una profunda pena al perderla, era un corazón que palpitaba a mi lado. Pero no me aferré a ella como lo hice con mi madre. La dejé ir sin desesperación: algún sentido común me aclaró que ella deseaba la muerte. Ese año infausto de 1893, cuando de un mismo golpe perdió a su marido y a Italia, debió también significar la pérdida de su interés por la vida.

6

Ya a los ocho años, Andrés se había convertido en un ávido lector de diarios y espectador de las noticias de la recién estrenada televisión; manejaba información tan insólita como el precio de las principales acciones de la bolsa de comercio; leía también de cine, de literatura, de forma inconexa, por supuesto, pero cuando entraba en un tema, por lo general sabía de lo que hablaba. Sus hermanos detestaban esta cualidad y creo que Alberto también. "Por qué este niño no podrá ser como los demás, todo lo sabe, todo lo argumenta, todo lo discute, a veces me dan ganas de darle un buen tapaboca. Sería bastante más natural que le gustara jugar al fútbol en vez de ver tantas películas o leerse esos libros de la Segunda Guerra que te dio por comprar". Cuando, en medio de una conversación en la mesa, Andrés salía con alguno de sus elaborados pensamientos, me saltaba el corazón de orgullo. No por su erudición, sino más bien porque decía cosas sensatas, que yo había pensado antes y no encontraba momento para expresarlas o que me hubiese gustado saber y no me había dado el tiempo de aprender. Sentía además que compartíamos la misma necesidad de conocer el mundo que nos rodeaba. Junto con sorprenderme, me avergonzaba: advertía la mirada molesta de los demás recayendo sobre él; para contrarrestarlas, Andrés se parapetaba tras un desagradable modo de niño sabelotodo. Cuando iba muy lejos, Alberto lo hacía callar y me dolía el alma verlo retraerse. Fui alimentando el miedo de que un día cualquiera Alberto le haría saltar la comida de la boca de un golpe.

La rabia hervía en sus ojos. Deseaba hijos académicamente excelentes, pero no una persecución de conocimientos dentro de su propia casa. Creo que también se sentía indefenso, puesto en duda en su calidad de sabio supremo.

La tensión durante los almuerzos de los sábados y domingos se tornó casi corpórea cuando Andrés cumplió diez años: la furia de Alberto lo hacía pararse de la mesa antes del postre. Lleno de ansiedad, Andrés se fue transformando en una marioneta que hablaba sin parar; y los demás, en especial Juan Alberto, comenzaron a burlarse de él, formulándole preguntas que lo incitaban aún más a la perorata. Llegado un punto, me vi en la necesidad de hablarle. Una mañana de sábado, en que pensaba que las cosas se iban a salir de cauce, me senté en su cama y esperé a que despertara. Apenas lo sentí moverse, comencé a acariciar su pelo negro y suave, semejante al mío. Remoloneó otro rato, se dejaba querer. Luego se dio vuelta, con el cuello del pijama a punto de cortarle la respiración. Abrí las cortinas, puse el almohadón detrás de su cabeza, le ordené el pijama y le despejé la chasquilla del rostro. Ya he alabado los ojos de Andrés, así fueron desde que nació. En esos años era un niño un tanto pasado de peso y no relucían del mismo modo que ahora en ese rostro redondeado. Su mirada, en todo caso, era igualmente dulce.

—Mi Andresito —esta era mi mayor expresión de ternura y la llave para hablar con él sin que se pusiera a la defensiva—, hoy es sábado y le voy a pedir un favor. Quiero que en la mesa hable menos; deje hablar a los demás y no muestre todo lo que sabe. A sus hermanos no les gusta que usted les explique hasta cómo se reproducen las tortugas —este ejemplo resultaba apropiado; la Ramona, la tortuga de la casa, había puesto un huevo dos semanas atrás y Andrés había investigado en detalle su forma de reproducirse—. Si quiere hablar, no hay problema, cuéntenos del colegio o las cosas que le pasan a usted, pero no todo en la vida sale de una enciclopedia.

No conseguí notar el efecto de mis palabras en su rostro. Mi tono era cariñoso, no dejé de acariciarlo, deseaba que se sintiera querido. Sólo cuando callé, su rostro se contrajo de un modo extraño: arriscó sus labios en el lado izquierdo y el ojo del mismo lado se cerró. Luego me preguntó:

—¿Al papá le molesta que yo hable tanto en la mesa?

—No es eso, Andresito, es que la mesa es para hablar de cualquier tema, no es una clase, es un momento de… intimidad, no una hora de estudio.

Me arriesgué con este argumento, que juzgaba abstracto, porque reflejaba mi manera de pensar y Andrés quizá lo comprendiera.

—Yo lo hacía para mejor.

—Sí sé, mi amor, todos hacemos lo mejor que podemos.

—Pero el papá no me quiere.

—No, cómo se le ocurre, su papá lo adora —me había acercado para abrazarlo, había emoción en su voz—. Al papá lo que le pasa es que trabaja demasiado y los fines de semana le gusta estar con ustedes y descansar. Si lo hacen pensar mucho se molesta, es eso nada más. Hasta cuando yo le pido algo para la casa me mira con mala cara. Pero su papá lo quiere, nos quiere a todos.

Se había puesto a llorar, su cuerpecito aún tibio se estremecía. Todavía me duele el recuerdo de su sufrimiento.

—El papá no me quiere.

—Andrés, no llore por eso, su papá lo quiere más que a nadie en el mundo —me percaté del esfuerzo que hacía para lograr que las palabras surgieran entre el llanto.

—Quiere más a Juan Alberto.

—No, no, cómo dice una cosa así, su papá los quiere a todos igual. Por Dios, Andresito, no piense así.

Su llanto se hizo más espeso y doliente. Nos quedamos abrazados un rato hasta que se calmó. Durante el almuerzo guardó silencio. Sus ojos enrojecidos, volcados sobre la comida que apenas probó, en contraste con la pronta risa de Alberto frente a un comentario de su hijo mayor, me han quedado grabados en la memoria.

7

Mantengo un vivo recuerdo de las tardes de semana, en algún momento de la década de los treinta, cuando el país apenas despertaba de la gran recesión. Asomada a la ventana del escritorio, esperaba a que mi madre regresara del trabajo. La veía venir, vestida con el uniforme de la gran tienda Gath & Chaves que entallaba su pródiga corpulencia. Era conocida entre la gente de la tienda como la señora Victoria Campos de Bartolini. Había llegado a ser en poco tiempo la encargada del departamento de moda. A él acudían en busca de sus vestidos de fiesta las señoras de la alta sociedad. La dulzura de mi madre las conquistaba en la primera entrevista y se convertían en clientas fieles. Me sentía orgullosa de ella. Se había visto obligada a buscar trabajo cuando mi padre tuvo que vender el local de Ahumada, el más valioso bien de la familia, para pagar sus deudas. La tienda Bartolini ltda., donde vendía instrumentos de precisión, permaneció cerrada durante dos años en toda su historia, 1933-1934. Luego reabrió en Monjitas. Recuerdo que la bodega del fondo se llenó de cajas y raros instrumentos, como balanzas y dispensadores de aceite y gasolina. A veces acompañaba a Joaquín en sus incursiones a ese mundo extraño. Él sabía con exactitud a qué correspondía cada caja y cuál era su procedencia. Acostumbraba a soñar con países lejanos.

Cuando estalló la recesión, aún era pobre mi discernimiento como para apreciar si nosotros seríamos golpeados por ella. En mi colegio algunas compañeras de curso se retiraron a mitad de año. Una con la cual había trabado amistad, me confesó que en su casa habían vendido los muebles durante el fin de semana. Se irían a un campo cercano a Santa Cruz. Cuando se lo conté a mi madre, movió su cabeza a lado y lado, entristecida. "A todos nos va a afectar, hija, a todos".

A mediados de 1931, acogimos a la señora Susana Insunza, la comunista de los zapatos extravagantes que mencionaba Joaquín en una de sus cartas. Ella y mi madre eran primas hermanas por el lado Campos y pertenecían a una antigua familia de clase media, originaria de Concepción. Se instaló en el escritorio junto a su hija, Susanita, que tendría unos nueve años. Debido a la escasez de trabajo, su marido y sus tres hijos adolescentes habían decidido regresar a las riberas del Bío-Bío, en busca de alguna oportunidad, ya fuera ésta agitar a los mineros del carbón y comer gracias a los fondos del partido, o cualquier otra labor que se presentase. Según las noticias que a lo lejos recibía tía Susana, estaban por esos días en la cordillera de la zona de Los Ángeles, trabajando en la tala de bosques. Años más tarde, por una coincidencia larga de relatar, me enteré de que ningún trabajo los había llevado a lugares tan apartados; se hallaban prófugos de la justicia a causa de sus actividades subversivas.

Fue una época emocionante y mi madre es la heroína de la historia. Tengo un vago recuerdo de una conversación en el comedor en algún momento de 1932. Estoy segura de que para entonces Ibáñez había caído, porque la inolvidable borrachera de tía Susana ya había tomado lugar. "¡Muerte al dictador!", gritaba pegada a la radio el día que El Caballo entregó el gobierno, mientras se llevaba a los labios una copa de guindado. A cada nueva confirmación de la noticia, balanceaba su menuda contextura en la silla, rellenaba la copa y lanzaba un nuevo "muera". "No tomes más, Susana", le decía mi madre con voz comprensiva, pero ella no prestaba oídos sino a las declaraciones políticas que surgían de la radio. También estoy segura de que fue después de las elecciones ganadas por Juan Esteban Montero. La tía Susana lo llamaba “el monigote”.

La tarde de la que hablo, las cinco mujeres de la casa nos habíamos refugiado en el comedor, para evitar la virulencia con que el sol estival golpeaba las estancias que daban al norte y a la calle. Nos hallábamos reunidas en torno a la mesa ovalada de madera oscura. En ese entonces no era costumbre tomar vacaciones, al menos entre la gente de nuestra posición social. Mientras no asistíamos al colegio, Joaquín ayudaba con los mandados en la tienda y yo permanecía en la casa, ocupada en tareas domésticas. La fuente de luz natural del comedor era una amplia ventana que daba al patio interior. Para ocultar la grosera vista —ahí se colgaba la ropa—, las ventanucas de la cuadrícula estaban hechas de cristal catedralicio, en diversos colores, logrando un efecto de luz semejante al de un vitral. Sin embargo, no era suficiente para liberar el comedor de un manto de penumbra y nos veíamos obligadas a encender la araña de bronce para realizar nuestras labores. El ocio no era visto con buenos ojos.

Voy a intentar una recreación del diálogo que mantuvieron mi madre y la tía Susana.

—No podemos permanecer sentadas mientras la mitad de Chile se muere de hambre —dijo mi madre rompiendo el atareado silencio mientas dejaba el bordado. Mi abuela desgranaba porotos con la espalda recta y yo aprovechaba la tela de saco harinero para confeccionar unos paños de cocina. Tía Susana y su hija remendaban.

—La derecha de este país se robó todo —dijo tía Susana sin levantar la vista—. El monigote se encargó de repartir la poca plata que dejó Ibáñez. Si los comunistas tuvieran el poder las cosas serían distintas. Apuesto que habría más dinero para los pobres.

—No hables tonteras, Susana. Me refiero a que nosotras hagamos algo.

—¿Nosotras? —exclamó deteniendo su labor de golpe y mirando a mi madre con alarma—. ¿Y qué vamos a hacer, nosotras?

—Deberíamos organizar una olla común y dar de comer.

—¿En este barrio? Si aquí la gente no necesita que se le dé de comer —afirmó, dando un par de tirones al hilo con la aguja.

—¿No has visto a quienes pasan pidiendo a la puerta todos los días? Esa gente sí lo necesita.

—Pero, Victoria, a tus vecinos no les gustaría tener una fila de cesantes afuera de sus casas. Perdona, tu idea no me gusta. No sé, tal vez debiéramos reunir ropa usada, remendarla —dijo, levantando la camisa que tenía sobre la falda— y darla a la caridad de la Gratitud Nacional. Esos curas italianos son unos mentirosos, pero no se roban las cosas.

—Susana, no tienes arreglo. Esa lengua te va a jugar una mala pasada uno de estos días. Vamos a hacer una olla común —sentenció mi madre golpeando la mesa con la palma de la mano—. Tengo una olla grande donde puedo preparar comida para unas veinte personas. Nos dividiremos las tareas. Joaquín irá a la esquina de Vicuña Mackenna a anunciarla. Mañana martes comenzaremos.

—Victoria, no tienes dinero para dar de comer a más gente. Me vas a hacer sentir mal. Yo sé que apenas te alcanza con la Susanita y conmigo.

Mi madre la miró incrédula. Luego soltó una risa, mezcla del entusiasmo que la desbordaba y la lástima que le producía su prima. Se puso de pie, fue hasta la cocina y sacó una gran olla para mermeladas. La golpeó con una cuchara de palo y todas nos levantamos en un acto reflejo. Me sentí llamada a defender mi país. La depresión era algo de lo cual hablaba toda la gente, que trastornaba de una u otra forma la vida de los demás y estar fuera de algo tan amplio, que alcanzaba al mundo entero, había sido hasta ese minuto una especie de martirio para una niña idealista de ocho años como yo. La primera comida serían los porotos granados de la abuela. En un comienzo, no había necesidad de preparar grandes cantidades.

Joaquín me ha enviado una carta describiendo esta época y por eso he podido revivirla con bastante detalle. A la una de la tarde del martes, bajo un sol que caía a plomo sobre nuestras cabezas, mi madre se paró en la vereda con un cucharón en la mano. A su lado ascendía el vapor desde la olla que descansaba en una silla de madera. No había asomo de timidez en su semblante. Mi madre vencerá la gran depresión, pensé mirándola hacia arriba, apegada a su falda. La abuela contemplaba la escena con los brazos cruzados sobre el pecho, de pie en el descanso de la entrada. Era una versión anciana, severa y negra de un ángel de la guarda. Llegaron dos hombres y una mujer, atraídos por los llamados de Joaquín. En sus rostros había desconfianza, pero el aroma de la comida los hizo desprenderse de sus reservas. "Mañana traiga un plato y cubiertos", les decía mi madre mientras vertía la comida en platos de la casa. Tía Susana les daba un vaso con agua. Mi misión era entregar un durazno.

Esta práctica, que luego se extendió por todo Santiago, aún no había prendido en los barrios. Según Joaquín, mi madre fue una de las precursoras. De cualquier forma, muchas otras surgieron al mismo tiempo, como una reacción múltiple y espontánea al hambre que asolaba la ciudad.

Al día siguiente, alrededor de la una, se había formado una fila de unas quince personas. La voz había corrido más rápido de lo que pensábamos. Debimos improvisar más comida.

—No se preocupen, es cosa de echarle más agua al caldo —voceaba mi madre mientras cruzaba la cocina con su pecho en alto.

—¡Ay!, Victoria, esto es una locura. Mira esa gente con los platos en las manos. Mañana habrá más de cien. No sé qué vamos a hacer.

Las protestas de tía Susana se convirtieron en una especie de letanía. El más simple movimiento le hacía proferir una queja. Sin embargo, el entusiasmo la encumbraba como a todas, iba de aquí para allá con su delantal manchado, con una vivacidad sólo posible en un cuerpo pequeño y fibroso como el suyo.

Mi madre fue a conversar con el párroco de la Gratitud Nacional, donde asistíamos a misa la mayoría de las familias de inmigrantes italianos, y le habló de la olla común. Ya se había dado cuenta de que no daría abasto. El párroco, un salesiano proveniente de Italia, de apellido Negri, utilizó sus influencias entre los más ricos de la colonia para conseguir enseres. La sacristía se convirtió en una bodega de alimentos y una camioneta aparecía por nuestra casa todas las tardes a dejar el pedido.

Mi padre fingía no enterarse de nada. Salía temprano, llegaba a la tienda a las ocho en punto cada día, almorzaba en el centro y regresaba a cenar. El modesto local de Ahumada en esa época aún mantenía sus puertas abiertas y no tengo recuerdos de que nuestro nivel de vida se hubiese visto notoriamente afectado. Los fines de semana se instalaba a leer el diario en el living —su sagrado escritorio lo ocupaban las Insunza—, a la espera de que se sirviera el almuerzo en la calle. Cuando terminábamos, se sentaba a la mesa con nosotras y

Joaquín, y recibía en su plato la misma comida que se servía a los cesantes. No se involucró en nada, creo que no lo oí dar un consejo o una opinión, sin embargo su silencio constituía, como ya sabíamos, una forma de anuencia.

La fila comenzó a crecer. Usábamos dos grandes ollas, la otra era de la parroquia, y aun así no alcanzaba para todos. No sé si a petición de mi madre o por propia iniciativa, otras vecinas de la calle ofrecieron su ayuda y comenzaron a dar comida, abastecidas también por la parroquia. La angosta vía de un solo sentido y de una sola cuadra de largo se transformaba en un hormiguero a medida que se acercaba la hora de almuerzo. Aun cuando eran cuatro las casas que daban de comer a más de una centena de personas, cada vez llegaba más gente y se veían desbordadas. Las colas se formaban temprano y ya no había paz a ninguna hora de la mañana. A un mes de partir, cuando dos hombres se trenzaron a golpes por el último cucharón de comida frente a los ojos espantados de mi madre, ella decidió terminar con la olla común. Se organizó con las vecinas y otras mujeres, consiguieron dos cocinas, dos heladeras, ollas, utensilios y todo lo requerido con unos empresarios que, por lo demás, no tenían a quién venderle sus productos, y trasladaron la olla común a la Gratitud Nacional. Allí contaron con la ayuda de la juventud italiana —la JISA— para mantener el orden. Así terminó uno de los episodios más excitantes de mi niñez. De todos mis recuerdos creo que es el que refleja de mejor manera la admiración que le tenía a mi madre. Un ser sólido e invencible, dueña de una fuerza que la ponía por encima de las adversidades. Desde mi mirada infantil, mi madre nunca sería una víctima.

8

La mayoría de los inmigrantes de la península llegaron a Chile entre 1880 y 1920, antes que el fascismo prendiera en el pueblo. La contingencia política de Italia parecía tener sin cuidado a esta gente sencilla, cuya única preocupación aparente era trabajar y surgir. Numerosas familias se habían destacado en la industria y el comercio y sus raíces italianas habían pasado a ser poco más que un dato biográfico; se sentían tan chilenas como cualquier otra. Sin embargo, cuando la guerra se hizo inminente, una poderosa ola de apoyo al Duce se propagó al interior de la colonia. En sus corazones aún palpitaba un patriotismo ciego que despertó su lealtad al régimen de Mussolini. Mientras escribo, pienso que debió constituir una manera de regresar, de sentirse nuevamente parte del país que amaban y que habían dejado obligados por el hambre. La nostalgia fue el más apropiado caldo de cultivo para el germen fascista.

En nuestra casa, el teléfono comenzó a sonar con insistencia y cada día recibíamos llamadas de mujeres conocidas de mi madre para pedirle que se uniera a las obras de recaudación de fondos para el gobierno fascista, o que donara su argolla de matrimonio y aceptara a cambio una argolla de fierro, como reconocimiento a su contribución. A mi padre le ocurría algo similar en el local de Monjitas.

Gracias a Dios, en los claustros de la Compañía de María donde yo estudiaba, la mayor parte del alumnado era de origen criollo. Mis compañeras, pertenecientes a familias de clase media, apoyaban a los aliados en su mayoría, pero ninguna le daba demasiada importancia al asunto. De vez en cuando me llamaban "bachicha", pero no pasaban de eso, seguramente ignorantes de la intensidad del fenómeno que me tocaba apreciar en la casa.

A pesar de las dificultades —negarse a cooperar era visto como una traición y cerraba muchas puertas—, mi padre se mantuvo incólume en su determinación de pensar libremente: "Estos bocones no me van a decir qué hacer ni qué pensar. Se pasan la vida hablando en vez de trabajar. Si les importa tanto la guerra que vayan a pelear a Italia. Yo no les voy a dar un peso". La tienda estuvo sometida al asedio de los fanáticos. Dos veces en menos de un mes, una piedra lanzada en pleno día desde un automóvil en movimiento hizo trizas el cristal de la vitrina. En esa misma época, la cortina metálica amaneció pintada en varias oportunidades con la palabra *traditore*. Mi padre no decía una sola palabra acerca de estos atentados. Me enteraba por Joaquín que por ese entonces había comenzado a trabajar en la tienda. Entre sus confidencias me contó que en la pequeña oficina donde mi padre sacaba las cuentas, había desplegado un mapa de Europa en la pared y seguía con alfileres de distintos colores los movimientos de los aliados y el Eje, según lo que las noticias de la radio le permitían inferir. Escuchar el noticiero de la una se había convertido en un rito para él. Joaquín memorizaba todo lo que oía y leía y, con ayuda de un mapa de enciclopedia, me relataba batallas, avances y derrotas. Nosotros nos sentíamos pro aliados y Joaquín me confesó que nuestro padre también, pero era un gran secreto que nadie debía saber. Lo había escuchado decir: "Cómo esta gente no se da cuenta de que Hitler y Mussolini son un par de locos. Ya quisieran verse con uno de ellos, como dictador de Chile. Sería peor que Ibáñez y que Dávila juntos. Tendrían que irse a otro país y volver a empezar. Por Dios..., la estupidez es contagiosa".

Desde esos tiempos, Joaquín ha conservado un conocimiento extenso de la Segunda Guerra Mundial. Conoce el armamento de ambos bandos, el nombre de los generales, las batallas, las fechas, y terminada la guerra no hubo guarismo que resumiera la desmesurada barbarie que pasara inadvertido ante sus ojos. El horror del Holocausto comenzó a revelarse el año 1945, cuando se formaba la apasionada conciencia política de Joaquín. A sus veinticuatro años, se grabó en él como la máxima expresión de la crueldad del hombre. "No confíes", se transformó en su frase más recurrida. Creo que la guerra le arrebató una buena porción de su fe en el género humano, que ya le era esquiva por genes. El resto desapareció cuando supo la verdad sobre mi padre. Pensándolo de este modo, su casa en Tucson no es más que la ermita que eligió para retirarse. Lleva más de cuarenta años encerrado en ella y, como él mismo afirma, nunca más saldrá de ahí.

En los años venideros, la renuencia de mi padre a participar en los alardes de patriotismo de sus paisanos mostraría sus beneficios. Al declarar Juan Antonio Ríos la guerra al Eje, en los años finales de la guerra, se creó una lista negra, donde fueron a dar quienes habían demostrado pública simpatía por las causas nazi y fascista y, sobre todo, quienes representaban los intereses económicos de los países integrantes del Eje en Chile. El ejemplo que aún se recuerda en ciertos círculos fue el cierre y la expropiación de los activos del Deutsche Bank y las gestiones necesarias para salvar al Banco Italiano de un destino similar. Si alguien establecía relaciones comerciales o contrataba a una persona marcada, pasaba automáticamente a formar parte de la lista. Para librarse de las nefastas consecuencias, quien caía en ella debía firmar una declaración que condenaba el régimen de Hitler o de Mussolini, según fuera el caso. Entre los italianos, hacerlo era considerado traición. Las familias en esa lista pasaron a integrar una nueva clase de leprosos. Si una persona era sorprendida conversando en la calle con uno de ellos, caía bajo sospecha y los soplones no faltaban. Para evitarse estos malos ratos, había quienes cruzaban a la acera del frente para no verse obligados a saludar a algún amigo contagioso.

El caso de los Carducci fue para nosotros el más notorio. Los veíamos en misa cada domingo, sentados en la primera fila de la Gratitud Nacional, y por su aspecto distinguido y su manifiesta riqueza formaban una especie de familia real dentro de la colonia. Giovanni Carducci, importador entre otras cosas de maquinaria industrial de origen italiano y principal financista de la *Fascio* en Chile, perdió su imperio comercial y su lujosa casa de la calle Miguel Claro de un año para otro. El hecho de ser uno de los contados inmigrantes que había accedido al exclusivo ambiente de la oligarquía local —poseedora de un claro tinte pro-nazi en los primeros años de la guerra— no le sirvió de nada cuando realmente lo necesitó. Los miembros de la tornadiza aristocracia lo dejaron caer desde su provinciano Parnaso sin dar la menor muestra de lealtad: a las hijas no se les volvió a invitar a las fiestas donde acostumbraban brillar; doña Silvia dejó de aparecer retratada en la revista *Zig-Zag*, donde era admirada y envidiada por sus amigas italianas, y don Giovanni fue expulsado del Club de la Unión para nunca recuperar el nivel que alguna vez alcanzó en la sociedad.

En los sesenta me tocó tratar con la hija que me correspondía en edad. Era una excelente costurera y me mandaba a hacer la mayoría de los vestidos con ella. Aún conservaba una actitud desenvuelta y mundana cuando me recibía en su modesto departamento de la calle Mac-Iver con Merced, pero, una vez encorvada sobre la Singer para dar algún toque final a la prenda, su espalda parecía enrostrarme cuán injusto había sido su destino.

9

A principios de 1938 cumplí catorce años. Aunque mi cuerpo era aún el de una niña, mi carácter había adquirido una madurez prematura: me sentía responsable de mí misma, capaz de enfrentar sola la mayoría de los desafíos. La época de privación que dejábamos atrás me había infundido un agudo sentido del deber. A esto se añadía la amenaza de la guerra, que me despertaba un vago temor a la orfandad y también a la miseria. En mi mente no había vuelos de mariposa ni sueños de princesa, por el contrario, crecía para enfrentar una vida dura e impredecible. Dado que mi madre trabajaba —cumplía ya cinco años en Gath & Chaves— y mi abuela había muerto cuatro años antes, yo me hice cargo de las labores de la casa. Apenas regresaba del colegio, me unía a Claudia —una empleada que mi madre había contratado por medio día— para darle los últimos toques al almuerzo. Mi padre y Joaquín venían a almorzar a la casa en esa época. A mi madre no le era posible. Tomaba una colación en el trabajo, en un improvisado comedor tras los probadores, acompañada de algunas costureras.

Entre tanto, los almuerzos en casa eran silenciosos, sólo interrumpidos por los comentarios de Joaquín respecto a la tienda. Mi padre contestaba la mayor parte de las veces con monosílabos, a no ser que estuviera interesado en enseñarle algo para el futuro, su futuro como jefe de la tienda. Si veía una oportunidad de esa índole en la conversación, manteniendo su estilo conciso, le hacía ver los matices del asunto, de modo que no se dejara guiar por la apariencia de las cosas. “No te hagas opinión tan rápido, hijo, deja que la flor eche su aroma".

Hacía unos meses había entrado a trabajar en la tienda, como ayudante administrativa, una prima lejana de mi madre, esta vez por el lado materno. Oriana Mesina se llamaba. Tendría unos cuarenta años. Aunque baja y delgada, la armonía de sus rasgos y su piel morena le conferían cierta belleza. Una persona como ella, con habilidades como secretaria, liberaría a mi padre de una serie de tareas de oficina que le impedían dedicarse por completo a vender.

Me preguntaba cómo un hombre huraño, enemigo de las palabras y de rostro severo, podía ser un buen vendedor. Joaquín me explicaba su modo de hacerlo, animado por una gran admiración. Recibía a los clientes con un saludo serio e inquiría por lo que buscaban. De ahí en adelante se mezclaba una particular sensibilidad para captar las necesidades del cliente con un conocimiento vivo, vasto y, por supuesto, preciso, que llenaba el espacio recubierto de altas estanterías de madera de un aire sacro, capaz de encender el alma de un neófito. Esos instrumentos eran para mi padre la manera de alcanzar una visión más exacta del mundo. Creo que de modo indirecto, o quizá simplemente por vía genética, él me legó el amor por el conocimiento. Como mi hijo Andrés lo heredó de mí. Pienso que sólo acompañados del saber se puede gozar el mundo, en sus particulares expresiones, en el amplio marco de sus posibilidades.

Por ejemplo, este sesgo me llevó a interesarme en botánica cuando hice el jardín de esta casa, donde hoy escribo, hace ya más de cuarenta años. Durante el tiempo que duró la construcción estudié lo que cayera en mis manos en relación con el tema. Cuando Alberto salía de viaje le encargaba libros americanos, italianos, españoles, en busca de una nueva perspectiva que pudiera ayudarme a tener una mirada más amplia y así no incurrir en la simple repetición de los jardines vecinos. Llegué a estudiar un libro titulado *How to know the ferns*, a propósito de los helechos que plantaría a la entrada de la casa, un sector orientado hacia el sur, cubierto por un ancho alero, donde reinaban las sombras. No recuerdo lo que esperaba encontrar en él y lo menciono solamente porque lo tengo aquí, en las estanterías del escritorio, al alcance de mis ojos. Fui feliz durante ese tiempo. El conocimiento ha sido desde entonces una fuente de alegría. He tomado clases de piano, teología —en especial lo que se refiere a la historia y las traducciones de los textos bíblicos—, historia del arte, literatura y teatro grecolatino, política internacional y algún otro curso que en este minuto no recuerdo. Ah, ikebana. También participé en un vivificante grupo de estudio formado por mujeres de una cultura muy superior a la mía. Lamento haber perdido contacto con ellas, en especial con la señora Fischer. Ella me guió en un comienzo, cuando mi sentido de orientación en el mapa de la cultura universal era todavía pobre. Durante esa época me sentí una mujer valiosa y plena. Aún existen temas que me apasionan y que la ignorancia respecto a ellos me provoca una sensación de enclaustramiento. Ya no me será posible entrar y recorrer sus caminos como hubiese deseado. Guardo la esperanza de que en el Cielo se nos dé el conocimiento pleno. Así lo afirman las escrituras, aunque me parece que el profesor de teología le dio una interpretación no literal a este enunciado.

Conocí a la señora Oriana el día en que fue a pedirle a mi madre que le ayudara a encontrar trabajo. La saludé con un beso en la mejilla como era la costumbre cuando se trataba de un familiar, aunque mi madre nunca dio con una línea de parentesco que me dejara en claro el origen de esta relación. Su espeso perfume se adhirió a mi piel. Estuve ante ella en tres ocasiones durante su visita, al momento de saludar, al traer el té y para despedirme cuando ya se iba. Llevaba puesta una blusa blanca bajo un traje de dos piezas de lana gris, sin cuello ni solapa. Mantenía la cartera sobre la falda, con ambas manos en el mango, como si se aferrara a una baranda, y permanecía sentada al borde del sofá. Tenía un rostro redondeado, la nariz era pequeña y recta, y llevaba el pelo negro —alisado, sin duda— hasta los hombros, con la caída hacia adelante. Su única trasgresión al recato era la falda ajustada, que le confería un aire vulgar. Entre las preguntas que le hice a mi madre sobre su desconocida prima, aquella que más instigaba mi curiosidad era por qué no se había casado. Para una mujer atractiva era oprobioso ser soltera, hacía suponer algún escándalo en su pasado, o un impedimento oculto y doloroso, o bien un hijo natural. Mi madre no me dio una respuesta. Ella tampoco se lo explicaba. La señora Oriana había tenido varios pretendientes, entre los cuales hubo quienes fueron rechazados por ella y otros que se alejaron sin dar mayores explicaciones a la familia. "Habrá sido mala suerte, hija, aunque soy de las que piensan que la suerte depende de uno mismo". Mi madre declaraba cada vez que tenía ocasión que una vez que estuvo segura de amar a mi padre, se aferró a él con todas sus fuerzas y no lo dejó escapar.

Mi próximo recuerdo en el cual esta mujer tiene presencia es después de un almuerzo de semana. Joaquín y mi padre tomaban un pequeño descanso en el escritorio. El lugar era presidido por los retratos de mis abuelos Campos, realizados por un desconocido pintor de Concepción. Yo traía el café desde la cocina. Durante el almuerzo habíamos comido pastelera de choclo, por lo que calculo que era pleno verano, a principios de 1938.

Joaquín era un adolescente todavía, dieciocho años, torpe aún en su aproximación al asunto de las mujeres. Las palabras llegaban a mis oídos a través del pasillo:

—Papá, la señora Oriana es una mujer atractiva, ¿no cree...?

Intuí que deseaba mostrarse como un hombre hecho y derecho ante mi padre. Luego agregó en tono irresoluto:

—El otro día se subió a una escalera y le miré las piernas... y un poco más. Bien rica...

En ese momento entraba yo a la habitación y vi a mi padre levantarse de su asiento y descargar una bofetada en su rostro. La fuerza del golpe le sacó lágrimas de los ojos. Me tuve que contener para no llorar. Mi padre nunca nos había golpeado: su mayor castigo era una prolongada indiferencia. No dijo una palabra, volvió a su asiento y me pidió su café; la bandeja me tiritaba entre las manos. Tomó el contenido de un sorbo y se dispuso a salir a la calle. Joaquín lo siguió con un lado del rostro enrojecido y la mirada perpleja.

10

Un sábado no muy lejano de aquel día cargado de malos presagios, mi madre y yo decidimos ir de compras. Desde hacía unos meses había notado que ella contaba con dinero para cosas más allá de las imprescindibles. Era una mañana nítida, apenas despuntaba la primavera. Recuerdo ese día más que cualquier otro de mi adolescencia. Ocupaban las portadas de los diarios las próximas elecciones de presidente, con Ross, Aguirre Cerda e Ibáñez como candidatos. Nuestro plan consistía en comprar algo especial para el 18 de septiembre. Alguna nueva blusa, un jarro de agua para la mesa, tal vez servilletas; acaso teníamos suerte de encontrar algo que nos gustara en la casa de bordados. Nuestro destino inevitable era el centro. Nos subimos al tranvía con entusiasmo: "Sube, Julia, sube", me dijo con una sonrisa mientras me empujaba por la cintura. La calle Ahumada nos recibió con su estimulante ajetreo. La arquitectura de los edificios aún mantenía un aire afrancesado. De no ser por la propaganda política y el entramado de cables, hubiésemos apreciado la estrecha y noble perspectiva que ofrecía la calle desde la Alameda. Nos gustaba caminar tomadas del brazo y parloteábamos de cualquier idea que cruzara nuestra mente. Era nuestro recreo, el momento en que podíamos permitirnos un brote de frivolidad. Los comentarios frente a las vitrinas se transformaban en verdaderas conversaciones.

A pesar de sus casi ochenta kilos de peso, mi madre conservaba un evidente atractivo para los hombres. Ante los piropos, sonreía complacida. Esa fría mañana primaveral, con el aire puro e hiriente, parecía incitar a los hombres a volverse a su paso. Si tuviese que explicar ese fenómeno, pues claramente mi madre no era una belleza tradicional, diría que la rodeaba una radiante aura de feminidad. Su caminar era coqueto y aún lucía una estrecha cintura que sabía resaltar. La cabeza en alto, el cuello alongado y su pecho al frente le conferían un porte digno de admirarse. A sus atributos se añadía la tradición popular que aseguraba que al hombre chileno le gustaban las mujeres entradas en carnes, "para tener donde agarrarse". Por ese entonces yo no sabía nada de las preferencias masculinas y tampoco me parecía raro que mi madre fuese acompañada de silbidos por la calle. Como la mayoría de las hijas de catorce años, consideraba a mi madre una de las mujeres más bellas del mundo. A su lado, me sentía como un gusano moreno, pero no me importaba, no entraba en la competencia, y mi orgullo de ir tomada de su brazo sofocaba cualquier asomo de mi propia vanidad.

La cosecha de nuestro paseo estuvo constituida por un helado bañado en chocolate para cada una, de la Gelateria de don Giorgio, y por un nuevo mantel deshilado y su correspondiente juego de servilletas. Ambas nos enamoramos de él apenas lo tuvimos a la vista. Comentábamos sobre la expresión de los demás cuando lo estrenáramos para el Dieciocho. La hermana de mi madre y su familia pasaban esas fiestas con nosotros, además de las infaltables Insunza. Mi padre y Joaquín no nos brindarían más que una mueca, una mezcla de desconfianza, reprobación por el gasto y algo así como un "será".

Cerca de la hora de almuerzo decidimos volver. Retornamos a paso rápido hasta la Alameda. En el paradero, una brisa me puso la piel de gallina. Nos apegamos una a la otra. La estela de aire levantada por los autos volvía aún más inhóspita la avenida. Vimos acercarse el tranvía como si se tratase de nuestro salvador y, como siempre, fui la primera en subir.

No creo que haya gritado o algo parecido, sólo me limité a volverme hacia ella para evitar que subiera el último peldaño y se percatara de lo que yo había visto. Fue inútil. Mi madre ya tenía la mirada fija en los labios de Oriana, que musitaban algo al oído de mi padre. Tuve el impulso de bajarme. Ella no se movió. Sus ojos seguían los sutiles vaivenes de esas cabezas, una junto a la otra, que secreteaban. Luego adelantó el cuerpo, como si quisiese remontar el último peldaño. Me asió de la cintura, me obligó a girar, avanzó y le entregó el dinero al cobrador. Mientras recibía el vuelto me tomó de la mano con fuerza. Ella primero, yo detrás, recorrimos los dos metros que nos separaban del asiento donde estaban mi padre y la mujer. Dos metros que creía imposibles de salvar. Ahora él había levantado la vista y miraba en dirección a mi madre. Oriana siguió su mirada y al reconocernos dio un respingo. En ningún instante noté que mi madre bajara la vista hacia ellos. Mantenía la cabeza en alto, como si su único interés y destino fuera el otro extremo del tranvía. Un paso más atrás, arrastrada prácticamente a la fuerza, no vi otra alternativa que imitar su actitud. Ningún otro comportamiento parecía posible. Pasé junto al hombro de Oriana —al punto de percibir su incisivo perfume— con la vista al frente, los pulmones sin aire y la cabeza en blanco. Nos detuvimos. Con una mano se aferró mi madre a un pilar y con la otra estrujaba la mía. Los movimientos del tranvía parecían batir el espacio a su antojo. De pronto tuve la espantosa visión de que nunca dejaríamos de movernos, de que las sacudidas irían en aumento hasta ser expulsadas por las ventanas. Sólo la existencia de otros pasajeros, igual de zarandeados que nosotros, me trajo de vuelta a la realidad. La masa de hierro crujió. Poco a poco, como si mis pensamientos hubiesen invocado una tregua, el carro fue aquietándose. Por fin se detenía. Mi madre no daba signos de reaccionar. De pronto, aprovechando la parada, me arrastró escalera abajo y saltamos al pavimento. Permanecimos de espaldas al tranvía mientras se alejaba, enfrentando el sentido del tránsito que nos embestía en su avance fragoroso hacia el oriente de la ciudad. Me abracé a ella y rompí a llorar. Me acariciaba casi con furia. No había lágrimas en sus ojos. Me alejó de su cuerpo y vi dibujarse en su rostro una mezcla de pánico y responsabilidad, de concentración y desvarío, de grito y silencio.

—Ni una palabra de esto a Joaquín. Julia, escúchame —me remeció mientras alzaba la voz para hacerse oír por sobre el ruidoso tránsito—, esto es importante, ni una sola palabra a Joaquín.

Me volvió a abrazar. No sabía si me causaba más incertidumbre lo que había visto o la reacción de mi madre. Me tomó de la mano una vez más y comenzamos a caminar en dirección a la casa, a paso urgente. Sentía que me obligaba a seguir su camino. En las esquinas, mientras esperábamos para cruzar la calle, me pasaba el brazo por los hombros y me daba besos en la frente, uno tras otro, sin cesar. Su rostro continuaba trastornado y sus ojos reflejaban espanto y convencimiento. En medio de la desintegración, parecía marchar decidida hacia un futuro materializado ante ella.

11

María Teresa llegó a la pubertad con su rostro dibujado por una mano confusa, a tal punto que la gente en la calle se volvía a mirarla por segunda vez. Había algo en esa composición de facciones que atraía la vista y luego despertaba incomodidad. Una mirada, enseguida una segunda, y ya los ojos no volvían a posarse en ella.

Desearía afirmar que nunca me molestó, que debido a su apariencia o a su manera de ser mi amor por María Teresa no sufrió menoscabo. Tenía una figura tosca, como si hubiese nacido para ser una labriega: caderas anchas, muslos gruesos, senos de mujer preñada. Sus modales no habían mejorado, a pesar de mi lucha por convertirla en una mujercita dócil. El cinturón de Alberto tampoco la disuadió. Su naturaleza nos resultaba tan apartada de lo normal, de lo que nos había tocado experimentar en nuestras familias, de lo que nos tocaba vivir con Juan Alberto y María del Pilar. A medida que crecía se acentuaba su carácter explosivo, volcado hacia la vehemencia o la ira. El pulso de sus descargas se propagaba por la casa derribando las reglas del orden, la ponderación y las buenas costumbres.

En varias ocasiones le había insinuado a Alberto la posibilidad de llevarla a una psicóloga infantil. Su respuesta era una negativa rotunda, sin flancos descubiertos. La palabra "psicología" le provocaba desconfianza. A pesar de mi inmejorable experiencia con un psiquiatra en los primeros años de matrimonio, él no se avenía con la idea de que una niña sufriera trastornos de conducta que debiesen ser tratados. Creía en una educación firme que a la postre domeñaría hasta el más rebelde de los caracteres.

El problema de Teresa se agravó con la llegada de las menstruaciones. Comenzaba a hacerse mujer a una velocidad asombrosa. Los síndromes premenstruales —en esos años no los llamábamos así— eran de tal violencia que, después de algunas de sus horrorosas inflamaciones del temperamento, quedaba casi inconsciente. Los dolores la martirizaban. María del Pilar a veces se compadecía y se entregaba al intento de mitigarlos con guateros, masajes en la espalda, cibalgina y largas conversaciones.

Poco a poco, lo que había sido un enfrentamiento entre una forma de conducta y una educación estricta se fue transformando en la mente de María Teresa en algo más hondo. Tomó el aspecto del resentimiento hacia nosotros y hacia sus hermanos, que recibían el amor tan anhelado por ella de manera gratuita. Era el momento de llevarla a la psicóloga y así se lo impuse a Alberto.

Ya de grande, María Teresa me contó cuánto había bregado para dar con la norma, cuánto se tuvo que controlar, cómo luchaba cada día por no llegar con el delantal manchado del colegio, cómo era capaz de estudiar de madrugada para mejorar sus notas y darnos un gusto. Nada de ese silencioso esfuerzo se nos hizo evidente y con qué dolor debo reconocer mi ceguera. Le hicimos amarga la vida y tuvieron que ocurrir hechos dolorosos para que yo lo aceptara y ella me perdonase. ¿Cuál fue el germen de mi error? Al desear lo mejor para ella, en el fondo buscaba lo mejor para mí. No tuve la lucidez suficiente para darme cuenta de que eran dos cosas distintas.

La opinión de la psicóloga fue que María Teresa era una niña normal, sin trastornos de importancia. Pero había observado una extrema dualidad —sometimiento y rebeldía interior— frente a la autoridad de sus padres. El sustrato de rencor hacia nosotros seguramente explotaría avanzada la adolescencia. "María Teresa es consciente, más allá de lo normal, de la calidad de los afectos de sus padres y de sus hermanos. Ella se siente perjudicada y guarda una gran libreta en su mente donde anota cada una de las postergaciones a que se ve sometida".

Salí de la consulta a un mediodía caluroso. Había polvo en el aire, año seco, no llovía hacía meses. Fui hasta un local con teléfono público, algo inusual en mí, llamé a la fábrica y apenas salió Alberto al teléfono le rogué que volviera a la casa lo antes posible. No llegó hasta las nueve de la noche. Mientras le trasmitía el diagnóstico, se paseaba intranquilo por la habitación. De tanto en tanto se detenía unos segundos y levantaba la vista para seguir mi relato. Yo disparaba las palabras con rabia; su tardanza me había dado una buena excusa para emplear ese tono. Secretamente lo culpaba de todo. Yo estaba de pie junto a una lámpara que había encendido al entrar, la única fuente de luz en todo el cuarto. Las figuras religiosas recibían una luz fantasmal. Alberto era poco más que una sombra. Tan sólo el reflejo de la luz en sus ojos grises le daba vida. Llegado un punto se detuvo, me miró y me asusté al percibir su enojo.

—¡Qué tienes que ir a meterte a una psicóloga! —gritó—, para qué, para llenarte la cabeza de remordimientos. Nosotros hemos sido buenos padres, los niños han tenido lo que han querido y sobre todo han tenido amor. Hicimos lo que unos padres comunes y corrientes harían. Yo no me arrepiento. Esa niñita es una endemoniada cuando quiere hacerle la vida infeliz a alguien.

—Baja la voz, nos pueden estar escuchando. Y quién te dice que los endemoniados no somos nosotros con todas nuestras reglas, nuestra pulcritud, nuestro deseo de ser perfectos.

—Quién ha dicho tamaña estupidez. Yo no he querido ser perfecto y tampoco quiero que mis hijos lo sean. Sí quiero que se porten bien en la mesa, que les vaya bien en el colegio, que sean alegres, educados y sanos. Eso quiero, pero si tengo una hija rebelde no es culpa mía.

—Alberto, por Dios, ten un poco de compasión. Ella no tiene la culpa de ser así.

—Claro que es culpable, todo lo hace para sacarnos de las casillas. Si estamos afuera en el pasto les tira agua con la manguera a sus hermanos, si tenemos invitados come con la boca abierta. ¿No te das cuenta? Se muere de rabia de que lo pasemos bien si ella no es el personaje principal. A veces eres crédula e ingenua, Julia. Esa psicóloga, que no sé de dónde la sacaste, no tiene la menor idea de lo que habla. ¿Tú le contaste estas cosas? Ay, mujer, *yo* me voy a encargar de enrielar a María Teresa, te guste o no.

Sus argumentos eran incontrarrestables; yo era testigo de la habilidad de nuestra hija para echar a perder los momentos más simples de nuestra felicidad. ¿Pero era posible que fuese tan sagaz como para engañar a la psicóloga y sólo mostrarle su lado de las cosas? Al mismo tiempo me preguntaba si su comportamiento destructivo no era sino la expresión del fondo de rencor del cual la psicóloga me habló. Cómo saber si lo hacía para obtener la atención que su carácter le escamoteaba. Tomé hora nuevamente. La psicóloga se llamaba Carolina Blanco. Le di los argumentos que Alberto me había enrostrado, como si fueran ideas propias. Y mientras lo hacía, sometida a la brutalidad del rostro impertérrito de la mujer, con un dejo de ironía asomando en una curva de la comisura izquierda de sus labios, me desollaba viva al verme obligada a hablar mal de mi hija. Un brusco giro de conciencia me esclareció que nada en el mundo le haría cambiar su diagnóstico. Se colgaría de mis palabras para darle aún mayor fundamento. Poco a poco esta idea fue tornándose evidente, hasta que dejé de hablar. Antes de que ella pronunciara la primera palabra, dije:

—Señorita Blanco, no se dé el trabajo de contestarme. Fue un gran desahogo hablar con usted.

Me puse de pie y salí de la consulta dando un portazo.

12

Mi madre no almorzó aquel día después del encuentro con Oriana y el papá. Se echó a la cama apenas llegamos. Verla reaccionar de manera comprensible me devolvió en parte la calma. En ese instante me preocupaba sólo ella y no había tiempo para pensar en lo que ocurría en mi interior. Si algo me habitaba, era un vago temor a que la madre que había tenido hasta entonces cambiara de constitución y abandonara su amorosa vigilia en torno a mí. Me senté a su lado, tomé unas fundas de almohadón y comencé a bordar. Ella dormitaba. Por primera vez elegí motivos que no fuesen flores. Me decidí por una sucesión de olas superpuestas en hilos azul y celeste. Necesitaba estar con ella, era la única persona que conocía el nuevo mundo, en el cual ya no había certezas y el futuro sería una especie de acertijo renovado a cada segundo.

Por la tarde se le declaró un resfrío y la voz se le pegó a la garganta. Tenía fiebre. Unos cuidados distintos a los imaginados me ocuparon. Limonada tibia con miel, toallas frías, un guatero, correr a la botica a comprar mentolatum. Frotaciones en el pecho, en la frente, en la espalda.

Mi padre llegó a la hora de siempre, como si se tratara de un día cualquiera. Con el paso de la tarde mi rabia contra él se había solidificado. Subió al dormitorio, entró y me ordenó salir sin siquiera saludarme. Nada que yo lograse interpretar como una disculpa surgió de esa puerta cerrada. Hasta mis oídos llegaba solamente la vibración de su voz grave. De pronto salió al rellano, me hice a un lado, y enfiló hacia la escalera. Los peldaños crujieron a su paso. Me asomé para ver lo que hacía. Tomó el auricular del teléfono y me ordenó con un gesto de su mano libre ir a acompañar a mi madre. Oí dar vueltas a la manivela y pedir el número. Luego preguntó por el doctor con voz estentórea. Eso fue todo, para mí no hubo explicaciones.

Dos días más tarde, lunes 5 de septiembre, mi padre llegó a la casa antes de la hora de almuerzo.

—Dicen que hay golpe de Estado —nos espetó al entrar con cierto apuro al dormitorio donde nos hallábamos mi madre y yo. Detrás de él venía Joaquín:

—Un grupo de nazistas se tomó la Universidad de Chile y el Seguro Obrero. Es frente a La Moneda. Apoyan a Ibáñez.

—No es nada, seguramente. Mantendremos la radio encendida —zanjó mi padre.

—¿Qué va a pasar, Maurizio? —preguntó ella con un hilo de voz.

—Nada grave, Victoria. Nosotros no tenemos nada que temer. Quédese tranquila.

Pasamos la tarde pegados al equipo de radio que mi padre y Joaquín subieron desde el living. No había información precisa. La radio nacionalista había sido intervenida por el gobierno. Al parecer el ejército no apoyaba a los insurgentes. Mi padre se mostró extrañado. Supuestamente, el ejército era leal a Ibáñez. Había rumores de que los ocupantes de la Universidad de Chile se habían rendido. A las cinco o seis de la tarde, informaron que unos treinta jóvenes habían sido conducidos con las manos detrás de la cabeza desde la Casa Central hasta el edificio del Seguro Obrero. En su interior aún luchaban sus compañeros, parapetados en un piso alto. La ocupación de la Universidad había terminado.

La vigilia que mantuvimos en torno a la radio, la única que rompía la quietud y la oscuridad —por precaución decidimos mantenernos a oscuras, y por las calles no circulaba ni un alma—, permanece teñida en mi recuerdo por la voz abatida del locutor cuando ya entrada la noche anunció: "Están muertos. Están todos muertos".

De las escasas fotografías tomadas al interior del edificio, es una la que no olvido. Un baño de flash insinúa los cadáveres de muchachos jóvenes, de la edad de Joaquín, dieciocho, veinte años, entreverados unos con otros, derramándose por un tramo de escalera. Se afirmó que habían muerto en un cruento duelo con carabineros. Sin embargo, corrió la noticia que habían sido acribillados. Dos o tres jóvenes, que simularon estar muertos mientras los carabineros se paseaban entre los cuerpos rematando a los supervivientes, lo atestiguaron días después.

El dolor de mi madre y el mío se fraguaron con el horror de la matanza. Para mí, una situación no existe sin la otra. Maurizio Bartolini ya no era un hombre de fiar, el presidente Alessandri era un tirano y la vida era cruel, especialmente si se era joven e idealista. Nada en adelante se libraría de mis sospechas. La más mínima expresión apasionada sería vista como una fuente de peligro: la pasión y la muerte, dos manifestaciones de una sola naturaleza.

Mi madre estuvo en cama alrededor de un mes. Fueron días aciagos. A menudo hablaba con una crudeza que no le conocía y me relataba situaciones conflictivas a las cuales nunca antes se había referido. Hubo una conversación en especial que me marcó para toda la vida. No deseo hablar de ella.

Mi padre se cambió a dormir al cuarto de mi abuela, que había permanecido vacío desde su muerte. Claudia pasó de trabajar medio día a día completo y yo me entregué a la atención de mi madre. En ocasiones, la compadecía como si fuera yo la que estaba postrada, pero en otras su novelesco desfallecimiento me enfurecía. Fuera cual fuese mi estado de ánimo, me preocupaba de que se alimentara bien y recobrara las fuerzas. La gripe cedió a la segunda semana. Si la veía animada, la ayudaba a dar una vuelta por la habitación. A los pocos minutos, sin embargo, se derrumbaba sobre la cama. En ese mes perdió alrededor de siete kilos y ni siquiera la delgadez tan deseada en otros tiempos le infundió ánimo. Las ojeras de la familia estaban marcadas a carbón en su rostro y no conseguía fijar la mirada del todo. El doctor entregó un nuevo diagnóstico: depresión. Le recetó algunos remedios que le ayudarían a descansar y una estricta rutina de infusiones de hierbas. Después de la visita, oí a mi padre rogarle que dejara Gath & Chaves: "Ya no es necesario que trabaje, Victoria, me va muy bien, usted debe tomar las cosas con mayor tranquilidad". Ella accedió. En la tienda se habían mostrado comprensivos, cosa rara en esa época: la depresión era un mal que infundía miedo y creaba suspicacias. Mi madre renunció a través de una carta que le envió por mi mano al jefe de tienda, un hombre flaco con la cabeza en forma de ampolleta, que leyó la carta con emoción. "Qué pena perderla. Dile a tu madre que la echaremos de menos, que nos venga a ver cuando se sienta bien. Dile además que le pagaremos una indemnización. Se lo merece de sobra, este departamento floreció gracias a ella". El antiguo orgullo que me llenaba cuando la veía venir con su uniforme renació y me habitó por unos segundos.

Han pasado más de sesenta años y este arco de episodios no deja de burbujear dentro de mí. Hubiese deseado hablar de tantas cosas en ese período, con mi padre, con mi madre, o quizá hacerlo algunos años más tarde. De seguro me refrenó el resultado del único intento que hice. Habían pasado dos años desde el incidente del tranvía; a la edad de dieciséis me sentía firme como para tener una conversación con mi padre al respecto. Él continuaba viéndose con Oriana: ella no había dejado de trabajar en la tienda, mi padre llegaba después de las nueve de la noche a comer —la tienda cerraba a las seis— y los sábados en la tarde no se aparecía por la casa. Por lo demás, continuaba durmiendo en la habitación de la abuela. Nada en mí justificaba un comportamiento tan abominable. La sola idea de mi padre junto a esa mujer me doblegaba. Un odio recóndito contra el género masculino también encontraba su lugar entre las contenidas recriminaciones.

Mi madre ya se había restablecido y parecía aceptar el estado de cosas con resignación. Se dedicó cada vez con más ardor a las labores sociales de la parroquia, asistía a misa cada día y visitaba un hogar de ancianos a pocas cuadras de la casa. Les leía a los viejitos, durante una hora, una novela o un reportaje de alguna revista. Las cenas, sin embargo, cargadas de silencio, eran aún más tristes y ominosas que la reunión de una familia que espera la muerte de uno de los suyos.

Un domingo de octubre, aprovechando que Joaquín había ido de pesca con unos amigos y mi madre había sido invitada a un té en la casa de las Montero, un trío de hermanas solteronas, conocidas suyas de la caridad, reuní fuerzas para hablar con mi padre. La casa silenciosa me dio la calma necesaria. Como era su costumbre cada domingo, leía el diario en el escritorio. Gastaba parte de la tarde en esta tarea. Me senté en el bergère de cuero verde inglés desocupado —el par lo ocupaba mi padre—, puse las manos entre mis rodillas, enderecé la espalda y esperé. Llegado un punto bajó la parte superior del diario con un movimiento simultáneo de sus dedos índices y se quedó mirándome con expresión interrogante:

—Dígame, Julia.

—Papá, me gustaría conversar con usted —la inquietud se apoderó de mis pies.

—Sí, dígame.

—¿Cómo...? ¿Cómo puede usted hacerle esto a la mamá?

Mis palabras salieron en medio de una inestable combustión entre miedo y rencor. No sabía cuál podía ser la reacción de mi padre: nunca había puesto en tela de juicio una actitud suya, una orden, ni siquiera una frase dicha al pasar.

—¿Hacerle qué?

—Usted sabe a lo que me refiero.

—No veo por qué deba darle explicaciones.

—Papá, usted tiene otra mujer, ¿no le parece suficiente razón?

Fue como haberme desembarazado de un bulto que arrastraba desde aquella mañana en el tranvía. Su rostro se mantuvo imperturbable.

—¿Le he fallado a usted en algo, hija?

—Eh... No.

—A su madre no le he faltado en esta casa ni un solo día desde que nos casamos. ¿No es así?

No sabía si en sus palabras había ironía, si iba a explotar en un acceso de ira, o si bien seguía un camino de fría reflexión. La incertidumbre no hacía más que acrecentar una sensación de desmayo.

—Sí, papá.

—Hay cosas que usted no sabe, que no entiende y que no tiene por qué saber. Si alguna vez falto en esta casa, si alguna vez no estoy aquí para ustedes, es libre de pensar lo que quiera de mí, mientras tanto le pido que no me juzgue. Eso es todo lo que le pido, hija, no me juzgue.

—Pero, papá...

Se desprendió del diario y llevó uno de sus enormes dedos a mis labios exigiéndome silencio.

—Vaya, hija, seguro tiene algo más para hacer que estar sentada en ese sillón, que por lo demás le queda grande.

13

A principios de la guerra, un notorio cambio en nuestras condiciones de vida disfrazó de prosperidad el silencio y la desconfianza. Se materializó en los primeros meses de 1939: nos cambiamos a una casa con jardín en Ñuñoa —las calles eran curvas y había pequeñas plazas en las encrucijadas—, se inició la construcción de la casa de playa en Concón y mi padre compró el anhelado automóvil. La tienda parecía funcionar a buen ritmo y Joaquín estaba seguro de que nuestro padre había obtenido ganancias sustanciosas en los últimos años: "Se le está quitando el susto que le provocó la recesión y está sacando la plata que tenía ahorrada. Y las mejores inversiones son las inmobiliarias... por la guerra". Mi madre actuaba como si el cambio fuera de lo más normal. Años más tarde, dándole vueltas a este aspecto, creí dar con una razón de otra índole: la existencia de Oriana impulsó a mi padre a gastar el dinero de ese modo, alejado de su intrínseca austeridad. Quería justificarse ante nosotros: si no teníamos su amor al menos contaríamos con su dinero. Luego de la muerte de mi madre me enteré que en esa misma época compró una casa en la calle Sazié para Oriana, donde la visitaba como un marido puertas afuera.

En medio de la aceleración de nuestro tren de vida y bajo la amenaza constante de un quiebre familiar, se deslizó el resto de mi adolescencia. Dentro de mí fue creciendo el rencor hacia mi padre, de cuyo poder destructivo no tendría conciencia hasta el día en que me casé con Alberto.

Los veranos pertenecían a Oriana, aunque él se cuidaba de regresar a dormir cada noche para no despertar las sospechas de Joaquín. Me resulta inverosímil que mi hermano no se percatara de nada en la tienda. Una mirada detenida más de lo necesario, una decisión arbitraria de mi padre en favor de ella, un beso furtivo en la oficina. Ahora bien, no es tan extraño, a pesar de todo. Si mi padre consiguió ser un meticuloso marido infiel, también podía ser un amante meticuloso. Imagino su actitud impertérrita frente a Oriana, su inalterable posición de jefe, de dueño, conminándola a no olvidar que ella era la secretaria. Sus órdenes, su indiferencia, su trato sin un punto de ternura, deben haber sido para ella un calvario. Mi padre no cedió a sus ruegos, que seguramente tomaban lugar en esa casa de la calle Sazié que él había comprado. *Por qué me tratas así, Maurizio, por qué eres tan frío, cómo no te escapas un minuto del mostrador a darme un beso, sólo un beso; no es mucho pedir, Maurizio.* Estas peticiones deben haberse estrellado contra un muro pragmático, sin mayores explicaciones: *No insistas, Oriana, el trabajo es el trabajo, y además está mi hijo; no insistas, eres la secretaria de la tienda, para lo demás tenemos esta casa.*

Mi madre y yo partíamos a Concón el día 2 de enero —el cruce de la sobrecogedora cuesta de Las Chilcas, camino al norte, entre enormes rocas colgando de los áridos cerros, era el punto culminante del viaje— y regresábamos a días de mi entrada al colegio. Esos dos meses, en los cuales recibíamos tres visitas de mi padre, una al momento de dejarnos allá, otra durante el cambio de mes y la tercera cuando nos venía a recoger, eran una forma de separación entre ellos. Una separación concertada, según mi sentido común me llevó a concluir. A veces, a propósito de algún detalle sin importancia, fantaseaba que mi padre había abandonado a

Oriana, o que en último término mi madre estaba convencida de que así era y por esa razón actuaba como actuaba, o, mejor dicho, permitía que mi padre actuara como actuaba. Pero luego caía en la más obvia de las pruebas, Oriana continuaba trabajando en la tienda. Elucubraba durante horas cuál podía ser la razón para que mi madre permitiera que esa situación tomara visos de normalidad. El peor mes era febrero: Joaquín se unía a nosotras en Concón. Yo no podía soportar la idea de que mi padre y Oriana estuviesen solos en la tienda y que pasaran juntos las noches. Dado que aún no conocía la existencia de la casa de Sazié, los imaginaba en un hotel de cuarta categoría, entre sábanas sucias, y veía la antes egregia figura de mi padre convertida en una estatua contrahecha cubierta de polvo. Me horrorizaba pensar que podían reunirse en nuestra casa. Se escurrían los días de febrero y crecía en mí el convencimiento de que a nuestro regreso, mi padre nos habría dejado para siempre. Seríamos hijos de separados, ese estigma que caía sobre unos pocos. Entre mis compañeras de colegio no había nadie en esa condición, al menos que yo supiera. Una nueva amenaza se cernía sobre nuestras ya sitiadas vidas.

Así tomó arraigo un enfermizo miedo al abandono. Y desde entonces vivo aferrada a los míos, sufriendo delirios, celándolos, necesitándolos, exigiéndoles continuas muestras de amor. Por eso no tengo muchas amigas, sólo dos o tres, y de ellas espero lealtad, cercanía y la certeza de que están continuamente pensando en mí. Por esta precisa razón, la primera vez que Alberto hizo un viaje de negocios lloré cada noche durante un mes, a pesar de recibir una carta suya a diario. No saber dónde estaba en el preciso momento en que leía la carta me abatía. No importaba que me hubiera escrito diez días atrás desde Roma, quería saber dónde y cómo estaba en el preciso instante en que su recuerdo surgía en mis pensamientos. Alberto sufría por mí en este sentido y no daba con la forma de tranquilizarme, de darme todas las seguridades posibles de que volvería, de que no le pasaría nada, de que no me engañaría, de que cuando regresara todo volvería a ser igual que antes. Cuando nuestra situación económica mejoró, Alberto determinó que yo iría con él a todas partes. Pero el miedo al abandono se esparce sigilosamente a todo el amplio marco de nuestros sentimientos. Días antes del viaje, comenzaba a llorar porque abandonaría a mis hijos. Los dejábamos al cuidado de una mujer que contaba con las mejores recomendaciones de conocidos nuestros. En cada viaje ella demostró ser competente. Pero cómo podía estar tranquila: la anticipación era uno de mis talentos y cuando se trataba de mis hijos lo utilizaba con maestría. Me bastaba mirarlos llegar de la calle para saber que si no los metía de inmediato a una tina caliente se resfriarían. Esa mujer tampoco sabría interpretar los matices de sus miradas y menos actuar con energía cuando fuese necesario. Me torturaba la idea de que al volver iba a encontrarlos cambiados, alejados de mí, prescindentes. Sus costumbres mostrarían sesgos desconocidos: me pedirían comidas distintas, desearían hacer otras cosas, cambiarían sus hábitos de estudio. Me sentía dividida en dos y por días acarreaba un rencor punzante hacia Alberto por obligarme a partir. El viaje en avión y los dos primeros días eran igualmente crueles; sin embargo, y éste es el prodigio que Alberto obró sobre mí en nuestros cuarenta y cuatro años de casados, sin mediar razón, de pronto, el sufrimiento cesaba, volvía a sentirme segura, dejaba de atormentarme con las miles de posibilidades de que algo malo les ocurriera a mis hijos. Ese prodigio se daba gracias a la intimidad que experimentábamos durante los viajes. Desde ya, pasábamos muchísimo más tiempo juntos que en Santiago y contábamos con numerosos momentos a solas. Sentía que Alberto se volcaba hacia mí, que permanecía atento a las vibraciones de mi estado de ánimo. Salía a reuniones, naturalmente, a veces sus proveedores de maquinarias nos invitaban a comer, pero yo percibía que el viaje estaba dedicado a mí, que yo era la diosa a la cual Alberto se encomendaba. Nuestras giras se hicieron periódicas, viajábamos por tres o cuatro meses. Arrendábamos un auto y recorríamos Europa. Miles y miles de kilómetros de íntima compañía, en la cabina de un Fiat, de un Citröen, plena yo de la sensación de que el hombre que estaba a mi lado, y su amor y sus pensamientos, no me abandonaban ni un solo segundo del día. Alberto era un compañero de viaje espléndido. Su entusiasmo era contagioso, su avidez por aprender superaba a la mía, su pasmosa memoria mantenía vivas las experiencias por semanas. Manejar era una de sus mayores entretenciones, y tenía un natural sentido de ubicación geográfica. Organizaba el tiempo con rapidez y espontaneidad. Nuestros viajes eran abundantes en experiencias: festivales, fiestas, conciertos, óperas, algún carnaval; pero, sobre todo, eran una larga y extendida convivencia. Alberto gozaba de mí todo lo que en Santiago no le permitían el trabajo y los niños. Algo similar me ocurría, volvía a experimentar las razones por las cuales me enamoré de él, de nuevo iba por el mundo en brazos del más acogedor de los hombres y nada, ni la más bella de las italianas ni la fuente más esplendorosa, conseguía que me sacara los ojos de encima.

Durante el último de esos viajes, hace ya veinte años, Alberto sufrió los primeros síntomas de su enfermedad. Estábamos en un cuarto de hotel en Amsterdam. Regresábamos del parque Keukenhof, visita obligada cada vez que llegábamos a la ciudad en la época apropiada. Era un parque dedicado al cultivo de bulbos; creo que todavía existe. Tulipanes, jacintos y narcisos estaban en plena floración. Salida de invierno, temprana primavera. Aún conservo un pequeño libro de fotografías que compramos ese día. Me gusta hojearlo de vez en cuando, su fuerte colorido me recuerda la vitalidad de esos años. En la habitación predominaban los tonos café oscuro con vivos naranja, como si se hubieran empecinado en achatar el espíritu de los huéspedes. Reinaba un toque modernista, pocos elementos, entre ellos un par de lámparas de velador que semejaban hongos acerados. Yo descansaba sobre la cama después de hacer el amor. Alberto se había levantado al baño. De pronto lo oí decir algo con un tono de voz irreconocible. Le pregunté si me necesitaba. Continuaba hablando y tuve la impresión de que protestaba contra un insecto, o contra un ratón, aunque sonaba como un combate de mayor envergadura. Llegado un instante, profirió una especie de quejido pavoroso. Fui hasta el baño, arrebujándome en una bata. Al entrar vi a Alberto desnudo, sentado en el excusado con la mirada alterada, como si no me reconociese. Debatía consigo mismo, como un enajenado.

—Alberto, ¿qué te pasa?

—Sale, sale —dijo agitando su brazo izquierdo como si ahuyentase a un animal. Era evidente que no me había reconocido.

—¿Alberto? Soy yo, Julia, no me asustes.

—Puta, conchatumadre..., puta, conchatumadre... puta, conchatumadre...

—Alberto —dije con ternura y miedo. No lo había escuchado decir garabatos delante de mí, a no ser por un golpe en un dedo o algo semejante. Intenté acercarme a él, le hice cariño en la cabeza; no conseguía mantenerla en su sitio—. Alberto, mi amor, tranquilízate, soy yo, Julia, tu mujer, no pasa nada, no hay nadie más en el baño.

Mientras decía esto, levantó la vista hacia mí, se irguió a medias y me descargó una violenta bofetada en el rostro al tiempo que me empujaba con la otra mano. Fui a dar al suelo y me golpeé la cabeza contra el piso de baldosa. El estupor encerró un grito en mi garganta. Temí que continuara golpeándome. Salí a gatas del baño, comencé a repetir su nombre sin parar: "Alberto, Alberto, Alberto...". Iba rumbo a la cama y al teléfono.

—¿Julia? —me llamó. Me senté en la cama—. ¿Negra, qué pasó?

De sus ojos brotaba el desconcierto. Estaba apoyado en el marco de la puerta del baño. Se veía como un jorobado. No me atrevía a hablar o a moverme por miedo a impacientarlo.

—Negra, dime qué pasó.

El encierro de su potente voz dentro del cuarto me provocó una convulsión. Comencé a llorar y a implorar. Vino hacia mí y me abrazó. Creo que él tampoco me había visto en ese estado.

—Negra, Negrita —decía mientras me besaba las lágrimas y me acariciaba—, Negra, por favor, dime qué pasó, Negra... no sé qué pasó... ¡no sé qué pasó!

De pronto, se puso a llorar. Estaba arrodillado frente a mí sobre la cama, aún desnudo, con la cabeza colgando, los brazos vencidos, estremecido por el llanto. Nunca lo había visto llorar. Era la más viva imagen de un hombre asustado, de sesenta años. Comencé a acariciarlo suavemente hasta poner su cabeza en mi regazo. No olvidaría nunca esa imagen. Cada vez que mis fuerzas flaquearon mientras cuidé de él, recordé su indefensión, ahí, frente a mí, mientras yo aún temblaba de miedo. A veces en una imagen se condensa el futuro, y los ocho años que nos tocaría vivir en adelante estaban allí representados: Alberto vencido por la enfermedad, y yo a su lado, cuidando de él, intentando dominar el miedo.

Decidimos quedarnos en el hotel. Pedimos algo de comer a la habitación. Alberto no probó bocado. Su instinto predominante, comer —no dejaba de comer bajo ninguna circunstancia—, se había retraído luego de que le relatara lo que había ocurrido. Me pedía que se lo contara una y otra vez, me instaba a recordar hasta el último detalle. Estábamos ambos apoyados en el respaldo de la cama.

—Tengo miedo, Negra.

—Yo también.

—Júrame que nunca le vas a contar esto a nadie, a nadie, ni a tu psiquiatra, y menos a los niños. Julia, júramelo.

Giró la cabeza y me miró. No pude evitar que surgiera el recuerdo de mi madre en la Alameda, remeciéndome: "Ni una palabra de esto a Joaquín".

—Te lo juro. Pero debemos contárselo a un doctor.

—¿A un doctor? ¿A un psiquiatra? Ni muerto. No creo en los psiquiatras.

—No debe ser cosa de psiquiatras.

—No vamos a contarle esto a nadie. Negra, por favor —dijo tomando mis manos mientras me lanzaba una mirada suplicante—. Sucedió sólo una vez, no tiene por qué volver a ocurrir.

—Alberto —dije con la mayor ternura que pude reunir—, tenemos que enfrentarlo, no sacamos nada con hacernos los desentendidos. Esto puede volver a pasar. No lo digo por mí, sino por ti, imagínate que te ocurra algo así en la fábrica, o con un cliente, o cuando sales con uno de tus hijos. Quizá no es nada, pero debemos pedirle la opinión a un doctor.

—No podría soportar la vergüenza, no podría soportar la idea de que otra persona supiera que te golpeé.

A la mañana siguiente reanudamos nuestro viaje con destino a Bélgica. Llegamos a Brujas a eso de las tres de la tarde. Quedaban sólo dos horas de luz. Caminamos sin detenernos entre canales y plazas. La ciudad, a pesar de su magia, me dejó fría. Me sentía fuera de lugar, ya nada me interesaba; Alberto también había perdido su espíritu indagador y ni la más sublime obra de arte arrancaba un comentario de sus labios. Cuando regresábamos al auto, un Citroën azul, el famoso "sapo", me dijo:

—Volvamos a Santiago ahora mismo.

—¿Podríamos?

—Es cosa de manejar seis horas a París e intentar subirnos al vuelo de Air France de mañana.

—¿Estás seguro de que eso es lo que quieres hacer?

—Sí. No puedes andar con un loco como yo, sola por Europa. No podría soportar hacerte daño otra vez. Volvamos, apenas lleguemos tomaré hora con un neurólogo. Pero que nadie lo sepa, Julia, no quiero que nadie sepa de esto, ni del doctor, ni si me diagnostican una enfermedad.

Sólo me animé a asentir. Luego nos abrazamos, bajo un tropel de nubes que corría a asombrosa velocidad sobre la planicie belga.

El episodio de Amsterdam fue un ataque de epilepsia de importancia, asociado a un cuadro general de Alzheimer. El cerebro de Alberto había entrado en una etapa de deterioro. Aparte del riesgo de sufrir nuevos ataques, perdería progresivamente la razón.

Mantuvimos el secreto durante un tiempo. Andrés fue la única persona, aparte del neurólogo, que se enteró al poco andar, por circunstancias que relataré más adelante. Entre nuestras preocupaciones se hallaba la continuidad de la fábrica. Alberto mantenía el poder de decisión en su mano y manejaba en persona la relación con los distribuidores. Juan Alberto, a pesar de llevar diez años a cargo de la fabricación de los muebles, no sabía nada del área comercial y financiera. Andrés sólo tenía un año de experiencia y aún muchísimo por aprender.

La enfermedad dejó de ser un secreto dos años más tarde, cuando Alberto se desmayó en su oficina. Juan Alberto lo encontró doblado sobre el escritorio. Habíamos convenido que si sufría un ataque como el de Amsterdam les contaríamos a nuestros hijos y él entregaría el mando de la fábrica. Esa misma tarde, después de una visita al Instituto de Neurocirugía, les expusimos a Juan Alberto y María del Pilar todo lo que sabíamos y cómo se anunciaba el futuro. Juan Alberto se haría cargo de la fábrica de ese día en adelante. Andrés y María Teresa no estaban en esa reunión; ella no le hablaba a su padre y mi hijo menor ya se había ido de Chile. María del Pilar se abrazó a Alberto por un largo rato mientras le hacía cariño en la nuca. Nunca antes se había dejado abrazar así por nadie que no fuera yo. Cuando se hizo de noche llamé a María Teresa. Debía de estar de vuelta a esas horas de sus recorridos de venta. No hubo una reacción clara de su parte en el teléfono. Recuerdo que me hizo una serie de preguntas. Su voz delataba preocupación, dentro de un tono monocorde. "Me da pena por ti, mamá", me dijo al colgar.

Ya han sido suficientes los malos recuerdos para unas pocas jornadas de escritura. Me he despertado en la noche asustada, he soñado con los peores momentos de la enfermedad de Alberto y volví a sentir una rebeldía contra Dios y la condición humana que no me asaltaba hacía años. No deseo morir, como no quise que Alberto enfermara y muriera humillado, como tampoco quiero experimentar un final degradante. No entiendo por qué debemos terminar así. Luego de una vida de sufrimientos, es una verdadera majadería.

14

Cumplí dieciocho años el 23 de marzo de 1942. Había ingresado en esos días al Instituto de Administración Bilingüe y los estudios me ocupaban la mayor parte del tiempo. La situación del país no era tan mala como se podía esperar con el mundo en guerra; predominaban los ánimos de trabajo y austeridad. Quizá la consecuencia más apreciable era la escasez de petróleo que obligó a restringir la circulación de los vehículos que no estuvieran destinados al trabajo. Mi madre solía afirmar que el buen pie en que nos hallábamos se debía al acertado gobierno de Pedro Aguirre Cerda. Murió al cumplir dos años en la presidencia. Ella lloró su muerte y se convirtió en una entusiasta admiradora del Frente Popular. A pesar de no tener derecho a voto, apoyó la candidatura de Juan Antonio Ríos en contra de Ibáñez, y celebró el día que algunos miembros de la derecha liberal se negaron a apoyar al ex dictador. Alababa el humanismo de los radicales. Era, diríamos, una expresión política cercana a sus principios. Con todo lo piadosa que mostraba ser, me parecía contradictorio que se declarara complacida con gobernantes ateos. Las monjas estaban en alerta roja. Y qué razón tenía mi madre y qué equivocadas estaban las monjas. Pero basta de política, me quedan tantos episodios por relatar, cada uno inmerso en alguna candente situación pública, que si me dejo llevar por estos derroteros no voy a llegar al final. Uno de mis nietos, hijo de María del Pilar, el genio de la familia —cursa un doctorado en sociología en la Universidad de Cambridge—, me comentó una vez que la mayoría de las leyes en Chile se han promulgado en medio de un álgido momento político. Y eso las convierte en una transacción de poder más que en una regulación precisa. Este punto de vista me llevó a meditar acerca de cuantas decisiones erradas tomamos como individuos cuando enfrentamos un conflicto. Mi intención ha sido no dejarme arrastrar por la borrasca. No me ha resultado fácil y lamento, sobre todo acerca de decisiones que tomé con respecto a Andrés y a María Teresa, no haber logrado ser fiel a esa intención. En ambos casos, en el origen mismo del problema estaba yo y no tuve la lucidez o la valentía de reconocerlo.

A pesar del ambiente sombrío, me las arreglaba para pasarlo bien. Mi gran amiga, Bruna Orsini, era mi compañera de salidas. Ir a tomar té al Hotel Crillón, los sábados en la tarde, constituía una de nuestras mayores entretenciones. Nos gustaba proyectar la imagen de mujeres adultas. Los rostros ya perfilados por la fuerza de los genes italianos y nuestros cuerpos de contornos curvos y definidos se prestaban a la ilusión. El noble salón de té era un escenario perfecto para llevar a cabo el simulacro. Elegíamos atuendos con un toque fuera de lo común, como un sombrero de terciopelo negro con velo de rejilla, o unos anteojos gatunos, accesorios que tomábamos del ropero de mi madre y que ella había dejado de usar. El objetivo era sentirse extranjeras, libres del canon de modales impuesto en Chile a las jóvenes de nuestra edad. Nos gustaba fumar, reírnos un tono más alto de lo debido, cruzar la pierna con cierto descaro. Mi madre no sabía de estas salidas y las probabilidades de encontrarse con alguien conocido en el Crillón eran escasas. Nadie tan joven iba a un lugar como ése y en esencia era un centro de reunión de la clase alta, a la cual las relaciones de nuestros padres no pertenecían. Acentuaba la diversión el hecho de que no habíamos dejado de ser adolescentes. Deseábamos fantasear que Bruna era en verdad Bette Davis, y yo, Joan Crawford. La culminación del juego llegaba cuando algún hombre caía víctima de nuestros encantos, enviándonos un presente a la mesa, o pagándonos la cuenta. Le agradecíamos con una sonrisa, pero no con coquetería, como seguramente pensaba el interesado, sino como un preludio a las carcajadas aún infantiles que nos llenarían el alma más tarde, en nuestra caminata de vuelta a la casa por el Parque Forestal.

Cuando llegábamos a la Plaza Italia, a la hora del crepúsculo, nos dedicábamos a admirar al carabinero que dirigía el tránsito. "Es tan buen mozo", decía Bruna lánguidamente. Sus movimientos semejaban un baile y su gallardía se veía resaltada por las bandas de cuero. Para llamar su atención imitábamos sus movimientos. Desconcentrarlo por un segundo de su rutina nos dejaba satisfechas.

Otra de mis entretenciones era asistir a la vermouth del recién inaugurado teatro Metro, los domingos, acompañada de Joaquín. Caminar por la Alameda a su lado me llenaba de orgullo. A sus veintidós años, ya era todo un hombre, dueño de una apostura que lo destacaba entre los demás. Las amigas de mi madre se admiraban de ver en su rostro la luminosidad de las estrellas de cine. Su parecido con Montgomery Clift, una belleza altiva pero herida por la melancolía, llegaba a ser sorprendente y le preguntaban a menudo si alguien ya se lo había hecho notar. Por alguna confabulación genética, los hombres de nuestra familia —incluyo a mis hijos— se desarrollaron tarde físicamente. A los diecisiete años, Joaquín le preguntaba a mi madre por qué a todos sus compañeros les salían músculos y pelos y a él no. Sus genes se dignaron a revelar lo que guardaban cuando cumplió veinte años. Mientras caminábamos hacia el teatro —volvíamos en un taxi—, ya de noche en invierno o al atardecer durante las medias estaciones, mujeres de todas las edades se volvían a mirarlo. Una adolescencia sintiéndose el patito feo lo mantuvo a salvo de envanecerse. Caminar a su lado me infundía, además de seguridad, la sensación de que nuestros sufrimientos habían quedado atrás. Serían tal vez las películas que me hacían fantasear, o bien la donosura de mi hermano, o quizá la certeza de ser jóvenes, fuertes y bellos, preparados para encarar, sin lastres, los años por venir.

Al final de ese año, fui invitada a la fiesta de presentación en sociedad de una amiga de Bruna con la cual yo había tenido algún contacto. Se trataba también de una descendiente de italianos. Oportunidades como aquella eran escasas. Por lo pronto, ni mis padres, y tampoco los de Bruna, nos darían una fiesta de presentación. Mi padre era un declarado enemigo de la vida social. La consideraba aburrida, deshonesta y fútil. Su rechazo se tornaba aún más categórico cuando se trataba de vida social al interior de la colonia italiana: "Si vamos a vivir en Chile —decía—, seremos chilenos y no nos vamos a pasar la vida rezongando entre una tropa de bachichas". Mi madre estaba de acuerdo. Sus ancestros eran por completo criollos y ciertas características de personalidad de los italianos, su verbo exagerado, una notoria tendencia a la presunción y el exceso de ornamento en el vestir, le chocaban. Mi padre era un ser excepcional en este sentido. En las tardes que pasé junto a ella durante su enfermedad, me contaba que una de las cosas que le llamó la atención de él, aparte de sus "buenos huesos" —medía un metro ochenta y cinco, espaldas anchas, piernas largas y rostro clásico—, fue su falta de adornos, la total ausencia de aparato. Nada en él sobraba, ni al momento de vestirse, ni al hablar ni al moverse. Cumplía con una ley de mínima disipación de energía. Su vestir, un traje de tres piezas para el trabajo, o chaqueta, pantalón y corbata para las ocasiones informales, era de una sobriedad indiscutible. Sus corbatas no salían del azul marino o el rojo italiano, y las telas de sus trajes eran de colores neutros. Iba siempre sin una mancha, sin una arruga, con los zapatos perfectamente lustrados. La impecabilidad era el único lujo que se permitía.

Obtener de mi padre permiso para ir a la fiesta fue una tarea difícil. Gracias al sorpresivo despertar de antiguas ilusiones juveniles en el corazón de mi madre, conté con una poderosa aliada. No asistí a las deliberaciones, pero puedo imaginar el vigor de sus argumentos. De seguro no le fue fácil abrirse camino en ese bosque de prejuicios.

Cuando los padres de Bruna pasaron a buscarme, ella y yo nos examinamos de hito en hito, alarmadas por la similitud de nuestros vestidos. Al día siguiente nos enteramos de que nuestras madres se habían puesto de acuerdo para que fueran del mismo corte: "Para no despertar envidias entre ustedes". Por la buena amistad que conservaba con sus antiguos compañeros de trabajo en Gath & Chaves, mi madre había comprado una tela italiana, algo así como un raso de seda —mi vestido de color turquesa, el de Bruna, con un toque de rosado— y luego los había confeccionado a escondidas mientras yo no estaba en la casa. Nos salvaba de ser una copia de la otra el hecho de que Bruna era una mujer rubia, de pómulos prominentes, ojos azules y baja estatura. Una belleza "petit". Si bien mi piel mediterránea no lucía por sí misma, me confería una ventaja: hacía resaltar mis ojos. Me avergüenza presumir de algún atributo de mi cuerpo, pero han sido tantas las alabanzas a la profundidad de la mirada, al aire hindú de mis esfumadas ojeras, que me atrevo a mencionarlo sin miedo a parecer vanidosa. Todavía conservo las ojeras, pero la piel se ha arrugado por completo en torno al misterio que les atribuían.

Nos veíamos etéreas, como hadas adolescentes. Si bien los trajes respetaban el pudor familiar, pienso que mi madre albergaba ciertas intenciones para mí en ese baile. Lo digo por los colores —resultaban llamativos al contraste de nuestras pieles—, tanto como por el escote. No dejaba ver mi pecho, pero sí mostraba los hombros y parte de la espalda. Al probármelo, mi madre dijo: "Lo bonito hay que mostrarlo. Muestre los hombros y la espalda cada vez que pueda, no tiene por qué avergonzarse, es su mejor atributo y no ofende a nadie". Después de una educación severa, aquel comentario fue por decir lo menos desconcertante.

Llegamos a la fiesta. Me chocó la fachada palaciega. Parecía insertada a la fuerza entre las modestas casas vecinas. La mayoría de los hombres venían por su cuenta. Se veían automóviles con seis o siete empaquetados dentro, abusando del único que tenía permiso para manejar y un padre con automóvil. El atuendo para ellos era traje oscuro, azul o gris marengo.

Luego del atrincheramiento habitual de los sexos se inició el baile. Era mi fascinación. A veces bailábamos con mi madre mientras hacíamos el aseo o cocinábamos, al son de alguna melodía que brotaba de la radio. Desde niña me enseñó a seguir, "ritmo y docilidad" me repetía mientras dábamos vueltas por la habitación donde nos asaltaban las ganas de bailar.

Cuatro o cinco parejas se aventuraron a bailar en la sala del comedor. Una lámpara formada por centenas de gotas de cristal pendía en el centro, a una altura que impedía el paso. Los hombres estaban del otro lado de la lámpara y los destellos de luz no permitían distinguir sus rostros. Me contenté con seguir a las parejas que iban y venían, pero no daban un buen espectáculo. Imaginar la posibilidad de que no me pidieran un baile me inquietó. Era la más alta de las mujeres y por lo que había observado, los hombres descendientes de la amada Italia no se destacaban por su estatura. Me molestó la perspectiva de que en mi primera fiesta no pudiese lucir mis habilidades. De improviso, como si entre las gotas de luz mis pensamientos lo hubiesen materializado, se presentó ante mí un hombre; resalto "un hombre" porque su apariencia y sus modos revelaban que era mayor que el resto de los muchachos. ¡Y era al menos cinco centímetros más bajo que yo! Me quedó mirando con una sonrisa apenas insinuada, con la barbilla en alto, alejado por completo de la costumbre adolescente de mostrar los dientes o esconder la mirada al pedir un baile. Llevaba un traje negro, camisa blanca y corbata azul gris, un desafío a las costumbres. Me ofreció su mano, sin decir palabra, sin presentarse, un acto de galantería un tanto pasado de tono para una fiesta como ésa y que en mi inexperiencia juzgué osado. Sin embargo, no tuve miedo, la confianza en sí mismo me tranquilizó. Bastaron dos pasos para apreciar que era diestro en el baile: me llevaba con una suave tensión, sus movimientos podían ser anticipados gracias al ritmo que los regía. Entre una canción y otra me dedicaba a escrutar sus facciones: pelo negro peinado a la gomina, ojos grises, pupilas gatunas, la quijada prominente. Sus labios eran finos, su piel imberbe, alba; con sólo un toque de sombra bajo los ojos hubiese dado la nota de un novelesco conde rumano. En su perfil destacaba el arco de las cejas y el labio superior. Era tan distinto a todo lo que había visto hasta entonces, era tan distinto a mí. Su delgadez daba la impresión de ser la más natural de las formas.

Mientras lo observaba, sufrí un acceso de risa al detenerme en sus orejas: se proyectaban fuera de la línea de la cabeza, dándole un toque caricaturesco.

Bailamos cinco canciones seguidas, proceder un tanto inapropiado a esas alturas de la fiesta; las parejas fijas acostumbraban a formarse más tarde. Bruna comenzó a acosarme con morisquetas, pero el baile me había transportado a otros placeres y me sentía inmune a su capacidad de hacerme reír.

Un hilo de traspiración corrió bajo uno de mis brazos. Me avergoncé violentamente. Dejé de bailar antes que terminara la canción. Mis hombros desnudos lo hacían sentir como un hilo frío y grosero. Me horrorizó la posibilidad de que él hubiese visto la gota deslizarse sobre mi piel. Sin siquiera disculparme, corrí al baño para evitar el desastre, una mancha en el vestido me arruinaría la noche. Pasados los años, en ciertos momentos de intimidad, volvería a experimentar igual rechazo hacia mi cuerpo. Bruna me siguió al baño y se sentó en la tapa del excusado. Encendió un cigarrillo. Un acceso de llanto estaba a punto de brotar de mi garganta. La falta de higiene que revelaban las superficies del baño acentuó la sensación de estar sucia.

—Qué pasa, loca —me punzó en tono de broma mirándome a través del espejo.

—Bruna, no te rías de mí, por favor, estoy transpirando.

—Bueno, ¿la señorita no quería bailar? —Un soplido acompañó una descarga de humo. El color amarillento de las paredes se imponía, incluso nuestros vestidos habían perdido sus destellos—. Te sacaste la lotería, porque Sartori baila como ninguno.

—¿Cómo se llama?

—¿No te dijo su nombre? Se llama Alberto Sartori, tiene veintidós años, trabaja con unos tíos y ya es rico. No tiene buena reputación, eso sí.

—Te pregunté cómo se llamaba, no un informe de la policía secreta.

—Oye —se puso de pie junto a mí y mientras ordenaba el relleno de su peinado ante el espejo, me dio un golpe de complicidad con el codo—, no te pongas susceptible. ¿Tanto te gusta ya?

—Por Dios, Bruna, las cosas que piensas —la reprendí aún hablándole a través del espejo—. No me gusta, no sé nada de él y seguramente no lo voy a volver a ver. Me gustó como bailaba, eso es todo.

Bruna me brindó la más pícara de sus miradas y soltamos una carcajada al unísono. Fue mi turno de sentarme en la tapa del excusado. No paramos de reír durante un rato; la risa nos sacó lágrimas.

Gracias a Dios, Bruna ha estado cerca de mí a lo largo de los años. Son tantas las situaciones en que su liviandad de ánimo me ha ayudado a quitarle peso a las cosas. Nada es tan grave; esa risa ha sido la mayor fuente de sentido común a la que he podido recurrir.

Volvimos a la fiesta y nos ubicamos en la zona femenina, con nuestras manos ocupadas con un refresco que un mozo ofrecía con exceso de gesticulación. Sartori no estaba a la vista y yo tenía la seguridad de que había interpretado mi partida repentina como una señal de rechazo. En cierto modo me pareció conveniente: no deseaba alentar en él falsas expectativas; lo sentía ajeno a mi mundo; su estatura era un impedimento; el hombre de mis sueños no era más bajo que yo, eso estaba claro. Estos juicios se deslizaban por la superficie de mi conciencia y se veían reforzados por la "mala reputación" mencionada por Bruna al pasar. Nadie a los dieciocho años desea echarse problemas encima. De todos modos, lamentaba no tener una nueva oportunidad para bailar con él. Había sido revitalizador y placentero, fuera del marco de mis experiencias habituales.

Como si no lo intimidaran las miradas que caían sobre cada hombre que se acercaba al grupo de mujeres, Alberto se abrió paso y me dijo con voz firme, como si estuviéramos solos:

—Hola, no nos habíamos presentado. Me llamo Alberto Sartori. Fue un placer bailar contigo, bailas muy bien —y en ese momento acercó su boca a mi oído y dijo susurrando—: mejor que todas las demás. —Me sonrojé de golpe. Su labio superior había tocado imperceptiblemente el lóbulo de mi oreja.

—Gracias, también eres un buen... bailarín —cómo odié esa palabra, pero ninguna otra se dignó a salir de mi boca—. Me llamo Julia Bartolini. —Extendí mi mano en un gesto oficinesco. Él la tomó, la giró en noventa grados y la besó en el dorso. El contacto de sus labios me hizo sentir cierta incomodidad, algo así como una puntada de angustia.

—¿Te gustaría bailar esta canción?

Era el momento de rechazarlo, si no me vería obligada a pasar con él el resto de la noche y no tendría oportunidad de conocer a otros jóvenes. Dos o tres me habían concedido una mirada más detenida de lo habitual. Nada en ese hombre me traía la paz de lo afín, de lo cercano, de lo conocido. Al momento de responder, dije:

—Por supuesto —y me puse de pie con entusiasmo, anticipando los placeres del baile.

Confianza en sí mismo y un afinado sentido musical: esas fueron las virtudes que introdujeron a Alberto en mi vida para siempre.

15

Durante las primeras semanas de nuestra amistad, Alberto se contentaba con visitarme los viernes en la tarde, después del trabajo. Mi madre intercambiaba con él algunas palabras convencionales y luego nos dejaba a solas. Al acercarse la hora de arribo de mi padre, ella lo invitaba a marcharse y a volver otro día. Alberto era un hábil conversador y trataba los temas con humor y soltura. Recuerdo su particular interés por hablar de su familia, de los enfrentamientos con su hermana Quena, de la partida de su padre a luchar por Italia en la Primera Guerra, de las manías de su madre, una depredadora del desorden y la suciedad. Mi aporte a este tipo de conversación se limitaba a aventurar los motivos que explicaran el comportamiento tal o cual de los suyos, o bien, a engrandecer el marco donde los tenía encasillados. En cuanto a mis intereses, no me parecía apropiado abrirle todavía el camino a mi intimidad. Le hacía gracia mi afición a los modelos psicológicos de personalidad y a la búsqueda de patrones que dieran con el perfil de quien hablábamos; la atención que ponía a mis palabras se hizo notoria cuando percibí que incorporaba esta forma de pensar en sus comentarios.

El primer mes no tuvimos ningún contacto físico, la única cercanía se daba al saludarnos y al despedirnos. Me besaba en la mejilla y posaba su mano libre —en la otra sostenía el sombrero— en mi cintura. Cuando me daba a pensar en este ámbito de nuestra amistad, me replegaba y consideraba que nuestras reuniones eran tiempo malgastado. No me sentía atraída hacia él. Cierta vez, junto a la puerta de calle —mi madre se había despedido para ir con urgencia a la cocina—, me tomó del mentón con dedos firmes y me forzó a enfrentar su rostro. Luego me besó en los labios. El calor abandonó mis miembros al sentir su lengua y la presión de su cuerpo. Lo rechacé. Debo haberle ofrecido una mirada severa. Entonces dijo:

—Perdona.

—Está bien, pero vamos más despacio. No tenemos ningún apuro.

—Sí, claro —por primera vez lo vi dudar, darle vueltas al sombrero entre sus manos. Luego levantó la vista y me brindó una mirada llena de adoración—. Yo estoy seguro de lo que siento por ti —dijo.

Deseaba arrancar, o quizá abrazarlo para que no sintiera que lo dejaba pendiendo de un hilo. De mi cuerpo no surgió el menor gesto de cariño o de rechazo y me rodeé de silencio.

—Julia... —exhaló, buscando mis ojos.

—Tu seguridad es un buen comienzo. Puede que me ayude a sentirme segura de mis sentimientos.

Mi lenguaje me traicionaba. Esa formalidad no era propia de mí.

—Pero sientes algo...

—No te daría esperanzas si así no fuera.

Me volvió a abrazar y esta vez su lengua se abrió camino entre mis labios. Me apretó contra él y me sentí contrariada. Me separé con firmeza. En su boca se había dibujado una sonrisa de sátiro, de hombre vulgar.

—Alberto —dije en tono vehemente—, borra esa sonrisa de tu cara, esto no significa nada.

—Bueno, mi negrita —fue la primera vez que me llamó de ese modo—, lo que usted diga —su sonrisa, ahora depurada de avidez, le desbordaba el rostro—, lo que usted mande. Pero no se olvide nunca de que yo la quiero mucho.

Me dio un último beso en la mejilla y salió de la casa a la carrera.

El deseo sexual no me era algo desconocido. Mi cuerpo había madurado pronto y no me extrañaba el efecto que producía en los hombres. La conciencia de la relación de mi padre con Oriana me había obligado a no distraerme en sueños románticos. Sentía un profundo rechazo hacia la iniciativa animal. Alberto no era una excepción, lo atestiguaban el acecho de sus ojos sobre mis piernas o el apremio de su mano en mi cintura. Yo deseaba hacer de la vida una secuencia de buenos días, de calmas temporadas, de épocas prósperas, sin la amenaza de un lobo en la comarca. Eso era el sexo, un mal necesario, que había que domesticar como al resto de los instintos. Ya mi madre había sufrido demasiado por esta causa. No había otra explicación posible a la infidelidad de mi padre. Que amara a esa mujer no estaba dentro de las posibilidades. Cómo hervía de indignación al pensarlo. Cómo se sucedían unos a otros los planes para deshacerse de ella. Ese robo del bienestar diario se asoció de manera inconsciente al asedio de la sexualidad. Ambos fantasmas se mezclaron, sus halos ominosos se confundieron, y desde esos días en adelante me mantuve en alerta, atenta hasta del más mínimo crujido que amenazara mi tranquilidad.

Con los años llegué a desarrollar una facultad especial. Olfateaba en el aire el deseo inconfeso, la voluptuosidad compartida por amantes ilegítimos. Mirándolo desde este escritorio, en esta época y con la muerte ad portas, me doy cuenta de que mi relación con el sexo puede ser juzgada como una forma de paranoia. Pero no voy a pedir perdón ahora, así fui criada, así salí al mundo, y constituyó uno de los ejes de mi vida, el lugar desde donde brotaba mi fuerza.

Con todo, me han venido a la mente dos situaciones que ilustran el grado de intolerancia a que podía llegar. Una de ellas ocurrió en algún punto de la primera mitad de la década de los sesenta. Alberto había hecho amistad con un grupo de conspicuos personajes, la mayoría directores de la Cámara Chilena de la Construcción y también algunos políticos, miembros del partido demócrata cristiano. Asistíamos a cenas lujosas donde la conversación era ágil y sofisticada. Significaban un grato entretenimiento para nosotros, una ventana al gran mundo. Alberto recurría a su rapidez mental, que se asociaba a un fino sentido de la ironía, para provocar olas de carcajadas entre esa gente de vinosos apellidos. Durante ese período nos acompañó una gran riqueza. Llegaron los cuadros, las alfombras, nuestra mesa era una de las mejores puestas: loza alemana, fuentes de plata maciza, mantelería italiana. No nos acoplamos a la regla aristocrática: cuchillería Christofle, loza inglesa y otro sinnúmero de patrones que eran seguidos por la mayoría. Nosotros no éramos aristócratas, éramos descendientes de italianos y no íbamos a rendirnos a las costumbres establecidas para ascender socialmente. Si ascendíamos era por nuestros méritos y por el valor de nuestra diferencia.

En una de esas cenas, que se volvieron habituales, el dueño de casa, en ese entonces presidente de la Cámara, me dio un abrazo de saludo un punto más largo de lo debido y una de sus manos se movió imperceptiblemente en mi espalda semidescubierta. Al separarnos percibí el deseo en sus gestos y sus palabras adulatorias. El salón y el comedor eran amplios, relucientes, monótonos. Una repetición de caoba, plata y felpa. No hablé más que lo necesario durante la cena. En varias ocasiones los ojos altaneros de ese hombre se deslizaron por mi cuerpo o intentaron un contacto de miradas. Apenas nos levantamos de la mesa, le rogué a Alberto que nos fuéramos; aduje un dolor de cabeza. El anfitrión me abrazó con descaro al momento de despedirse. No quise hacer un escándalo; su mujer había sido encantadora conmigo. Desde un principio me consideró un miembro más del exclusivo grupo de mujeres. Salimos de ahí y no volví a verlos. Alberto no dejó de protestar mientras regresábamos a casa. Para él constituían relaciones importantes, incluso se hablaba de que podría ser el sucesor en la presidencia de la Cámara. Al acostarnos, cada uno tomó su lectura, en clara señal de distanciamiento. La cercana luz de los apliqués distorsionaba nuestros rostros y creaba un violento contraste con la oscuridad que abundaba en el cuarto. La ruta del silencio no me acomodó. Dejé el libro abierto sobre mis piernas, me saqué los anteojos para leer y dije:

—Si quieres ser presidente de la Cámara, almuerza con ellos cuando quieras, pero no cuentes conmigo. Todos en ese grupo son permisivos. La risa de la Angelita Eyzaguirre no es inocente. Esa mujer es capaz de meterse a la cama con cualquiera. Es una descarada.

—Por Dios, Julia, no conozco persona más desconfiada que tú. La Angelita es de lo más beata —una sonrisa cruzó sus labios.

—No es para la risa. Yo sé de lo que hablo, no son gente buena para nosotros. Además, siempre van a sentirse superiores. Si nos ensalzan es un trato tan tiránico como si nos estuvieran pisoteando.

—¡¿Y cuál es el problema?! Son simpáticos, poderosos, están en medio de las cosas, qué importa si se creen dioses. A mí también me gusta estar en medio de las cosas y si esa es la compañía que me toca, bienvenida sea. No está nada de mal.

—Estoy de acuerdo. Pero eso es muy distinto a que mister President se crea tan superior como para pensar que puede acariciar a tu señora.

—Ese anda detrás de ti desde que te vio por primera vez —la achispada ligereza desapareció de su voz.

—¡Alberto! Cómo te atreves a hablar así.

—¿Qué te hizo? —inquirió, girando su cuerpo hacia mí.

—Nada, sólo me puso la mano en la espalda. No hace falta más para darse a entender.

—¡Pero si andabas con un escote casi hasta la cintura! Qué querías que hiciera el pobre vejestorio.

—No me digas que soy paranoica, porque te va a llegar un zapatazo en la cabeza.

—No se me enoje, mi Negra, venga para acá —el alcohol seguía corriendo por sus venas—, lo que pasa es que usted es más rica que todas esas pitucas. Estos tipos no habían visto nada tan bueno como usted. Creían que las mujeres eran o flacas o gordas, hasta que la vieron a usted.

Me dejé llevar por su abrazo. Su admiración siempre lograba conmoverme.

—De todos modos, te dejas adular por esos farsantes —dije en un tono más pacífico—. Qué presidencia ni que ocho cuartos. Tú naciste para ser empresario, no para sentarte detrás de una testera. Ellos te quieren ahí para bañarse en tu riqueza.

—Julia, mi amor, no sigas protestando. Eres una sarta de prejuicios. No todos son inútiles y no todos son decadentes. mister President, aparte de tener la mano torpe o frescolina, es un hombre admirable.

—No sé cómo puedes admirar a un patán como él.

—Bueno, no lo admiro, lo odio.

—...

—Me encanta cuando te enojas, mi negra rica.

—Alberto, no ahora.

—Ahora.

—Por ningún motivo.

El segundo episodio fue más doloroso. No se trató de mi suspicacia, sino de algo crudo y concreto. Ocurrió hace pocos meses, una mañana del invierno pasado. 1999. Desde nuestros tiempos de riqueza trabajaron en la casa los mismos empleados. José, el jardinero, cumplió treinta y cinco años con nosotros. Ni siquiera nos dejó al ganar una suma nada despreciable en la Polla Gol, unos veinte años atrás. Es un hombre de contextura robusta: si la atención se centrara en su rostro envejecido, sería absurdo pensar que más abajo hay un cuerpo capaz de arrancar un arbusto bien enraizado de un solo envión. Está casado, es padre de seis hijos y dos de ellos son profesionales. José y yo compartimos el amor por las plantas. No hay desidia en su trabajo, el bienestar de una planta es para él como lo es para mí, una constante preocupación. Otra de sus virtudes era el deseo de aprender. A pesar de no haber cursado más allá de sexta preparatoria, llegó a conocer los nombres científicos de las plantas y cómo obtener un mejor resultado con una u otra especie. Desarrollamos nuevas formas de cultivo con rododendros y azaleas y llegamos a tener una de las mejores colecciones de la ciudad, que incluía variedades supuestamente imposibles de cultivar en el clima de Santiago. Cada vez que obtuvimos un premio en la muestra floral del Club de Jardines, fuimos juntos a recibirlo.

En nuestra casa también trabajaba Olimpia, la otra protagonista. Si siguiera conmigo, llevaría algo así como treinta años de trabajo puertas adentro. Llegó muy joven, a los dieciocho años, desde Villarrica, donde pasábamos nuestros veranos. Un tío suyo trabajó varias temporadas para nosotros en la casa del lago. Era una mujer bonita y mi temor cuando la contratamos fue que se formara una fila de hombres en la puerta de servicio. Mis condiciones fueron claras: "Los hombres fuera de la casa. Si tienes un pretendiente en tus días libres no hay problema y si quieres casarte alabado sea Dios. Pero no voy a permitir que les des un mal ejemplo a mis hijas". Olimpia se volvió una gran ayuda para mí. Su interés por aprender igualaba al de José y su desinterés por los hombres resultaba tan sospechoso como conveniente. En pocos años se hizo cargo del funcionamiento de la casa. Hacia el final, debo decirlo, se había vuelto un tanto tiránica y ya no hacía mucho caso a mis órdenes.

Esa mañana del invierno pasado, cerca de las siete y media, desperté sobresaltada. A esas horas, Olimpia debía estar dedicada al aseo de los recibos. Pero la casa estaba en silencio. Desde que vivía acompañada sólo de ella, creía ser el blanco perfecto para un asalto. Un sofisticado sistema de alarma protege la casa, pero existía la posibilidad de que Olimpia lo hubiera desactivado para abrir puertas y ventanas durante la limpieza. Llevé conmigo el botón antipánico. En la cocina no había rastro de actividad ni de ladrones; concluí que, por primera vez en tantos años, Olimpia se había quedado dormida. La novedad me alegró. Fui hasta su dormitorio a despertarla, para darle un susto y celebrar su atraso. Al abrir la puerta vi sus piernas arqueadas en el aire y a José sobre ella, con los pantalones abajo. Apreté el botón involuntariamente. La bocina exterior comenzó a aullar. Saltaron de la cama e intentaron cubrirse. Olimpia dejó escapar un rosario de lamentos y disculpas. José se cerró la bragueta y me miró con una mezcla de rabia y temor.

—Olimpia, deja de hacer alharaca —le ordené con la voz reseca.

—Señora, por favor, perdóneme.

—José, salga de aquí.

—Señora, yo tengo la culpa, José no tuvo nada que ver.

—José, salga.

—Si tiene algo que decir, señora Julia, yo quiero oírlo —dijo él.

—¿Creen que pueden revolcarse como bestias en esta casa?

El teléfono comenzó a sonar. Fui a mi habitación mientras los lamentos de Olimpia se apagaban a mis espaldas. Siempre tuvo tendencia a la exageración. José debió contestar la llamada de la empresa de alarmas; conocía la contraseña. Me senté en la cama con la cabeza retumbándome. Segundos más tarde entró Olimpia y al verme fue de inmediato a buscar las pastillas para bajar la presión. Me puso una bajo la lengua y me dio aire con una revista. José observaba la operación desde el umbral. Recuerdo la dureza de las líneas en su rostro.

Ya más calmada, y molesta con los gimoteos de Olimpia, les dije:

—Los quiero fuera de mi casa, hoy mismo.

—Pero, señora, son tantos años... —protestó ella en medio de su interminable lloriqueo.

—Ustedes traicionaron mi confianza.

—Déjala, Olimpia, déjala que se calme —intervino José.

—Estoy calmada, José —dije en un tono frío—, sé lo que estoy diciendo y sé lo que significa para mí y para ustedes. No quiero verles más la cara, ¿les queda claro?

—Ven, Olimpia, déjala sola —insistió él, y salieron.

Para que no me quedara sola en la casa, María del Pilar se ofreció a dormir conmigo esa noche. Vino a mi cuarto; llevaba una camisa de noche rosada que yo le había regalado. Se sentó junto a mí en la cama, me tomó de la mano y dijo:

—Si ellos se van es como si se muriera alguien. Se va a sentir sola. No justifico lo que hicieron, pero no se deje llevar por el orgullo.

—No es orgullo, hija, es asco.

—Mamá, no es para tanto.

—¿Y la señora de José? Cómo podría mirar a los ojos a la señora de José si permito que estos dos se anden toqueteando en mi casa. Aunque quisiera, no puedo, hija, no puedo.

La perspectiva que me han dado los meses no me ha llevado a arrepentirme de mi decisión. No podría tenerlos a ambos trabajando bajo mi techo. A uno de ellos tal vez, pero no a los dos. Y como no puedo ser injusta, me tengo que conformar. En el fondo de mi alma guardo un mayor rencor hacia Olimpia. Desde siempre he pensado que las mujeres son las que manejan la llave. Cada vez que he dicho esto en presencia de alguno de mis hijos me he llevado una reprimenda por pensar de manera "políticamente incorrecta". No me importa, estoy convencida de que una mujer puede dar la mano como una señora o como una prostituta. Una mujer tiene el poder de seducir prácticamente a cualquier hombre y está en ella hacerse respetar. Olimpia sabía que José era casado y que al coquetear con él ponía en peligro una familia. Una mujer decente no puede permitirse un egoísmo de ese calibre. Sobre todo ella, que ha añorado una familia propia. Y qué más podía pedir José a sus sesenta años que probar por enésima vez su hombría con una "chiquilla" de cuarenta y ocho.

Los extraño a los dos. A Olimpia por su diligencia y su conversación vivaz. Me gustaba algunas noches quedarme en la salita a ver una película con ella. Sus impresiones eran novedosas y nos divertía comentar los motivos de los personajes. Por supuesto que me hacía sentir menos sola y le daba a la casa un movimiento que apagaba la vibración ominosa de la soledad. Mis hijas me acompañaron durante la primera semana, Pilar de noche, Teresa de día, pero cuando llegó una reemplazante, esa compañía se acabó. Es una buena mujer, pero no tengo nada que hablar con ella, aparte de las cosas de la casa. He tenido el impulso en dos o tres ocasiones de llamar a Olimpia por teléfono, para saber cómo está, para compartir algo de lo que antes compartíamos, para hablarle de mi enfermedad. Una resistencia interior me ha detenido al momento de levantar el teléfono.

A José lo extraño aún más. Mis días en el jardín eran parte importante de mi felicidad. Las horas pasaban sin alarde y conversábamos de cada planta como si fuera un ser querido. He notado las secuelas de su ausencia. El jardín tiene un aspecto avejentado. Algunas plantas han perdido su vigor. Ya no salgo seguido. Temo resfriarme, temo apenarme, temo constatar que todo se acaba. Ese jardín ya no tiene sentido si no está José por ahí, entre los arbustos, junto al ritmo acompasado de sus tijeras de podar.

16

Durante la próxima visita, Alberto le pidió permiso a mi madre para verme a menudo. “La pedida” era más formal que la petición de pololeo de hoy, y los padres participaban en el consentimiento. Ella y yo hablábamos de Alberto con frecuencia, pero no le había mencionado mis experiencias físicas con él y menos las sensaciones que me habían provocado. Sin duda me gustaba su conversación, me divertía en su compañía, pero no me parecían motivos suficientes para ponerme de novia. Sus visitas regulares significarían la imposibilidad de salir con otros jóvenes y él sería mi único acompañante al teatro o a fiestas. Más aún, me vería en la obligación de entrar en su mundo, a diferencia de cómo había sido hasta el momento, en que él se había asomado al mío.

—Gracias por su cortesía al preguntarme. Julia ya es toda una mujer, ella le dará su respuesta —dijo mi madre, como si hubiera ensayado su parlamento.

Ambos giraron sus cabezas hacia mí. Tomábamos té en el comedor. Alberto era una verdadera marabunta. Mermelada de damasco y manjar, preparados por mi madre, eran perfectos acompañamientos para las hallullas que desaparecían una tras otra por esa boca fina, cuyo aspecto parecía refutar tal voracidad.

Puedes venir cuando quieras —dije, incrédula de mis palabras. De inmediato, un golpe de arrepentimiento me hizo agregar—: pero no venga a instalarse todas las tardes aquí, porque tengo que estudiar y cosas que hacer.

La bárbara sonrisa de Alberto, salpicada de migas, me hizo caer en cuenta que lo había tratado de usted. Mi piel oscura debió velar el bochorno. Deseaba enmendar cada parte de lo que había dicho, quería decirle que continuáramos viéndonos una vez por semana, que no había necesidad de más, y todo en la más rotunda segunda persona informal.

Joaquín y mi padre no se dieron por enterados. Mi sentido común me decía que la simpatía de Alberto no bastaba para conquistarlos. No era una virtud que fructificara alrededor de mi padre. Y la ironía tampoco hallaría una buena tierra de cultivo en su severo laconismo. La forma en que él juzgaba a las personas era un misterio para mí. ¿Qué cualidades asumiría como positivas, qué defectos se le harían evidentes? Nada sabía yo de su mundo íntimo y menos respecto de cómo calificaría un posible novio para su hija. Con mi madre era diferente. Nuestras maneras de mirar el mundo eran de una misma naturaleza, un acto intuitivo, que nos salía del alma, donde no pesaban la mayoría de los asuntos mundanos: dinero, apariencia, clase. Respondíamos a un juicio interior que tomaba cuerpo por sí solo, sin mostrar la ruta de análisis. De este modo, las personas se nos revelaban como buenas o malas, como confiables o hipócritas, como sanas o enfermas, como inteligentes o estúpidas, como valiosas o prescindibles, y todas estas categorías mezcladas en un promedio que entregaba finalmente un sí o un no. Era sin embargo un juicio implacable: cuando la balanza se cargaba hacia una negativa, se imponía un rechazo sin grietas, un cierre de puertas definitivo, la convicción de que la persona debía quedar fuera de nuestras vidas. Este modo de ser ha sido un don protector y una forma de invalidez. Me ha mantenido a salvo de un sinfín de problemas, de riesgos innecesarios, de posibles desagrados.

Sin embargo, me ha significado grandes enemistades y luchas furibundas con mis hijos y Alberto, por rechazos que a ellos les han parecido arbitrarios. También me ha obligado a arrepentirme de graves equivocaciones, la más grave de todas, creo, con el marido de María Teresa.

En diversas ocasiones he conversado con Andrés de este tema. Él también se siente dueño de un sentido clarividente al juzgar a una persona. Ni él, ni yo, ni mi madre, necesitamos largos períodos de observación y reflexión para llegar a un veredicto, basta oír un comentario, o ser testigos de un par de actitudes. Con tan escaso material trabaja este monstruoso órgano que lee a otro ser humano en cosa de minutos. Con mi madre manteníamos largos diálogos afinando nuestras impresiones acerca de tal o de cual, y nos divertíamos creando metáforas que dieran con el carácter de la persona: "Es una Gorgona con las víboras muertas de tanto morderse entre sí"; "Un pájaro carpintero, que se le ha removido el cerebro con el golpeteo"; "Un príncipe hindú, malévolo, pero con una vitalidad que hace pensar en selvas y fuentes de agua"; "Una flor sencilla, confiable"; "No tiene aristas ni cumbres ni margen". Oriana nunca fue clasificada. Escuché a Andrés durante la semana en la clínica hacer comentarios en público con respecto a las enfermeras y a los doctores, con metáforas más modernas, usando algunos elementos de computación y de Internet. Aun cuando me da gusto oírlo —es verdaderamente cómico—, no me puedo imaginar publicando las impresiones que me hago de las personas. Con mi madre no nos permitíamos expresar nuestro parecer ante nadie, habría sido un acto cruel y una violación a nuestra intimidad. Nuestro fin no era chismear, juzgábamos para protegernos, para saber en quién confiar, a quién admitir en nuestro núcleo. Nunca hubiésemos hecho un espectáculo de eso. El deslenguado Andrés, en cambio, usa sus apreciaciones como flechas, como una demostración de destreza con el arco. Creo que lo hace también para protegerse, pero es una protección anticipada, como si les dijese a los demás: "Teman, adviertan que poseo una conciencia viva, y si se acercan a mí tendrán que pasar por su escrutinio, ninguna de sus formalidades me va a engañar, voy a escudriñar hasta el fondo de sus almas aunque no lo deseen". Paradójicamente, por lo que me cuenta, tiene un numeroso grupo de amistades que confía en él y que celebra sus ocurrencias. He llegado a pensar que mi madre y yo vivíamos encerradas en nuestros temores. El más mínimo olor a podrido nos ahuyentaba. Quizá el tiempo que ha pasado sobre mi madre, sobre mí y sobre él, o quién sabe si la época en que le ha tocado vivir, ha permitido que Andrés desactive sus temores. Es como si la desconfianza no estuviera incrustada en él sino que formase parte de su espacio, más diluida, menos grave, sin inhibir la posibilidad de la experiencia.

Alberto protestaba por mi estricta manera de juzgar a las personas: "Si sólo la has visto una vez", "Pero, Julia, la Martita es una buena persona, qué importa que sea vanidosa, tiene más historias que contar que una emperatriz". Pero cuando llegaba el minuto de hacerse de un nuevo asociado, no se comprometía a nada sin antes traerlo por lo menos una vez a cenar a la casa. En medio de mi ajetreo como anfitriona, y sin participar activamente en la conversación, que giraba en torno a aspectos del negocio que yo no entendía o a temas de orden económico que no me interesaban, mi sexto sentido, si es permisible que lo llame así, funcionaba sin descanso. Al final de la noche, apenas se iba el último invitado, junto a la puerta de entrada Alberto me preguntaba: "Bueno, ¿y?". Yo me sentía importante y poderosa. El destino de su vida pasaba por mí. Una vez en la cama, comenzaban a fluir las imágenes que tenía en la cabeza acerca del sujeto. A veces usaba una metáfora, pero otras me lo imaginaba en su casa, con su mujer —la mujer era un dato significativo—, en la relación con sus hijos. Me acostumbré a refrenar juicios categóricos como: "No, Alberto, yo no confiaría en él". Sabía que no se contentaría con eso. Para darle una idea más amplia, movía al personaje y las características que había observado de escenario en escenario. Alberto hacía la analogía con sus tratos de trabajo. Debo aclarar que no siempre podía precisar las virtudes y defectos de las personas. Cuando no tenía una imagen clara, me limitaba a sumar observaciones, una sobre la otra, y Alberto tenía una gran habilidad para extraer y componer la información que le era útil.

Volviendo a mi padre, nada de esto parecía habitar en él. Mi intuición me decía que había aprendido, tal vez por su experiencia, a no formarse ninguna idea de las personas ni de las cosas. En su interior alojaban en continua paradoja y dulce compañía el pasmo y la indiferencia: el pasmo de un joven y la indiferencia de un anciano. Guardaba dentro de sí el convencimiento de que las cosas cambiaban y que la vida estaba llena de sorpresas, y que por lo mismo ya nada era sorprendente. No se avenía a juzgar a una persona porque era una entidad sujeta a cambio. Con esto en consideración, creo que en mi casa se dio un constante choque entre la moral normativa de mi madre y la conciencia empírica de mi padre. Ese roce no afloraba en largas discusiones o empecinamientos de uno o de otro. No, nada de eso, en mi casa se hacía lo que mi padre determinaba y no había apelación posible. Pero muchas de sus decisiones tenían un fuerte aroma a la postura de mi madre. La mesa tampoco era el campo de batalla para el encuentro de los ejércitos. Durante las comidas se hablaba de circunstancias cotidianas, algún enfermo en la familia, un hecho noticioso. Por lo general mi madre hablaba en un tono monocorde, ausente de la vivacidad de nuestras conversaciones privadas. Mi padre, como ya les he contado, no abría la boca si no era necesario. Joaquín, por su parte, había heredado su mutismo, aunque de otra índole —su imaginación lo llevaba a otros espacios— y sólo hablaba de cosas específicas. Al ser yo la menor, tenía tribuna para uno o dos comentarios. Más, hubiera sido juzgado como un indecoroso brote de palabrería. En sólo una ocasión hablé de corrido durante más de un minuto. Mi padre levantó la mirada del plato y bastó para hacerme callar.

¿En qué momento conversaban mis padres? ¿En qué momentos se enfrentaban? No guardo recuerdos de alguna discusión que fuera más allá de las cuatro paredes del cuarto matrimonial que había dejado de serlo. No encuentro en mi memoria a mi madre haciendo una escena. O a mi padre contrariado. Está claro que mantenía una actitud hosca, pero era tan estable como la línea del horizonte. Una y otra vez me he preguntado: al alojar dentro de mí una mirada similar a la de mi madre, ¿por qué me violentaba la manera de ser de mi padre y a ella no? La misma pregunta se hace Andrés. Piensa que somos de la misma naturaleza, pero él guarda un mal recuerdo de su padre, mientras yo no dejo de pensar en él en los mejores términos. Mi madre tenía suficientes razones para no estar encandilada, como podría ser mi caso. ¿Se rindió a las circunstancias? Claramente se rindió a la existencia de Oriana.

Andrés, en la primera carta que me escribió desde Estados Unidos, tres años después de irse, decía: "Usted nunca luchó por su lugar en el matrimonio. Sacrificó su independencia, sus valores, su genio. Se convirtió en la madre ejemplar de cuatro hijos y en la concubina de un hombre inteligente, sin duda, pero absolutamente grueso en su sensibilidad". Más adelante, continuaba: "Incluso en los momentos importantes, en las decisiones que valen, en las que uno se juega por una manera de entender el mundo, dio su brazo a torcer, a sabiendas del mal que entrañaban; creo que para mantener su papel, el lugar que había elegido y que por tanto tiempo le había sido cómodo. Se dejó avasallar por un hombre mediocre, que respondía a prejuicios adquiridos en algún emporio de inmigrantes".

Mi respuesta fue, y continúa siendo, "es lo que me nació hacer". Así quise que fueran las cosas y quien piense que fui vapuleada por Alberto está equivocado. En mí no existió la duda. Me entregué a ese destino con absoluta libertad y sólo en dos momentos de mi vida me vi forzada a recorrer caminos que me violentaron. Desde que me casé con él, supe que las cosas iban a ser del modo que fueron y lo acepté con alegría. Ser la mujer de Alberto y madre de mis hijos es un rótulo que me enorgullece, a diferencia de lo que piensa Andrés. Para él es algo decepcionante: "Si hubiera mandado usted en ese matrimonio, nosotros seríamos mejores personas, en especial mi hermanito Juan Alberto. Habríamos tenido una vida más cercana a un principio humano. Hubiésemos tenido una visión más amplia y sofisticada de las cosas. Seguramente aún viviríamos en paz. Dejó que el papá hiciese su parecer con respecto a la Tere y a mí; dejó que alentara a Juan Alberto y lo convirtiera en un egoísta. La única que se salvó por un pelo fue María del Pilar, por ser bonita; así de vulgar era su marido".

17

Me vuelve a sorprender la dureza de la carta de Andrés. Aún conservo la primera que me envió después de tres años de haber partido —en realidad las conservo todas—. Comenzaba así:

"Han pasado tres años, mamá, desde que me fui de la casa. Han sido años duros. No le había escrito hasta ahora porque pensé que nunca lo haría. Mi intención era cortar todos los vínculos con ustedes. Debo reconocer que ha perseverado más de lo que imaginé y ya se ha vuelto una costumbre retirar una carta suya de la casilla cada jueves. He decidido responderle porque percibo su interés de ver las cosas de una manera distinta. Mi punto de vista será de seguro brutal para usted. En las últimas cartas me ha pedido que por favor le responda, aunque sea para insultarla. No deseo hacerlo, pero quisiera contarle 'mi' verdad. Si no está dispuesta a sufrir, no lea el resto de la carta. Pienso que será doloroso. Basta que me escriba y me diga que prefirió no leerla, y aquí no ha pasado nada. Si la lee, dígame entonces qué opina. Sobre esta base, y espero ser lo más honesto posible para que no existan más sobre o subentendidos entre nosotros, podremos continuar nuestra correspondencia. Quisiera además que no esquivara los temas: si me escribe es para hablar de lo que importa. No hay problema si desea contarme de mis hermanas, incluso de la enfermedad del papá, pero no quiero escribirme con usted como harían dos familiares distantes, comunicándose sus noticias. Yo estoy dispuesto a desnudarme, a mostrar sin idealizar cómo pienso y cómo vivo. Hasta hace tres años sólo mostré lo que usted, y hasta cierto punto el papá, querían ver, o yo pensaba que querían ver. Ahora deseo que sea diferente. Y para que sea igualitario, quiero que se muestre ante mí sin estrategias. Quiero saber qué piensa, no lo que quiere que yo crea que piensa. No habrá de ser tan difícil: en cierto modo he dejado de ser su hijo, el hijo que debí ser, el hijo que intenté ser, el hijo que deseó. Me fui, estoy lejos de usted y del resto de la familia y creo que estos tres años me han ayudado a formar una conciencia propia, libre de su influencia. Le propongo que seamos dos adultos. Amigos, sí..., que se quieren, sí..., pero dos adultos que se comunican íntimamente. Otra cosa sería para mí un retroceso a la asfixia de una vida de mentira. ¿Quiere continuar?".

La emoción de ver el perfil de su caligrafía, imaginarlo sentado escribiéndome durante un largo rato, disolvió la aprensión que despertaron sus advertencias. Deseaba leer todo lo que viniera de él, deseaba ver sus cartas en la mesa de entrada con el sello postal norteamericano, deseaba saber que estaba bien, necesitaba sentirlo vivo. Nada de esto satisfacía la necesidad de verlo nuevamente, pero al menos era un avance.

Durante las primeras cartas me fue difícil cumplir con sus exigencias. Estaba acostumbrada a un trato madre-hijo. Lo principal era educar, no ser auténtica. Primero madre, después Julia. Cualquier conversación era una posibilidad para inculcarle valores, para trasmitirle un enfoque apropiado de la vida. Debo admitir que Andrés tenía razón: en nuestra familia no estábamos acostumbrados a decir las cosas a la cara, ni a llamar al pan, pan, y al vino, vino. Entre nuestras habilidades se contaba una evidente soltura para hablar de problemas ajenos, pero cuando de nuestros conflictos se trataba, de uno contra el otro, ese verbo expresivo era acallado por la subterránea violencia de las emociones, por lo vulnerables que nos hacía sentir el juicio de nuestro antagonista. El sustrato de violencia equivalía a un magma familiar. El volcán más activo era María Teresa. Los demás ejercíamos un mayor autocontrol. Ella encarnó el pecado de la familia. Y nosotros nos parapetamos como unos cobardes detrás de los muros para no quemarnos. Fue así como la estigmatizamos poco a poco hasta condenarla. Su sacrificio era la manera de salvarnos. Me duele haber sido tan ciega, sobre todo ahora que muero, cuando ya no hay esperanza, cuando ya tengo escasas posibilidades de retribuirle a mi hija toda la felicidad que le escamoteamos. Espero realizar antes de irme algún gesto significativo que la haga sentir redimida ante mí y los demás. Con ese magma contenido a presión como amenaza, mi deber era conservar calmos los ánimos y creo que nunca dije verdaderamente lo que pensaba. Incluso hoy, cuando escucho a María Teresa decir cosas terribles de sus hijos —"Éste es mentiroso como él solo"—, se me encoge el corazón y me tengo que contener para no reprenderla. En su familia dicen lo que piensan, los niños le faltan el respeto al padre y a la madre —o lo que yo entiendo por faltar el respeto—, y los padres dicen lo que se les viene a la mente en presencia de los niños. Hasta de sexo hablan en la mesa.

Esto explica mi dificultad de ser auténtica con Andrés. Y no era sólo cosa de quebrar una costumbre: me daba rabia enfrentarme a sus interpelaciones, sentir que me obligaba a desnudar mis secretos frente a él. Había pensamientos en la retaguardia de mi mente que nunca habían visto la luz. Hasta entonces me había contentado con fingir que no existían. Pero ahí estaban, aunque yo me hubiera hecho la desentendida por toda una vida. Andrés los ponía negro sobre blanco y ya no era posible eludirlos. Una tras otra sus cartas me preguntaron qué piensas de esto, y de esto, y de esto. Entramos así en este juego que sólo dejó de ser un tormento a medida que tomó ritmo. Comprendí que Andrés era ya un adulto, que vivía lejos de nosotros, y tal como él daba su opinión sobre nuestra convivencia familiar, yo también podía tener la mía. Sólo puse una condición: que Andrés me jurase, me prometiese, o cualquier otra forma de compromiso que él respetara, que nunca iba a usar el contenido de mis cartas ni a citarme en una conversación, ni menos decirle a Alberto o a uno de mis otros hijos: la mamá, realmente, piensa tal y tal. Si íbamos a establecer una relación de ese estilo, yo exigía el sacrificio a priori del poder que le concedía.

18

"Debido a que estoy lejos, me han venido a la cabeza sus viajes con el papá a Europa. Nos escribía cartas y postales cada vez que encontraba un tiempo. Fueron seis los más largos, entre tres y cuatro meses, en invierno, verano en el hemisferio norte: 1961,1964,1966,1970,1977, 1980. Fue durante los primeros tres viajes cuando más la eché de menos. Yo tenía respectivamente seis, nueve y once años. Cada vez que se iba me encerraba en mi pieza y lloraba durante horas. Asumo que esto no se lo contaban. Me contenía hasta que salían en el auto rumbo al aeropuerto. No nos permitían ir a dejarlos; a buscarlos, sí. Iba directo a hundirme en la cama y lloraba con una pena inmensa, como si la pena alimentara a la pena. No había nadie para quien existir. Desde niño daba por sentado anticipadamente que mis actos contarían con su contemplación y yo hacía todo para enorgullecerla o desconcertarla o para que sintiera mi amor. Yo me sentía rodeado del suyo. Comprenderá que cuando partía, el axioma esencial de mi existencia quedaba suspendido hasta su regreso. Perdía la motivación en el colegio, me ponía mañoso con la comida, en especial ante las preparaciones extrañas —guisos con huevo, papas fritas y arvejas— que nos obligaba a comer la señora De Vicente. No había más *gnocchi,* o *tagliatelle fatte a casa,* o *panzotti.* Ella se comía todas las sobras. 'Me voy a servir otro poquito', decía cuando Olimpia traía nuevamente la bandeja y luego se servía por tercera vez. Con María Teresa nos reíamos y la imitábamos: '¿Quieres ver un poco más de televisión, Tere?', 'bueno —me contestaba ella—, otro poquito'. Me escondía para jugar, si no era usted la que estaba en la salita, no había razón para dejarme ver. Pasaba las tardes en algún rincón del jardín, imaginando una historia en la que yo participaba. Casi nunca asumía el rol protagónico. Me gustaba ser Robin; Batman me parecía agresivo, demasiado adulto, me recordaba al papá.

En mis sesiones de psicoanálisis aparecieron estos viajes. Según mi psiquiatra, los malos recuerdos de esos viajes, son las imágenes representativas de mi miedo irracional al abandono".

Las palabras textuales eran "miedo irracional al abandono", como el mío durante los veranos, como el que sufría mi madre y por el cual nunca se atrevió a dejar a mi padre plantado con su abusadora doble vida. Continuaba así:

"Los primeros tiempos en New York, pasé meses fuera de mí mismo, sin tener un sentido propio de la vida. Buscaba mi pertenencia en las cosas más nimias, en fiestas, en comidas con amigos, en amantes de una noche, intentando encontrar ahí un centro, una identidad. Yo era, en el fondo, lo que los demás querían de mí. Lo peor de todo es que esa forma de relacionarme me convertía en un egocéntrico. Lo que me interesaba era todo aquello que me devolviera una imagen de mí mismo. Nada verdaderamente 'otro' me llamaba la atención. El mal entonces era doble: por una parte no podía dedicarme a un trabajo serio y comprometido y me diluía en nimiedades, en una interminable sucesión de veladas inteligentes y vacías; y por otra, el esfuerzo de conquistar a los demás para llenar el vacío, se volvía contra mí al descubrir ellos fácilmente el egoísmo soterrado de mi comportamiento".

En mi próxima carta a Andrés —guardo una copia de cada una de ellas—, en referencia a este tema, escribí:

"Hablas en términos tan elaborados de algo que es tan sencillo. Yo también he sufrido el terror al abandono, la inseguridad y la pérdida de la identidad; tu abuela también. No sé si todo el mundo pasa por abismos semejantes, pero nosotros, los Bartolini —está claro que los Sartori no padecen de esta debilidad— hemos sufrido del mismo mal. Es un rasgo genético y tú tienes mis genes, es cosa de mirarte. Juan Alberto, por ejemplo, se oculta detrás de una pantalla de seguridad, pero sufre al igual que tú. Cada uno ha tenido que enfrentarlo a su manera. Yo salí adelante con la ayuda de tu padre, tu tío Joaquín se fue a encerrar a Tucson, mi madre se dedicó a la caridad y permaneció casada con tu abuelo a pesar de la humillación. Todos sobrevivimos de algún modo y nuestras vidas, al fin y al cabo, no fueron tan sufridas".

En la siguiente carta, Andrés reconoció que tal vez su miedo al abandono era de la misma índole que el de su abuela —a quien no alcanzó a conocer— y del mío, pero, dadas las circunstancias, a él le había tocado la peor parte. Así lo expresaba:

"Ahora está todo bien, porque me las arreglé para hacerme de una vida nueva. Pero el sufrimiento que experimenté en esa época, años de incertidumbre en que no sabía qué rumbo tomaría, no es la misma clase de experiencia. Su vida seguía un rumbo claro, estaba cierta del afecto de los suyos, esa seguridad le fue dada, sin preguntas, sin condiciones. La querían porque sí. Imagínese que no la hubiera tenido: el abuelo se va con Oriana y no sabe más de él, su madre muere, Joaquín se va y no hay ningún pariente ni príncipe azul a quien acudir. Intente imaginarse sola en el mundo. Cuando yo salí de la universidad, tenía la vida arreglada y de un día para otro me encontré en la calle, despojado de todo privilegio. Me quedé sin familia. Me deshonraron. Qué sentiría si su padre le dijera: sal de aquí, no te quiero ver más la cara.

Tampoco me vio llegar a New York, solo, vivir en una pensión mugrienta, trabajar como mozo durante un año, echar maldiciones contra ustedes cada noche. Es estúpido pensar que mis sufrimientos han sido mayores a los suyos, pero de una cosa estoy seguro, mamá, en mi caso viví el abandono, acosado por ese miedo genético que compartimos. A usted le tocó enfrentar la amenaza del abandono. Creo que son experiencias distintas".

Era imposible sacarle el cuerpo al reproche oculto en las palabras de Andrés. Afloró de manera recurrente en sus cartas. Puedo entender que él se haya sentido maltratado por nosotros, pero con la perspectiva que dan los años, creo que debería estar agradecido. Así se lo quise dar a entender en la próxima carta:

"Has labrado tu vida como has querido, sin hacer concesiones a nadie, eres libre y has logrado tener éxito en tu trabajo como arquitecto. La idea de que continúes atormentado por algo que pasó hace veinte años, que en vez de echar a perder tu vida la mejoró, me confunde. Lo que te quiero decir es que lograste crear un futuro propio y ahora estás en una posición inmejorable. Saliste adelante, eso es lo que importa, esos años de incertidumbre deberían ser un orgullo para ti, es el sólido fundamento de tu situación actual.

Para mantenerte en tu trinchera ética inexpugnable, afirmas que tú sí viviste el abandono y yo no. Pues bien, ¿sabías que mi padre me miró a la cara en contadas ocasiones y cuando lo hizo se trató de una forma de reproche? Si yo me empecinara en condenar su recuerdo estaría en la misma posición que tú, blandiendo las banderas de la reivindicación. Pero nadie más que uno mismo puede reconciliarse con el pasado. Sé que me quiso porque así lo he querido interpretar de algunas actitudes que tuvo hacia mí, de algunas virtudes que aprendí de él, pero si a ti te dijeron 'sal de mi vista', a mí no me prestaron mayor atención y menos aún recibí un amor activo como tu padre sí mostró por ti cuando eras niño.

Ahora bien, si tu deseo encubierto es que vuelva a pedirte perdón por haber admitido que algo así sucediera, lo hago una vez más; es una manera de perdonarme a mí misma. Ya he pagado mi condena. Lloré una tras otra las mismas noches que tú, desesperada sin saber dónde estabas, en qué condiciones vivías. Perdóname, hijo, no me voy a cansar de repetirlo hasta el día que me muera. Te pido a cambio que tú también hagas un esfuerzo serio. Yo perdoné a mi padre muchos años atrás por haber sido infiel. Hoy pienso en él con nostalgia. Intenta hacerlo tú también, te vas a evitar tantas rabias y tanto trabajo. No voy a justificar lo que hizo tu padre, estuvo mal, pero eso no lo condena para siempre. Él está atravesando un calvario mil veces peor que el tuyo".

La respuesta de Andrés fue sorprendente:

"Yo no tengo memoria del amor de mi padre. No recuerdo que me haya sacado a jugar a la esquina, o llevado al zoológico, o dado un abrazo afectuoso. En las únicas oportunidades que lo veía sonreír o darme un par de palmadas en la espalda, era cuando revisaba mis notas o asistía a mis graduaciones. Eso no era amor, mamá. Era alimento para su orgullo, para sacar el pecho un poco más, para demostrarle a la gente que él no fue profesional porque no se lo permitieron. Para afirmar su fama de hombre inteligente. Cuando era simpático conmigo era porque yo era un buen activo, no un hijo adorado.

Sin embargo, si el papá estuviera sano, sería más fácil ejercitar mi rencor. Últimamente cuando alguna circunstancia me abre la herida, se me aparece el papá enfermo. Como si mi encono y su enfermedad fueran la misma cosa. Es una sensación horrible, como si sus microinfartos ocurrieran cada vez que pienso en él con rabia. Si me cruzo con un *homeless* en la calle, con su expresión vacía en el rostro, me provoca la sensación de estar viéndolo a él deambular como un demente. Cualquier noticia acerca del Alzheimer, incluso las alentadoras, me molestan y me vuelven irascible en la oficina. He debido aceptar que me entristece que el papá esté mal. Y además, me ha despertado el miedo a estar marcado por el destino. Es una especie de venganza atroz que a un hombre como él, lleno de resolución, se le escurra la vida por donde más le duele".

Esta carta marcó un notorio cambio en la actitud de Andrés. Demostraba otros sentimientos hacia su padre, más allá del omnipresente rencor. Se compadecía de él. Ese rasgo de humanidad me conmovió. No es algo usual en la familia, menos en los que acarrean la determinación de los Sartori. Alberto, por ejemplo, murió convencido de que había actuado de manera correcta cuando se presentó el problema de Andrés. Sólo en una ocasión, cuando ya estaba ausente la mayor parte del tiempo y salía poco de la cama, me preguntó con la mirada indefensa: "¿Andrés va a venir a verme?". Le contesté que sí. La verdad era innecesaria.

19

Me ha resultado difícil continuar con la escritura durante la última semana. He recibido demasiadas visitas, mis amigas pretenden organizar turnos para no dejarme sola ni un solo momento del día. Bruna está al mando del contingente y no ha sido fácil disuadirla. No quisiera tenerlas en la casa a toda hora. Es un acto de generosidad, lo sé, y les agradezco la intención, pero detesto que personas que no sean mis hijas se inmiscuyan en mi privacidad, más aún si estoy enferma. Soy tanto o más pudorosa que mi madre en este sentido. Imaginar que puedo sufrir un percance bochornoso a causa de una de mis indigestiones, en presencia de algunas de ellas —si están todo el día a mi lado no voy a poder evitarlo—, me pone de pésimo humor. Para suma de males, a la casa vecina se mudó una familia bulliciosa hace menos de dos semanas, y entre la mudanza, los gritos de los niños y una batería que suena a eso de las cuatro de la tarde, no he podido conseguir ni una gota de tranquilidad. Según María Teresa el vecino tiene el aspecto de un sapo alcoholizado. "Definitivamente alcohólico, con la nariz como higo pelado". Le pedí a Juan Alberto que fuera a conversar con ellos y les explicara la situación. Ha sido para peor. Mi vecina, una mujer enjuta y sin gracia, se aparece todas las mañanas a eso de las nueve, cuando intento concentrarme en la escritura, como si se tratase de su buena obra del día. Me abruma con los detalles de la jornada que tiene por delante y me repite anécdotas de sus hijos. Le he dado instrucciones a la enfermera para que le diga que no me siento bien y no le permita la entrada, aunque grite y patalee. Con el mismo objetivo he desconectado el teléfono aquí en el escritorio. Mis amigas son tempraneras —yo también— y sus llamadas comienzan a más tardar a las ocho de la mañana y, gracias a la Virgen, Gloria, la mayor de todas ellas, no está sufriendo uno de sus períodos de insomnio, a causa de los cuales se siente en el derecho de llamar a partir de las siete.

Es irónico pensar que los principales enemigos de la tranquilidad necesaria para escribir sean las personas más cercanas a uno, las amigas, incluso mis hijas que piensan que lo que estoy haciendo es una forma de evasión. Y lo es. La mejor. Se los he explicado en numerosas oportunidades, pero no quieren entender. No sé si por temor a verse retratadas, o por el prejuicio de que cualquier cosa que yo escriba, no va a tener el menor valor. Me he puesto firme para no dejarme avasallar. En especial con María Teresa. Ella saca gran provecho de la enfermedad y de la muerte. Si se trata de la muerte, se arroga el papel de deuda principal y llora sobre los ataúdes. Fui dura con ella para controlar su ímpetu cuando regresé de la clínica. Intentó hacerse cargo de mi vida y convertirme en una paciente inútil a la cual se le sirve y se le atiende, pero que no tiene opinión. Un par de gritos, un llanto resentido de su parte y un portazo fueron suficientes hasta ahora. Espero mantener las cosas de este modo mientras tenga uso de razón. Y si quiero pasarme encerrada escribiendo estos últimos meses, es asunto mío. Me resulta más estimulante dedicarme a esto que a recibir visitas. He impuesto un horario para recibir, de cinco a siete de la tarde. A esa hora, después del almuerzo y de una corta siesta, aún conservo un soplo de energía que me permite llevar adelante una conversación.

Hace pocos días recibí una visita que me emocionó: José, el jardinero, su señora y sus seis hijos. Yo estaba en el living acompañada de María del Pilar. Al verlos no pude evitar que me saltaran las lágrimas. Quise pedirle perdón a José, pero la presencia de su mujer me impidió hacerlo. No sabía qué explicación había dado a su despido. Abrí los brazos al ver a esos niños ya crecidos y con la mirada llena de confianza en la vida. José se dobló para darme un beso en la mejilla. Su olor a humo me trajo gratos recuerdos. En algunos casos, compañías obligadas, como la que nos brindamos José y yo durante treinta y cinco años, se vuelven más valiosas que las elegidas de motu proprio. Conversamos un rato. Le pregunté a qué se dedicaba actualmente y para mi alegría me contó que era asistente técnico de un conocido paisajista. Al menos, pensé, nuestro trabajo juntos no había caído en saco roto.

Mi vecina ha resultado ser una mujer chismosa y entrometida. Desde que no le permito verme, se instala largo rato en la puerta de calle a preguntarle por mi estado de salud a la enfermera. Qué remedios tomo, qué ejercicios hago, cuánta gente recibo, como si fuese una encuesta. Su actitud me enfurece. Según Azucena —qué nombre más apropiado para una enfermera—, se ve sometida al mismo recitativo de las labores del día de esa insulsa mujer. El ocio la debe corroer y como paliativo se apropia del más mínimo asunto, como puede ser la agonía de una desconocida, para continuar hastiándose. Lo peor de todo, es que su interés es sólo un disfraz para abrumar a su víctima con las trivialidades de su vida. Que le dije, que no le dije, que fui, que no fui, que debería tal vez hacer esto. Desde niña he experimentado un visceral rechazo hacia la conversación fácil, aquella cuyo combustible es el anodino acontecer diario y sus circunstancias y las minucias de las vidas de los demás.

A medida que avanzo, se ha avivado dentro de mí la esperanza de llegar al final. Es como si estuviera transida de suspenso. Deseo continuar la revisión de los recuerdos desde aquí, desde ahora; es una mirada diferente a como viví las cosas en su momento. Ya no puedo vivirlas de nuevo, ya no puedo cambiarlas o volverlas a gozar, pero encuentro paz al examinarlas. Cuando pensaba en dedicarme a escribir, a lo que más temía era al afloramiento de la desesperación, de la frustración de no poder enmendarme, de no poder alargar el brazo y cambiar las piezas sobre el tablero. Ese miedo me tuvo al borde de no comenzar. Mientras escribía las primeras páginas, debatía en mi interior acerca de si era o no un plan arriesgado. A posteriori puedo atestiguar que la mirada hacia el pasado me ha permitido ver que las cosas suceden por algo, que están inscritas en un curso que nos excede, en un río tumultuoso que avanza y del cual somos un pequeño afluente. Además, esta paz que intento cuidar, se ha visto fortalecida por la convicción de haber vivido. Una vida propia y única. Amplia y a la vez serpenteante, aluvial y mansa, plena y minuciosa. Comprobar que he vivido ha sido un descubrimiento. Ya la muerte se puede llevar este cuerpo sobre el cual están impresos los años. Al menos me presento ante ella dignamente.

20

Me fui acostumbrando a Alberto. Y esta no es una apreciación baladí. La costumbre ha sido una valiosa aliada, consejera comprensiva y cabal y, sobre todo, paciente. No contar con su anuencia terminó cada vez en un giro hacia otros horizontes. Para mí ha sido imprescindible acostumbrarme a las personas, a los lugares, a la temperatura, a la mirada celosa de un animal doméstico, al ruido del mar. Acostumbrarme ha constituido un ejercicio de supervivencia. Puedo afirmar que, en este punto, difiero de Joaquín. Durante su niñez y su juventud él se acostumbró a un cierto cuerpo de elementos que en algún punto de sus primeros años de adultez —creo que fue cuando mi madre murió y él se enteró de la verdad— se petrificó y de ahí en adelante permaneció inalterado. Debo admitir que también los cambios me son molestos, me duelen los huesos, sufro de dolorosas contracciones de espalda, un agobio absurdo se apodera de mí. Y no me refiero a cambios fundamentales como sería, por ejemplo, mudarse, o la muerte de mi marido. Recuerdo las miserias que mi cuerpo me hizo pasar cada vez que se presentaba en el horizonte un viaje, unas vacaciones, o cuando un cambio de estación se desencadenaba de golpe. Gracias a Dios, desde muy joven presentí que este apego al statu quo podía tornarse una forma de invalidez. Quizá presenciar cómo cambió el mundo de un minuto a otro al descubrir la relación de mi padre con Oriana, me obligó a aceptar que las cosas cambian a pesar de uno. Es así como elegí a la costumbre como la vara con la cual medir cada nueva situación que se presentaba. Por ejemplo, si debíamos viajar, le exigía a Alberto que me informara de los detalles con meses de anticipación. Primero, a la idea le tomaba tiempo hacerse un espacio entre mis pensamientos y recién entonces comenzaba a irrigar las zonas más activas de mi cerebro. Mi rutina, mis decisiones, los pensamientos más periféricos iniciaban una órbita alrededor del hecho de que próximamente me subiría a un avión y partiría lejos. De este modo invocaba la tranquilidad que acarrea la veleidosa costumbre y, poco a poco, dejándome llevar, impulsada por la conciencia que debía superar una tara, era en definitiva capaz de desembocar en las maletas, los abrazos y el adiós.

La costumbre fue también decisiva al aconsejarme con respecto a Alberto cuando se iniciaba nuestro noviazgo. Sus visitas cada vez más frecuentes podrían haber hecho saltar los fusibles de mi resistencia a lo ajeno que era él para mi entorno. Pero no ocurrió así, y me fui entregando a la agradable sensación de estar en su compañía, de oír sus risas —incluso lograba sacarle unas cuantas carcajadas a Joaquín con sus bromas ingeniosas—, de percibir el olor a limpieza en sus ropas, la frescura de su piel blanca; me acostumbré a su pelo fino y engominado, cortado idénticamente mes a mes, y también al delicado tacto de su mano sobre la mía. Me costó, eso sí, aceptar su necesidad de tenerme tomada de la mano, o bien del brazo cuando caminábamos por la calle. Me acostumbré, más que a todo, a la viva adoración con que me envolvía.

Cuando cumplimos un año de noviazgo, me había acostumbrado a él. Dentro de mi particular composición de prioridades, era lo mismo que haberlo aceptado como futuro marido, a pesar, creo, de no sentirme enamorada. Si me lo proponía, llegaría a amar a Alberto, de eso no tenía dudas. Sin embargo, aunque hubiese invocado una determinación divina no habría conseguido acostumbrarme a él a fuerza de pura voluntad.

Al correr de esta reflexión, me sorprende que no me haya sido difícil habituarme a la idea de que voy a morir pronto. Tal vez sea porque llevo muchos años haciéndole un espacio a la muerte. He vivido cada minuto con clara conciencia de su irrevocabilidad, al punto que al anunciarse ahora tan definitiva, no me amedrenta. Se despierta en mí la sospecha de que no viví del todo, y que a cada uno de mis actos le escamoteé un pedazo de existencia, algo así como un sacrificio anticipado en honor a la muerte. Y de pronto, con sólo pensarlo, morir se vuelve tan difícil como para cualquiera; me lleno de remordimientos, me recrimino por haberle robado esas muescas a los días y no me canso de repetirme que la mía fue menos vida de lo que pudo ser.

Me sorprende cómo mi trato con la muerte cambia con las horas. Ayer nada más pensaba que había vivido en plenitud.

Como católica podría expresar estos pensamientos en jerga religiosa: resignación ante la muerte, renuncia durante la vida, paz al entrar en el Reino del Señor. Pero mi conciencia humana no se rinde ante estas nociones. Si algo le reprocho a mi religiosidad fue haberse constituido en un refugio propicio cada vez que deseé apartarme del vigoroso flujo de la vida, haber sido cómplice en el robo de esos pedazos de existencia.

El 15 de agosto de 1943, mi acostumbramiento a Alberto se entrelazó con los hechos. Me pasó a buscar en su auto —un lujoso modelo para un joven de veintitrés años, del cual no recuerdo el nombre— para ir a misa a la Iglesia de San Francisco. Era una alteración a la costumbre de asistir a la Parroquia de la Gratitud Nacional, donde nos encontrábamos con familiares y amigos. Por tratarse del día de la Ascensión de la Virgen, un feriado en mitad de la semana, no me molestó alterar el hábito. La ciudad, esa mañana, lucía un despertar primaveral. La luz había cambiado. Los magnolios estaban en su apogeo. Las calles y las fachadas, impecables luego de las lluvias invernales, parecían dispuestas para una celebración. Alberto manejaba con soltura y sólo quitaba su mano de la mía al pasar los cambios. Se veía alegre y en su mirada noté una ebullición de ideas que sólo era usual en él por las noches, o durante una animada plática. Me hablaba, creo, de pedirle permiso a mi madre para ir esa noche a la casa de unos nuevos amigos, casados hacía poco. Me contaba de ellos como si fueran los personajes más interesantes de la ciudad. Esta tendencia a encandilarse con personas que recién conocía era el absoluto opuesto a mi visceral desconfianza hacia los demás. En tantos años juntos sin embargo, esta discordancia no fue motivo de problemas sino de unión. Me atraía esa capacidad de Alberto de darse a la vida e instarme a incurrir en riesgos más allá de mi tolerancia. Cada vez que un tiempo de nuevas amistades se aproximaba, dentro de mí crecían a la par el temor y la expectación. Me dejaba llevar por su iniciativa y luego él se dejaba aconsejar por mí. Esta fue la fórmula que rigió los campos de nuestra acción en común y demostró ser válida al mantenernos activos y unidos por tantos años.

Nos estacionamos en la calle Londres, a espaldas de la iglesia, barrio de calles sinuosas, vacías de gente, flanqueadas por casonas de dos pisos, en apariencia deshabitadas, una junto a la otra. El artesonado de las cornisas y la atmósfera limpia y detenida le conferían la apariencia de una escenografía victoriana. Alberto se detuvo mientras caminábamos y me hizo girar hacia él. Me dio un beso elocuente y luego me miró con los ojos plenos de algarabía.

—Negra, casémonos.

—Alberto, son las diez de la mañana. No tengo cabeza para…

De pronto, caí en la cuenta de que era primera vez que me hablaba de matrimonio. Mi humor matutino no era propicio para recibir proposición alguna. Las sombras de mis pesadillas aún se deshilachaban a mis espaldas. Mi aura en ese instante era la de un hada negra que corre en el bosque. Habría olvidado los detalles del diálogo que siguió si Alberto no los hubiese rememorado en años venideros una y otra vez, tantas veces, no sé si para reírse de mí, o para recuperar la ternura que le despertó mi confusión de esa mañana.

—Hablemos a la salida de misa. Voy a estar más despierta.

—Negra linda, no hay nada que hablar. Dame un abrazo solamente, con eso me doy por satisfecho —dijo sin perder la sonrisa.

—No te pongas melodramático, Alberto. No te va.

—Si quisiera ser melodramático hubiese escogido otra ocasión para proponerte matrimonio.

—¿Me estás proponiendo matrimonio, en serio?

—Sí, en serio y en broma y en cualquier forma que sea posible hacerlo. Te adoro, Julia, y lo único que quiero es casarme contigo —esta vez su semblante transmitía la seriedad debida a una proposición.

—¿Te has vuelto loco? Tengo veinte años apenas, ¿y tú quieres que me case contigo? ¿A estas horas de la mañana?

—A estas horas: vamos adentro y le pedimos al cura que nos case.

—Me refiero, tonto, a que me pides matrimonio a esta hora, antes de misa. No sé qué te bajó.

—El apuro más grande, la urgencia más espantosa, quiero tenerte a mi lado siempre, no puedo vivir sin ti, mi negrita adorada —dijo con una sonrisa socarrona dibujada en el rostro.

—No me tomes el pelo, Alberto. No tengo humor para estas cosas. Vamos a llegar tarde a misa. Déjate de tonterías.

Alberto me tomó de la cintura, y desde abajo, como si ascendiera hasta mis labios elevados, me besó con un temblor en el cuerpo. Me escurrí de su abrazo y caminé decidida hacia el frontispicio de San Francisco. Cuando entramos en la nave penumbrosa, dejé caer mi velo como una invocación de orden.

La misa había comenzado. Nos sentamos en las últimas filas. No lograba escuchar al sacerdote. Recuerdo las angulosas cabezas de los hombres y la caída de los velos traslúcidos de las mujeres, en una larga secuencia hasta los pies del altar. Todos iguales, como si formaran un regimiento. Deseaba seguir el rito, pero mis ojos vagaban entre los rostros de los santos y clérigos pintados en los grandes cuadros coloniales que flanqueaban la nave. Escrutaba sus expresiones cercanas al éxtasis y al martirio y sus lágrimas de sangre y la tortuosa expresión de sus manos alzadas al cielo. Me sentía mareada. En su vagar mis ojos se encontraron con el perfil de Alberto. Fue como despertar de una pesadilla. Ahí estaba, con toda su confianza en la vida brotando de sus ojos, enmarcados por una expresión profana, más allá del mundo de los sacrificios. Ahí estaba, habitado por la alegría de su proposición, con el día por delante, con la vida por delante. En ese momento supe que me casaría con él.

Al llegar el Agnus Dei sentí a Alberto moverse junto a mí. Yo rezaba de rodillas, con mi frente apoyada en la cúspide del triángulo formado por mis antebrazos. El velo me impidió indagar la causa. Una mano intrusa depositó una cajita de terciopelo azul justo en la caída vertical de mi mirada. En su interior, un anillo coronado por una piedra iridiscente ofendía con sus destellos la atmósfera recogida. Esperé hasta el alzamiento, tomé la caja y me la eché al bolsillo. La señora a mi lado vigilaba de reojo. Reprendí a Alberto con un golpe de vista. Me tomó de la mano y dijo en voz alta:

—¿Vamos a comulgar, mi negra?

Las personas en la fila delantera giraron sus cabezas, ofendidas por el vozarrón.

—Alberto, por favor cállate —dije en un susurro metálico.

Los fieles —me gusta esta palabra— iniciaron su marcha hacia el altar. Nos unimos a la fila. Posó una mano en mi cintura mientras avanzábamos y me murmuró al oído:

—Negra, te quiero más que a nada en el mundo. Cásate conmigo.

Me sentí diferente, dueña de mis miembros y de mi destino. Él y yo brillábamos como esa piedra lo hacía en medio de la oscuridad que emanaba de las paredes de adobe. La conciencia de las fronteras de mi piel me infundió una inesperada sensación de libertad. Ya no era una mujer más en esa fila. Hasta el día de hoy no me explico mi reacción, pero en el recuerdo permanece como una demostración de independencia. Me detuve, giré hacia Alberto, saqué el anillo de la cajita, me lo calcé en el dedo anular de la mano derecha y dije mirándolo a los ojos:

—Me voy a casar contigo y voy a estar a tu lado.

Luego me levanté el velo y nos besamos. Los feligreses pasaban en dirección al altar, remarcando su rechazo con una leve exageración de los movimientos. Contuvimos la risa. Ahora mi voluntad se unía a la suya. Me tomó de la mano y caminamos hacia las antiguas puertas de madera, arrastrando a nuestro paso un sinnúmero de miradas reprobatorias. Salimos a la luz. La salmodia se apagó a nuestras espaldas. Junto a ese hombre podría formar una familia feliz, de eso no había dudas.

21

La imagen del pórtico de una iglesia me trajo a la memoria las salidas de misa de doce en la parroquia de Vitacura. Mientras Alberto y yo saludábamos a vecinos y conocidos, Teresa se reunía con sus amigos y amigas del coro —su natural afinación y su bello timbre de *mezzo* la habían convertido en la primera voz— en el pequeño parque contiguo al desangelado edificio. La veía por lo general conversar con los hombres del grupo. María del Pilar en cambio se reunía con su pandilla de amigas y los hombres de su generación no osaban acercarse. La llegada de la juventud había surtido un efecto prodigioso en María Teresa, sus rasgos confusos habían dado paso a un conjunto de facciones llamativas, como si la distorsión anterior hubiese sido tan sólo el estado intermedio de una obra inconclusa. Su sensualidad ofendía mi pudor. Cada vez que estábamos en un lugar público, deseaba que nadie se fijara en ella. Su parecido con mi madre era evidente. Lucía la misma figura coqueta, aunque sus gestos le conferían un aire más provocativo. Colaboraban sus grandes ojos color miel y sus labios rebosantes. El resultado prolongaba en mí la sensación de lidiar con una naturaleza ajena. Ninguno de estos pensamientos permanecía en mi conciencia más de un segundo, pero claramente ejercían su influjo. Alberto me había expresado en dos o tres ocasiones su satisfacción porque nuestra hija se había transformado en un cisne, pero aún criticaba su falta de recato. Había una excepción. Cuando cantaba ejercía un admirable control sobre su voz. La voluptuosidad parecía caer presa tras las líneas del pentagrama. Alcanzaba las notas con finura y sabía dar con la justa línea de la melodía. Nuestros vecinos nos felicitaban al terminar la misa y nos llenaban de halagos por tener una hija talentosa. Cada vez que enfrentábamos esta situación, escrutaba a Alberto para saber si su secreto rechazo disminuía gracias a la admiración de los demás. Pero no había esperanzas. Alberto interpretaba el canto de María Teresa como una manera más de llamar la atención. También en mi caso, el pudor ofendido prevalecía. Desde lo alto de las escaleras de la Iglesia, mientras recibía una felicitación tras otra, la veía hablar con un joven moreno, educado en la humilde escuela parroquial, contoneándose como si se ofreciera en la calle. Y observaba a ese joven ir tras ella como si lo llevasen de una correa. Lo imaginaba acezando —me horroriza mi propia morbosidad— cuando mi hija lo miraba a los ojos y descargaba sobre él una de sus carcajadas. Cómo hubiera deseado velarla a la mirada de los demás.

Hace algunos años me contó, en una de sus rabictas, que ese joven fue su primer hombre. Quizá sea una invención, ideada con el solo afán de atormentarme. En dos ocasiones se entregó a él, me aseguró, entre los matorrales del jardín. Domingo en la tarde, después de misa, mientras nosotros dormíamos siesta y sus hermanos no estaban en la casa. Quisiera acallar esas palabras que aún escarban en mi cabeza.

No creo que un romance de su hermana, a María del Pilar le pasara inadvertido. Me he sentido tentada de preguntarle, pero me niego a dar la impresión de ser una vieja que se interesa en el pasado sexual de sus hijas. Si Pilar se enteró, seguramente no dijo nada por temor a la reacción de Teresa. Mi hija inspira miedo en los demás. La virulencia de su temperamento se presiente, es casi palpable. Enfrentarse a ella no es un asunto trivial; le gusta hacer su voluntad y al oponérsele hay que reunir fuerzas para resistir la constante amenaza de una venganza. De joven ella me temía y evitaba descargarse conmigo. Tampoco Alberto era un hombre pacífico; su violencia no era menos aterradora que la de Teresa. Ella se ha encargado de recordármelo a menudo, "el papá me pegaba antes de saber por qué lo hacía y usted se quedaba callada. La única diferencia entre él y usted es que él se atrevía a pegarme, a tomar la responsabilidad por los golpes, en cambio usted no". Sus acusaciones de ser una niña golpeada me parecen excesivas. Alberto le pegó unos cuantos correazos, es cierto, pero no con la saña y la habitualidad que ella asegura. Cada uno de esos correazos ha vuelto al mundo trasformado en un látigo de palabras hirientes. Las armas de Teresa han sido otras armas, armas de mujer. Hasta hoy sus invectivas restallan en mis oídos, como si nunca hubiera dejado de estar en guerra, y aunque no ha sido capaz de destruirme, me ha lacerado una y otra vez. Mi defensa ha sido permanecer callada durante sus arrebatos, en los cuales se entremezclan verdad y mentira, realidad y mito, una mitología familiar que ella ha creado en su cabeza y que la ha acompañado, e incluso ayudado, en sus años de adultez. Al callar, la desarmo, no halla el combustible necesario para continuar explotando en cadena hasta caer ella y yo exhaustas. Mi silencio concede y niega, acepta y rechaza, no protesta pero tampoco se somete. Para ella no existe otra visión que la suya e intentar un cambio en su punto de vista es impensable, se desmembraría la historia fundacional de su vida, se quedaría sin malquerencia y sin enemigo. Cuando deja de gritar, surge en ella una mezcla de alivio y de arrepentimiento; y me pide perdón y llora y pasamos juntas tardes enteras en la salita, diciéndonos cuánto nos queremos. Y yo la perdono, y ella me perdona, a pesar de habernos inferido tanto daño. Tengo clara conciencia de mi delito y no me queda más que aceptar la pena. La condena de un hijo no tiene apelación.

En su último año de colegio, Teresa expresó su deseo de estudiar canto clásico. Este anuncio puede sonar como una excentricidad, pero dentro de la historia de la familia era un camino tan posible como cualquier otro. Mi padre era un amante de la ópera —de joven compraba asientos en la galería del Municipal para asistir a los estrenos y asomaba su cabeza desde las alturas, como si fuera una más de las estatuas barrocas bajo la cúpula— y mi hermano Joaquín había acumulado una de las colecciones de *long-plays* de canto clásico más grande del estado de Arizona, al punto de ser el anfitrión de un programa semanal de *Bel Canto* en una radio de la ciudad. Me alegró constatar el influjo de la sangre.

En nuestra casa la cultura operática era escasa. La Tere y yo cantábamos juntas ciertos fines de semana, pero no nos aventurábamos a ensayar una pieza del repertorio clásico. A lo más y sólo de vez en cuando, en mi escritorio, yo escuchaba un disco de arias a solas. No podía arrogarme por tanto el florecimiento de esa vocación en mi hija.

Aparte de su bella voz y de su sedosa pronunciación del italiano, aprendida durante los siete años de clases particulares con la puntillosa señora Moroni, su modo histriónico contribuía a la fantasía de verla convertida en una diva. Su figura era la más evidente carta de presentación. Recuerdo que me lo dijo una tarde de su último año de colegio, mientras esperábamos ser atendidas en la peluquería. Le propuse que fuéramos a conversar con la directora de la Escuela Contemporánea de Música, la señora Sara Fischer. Había sido mi profesora de piano durante unos años y yo la consideraba una mujer sabia y adelantada a su época. Sin duda nos daría un buen consejo.

La señora Fischer había nacido en Viena a principios de siglo, en una familia burguesa de origen judío, de alta cultura, donde fue educada desde niña para ser pianista. Después de la Primera Guerra, en la cual perdió a su padre y a su único hermano, se hizo conocida en los círculos musicales por su particular sensibilidad para interpretar a ciertos autores, en especial a Schubert. Tuvo una hija a los veinticinco años, a causa de un desliz con un director de orquesta. Su fama fue creciendo hasta que a los treinta era una de las intérpretes más reconocidas de Europa. En esa auspiciosa época de su vida se vio enfrentada a la creciente influencia nazi en Austria y al aumento de la presión segregacionista sobre el pueblo judío. Debido tal vez a la marca que dejó la guerra en su espíritu adolescente o a un visionario sentido de supervivencia, tomó a su madre y a su hija y se embarcó, en el mismo puerto genovés de mis antepasados, en un barco que la trajo a Chile, el lugar más alejado de los nazis. La Segunda Guerra y el Holocausto le dieron la razón. Su carrera se arruinó y no tuvo el menor interés en recuperarla. Nada la convencería de volver a Europa, aunque fuese a enseñar. A pesar de la pobreza cultural, este país le ofreció una sensación de seguridad que nunca más volvería a experimentar en suelo europeo.

Vivía sola en una casa junto a la escuela, enseñaba a sus alumnos con mano dura y su conversación demostraba una cultura inalcanzable para una mujer chilena. Su escritorio, salón, living, o como quiera que se llamara ese espacio medio piso bajo el nivel del suelo circundante, que contaba con ventanas altas en todo su perímetro para recibir luz natural, se hallaba rodeado por una biblioteca colmada de libros en inglés, en alemán, en castellano. Centenares de ediciones de música ocupaban una porción importante. Nos recibió sumida en un bergère tapizado en gamuza. Era una mujer pequeña, enjuta, con la piel marcada por arrugas profundas. En su rostro se delineaba un perfil semita venerable. Vestía con severidad: esa tarde llevaba un beatle negro y unos pantalones de franela gris. Su pelo encanecido lo usaba corto y peinado hacia atrás. Bajo sus ropajes se adivinaba un cuerpo fibroso, o tal vez esta impresión se debía al paso decidido con que entraba a la sala donde me había impartido clases. Recordar su manera de moverse me llevó a creer que la disciplina judeo-europea que la señora Fischer imponía a sus alumnos podía ser un aporte a la formación del carácter de mi hija. A medida que la idea se asentó en mi mente, se fue transformando en una solución brillante, una salida inesperada que nos concedía el destino. Agradecí en secreto a Dios.

Seis años de estudio, tres años de formación musical como su alumna —lo que Teresa sabía eran sólo rudimentos— y luego tres años con una maestra de canto, una mujer que de vez en cuando asumía roles protagónicos en el Teatro Municipal. "Después —dijo—, para llegar a ser una cantante a cabalidad, tendrá que salir a estudiar afuera con algún maestro de canto renombrado; conozco personalmente a varios, que aparte de enseñarle, la pondrían en contacto con el ambiente operático, que es del tamaño de una nuez. Estudiar en Chile, para luego cantar en el Municipal, no vale el esfuerzo. Si se va a casar y tener hijos, mejor que estudie otra carrera".

Imaginar a mi hija viajando sola por el mundo me desalentó. Quise salir de ahí cuanto antes. Me volví hacia Teresa y sus ojos se hallaban posados en frau Sara como si fuese una aparición divina. Me obligué a imaginarla de veintitrés años, independiente, una mujer capaz de enfrentar el desafío de vivir lejos, en busca de su realización. No confiaba en Teresa, ni de diecisiete ni de veintitrés; Europa... Milán, Viena o Zurich, daba lo mismo, sería su perdición. No conocía la disciplina personal. La señora Fischer era una gran maestra en este sentido, pero no lograría en tres años, seis horas al día, lo que yo no había conseguido en diecisiete a tiempo completo. ¿Y la idea de no casarse? Era demasiada carga para mí. No concebía la vida de mi hija como una mujer soltera.

—Hay cantantes casadas, ¿no es cierto?

—¿Entre las más prestigiosas? Casi todas solteras o separadas. Las que permanecen casadas se lo deben a un matrimonio tardío, cuando ya están dispuestas a hacer concesiones en su carrera y los maridos concesiones en el matrimonio. Un cantante de ópera es un nómada que habita en una tienda de partituras. No necesita mucho más que el amor del público.

—¿Y no le parece posible que Teresa estudie los seis años aquí y luego decida qué prefiere?

La señora Fischer me fulminó con la mirada, como lo hacía cuando equivocaba una nota. Permaneció callada un instante, se miró sus bellas manos, ennoblecidas por los relieves que trae la vejez, y dijo:

—Son demasiados sacrificios para que sea sólo una entretención. No sé si me interesa una alumna que venga a pasar el rato. Para cantar se necesita amar la música más que a nada y a nadie. Si el espíritu flaquea, la voz se apaga, es tan sencillo como eso. Debe considerarlo antes de inscribir a su hija en el programa. No creo que su intención sea hacernos perder el tiempo a ella y a mí. Si la idea es darle un pasatiempo, que venga en las tardes a las clases de música y luego de solfeo, dos horas a la semana, eso bastará.

—A mí me gustaría como una carrera, mamá —dijo Teresa.

—A ver, niña, toma esa guitarra y canta algo, algo que te guste, que creas que te sale bien.

La comunicación directa entre ellas me alarmó, las cosas iban más rápido de lo deseado. Teresa cantó una de sus canciones favoritas de Domenico Modugno, *"Che sarà della mia vita"*.

—Tienes un bonito metal de voz, de eso no hay duda, pero cantas como una campesina. Seis años, seis horas al día y seguirás siendo una aprendiz, ¿estás dispuesta?

Teresa se quedó pasmada ante la falta de delicadeza de la señora Fischer y no contestó.

—Cuando tú y tus padres lo tengan claro, vuelve a hablar conmigo.

Convencer a Alberto de que sería un buen camino no fue tarea fácil. Cualquier alternativa a la universidad le parecía insuficiente. Las calificaciones de Teresa no alcanzaban para una buena carrera, a lo más podía aspirar a estudiar alguna pedagogía, carreras que Alberto igualmente miraría en menos. Desde mi sesgado punto de vista, más que estudiar, Teresa necesitaba adiestramiento. Mi apuesta era que recibiría una educación ejemplar y con el paso de los años un hombre hecho y derecho la encauzaría en una vida de familia. De esta forma, su amor por el canto pasaría a segundo plano y se quedaría con lo mejor de ambos mundos. La elección de ese hombre era el último y mayor desafío que debíamos enfrentar como padres.

Luego de continuas disputas, Alberto cedió ante mis argumentos, animado por el rigor y la alta exigencia del curso. Él deseaba tanto como yo que Teresa se empapara del disciplinado carácter de la señora Fischer.

22

En nuestra segunda visita, la señora Fischer le indicó a María Teresa una serie de lecturas previas. Exigió, además, que tomara de inmediato lecciones particulares de teoría musical con alguno de sus ayudantes aventajados. Sus futuros compañeros contaban con una preparación anterior.

Mantuvimos una larga plática. Su cultura me cautivó más a mí que a María Teresa, que a veces perdía el hilo de la charla de la señora Fischer en torno a la historia del canto clásico y sus diferentes expresiones. Pude intuir que mis preguntas la complacían, como si hubiera encontrado una interlocutora intuitiva, a pesar de mi ignorancia, que en cuanto al canto no llegaba a asquear a un conocedor.

—¿Quisiera usted venir los miércoles en la tarde, a las siete? Nos reunimos con unas amigas, para conversar de cosas que nos interesen.

—Sí, claro, me encantaría —respondí sin meditarlo. Esa respuesta me traería problemas con Alberto, a él le gustaba que lo esperase en la casa, pero la sensación de privilegio me colmó.

—Bien, venga el miércoles. En este momento estamos leyendo "Residencia en la Tierra", de Neruda.

Gracias a Dios, yo había leído ese libro y lo había comentado con una amiga, profesora de castellano. A tal punto llegaba su admiración que mantenía un ejemplar en la cartera y me leía pasajes cuando consideraba que el momento lo merecía.

—Será una buena excusa para releerlo. Para usted debe ser difícil leer poesía en castellano, ¿no?

—No crea. Mi castellano sufre un horrible problema de pronunciación, hay ciertos sonidos que no me fueron dados al nacer. Pero gozo tanto de los libros escritos en castellano como en alemán.

De esta forma comencé a participar en las reuniones de frau Sara, a quien, después de un par de miércoles, llamé simplemente Sara. Las demás participantes correspondían a un tipo de mujeres que no me tocaba frecuentar. Una de ellas era arquitecto y se dedicaba al paisajismo con tal rigurosidad que dejaba perpleja a cualquiera como yo, una humilde amante de su jardín. De ella aprendí ciertos conceptos de historia del paisaje y flora nativa. Me asombraba su capacidad de pensar por sí misma, más allá de lo que decían los libros o de lo que era "correcto" opinar. Otra mujer que llamó mi atención fue una joven intérprete de violín. Su belleza relucía en medio del ambiente sobrio del salón. De su rostro alargado surgía cierta calidad angélica. La recuerdo en su delgadez nada exagerada. Se sentaba en lo alto de una pequeña escalera de biblioteca que tenía Sara, y desde ahí hablaba de vez en cuando, sólo para anotar la pasión artística del autor o la calidad única de la obra.

Sara llevaba el ritmo. Su capacidad de dar cierto orden y sentido a la conversación era tan admirable como su conocimiento de los autores y sus obras. De ella emanaba una forma de autoridad que me hacía caer en un estado hipnótico del cual no salía hasta que regresaba a casa y la fachada me traía de golpe a mi realidad cotidiana y sus menesteres. No había lagunas en mi concentración durante las sesiones. Cuando me aventuraba a decir algo, me dirigía a ella, con el deseo de arrancarle un gesto de aprobación. Había renunciado a mi propósito de llevar un registro —en la primera tertulia hice aspaviento de mis habilidades taquigráficas—, con tal de ver cómo se expresaba, cómo movía las manos, la intensidad de su mirada al dar acento a alguno de sus comentarios. La consideraba una mujer bella, llena de una luz que deseaba absorber para irradiarla a los míos. Durante el resto de la semana esperaba con ansias el miércoles venidero. La echaba de menos, dialogaba con ella mentalmente, su manera de ver las cosas teñía mi razonamiento hasta el punto de estar dispuesta a renunciar a mi perfeccionismo en los afanes cotidianos. Ya nada era más importante para mí que leer acerca de los temas que tratábamos, fuese pintura, música, literatura; incluso discutíamos trabajos filosóficos que nunca me hubiese atrevido a abordar de no haber sido por el impulso de este grupo, que semejaba una mente interesada en todo lo que cae ante sus sentidos y prosigue su avance con una determinación que no creía posible hasta entonces. Me gustaba llegar preparada a las clases, deseaba ser de algún modo el tomo abierto al cual recurriría Sara en caso de necesitarlo.

El año pasó rápido, como si les hubieran sustraído peso a los días, y cada vez me sentí más cerca de ella. Me dio acceso libre a su biblioteca. Iba a su casa, por lo general los viernes en la tarde, cuando terminaba sus clases. Estar a solas con ella en esa habitación me hacía sentir privilegiada. Con un vaso de pisco sour en la mano —"este trago tuvo alguna influencia en que yo me quedara en Chile"—, me daba nombres, relaciones, posibles lecturas de interés y en este paseo por la biblioteca sentía que me ponía por sobre las demás. Esos encuentros tenían un carácter más suelto, el pisco sour la volvía locuaz, menos académica, y su pensamiento vagaba de manera libre entre las ideas que alimentaban su concepción del arte. Me enseñó a mirar la tradición centroeuropea con otros ojos. A partir de la música me mostró el desarrollo de las demás artes e hizo desaparecer el prejuicio de que lo alemán es rígido e ingenuo. Pensaba en ella y en nuestras conversaciones en cada recreo del día. Alberto se dio cuenta del cambio. Preguntaba a menudo sobre las tertulias, creo que con el fin de descifrar qué me desviaba de mis actividades acostumbradas.

Sara era atea —lo declaraba ante quien la quisiera escuchar— y nuestras lecturas no seguían el canon católico. Sin mirar en menos mis creencias, su pensamiento humanista, en el cual el Dios semita, el Dios único, sólo entorpecía la historia, me causaba la fascinación que debe provocar la primera novela romántica en una joven adolescente. Mi fe, forjada desde mi niñez a través del ejemplo y la piedad de mi madre, no estaba en juego, y por eso me permitía estos escarceos con el ateísmo. Me sentía una mujer de su época, que a pesar de sus creencias, se enfrenta con pensamientos antagónicos a los suyos y reconoce su contribución intelectual.

Poco a poco, Sara me abrió las puertas de sus afectos. Un día cualquiera, en una de mis visitas, me habló de su hija. A los dieciocho años había retornado a Austria para vivir con su padre. La extrañaba y le preocupaba que su matrimonio no fuera bien. Iniciamos un intercambio telefónico para hablar de cualquier cosa, o porque nos echábamos de menos cuando no podía visitarla. Era notoria su alegría cuando me encontraba en el marco de la puerta y cómo se esforzaba por hacer gratos los minutos con ella. Que una mujer de un espíritu tan alto y una sensibilidad tan acabada me demostrara su afecto, me llenaba de orgullo, aún más, me hacía pensar en un futuro distinto al que había imaginado por tanto tiempo.

Al final de ese año, cuando Sara partió a Viena por el verano a visitar a su hija, me sentí vacía como nunca antes y me di a pensar que había pasado largos años igualmente vacía, sólo ocupada de atender la casa y a los hijos. Me hice el propósito de darles mayor atención a las cosas que me interesaban. Olimpia ya controlaba la rutina diaria. Continuaría con las reuniones a como diese lugar y tomaría clases de piano con la misma Sara, para recuperar la soltura que alcancé a tener en los dos años que me había hecho clases. Tomaría también un curso con María Luisa, la paisajista, acerca de flora nativa, en el Club de Jardines.

En mi interior creció un velado reproche hacia Alberto por someterme a la planicie de la vida familiar. Por supuesto, el argumento era insostenible; yo era la principal responsable de mi sometimiento. Me había dejado llevar por la costumbre y evitado mi encuentro cara a cara con la vida, con mis deseos. Constatarlo fue doloroso. Había hecho de mí una mujer ignorante. Ese verano en nuestra casa del lago Villarrica me rondó la depresión, disfrazada de tranquilidad. Mis hijos y mi marido no se percataron, no les di razón para preocuparse, a no ser por una o dos tardes en que invoqué una jaqueca para librarme de ellos y no acompañarlos a sus paseos a las termas de Palguín, del Huife o de Liquiñe. No cabían más palabras en mi cabeza, no soportaba más ruidos de motor, piedras disparadas a lado y lado por los neumáticos, deseaba estar sola y alentarme a pensar que se aproximaba una vida nueva al leer los libros de la gran literatura o al escuchar con placer alguna obra de Mahler. Pero no me podía engañar: no lograba mantener la concentración por más de una página y me dolía la cabeza al subir el volumen del equipo de música para distinguir los instrumentos. Soñaba, pero el sueño estaba lejos, y me inquietaba pensar que sólo volvería a disponer de esos bienes cuando Sara regresara.

23

Sara llamó desde París horas antes de abordar su vuelo de regreso a Santiago. Le ofrecí recogerla en el aeropuerto. Sabía de su fobia a los taxis. Cuando la vi aparecer en la puerta de Policía Internacional, se apropió de mí un sentimiento cercano a la desilusión. Esa mujer que se aproximaba entre taxistas que ofrecían sus servicios y las cabezas asomadas sobre las barreras en busca de sus conocidos, no alcanzaba la brillantez de la imagen que guardaba de ella. Se veía más pequeña, incluso algo encorvada, como si los años se le hubieran venido encima. Abrazarla, de todos modos, fue reconfortante. Su compañía me hacía falta, el temple de su carácter me hacía falta. Me volvería a sentir completa a su lado, contagiarme de su aplomo sería la cosa más sencilla del mundo. Cuando dejé su abrazo, me tomó de los hombros para mirarme con detención. "Estás un poco triste, pero más bella que nunca", dijo. Sus palabras me incomodaron, como si hubiera dicho una obscenidad. Creo haberle contestado que ella también se veía bien, para diluir su mirada que seguía cada uno de mis movimientos. Una vez en el auto, las noticias de su hija y su separación borraron por completo mi inquietud y me vi una vez más deslumbrada por su perceptiva inteligencia.

Al día siguiente me invitó a tomar una taza de té a su casa. Se veía repuesta y su cuerpo irradiaba el vigor acostumbrado. Deseaba entregarme algunos regalos. Primero, un par de libros de música que usaríamos en nuestras clases. Para ella, eran las mejores recopilaciones para mi nivel. Luego un disco con la grabación de *Così fan tutte*, realizada el año anterior por la Ópera de Viena. "Una versión insuperable", afirmó. Otro de los regalos fue un perfume francés que compró en Orly, First, de Van Cleef and Arpels, el mismo que uso hasta el día de hoy. El último regalo era una gruesa pulsera de oro. Un violento golpe de pudor me hizo negarme. "No, Sara, es demasiado, no corresponde, debes conservarla para ti". Dejé el estuche encima de una mesita de luz y me apresté a salir.

—Me voy. Alberto llegará temprano. Gracias, Sara, no debiste traerme ningún regalo. No los esperaba —dije mientras reunía mis cosas. Sara caminó hasta la mesita, tomó el estuche de terciopelo negro y se interpuso en mi camino.

—Yo no uso joyas y este brazalete es para ti. Quiero que lo aceptes. Has sido una gran compañía y deseo agradecértelo. Antes me hallaba muy sola.

—Sara, es más de lo que puedo aceptar.

—Julia, por favor, me sentiría defraudada si no lo hicieras. Es la manera de expresarte mi cariño —dijo encañonándome con el estuche.

No tuve más alternativa que tomarlo, darle un beso en la mejilla y partir. Hasta hoy conservo el brazalete, guardado en un compartimiento secreto de mi joyero. Lo usé en dos ocasiones, cuando fui sola a casa de Sara a un cóctel y a una cena formal. Me hubiese avergonzado que Alberto lo descubriera. Nadie más que él, mi madre y algunos invitados a mi matrimonio, me habían regalado joyas. En realidad, ese brazalete excedía con mucho la idea que yo le había dado a Alberto de mi amistad con Sara. Para él era una profesora de música y poco más, lejos de ser mi mejor amiga o la persona más cercana a mí en esos días.

Inicié mis clases de piano los lunes en la tarde, y continué con las reuniones de los miércoles y mis visitas a su biblioteca cada viernes. Me fue volviendo el alma al cuerpo, como si junto a Sara pudiese mirar el futuro desde la única perspectiva que me complacía. Deseaba alcanzar lo mejor de mí misma. Mis manos corrían más rápido sobre el teclado y mi mente se llenó de conexiones entre los temas que nos deteníamos a tratar.

La navidad anterior, Alberto nos había regalado un bello piano vertical, enchapado en raíz de caoba. Ver a Teresa trabajar en las tardes, enfrentada a una partitura, era un cuadro esperanzador. En varias oportunidades me pidió ayuda con sus ejercicios. Continuó ensayando guitarra. La señora Fischer —así la llamaba— la había alentado a seguir con ese instrumento y le daba ejercicios especiales. Además, le había recomendado que comenzara a tocar una guitarra de doce cuerdas.

Sara no hablaba conmigo al respecto. Pensé que en cierto modo dejaba un camino abierto para que Teresa tuviera una salida distinta a convertirse en cantante de ópera. Y pensé que lo hacía por mí. En varias oportunidades le había hablado de mis aprensiones, aun cuando Sara había debutado en el Festival de Salzburgo a los veinte años y a los treinta se había venido a Chile, dejando atrás su consagrada carrera como concertista, a cargo de una hija y una madre de carácter débil. Me escuchaba y me daba en el gusto diciéndome que comprendía la diferencia entre el caso de Teresa y el suyo, y que tenía conciencia de sus problemas de personalidad.

A finales de ese año, Sara me citó a una reunión formal para hablar de Teresa.

—¿Tienes algún problema con ella? —pregunté de inmediato, alertada por el tono de su voz.

—Ven con Alberto, por favor.

—Sara, me estás asustando.

—Ven y no te asustes.

Que Alberto y Sara se encontraran no era de mi agrado. Eran los dos extremos de mi abanico. Llegamos ese jueves a las siete como Sara nos había pedido, y nos hizo pasar a un salón desprovisto de todo ornato. Los muebles flotaban en el brillo del parquet. Hacía calor. Fui hacia una de las ventanas y dejé entrar el aire de la tarde.

—Alberto, es un gusto conocerle —dijo Sara.

—Igual para mí. Se podrá imaginar cuánto me ha hablado Julia de usted.

—No, no me imagino —respondió ella con un gesto interrogante en el rostro.

—¿Quiere que le repita los halagos?

La impertinencia de Alberto me despertó de mis preocupaciones y me hizo percibir la tensión que existía entre ellos.

—¿Me halaga? Es bueno saberlo —dijo volviéndose hacia mí.

—Háblanos de Teresa —dije para cortar esa peligrosa línea del diálogo.

—Bien —dijo Sara y se acomodó en el asiento, un gesto inusual en ella—. Teresa ha mostrado avances en cuanto a los estudios de música. Es destacable su empeño, en esta etapa muchos alumnos desertan. Piensan que estudiar canto o tocar un instrumento es sólo tocar y cantar, poco trabajo y nada de teoría. Lamentablemente, ha demostrado ser una alumna conflictiva. Sus tres compañeros de curso, una mujer y dos hombres, me han asegurado que si ella sigue en el curso el año próximo, se retirarán. Vinieron los tres a comunicármelo hace unos días.

—No puede ser —dije sin pensarlo y me llevé una mano a la boca. Alberto permaneció en silencio y yo creí oír en mi cabeza un "te dije".

—Su molestia —continuó Sara— es porque Teresa es intrigante. Ellos aseguran que habla a sus espaldas, que ha tratado de enemistarlos a unos con otros. Incluso me contaron que alardea de la amistad que tenemos con Julia y que asegura escuchar de mí comentarios negativos acerca de ellos.

—Sara, perdona —me apresuré a decir—, yo debí suponer que Teresa te daría problemas. En el colegio sucedía lo mismo.

Ya no deseaba luchar; cuando pensábamos que habíamos encontrado el camino, se cerraba una vez más ante nosotros, como si la misma Teresa se empecinara en destruir todo futuro posible. Ese día me sentí envejecer de golpe.

—¿Usted qué sugiere? —preguntó Alberto, en un tono de voz neutro, que trasuntaba respeto, como si estuviera hablando con un igual.

—No puede seguir en el curso, desde luego. Ella también traicionó mi confianza al poner en mi boca palabras que no dije. Es difícil para mí educar a una persona en la cual no confío. Tampoco me es posible darle clases privadas, no tengo tiempo. Existen dos alternativas: que siga el curso con otro de los profesores de la escuela; hay uno disponible, Rodolfo Averill. La otra es que intente ingresar al conservatorio de una universidad. Con la instrucción que ha recibido creo que no tendrá problemas. Si quiere mi opinión, la segunda es la mejor alternativa. Ella debe aprender a convivir con otros. Si no, no va a llegar a ninguna parte.

—Así se hará —sentenció Alberto.

—Por Dios —dije en un quejido—, mi hija nunca nos va a dar tranquilidad.

—No es para tanto, Julia —intercedió Sara con expresión seria y optimista—, estas cosas suceden entre los adolescentes. No se ha acabado el mundo y ella sólo tiene dieciocho años. Ya verás cómo sale adelante.

Sus palabras de aliento me provocaron indignación.

Era fácil decirlo mientras se sacaba el problema de encima. Me dio un abrazo. "No te preocupes, Julia, los cosas suceden por algo". No respondí. Una vez afuera, Alberto comentó: "Qué bonita es la escuela, ¿verdad?", y salió a la calle silbando.

24

Me sentí traicionada por Sara. Expulsar a Teresa del curso de un día para otro sin habérmelo advertido, sin darme la posibilidad de intervenir, además de inesperado, iba más allá de mi manera de entender una amistad. Teresa estaba destrozada, no salía de su cuarto, no deseaba hablar conmigo. Si hacía el intento de preguntarle qué había sucedido, sufría un acceso de llanto y gritaba: "¡No sé!". Sentí un dolor inmenso por ella. Era víctima de sí misma, pero no podía dejar de pensar que Sara compartía parte de la culpa. No se jugaba así con los sentimientos de una alumna, menos cuando es hija de una amiga supuestamente tan querida. A pesar mío, como un gesto de solidaridad hacia Teresa, quizá como una forma de autodefensa, decidí no asistir más a las reuniones ni a mis clases de piano. Si expulsar a mi hija había sido un mero trámite, para mí era igualmente sencillo cortar mis vínculos con ella. Será estricta, tendrá otras costumbres, me decía, pero nada justifica su comportamiento. Ver a mi hija desesperada ante un sueño hecho añicos me infundió los ánimos para sacrificar los bienes con que Sara me rodeaba; primero mi familia, de eso no tenía dudas. El día menos pensado me sacaría también a mí de su vida con igual desenvoltura. Llamé a la secretaria de la escuela al día siguiente de nuestra conversación con Sara, le informé que suspendía mis clases y con un junior de la fábrica envié un cheque por lo que debía. Esa misma tarde, recibí una llamada de Sara:

—Debo conversar contigo.

—No creo que sea necesario, Sara. Dejémoslo así.

—¿Qué vas a dejar así? —replicó en un tono agresivo y a la vez desesperado—. Ven a las ocho, te espero —concluyó imperativa.

Medité sobre la conveniencia de ir. ¿Cómo contener las recriminaciones que se agolpaban en mi garganta? ¿Cómo hablar si lo único que deseaba era gritarle a la cara que era una vieja sin alma, cuyo único principio era el orden y su ridícula ética docente? Deseaba insultarla: vieja, judía, amargada, seca. Tuve el impulso morboso de ir a su casa. Oiría sus explicaciones y le enrostraría que hay bienes superiores, como la lealtad, el primero de todos cuando se trata de una amistad genuina. No me quedaría tranquila si no teníamos una última conversación. Seguir adelante sin haber cerrado este capítulo, me haría sentir débil y acobardada.

Una tenue luz subsistía en la mesita junto al bergère que cobijaba el descarnado cuerpo de Sara, y un par de focos periféricos insinuaban secciones apartadas de la biblioteca. Yo me senté en la plataforma superior de la escalerilla de tres peldaños, donde acostumbraba a sentarse la violinista. Ella habló primero:

—No sé por dónde empezar, Julia. Me perdonarás, estoy confundida. No sé si pedirte que me expliques la razón de tu comportamiento o justificar el mío. En todo caso, creo entender lo que te sucede.

—¿Lo entiendes ahora y no el día que decidiste expulsar a Teresa?

—No me ataques, espera a oír lo que tengo que decirte.

—A mí me gustaría escuchar lo que me interesa, nada más.

—Los problemas con tu hija se arrastran desde comienzos de año. No había pasado un mes y ya se había acercado cada uno de sus compañeros a conversar conmigo —no me miraba a los ojos, movía sus dedos nudosos como si los ejercitara antes de acometer la ejecución de una pieza de piano—. No se avenían con el carácter de Teresa. Los tres son personas reposadas y metódicas, enamorados de la música. Hice un esfuerzo especial para estimularla, para que cambiara de actitud, tuve conversaciones con ella. Por ninguna alumna he realizado un esfuerzo igual. Si hubiese sido otra persona, la habría expulsado antes de finalizar el primer semestre.

—¿Por qué nunca me dijiste nada? Teresa no me contó nada —mi voz era plana, el tono reprobatorio, la pronunciación cortante.

—Porque estoy convencida de que hubiese sido inútil, incluso creo que habría empeorado las cosas —afirmó mientras sacaba un Gitanes y lo encendía.

—¿Y quién te dio la atribución de juzgar qué es mejor para mí y para mi hija?

—Yo puedo juzgar lo que es bueno para una alumna —respondió con firmeza lanzando una nube de humo y arrellanándose en el sillón—. Si Teresa no es capaz de hacerse de una disciplina propia, nunca llegará a ser una buena intérprete.

—Estoy hablando de que te has atribuido una autoridad respecto a ella que no te corresponde. Es mi hija, en primer lugar, y al menos deberías haberme advertido para que yo no me enfrentara de golpe a su expulsión.

—Si te ponía en alerta, ibas a entrar nuevamente en el círculo vicioso en que estás metida. Ella hace las cosas para desafiarte, porque sabe que tú estás ahí para ponerle sus límites. Necesita crear sus propios límites, no los tuyos, no los de Alberto. La expulsión es su responsabilidad, de nadie más.

—¿Y quién te crees para venir a decirme cómo debe funcionar mi familia? En verdad, Sara —dije acaloradamente—, eres más arrogante de lo que nunca pensé. Y menos sensible: no sabes lo que es la amistad, no tienes la menor idea de qué se trata.

—Sé perfectamente lo que es. No tienes por qué ofenderme. Mi cariño hacia ti es más fuerte de lo que imaginas.

—No deseo imaginarme nada. Me basta con ver cómo actúas —dije terminante, echándome la cartera al hombro para irme.

—Julia, por favor, no hagas esto, no caigas en tu propia trampa.

—Deja de hablar estupideces, mujer. Cómo te atreves. No soy una marioneta que necesita una guía de comportamiento.

Sara se levantó, vino hasta mí, su rostro y el mío quedaron a la misma altura. Me tomó la cabeza con ambas manos y dijo como si rogara:

—Lo hice todo por ti, Julia, por tu bien. Si te hubiera advertido, habrías pasado el año completo encima de ella. Al final ya no había remedio, y preferí decírtelo de una vez, formalmente; era lo indicado.

—Suéltame —le pedí, conteniéndome para no empujarla. Me tenía tomada de las sienes.

—Cálmate, Julia...

—¡Suéltame! —grité, y la hice a un lado de un manotazo.

—Julia... —susurró mientras se recomponía.

Como si me lamentara, dije:

—Sara, por Dios...

Intentó tomarme una mano:

—Julia, debes perdonarme y también perdonarte.

Caminé hacia la puerta.

—Julia —la oí decir por última vez.

No me volví. El patio se hallaba inundado de aire frío. Recuerdo que dejé arrastrar mi mano izquierda sobre la hiedra que cubría el muro mientras remontaba la escalera que conducía al jardín de la escuela. Una vez arriba me interné en la noche.

Fue la última vez que vi a Sara con vida. Seis años más tarde me enteré de su muerte por una nota en el diario. El velatorio se realizó en la sala de conciertos de la escuela. Había más gente de la que esperaba encontrar. Tres alumnos suyos, piano, violín y cello, interpretaban un trío de Schubert. Reconocí algunas caras. Me acerqué a la secretaria de la escuela. Tenía el rostro demacrado y hablaba sin convicción. Me informó que había muerto de un cáncer a los pulmones. Las feas coronas de flores reposaban en el suelo alrededor del ataúd, rompiendo la atmósfera limpia del lugar. En una banca, acompañada de dos mujeres, estaba la que presumí era su hija. Contra mi costumbre, fui hasta el ataúd que permanecía con la ventanilla abierta. La contemplé por largo rato. Aún en la muerte irradiaba determinación. Dejé un ramo de flores cortadas de mi jardín a los pies de la urna y me marché.

25

Al entrar a la universidad, Andrés experimentó un cambio físico notorio. Bajó entre siete y nueve kilos en menos de un semestre de clases. Sus ojos destacaron en el rostro. También su cuerpo fue adquiriendo una cualidad masculina que hasta el momento había estado ausente. Ver cómo su belleza se despejaba a la vista de los demás, me invadió el alma de temores. Yo conocía esa belleza, la intuía bajo la morbidez adolescente y temía que provocara pasiones que su carácter tierno y humilde no fuera capaz de sobrellevar. Era todavía un niño que se hacía del cuerpo de un hombre. Mis amigas me colmaron de elogios: "Si de niño parecía que iba a ser enano", decían, mientras Bruna —que lo adoraba— repetía una y otra vez: "Quién iba a pensar que mi gordito mateo se iba a convertir en un Adonis". Ahora que recuerdo esta etapa de Andrés, me doy cuenta de que mi reacción fue idéntica a la que tuve con mis demás hijos. Cuando comenzaban a convertirse en hombres y mujeres, se desataban dentro de mí los miedos a que la vida los hiriera. Como si el destino estuviera al acecho, esperando a que se aventurasen fuera de mi protección, para tomarlos de los hilos de sus debilidades y remecerlos como marionetas.

Las malas influencias de orden filosófico y religioso me tenían sin cuidado. A mi entender, Andrés era poseedor de una fe apasionada; en misa, sus ojos brillaban después de la comunión. En una carta, años más tarde, me contó que lloraba por ser como era, lloraba para rogarle a Dios que terminara con el tormento de sus impulsos. Tampoco me preocupaba la aparición de compañeros iluminados que le vinieran con promesas de sectas u otras formas de pensamiento. En ese sentido, en mis hijos habita un espíritu antiguo, escéptico, a ninguno le vienen con cuentos.

Las influencias políticas habían sido abolidas por el golpe. Andrés entró a la universidad en 1974, cuando arreciaba la represión. La Universidad Católica fue intervenida y el rector nombrado por la Junta de Gobierno se deshizo del decano y los profesores de tinte izquierdista. Mi hijo se oponía al golpe y afirmaba que la dictadura militar sería peor que la supuesta dictadura comunista. Yo no tenía miedo en todo caso a que entrara en alguna organización clandestina o nada parecido. Lo suyo no era más que un juicio ético por completo alejado de cualquier principio activo.

Mis temores encontraban su cauce principal en el ámbito de las costumbres. Nada aseguraba que los hábitos de sus compañeros fueran semejantes a los suyos. En buenas cuentas el sexo, acompañado posiblemente de alcohol y drogas, era el causante de mis insomnios. Andrés era un ser influenciable, de modo que un compañero de fuerte personalidad y costumbres desviadas podía borrar de un plumazo los esfuerzos para conservar la pureza de su alma y de su cuerpo.

El cambio físico de Andrés fue acompañado por una transformación de su personalidad. Se le veía menos grave, compenetrado con sus estudios de arquitectura. Pronto iniciadas las clases, un sinnúmero de nuevas amistades coparon la línea de teléfono y comenzaron a pulsar el timbre de la casa. Desde que María del Pilar se había recibido no teníamos tanta actividad intramuros. Me hacía feliz tener la casa llena de gente joven. Me esmeraba preparando las mejores recetas de tortas, küchen y queques. Deseaba ganarme a sus compañeros de estudio y así mantener a Andrés lo más cerca posible. Incluso convencí a Alberto para que le construyera un taller. Necesitaba tableros de dibujo y el único lugar donde podía trabajar junto a sus amigos era en la misma universidad. Alberto levantó en un costado del jardín, con maestros de la fábrica, un taller con espacio para cuatro tableros —también fabricados por él—, baño, mesones laterales, lavatorios para limpiar los lapiceros de tinta china, estantes, planeras y todo lo necesario. Por supuesto, el plano fue obra de Andrés. No creo que mi hijo haya sido más feliz en otro lugar que en ese taller. Llevó hasta una cama para dormir a cualquier hora cuando trabajaba en las entregas finales. Rodrigo, Eduardo y Angélica conformaban su pandilla. Su mejor amigo, diría, era Eduardo, pero tengo la impresión de que Rodrigo era el líder. Andrés me hablaba seguido de las cosas que éste hacía o decía y de la seguridad que demostraba en su visión de las cosas. Los proyectos que presentaba no eran necesariamente buenos o correctos, pero se destacaban por ser arriesgados y por apuntar a la transformación de sus puntos de vista en arquitectura. De Eduardo hablaba poco. Que era como él, tranquilo y trabajador, de una familia católica que vivía no lejos de nosotros, en un barrio llamado Jardín del Este. A veces nos encontrábamos con sus padres a la salida de misa de doce. Por último, la presencia de Angélica significaba una gran tranquilidad para mí. Era hija de unos conocidos nuestros y sus modales me hacían pensar que podría haber sido hija mía. Se vestía con moderación y se veía alegre la mayor parte del tiempo. Ella pasó a ser la garantía de que en ese taller no se estaba forjando un arma de perdición para mi hijo.

A principios del segundo año, Andrés me contó que él y Angélica habían comenzado a salir. La noticia me llenó de alegría. Con ella a su lado, no tendría que preocuparme por las malas influencias. Mi única condición fue que no estuvieran solos en el taller. Con la compañía de Rodrigo o Eduardo no había problema. Era sólo por las apariencias. Angélica era una mujer que dado el caso se haría respetar y Andrés no era un muchacho insensato. Si se hubiese tratado de Juan Alberto, les habría exigido que dejaran de estudiar juntos. En su época universitaria, lo único que deseaba mi hijo mayor con respecto a las mujeres era meterlas a la cama.

Y caigo en un tema que fue enormemente desagradable para mí. El matrimonio de Juan Alberto. Tenía veintiún años cuando dejó embarazada a su polola, Loreto Arriagada, de sólo dieciocho, recién ingresada a periodismo, compañera de curso de María del Pilar. Supimos del embarazo una tarde del verano de 1966 en Villarrica. Regresamos a Santiago de inmediato para hablar con los padres de Loreto. Formaban una familia tradicional, de costumbres anticuadas, cercana al naciente movimiento del Opus Dei. La idea de ser enjuiciados por el comportamiento de nuestro hijo me llenaba de rebeldía. No me parecía justo haber trabajado una vida entera para ser reconocidos como gente respetable y que todo se fuera a buena parte por una calentura juvenil. Alberto lo tomaba con una calma indignante, parecía sentirse orgulloso de que su hijo mayor hubiese seducido a la bella y aristocrática Loreto. A nuestro favor teníamos la notoria coquetería de niña presumida de la cual Loreto hacía gala en público. La manera de agitar su pelo, el aleteo de sus pestañas al hablar y la falta de pudor para vestirse —minifaldas, hotpants—, la delataban. Su descaro, disfrazado de caprichos infantiles, me escandalizó desde el día que la conocí, al punto de enrostrárselo a Juan Alberto en más de una ocasión. "Esa niñita no te conviene. Tiene la cabeza en cualquier parte, es una coqueta y pertenece a una clase de gente que no va a dudar en tomarte en menos por ser descendiente de italianos". Me contestó que no era asunto mío, que le gustaban las mujeres coquetas, que le fascinaba que fuera un poco loca y que lo mío era resentimiento social.

En casa de los padres de Loreto, un caserón estilo francés en el barrio El Golf, la empleada nos hizo pasar a un salón oscuro del que recuerdo estanterías repletas de libros y unas cortinas de terciopelo. Tuve la impresión de que todo estaba saturado de polvo. Los Arriagada nos esperaban sentados en unos sillones de respaldo curvo enjuncado. Él se puso de pie, nos saludó y nos llevó hasta su señora, que permaneció sentada con sus manos en descanso sobre las rodillas. Se veía pálida y la rigidez de su postura hacía pensar que realizaba un esfuerzo extremo para permanecer en ese sillón. Le pregunté si le sucedía algo. Se limitó a decir que estaba cansada. Era una mujer enjuta, alta, veinte años mayor que yo —Loreto era la menor—, y él era un hombre de contextura gruesa, de rostro bonachón, con la piel invadida de manchas ocasionadas por la edad. Muy a pesar suyo —ésas fueron las palabras del padre de Loreto—, pensaban que un matrimonio rápido era la única solución. Alberto y yo no estábamos seguros si debíamos forzar un matrimonio sólo por una cuestión de decoro. Tenía la seguridad de que esa mujer haría infeliz a mi hijo y eso era muchísimo más importante que correr un tupido velo sobre el asunto. A mi modo de ver el mal ya estaba hecho.

—Sí, tal vez... —dijo Alberto.

—No estoy segura —intervine.

—¿A qué se refiere? —preguntó la mujer, cuya voz apagada no se condecía con el gesto imperativo.

—Creo que son muy jóvenes, llevan menos de un año de pololeo y ni siquiera han terminado la universidad.

—Obviamente no es el escenario perfecto —dijo ella—, pero no veo otro modo.

—Pueden continuar como pololos si lo desean, esperar a que nazca el niño y en dos o tres años más decidir con madurez si lo que quieren es casarse.

El silencio que sobrevino y la censura en su mirada es el alfiler que mantiene fijo el episodio en mi memoria. Sin mover un solo músculo de su rostro, como si no hubiese escuchado bien, dijo:

—No le entiendo.

—Pienso que deberíamos considerar la posibilidad de que no se casen todavía —dije, afirmando el tono de voz.

Ella continuó en su posición hierática por un momento, luego se puso de pie con dificultad y salió del salón con paso tembloroso, sin mirarnos. Su marido, estupefacto como nosotros, inspiró profundamente antes de decir:

—Creo que será mejor que continuemos esta conversación en otra oportunidad.

Juan Alberto nos esperaba en la casa. Defendí mi posición con elocuencia. Desplegué ante él los escenarios posibles que se presentaban de tomar una u otra opción. Dentro de mí palpitaba la certeza de que esa mujer de apariencia inocente, era su enemiga; ella lo desviaría del buen camino y, sobre todo, lo haría infeliz. Iba a ser la madre de nuestro primer nieto, no había cómo evitarlo, pero eso no la exoneraba de su falta de principios. Antes de un año estaría metida en la cama con otro hombre. En el fondo, yo la culpaba de todo. A mí no me venían con historias de jóvenes ingenuas que creyeron que se trataba de un juego. Pamplinas. Una mujer puede meter a un hombre a la cama con una sola mirada. No al revés. Y se lo he dicho a mis nietas hasta el cansancio: "No se permitan un mal pensamiento ni siquiera con la mirada. Su cuerpo es templo del Señor y con él no se juega".

Juan Alberto me desarmó con su resolución:

—Me quiero casar.

—Hijo, no tienes por qué hacerlo todavía —dije intentando razonar con él—. Termina tu carrera y después decides.

—Estoy enamorado, mamá, y para Loreto es importante que nos casemos. Ella no me ha dicho nada, pero yo sé que es así.

—¡Cómo no va a ser importante para ella! Si te metió un hijo y no te diste cuenta —dije, sin disimular mi enojo.

—Fui yo quien la... No tengo por qué dar explicaciones. Me voy a casar y punto.

—¿Y de qué vas a vivir, se puede saber? —dije al tiempo que me ponía de pie y me plantaba ante él.

Alberto me tomó de un brazo para calmarme.

—Si ustedes no me ayudan, voy a trabajar en el taller mecánico del papá de un amigo. La familia de Loreto no tiene plata, la perdieron toda.

Le crucé el rostro de una bofetada.

—¡No tienes idea de lo que estás hablando! —grité—. Por una vez en tu vida deberías escuchar a tus padres. Nosotros sí sabemos.

—¿Sabes qué es lo que sabes?

—No se te ocurra faltarle el respeto a tu madre... —intervino Alberto.

—Sabes cómo ganarte el odio de un hijo —exclamó Juan Alberto saboreando las palabras. Luego salió.

Él no me odiaba por ese golpe, me odiaba hacía largo tiempo: era la oportunidad de enrostrármelo y oírselo decir no fue más que una confirmación. Soy su antagonista y él el mío, como quizá Alberto es el antagonista de María Teresa y no hay nada que pueda romper la polaridad. A pesar del amor y de los cuidados, a pesar de haber dado todo de mí por hacer de él un hombre feliz y orgulloso, nunca me amó como su madre protectora, ni tampoco me concederá un espacio en su recuerdo. Creo que para él no he sido otra cosa que un ave rapaz empecinada en robarle su independencia.

El matrimonio se realizó dos meses más tarde, con la asistencia de las familias directas y nadie más. Argüimos que la situación del país no se prestaba para fiestas. Los casó el cura Pérez, bailé el vals con Juan Alberto y, cuando nació Alfonso, dijimos que había sido sietemesino y no permitimos visitas hasta dos meses más tarde. El pelo y las uñas ya no lo delatarían.

26

Mi madre afirmaba que la principal cualidad de Alberto, aparte de ser emprendedor e inteligente, era su amor por mí. "No sé, es una mezcla de adoración y respeto". Y estaba en lo cierto. Él me hacía sentir que mis opiniones sobre una u otra cosa tenían tanto o más valor que las suyas. En todo el desagradable asunto de los preparativos del matrimonio, confió en mí y se mostró de acuerdo cada vez que lo consultaba. Mi vestido de novia lo confeccionaría mi madre, nos casaríamos en la Gratitud Nacional, y mi padre, en un acto de generosidad inesperado, decidió que la fiesta sería en los salones del Hotel Crillón.

A dos días de la postura de argollas, la madre de Bruna se presentó en la casa de Ñuñoa. Era esa hora imprecisa después del almuerzo. Yo misma abrí la puerta. Quiso ver a mi madre de inmediato. Desde la escalera observé el apuro con que se sacaba los guantes y extraía los alfileres que adherían el sombrero negro a su peinado. Usó el espejo del sombrerero para retocarse. Mi madre se hallaba tendida en la cama leyendo una revista *Zig-Zag*. El sol de la tarde la rodeaba en la forma de polvo visible.

—Es la tía Aurelia, mamá.

—¿Aurelia? ¿Pero, cómo? No me llamó por teléfono antes de venir. Debe haber ocurrido algo grave —dijo mientras me lanzaba una mirada interrogante por encima de la revista. Yo me encogí de hombros.

—A mí no me pareció, pero se veía apurada.

—A ver, hija, ayúdame a arreglarme. Pásame ese chaleco y trae del baño un cepillo de pelo.

Cuando llegamos a la salita, tía Aurelia no se mostró afable como de costumbre. Me pidió que las dejara a solas. Pasaron al living. La elección del lugar denotaba que mi madre intuía cierta gravedad en el asunto. Camino a mi cuarto me invadió una leve desazón. La madre de Bruna era una mujer tranquila, dada a las largas tertulias, ofrecía el rostro y la sonrisa sin timidez, nada en ella haría esperar una actitud huidiza como la del vestíbulo, huidiza y desconfiada. Decidí llamar a Bruna para salir de dudas. Bajé una vez más las escaleras, con sigilo para que no pensaran que las espiaba, tomé el teléfono y marqué el número de cinco cifras. Bruna contestó la llamada.

—Soy yo —dije en el tono de voz menos resonante que pude dar—, tu mamá vino a conversar con la mía.

—...

—¿Me escuchas?

—Sí.

—Bueno, dime, de qué están hablando.

—No puedo decirte.

—¿Cómo?

—La mamá me prohibió decirte.

—Decirme qué, Bruna, por favor.

—Llámame después —dijo, y colgó.

De la sala provenían los tonos altos y bajos de la voz de tía Aurelia. Mi madre, por lo que alcanzaba a oír, permanecía en silencio. Mi corazón latía con fuerza. Todo me parecía ligeramente fuera de lugar. De pronto me vi como el acusado que no sabe que ya todo el mundo lo ha condenado. Fui a la cocina en puntillas, me serví un vaso de agua y permanecí ahí sentada, frente a la mesa central, cuya pintura blanca había tomado un color cremoso. De la pieza de servicio provenían los ronquidos entrecortados de Claudia. Su abandono me sirvió para tranquilizarme. Tal vez se trataba de un asunto privado de la familia Orsini y preferían que yo no me enterara para no aguar mi postura de argollas. Una cosa estaba clara, llevaban más de quince minutos en el salón, por lo tanto el apuro de tía Aurelia no había sido otra cosa que una muestra de nerviosismo.

—Señorita Julia, ¿qué hace sola en la cocina?

Era Claudia oliendo a rosas.

—Estoy esperando que la mamá termine de hablar con una amiga.

—¿Está todo listo para el sábado?

—Sí. ¿Te probaste tu delantal nuevo?

—No sabe lo bien que me veo. Lo único fome es que la señora Victoria me mandó a quedarme en la cocina. Me gustaría servir y así ver a los invitados.

—No te preocupes, Claudia, yo misma vendré a buscarte para que saludes y conozcas a la familia de Alberto.

—Uuuuy, si son todos tan buenos mozos como él, me va a dar un síncope.

En ese instante vi salir a mi madre y a tía Aurelia del salón rumbo a la puerta. No se despidieron con un beso en la mejilla. Temí que hubieran tenido una disputa. Mi madre caminó hacia la cocina a paso lento. Estudiaba sus uñas, como si tuviese que decidir si hacerse o no la manicure para la ceremonia. Llegó hasta nosotras y dijo, como si se tratara de la cosa más natural del mundo:

—Tu tía Aurelia vino a decirme que Alberto es conocido en la colonia italiana por ser mujeriego.

—Por Dios, mamá, cómo dice una cosa semejante con esa tranquilidad —le reproché, alzando la voz—, y frente a Claudia.

—Claudia no va a oír nada que no haya oído antes.

—¿Y qué más le dijo?

—Que todo el mundo comentaba, y ella se había sentido en la obligación de decírmelo antes de la postura de argollas.

Me sentía al borde del llanto, no por la noticia, algo me había anunciado Bruna cuando comencé a salir con Alberto y algo más me habían dicho en tono de broma en otra ocasión, pero me violentaba la actitud displicente de mi madre. Esa tranquilidad podía corresponder a: que no le importaba, improbable tratándose de una mujer víctima de un esposo mujeriego, o bien que en su interior ya había tomado la decisión de obligarme a terminar con el compromiso.

—¿Y usted qué le dijo?

—Que era problema suyo, hija, con quién se casaba, de nadie más.

Me abracé a ella y me acarició el pelo.

—No sabía que era para tanto —dije apenas.

—¿Tanto qué?

—Tan mujeriego.

—Eso es lo que dicen.

Claudia se había ido a su dormitorio y nosotras nos sentamos alrededor de la mesa. No deseaba llorar para no darle en el gusto a la señora Aurelia.

—¿Qué hago, mamá? Por qué tiene que venir esa señora a llenarme de dudas. Usted tiene una opinión, no se haga la lesa, cuando está tranquila es porque ya se hizo una idea.

—Sí, tengo una idea. Dígame, mi amor, ¿usted está segura de que él está enamorado de usted?

—Absolutamente.

—Bien. ¿Usted confía en él? Esta respuesta búsquela dentro de usted misma.

—...

—Podemos adivinar prácticamente todo, nos cegamos a veces porque la verdad nos incomoda.

—Yo confío en él, mamá, estoy segura. Y usted sabe que soy desconfiada. Lo puedo sentir y desde que está conmigo no ha estado con ninguna otra mujer. De eso no tengo dudas.

—Entonces, mi amor, no se preocupe más. El sábado se pone las argollas y en abril próximo se casa. A las habladurías, oídos sordos. Además no es necesariamente malo que un hombre haya sido mujeriego cuando joven. Al menos no va a andar por ahí a los cuarenta buscando la juventud perdida. Confíe en él y goce con él, no tenga miedo.

Nunca llegué a perdonar a tía Aurelia del todo, aun sabiendo que lo hizo por mi bien y no actuó, como la mayoría, de manera cobarde, comentando por aquí y por allá de la desgraciada ventura de esta niñita Bartolini que se iba a casar con un hombre sin escrúpulos. Fue valiente, vino a la casa, se enfrentó a mi madre y transmitió lo que había oído decir. Pero quien sopla el rumor a los injuriados, recibe parte de la venganza. Al enterarnos de un chisme que nos involucra, nos llenamos de malos sentimientos y al no tener en quién descargarlos, una parte de ellos recae en el mensajero. Chile está lleno de chismosos, valga la cacofonía, nada se dice a la cara y quien se atreve a decirlo es tildado de vulgar, violento, ofensivo y quien se arriesga a destapar las ollas de grillos, como lo hizo esa tarde doña Aurelia, paga el precio de ser el cuervo negro que se posó en el árbol de la casa. En esto reside el poder del chisme, y no ha habido manera de desactivarlo a lo largo de la historia. Es un círculo vicioso que sólo se puede combatir substrayéndose a él. Ese día mi madre me enseñó algo fundamental para sobrevivir en nuestro país, sin tener la sensación de llevar a cuestas una pesada carga de voces ominosas. "No debes conferirles a las habladurías poder sobre tus actos. Sólo así renacerá la agradable sensación de que tu vida es solamente tuya y que hay un núcleo de verdad al que sólo tú accedes". Así he sido yo con respecto a mi familia y la he defendido con fiereza. No permití que nada me tocara y tampoco me permití atacar a nadie con mi lengua. En las ocasiones en que un mal sentimiento hacia alguien querido me ahogó, o bien lo aplaqué a fuerza de voluntad, o se lo hice saber. Esta manera de ser me trajo enemistades, pero también me permitió rodear a mi familia de un círculo de hierro. Nunca uno de mis hijos me oyó hablar mal de Alberto o de otro hijo, menos mis amigas, y cuando me enteraba que una de ellas descargaba su rabia contra mí en los oídos de otra persona, yo no lo tomaba en cuenta y la recibía en casa con los brazos abiertos. "Alejaos de mí, ángeles del mal, apartaos de mi camino, marcho rumbo a la esperanza, a pesar de vuestros funestos aleteos". No recuerdo el origen de esta invocación, si la leí en algún libro o simplemente la inventé, pero me apoyé en ella cada vez que sentí flaquear mi determinación.

27

A pesar de proponerme escribir al menos un par de horas cada mañana, han transcurrido tres días desde la última vez que abrí este archivo, y en mí han pesado como si fueran tres meses. Lógicamente, es corto el plazo para la tarea y cada día es un día menos. Una descompensación intestinal me tuvo postrada, sin las fuerzas para llegar hasta el escritorio y menos darles aliento a mis recuerdos. También sufrí una hemorragia. Fueron días oscuros, como si el verano se hubiera arrepentido de llegar, y oscuro estuvo mi ánimo frente la perspectiva de comenzar a decaer antes de lo previsto, quitándome de paso la única esperanza que conservo: terminar estas memorias, o como quiera que se llame un ejercicio de esta índole. Fue como contagiarse con la muerte: la idea de enfermar me enfermó más que las consecuencias del solo malestar, como si un virus pernicioso se hubiera colado en mi corriente mental y se hubiera embarcado en su proceso reproductivo. Sólo el alivio del cuerpo, la disipación del asco y un despertar a una luz distinta, a un aire más tibio y plácido, me sacó de mi estado de ánimo. Y de nuevo me siento entera esta mañana para renovar mis vínculos con el pasado, para recordar esta vida que en nada se asemejó a la que alguna vez pensé tener. Desde el episodio del tranvía en adelante, supe que nada estaría dado. Si deseaba que las cosas permanecieran como estaban o avanzaran en la dirección correcta, debía luchar por que así fuera. La meticulosidad de mi hermano Joaquín para llevar sus colecciones es semejante a la que yo esgrimí para custodiar los caminos de mi vida y de los míos. Se trataba de un afán diario, disciplinado, acucioso; crear el estímulo y controlar el resultado. Claramente, mientras mis hijos eran pequeños, este estilo de "administración" familiar surtió efectos prodigiosos, pero los años se encargaron de demostrar que cualquier esfuerzo por manejar los hilos de la existencia es inútil.

En cuanto a Alberto, al menos en el espacio familiar, creí establecer un claro marco de conducta. Lo que Alberto hiciera en su fábrica no me importaba. La única vez que fui hasta allá para una celebración de navidad, fueron tantas las cosas que me disgustaron que le imploré que nunca más me llevara, prefería permanecer ignorante a saber qué ocurría en ese lugar tan ajeno a mí, donde yo no existía para Alberto más allá de la tradicional foto sobre el escritorio.

Acabo de comprender, al tiempo que escribo, que elegí la ceguera. Esas oficinas bien arregladas pero lóbregas, esa secretaria de mirada zalamera y a la vez desdeñosa, esas tazas sucias de café sobre el estanque del escusado, hablaban de Alberto y de su manera de ser, pero con la soberbia de los ignorantes me dije que no estaba ahí, que Alberto era el de la casa, y las cosas que yo observé en su oficina, la distribución de sus útiles sobre el escritorio (todavía recuerdo un feo puño de peltre que usaba de pisapapeles), eran obra de una mano anónima, de personas sin importancia en su vida y menos en la mía. ¿Cómo era posible que esa oficina despersonalizada fuese tan distinta a lo que yo creía que era Alberto? ¿Cómo era posible el trato autoritario que tenía con sus subordinados, la perceptible intimidad con esa secretaria que sin hacer nada en particular me faltaba el respeto? Yo no pervivía en esa oficina y sólo me bastó observar a mi alrededor para comprobarlo. Baños sucios, plantas descuidadas, alfombras manchadas y despegadas en las esquinas, un perceptible aire de agresividad. La ceremonia se llevó a cabo alrededor de un abeto de plástico, sólo adornado con una línea de luces de colores, ubicado en el ardiente patio de concreto que separaba las oficinas de los galpones. Junto al árbol desfallecían bajo la canícula doscientos cincuenta cajas, envueltas en una multitud de diminutos viejos pascueros flotando en un cielo verde, una igual a la otra, apiladas de a tres en alto. Habló el encargado de Recursos Humanos. En un lenguaje pobre y relamido dijo, sucintamente, que el regalo era para agradecer el esfuerzo del año y para fomentar uno todavía mayor durante el próximo. Luego Alberto y yo nos sacamos una fotografía con el presidente del sindicato. El encargado dio el pase para que cada persona tomara su regalo. “Es para que lo disfruten con su familia”, dijo Alberto en voz alta. Me violentó el tono de superficial magnanimidad en su voz y sus gestos. Los obreros se acercaron a las cajas murmurando, sin dirigirnos la mirada en ningún momento, como si no estuviéramos presentes. Las cajas contenían dos tarros de fruta en conserva, dos de atún, un pan de pascua, una bolsa de dulces, una botella de champaña y dos de vino tinto de regular calidad; Alberto insistió en que me echaran una a la maleta del auto: a él también le correspondía la suya.

Esta triste experiencia fue la verdadera razón de no volver jamás a poner un pie en ese lugar. Incluso Juan Alberto me ha pedido que vaya de visita para que vea los adelantos, pero siempre he encontrado una buena excusa para no hacerlo. Esa fábrica sólo me recuerda que Alberto me dejó fuera de una parte importante de su vida y yo no hice nada por remediarlo. Él no me llevaba en su corazón cada mañana y debió sentirse incómodo cuando lo llamaba para comentar algún tema apremiante de nuestros hijos o de la marcha de la casa. Mi impresión era que deseaba colgar cuanto antes.

Siguiendo esta línea de pensamiento, es posible que Alberto tuviera otras mujeres. Desde antes de casarnos, cuando la señora Aurelia le advirtió a mi madre de su afición a las faldas, estaba convencida de que era imposible que estuviese con otra mujer sin yo percatarme. Fui estúpida y arrogante. Si Alberto podía tener dos vidas tan disímiles como la de nuestro hogar y la de la fábrica, también podían existir otros aspectos que cayeran más allá del radio de mi percepción. Si el mundo de su trabajo me tomó por sorpresa, también podía tener otros mundos de los cuales no tuve la menor noticia. Si contaba con la habilidad de transfigurarse al punto que esa visita a la fábrica me enrostró, también era capaz de dejar afuera cualquier indicio que lo pudiera delatar respecto a un engaño. Y quizá fui yo quien estimuló en él esa capacidad de mutación al cautelar cada uno de sus pasos. "Mis" valores, "mis" objetivos, "mis" aprensiones; cómo, me pregunto, pude ser tan ingenua al pensar que Alberto se había rendido al buen camino que yo había trazado ante nosotros. Viví en la certeza de que él había sido capaz de apreciar el valor de mi contribución y como un convertido me seguía lleno de fe. Pero ya no me engaño, Alberto me nombró reina de su familia y él siguió reinando sin contrapeso en su mundo fuera del hogar. "Negrita, usted manda", me dijo una y mil veces, y en las cosas que realmente le importaban y el resto de su vida hizo lo que le vino en gana.

Y me siento triste al pensar que no fue completamente mío y no porque él no lo deseara, sino porque yo se lo impuse. Tú eres el que yo mando que seas y cualquier otra cosa está fuera de libreto. Y lo más admirable es que me dio lo que yo exigía y además me hizo creer que ésa era la única faz con la cual se enfrentaba al mundo, sin nunca faltarme, sin nunca inquietarme, sin nunca despertar mis sospechas de que eso que me daba era tan sólo una parte de él, la parte que cabía dentro de mi limitada visión de las cosas. Ese otro mundo, esa sensibilidad masculina desconocida, quedó para mí del lado oscuro de la verdad.

A veces mantuve con mi hijo Juan Alberto conversaciones, al borde de convertirse en disputas, acerca de la personalidad y el carácter de su padre, y cada vez nos enfrentamos a la misma encrucijada: Juan Alberto aseguraba que él no era como yo decía que era, un hombre cariñoso, justo, de principios morales intachables, cuyas acciones en la vida estuvieron marcadas por los mismos valores que guiaron las mías. Me decía: "Pero mamá, ¿en qué mundo vive? Usted tiene una visión idealizada del papá. A mí me tocó conocerlo en la fábrica y esa persona que usted describe no existió. Era un hombre ambicioso, inteligente, pero no diría que fuera una persona que se desviara de sus objetivos por escrúpulos morales, por ser buena persona o cosas por el estilo. El papá era un tipo valiente, lleno de entusiasmo y optimismo, pero hizo muchas cosas que estoy seguro la escandalizarían". Y yo en ese punto daba por terminada la conversación: "Mi amor, mi amor, no me diga nada, no quiero saber, no quiero que me meta cosas en la cabeza. Su padre, aunque a usted le haya parecido lo contrario, era una persona íntegra y lo que usted juzga como inmoral quizá fue porque no entendió los verdaderos propósitos de sus actos. Y usted no se quede con esa idea torcida". Y Juan Alberto se ponía de pie molesto para decirme, antes de abandonar la salita de estar, donde tengo la idea de que mantuvimos una y otra vez esta misma conversación: "Por Dios, mamá, trabajé veinticinco años con el papá, pasaba con él más tiempo que usted, ¿y se empeña en asegurar que tengo una idea torcida? Piense lo que quiera y si alguna vez tiene interés en saber la verdad, me avisa". Desde que me enteré de mi enfermedad he pensado en cobrarle la palabra, pero ya es demasiado tarde. Ya no quiero saber los detalles, qué importan, de qué sirven a estas alturas. Me basta con aceptar que hubo parcelas en la vida de Alberto que existieron más allá de mí, las cuales no quise ver. Y aunque parezca una burla, le agradezco que haya llevado las cosas de esta manera. Si hubiera tenido que enfrentarme día a día a la suma de sus facetas, a sus posibles engaños, a su vitalidad que lo llevaba a hacer cosas que iban más allá de mi tolerancia, no creo que hubiera sido capaz de soportarlo. Me habría convertido en un ser rencoroso y lo habría maldecido por defraudarme. Ahora en cambio, lo recuerdo como mi hombre, quien permitió que mi vida fuera cercana a lo normal. Estaba hecha, como mi hermano o como mi madre, para ver la vida desde una ventana, y sólo Alberto, con esta recién descubierta habilidad para dar luces y sombras, consiguió incorporarme al flujo de los acontecimientos, ocultando aquellos aspectos crueles que me hubiesen paralizado. Quizás llegó a pensar: "Es preferible que mi negra tenga media vida a que no tenga ninguna". Y su amorosa cautela fue un regalo para mí. Dirán que acepté que alguien decidiera por mí, que alguien me dijera en esta esfera existes y en esta no, y tienen razón, pero ahora que lo reconozco, puedo decir con propiedad que fue lo mejor que pude hacer. Después de una vida convencida de que yo gobernaba sus actos, caigo en la cuenta de que fue él, desde una posición de mayor libertad, la libertad que sólo conocen las personas intrínsecamente vitales, quien guió los míos.

28

Después del bochornoso episodio de la Escuela Contemporánea de Música, María Teresa decidió abandonar el canto. Argumentó que no tenía la disciplina necesaria para una carrera tan larga y sacrificada. Estudiaría pedagogía en música. De ese modo aprovecharía los conocimientos adquiridos con la señora Fischer y podría trabajar con niños, algo que siempre le había atraído. "Además —dijo—, es una carrera flexible y nada esforzada. Si me llego a casar y a tener niños no va a ser un obstáculo". Estas reflexiones nos resultaron asombrosas viniendo de María Teresa; de pronto actuaba como una mujer sensata. No me quedé tranquila con este alarde de madurez, se parecía más a un querer ser que a íntimas convicciones. Nada a tal grado juicioso podía nacer de María Teresa, según mi sesgada opinión; no estaba en ella. Cuando el péndulo dejaba de moverse y se fijaba inalterable en su línea de gravedad, sólo era posible interpretarlo como una señal de peligro.

Al regresar de un verano plácido en Villarrica, donde frecuentó a los amigos de María del Pilar y su novio, Luis, entre quienes parecía sentirse a sus anchas, entró a estudiar a la Universidad Católica. Las cosas marcharon sin sobresaltos en la dirección adecuada y mis aprensiones cedieron ante la evidente calma que velaba sus días.

Al tercer mes de clases trajo a casa a un joven de veinticuatro años, estudiante de primer año de filosofía, y sin el menor pudor lo presentó como su "pololo". Revoloteaba alrededor de él como lo haría una abeja en torno a una preciada fuente de polen, y él mostraba la misma pasividad de una flor. Unas cuantas preguntas, dos carreras anteriores sin haber alcanzado cuarto año en ninguna de ellas, una familia de pocos medios que vivía en el sector de Recoleta y unos ojos llenos de indolencia bastaron para ponerme en pie de guerra. Su sonrisa invariable se transformó en la representación de mis miedos: era el tipo de hombre que no deseaba para una hija, a los cuales culpaba de la mediocridad ambiente, quienes van por el mundo como madera a la deriva. Con el paso de los días y sus visitas a la casa llegué a formarme una opinión fundada y a convencerme de que mi hija corría el peligro de echarse un bulto sobre los hombros de por vida. Hubiera sido lógico pensar que cualquier día María Teresa se desharía de él para encontrar su lugar junto a un hombre hecho y derecho, un hombre que estuviera a su altura, que emulara la fuerza de su padre, que le ofreciera un porvenir amplio y seguro. Sin embargo, presentía que me enfrentaba a un enemigo formidable. Algo en él, algo indescriptible, su presencia esponjosa tal vez, capaz de adecuarse a cualquier situación, de estrecharse en un rincón para que otro ocupase el resto del espacio, se complementaba peligrosamente bien con la personalidad avasalladora de María Teresa. Por fin mi hija había encontrado a alguien que no le imponía deberes, que no la restringía en ningún sentido, que secreta o abiertamente no criticaba cada uno de sus exabruptos. Más aún, la desmesura de su carácter parecía divertirlo. A medida que pasaba el año universitario, las visitas de Ramiro, Ramiro Gómez, se hicieron más seguidas y un día de agosto María Teresa me preguntó si podía quedarse a cenar. Dentro de nuestro protocolo familiar, que un pretendiente se quedara a cenar le confería a la relación un tinte de formalidad; significaba sentarse a la mesa con

Alberto. María del Pilar ya se había encauzado en la relación que desembocaría en su matrimonio y su novio cenaba con nosotros a menudo. Si de buenas a primeras le hubiera cerrado el paso, María Teresa se hubiese sentido discriminada frente a su hermana. Logré dilatar el encuentro de Alberto con Ramiro durante dos semanas, con distintas excusas que fui inventando en el camino: simulé una indigestión, le rogué a María del Pilar que por favor no invitara a Luis a cenar debido a un supuesto nerviosismo de Alberto por asuntos de la fábrica. Mi habilidad para esquivar la atenta guardia que me impuso María Teresa hubo de terminar cuando una nueva excusa me hubiera obligado a montar una operación compleja con claras posibilidades de ser descubierta. Alberto se sentaría a la mesa con Ramiro; lo conocía de saludo y breves intercambios de palabras, pero nada más. En ocasiones me preguntaba por "ese tipo", pero con la suficiente indiferencia como para aceptar mis vagas respuestas. No era ningún incauto y mi vaguedad al momento de referirme a Ramiro —conociendo mi tendencia a formarme impresiones rápidas de la gente— conllevaba tanto o más significado que si le hubiera hecho un análisis de mis observaciones.

El día elegido fue un jueves de agosto de 1967, una noche que prometía heladas al amanecer. La respiración forzada de la caldera central recorría la casa. María Teresa, María del Pilar y sus acompañantes se habían atrincherado en la salita de estar. Juan Alberto no vendría a comer. Imaginé que la casa flotaba en la noche trasparente con sus ventanas iluminadas. Siempre me agradó la atmósfera nocturna de nuestra casa. La luz de las ampolletas incandescentes se apaciguaba al atravesar las pantallas de pergamino y las bibliotecas del living y la salita dormían tras un imperceptible velo de luz. La preocupada iluminación, obra del propio Alberto, arropaba los objetos y abrazaba a las personas para integrarlas a una armoniosa composición. Dentro de ese equilibrio, la figura desgarbada de Ramiro era un punto gris, un borrón del pintor, alguien cuya personalidad sin relieve no se integraba al claroscuro familiar.

Mientras Alberto se cambiaba de ropa en el baño, le comenté desde nuestro dormitorio quiénes comerían con nosotros:

—Ya era hora que tuviéramos oportunidad de saber más de este Ramiro —dijo a través de la puerta entreabierta.

—No lo juzgues a primera vista. Puede que sea un buen muchacho.

—Julia, por favor, eres tú la que juzga a las personas, incluso antes de hablar con ellas. Al menos yo me guío por datos más concretos.

—Bueno, por eso lo digo. Está en primero de filosofía y ya tiene veinticuatro años. Es miembro del centro de alumnos de la universidad, en representación de un partido nuevo que se llama Izquierda Cristiana. Estos "datos" no deben ser una buena carta de presentación para ti.

—¿Para mí? ¿No será para ti? Hasta el momento yo no he expresado ningún malestar. Conozco a los fundadores del partido, me tocó trabajar con uno de ellos y no son malas personas; un poco ilusos pero buena gente.

—Alberto, no me vengas con cuentos, te conozco, no me vas a decir que ahora te gustan los idealistas.

—Bueno, al menos ya estamos hablando sin hipocresías. Estoy de acuerdo contigo, no me gustan para nada sus credenciales, pero habrá que ver primero de qué fibra está hecho y tomar en cuenta la reacción de María Teresa si lo rechazamos. Si llega a notar que este tipo no nos gusta, estamos perdidos. Y tengo que pedirte un favor, Julia: esta vez no te engañes. A la Tere lo único que le interesa es hacernos la vida imposible y le importa un comino su futuro. No pienses que vas a conseguir despertar en ella una conciencia de lo que es bueno para sí misma.

—Alberto, Alberto —dije levantando las manos para que no siguiera. No tienes ninguna compasión, y aunque sea cierto lo que dices preferiría no escucharlo.

Lo observé peinarse frente al espejo con su habitual meticulosidad.

—No se trata de eso —dijo, mirándose con detalle—, pero te aseguro que a fin de cuentas sucederá lo que tenga que suceder y no sacamos nada con preocuparnos por ahora. Lo único que te pido es que no le des a priori el gusto de hacernos difícil la vida. Si de todos modos se empecina, entonces se va a topar con nosotros, pero de frente, sin ambigüedades. Además, tal vez sea un buen muchacho.

Fuimos hasta la salita y nos reunimos con los demás. Andrés era sujeto de un interrogatorio por parte de Luis, el novio de la Pili, en relación con las alturas de los principales montes de Chile. De tan sólo observar la escena se me encogió el corazón. Alberto detestaba esos juegos. María Teresa mantenía tomada la mano de Ramiro y no hizo el menor gesto de separarse de su lado cuando entramos. Simuló estar absorta en la televisión. La caja de madera y pies de bronce emitía su parpadeo en medio de la oscuridad de los ventanales.

—Niñitas, no han cerrado las persianas. Aquí hace frío. Por eso la calefacción está bufando, acuérdense que el termostato está en esta pieza —dije, mientras bajaba las persianas venecianas y evitaba así darle un carácter formal al encuentro con los pretendientes de mis hijas.

—Hola, cómo están —saludé con un gesto de cabeza a ambos jóvenes. Luis, que era formal en exceso, se acercó, me tendió la mano y exclamó con voz potente:

—¿Cómo está, señora Julia?

No me dejé estrechar la mano y me acerqué para que me besara en la mejilla. Ramiro no se levantó y respondió a mi gesto de saludo con otro equivalente y una sonrisa sonsa. Hubiera deseado gritar en ese instante que saliera de mi casa y no volviera. Permanecía sentado sobre la parte baja de su espalda con María Teresa desbordándose sobre él.

—Tere, vaya a ver si está lista la comida.

—Que vaya Andrés.

—María Teresa, le acabo de pedir a usted y a nadie más que vaya a ver cómo va la comida.

—Pero, mamá —protestó mientras salía de su complicada posición—, ¿por qué tengo que ir yo?

—A usted le interesa que Ramiro coma bien en esta casa, ¿o no?

Su rostro se iluminó con la respuesta. Me reproché la hipocresía. Nada me hubiera costado ser acogedora con Ramiro —que me miraba desde la inquieta pasividad de quienes no saben cómo actuar— si hubiese sido un simple compañero de curso, pero de sólo pensar que ponía las manos sobre mi hija, me resultaba insoportable. Seguramente Pilar y Luis no eran ningunos santos, pero nada en ellos despertaba en mí ese morboso rechazo y no llegaba a imaginarlos en campaña sexual. Y diría que hasta el día de hoy no se me ha pasado por la mente una imagen de ellos en la cama, ni siquiera si me lo propongo. Mientras que a María Teresa me la he imaginado llegando hasta lo más bajo, como si su rostro y su cuerpo incitaran mis malos pensamientos. María Teresa es lo que luché una vida entera por no ser. A veces pienso que mi cuerpo y mis genes podrían haber dado origen a una personalidad de fuerte índole sexual; sin embargo, no les di la menor posibilidad de imponerse.

Pasamos a la mesa a través de la semipenumbra del living. En el comedor una lámpara con pantalla de opalina colgaba en el centro del espacio, dando suficiente luz sobre la superficie de la mesa, sin saturar el ambiente. A ella se agregaba una colección de cuadros chilenos débilmente iluminados, que para mí constituían buena compañía, como llamas de espíritus custodios. Pasé revista a cada uno y no me devolvieron el guiño cómplice de cada día, sino que siguieron con los ojos llenos de burla la figura de Ramiro, que se movía alrededor de la mesa con la cabeza baja, como si su interés estuviera puesto en la alfombra. Nuestro comedor tenía un aspecto monacal. La mesa de encina estaba privada de cualquier adorno innecesario y las sillas eran de cuero tachonado de clavos de fierro. El aire colonial lo realzaba una colección de antiguos mates de plata, desplegada sobre un mueble buffet. Esa habitación era tal vez, después de la salita, donde me sentía más cómoda.

Había dispuesto una cena sencilla pero sabrosa. *Panzotti* con mantequilla y salvia, una de las especialidades de Olimpia. Era un plato de preparación sofisticada como para dejar conforme a María Teresa, pero que Ramiro, seguramente lego en estos temas, juzgaría poco más o menos como algo corriente.

—Dime, Ramiro, ¿por qué te has cambiado tantas veces de carrera? —preguntó Alberto, imponiendo su vozarrón. A pesar de creer en el criterio de mi marido, no confiaba en su tino al momento de poner su táctica en palabras. Tenía una clara incapacidad en cuanto a las formas. Decía las cosas como se le venían a la mente, a lo bruto, y muchas veces algo por completo libre de malos sentimientos salía de su boca como una inexcusable agresión. Una sonrisa y una mirada al plato y a María Teresa, fue en principio la respuesta de Ramiro. Al percibir que la atención aún recaía sobre él, se limpió la boca con la servilleta y dijo:

—Bueno, eh, son todas carreras relacionadas. Primero estudié dos años teología, porque en una época pensé ser sacerdote. Cuando decidí que no era para mí, me cambié a literatura. Me gusta leer y tengo un libro de cuentos escrito. —Tomó aire, lanzó otra risita y continuó—: Echaba de menos la filosofía que aprendí en teología, por eso me volví a cambiar.

—Julia me contó que habías cumplido veinticuatro años, lo que significa que llevas más de seis años en la universidad. Y recién comienzas filosofía. Te lo estás tomando con calma.

—Sí, señor —contestó Ramiro con una expresión satisfecha.

—De verdad eres sorprendente —dijo Alberto con una sonrisa burlona asomada en las comisuras.

—¿Cómo están los *panzotti*, Ramiro? —intervine.

—Ricos, en mi casa no se comen tallarines; están muy ricos, parecen empanaditas cocidas en agua.

Teresa seguía la conversación con una sonrisa tensa, como si estuviera atenta a un partido de tenis. Cuando notó que el abismo se volvía insondable, se hizo al ruedo:

—Ramiro es el primer secretario de la FEUC. Está encargado de escribir las declaraciones y de mandarlas a los diarios y a la tele. Trabaja en la federación casi todo el día, bueno, toda la tarde. A él le gusta la filosofía y la política.

—¿Y cómo están las cosas en la universidad? —pregunté.

—Muy difíciles, señora, estamos levantados contra el rector impuesto por el Arzobispado, queremos tener un rector elegido por los universitarios, no por los curas.

—Pero es una universidad católica, ¿no?

—Sí, pero los alumnos y los profesores tenemos derecho a elegir a quienes nos gobiernan. Exigimos además que el presidente del centro de alumnos forme parte del Consejo Superior.

—Todo esto se parece bastante a las protestas de la Universidad de Concepción —comentó Alberto, que ya había acabado con su plato y me lo pasaba para que le sirviera por segunda vez.

—Sí, pero aquí es más difícil. Esa universidad es estatal y la gente pide que se independice de la jerarquía del gobierno. Con la Iglesia es diferente, porque suena a pecado, como faltarle el respeto a Dios.

—¿Y tú crees que le están faltando el respeto? —inquirí, con el plato de Alberto todavía en la mano.

—No, señora, Dios actúa en todos nosotros, no sólo en monseñor Silva Santiago.

—Me cuesta entender qué tanto problema les causa un sacerdote piadoso e inteligente como él.

—Que hace lo que se le da la gana en nombre de Dios y eso es humillante. Nadie mejor que los propios alumnos y profesores sabemos lo que se debe hacer en la universidad.

—Suenas como un propagandista —bromeó Alberto.

—De eso se trata...

Esa noche dormí poco. La risita de Ramiro me espantaba el sueño. Durante las horas de insomnio me asaltaron los juicios contra él. Ciega por razones que aún no entiendo, me repetía que su peor rasgo era una absoluta carencia de sentido de realidad, del sentido de saber en qué punto se hallaba en el mundo y en la vida. Incluso sus posiciones políticas, que sonaban razonables y coherentes, no eran más que la repetición de un discurso aprendido. Llegué a la demoledora e infundada conclusión que de ese hombre no brotaba una sola idea original.

29

Andrés se graduó de arquitecto con todos los honores. Dio el discurso de despedida de la generación, exhibiendo un dominio de escena inesperado en un carácter temeroso como el suyo. Entre las cosas que recuerdo de la ceremonia, me emociona el gran cariño que le demostraban sus compañeros y profesores, a través de abrazos, apretones de mano y testimonios de admiración a nosotros sus orgullosos padres. Lo más sorprendente durante esa mañana brumosa, un tanto fría para el mes de mayo, fue la satisfacción de Alberto y Juan Alberto, su comportamiento suelto y expansivo, la extroversión con que celebraron los premios. Una luz pálida se colaba sin calentar entre los decaídos árboles frutales del patio colonial. Celebramos el triunfo de Andrés como si fuera propio y las críticas de los hombres a su necesidad de ser el centro de atención, a su naturaleza que les resultaba ajena, se desvanecieron. Era el centro de atención sin ninguna duda y Alberto y nuestro hijo mayor se habían convertido en su público más entusiasta. Tengo sobre mi escritorio una fotografía que nos tomamos terminada la graduación. Alberto en un extremo, Juan Alberto en el otro, cada uno enarbolando un diploma, mientras yo y María del Pilar estamos abrazadas a Andrés en el centro. Las sonrisas son abundantes y la composición de la foto es equilibrada. Me enternece observar la similitud de las sonrisas de mis hijos. Hubiese querido que María Teresa participara de la celebración, pero hacía años estaba desentendida del calendario familiar. Un encuentro con su padre hubiese sido impensable.

El recuerdo de una de las cartas de Andrés, esa en la cual afirmaba que Alberto lo consideró poco más que un buen activo, ha roto el encantamiento que iluminó por un instante mi recuerdo de aquel día. Creo que tenía razón. Alberto estaba feliz por sí mismo, más que por su hijo; sentía que era él quien se merecía esos premios, que era a él a quien finalmente se le hacía justicia. La actitud de Juan Alberto, en cambio, no es tan fácil de descifrar. Siempre envidió mi atención hacia Andrés, cualquier tipo de atención que su hermano pudiese obtener de los demás.

Andrés había dejado de salir con la compañera de curso que tanto me gustaba, Angélica, pero mantenía su gusto por las mujeres sencillas, dueñas de un recato natural. Cuando me tocaba conocerlas me sorprendía que a partir de relaciones nacidas de la casualidad, siempre se involucrara con mujeres que eran de mi agrado. Bueno, no exactamente todas. Hubo una que me causó la impresión de ser un poco suelta de cascos, si bien era alegre y directa al conversar.

El regalo de Alberto por los éxitos de Andrés fue un viaje a Europa. Mi intención fue que viajara en el tour patrocinado por la universidad, pero había planeado un recorrido con Rodrigo y Eduardo, sus amigos desde el primer año en arquitectura. Deseaba ver las obras de sus ídolos, Palladio, Le Corbusier, Mies Van der Rohe y otros arquitectos de los cuales no recuerdo sus nombres. Alberto juzgó provechoso que Andrés se valiera por sí solo en el viaje, como un ejercicio de maduración. Una noche soñé que lo apresaban en Alemania y no podía darse a entender. Mientras gritaba desde el interior de la celda, yo también gritaba hasta que el grito me sacó de la pesadilla y oí a Alberto decir "tranquila, Negra, tranquila". Los malos presagios también me asaltaron durante el día, de pronto, caminando por Providencia en busca de un regalo de matrimonio para la hija de una amiga, mientras me detenía ante una vitrina y seguía el reflejo de la gente que pasaba a mis espaldas; en ese momento trivial, vi a Andrés flotando en agua oscura, con la piel amoratada y el cuerpo hinchado, en un canal belga, en un canal como los de Brujas.

Volvió de Europa cambiado. Lo esperábamos en el aeropuerto como era nuestra costumbre. Alberto había conseguido con un agente de aduanas que nos permitieran la entrada al lugar donde los pasajeros recogían las maletas. Me bastó verlo bajar del bus que lo dejó a las puertas del recinto, para sentir que había dejado de ser mi niño. Del bus bajó un hombre. Se había hecho un corte militar en el pelo, que antagonizaba con sus rasgos suaves. Una polera abierta hasta los hombros dejaba a la vista sus marcadas clavículas y su largo cuello, confiriéndole un aire europeo y a la vez femenino. Se veía fuerte. Llevaba un cigarrillo encendido entre los labios, contra las reglas del aeropuerto. Eduardo caminaba a su lado.

Como siempre, las emociones se enredaron dentro de mí, feliz por ver una meta alcanzada, una obra terminada, por saber que ya se las podría batir solo; al mismo tiempo creció la incertidumbre acerca de cómo se había gestado la transformación. Una respuesta fácil era que viajar por Europa había contribuido a su madurez, pero yo no me contento con explicaciones superficiales. Algo de carácter más íntimo debió ocurrir. A sus veinticuatro años ya había perdido mis fueros para preguntarle directamente sobre aquello que me acuciaba; tendría que contentarme con una idea difusa, leer entre líneas las anécdotas del viaje o buscar algún indicio en las fotografías. Presentía que había conocido a una mujer. Una mujer lo había tomado para sí y le había arrancado la inocencia. Algunas veces habíamos tocado el tema y Andrés me aseguraba que su objetivo era llegar virgen al matrimonio. Ya no era virgen, eso fue lo que pensé. Incluso su abrazo fue diferente, su entrega al momento de darse a mí ya no era la misma. Enfrenté en esos segundos la inapelable verdad de que había perdido la influencia sobre mi último hijo, ya no era más responsable de la educación de nadie.

Los días que vinieron fueron difíciles. Llegaba a la meta, mi familia estaba "terminada" y sin embargo, ante mí se presentaba una pintura que ni siquiera tenía una buena composición. María Teresa vivía aparte de la familia, el marido de María del Pilar no se llevaba bien con Alberto, Juan Alberto hacía lo posible por no encontrarse conmigo a solas y Andrés era un misterio por resolver.

La situación de María Teresa constituía un dolor constante, con el cual me levantaba y me iba a la cama. Me preocupaba de llamarla seguido, no dispuesta a perder el vínculo. Si elegía mal las palabras me arriesgaba a que colgara mientras estaba hablando. Y yo persistía de todas formas, porque podía sentir que ella esperaba esas llamadas, percibía su necesidad de saber de nosotros, de mantener al menos un delgado hilo de comunicación.

Continuaba casada con Ramiro, tenían dos hijos, un hombre, el mayor, y una mujer. Su vida en esos diez años había sido como habíamos anticipado, con grandes problemas económicos, Ramiro perdiendo un trabajo tras otro, María Teresa sacando adelante a su familia. Trabajaba como vendedora ambulante de cosméticos y, según me contaba orgullosa, había llegado a ser la mejor vendedora de Chile. Aparte de las comisiones, recibía premios. Había conseguido transformar su fuerza destructiva en cierta agresividad al vender, sumada a su risa fácil, su encanto animal, su llaneza, la claridad de sus objetivos. Ramiro había resultado ser un buen marido, amoroso, fiel, atento a las necesidades de ella. También era un buen padre. Sus hijos lo adoran y creen que lo mejor de ellos viene de él y lo peor de los Sartori. María Teresa permitía que yo los visitara de vez en cuando. Aprovechaba tales ocasiones para mostrarles que también nosotros habíamos aportado bienes a su personalidad, bienes que su madre les había transmitido y quizá había ocultado su procedencia. Una tarde, el mayor, tendría nueve años en ese entonces, se percató de mis intenciones y me dijo con dureza: "Nosotros no tenemos nada que ver con los Sartori, no nos interesa el dinero".

El único hecho llamativo de las historias que contaba Andrés del viaje fue que él y Eduardo se separaron de Rodrigo en España. Éste había sido el líder e impulsor del viaje y quien había definido dónde irían, a ver qué obras y por cuánto tiempo. Al preguntarle por las razones, Andrés me dijo: "Se puso mandón y pesado. Teníamos que hacer lo que a él se le ocurría o si no armaba un escándalo. Un día le dijimos que se fuera a la cresta y se fue, más que a la cresta. No lo volvimos a ver". Era una explicación plausible, pero a la vez rompía con un entendimiento que llevaba seis años funcionando sin problemas. Crecía el orgullo de verlo convertido en un hombre y al mismo tiempo se acumulaban las dudas. No encontré la manera de preguntarle lo único que deseaba preguntarle: si había tenido a una mujer.

Entró a trabajar a la fábrica en el área de diseño. La de fabricación era supervisada por Juan Alberto. No queríamos que se toparan en sus responsabilidades. Alberto lo recibió con bombos y platillos; sabía que podía ser una gran contribución. Tanto él como Juan Alberto tenían otras habilidades, muy alejadas del diseño y de las necesidades arquitectónicas que variaban de un año para otro sin darles tiempo para adecuar sus modelos.

Al año siguiente, 1980, hicimos con Alberto nuestro último viaje, el viaje donde sufrió su primer ataque. Alcanzamos a estar poco menos de un mes en Europa. La llegada imprevista tomó a nuestros hijos por sorpresa, sobre todo a Andrés, que se había quedado solo en la casa, acompañado de Olimpia. Ella me contó que casi todas las noches Eduardo había alojado con él. Andrés me explicó que no le gustaba quedarse solo en la casa y Eduardo se había ofrecido a acompañarlo.

—¿Y Olimpia?

—Es como si no hubiera nadie, duerme al otro lado de la casa. Usted sabe que soy miedoso.

Mi confusión se hizo mayor cuando oí por casualidad un diálogo entre ellos al levantar el teléfono de mi cuarto: se hablaban con ternura, como si se protegieran el uno al otro. Evidencias tan palmarias como parecen hoy, en ese tiempo no me aclararon el panorama. Tampoco tenía la tranquilidad para pensar detenidamente en estas cosas. El diagnóstico mortal que había recibido Alberto de los neurólogos me tenía fuera de mí y el órgano de mi sensibilidad estaba obstruido. Caminaba por la casa y sufría vahídos y en tres o cuatro oportunidades olvidé por completo ir de compras o pagar una cuenta.

Temía que Andrés estuviera bajo la influencia de Eduardo, como antes lo estuvo bajo la de Rodrigo. Eduardo era un joven excelente, de buenas costumbres, y su familia, al decir del cura Pérez, era gente de bien. Para justificar mis observaciones, recordaba que Andrés poseía esa rara cualidad de crear relaciones íntimas tanto con hombres como con mujeres. Sin embargo, con veinticinco años, trabajando en la fábrica, con bastante éxito según Alberto me contaba, no me parecía apropiado que creara una nueva relación de esa índole. Debía buscar una mujer para casarse. A mi modo de ver, esa relación era un escudo para protegerse del mundo, para no tener que comprometerse. Sus salidas eran con Eduardo al cine, o a comer un sándwich, otras veces se quedaban los dos en la casa a ver una película en televisión. No había mujeres en el horizonte. Una explicación era que Andrés continuara prendado de la mujer del viaje y que Eduardo fuera el guardián de su secreto. Le escribía cartas a María Luisa Soler, a Madrid. Una vez encontré sobre el escritorio de su habitación un sobre dirigido a ella con una voluminosa carta en su interior, pero no me atreví a abrirlo. Ella era la única entidad concreta en la cual podía verter mis inquietudes, un embudo bastante estrecho, dirán, con la perspectiva de lo ocurrido más tarde. Era el último cabo del cual aferrarse para no ver lo que se había vuelto evidente.

30

Nuestros primeros años de matrimonio los pasamos en la casa que mi padre nos regaló como una especie de dote. Me agradaba estar cerca de mi madre, en Ñuñoa: Pedro Torres 342. Era de estilo moderno, un barco con ojos de buey y fachada curva. Parecía flotar en la explanada de pasto que la antecedía. En un comienzo me costó acostumbrarme. Era extraño vivir en una casa sin algunos ángulos rectos, con techos bajos y baños estrechos. El dormitorio principal en el segundo piso tenía una amplia pared curva, que gracias a Dios no era en la cual había de apoyarse la cama. De poner los muebles se encargó Alberto. Yo de esas cosas no entendía y no tenía interés en ellas, en cambio él gozaba comprando. No era un comprador compulsivo, pero cuando se cristalizaba una necesidad en su cabeza, no cejaba hasta satisfacerla. En los comienzos, me avergonzaba acompañarlo a comprar; pedía descuento de manera impertinente. Sus argumentos al transar con los dueños de las tiendas invocaban costos, impuestos, márgenes, futuras oportunidades, lo que se presentara en la discusión. Y no se daba por vencido con facilidad. Era capaz de gastar media hora o más en busca de algún flanco débil en las razones de su interlocutor, hasta salirse con la suya.

Nunca pedí una rebaja antes de su muerte. A la salida de mi luto sin embargo, me transformé en una regateadora excepcional, entrenada por más de cuarenta años en esta habilidad similar al baile, pues tenía una dosis de ritmo, y con las ventajas obvias de ser mujer, de saber sonreír con encanto y de tener más de setenta años. Para un observador ignorante, la causa de mi actuar sería la inseguridad económica que despierta la ausencia del proveedor de la familia, pero yo tenía mis años futuros asegurados. Regatear es hasta hoy una forma de homenaje, una manera de recordarlo. Y si consigo la rebaja, salgo de la tienda contenta, como si levantara la vista por un momento al cielo y le dijera: "Mira, aprendí".

Los muebles fueron la causa de nuestra primera discusión. Dos meses antes de casarnos, Alberto había pedido mi anuencia para que él se encargara de alhajar la casa y me preguntó si había algo en especial que deseara tener o algo que me molestara. Después de pasar lista a las cosas que necesitábamos, le dije: "Lo único que no me gusta es el color verde".

Al mes de casados, luego de pasar la luna de miel en las termas de Cauquenes, una semana nada más, debido a los compromisos de trabajo de Alberto, un camión de la fábrica se detuvo frente a la casa y de él bajó un juego de living: un gran sofá y dos sillones confortables, tapizados en felpa verde espárrago.

Cuando se lo hice notar, me miró extrañado, como si no supiera de lo que estaba hablando. Uno de sus tíos le había recomendado ese color: "Combina bien con otros colores y crea un ambiente plácido y sin estridencias". Al notar mi molestia, se excusó: "Perdona, Negra, se me olvidó", pero no se ofreció a cambiar el tapiz. Y verdes permanecieron los muebles del living por muchos años. Mi alternativa hubiera sido insistir en el cambio, poner en claro que no me dejaría atropellar. ¿Por qué no lo hice? Creo que no me importaba gran cosa y verme descalificada en un asunto de esa índole era más bien una ventaja que una afrenta. Él se haría cargo de los detalles de la vida, necesarios pero no importantes, y yo no tenía la más mínima intención de disputarle su autoridad.

En esos años, Alberto era el administrador de la fábrica de sus tíos y ganaba más dinero que cualquiera de las personas de su edad, al menos entre nuestros conocidos. La mayoría de las mujeres recién casadas de mi medio vivían en el centro, donde las rentas eran más baratas y ninguna soñaba aún con tener una casa propia. Los departamentos que les tocaba arrendar eran estrechos, poco luminosos, pero su independencia las hacía felices. En ese entonces, el matrimonio era, para una mujer, una liberación. Por primera vez en su vida tenían cierta autonomía, aunque fuese para decidir qué comer, y nadie estaba midiendo cada paso que daban. Esas mujeres respiraban dentro de esos departamentos un aire más libre que en las casas de sus padres. A mí me sucedía lo contrario. Nunca me sentí controlada por mis padres. Él era una constante ausencia y ella una preciada compañía. Me gustaba estar con mi madre, hablar sin tiempo, reírnos, estar ambas silenciosas dedicadas a alguna labor. Irme de la casa para mí fue un paso hacia la soledad, que se presentó brutal el primer día que Alberto se levantó al alba y me dejó sola.

Juan Alberto pasó los primeros años de vida en Pedro Torres. Al salir de la clínica nos encontramos entre los brazos un niño de una belleza extraordinaria, rubio, ojos azules, un rostro ancho dulcificado por una nariz respingada, como si no hubiera nacido del vientre de una mujer de ascendencia mediterránea.

Al bautizo asistieron cincuenta personas. Fue Alberto quien más gente invitó, la mayoría miembros de su familia, algo así como un rito italiano para mostrarles a los demás el rostro inocente del continuador de la dinastía, una dinastía de pacotilla. Para ellos había llegado el momento del apogeo. A la siguiente generación le correspondía abandonar el trabajo arduo y pasar a un bienestar al nivel de las familias más acaudaladas del país. Sacarle a Alberto esa idea estúpida de la cabeza fue una de las primeras tareas que me impuse luego del nacimiento. Juan Alberto no era heredero de nada ni de nadie, era tan sólo un niño y nuestro deber era educarlo como hombre de bien. Si alguna carga llevaría, sería la de ser ejemplar. Responsable, íntegro, de costumbres impecables. Si además lo cargábamos desde la cuna con el peso de las expectativas de la familia Sartori, podíamos terminar con un hijo convertido en el títere de un ventrílocuo tan dominante como sólo podían ser los dictámenes de un clan obsesionado por surgir. Las conversaciones con mis suegros fueron bastante ásperas en este sentido y Alberto se sentía abrumado por la agresividad con que yo reaccionaba ante cualquier arrebato dinástico. Mi suegra tampoco me entendía y menos que dejase callado a Alberto. Las mujeres en la familia Sartori, hasta la generación anterior, estaban para atender a los hombres, para idolatrarlos, para servirles de caja de resonancia. Sus opiniones eran simples réplicas de las expresadas por sus maridos. Alberto sabía desde nuestra primera conversación que yo no era una mujer sumisa, especialmente en los temas de las relaciones familiares. Tampoco me eran ajenos los temas políticos. Me importaba el país en que vivíamos, me importaba la familia que íbamos a crear juntos, y no estaba dispuesta a que una tradición de personas ignorantes y ambiciosas impusiera sus fantasías como lógica de vida.

Pero en esas mujeres, que consideraba inferiores a mí en casi todos los sentidos, había algo que yo envidiaba: su vitalidad, su capacidad de ir adelante y su satisfacción sexual. Lo podía notar en sus rostros, en sus movimientos, en el trato que tenían con sus maridos. Mi suegra era una mujer subyugada, pero era evidente que gozaba en brazos de mi suegro. Bastaba notar la expresión de viva energía que dominaba su rostro en las mañanas.

Me he escudado hasta ahora en diversas circunstancias de los primeros tiempos de matrimonio para esquivar la narración de los problemas que Alberto y yo tuvimos que enfrentar. Para decirlo sin rodeos, no me gustaba recibir a Alberto dentro de mí. Nada en su anatomía me resultó molesto, por el contrario, su cuerpo me complació desde el primer día que lo vi desnudo. Me gustó su pecho amplio, su espalda bien formada. Me fascinaron su olor, tan distinto a todo, y su piel. Cosas que yo pensé que iban a herir mi pudor estaban lejos de incomodarme y por el contrario me gustaban. Tocar a Alberto, recorrerlo con las manos, tampoco era algo desagradable o que me viera forzada a hacer. No había nada en la forma de abordarme que me fuera molesto. Pero llegado el momento, experimentaba un profundo rechazo. No protestaba, permanecía en silencio, pero me dolía, y mi único deseo era que terminara lo antes posible. En mi mente se fijaba la idea de que Alberto era una especie de bestia sin sensibilidad y verlo gemir como un animal lo confirmaba. Me sentía sucia, utilizada, mortificada por haber tenido que soportar una profanación igual.

Naturalmente Alberto se percató de que yo no gozaba. Mis besos perdían intensidad, mis manos no hacían más que aferrarse a sus brazos, en ciertas ocasiones le clavaba las uñas debido al dolor. Para él, al parecer, era natural lo que me ocurría. "Ya te vas a acostumbrar, mi negrita", me decía acezando en el oído, "de a poco te va a ir gustando, hasta que vas a gozar igual que yo; a todas las mujeres les pasa, ya verás".

Pasaron los meses, me quedé embarazada de Juan Alberto, fui estricta con las cuarentenas antes y después del parto. Alberto aseguraba que no podía contenerse, que le bastaba entrar a la casa y sentir mi aroma para que le dieran ganas de meterme a la cama y hacerme el amor. Esos tres meses fueron de gran tranquilidad y el problema pareció desvanecerse.

El día final de la cuarentena, Alberto llegó a la casa alrededor de las seis, dos horas antes de lo acostumbrado, y traía consigo una botella de champaña. Su rostro estaba radiante y de él brotaba una fuerza que me conmovió. Quería estar con él, percibir su deseo me excitaba más que ninguna otra cosa. Pero llegaría el momento y temía que las cosas no iban a salir bien. Tal vez el parto natural, me decía, había cambiado las cosas. Nos servimos un trago en el living y brindamos. Junto con el choque de las copas me pasó la mano por la cintura y me apretó una nalga de modo vulgar. Se trataba de una trasgresión a nuestro código de decoro. No me permití protestar. Me quitó la copa de las manos, me cargó en sus brazos y me llevó hasta el segundo piso. Reíamos. Una vez en el dormitorio, como si se tratara de una película muda, Alberto se sacó la ropa a toda velocidad. No se desprendió del reloj de oro que le habían regalado sus tíos para el nacimiento del niño; la correa de trama sintética se incrustaba en su piel. Al desvestirme no tuvo especial cuidado y mientras lo hacía no sacaba sus labios de mi boca. Yo había perdido toda iniciativa. El batir acelerado de sus manos en torno a mis prendas y a mis miembros no me permitió entrar en el mismo ritmo. Me vi como una espectadora. No pude recurrir a ninguna triquiñuela para moderar su ansiedad. De pronto me sentí como una niñita aferrada a su muñeca. Alberto se puso sobre mí y avanzó. En sus ojos una niebla le impedía leer el miedo en los míos. Al verlo buscar entre mis piernas, cerré los ojos, y cuando sentí el golpe eléctrico, una válvula se abrió dentro de mí y dejó correr el pánico por mis venas hasta el punto de impulsarme a lanzar un grito.

—¡Sal de encima! —grité al tiempo que le daba una bofetada.

Alberto se hizo a un lado. Me puse de pie y rompí a llorar junto a la cama. Mi llanto era más bien un aullido.

—Por qué —me lamentaba—, por qué.

Desnuda, con las manos cubriéndome el rostro, comencé a tiritar.

—No me gusta, Alberto, no me gusta. No quiero que lo hagas nunca más.

—Negra —se deslizó sobre la cama—, tranquilízate.

Esquivé sus manos.

—No, Alberto.

—Negra, cálmate y conversemos, ven, siéntate en la cama.

Fui hasta el muro curvo y me encogí a sus pies.

—No me toques, ya se me va a pasar. No me hables, si hablas es peor.

Tenía la sensación de que el tiempo no avanzaba. Tampoco podía moverme. Alberto me cubrió con una frazada y él se tapó con el cubrecama, mientras mantenía la vista fija en mí. Su expresión era neutra o mi debilidad así lo exigía. La enfermera que cuidaba a Juan Alberto tocó la puerta para saber si sucedía algo. En otras circunstancias, me hubiera avergonzado de que una persona extraña a la casa oyera mis gritos, pero en ese momento no me importó. Alberto prendió la lámpara al lado de su cama y así nos mantuvimos hasta que la empleada tocó la puerta para avisar que la cena estaba servida.

—¡No vamos a comer! —respondió Alberto.

La renuncia a la comida me hizo pensar en él por primera vez. En su caso, no comer era una renuncia mayor.

—Ya se me está pasando, Alberto. Anda a comer. Perdona por hacerte pasar un susto.

—Ven a acostarte, yo te voy a cuidar, no tengo hambre.

—Voy a ir al baño primero. Pero no me cuides, que eso me da más angustia. Basta que estés a mi lado.

Fui al baño, me acosté y permanecimos en silencio por otro largo rato. Alberto se quedó dormido bajo el cobertor. Yo me mantuve despierta, con el cuerpo crispado y la mente agitada por sucesivas disquisiciones que no guardaban mayor sentido. Me rendí a eso de las cinco.

A la mañana siguiente, con sólo abrir los ojos me di cuenta de que prácticamente no me podía mover. Tenía la sensación de haber sido golpeada en todo el cuerpo. El roce en las sábanas debe haberlo alertado. Se levantó del sillón que teníamos en el dormitorio y abrió las cortinas.

—Hola, Negra.

La intensa luz me dio en la cara. Era entrada la mañana.

—Casi no me puedo mover, Alberto, ven, ayúdame a sentarme en la cama.

Vino hasta mí y me levantó con fuerza. Yo no saqué los brazos de alrededor de sus hombros y me apegué a él. Me puse a llorar, aliviada. Lo peor había pasado.

—Perdona, mi amor.

—No me pidas perdón —dijo seriamente.

—Es como si me hubieran sacado todas las fuerzas.

—Sólo quiero saber una cosa. ¿Siempre te has sentido así cuando estás conmigo, desde el día que nos casamos?

—No puedo contestarte.

—¿Quieres comer algo? Cuando desperté tenía un hambre que me moría. ¿Le pido a la Amalia que te suba el desayuno?

—¿Qué hora es? Deben ser más de las diez.

—Son las once y media.

—¿Qué? Es hora de preparar el almuerzo, no de tomar desayuno, Amalia debe pensar que me estoy muriendo.

Las preocupaciones de la casa velaron el problema. Aún no podía enfrentar una conversación con Alberto. Era demasiado riesgoso. Sentía que cualquier cosa me podía sacar del precario balance en que me hallaba.

—¿Y tú no has ido a la oficina hasta ahora?

—No.

—Esta noche hablamos, ¿te parece?

—No me voy a mover de aquí.

—En la noche, Alberto.

—...

—Ya, debes irte, necesito preocuparme del aseo.

Al llegar, subió de inmediato al dormitorio. Lo esperaba sentada en el sofá, mientras leía una novela, creo que era una novela inglesa. Me sentía serena. El día había sido un extendido ejercicio de relajación, una especie de redescubrimiento de los pilares sobre los que se asentaba mi felicidad. Era un problema que había que superar, como otros que nos presentaría la vida y no me permitiría la más mínima flaqueza. Tenía absoluta claridad de que la satisfacción sexual era para Alberto el componente más importante de la avenencia conyugal y yo se la iba a dar, costase lo que costase.

—Llevas un año sintiéndote miserable conmigo, Negra, ¿cómo no hablaste antes?

—...

—Creía que no gozabas, pero no sabía que sufrías.

—Alberto, no es tan así.

—Pero, Negra, tú me debes odiar.

—Eso no es posible, no puedo odiarte.

—Estoy dispuesto a hacer lo que tú me digas.

—Quiero que esto cambie. La única manera que se me ocurre es que vaya a un ginecólogo. Donde el doctor Zambra. Él ya me conoce de memoria.

—¿Te avergüenza?

—Menos que ser incapaz de gozar contigo.

Zambra me dio a entender en su modo jovial que no había nada en mí que pudiera impedir el goce, ni tampoco algo que fuese causa directa del dolor. Aseguró que lo mío era común entre las mujeres y que tenía que ver con la mente.

—Debes ir a un psiquiatra, Julia, él te ayudará. El doctor Montaner es un excelente médico, amigo mío, y tiene experiencia en el tratamiento de este tipo de problemas —dijo mientras escribía en un papel los datos del doctor y me lo entregaba—. Es un hombre intachable y de absoluta confianza. No tengas ningún miedo en ir. Estarás en buenas manos.

—No creo que Alberto permita que yo vaya a la consulta de otro hombre, a contarle mis problemas íntimos —dije mirando el papel—, ya es una gran cosa que me haya permitido venir aquí. Es excesiva intimidad, ¿no le parece? Yo no me creo capaz de hablar con soltura de este tema con un extraño. Me ha costado un mundo venir aquí, aun cuando usted me ha visto en las posturas más humillantes, imagínese si voy donde un doctor que no conozco. Además, no sé de nadie que haya ido a un psiquiatra. ¿Sabe, doctor?, sinceramente, yo pensaba que los psiquiatras eran para los locos. Es mejor que me trate usted.

—No, Julia, sé de la existencia del problema, pero no sé cómo tratarlo. Los psiquiatras tienen una metodología, una manera de hacer las cosas. A medida que vaya a las sesiones se sentirá más cómoda y podrá hablar con soltura. Confíe en mí.

Cuando le relaté esta conversación a Alberto, sentada en el living junto al coche cuna de Juan Alberto, que dormía, me pidió que siguiera el consejo de Zambra, a pesar de los escrúpulos.

—Esto no lo vamos a remediar si nos dejamos llevar por la timidez o los miedos, Negra. Toma hora con ese siquiatra que dice Zambra y solucionamos el problema.

De manera inesperada, la enfermedad y los problemas con mi marido se entrelazan. El mismo cuerpo que rechazó a Alberto esa noche recibe hoy las embestidas del cáncer. Bruna me ha dado a entender, de manera sutil, su convencimiento de que es una enfermedad psicosomática. En buenas cuentas, ella piensa que yo originé los tumores, que los años sin Alberto y la distancia con mis hijos han sido los responsables; o dicho de otro modo, ha sido el resultado de mi deseo de echarme a morir.

Puede tener razón, pero de ser cierto lo que sugiere, la causa sería otra. Yo no he mantenido una buena relación con mi cuerpo. Si bien de niña me veo saltando la cuerda con mayor elasticidad que cualquiera de mis compañeras de curso, de cierta época en adelante el cuerpo comenzó a pesarme y se transformó en una fuente de padecimientos: la menstruación a los diez años, los senos desproporcionados para una niña de doce, una serie de descompensaciones inusitadas, que hoy podría reconocer como hormonales; las consecuencias del tranvía, la atracción que ejercía en los hombres, los aires en la espalda, las enfermedades bronquiales, y ya he relatado alguno de los malos ratos que me ha hecho pasar de adulta, entre ellos este final. Todavía quedan algunos por contar.

Los dolores han remarcado la mala compañía que se han ofrecido cuerpo y mente. Un episodio de dolor, como el que sufrí hace tres días y que hasta hoy me mantuvo postrada y alucinando con la morfina, me obliga a tener presente que poseo un cuerpo, del mismo modo desagradable en que me lo recordaba la intimidad marital. Y caigo una vez más en un sentimiento que cubre como un liquen la superficie de mis pensamientos: la culpa. Tal como en mi cuerpo se alojaban las culpas de mis padres y me impedían ser feliz con Alberto, tal vez las mías han encontrado una manera de expresarse a través de esta enfermedad vengativa. Las mismas células, sanas en un tiempo, hoy se reproducen para matarme. Es la vida trocada en muerte. Es la culpa de no haberle dejado espacio a este atajo de carne y huesos para que impusiera su orden. Su autodestrucción es la manera de ajustar cuentas, se corrompe y padece, pero al mismo tiempo le quita el sustento a esta mente que lo subyugó durante más de setenta años. El miedo y la inseguridad son tanto o más punzantes que el dolor físico. Éste puede ser conjurado, la angustia no, a no ser que suspenda la emoción por medio de ansiolíticos. Ya me lo ha sugerido el doctor. ¿Pero cómo podría seguir con estas memorias si estoy bajo sus efectos? Prefiero mantenerme lo más alerta posible, no sólo por este trabajo sino también como un ejercicio de expiación. Si antes yo creía que Dios nos enviaba el dolor físico para limpiar nuestros pecados, ahora pienso que al menos debemos afrontar el sufrimiento psicológico. Este paulatino acercamiento hacia la muerte, mientras recibo las estocadas premonitorias del dolor y la humillación, tiene la finalidad de poner de rodillas el orgullo de mi inteligencia, por albergar durante una vida entera la pretensión de sojuzgar a su compañero. Es irónico pensarlo: la mente, que luchó por desprenderse del lastre que le significaba el cuerpo, sufre ahora porque éste le da satisfacción. ¿No querías mi ruina? —parece decirle—, pues bien, aquí la tienes.

31

Cada semana mi madre y yo intentábamos tomar desayuno juntas. Esta vez habíamos acordado reunirnos en su casa. Caminé las pocas cuadras que nos separaban en un aire frío, con un sol tendido de finales de invierno pasando a través de los árboles desnudos. La casa de mis padres reposaba unos metros sobre el nivel de la calle, a causa de una singularidad topográfica. Su elevada posición le concedía cierta imponencia, la cual no se correspondía con su envergadura de clase media. Tenía dos pisos con un techo a dos aguas que la recorría en toda su longitud. Se diferenciaba de las demás casas del barrio porque contaba con un porche, al estilo de las casas americanas, un corredor techado a lo largo del frontis. Mis padres acostumbraban a pasar largas horas sentados en él en las tardes de calor. Quizá el acto de vida social al que más lejos llegaron fue saludar desde lo alto a los vecinos que paseaban por la calle.

Mi madre me esperaba con un desayuno exquisito (mermeladas y manjar hechos por ella, pan amasado de la casa, mantequilla de campo), en la acogedora salita de estar junto al living. Al instante de sentarse en el gran sofá tomó los palillos y su bolsa de tejido para continuar con su más reciente afición: tejer ropa de hilo para Juan Alberto. Chalecos, tenidas, pantalones cortos para el verano. Los bergères de la casa anterior enfrentaban el sofá y teñían a tal punto la atmósfera que provocaban la ilusión de estar en la casa de la calle Viña del Mar. Los retratos de los abuelos Campos, rigiéndolo todo con un aire de otros tiempos, con una seriedad que parecía haberse perdido en el mundo con el paso de los años, no hacían más que acentuarla. El carácter austero de la vieja casa de la calle Viña del Mar no se había dejado corromper por el nuevo traje, amplio y elegante.

En un momento dado, tal vez alentada por el amparo que me conferían el lugar y la voz de mi madre, decidí hablarle de mi problema. Fui cautelosa al elegir las palabras. No quería ofender su pudor. A medida que me fui internando en el relato de las circunstancias y detalles del asunto, noté que se entristecía. Por lo general, si hablaba con ella de algo complejo, su cuerpo robusto proyectaba una actitud positiva, como si no hubiera nada que no tuviera solución. En su rostro acostumbraba a reinar la confianza. La vi caer abatida, como si el peso de este problema quebrara sus defensas. Vi a mi madre como pocas veces la había visto.

—Mamá, la veo triste —dije, mientras ponía a un lado la taza de té.

—Sí, mi amor.

—No quise apenarla.

—No, no eres tú..., soy yo..., es mi problema, yo tengo la culpa.

—¿Culpa?

—Tu padre y yo somos responsables de lo que te sucede.

—Mamá, ¿de qué está hablando? —dije, un tanto alarmada.

—De que hemos sido el peor de los ejemplos.

—Pero, por Dios, el susto que me dio —dije al tiempo que me reía y ponía mis manos sobre su antebrazo. Deseaba que las facciones de mi madre se descomprimieran, percibir en ella la esperanza de siempre.

—Es verdad, hija, no hemos sido honestos contigo y ahora estás pagando las consecuencias.

—Lo entiendo, entiendo que ustedes no han sido la pareja más feliz de la Tierra y sé que usted preferiría que fuese su problema y no el mío, pero por favor no se eche la culpa de todo. Esto me está ocurriendo a mí —exclamé remeciéndola del brazo—, en "mi" matrimonio con Alberto, y seguramente existe más de una causa. No saca nada con lamentarse y no me sirve. Necesito que me aconseje, no que se eche la culpa.

Dejó de lado los palillos, se levantó del sofá con dificultad a causa de la gordura y fue hasta la ventana que daba a una pequeña terraza de piedra que ella había adornado con macetas de pelargonios italianos. La rodeó la luz del sol. Yo sólo distinguía el dibujo de su espalda.

—Todavía no florecen los pelargonios —dije por decir algo.

—Hija, nunca tuve relaciones satisfactorias con tu padre —declaró en un tono monocorde, sin volverse.

A pesar de intuirlo, a pesar de prácticamente saberlo, había algo inapelable en su manera de decirlo, algo absoluto. Nunca.

—¿A qué se refiere exactamente, mamá?

—Perdóname por no habértelo dicho antes del matrimonio —aún permanecía de espaldas a mí—. Así debió ser. Le pregunté en su momento al doctor Zambra y me aseguró que ibas a ser feliz, que no tendrías ningún problema con Alberto. Y me contenté con eso, tenía miedo, no creí que fuese necesario que te enteraras de nuestras miserias.

—Hable mamá de una vez. —Un brote de enojo tiñó mis palabras.

—Julia —vino hacia mí, se sentó a mi lado y me tomó por los hombros—, no seas dura conmigo. Esto es muy penoso.

—Dígame, mamá, no tenga miedo, dígame, yo voy a ser capaz de entenderlo —dije calmándola.

Le acaricié la cabeza e inhalé profundamente para aplacar la demanda de un ritmo interno que amenazaba con dispararse. Mi madre se apoyó un instante en mi hombro. Ni siquiera cuando vimos a mi padre en el tranvía con esa mujer la vi desmoronarse a este punto. Levantó la cabeza, tomó el pañuelo que llevaba en la correa del reloj para enjugar las lágrimas y dijo conmiserándose de sí misma:

—Hija, tengo una malformación...

—Mamá... —dije, abrazándola en un acto instintivo.

—Cada vez que hicimos el amor —continuó con la voz apagada contra mi hombro—, tenía dolores fuertes que duraban días. Al principio se lo oculté, declaraba que el sexo era para procrear y sólo algunas veces me dejaba hacer. Nacieron tú y tu hermano y llegó el día en que no lo pude resistir más.

—Tranquilícese, mamá, explíqueme bien, yo no tengo ninguna malformación.

—Sí, lo sé, pero ver a tu padre con esa mujer debió ser horroroso. Y que durmamos en piezas separadas y que yo siga con él, aún sabiendo que tu padre tiene una relación con Oriana. ¿Ahora entiendes? ¿Ahora me puedes entender? Mi amor, no sabes lo que hubiera dado por evitarte todo esto. Hemos tratado de hacer las cosas lo mejor posible. Tanto tu padre como yo. No hemos tenido convivencia sexual desde tu concepción. Ésa fue la última vez. Decidimos permanecer juntos por ustedes y ya nos hemos acostumbrado. Incluso, es probable que continuemos juntos una vez casado tu hermano. Queremos recibir a Juan Alberto y a los demás nietos como se debe. El padre Orlando me ha orientado cuando la angustia me sobrepasa. Quizá por eso me he puesto tan gorda, para no pensar, o quizás darle otra justificación a tu padre. Si los ven juntos en la calle, pensarán que tiene una buena razón para mantener otra mujer.

—No le permito, mamá —dije saliendo catapultada del sofá hacia la puerta de la salita—, que absuelva al papá de su engaño. Es lo único que falta. Nunca voy a aceptar que nos imponga a esa mujer. Es de un egoísmo monstruoso.

—No lo juzgues tan duramente. ¿Le desearías a Alberto una vida privada de placer, si tú no puedes dárselo?

—Si están juntos es por amor y honrarlo es más que un deber para una persona enamorada, es una necesidad. Lo que él hace es asqueroso. Y no me trate de convencer. ¿No será el cura Orlando quien le mete esas ideas en la cabeza? Tamaña brutalidad, es un problema de ambos y si no estaba en el plan de Dios, no estaba y ya está.

—Julia, no sacas nada con rebelarte, la vida no sigue un camino recto y menos un camino santo. Hacemos lo mejor que podemos, pero quién sabe si yo misma alenté a tu padre a buscar a otra mujer. Creo que lo hice, que se lo di a entender, no me parece bueno para un hombre ir por ahí como un perro lacho. Es preferible que tenga una querida a que se enrede con prostitutas. Claro que hubiese preferido que fuese más discreto, que no me hubiera tenido que enterar de esa forma, obviamente hubiera sido preferible alguien extraño y no una prima que trabaja en la tienda. Hija, en cierto modo yo busqué esta manera de arreglarnos, y cuando descubrí en el tranvía la forma que había tomado la solución no tuve más alternativa que aceptarla. Así de simple, no siempre las cosas resultan como uno desearía.

Vino a mi mente la imagen de mi padre sentado en el bergère con el diario aún entre las manos: "No me juzgue, hija, no me juzgue". ¿Y cómo pretende él que no lo juzgue, cómo pretende mi madre que no lo juzgue, o que mida la severidad de mi juicio? Me lo preguntaba al tiempo que los movimientos de mi madre me resultaban extraños, como si nacieran del cuerpo de otra mujer, como si no fuera mi madre. Había algo miserable, propio de quien pide limosna, de quien hace espectáculo de su vergüenza, ese gimoteo, el encogimiento del cuerpo, la espalda curva, inflada bajo el chaleco. Me hallaba ante una composición ajena a su carácter vivo y orgulloso, nunca empequeñecido ante nadie, una mujer de gesto seguro en el rostro y el mentón alzado ante cualquiera.

¿Mi madre confesaba su vergüenza? Me decía que era tan culpable como mi padre, que a ella le satisfacía el arreglo, que incluso le brindaba cierta paz, quien sabe si también placer. ¿Mi madre obtenía una cuota de placer al imaginar a mi padre con otra mujer? Un tercero es el escudo que utiliza el miedo, el miedo a desear con verdadera pasión. Una parte de mí sospechaba que mi madre se había inventado su malformación, como yo también podría haberlo hecho, para mantener alejado el peligro de necesitar a mi padre, de llegar a sentirse dependiente de él.

—Mire, mamá —me dirigí a ella con una distancia que nunca creí pudiese haber entre nosotras—, no sé bien lo que estoy oyendo, pero pienso que usted se ha dado esta excusa, esta idea de que alentó al papá, para no enfrentar su problema con valentía. Es más fácil echarse la culpa y usted es experta en hacerlo, es más fácil jugar a ojos que no ven, corazón que no siente. Hay un solo pero en este arreglo... sus hijos. Yo, mamá, la respeto más que a nadie en el mundo ¿Cree que puedo seguir respetándola si me dice que es cómplice del papá? La prefiero sola, pero con la frente en alto. Si lo aceptó es por dignidad, por nosotros, pero no me diga que usted es parte de la banda, eso no...

De la dureza había pasado sin notarlo a mis pies hundiéndose en el piso. Lloraba con la expresión aún rígida por el reproche. Vino hacia mí y al sentir su olor comprobé que todavía era mi madre.

Al abandonar la casa, llevaba la noticia atascada en la garganta. Durante una cuadra me dominaba la urgencia de contarle a Alberto, pero a la siguiente me convencía de que no era una buena idea. Cuando me pidió matrimonio, decidí que no le revelaría las andanzas de mi padre y, si llegaba a enterarse por otros medios, esperaba que no me lo comentara para protegerme. Pero ahora las cosas habían tomado un calibre que se escapaba de mi control.

Me dolía la pérdida del refugio de intimidad que había constituido mi madre y estar a la intemperie me volvía un ser inválido. Deseaba correr al refugio de Alberto. Él sería el único con quien compartiría los espacios de mi intimidad de ese día en adelante. Por primera vez comprendí que el matrimonio constituye un quiebre irremediable y una transferencia de lealtades irreversible. Ya no pertenecía a mi familia original, mis fidelidades eran otras, la frontera nos circundaba a mí, Alberto, Juan Alberto y los hijos por venir. Mi madre había quedado del otro lado, mi padre llevaba tiempo allí.

El desarraigo repentino me convirtió en una apasionada ciudadana de mi nueva patria. Esa noche me limité a confirmarle a Alberto que iría donde Montaner y que haría todo lo que estuviera en mi mano para resolver el problema. Lo que cambió, y me imagino que él percibió, fue la vehemencia de mis declaraciones. No había medias tintas ni estúpidos pudores, avanzaba en pos de ese futuro en común sin titubeos. Haría feliz a Alberto, junto a él estaba mi vida y no había posibilidad de volver atrás.

Mi terapia con Montaner duró dos años, tres veces por semana, tendida en un diván. Durante los primeros meses brotó el rencor, la horrible sensación de que mis padres me habían engañado. Temía a los hombres y miraba en menos a las mujeres. Destapar ese cocimiento de bruja me significó una depresión que duró hasta el final del primer año. Fue una depresión leve, comparada con la que me sobrevino luego de la muerte de mi madre, recién nacido Andrés. Fueron meses difíciles, a pesar del optimismo reinante por el fin de la guerra. Alberto me dio muestras de su amor al acompañarme de cerca a través de ese tiempo estéril. No teníamos relaciones sexuales y yo me mostraba irascible. Aun así, él se mostró dócil y atento. "Ya voy a volver, Alberto, voy a estar contigo de nuevo". "No te preocupes, Negra, yo estoy aquí".

A principios del segundo año, le hablé a Montaner sobre el miedo que me impedía contarle a Alberto todo lo que había ocurrido entre mis padres. El mayor temor era que dudara de mí, por ocultarle algo tan importante y que pensara que la relajación moral de mi familia podía estar alojada en mi alma y que tarde o temprano afloraría. Desconfiaba de mi integridad. No sólo era el pecado de mis padres, sino un pecado que amenazaba con poseerme. Temía que Alberto me perdiera el respeto. Yo sentía que me adoraba. El pecado de mis padres era una mancha y no podía borrarla aunque me agitara en el diván de rabia.

Finalmente entramos al sexo, a mis miedos superficiales, pero gran parte de la tarea ya estaba realizada, sólo hacía falta atreverse.

Recuerdo el llanto involuntario antes de comenzar a hablar, la expresión atónita en el rostro de Alberto mientras escuchó mi descarnado relato, recuerdo un viento que presagiaba lluvia. Lo recuerdo abrazándome como nunca lo había hecho, con desesperación. Recuerdo un animal. Moreno. Femenino. Recuerdo una segunda luna de miel en las termas de Cauquenes, dos semanas. Recuerdo la seducción, la búsqueda, el amor en los baños humeantes..., recuerdo no haber pensado. Recuerdo el hambre y el deseo.

María del Pilar nació nueve meses más tarde, y once meses después, María Teresa.

32

Alberto decidió abandonar la empresa de sus tíos en 1949, con el fin de establecer su propia fábrica de muebles. Se enfocaría a los de oficina y más adelante a los de cocina y closet. Un sistema modular de fácil instalación que había conocido en Italia sería su ventaja sobre otros fabricantes. No competiría con sus tíos. Ellos vendían muebles confortables y de estilo. Un día por la mañana, mientras se ponía los zapatos bajo un rayo de sol que lo blanqueaba, me anunció que hablaría con sus tíos. Tenía claro que la oposición sería furibunda. De todos modos, se veía contento y me dijo antes de partir: "Es como sacarse un peso enorme de encima".

En menos de dos horas la noticia se propagó hasta los confines de la familia. El repudio fue generalizado. El teléfono de la casa no dejó de sonar en todo el día. Alberto me contó que algo semejante ocurrió en la fábrica. Al parecer, sus tíos se turnaban para imprecarlo. Le habían dado todo, decían, la confianza, el dinero y las oportunidades para que llegara a ser el sucesor en la administración de los negocios familiares, pero nunca pensaron que sería para su propio beneficio. Según mi modo de ver las cosas, lo querían como un eslabón más de la dinastía, no como un hombre dueño de su propio futuro. Su padre le quitó el saludo; su madre calló y se mostró distante con él; y su hermana le preguntó si había enloquecido, si se creía un superhombre. Ciertamente dejaba atrás la seguridad de un buen salario y la confianza de estar en una empresa familiar donde sería el mandamás, pero no tuvo dudas de que hacía lo correcto. Yo, tampoco. Desde mis suegros hasta las señoras de los tíos de Alberto se acercaron a mí para que lo disuadiera. Mi respuesta era siempre la misma: "No hay nada que hacer, ya tomó la decisión y estoy de acuerdo con él".

Sólo en una oportunidad Alberto vaciló. Para financiar la fábrica de muebles era necesario que vendiéramos la casa donde vivíamos, además de otra que habíamos comprado con nuestros ahorros como una forma de inversión. Nuestro estilo de vida debía cambiar. Nos iríamos a una calle de fachada continua, Guacolda, una calle triste, de apariencia pobre, ubicada hacia el sur de la ciudad. La casa nos había gustado por la amplitud de los cuartos y el patio trasero, donde nuestros tres hijos podrían jugar seguros. Un magnífico nogal, que protegía gran parte del jardín, fue quizás el atributo que más influyó en mi decisión. Por el dinero que estábamos dispuestos a gastar en el arriendo no conseguiríamos nada mejor, y no les dimos importancia a las malas credenciales del barrio.

Cuando recibimos la confirmación de que había un interesado en la casa de Pedro Torres —una mujer descendiente de árabes—, Alberto estuvo al borde de echar pie atrás.

—Negra —me dijo con una mirada asustada luego de colgar el teléfono—, no tienes por qué sufrir privaciones por mis sueños de empresario. Vas a tener que llevar una vida apretada, no te lo mereces.

—Me crié en un hogar austero. Yo lo voy a resistir mejor que tú. Véndela... y no lo pienses más.

Guardo un recuerdo feliz de nuestros años en Guacolda: no teníamos automóvil y vivíamos al mes con un reducido presupuesto; nos teníamos unos a otros al alcance de la vista y el oído; Juan Alberto era un hijo cercano y cariñoso. María Teresa ya daba muestras de su mal carácter, pero nada que nos quitara el sueño. Alberto y yo nos sentíamos trabajando hombro a hombro, él en su primer galpón, que llamaba fábrica, y yo en la casa, limpiando, cocinando, tejiendo y remendando ropa para mí y mis relaciones, con lo cual me hacía de unos pesos más. Fueron años de sencillez y esperanza, una pequeña Arcadia, en una calle sin árboles, donde nuestra casa no se diferenciaba de las otras y un color indeterminado las recorría todas por los años sin recibir una mano de pintura. Los problemas estaban de la puerta hacia afuera, mi familia era normal, sin las cargas de la familia de mis padres, que había dejado de ser la mía.

33

Si busco identificar un punto de quiebre en la curva de mi vida, creo que correspondería a los primeros días de marzo de 1953. Hasta esa fecha nuestra familia semejaba un organismo en continua expansión y confiábamos en que se abría ante nosotros un futuro cada vez mejor. La convivencia familiar se había robustecido por los años de austeridad y la decisión de Alberto de tomar su propio rumbo se había visto recompensada por un explosivo crecimiento de su empresa. Ya en 1953 el dinero abundaba y decidimos construir nuestra propia casa.

Marzo de 1953. En la memoria resuena ocre, sucio, árido. Retornábamos de Concón, donde habíamos pasado el verano, mi madre, mi familia —Alberto sólo dos semanas—, y Joaquín con su mujer. Llevaban casados poco más de tres meses y Laura ya portaba un hijo dentro de sí. Era una mujer alta, de rasgos caucásicos. Hija de padre norteamericano y madre chilena, nacida y criada en Chile. Vivió en Santiago hasta los quince años y luego se marchó. Nueve años más tarde, recibida del bachillerato y con un postítulo en periodismo, se aventuró de vuelta a Chile. Entró a trabajar a la embajada de Estados Unidos como encargada de prensa. Se conocieron y se casaron sin haber cumplido un año de noviazgo, nada bien visto en esos tiempos. Mi hermano ya tenía veintiocho años y no quiso esperar la venia social.

Alberto y yo nos dedicamos al proyecto de la nueva casa en este barrio de Vitacura, en esta calle Las Nieves, cuando el lugar era poco más que una gran extensión de matorrales. Desde aquí se podían observar apenas cuatro casas construidas en la recién terminada urbanización, además de la iglesia. Podíamos caminar hasta ella a campo traviesa. La nueva casa tendría proporciones un tanto exageradas para mi gusto. Hubiese deseado algo más sencillo, pero Alberto insistió: "Es para toda la vida, Negra, si tenemos el dinero hagámosla a nuestro gusto. Es la primera y última vez que tendremos el entusiasmo para hacer algo así". El más animoso fue él, cómo no. Cada día visitaba la obra y no había detalle que escapara a su control. Todo ese ímpetu se transformó en este lugar donde hoy escribo. En honor a la verdad, Alberto levantó una casa prácticamente perfecta: su distribución es lógica y funcional, sus recintos ocupan un espacio que no es excesivo ni tampoco mezquino y no ha requerido mayores trabajos de mantención.

La bonanza material y el vigor que parecía alentar nuestros días se vieron interrumpidos de golpe por la enfermedad de mi madre. El ascenso llegaba a su cúspide y la sensación de levedad se vería contrariada en lo sucesivo. Desde el matrimonio hasta esos días, incluyendo la superación de nuestra crisis en la intimidad, había sido una suma de buenas nuevas, y no tuve el menor indicio que, mientras acompañaba a mi madre a la consulta del doctor Zambra, dábamos inicio a una larga época de malas noticias.

El diagnóstico fue devastador. Cáncer de mamas con ramificaciones en los ganglios. Debía operarse cuanto antes. Una semana después le extirparon el seno derecho. De pronto el árbol robusto que siempre fue su cuerpo se pudría por el tronco y semana a semana decaía en una pasión que la llevaría hasta las puertas de la muerte.

34

María Teresa siguió adelante con su pololeo y comenzó a llevar una vida independiente. Le imponíamos ciertos horarios, la obligación de cenar con nosotros de domingo a jueves y participar del almuerzo de los domingos. Nos manteníamos atentos a cómo se desenvolvía la relación. En los meses tardíos del 67 cayó Silva Santiago y fue elegido nuevo rector de la universidad Fernando Castillo Velasco, arquitecto, demócrata cristiano, hombre respetado entre sus pares. Ramiro me contaba los acontecimientos con aire triunfal, excesivo si se considera su modesto papel. María Teresa me hablaba sin descanso del movimiento estudiantil y de las actividades que organizaba la Pastoral Universitaria a la que había ingresado a instancias de Ramiro. Este aspecto del noviazgo era quizás el único positivo desde mi punto de vista: asistencia casi diaria a misa, confesión cada quince días y actividades donde surgían candidatos alternativos a Ramiro, imagino que con cierta frecuencia, todos universitarios y católicos.

A mediados del año 69, a dos de iniciado el pololeo, decidimos que ya era tiempo de intervenir. María Teresa alcanzaría la mayoría de edad en junio del año venidero. Ambos habíamos concluido que Ramiro sería un lastre como marido. No era más que un hombre blando, sin el menor sentido de lo que cuesta ganarse la vida. Nuestra hija se encaminaba a una existencia de privaciones, en la cual, sin darse cuenta, acabaría con los problemas de su familia sobre los hombros, debiendo ella solucionar lo que Ramiro no resolvería, quién sabe si preocupado por la causa de turno o por simple flojera. Teníamos certeza, además, de que las actividades políticas eran una manera de no encarar su mal rendimiento académico. Habíamos rastreado sus calificaciones en las tres carreras y los cambios no eran más que una forma de evitar que lo expulsaran. En esos tiempos la universidad hacía lo posible por no echarse más problemas encima, como los que le podía traer la expulsión de un dirigente estudiantil. Él se justificaba ante María Teresa diciendo que las malas notas eran por la falta de tiempo, pero en rigor lo malgastaba en la federación porque no era capaz de seguir el ritmo de su curso. A Ramiro no le interesaba educarse, obtener un título y armar su propia vida. Si hubiese sido por él, habría envejecido en las aulas, dando luchas juveniles que por una sola vez en la historia, durante 1967 y 1968 adquirieron un estatus adulto, pero que en ningún modo lo robustecieron para llegar a ser un hombre cabal.

Nuestra decisión fue separarlos.

Alberto llegó el día elegido a eso de las seis y media. Mientras se quitaba el abrigo me dio un beso y me preguntó con la mirada si María Teresa estaba en la casa. Asentí. Fuimos hasta su cuarto. Estaba tendida de lado en la cama con un cuaderno ante sus ojos y un lápiz en su mano derecha. Sin avanzar más de un metro hacia el centro de la habitación, Alberto dijo sin saludarla: "Te prohíbo que vuelvas a ver a Ramiro", una frase dicha en un tono serio pero no particularmente autoritario o grave. Siguieron las explicaciones del caso, expuestas sin eufemismos. Yo estaba un paso detrás de Alberto. María Teresa me lanzaba miradas incrédulas. Mi misión era mostrarme imperturbable. Dejaba en claro que no era sólo él quien hablaba sino ambos. "Si llego a saber que lo has visto, te saco de la universidad y te dejo encerrada en la casa por un año". No era difícil enterarnos de los pasos de María Teresa. Su hermana y varias de sus primas Sartori estudiaban en el mismo campus. El plan consideraba una segunda etapa. Una vez terminado el año la enviaríamos a Europa. Iría en el tour auspiciado por la universidad, acompañada de su hermana y una prima. "Si cumples lo que te pedimos, te vamos a regalar un viaje a Europa con tu hermana y Sonia".

Alberto se encargó de explicarle la situación a Ramiro. Esperamos en la salita su diaria llamada por teléfono a eso de las diez de la noche. Contesté yo, sus frases de entrada fueron las de costumbre:

—¿Está la Tere?

—Ramiro, soy yo, Julia.

—Señora Julia, no la reconocí, ¿Me da con la Tere?

—Espera, Alberto quiere hablar contigo.

Intenté darle un tono grave a mi voz en estas dos frases, para prepararlo, aunque fuera inadvertidamente, a recibir el golpe que ya venía derecho hacia él.

—Ramiro, hablas con Alberto, tengo algo desagradable que decirte... No quiero que vuelvas a ver a María Teresa... Julia y yo creemos que no eres el hombre indicado... Tómalo como quieras..., preferimos una persona responsable que cumpla con sus obligaciones... Soy un viejo de mierda, sí, por supuesto, no sé actuar de otro modo... Lo mismo digo... Me cortó.

—¿Te cortó?

—Y qué esperabas...

—Pensé que se amilanaría.

—No creo que tenga la virtud de reflexionar acerca de sus defectos.

—Ya está hecho, ahora tenemos que aguantar, pronto se le pasará —dije en un desborde de histeria—. María Teresa nunca estuvo enamorada de él, lo manipulaba.

—Julia, préstame atención —dijo al tiempo que me tomaba por los hombros y giraba mi cuerpo hacia él—, yo voy a resistir, está en mi carácter, para ti va a ser más difícil con ella en la casa todo el día. Démosle de aquí al domingo, pero el lunes tendrá que volver a la universidad y sacar el semestre, si no, te vas a volver loca.

Durante los días que siguieron a la prohibición, el llanto de Teresa avanzaba por los pasillos y se colaba en las habitaciones como un gas incisivo. María del Pilar pasaba horas con ella, consolándola, intentando distraerla. Le traía revistas, chismes y en una ocasión la persuadió para que vieran juntas una película en televisión. Los lamentos se interrumpían de golpe cuando Alberto llegaba de la fábrica por la noche.

Andrés se veía expuesto a su llanto durante la tarde, cuando hacía sus tareas. Había cumplido catorce años. Se sentaba a la mesa del comedor y así conseguía alguna concentración. Una tarde se quedó en el cuarto como de costumbre. Cuando lo fui a ver una hora más tarde, lo encontré llorando, en silencio, sentado en su pequeño escritorio, cabizbajo, las manos apoyadas a lado y lado de un cuaderno de hojas cuadriculadas. Me hinqué junto a él y lo abracé. Las hojas del cuaderno exhibían círculos húmedos y encarrujados. No me retribuyó el abrazo, permaneció en la misma posición y sus lágrimas no se detuvieron. A Alberto le molestaba que todavía a esa edad fuera dado a llorar. A mí en cambio me parecía que en un niño sensible como él no tenía por qué ser un rasgo anormal. Andrés sufría además el retraso en el desarrollo de los hombres Bartolini y a pesar de sus catorce años, su cuerpo y sus facciones todavía eran las de un niño.

—No llores, Andrés, es por el bien de tu hermana, ya se va a sentir mejor.

—Tengo pena porque ella tiene pena, nada más.

En los primeros días, no conseguí hablar con María Teresa. No bien me acercaba, un rosario de insultos salía de su boca, conducta que en otra circunstancia le hubiera valido una bofetada, pero en este caso era mejor mantenerme tranquila. Así establecería desde el principio que no había diálogo posible. Me limité a mandarle la comida a su pieza y a cerciorarme de que se alimentara. Gracias a Dios los platos volvían vacíos.

El lunes siguiente, Alberto la sacó de la cama, tomó desayuno con ella y la dejó en la universidad.

No sé si logramos nuestro objetivo de mantenerlos separados; ni María del Pilar ni sus primas, quienes estaban de acuerdo con que Ramiro era una mala elección y no le tenían aprecio —lo consideraban poco atractivo, demasiado político y algo simplón—, los vieron encontrarse. Si hallaron una manera de hacerlo fuera de la universidad, no les debe haber sido fácil. Yo mantuve en todo momento un ajustado control de sus horarios.

Llegó el verano y las niñitas partieron a Europa. La despedida a las puertas de Policía Internacional del recién inaugurado aeropuerto de Pudahuel fue más difícil de lo que imaginé. Niñitas, mis hijas... De pronto tuve la sensación de que esa partida era un símbolo de lo que se nos venía encima, el momento en que dejaran la casa. Fue ahí, contemplando sus vibrantes espaldas juveniles entre una larga fila de viajeros, que me encontré de golpe con la certeza de que pronto nos dejarían para siempre. Sonreían mientras rebuscaban entre sus documentos y yo veía esas puntas de luz que eran sus sonrisas como la confirmación de que ya no nos necesitaban, de que ya podían ir solas por la vida. Era a la vez un cuadro alegre y burlón, una escena plácida y también de máxima gravedad, partían como niñas y ante mis ojos se transformaban en mujeres hechas y derechas. No tuve dudas de que dentro de dos años sólo quedaríamos en la casa Alberto, Andrés y yo. Juan Alberto llevaba un tiempo casado, se había recibido de ingeniero y ya tenía dos hijos; María del Pilar mantenía su relación con Luis que ya duraba tres años y no era impensable que María Teresa hiciera cualquier cosa con tal de irse. De un chispazo comprendí que dejarnos era lo único que María Teresa deseaba. Y por esa razón había aceptado el viaje. Su objetivo era separarse de nosotros, borrarnos de su cabeza. La enviábamos a Europa para que olvidara a un pretendiente, en cambio ella emprendía viaje para olvidarse de nosotros. Desapareció tras los vidrios opacos de inmigración y estuve a punto de dar un grito para rogarle que volviera, abrazarla y pedirle que dedicáramos esos dos meses a remendar nuestra relación. En Europa avanzaría su progresivo desapego y el resultado del plan actuaría más en nuestra contra que de Ramiro. Al subirse a ese avión se profundizaría un poco más su rencor y cuando llegase el momento no habría quién la retuviera a nuestro lado. Esos fueron los sentimientos que experimenté mientras batía la mano en son de despedida. Para no perder el control de mis sentimientos, miré a Alberto de reojo. En el rostro se reflejaba su tranquilidad interior, como ese día en misa cuando me ofreció matrimonio; estaba seguro de que hacíamos lo que se debía hacer. Si me casé con él fue por esta habilidad para aplacar el revuelo de mis elucubraciones. Dejadas a su suerte eran capaces de enloquecerme. Y si lo amaba por trasmitirme de manera tan clara su seguridad, también llegó un tiempo en nuestras vidas en que la revisión de este arreglo fue causa de resentimiento. Ahora, mientras tecleo en el computador, resiento haberme dejado llevar por Alberto en las oportunidades que nos dio la vida para reparar nuestra dañada relación con la Tere. Claro que culparlo es el camino más fácil y me debería preguntar si no fue por la conveniencia de no tener el enfrentamiento que hubiera significado contraponer mis fugaces intuiciones a su monolítico pragmatismo. ¿Cómo iba a luchar con armas de aire contra la granítica razón? ¿Cómo una mente turbulenta como la mía, que finalmente no estaba segura de nada y no era capaz de sugerir un camino a seguir, iba a desafiar un carácter que no daba un paso sin saber de antemano cuál sería el siguiente? Y aun cuando podría elaborar más y más excusas, no se extingue la culpa. Me digo, al menos podría haberlo intentado.

Él estaba convencido de que la visión del ancho mundo ayudaría a nuestra hija a tomar perspectiva y a darse cuenta de que Ramiro era poco más que un pelafustán. Se asomaría a uno de los miradores de Florencia, respiraría hondo y sentiría que se había sacado un peso de los hombros. "Nos lo va a agradecer, ya verás", dijo más de una vez. Y yo cerraba con fuerza los ojos para borrar la imagen de María Teresa lanzando una risotada amarga. Cerraba los ojos e intentaba creer una vez más que Alberto tenía la razón.

Para contrarrestar el miedo de perder a María Teresa, decidí escribirle a diario una carta. Para no hacer diferencias tuve que hacer lo mismo con María del Pilar, pero a ella le escribía lo primero que se me venía a la cabeza y no muy largo. A la Tere le relataba las cosas que ocurrían en la casa, casi nada considerando que era verano y en Villarrica no ocurría gran cosa. Una segunda parte de la carta intentaba ser más cercana, le hablaba de mis sentimientos frente a una situación u otra y le contaba de los momentos del día en que me acordaba de ella. Quise que me sintiera más cerca de lo que nunca estuvimos bajo el mismo techo. Asombrosa cualidad de la escritura la de permitir mostrar sus sentimientos, sin que la rabia se interponga, a dos que no pueden hablar sin pelearse.

La respuesta a este ejercicio no fue auspiciosa. Recibía una postal por semana, firmada por las dos, con letra de María del Pilar. Y yo me quedaba en ascuas, esperando una respuesta. Había tanto en esas cartas que María Teresa y yo podíamos compartir. Me envió una sola misiva de su puño y letra. Desde Roma. Se enorgullecía de ser descendiente de italianos. También hablaba de lo cómoda que se había sentido en las calles, la sensación de estar en un lugar "donde la gente se mueve, habla y se ríe parecido a uno". "Aquí me di cuenta —afirmaba no sin cierto cinismo— de que no soy tan rara como dicen". Añadía que se acordaba de mí porque veía a menudo mujeres con una estampa semejante a la mía. "En cambio, no sé de dónde salió el papá". Le escribí de inmediato, dichosa por la carta, le recordé que la familia de su padre provenía de la misma Roma y que él era italiano por lado y lado, así que sin duda unos cuantos parecidos a él circulaban por ahí. Pero tenía razón, era difícil encontrar en Italia un hombre de piel tan blanca y ojos grises. Podría haber sido descendiente de alemanes del sur, o austriacos. Después de esa carta, la Tere retomó el saludo distante de las postales y me invadió una sensación de soledad que no experimentaba desde los primeros tiempos de matrimonio.

35

Han pasado dos meses y medio desde que comencé a escribir. Avanzo más rápido de lo que pensé. El cáncer también. Me canso con facilidad y he adelgazado. Estoy en la etapa en que me estoy llenando de pequeños tumores. El doctor viene a verme una vez a la semana, me atiende en las crisis —las mayores han sido dos— y al irse habla con Juan Alberto. Salgo rara vez, dejo que María Teresa haga las compras y María del Pilar me ayude con ciertos encargos y el banco. Mi cuerpo ha cambiado, veo las cumbres de mis huesos. Lo demás cuelga. Evito verme desnuda en el espejo. Ya ni siquiera puedo ducharme sola, mis hijas se turnan en la guardia. Y lo peor de todo es que la semana pasada me vi en la necesidad de usar pañales. Cualquier cosa antes de ensuciar mi ropa o la cama. El panorama no es alentador, pero todavía hay cosas que me alegran. He releído algunas páginas. Al hacerlo me ha asaltado un brote de vanidad, me he dicho en un tono audible "este párrafo está bien escrito", y cuando eso ocurre me dan ganas de enseñárselo a alguien. En especial, quisiera que después de muerta, apagado el pudor, mis hijos leyeran estas memorias. Por supuesto que de ellos no espero un reconocimiento literario, más bien creo que es la manera de quedarme un tiempo más a su lado, una artimaña desesperada para que no me olviden.

Ayer me vino a visitar Andrés sin anunciarme que lo haría. Ya me había metido a la cama, estaba cansada; de saber de su visita lo hubiera esperado en pie. No me gusta que me vean abatida, no antes de que sea inevitable. Después de darme un beso largo y cariñoso, se sentó en el sofá frente a mi cama.

—Ese cuadro me gusta más que ningún otro de la casa —dije contemplando la virgen quiteña a espaldas de Andrés—. Me gusta su colorido lúgubre, la expresión humilde de la virgen. Tiene los ojos bajos. ¿Te has fijado que no es blanca? Lleva un ramo de flores silvestres en las manos. Si no fuera por los cortinajes de terciopelo que le pintaron al fondo, sería una obra maestra.

—A mí también me gusta —dijo pensativo, vuelto hacia él—. Es como un tótem, como si estuviera tallada en madera. Cuando era niño me impresionaban sus manos, como si las tuviera empuñadas. Es evidente que la pintó un indio. Seguro que le puso los cortinajes para que el cura no mandara a quemar el cuadro. Es casi una protesta contra el imperio.

Andrés se ve más contento en Chile. Lo han llamado de varias oficinas para que participe en proyectos, con la profundidad que él desee, desde dar una opinión hasta ser el arquitecto a cargo. Sus obras son conocidas aquí a través de revistas de arquitectura. De todos modos ha tenido que realizar cuatro viajes a Nueva York en estos meses, se queda tres o cuatro días y regresa. Le he insistido en todas las formas que no necesita volver, que yo misma me preocuparé de que le avisen cuando me agrave, pero no hay modo de convencerlo.

Me estuvo contando de su vida en Nueva York. Por sus cartas ya sabía que tiene una pareja desde hace diez años, Bill, no recuerdo su apellido. Viven en el Soho, en uno de esos lofts que estuvieron de moda, en un edificio reacondicionado por Andrés. Bill es psiquiatra y se ha especializado en adicciones. Tiene su consulta privada y trabaja ad honorem en el hospital Bellevue, junto al East River. Es originario de Nueva Inglaterra, de Maine específicamente, y proviene de una familia WASP. Es un hombre veinte centímetros más bajo que Andrés, con el pelo dorado y crespo. He visto su fotografía y es bien parecido, ojos azules y risueños, la piel mate. En la imagen se ve todo un aristócrata, con un sombrero panamá, pantalones blancos arremangados, las manos en los bolsillos y los pies desnudos sobre la arena gris con el mar de fondo. Al decir de Andrés, es dueño de modales impecables y una natural bonhomía.

Ambos están realizados y comprometidos con sus trabajos y casi no se ven durante los días de semana, a no ser al momento de apagar la luz y darse el beso de buenas noches. Tontamente, cuando me contó este detalle me sentí incómoda. Es obvio que duermen en la misma cama, pero no esperaba oírlo de manera tan simbólica. Para darse tiempo para ellos dos, compraron hace unos cinco años una casa de playa, en Fire Island, un lugar donde se llega en ferry y no pueden circular automóviles. "Es una isla, un banco de arena, una gran playa, con las casas en el medio. Las calles están hechas de tablones de madera y las casas se levantan sobre pilotes, como palafitos que flotan sobre la arena". Van ahí cada fin de semana y tienen muchos amigos. Es una isla donde la mayoría de los propietarios son personas gay de Nueva York con un buen pasar.

Le pregunté por su relación con Bill, cómo era él, cómo se llevaban. Reconoció que tenían problemas para comunicarse. Bill no era dado a hablar cuando tenían un desencuentro. Prefería pasarlo por alto y continuar con la rutina. Si se habían peleado la noche anterior, la señal con que Bill daba por superado el impasse consistía en levantarse y preparar el desayuno, con huevos. Pensaba que hablar era una pérdida de tiempo y se asustaba con la vehemencia de Andrés cuando discutían. Al parecer, ambos han cedido con el paso de los años, tanto Andrés, que ha tenido que controlar su tendencia a armar una tormenta en un vaso de agua, como Bill, que se ha mostrado llano a dialogar cuando el conflicto alcanza el mérito suficiente.

Debo reconocer que estas apreciaciones me despiertan cierto rechazo, pero me siento en la obligación de escucharlas. Ya me había preparado Andrés con sus cartas, al ser franco y directo en cada tema que tocamos. Como había prometido, no esquivaba la realidad. Esta libertad que nos damos me reconforta; yo he sido fiel a la promesa y no he tenido problemas en contarle secretos o sentimientos que ni siquiera Alberto conoció. No me siento amenazada cuando estoy con él, como si sus juicios acerca de mí fueran inermes, en el sentido de que no disminuyen su cariño; también yo hago un esfuerzo equivalente para que mis juicios no sumen o resten al amor que nos une.

Sin haberlo planeado, animada por la intimidad que entibiaba el aire, le pedí:

—Andrés, llamemos a Bill, quisiera hablar con él, conocer su voz.

—¿Está segura? —preguntó asombrado.

—Sí, quiero decirle algo.

Andrés vino hasta la cama, observando a cada paso la expresión de mi rostro, como si esperara un cambio de parecer. Se sentó a mi lado, tomó el teléfono y marcó una treintena de números a toda velocidad, destreza propia de un norteamericano.

—Bill, ¿estás ocupado?... Mi madre desea hablar contigo... Sí... te la paso.

—Aló, Bill..., sí, hablas con Julia... Para mí también es un gusto, Andrés me ha hablado muy bien de ti... gracias —dije y sonreí—, yo sé que me quiere y al parecer me hace buena propaganda —miraba a Andrés con ternura mientras decía esto; saber que le hablaba a Bill de mí con cariño me alegró—, gracias... Bueno, cómo no, si es mi hijo... —Andrés mantenía aferrada mi mano libre con sus dos manos—. Bill, deseaba agradecerte que quieras a mi hijo y que cuides de él, ya debes saber que es un hombre frágil, lo ha heredado de mí y me alegro que estés a su lado para que se sienta protegido... Sí, sí..., cómo lo conoces... Bill, quiero pedirte otra cosa, quiero que lo mimes mucho cuando yo no esté.

—Mamá —suspiró Andrés con los ojos enrojecidos.

—Sí, Bill, no te preocupes... Yo estoy muy tranquila..., sí, me están cuidando como a una reina. Bill, es mejor que cortemos porque estas llamadas cuestan muy caras; un beso... También, fue un gusto hablar contigo..., un beso.

—Las llamadas no son caras —dijo Andrés con una sonrisa bondadosa.

—Bueno, en mi época lo eran.

—Gracias.

—Lo hice por mí, ahora estoy más tranquila. Su voz me dio confianza. Tiene un bonito timbre, muy masculino, aunque con un acento endemoniado.

—Éste es el mejor regalo que me ha hecho en toda la vida.

—Bueno, nunca es tarde. ¿Tiene acento puertorriqueño?

—Claro, se pasa hablando puertorriqueño en el hospital. Entre nosotros hablamos en inglés.

—Tienes suerte, Andrés.

—Lo sé.

—Tuviste una vida dura en tu juventud, debe haber sido horrible sentirse solo y culpable, tus cartas me partieron el alma. Pero el Señor ha sido generoso contigo. Te ha llenado de compensaciones.

—Sí... No sé si el Señor, creo que he contribuido bastante con mis propios esfuerzos.

—Como quieras, pero creo que como yo te debía este regalo desde los días en que te fuiste, tú también le debes un regalo a la existencia, un regalo para ti mismo.

—No me pida nada, mamá, por favor, usted pide cosas difíciles, ya es suficiente pasar por todo esto.

—Debes retribuirle al mundo de alguna manera la fortuna que has tenido. Perdona a tu padre y a tu hermano, sácate ese rencor del corazón. Te sentirás aliviado.

Se puso de pie y comenzó a pasearse delante de la cama. De pronto, Alberto se hizo presente en el cuerpo de Andrés. El mismo paso, la misma inclinación de la cabeza, la manera de apoyar las manos en las caderas, un gesto común irradiado a distintas extremidades.

—No puedo, quisiera, pero no puedo. La fortuna a la cual usted se refiere me la gané yo solito, contra los deseos de Juan Alberto y el papá. Porque cuando hicieron lo que hicieron no estaban pensando en mi futuro. He sido afortunado, es verdad, pero también he sido valiente para conseguir lo que tengo: tranquilidad, una vida útil y pacífica. Y quizás el rencor hacia ellos no sea un peso. Para mí ha funcionado como una fuerza.

—Andrés, no digas eso.

—Es cierto, mamá. Ver a Juan Alberto sin amistades, alejado de todos, ha sido para mí la mejor recompensa. El destino se ha encargado de dejar en claro que fui víctima de unos matones. En Estados Unidos los llamamos *bigots*. Gente que odia, que persigue, que teme. Esos hombres, mamá, tan hombres, fueron unos cobardes, porque no se atrevieron a enfrentar a los demás y prefirieron deshacerse de mí. Pusieron la conveniencia sobre la lealtad, la razón, que de razonable tenía poco, por sobre el amor de padre y de hermano. Mire lo que ha hecho Juan Alberto con Loreto a propósito de la separación.

—¿Quién te contó?

—María Teresa.

—No es la fuente más confiable. No conoces el otro lado de la historia, te quedarías sentado en ese mismo lugar dos días seguidos para digerirlo.

—No lo defienda más, yo sé que lo quiere a pesar de cómo ha sido con usted. ¡Es capaz de hablar con el doctor, pero ni siquiera entra a saludarla!

—Andrés, actúas justo al contrario de lo que te pedí. Te estoy pidiendo que hagas un esfuerzo, como el que yo hice para llamar a Bill.

—Y se lo agradezco, pero haga usted el esfuerzo de aceptar las cosas como son. El papá no sólo se ensañó conmigo, sino también con María Teresa.

—Ése es otro tema, Andrés, no sacas nada con levantar la tierra sobre el cadáver de tu padre, aunque lo hagas no te va a pedir perdón.

—Ahora que está muerto, ahora que usted está pasando este trance, por lo menos tómese la libertad de mirar las cosas desde otra perspectiva, "su" perspectiva. A veces pienso que el papá le lavó el cerebro y se lo volvió a llenar con sus reglas.

—Andrés, tu padre cometió muchos errores, pero sus intenciones siempre fueron buenas. Es muy fácil culparlo ahora, pero cuando había algún problema era él quien lo enfrentaba y yo me quedaba atrás. Él sacó esta familia adelante. Por él llegamos donde estamos. Y para qué sigo, en el fondo, Andrés, yo estuve de acuerdo, protesté y todo eso, pero me rendí a su autoridad. Ya, ¿estás contento? Te pedí perdón. No me pidas que me enemiste con la memoria de Alberto, porque eso es imposible.

—Sólo quiero que me diga la verdad.

—La única verdad es que quiero ir a reunirme con tu padre lo antes posible.

—Ay, mamá, cómo es de testaruda.

—Y tú eres como las termitas, no descansas hasta echar el edificio abajo.

—Soy arquitecto, no se olvide.

—Y yo me estoy muriendo, tampoco te olvides. Es sólo un favor. Un día de estos acércate a tu hermano y dale un abrazo, te lo agradecerá.

—¿Y por qué no se acerca él?

—¡Porque sabes que es incapaz! Aunque esté desesperado por hacerlo.

—Mal por él, yo no voy a seguir subsidiando sus incapacidades.

—Orgulloso.

—Pero usted igual me quiere —dijo, volviendo a sentarse a mi lado.

—No cuando te pones vengativo, te pones feo y gruñón.

—Bueno, ya, no discutamos más, en una de esas me compadezco.

—Y no te olvides de tu padre. Él hizo todo por ti.

—Hasta que supo que era maricón.

—No se puede hablar contigo; anda, dile a Azucena que te traiga el té y una agüita de cedrón para mí.

36

A la llegada de su viaje a Europa, María Teresa se veía contenta, con un aire de inocencia en el rostro. Ella y su hermana aseguraron que se habían llevado de maravillas y que volverían a viajar juntas si era posible.

Entraron a clases pocos días después y nuestra vida retomó su compás habitual, devolviéndole a la casa una atmósfera de normalidad.

Una tarde María Teresa salió al jardín a hacerme compañía. Yo supervisaba la faena de trasplante de una inmensa photinia que había pasado a llevar a otras plantas a su alrededor. Ese día frío de mediados de otoño era especialmente propicio para la operación. Imperaba una luz gris y un manto de hojas crujientes cubría el pasto, caídas de un enorme tulipero que crece en una esquina del jardín. Ahí estaba José haciendo exhibición de su fuerza descomunal, acompañado de un hijo que era igualmente poderoso. Entre ambos movían la mole de ramas, raíces y tierra, arrastrándola sobre una tela de saco. María Teresa se paseaba a mi alrededor en silencio, sin hacer ningún comentario. Se detenía de vez en cuando en alguna planta y la contemplaba por un rato.

—¿Cómo va la escuela, hija?

—Va.

—¿Pero va bien o va mal?

—Va. Recién está comenzando el semestre.

—¿Has visto a Ramiro? —pregunté impulsivamente. Eran tantos los meses ahogando esa pregunta en la garganta que salió sin posibilidad de controlarla. María Teresa se volvió hacia mí.

—¿Por qué me lo pregunta? —dijo con calma.

—Es una pregunta bastante directa, que busca una respuesta directa.

—No sé si es necesario recordarle que tengo prohibido ver a Ramiro.

—Pero lo has visto, ¿no es cierto?

—Mire, mamá —su voz reverberó por primera vez—, ustedes han definido las reglas del juego y ahora tienen que respetarlas. Esa pregunta está fuera de bases.

—Hija, no te hagas la lista conmigo. Basta de argumentaciones y contéstame.

—¿Me han visto con Ramiro? —preguntó con sorna—. ¿Usted o sus espías me han visto con él?

—Tere, no te atrevas a faltarme el respeto.

—Usted me falta el respeto, mamá, haciéndome una pregunta como ésa. ¿No les basta con lo que han hecho? —ambas estábamos a punto de explotar. José y su hijo habían llegado a destino con el arbusto y presenciaban la discusión cabizbajos.

—Sólo quiero saber si piensas en él —intenté recuperar la calma y no hice ningún énfasis al hablar—, nada más, no importa si lo has visto o no, ¿piensas en él? ¿Te has dado cuenta de que no es un hombre para ti?

—No tengo por qué responderle. A ustedes nunca les ha importado lo que yo siento, sólo les preocupa lo que ustedes sienten. Y eso en el mejor de los casos, porque generalmente lo único importante es lo que ustedes piensan. Mire, mamá, le voy a decir una sola cosa, cumplo veintiún años en dos meses más y ustedes van a tener que enfrentar las consecuencias de lo que han hecho.

—¿Qué hicimos, a ver? —gritaba—. ¿Separarte de ese zángano? Hija —ahora rogaba—, por favor, cómo no te das cuenta, al menos piensa que lo hicimos por tu bien.

—¿Por mi bien o por su bien? A mí no me queda claro —su calma me agredía—. Y no estoy hablando solamente de Ramiro, hablo de todo lo que me han hecho. ¡Nunca! —este grito fue como una detonación—, nunca han confiado en mí, me han tratado como si fuera una retrasada mental... —su voz se quebró, corrió hasta la casa y desapareció por la puerta que da al jardín.

Me di cuenta en ese momento de que José y su hijo estaban avergonzados.

—Perdonen, cosas de familia —dije, limpiándome las manos en el delantal de cintura—. Sigan adelante, tengo que entrar.

La habitación de María Teresa estaba con llave. Golpeé la puerta, le rogué que me abriera, pero no conseguí persuadirla. Fui a mi cuarto y lloré, como lo hacía ella, tirada sobre la cama. Visto desde el aire, formábamos un doloroso paralelo.

El día de su cumpleaños, María Teresa se presentó en nuestro dormitorio a eso de las siete y media. Alberto y yo estábamos aún en cama tomando desayuno y leyendo el diario. María Teresa estaba vestida con unos pantalones de cotelé con pata de elefante que le quedaban estrechos en los muslos, unos muslos que hubiera sido mejor no destacar. Se había peinado con esmero. Su pelo, del color de la miel de palma, flotaba sobre sus hombros. Un suéter rojo italiano de lana tosca resaltaba sus senos de por sí prominentes. Estuve a punto de decirle que fuera a cambiarse, pero me contuve. Era su cumpleaños.

—Mi amor, venga para darle un abrazo que ya es toda una mujer, venga... Y pensar que hace veintiún años todavía la tenía aquí adentro de mi guatita. Venga.

—Felicidades, María Teresa —dijo Alberto bajando el diario y sacándose los anteojos de lectura.

—Sólo les quiero contar que hoy, a las nueve de la mañana, Ramiro y yo nos vamos a casar por el civil. No los estoy invitando, quería que lo supieran.

En la vida he experimentado otras muertes, una de ellas fue ésta, además del tranvía, la muerte de mi madre, la noticia de la enfermedad de Alberto, la huida de Andrés y la separación de Juan Alberto. Al rememorar ese 14 de junio de 1970, creo que la muerte del cuerpo, la que se avecina a paso rápido, la que hace que mi alimentación esté reducida a unas papillas insípidas que ni siquiera me intereso por comer, es mucho menos dolorosa que las anteriores. Creo que mi muerte será dolorosa para mis hijos y eso es lo único que me pesa, pero no tengo pena por mí. Más aplastante fue descubrir con unas cuantas palabras que perdía a mi hija para siempre.

Alberto se levantó de la cama al mismo tiempo que yo, fue hasta ella, alzó el brazo para descargar un golpe y yo me fui encima de él con todo mi cuerpo.

—¡Nooooo!

—Déjame, mujer. ¡Aquí el único que manda soy yo, mocosa de mierda! Vamos a ver si te casas por el civil con la cara desfigurada.

—Me voy a casar como sea, aunque llegue arrastrándome ante el juez. Si me toca llamaré a los carabineros.

—¡No te atrevas a hablarme así! —gritó Alberto, inmovilizado por mi abrazo contra la pared de las figuras religiosas.

—¿Así cómo? No tengo por qué rendirle obediencia. Desde hoy me mando sola, por mucho que le pese.

Me separé de Alberto al percibir que ya estaba en sus cabales y no la golpearía. La miré con toda la ternura de que soy capaz, le tomé una mano y le imploré:

—Qué pasa, María Teresa, tú no eres así, tranquilízate, tú no has actuado nunca de esta manera.

Logré que botara la máscara desafiante. Comenzó a llorar con la cabeza colgando y se balanceaba con las convulsiones.

—Al menos cuéntanos en que estás pensando.

—No quiero hablar... —el llanto no la dejaba continuar con la frase— con ustedes. No... Son comprensivos ahora porque les conviene.

—No estamos siendo comprensivos sino razonables —dijo Alberto en un tono que denotaba que se había sumado a mi estrategia.

—María Teresa, cálmate —me acerqué hasta que me permitió abrazarla—, no sacamos nada con agredirnos, vamos a sentarnos y arreglaremos esto como adultos. Cumples veintiún años y ya eres una mujer. Puedes hacer lo que quieras, pero antes conversemos con tranquilidad, yo sé que prefieres eso antes que ir sola a esa oficina y no tenernos a tu lado. Cuéntanos cuáles son tus planes, quizás podamos ponernos de acuerdo.

—Cómo nos vamos a poner de acuerdo si ustedes detestan a Ramiro —dijo, separándose y mirándome a los ojos por primera vez. Era una mirada suplicante.

—Si aún lo quieres..., las cosas son distintas ahora —suspiré volviéndome hacia Alberto—. Podemos hablar, pero no te precipites, si te casas, cásate bien, como es debido, no a tontas y a locas.

—...

—Escucha a tu madre, María Teresa.

—...

—Vamos, hija, ven, siéntate en el sofá.

—No quisiera herirlos, pero me caso hoy a las nueve —dijo con desesperación, y salió corriendo hacia la puerta de entrada. Yo corrí tras ella, con el camisón pegado al cuerpo. Afuera la esperaba una citroneta, a la cual subió mientras yo salía a la calle. El automóvil dio unos corcoveos y se perdió de vista. De pronto me vi en medio de la calle, descalza. No había tomado conciencia del frío que me helaba los huesos.

Alberto llegó a mi lado y me llevó adentro. En el camino a nuestro cuarto nos cruzamos con la mirada atónita de María del Pilar. No preguntó nada, sabía lo que ocurría.

—Vamos, Alberto, vamos —decía yo, sin saber por qué iba de un lado a otro de la habitación, buscando algo que no recuerdo. Creo que era un par de aros.

—No vamos a participar de ese matrimonio, Julia. Cálmate, ya veremos la manera en que suceden las cosas, pero no podemos darle en el gusto. Va a creer que puede hacer lo que se le da la gana.

—¡Alberto —volví a gritar—, no seas imbécil!

Vi delinearse un asomo de pasmo en su rostro. Nunca había recibido un trato semejante de mi parte.

—Comprende de una buena vez que ya no sacamos nada —continué—. La hemos perdido y tenemos que hacer cualquier cosa para que no sea irremediable.

—No vamos a consentir ese matrimonio.

—Si tú no vas, iré yo. Yo voy a estar en este matrimonio y por la Iglesia también, no me lo perdonaría si no lo hiciera.

—Esa niñita te manipula a niveles indecibles, Julia..., ¿no te das cuenta? Casarse a escondidas el día de su cumpleaños número veintiuno con el hombre del cual quisimos separarla. Es su venganza perfecta, y si nos prestamos a ella, estaremos haciéndole un pésimo favor. Necesita arruinarse la vida durante un tiempo para que aprenda. Debe entender que la única que se hace daño con sus arrebatos es ella misma. Recién ahí podremos tener una relación más o menos normal.

—Suenas como si estuvieras hablando de uno de tus proveedores —dije, sin embargo sus palabras me recordaron las de Sara Fischer, cuando decía que Teresa necesitaba sus propios límites.

—Julia, no dejes que te envenene el alma en mi contra.

—¡Eres tú el que tiene el alma envenenada contra ella! No la quieres, nunca la has querido y que se vaya con ese mequetrefe es un peso menos para ti. ¡Eso es, Alberto —grité—, no lo puedes negar, nunca la has querido!

—Claro que no la quiero —dijo burlón—. No hables estupideces.

—No sé si pueda perdonarte, no sé si pueda perdonarme por esto que hemos hecho, al menos yo tengo la seguridad de que quiero a mi hija igual que a los demás. En cambio tú no. Tengo que vestirme —zanjé.

—Si vas a ese matrimonio me estarás desafiando.

—Sólo porque tú quieres —dije volviéndome—. Si no, ven conmigo —entré al baño y cerré la puerta.

—Además no creo que se casen —dijo Alberto en voz alta—, hacen todo esto para obligarnos a entrar en su juego. ¿De qué van a vivir?

—No me interesa continuar hablando —dije mientras echaba a correr el agua de la ducha.

Cuando me terminé de vestir, me senté en un *boudoir* que Alberto había fabricado especialmente para mí. Me miré en el espejo y mi rostro era el de una mujer cansada, vi todas mis arrugas a la vez. Me empolvé con un cojinete, deseaba borrar todo vestigio de fatiga, de decadencia, deseaba tener veintiún años como María Teresa y no llevar culpas sobre mis hombros. Me pinté haciendo un esfuerzo para controlar el pulso. Primero la sombra de ojos y el rímel, luego los labios. Había dejado de prestarle atención a lo que hacía, quería terminar pronto, salir a la calle y partir al Registro Civil. ¿A cuál de ellos? Cuando terminé, el resultado final me hizo recordar a Madame Butterfly, sólo que empolvada en un color mate. Mis ojos no se distinguían al fondo de dos cuencas negras que el maquillaje no había contribuido a aligerar. El rouge no alcanzó las comisuras. Las lágrimas volvieron a escurrir, lentas lágrimas sucias, como las gotas de Neruda, rímel derramado sin pudor ante mí misma. Por primera vez de forma más o menos consciente, me atrevía a liberar mi patetismo de su encierro. También por primera vez, sentí que la muerte podía ser un alivio. Ahora lloraba, sin convulsiones, y no sólo el rímel escurría sino también el exceso de polvos. La melcocha goteaba en la impecable falda azul que había elegido para la ocasión, gotas de sangre y carne artificial.

Nunca llegué al Registro Civil.

37

Cáncer. Cómo ha cambiado para mí el significado de esta palabra. Primero fue un tabú, un estigma. Después se convirtió en una especie de parásito alojado en el cuerpo de mi madre, que la fue consumiendo día a día. Ahora que está dentro de mí ya no es ni lo uno ni lo otro. El tono amenazante de la palabra ha quedado neutralizado. Es más bien algo concreto, casi cotidiano. Es sólo la forma en que me voy a morir.

A partir de la operación de mi madre, en marzo del 53, me propuse ir a misa de ocho cada día. Alberto me acompañó la mayoría de las veces. Por supuesto ella le restaba gravedad al asunto y decía que tener una "pechuga" menos no le ponía ni le quitaba y hacía prodigios para disimular la oquedad bajo el ropaje. El tratamiento consideraba sesiones de radiación y una serie de medicamentos, que la hicieron enfermar del estómago en un principio. Las radiaciones eran bastante intensas según deducía de su abatimiento al salir de la sala del hospital. Mi madre no quiso que nadie más allá de la familia se enterara, por lo menos hasta que no se hiciera evidente. Era en esos años un mal del que se hablaba en voz baja.

Por el doctor Álvarez —quien nos ayudó a soportar con entereza los pasos que daba la enfermedad—, sabíamos que las radiaciones tenían el fin de detener el avance hacia otros órganos. Nos dijo que existía un veinte por ciento de posibilidades de que la mamá sanara, pero de todos modos, si eso no ocurría, la terapia le ayudaría a mantenerse en buenas condiciones por más tiempo. "Buenas condiciones" usado exactamente con la misma intención que mis doctores usaron "razonables". Sólo que en ese entonces me dio esperanza y hoy me causa rebeldía.

Me instalé en la casa de mi madre cuando se agravó y ya no podía cuidar de sí misma, como un mes antes de morir. Yo estaba embarazada de seis meses. Era un embarazo del todo inesperado que venía a complicar las cosas. Alberto me alentó a que cuidara de mi madre, me aseguró que él estaría bien.

La convivencia con mi padre no fue grata. Se había vuelto todavía más taciturno y tampoco yo me esforzaba por compartir momentos con él. No disponía sus comidas y le dejaba las tareas de la casa a la empleada, que ya no era Claudia. Estábamos juntos sólo cuando él entraba a ver a mi madre y ella dormía. Se quedaba un rato de pie contemplándola en silencio, a veces por más de una hora. Me contenía para no preguntarle qué pensaba durante esas meditaciones, cuánto sufría, qué misterio buscaba resolver contemplando el rostro de la mamá, cuáles eran sus remordimientos, si los tenía, si cuando mi madre muriera le revelaría a Joaquín la verdad.

Mi hermano la visitaba cada día a la hora de almuerzo, le ayudaba con la comida y se quedaba un rato solo con ella. Luego Joaquín se reunía conmigo en la sala de estar del segundo piso donde yo tejía o leía y adquirió la costumbre de relatarme alguna anécdota de mi madre. Hay un relato que ha sobrevivido en mi memoria: una mañana cualquiera, ella caminaba distraída por la acera que corre junto al Palacio de la Moneda en la calle Morandé, a la altura de la puerta por donde salió el cuerpo de Allende el día del golpe de estado. Alguien la llamó. Eran las hermanas Echazarreta Aninat, clientas suyas, gente de alcurnia. Tenían hasta un presidente en la familia y de chicas habían jugado en los patios del palacio. Cruzaron la calle y le preguntaron: "¿Por qué no nos has llamado en todos estos años? Tú sabes que te apreciamos muchísimo". Ésta fue la respuesta de mi madre: "Amigas mías, ustedes son muy amables conmigo, pero yo no pertenezco a su clase. Estoy casada con un hombre de trabajo, un inmigrante italiano. Creo que nuestra amistad está mejor así". Esta anécdota no la conocía y Joaquín la había escuchado de su boca cuando hablaron del afán aristocrático de la familia chilena de su mujer, Laura.

En sus últimos días ya no salía de la cama y tenía unas pocas horas de lucidez. Recuerdo que dos semanas antes de morir mantuvimos una larga plática, ya entrada la noche. Una lluvia temprana resonaba en el techo y golpeaba los vidrios cuando se levantaba viento. La luz en el cuarto era escasa. Permanecía encendida una chimenea que hacía esquina con dos muros. Doña Victoria Campos de Bartolini, la mujer de cuerpo robusto que acaparaba piropos a su paso, estaba en los huesos. En el recuerdo veo su rostro brillar con una dulce expresión que la hacía verse más linda que nunca. En realidad tenía la piel macilenta de los moribundos, la mandíbula un tanto desencajada y baba reseca en la comisura de los labios. Su pelo blanco —había encanecido de un año para otro, a los cuarenta y cinco— se lo había peinado yo misma esa mañana y estaba vestida con una camisa de dormir hecha por ella, con pequeños bordados bajo el cuello y delicadas aplicaciones de encaje en los puños y en el pecho. Una mañanita hecha a croché, regalo de la tía Susana, le cubría los hombros. El tono de la escena era el de una cálida penumbra, donde los colores claros se apropiaban de la luz ocre y de las ondas del fuego. El rostro de mi madre de pronto parecía pleno de colores vitales, como si hubiera experimentado una milagrosa recuperación. Estábamos tomadas de la mano, como era nuestra costumbre cada vez que yo no estaba haciendo algo o ella dormía. Hablamos de Joaquín, de la confianza que ella tenía en Laura, su mujer, "callada pero responsable". También recordó la muerte de su suegra, mi abuela paterna, Assunta, que murió en la casa, ahogada por un enfisema pulmonar cuando yo tenía diez años. Lo que más le asombraba fue que al final, en su lecho de muerte, la mujer silenciosa que había conocido se volvió locuaz, casi sin aire en sus pulmones, y le agradeció insistentemente su amor, su compañía y sus cuidados, y se puso a recordar los momentos felices que había pasado en esa casa, momentos que para mi madre habían pasado inadvertidos. "Callar una vida entera para hablar cuando se tiene los días contados... Así es la vida". Me relató también la muerte de su abuelo Serafín. Ella y su madre se preparaban cada una en su baño, muy temprano por la mañana, para ir a visitarlo al hospital. Vivían en Concepción, en una casa de madera que crujía durante los temporales y bailaba en los terremotos, pero a la que no le entraba una gota de agua, y que permanecía intacta luego de los remezones. Me contó que mientras ella se peinaba, oyó subir desde el vestíbulo del primer piso la voz de su abuelo Serafín llamando a su madre: "Carmen, Carmen". El corazón le dio un vuelco y abrió la puerta del baño. Se encontró en el otro extremo del pasillo a su madre que abría la puerta de su baño al mismo tiempo. Estaba desnuda y estilando. "Mamá, llegó el abuelo Serafín, vamos abajo". Su madre parecía petrificada. "¿Oíste al abuelo, verdad?", preguntó, con la voz dividida entre la alegría y la impresión de verla completamente desnuda sin demostrar pudor alguno. Enmarcada en el vano de la puerta, su madre dijo con solemnidad: " Sí, lo he escuchado, Victoria, tu abuelo acaba de morir". Diez minutos más tarde recibieron un llamado del hospital para anunciar su muerte.

Cada una de estas historias excitaba su respiración y yo le pedía que se calmara. Pero ella insistió en contármelas con todo detalle. Cuando los relatos cesaron, me dijo:

—No te cuento estas cosas por casualidad, lo hago para que comprendas que en torno a la muerte hay muchos misterios, y el mayor de todos es el cambio que opera en los corazones del que muere y los que están cerca. Tu padre se ha acercado a mí en este tiempo y me ha asegurado más de una vez que nunca dejó de amarme, y que la idea de perderme lo llena de angustia. Nunca hubiera esperado de tu padre una declaración así.

—Seguramente es cierto, mamá, yo he visto cómo sufre.

—¿Y qué sientes tú, hija, respecto de lo que me dijo?

—No importa lo que yo sienta, seguro que para usted es una tranquilidad.

—Julia, escúchame bien, mírame a los ojos, sabes lo que te voy a pedir, hazlo por mí, por mi recuerdo, para que cuando me recuerdes tengas la mente limpia. Julia, debes perdonar a tu padre.

—Imposible —dije sin pensarlo.

—Si no lo perdonas a él quiere decir que no me perdonas a mí.

—No, mamá —refuté sin darle la cara—. Usted es la víctima, no tengo de qué perdonarla.

—Ya lo conversamos ¿Recuerdas? ¿Recién nacido Juan Alberto?

—Nunca entendí la teoría esa de que usted lo había incitado a tomar una amante. Usted no haría algo tan abominable, a mí no me engaña.

—Julia, mírame..., me estoy muriendo, ¿No te das cuenta? ¿Por qué habría de mentirte ahora?

—Mamá, me está pidiendo demasiado. Miente para dejar las cosas arregladas, como siempre ha hecho con todo.

—Cuando yo me vaya, el único nexo que tu padre tendrá con esto que hemos vivido juntos —dijo contemplando con amor la habitación— van a ser Joaquín y tú, pero tan pronto tu hermano se entere de la verdad no le volverá a dirigir la palabra. Y tu padre se verá obligado a decírselo tarde o temprano. Te imploro que no lo alejes de tu lado, porque será como si yo no hubiera existido para él y la idea me resulta demasiado dolorosa —soltó una tos que prácticamente la ahogó.

—Mamá, por Dios, se acabó. Mire lo agitada que está.

—Déjame —me ordenó, aún tosiendo—, qué importa que me muera mañana o en cuatro días más. Prométeme que mantendrás el vínculo con tu padre hasta el día que se muera —dijo con una mirada imperativa.

—Mamá —dije en un lamento—. Lo haré si usted me lo pide, pero sería el mayor sacrificio que me podría imponer.

—Te lo pido —dijo de inmediato, usando el último aire que le restaba. Ya más tranquila, concluyó—: Verás que no será tan difícil, al contrario, te hará una persona más libre y podrás enterrar a tu padre con el alma en paz, como lo vas a hacer conmigo.

La conversación que tuve con Andrés acerca de perdonar a su padre y a su hermano estuvo inspirada en ésta. Y la razón de mi insistencia fue que con el andar de la vida pude comprobar que mi madre tenía razón.

38

Teresa y yo nos volvimos a ver a menudo cuando la mente de Alberto dejó de estar con nosotros. Venía cada día a ayudarme con él, a cambiarle los pañales, a sacarlo un rato al jardín; cuando yo estaba cansada, ella se hacía cargo de la casa. A veces cambiaba unas frases con Alberto, que a cada momento inquiría: "¿Y usted, mijita, quién es?", como lo hizo alguna vez mi padre conmigo. Y ella contestaba con soltura: "Una amiga de su mujer". María Teresa tenía mal temperamento, pero siempre fue generosa. Quizá la resolución que tuvo para casarse con Ramiro contribuyó a que no nos guardara un rencor desmedido, no obstante no le habló a su padre hasta que perdió la cordura. En cuanto a Ramiro, había logrado montar una exportadora de artesanía fina: chales de alpaca y vicuña, cerámicas de Quinchamalí, piezas de lapislázuli, joyas de plata mapuche. Las ganancias permitieron que mi hija dejara su trabajo de vendedora. A los cuarenta años continuaba siendo una mujer atractiva y había adquirido una luminosidad en la mirada que opacó los destellos confusos de la adolescencia. Ramiro también venía seguido a la casa. La demostración de su buena voluntad, y su temple para formar una familia estable con una persona de carácter impredecible como mi hija, me habían conquistado desde hacía tiempo. Ahora bien, cuando lo tenía cerca, volvía a sentir el mismo impulso de darle una buena patada en cierta parte para despabilarlo. El suyo era el opuesto al tipo de personalidad que despertaba mi admiración.

Tenerlos a mi lado en esos momentos de incertidumbre fue un regalo de Dios que creí no merecer.

Después del matrimonio civil se fueron a vivir con los padres de Ramiro al barrio de Recoleta, cerca del Cementerio General. Allí pasaron alrededor de un año hasta que ambos consiguieron un trabajo y fueron capaces de costear un pequeño departamento en el centro de Santiago, en la calle Mosqueto, a una cuadra del Parque Forestal. En ese tiempo María Teresa quedó embarazada. Había llegado el momento de casarse por la Iglesia. El sacerdote a cargo de la pastoral lo haría con gusto. Los padrinos de Teresa serían una pareja de amigos. Me enteré del matrimonio por una llamada suya el día anterior a la ceremonia. Le rogué que me dejara asistir. Sabía de su embarazo por María del Pilar. Me desafió con el asunto de los padrinos. "No importa, Tere, sólo quiero estar ahí. Por favor, déjame acompañarte". Después supe que esa llamada había sido a instancias de María del Pilar.

Me arreglé con esmero, como lo hacía para las grandes ocasiones. Deseaba verme espléndida. Si alguna virtud tenía mi hija era ser observadora y le daría el gusto en todo, vestiría mis mejores galas y joyas. Tuve que inventar una excusa para Alberto. Los sábados en la tarde eran de exclusiva dedicación familiar. "Es un concierto de una pianista española que ha organizado Margarita Donoso en su casa. Ha convidado solamente a mujeres". Margarita era quizá mi única conocida a la cual Alberto no tenía cómo rastrear en la trama social a la cual pertenecíamos.

Me presenté en la capilla de la Pastoral Universitaria. El paso de la luz a la penumbra me cegó por un instante. Un techo abovedado construido en madera, como el casco invertido de una embarcación, se fue perfilando a medida que caminaba por el pasillo central. Con la espalda recta y el paso firme, intenté una seguridad que mis guantes de seda y la estola de zorro gris me escamoteaban al verme rodeada de personas vestidas con sencillez. El altar era una simple mesa y el Cristo en la cruz, tallado en madera, formaba una infeliz composición de amaneramiento y mala artesanía. Saludé con toda parsimonia a los padres de Ramiro, que esperaban sentados en una banca separada del resto. Ambos se pusieron de pie al momento de besarme y me acogieron con una sonrisa. Luego me dirigí hacia los padrinos de mi hija. A ella la reconocí de inmediato. Era compañera de curso de Teresa en la universidad. Llevaba una minifalda. Hice un esfuerzo para ocultar mi desagrado. Ambos me saludaron de mano, sin mostrarse avergonzados por estar en mi lugar. Me uní a Luis y María del Pilar. Se habían sentado en la primera banca. Ella se había vestido con igual lujo, descargándome un tanto de la responsabilidad de ser la mejor vestida. Éstas son nuestras costumbres, me dije, deberán respetarlas. María del Pilar me obligó a ocupar el asiento en el cabezal de la banca. Yo no quería herir susceptibilidades. "La Tere va a estar feliz de que esté sentada ahí. Ayer me dijo que se sentía orgullosa de que usted viniera al matrimonio". Luis se limitaba a mirarme y a sonreír, como si aprobara mi decisión de estar presente en la ceremonia. No había respaldo ni lugar donde hincarse. No más de cuarenta invitados, la mayoría jóvenes, esperaban la llegada de los novios. María Teresa entró del brazo de Ramiro. Había perdido peso en ese año sin verla. Sus ojos se habían vuelto todavía más expresivos. No había signos del embarazo. Contuve la respiración para no llorar. ¡No había visto a mi hija en un año!, y se acercaba y podría tocarla. Sobre el sencillo vestido blanco flotaba una capa de tul con un tinte rosado. "Nosotros le regalamos el vestido", me dijo Pilar al oído. Primero llegó hasta mí el perfume de María Teresa, dulce y exagerado. Al pasar frente a nuestra posición, me brindó una mirada significativa. Ese solo acto me calmó y me permitió atender a la ceremonia con devoción. A la salida de la capilla, permanecimos abrazadas largo rato. María del Pilar protestaba: "Ya, pues, es mi turno de abrazar a la novia, parece que llevaran un siglo sin verse", y soltaba una risa deliciosa. De regalo de bodas les di un cheque considerable, que tuve que justificar más tarde ante Alberto con otra mentira. Desde ese día retomamos el contacto. El cariño y la confianza volvieron con los años, y han dado más frutos de lo que yo nunca llegué a imaginar. En las cercanías de la muerte, María Teresa está tan presente como sus hermanos y su briosa asistencia, molesta en un principio, se ha hecho imprescindible para mi precario bienestar.

Esta violenta relación me enseñó la verdadera humildad, no la falsa que pregona la Iglesia. No la de quien habla desde el trono del bien y cuya corona destila superioridad compasiva. Ella me enseñó que para ser bueno hay muchos caminos, incluso algunos que aparentan ir derecho a la perdición. Eso es lo que aprendí y me tomó una vida comprenderlo. Y a mi hija le significó una infancia y una juventud de sufrimientos. Cuando la observo moverse a mi alrededor, ordenando esto o aquello, no puedo dejar de maravillarme que sea toda una mujer, una mujer que se ganó mi admiración. María Teresa es feliz, su marido y sus hijos la adoran, incorrecta como es, explosiva como es, y está sentada en su propio trono, el único que de verdad importa.

Recuerdo una visita en particular que me hizo con Ramiro y sus hijos hace un par de meses. Conversamos un buen rato en el living. Esa tarde me sentía bien. Fue después de los feriados del dieciocho de septiembre. El sol entibiaba la piel y la camelia roja había alcanzado su esplendor, dándole vida al jardín. El mayor de sus hijos ya tiene veintinueve años y se recibió de abogado. Trabaja en un estudio prestigioso y según Ramiro pronto lo harán socio. Es un hombre rubio, macizo, con los ojos de Teresa. Aún no se ha casado y ni ganas tiene...; sólo Dios sabrá. Mi nieta en cambio no heredó el físico de su madre. Es una mujer huesuda, con la nariz de gancho de Ramiro; cumplió veinticuatro años y se recibió de periodista en julio pasado. Por sobre todas las cosas, es generosa, alegre, cercana a sus amigas y a su familia. Mientras hablábamos, sus comentarios me resultaron pertinentes y agudos. Ésos son mis genes, me dije.

Los niños se fueron pronto, ambos tenían cosas que hacer. Ya solos los tres, ellos en un sofá y yo al frente, rodeados de un espacio amplio y una suntuosidad que no correspondía a la exigua congregación y a la intimidad de los participantes, me entristecí; las vidas que recién comenzaban salían por la puerta y la muerte volvía a imperar en el salón.

—La Teresita me ha hecho pensar mucho en usted, mamá. Tiene un carácter endemoniado, como debo haber sido yo. Tan alegre como la ve, es capaz de explotar si algo le molesta.

—El tuyo era un carácter difícil, no había cómo darte en el gusto. Esta niñita al menos tiene cierto control de sí misma.

—Por Dios, mamá —dijo alterada, cargando su peso hacia un lado de sus cómodas asentaderas al tiempo que cruzaba las piernas. Llevaba puestos unos estrechos pantalones de plush morado. El buen gusto estaba fuera de su alcance—. Siempre con el mismo cuento, como si yo hubiera sido una poseída.

—Una loca de bequeló, como decía mi madre —dije entre risas.

—No siga, ¿quiere? La venimos a ver y usted dale con la cueca.

—Han pasado tantos años, hija. No sigas estrujando esos dolores, preocúpate de tus alegrías, de tus hijos. Me han hecho olvidar que estoy enferma.

—No soy yo la que sigue, es usted.

Mientras hablábamos, Ramiro asentía con la cabeza y a veces repetía alguna palabra dicha por María Teresa.

—Bueno, tienes razón. Me intento justificar hasta el final. Quisiera creer que a pesar de estar equivocada actué de buena fe, y que si logramos salir adelante después de todo lo que ocurrió, en algo contribuí.

—Señora Julia —dijo Ramiro con voz fuerte, como si el tono fuera parte del envión al ponerse de pie de un modo casi solemne—, la Tere y yo queremos agradecerle todo lo que hizo por nosotros. No debe haber sido fácil. Le mentía a don Alberto cada vez que iba a ver a los niños y cuando nos ayudaba por un apuro de dinero. Es más, señora Julia, queremos pedirle perdón por haberla juzgado mal.

María Teresa vino a sentarse a mi lado, me abrazó por la cintura, puso la cabeza sobre mi hombro como acostumbraba a hacer cuando niña, mientras yo tejía o veía televisión.

—Yo tenía mucha rabia, mamá, y no me di cuenta de tu esfuerzo hasta que esa rabia desapareció.

—No me pidan perdón, por el amor de Dios. Soy yo quien les debe pedir perdón hasta que me duela.

—Si de algo le sirve —comenzó a decir mientras levantaba la cabeza y me dirigía la mirada—, yo la perdoné hace muchos años y me voy a sentir muy sola cuando no esté.

—Hija mía, has sido tan bondadosa, claro que me sirve.

Ramiro vino hasta mí, se inclinó y me besó en la frente. Luego se puso detrás de la Tere y le acarició el pelo. Nos quedamos por un momento en esa extraña composición. Luego les pedí que me acompañaran a mi cuarto; necesitaba descansar.

39

La enfermedad de Alberto agrietó la sólida estructura que mantenía en pie nuestro mundo. Pasé a ser yo la estructura principal, nunca sometida a carga alguna, que tomaría progresivamente el peso de la familia, al mismo ritmo al cual la enfermedad progresara. Mi seguridad siempre había llegado a través de las palabras certeras y la expresión confiada de Alberto. Desde el episodio de Amsterdam, dejó de ser él mismo. Conocer la naturaleza de su mal lo había terminado de intimidar. Ya no había certezas en él, y en su rostro se leía la incertidumbre, el miedo a que en cualquier instante sufriera un nuevo ataque y redujera un paso más sus capacidades cognitivas. Era la enfermedad más cruel para alguien que siempre descansó en su claridad mental para existir. Su capacidad de raciocinio cayó bajo sospecha y comenzó a preguntarme más de una vez cuál era mi opinión sobre un mismo asunto; en ocasiones me decía con angustia, en nuestro dormitorio o en el baño, que no tenía claro si lo que pensaba era correcto o respondía a una serie de planos de juicio superpuestos, donde se mezclaba realidad, imaginación, pasado y delirio. Una noche me confesó, después de haber apagado la luz, con su aliento en mi rostro, que la sensación era la misma que si le hubieran desmantelado el motor del pensamiento. Como si las piezas estuvieran disgregadas sobre una mesa y él tuviera conciencia de cómo trabaja cada una, pero ya sin posibilidad de montar el motor de vuelta y hacerlo funcionar con el don del automatismo.

Ironías de la vida. Me había enamorado de Alberto por las virtudes que ahora perdería progresivamente hasta volverse un ser inútil. Hubo períodos en que caí en la desesperación. Cuando surgían problemas que él acostumbraba a resolver sin siquiera yo notarlo, mi natural recelo hacía las cosas más difíciles. El mayor problema lo tuve con el dinero. No había manejado dinero, aparte del necesario para los gastos de la casa y los míos. A medida que Alberto se fue deteriorando, debí quitarle la posibilidad de hacer cheques, y llegado un punto, a instancias de Juan Alberto, debí quitarle los poderes legales. Sucedió una tarde para desterrar de la memoria. Al volver de la oficina del abogado, lo vi en la mecedora de la salita, con la vista perdida en el jardín. Le pedí que firmara una serie de escrituras. Me miró con rostro confiado y con su mano temblorosa fue rubricando las páginas de rayado legal. Se me saltaron las lágrimas. Él levantó su rostro hacia mí y me preguntó:

—¿Por qué llora, Negra?

—Por nada, mi amor, tonteras.

—No llore por tonteras, no vale la pena —me dijo sin alterarse, y su mirada flotó hacia el jardín.

Lo más complejo era la intrincada red societaria que sostenía nuestras posesiones comunes: sociedades de inversión, de responsabilidad limitada, anónimas, las cuales daban origen a una carpeta semanal de papeles tributarios y contables, que de sólo verla me agobiaba. Mi única preocupación en esos años era que Alberto viviera su último tiempo en las mejores condiciones posibles, sintiéndose amado y en posesión de su dignidad. Nombré a Juan Alberto regente de nuestra pequeña fortuna con poderes absolutos, lo cual me trajo otro tipo de problemas más adelante, como sentir que mi hijo se inmiscuía en cómo yo gastaba el dinero. En tales oportunidades se encontró con una feroz reacción de mi parte, pero nunca dejó de recordarme hasta el día que supo de mi enfermedad, cuáles eran mis límites. Sí, él me imponía límites aun cuando yo era la dueña del dinero.

A comienzos de 1980, el mismo año que Alberto sufrió el ataque y Andrés se fue de la casa, vivíamos una especie de esquizofrenia. Había un florecimiento económico, del cual nosotros éramos beneficiarios, pero también se había comenzado a conocer la violencia de la represión. Alberto y nuestro hijo mayor apoyaban el gobierno militar a ojos cerrados. Alababan el orden y el espíritu de trabajo reinantes. La incertidumbre vivida en la fábrica durante la Unidad Popular los había marcado. En el bando contrario nos encontrábamos María del Pilar y su marido, Andrés y yo. María Teresa y Ramiro, aunque no participaban de la vida en común, también se oponían a la dictadura. María del Pilar y María Teresa tenían amigos desaparecidos, sus maridos sabían de centros de tortura. Andrés y yo, aun cuando vivíamos en una burbuja de bienestar, nos inclinamos naturalmente hacia los que sufrían la brutalidad militar. Sólo Alberto y nuestro hijo mayor votaron a favor de la Constitución de Pinochet.

Juan Alberto y Andrés se guardaron mutua animosidad desde la infancia, ya lo he dicho, uno se sentía el heraldo del padre y el otro de la madre. Estaban en desacuerdo en casi todo y el conflicto político acentuó sus diferencias. Las discusiones a propósito de la Constitución eran interminables, tanto en la mesa de los domingos como en la fábrica. Durante los almuerzos yo intentaba rescatar las ideas valiosas de cada argumento. Pero no me dejaban hablar, ni siquiera se escuchaban entre sí. Y de pronto callaban, la expresión más palpable del desprecio mutuo. Cuando cruzaban gritos, al menos sabíamos hasta dónde podían llegar, en cambio en el silencio se acumulaba la ira que no conseguían sacar fuera. Juan Alberto era habilidoso con las palabras y más frío que Andrés. La emotividad de mi hijo menor le jugaba malas pasadas y el otro sabía aprovecharlas.

Alberto me contaba que en la fábrica tampoco se llevaban bien. Las discusiones se trasladaron a los asuntos de trabajo y hacían arduo el avance cuando debían tomar decisiones en que ambos estaban involucrados. Las aprensiones de Alberto se intensificaron después de Amsterdam. ¿Quién llevaría las riendas de la fábrica cuando él ya no pudiera hacerlo? La respuesta natural era Juan Alberto, por experiencia y sus dotes como administrador. Pero dudaba que su hijo mayor tuviera una visión empresarial semejante a la suya. Juan Alberto era timorato y tendía a ser conservador en sus posturas, mal de males entre los empresarios. Andrés, a pesar de no saber de negocios y finanzas, había demostrado en un año que contaba con una mente abierta, y las innovaciones no lo amedrentaban. Me decía con tristeza en la voz que el escenario ideal sería que ambos congeniaran y llevaran juntos el negocio adelante, pero lo sabía imposible. "No creo que vayan a durar mucho, uno de los dos va a explotar y me temo que va a ser Andrés; tiene un fusible más débil que su hermano. Por ahora no hay problema, Juan Alberto tiene más autoridad y más años en la fábrica, pero en cinco años, cuando Andrés se sienta seguro de sí mismo, no va a continuar agachando la cabeza".

Cuando Juan Alberto quería hablar algo conmigo, salía de la fábrica más temprano, de tal modo de encontrarme sola y con tiempo. En este caso vino a verme una tarde de noviembre de 1980, a eso de las seis. Me había llamado antes para asegurarse que estaría. Por lo general, venía en busca de una opinión acerca de un problema de Loreto o uno de sus hijos. Respetaba mi intuición y mi experiencia. No era una visita de placer, en que pudiéramos hablar de cualquier cosa, reírnos y gozar juntos. Hablar acerca de lo mío era impensable. Creí que podía sospechar algo de la enfermedad de Alberto; suspicacia no le faltaba. Nos sentamos en la salita, como siempre. Se acomodó en la mecedora tan apreciada por su padre, en la esquina opuesta a mi lugar de costumbre, en el sofá, junto al teléfono.

—Oiga, ¿Andrés no tiene intenciones de casarse? —fue su primera pregunta.

Había un dejo de altanería en el tono que empleaba para hablar conmigo. Oiga esto, oiga lo otro. Recurría a él cuando deseaba lanzar al ruedo un tema difícil.

—No sé —dije sorprendida, mientras posaba la vista en un pañuelo que tenía entre las manos. Mi mente corría a toda velocidad con el fin de adivinar cuáles serían sus intenciones. Su pregunta despertó en mí una repentina desazón—. ¿Por qué me lo preguntas?

—No, por nada —respondió levantando los hombros, como si el tema en realidad no le importase gran cosa.

—Que yo sepa, no tiene planes de hacerlo por ahora —dije para darme calma.

Los rayos de sol poniente penetraron en la salita y amenazaron con golpearme el rostro.

—¿No le parece raro? —no me miró a los ojos. Nunca lo hacía. Recorría los lomos de los libros de la biblioteca que se alzaba a mis espaldas.

—¿Que no quiera casarse?

—Sí.

—Hijo, baja las persianas, por favor, apenas te veo la cara.

Juan Alberto se puso de pie, bajó las persianas de aluminio y las entornó.

—¿No le parece raro? —insistió.

—No... ¿Por qué lo iba a ser?

—No sé, tiene veinticinco años, tiene buena pinta, es inteligente, deben haber cientos de mujeres deseosas de casarse con él.

—Bueno, tu hermano no sale al mercado a comprar. Es más emotivo, las personas lo conquistan por el espíritu, no porque sean bonitas o simpáticas.

—Como quiera, igual debe haber muchas con un espíritu noble dispuestas a casarse con él.

—Ya la encontrará.

—Pero, mamá, usted no tiene un pelo de tonta. ¿No le parece raro que no la esté buscando? Que yo sepa, a la fábrica no lo llama ninguna mujer. A mí me parece muy raro —insistió, haciendo vibrar exageradamente las erres al tiempo que realizaba un gesto típico en él cuando sentía que llevaba ventaja en algún asunto. Torcía el cuello, sacaba el mentón, de por sí saliente, y sus ojos se elevaban siguiendo una línea oblicua.

—Veo que te dedicas a husmear en la vida de tu hermano más que a trabajar.

—No tiene por qué faltarme el respeto. Y no hay que ser intruso para notar esas cosas.

—¿A qué quieres llegar, Juan Alberto?, dilo de una vez y ahórrame el preámbulo —dije, molesta de albergar las mismas dudas, molesta de pensar mal de mi hijo menor.

—No sé —replicó, levantando el labio superior con un asomo de cinismo.

—Mira, Juan Alberto, si intentas poner en duda a tu hermano —mi ira se había encendido—, te has buscado el cómplice menos adecuado. No te permito que dudes de él, ¿Me entendiste? Ni una sola vez —exclamé.

—Pero, mamá, ¿por qué se altera? —dijo, acentuando su expresión de cinismo.

—A veces eres cruel, Juan Alberto.

—Pero mire como está, tranquilícese, si era un comentario, nada más.

—Tú y tus comentarios, como si no supieras las fibras que tocas. ¿Me puedes explicar por qué le tienes tanta antipatía a tu hermano?

—Yo no le tengo antipatía, cómo se le ocurre. Al contrario, me preocupo por él —una mueca que no llegó a ser una sonrisa se alargó sobre la línea de la quijada.

—Mira, o dejas ese tonito cínico o te vas.

—Con usted no se puede conversar. Anda viendo fantasmas donde no los hay. Sólo quería saber su opinión y mire cómo se puso. Bueno, me voy.

—No te dije que te fueras.

—Tengo que irme, la Loreto me está esperando. Chao —dijo sin acercarse a darme un beso. Salió de la salita con tranquilidad, se despidió de Olimpia y cerró suavemente la puerta de calle. Así eran sus trabajos: limpios.

40

Aun cuando me propuse no dejarme abrumar por el recelo, en el momento menos esperado se presentaban las elucubraciones, las sumas y restas que recorrían la vida de Andrés en busca de un resultado conclusivo. A veces sumaba de tal manera que mis dudas no eran más que simple paranoia. En otras oportunidades, creía confirmarlas a medida que recorría la vida del hijo que había sido mi realización. Andrés reunía las virtudes que yo consideraba primordiales: bondad, inteligencia, sensibilidad, una conciencia humilde y despierta que no pasaba por arriba de la gente y de las cosas. De cualquier forma, no podía negar que ciertas actitudes no correspondían al patrón de comportamiento de un hombre adulto. Su emotividad, su ternura en los momentos íntimos, eran cualidades que yo valoraba, pero al enjuiciarlo resultaban incriminatorias. A su favor estaban sus ademanes intachables. No demostraba el más mínimo amaneramiento. Era todo un hombre, espaldas anchas, voz ronca y caminar seguro. Su cuerpo varonil, en tantos aspectos semejante al de mi hermano, no podía alojar a un invertido.

A medida que los días pasaban, el tormento se tornó más doloroso y recurrente; cada vez que estaba con Andrés no podía concentrarme en lo que hablábamos, absorbida por el escrutinio de cada uno de sus gestos y sus palabras. Debía terminar con ese calvario a como diera lugar. ¿Pero cómo? Si me daba a pensar que era la confabulación de dos mentes pervertidas como la de Juan

Alberto y la mía, que perciben un doble sentido en cada situación, que ven el mal en las buenas acciones, era cosa de sentarse con Andrés, preguntárselo a la cara y arrancar la duda de raíz. En numerosas ocasiones habíamos hablado de por qué no tenía polola o no buscaba una. La respuesta era siempre la misma: no la he encontrado y no tengo ningún apuro en casarme. Por lo tanto, no era cosa de irle una vez más con la misma cantinela. Me vería obligada a confesarle mis sospechas. Si estaba equivocada podía herirlo sin remedio. Decidí esperar la oportunidad propicia. No sabía de antemano qué características tendría, pero apenas presintiera que el momento había llegado lo aprovecharía sin vacilación.

No tuvo que pasar mucho tiempo. Un viernes por la noche atendí el teléfono y una voz afeminada preguntó por mi hijo. Andrés no estaba y así se lo dije. La voz respondió: "Le podría decir que lo llamó Aníbal". No era un amigo habitual; llevaba buena cuenta de sus amistades.

A la mañana siguiente, me encontré con él recién duchado en el pasillo de los dormitorios. Iba vestido con tenida deportiva. Me dio un beso en la frente y mientras yo simulaba estar ordenando el closet, le espeté:

—Ayer te llamó un homosexual.

Me di vuelta con un juego de sábanas en los brazos para ver su reacción, y el pasmo se había apropiado de su rostro. Ahí estaba la hinchazón del arco de las cejas, los pómulos y el mentón. Frunció el ceño y preguntó:

—Mamá, ¿qué está diciendo?

Pensé que se venía abajo el edificio de mis sospechas. Su reacción respondía a la molestia de ser interpelado de manera tan violenta.

—Que ayer te llamó un homosexual, un tal Aníbal.

—Yo no conozco a ningún Aníbal.

Mis aprensiones se inflamaron otra vez y sentí un fuerte dolor en la boca del estómago.

—Qué extraño. Se oía seguro de conocerte.

—A ver, mamá, ¿de qué estamos hablando? ¿Cómo puede saber usted que el tal Aníbal es homosexual?

—Bastaba oírle la voz. Doy la impresión de estar en Babia, pero yo sé lo que es vida.

—Usted es increíble —su actitud ya no era de desconcierto, se había recuperado del impacto y ahora manejaba la situación—. Tanto sabe de la vida que no le da vergüenza ser ignorante. Hay hombres que son unas verdaderas señoritas y no son homosexuales, y la misma cosa rige en el sentido contrario.

—¿Y tú que sabes?

—Más que usted, por lo que parece. Fíjese en don Ricardo, ese amigo suyo casado con la señora Lala. Tan fino que es —dijo burlón.

—No hables así de la gente.

—Es usted quien habla —dijo con bronca repentina—. ¿Y por qué no defiende del mismo modo la dignidad de Aníbal?

—Andrés, la voz de ese hombre era desagradable, y su pronunciación era la de una persona de otra clase.

—Y más encima se ha vuelto clasista. No sé qué le pasa hoy, mamá, pero mejor no sigamos hablando. Chao. Me voy a jugar tenis —me dio un beso en la mejilla y salió de mi campo de visión.

Me quedé revisando la conversación con el juego de sábanas apoyado en los antebrazos: no sabía qué pensar. La brecha se angostaba. ¿Y ese beso final? El mayor castigo que me imponía cuando se molestaba era privarme de cualquier muestra de cariño. ¿Y en ese instante desagradable, me besó?

A la mañana siguiente, un domingo como otro cualquiera, fui hasta el cuarto de Andrés, al fondo del pasillo, y entré con sigilo. El día anterior había llegado al filo del toque de queda y los domingos acostumbraba a levantarse tarde. Elegí una hora en que Alberto no estuviera —había salido a jugar golf—, y que nos diera tiempo para conversar. Once de la mañana. En el cuarto imperaba el olor de Andrés, corrompido por el encierro, pero no había forma de que me resultara ofensivo. Fui hasta la cama y le acaricié la cabeza con la punta de los dedos. Lo sentí moverse. Continué acariciándolo con toda calma.

—Mamá —ronroneó.

—Hola, mi Andresito.

—Hola —continuaba el ronroneo.

—¿Quieres que suba la persiana?

—Bueno.

Subí la persiana y el sol matutino dio forma y color a la habitación. Tenía el pelo hecho un embrollo. Lo ayudé a incorporarse un tanto, lo peiné y le compuse la chaqueta del pijama, que dejaba ver sus pelos en el pecho. Alisé el reborde de las sábanas y me senté a su lado.

—Así. Como la preciosura que es —dije, mientras tomaba su mano izquierda.

—Mmmm...

—Eres un regalón.

—Y tú una regaloneadora profesional —en estas situaciones me trataba de tú.

—Te he echado de menos, ya no conversas conmigo como antes... Me he sentido sola sin saber de ti. Has estado callado, ya no te quedas a cenar ni un solo día... ¿Qué pasa?

No me dio una respuesta. En su rostro se reflejó un sentimiento de tristeza, como si hubiera tocado un punto sensible.

—Qué tienes, dime... Tienes cara de pena... No hay nada que no tenga solución.

Permaneció callado. No dejé de hacerle cariño. Su tristeza afloró a través de sus ojos, me miró por un instante y luego bajó la vista. Me dio la impresión de que estaba a punto de llorar.

—Mi madre tenía un dicho muy sabio, "los peores problemas son los que nos inventamos"... Dime qué pasa... Ya verás, cuando me cuentes te vas a sentir aliviado. Con sólo hablar se solucionará la mitad del problema... Confía en mí, yo te quiero más que a nada en el mundo, hijo.

Se abrazó a mí y lloró en mi hombro quedamente por un largo rato. La compasión y la angustia luchaban por adueñarse de mí. Si la razón era la que no quería oír, me iba a rajar por dentro. Continuó llorando. Yo le pasaba la mano por la espalda y la cabeza y le decía con ternura:

—Llore, llore tranquilo, le hace bien...

De cuando en cuando, levantaba la cabeza sin mirarme e intentaba decir algo, pero no lo conseguía.

—Dígame qué le pasa. Confíe en mí...

Y luego continuaba llorando sin poder contenerse. De pronto, sacó la cabeza de mi hombro y en una especie de estertor, dijo:

—Soy homosexual.

Por un momento me quedé petrificada, como si hubiera albergado hasta el último instante la esperanza de que se trataba de otra cosa; como si la ceguera hubiese aumentado al acercarme.

Andrés volvió a refugiarse en mis brazos y su dolor me hizo recibirlo de manera instintiva. Era mi hijo y su demanda de consuelo era más fuerte que el rechazo que se apoderaba de mí. Me mantuve a su lado a pesar de tener el impulso de salir huyendo, de revolcarme en el suelo de indignación contra el cielo y contra él. Quería ser yo la consolada, retorcerme de dolor como si me hubieran arrancado un brazo, pero Andrés estaba despedazado, pedía mi cobijo y yo no podía negárselo. Después de un minuto, aclaró:

—Yo no quise ser así —lloraba sin control—, no quería, luché toda mi vida. Ya no doy más, mamá, no es mi culpa.

Mi turno de llorar había llegado, a la par de Andrés. Ya un poco más calmados, me hice del ánimo para preguntarle:

—¿Fue en Europa?

—¿Qué?

—¿Tuviste una mala experiencia?

—No, a Europa fui el año pasado. Me siento así desde niño.

—Fue en Europa. Te metieron ideas en la cabeza —dije, conteniendo la furia.

—Mamá, escúcheme —una máscara de seriedad cayó de golpe sobre sus facciones—, oiga lo que le estoy diciendo. Desde niño me he sentido atraído hacia los hombres. A los siete años, en el colegio, en la televisión. Me pasé la adolescencia luchando contra estos instintos. Iba a misa, participaba en el movimiento apostólico del colegio, hacía cualquier cosa para que se me pasara, pero igual me enamoraba de mis compañeros. Me confesé cada quince días de malos pensamientos, le decía al padre Vega que tenía fantasías con hombres y él me decía que era natural, que ya se me pasarían, que cumpliera la penitencia y que Dios me ayudaría. Y no me ayudó, mamá, al revés, hizo que todo se volviera cada vez más difícil.

—No le eches la culpa a Dios.

Con cada nuevo argumento la conversación perdía el ambiente de ternura y entendimiento que la había rodeado en un principio. Me golpeaban olas de rabia y de desmayo y en ciertos instantes debí contenerme para no golpearlo. Me ofendían sus palabras. Me enfurecía que esas palabras salieran de su boca. Esa historia no era la de mi hijo. No era verdad lo que oía, no podía serlo, mi hijo no podía ser un marica. Andrés hablaba sin pausa, no había manera de detenerlo, como si la opresión de años hiciera aflorar su relato a borbotones.

—Pensaba que se me iba a pasar, que iba a conocer a una mujer y desaparecería. Pero conocí a Angélica, la quería de verdad, incluso me acosté con ella, perdone que le cuente estas cosas; pero no se me pasó. ¿Me entiende?, hice lo imposible por no ser así, pero no me ha quedado otra alternativa que aceptarlo.

Deseaba preguntar si tenía una relación con Eduardo, pero la sola idea me resultaba repugnante.

—Mamá, míreme —sin darme cuenta había dejado de mirarlo a los ojos—, yo sé que esto es tremendo para usted. Hubiera dado cualquier cosa por no causarle una pena igual. Entiéndame, ya no hay nada más que hacer, veinte años llevo luchando con todas mis fuerzas. Ahora quiero vivir como lo que soy, porque si no, me voy a morir de amargura.

—¿Y Eduardo?

—Sí, también.

—¿Y... estás con él?

—No —dijo esbozando una sonrisa triste—, somos amigos, nada más.

—Ah.

—Pero estoy saliendo con otra persona que usted no conoce.

—¿Aníbal?

—No sé quién es Aníbal, algún copuchento quizá; éste se llama Martín Correa, es ingeniero industrial, es mayor que yo.

—Paremos aquí, Andrés, es mucha información para mí en una sola mañana. No sé qué pensar, o si es necesario hacer algo.

—Mamá —comenzó a decir Andrés, sombrío—, no hay nada que hacer, sólo tiene que aceptarlo, tan simple como eso. No va a ser fácil, a mí me tomó una vida hacerlo, pero la puedo ayudar. Míreme bien, soy el mismo Andrés que ha estado con usted desde siempre. El Andrés que usted quiere es y ha sido homosexual, aunque no sea agradable saberlo. Nunca existió otro Andrés. Y si hubiera existido sería distinto al que usted quiere.

—Bueno, bueno, no sigamos.

—Mamá, por favor, lo peor que puede hacer es encerrarse. Es imposible aceptarlo si no pregunta. Sáquese las dudas de la cabeza, yo sé que está llena de prejuicios. Pregúnteme lo que sea, aunque se muera de vergüenza.

—Andrés, para que entiendas, mi hermano Joaquín apedreó a un hombre que lo esperaba afuera de la casa para mirarlo. Y no sabes las barbaridades que le dijo. Sólo quiero que comprendas que yo nací en un mundo en que este tipo de cosas no se hablaban. Déjame tragar primero y después continuamos. Eso sí, ni una sola palabra a tu padre. No lo entendería.

—No pensaba contarle.

Me levanté de la cama con sensación de mareo.

—Deme un abrazo —imploró Andrés.

Y sin que ninguno de mis oscuros sentimientos se interpusiera, me recliné, le di un abrazo y lo besé en la mejilla. En este sentido tenía razón, para mí continuaba siendo el mismo Andrés de siempre, y yo no había dejado de ser su madre.

41

Cuando mi madre entró en agonía, Joaquín, mi padre y yo no nos movíamos de su lado. El doctor Álvarez nos había instruido sobre cómo sería el final. Se irá extinguiendo poco a poco, dijo. Me desconcertaba verla sumida en un sueño apacible cuando su cuerpo evidenciaba el extremo sufrimiento por el que había pasado. Ya no quedaba nada de ella, ni siquiera su rostro. A través de la piel se apreciaban las protuberancias y oquedades de su cráneo. Sin embargo, más allá de la constatación de que era poco más que un esqueleto, todo el resto era una afirmación de su presencia. Por ejemplo su olor, en cada pieza de ropa, en cada sábana, en los cajones, en los papeles y sobres con los que mandaba notas y agradecimientos. Hay quienes afirman que pueden sentir el olor de la proximidad de la muerte. En cambio, yo podría atestiguar que durante su agonía, el olor de mi madre se intensificó. La alquimia de su piel y su perfume, un delicado aroma a violetas, alcanzó un punto máximo. Al interior de esa habitación flotaba una nube aromática, como si ella misma se hubiera volatilizado. Esas largas horas de espera, contemplando el rostro inmutable que ignora el drama que se desarrolla a su alrededor, me permitieron detenerme en cada uno de sus objetos, que no eran muchos. Al igual que yo, mi madre no tenía apego a las cosas materiales. Había acumulado objetos asociados a alguna persona o alguna ocasión en particular. Cada uno de esos recuerdos encerraba una emoción. El más emblemático de todos era una botellita de perfume con un líquido oleoso en su interior, con un globo pulverizador forrado en mostacilla morada y cabezal de oro. Ella nunca la usó. Una vez me atreví a lanzar una pequeña nube en el aire y su olor dulzón me fue desconocido. La botella era transparente, con aplicaciones de hilos de oro en estilo art noveau. En ocasiones hablábamos de esa botella de perfume. Era el único objeto que reposaba en la cubierta de su velador izquierdo, aparte de la lámpara y algún libro. "Me lo regaló mi madre —me contó alguna vez—, cuando supo que Maurizio deseaba casarse conmigo. Era también para ella, por alguna razón que no me reveló, su objeto más preciado". "Este perfumero representa el amor de mi madre. Cuando yo muera, quiero que te quedes con él y lo conserves".

Me pasé tardes enteras contemplando los elementos de la habitación y cada uno me sugería una historia con mi madre en el papel principal. Lámparas amarillentas, a veces encendidas en la memoria y otras apagadas, como las luces de un set de cine, que funcionan según la escena por filmar. El piso de *petit point,* el sofacito de respaldo curvo junto a la ventana y las herramientas de la chimenea, poseedores de la densidad de significado necesaria para ser elementos primordiales de una escenografía teatral. Y la tan mentada alfombra, quizá la única pieza valiosa que decoraba esa habitación, la alfombra persa que mi padre le compró a un anticuario de Valparaíso a un costo que según ella no podían solventar.

Cuatro días después de caer en coma, el pulso se redujo notoriamente a tempranas horas de la mañana. La espera se alargó hasta las ocho de la noche. Yo me había sentado en el borde de la cama con mis siete meses de embarazo y tenía tomada su mano derecha. Joaquín permanecía hincado y mantenía su mano izquierda entre las suyas. Mi padre estaba erguido, los pies separados, las manos tomadas por la espalda y contemplaba la escena desde la chimenea. No encendimos el fuego. Mediados de abril. Día inusualmente caluroso. La única fuente de luz provenía de una lámpara de pie junto al sofá. Alberto y mi hijo mayor esperaron en el primer piso en compañía de Laura, la mujer de Joaquín. Dejamos a las niñitas en la casa de Vitacura. No me pareció que a sus seis y siete años debieran verse enfrentadas a la muerte. Adoraban a su abuela y no la habían visto desde hacía un mes. Mi madre no quería que la recordaran como una mujer deteriorada. Cuando dejó de respirar, comencé un avemaría y Joaquín se me unió. Teníamos lágrimas en los ojos. Mi padre se mantuvo en silencio. En su rostro imperaba el color de la muerte. Pasaron los minutos. Aún rezábamos. Desafiando la rigidez de su cuerpo, mi padre dijo: "Voy a llamar a la funeraria". Sin embargo permaneció en el mismo sitio. Segundos más tarde se levantó Joaquín y marcó el número. Llegaron a preparar el cuerpo. Nos pidieron que saliéramos de la habitación. No sería un espectáculo agradable. Mi padre no se movió, como si no me escuchara mientras lo intentaba persuadir de que esperáramos afuera. "Déjeme aquí, hija", dijo; "ustedes hagan su trabajo, quiero estar presente". Pasó algún tiempo, no sé cuanto, yo me abrazaba a Alberto y a mi hijo. Los empleados salieron. Era mi turno. Tenía su ropa preparada. La vestí con un traje de dos piezas azul y una blusa de seda crema. El cadáver nadaba en el interior de las prendas. Le puse su camafeo de la Virgen y el Niño sobre el primer botón de la blusa y sus aros de perlas. Luego la maquillé, ella me había indicado los polvos y las sombras. "Píntame los labios de rosado, con ese rouge que usas". La peiné por última vez. Mientras trabajaba con afán, mi padre se mantenía de pie ante la chimenea, sin quitar la vista del cuerpo. Quedé satisfecha de mi trabajo. Le pregunté a Joaquín su parecer y se mostró complacido. Una profunda turbación se apoderó de mí entonces, al notar que las mejillas cobraban color gracias a mis artes y su rostro retomaba su expresión con los polvos y las joyas. El esqueleto, el cráneo, el cadáver, de pronto eran mi madre nuevamente. Tomé entre mis manos el rostro frío y comencé a llorar con desesperación. Alberto me llevó a la casa. Esa noche sufrí contracciones. El doctor Zambra pasó a controlarme temprano por la mañana. "No se puede levantar", dijo, "si lo hace, nacerá prematuro". Y le dijo a Alberto: "No es conveniente que pase por las emociones del funeral". Me recetó un calmante. No quise tomarlo. Los recién nacidos no toman calmantes. Lloré intermitentemente durante la primera semana. Luego permanecí en cama durante un mes. Las contracciones no cesaban. Me echaba la comida a la boca a pesar del asco. Ese niño debía nacer sano. Cumplido el octavo mes se inició el trabajo de parto y Andrés nació en la Clínica Central, sin necesidad de recurrir a una cesárea.

Los recuerdos se interrumpen en el momento que ingreso a la sala de parto y distingo la figura del doctor Zambra. Luego guardo una serie de imágenes incoherentes.

La próxima imagen definida corresponde a Andrés dando sus primeros pasos, once meses después. El relato repetido una y otra vez por Alberto para satisfacer mis preguntas, era más o menos el siguiente: durante esos once meses sufrí una depresión que podría haberme matado. Día y noche en cama, con las persianas cerradas, con episodios de delirio y total pérdida del juicio de realidad. Los fuertes remedios no ayudaban a que recuperara la conciencia. Su objetivo principal era mantenerme en calma y disminuir los sentimientos de angustia que podían impulsarme al suicidio. Alberto se fue a dormir a la habitación de Juan Alberto. Contrató una nodriza para que alimentara y se hiciera cargo de Andrés y dos enfermeras, una de día y una de noche, para que cuidaran de mí. Once meses de oscuridad, en los cuales vi a Andrés sólo una vez al día, alrededor de la hora de almuerzo, según dicen, cuando yo experimentaba un leve despertar de conciencia. Me lo ponían en los brazos durante diez o quince minutos, mientras mantuviera la fuerza. Aseguran que Andrés jugueteaba y se reía cuando estaba conmigo. Hasta hoy me rebelo contra esa depresión por arrebatármelo de mi lado en el tramo más decisivo de su vida. La leche que lo alimentó no fue mi leche y el pelo que olía mientras mamaba no era mi pelo. La primera conciencia real de que yo era su madre la tuvo al año de vida. Hubo una suplente, Lola, una buena nodriza según todos atestiguan, cariñosa, alegre, de grandes pechugas. Pero no era yo, su madre, a quien escuchó cantar cuando estaba en mi vientre. Del calor de mi cuerpo, conocido de la forma más íntima en que se puede conocer otro cuerpo, salió a la intemperie para encontrarse con manos extrañas que lo recibían. Cuando hablábamos de Andrés después de su partida, lo que no ocurría a menudo, Alberto me enrostraba haberlo sobreprotegido y ponía sus manos al fuego de que lo había hecho porque me sentía culpable de abandonarlo recién nacido. Por supuesto que estuve más pendiente de él que de los demás durante su infancia; las circunstancias en que nació, la depresión y su propia vulnerabilidad me impulsaban a darle continua atención. No deseaba que la vida lo dañara. Quería compensarlo por el sufrimiento durante el embarazo, por los meses sin poder acurrucarse en mis brazos, por la marca que lo unía a la muerte de mi madre. Tanto Alberto como Juan Alberto me culparon por la homosexualidad de Andrés. "Cómo no iba a resultar maricón si de chico era un apollerado", me recriminó Alberto en una ocasión, y se ganó mi desprecio por semanas. Traté estos temas con mi analista de entonces —de la depresión en adelante me vi obligada a mantener algún tipo de ayuda psicológica y farmacológica; según los doctores nunca me libraría de su amenaza— y él me calmaba y me decía que formábamos un sistema familiar complejo, donde cada uno tenía una motivación personal para actuar y pensar cómo hacía frente al problema. "No piense que lo de Andrés es su culpa. Usted es más sensata que su marido en cuanto a estas cosas y lógicamente se pregunta si su manera de educarlo tuvo o no influencia en su homosexualidad. ¿Su marido se ha preguntado alguna vez cuán responsable es él en este asunto? Eso es una cosa. La otra: la homosexualidad de Andrés es resultado de muchísimos factores y ninguno de ellos es lo suficientemente importante como para asignarle toda la carga. Según usted me ha dicho, en la familia Sartori se da con relativa frecuencia. Alberto tiene dos primos hermanos homosexuales, ¿no es cierto? ¿Y por qué no le echamos la culpa a eso mejor?"

Cuando pienso en esto, me doy cuenta de que el intento de manejar los hilos de la vida es un esfuerzo inútil. ¿Cómo afectará mi muerte la vida de mis nietos? ¿Igual como influyó la muerte de mi madre en la vida de Andrés? ¿Pueden mis hijos evitar que su efecto impregne sus almas? Inevitablemente, sus vidas estarán marcadas por mi vida y por mi muerte y también por las de Alberto y por las de mi madre y de mi padre, y por las de sus hermanos y de sus hijos, en una red de interacciones que no tiene límite ni pulso o alguna clave que nos permita descifrar su próximo paso.

42

Cuando ya me sentía mejor y había vuelto a las tareas habituales, mi padre anunció que vendría a conversar conmigo. Por lo común nos reuníamos en su casa. Para explicarme el cambio de lugar pensé que deseaba tratar algún tema de la herencia. Alberto y Joaquín habían ordenado las piezas del puzzle de manera que las casas de Santiago y de Concón quedaran a nombre mío y de Joaquín. Mi padre viviría en la de Ñuñoa hasta que encontrara un lugar para él.

La otra posibilidad era que quisiera hablar acerca de Oriana. Si ésa era su intención, sería la primera vez que mencionaríamos su nombre uno frente al otro.

Llegó a eso de las tres de la tarde. Afuera imperaba la neblina. Nos encerramos en el living para que los niños no nos molestaran.

—¿Cómo te has sentido, hija? —dijo mirándome a los ojos mientras se sentaba en un sillón de respaldo recto.

—Gracias a Dios ya estoy mejor.

—Tengo que hablar algo importante contigo. ¿No hay problema, verdad?

—Dígame, papá.

Me había sentado en el sofá de felpa azul con el biombo japonés a mis espaldas; si en la casa hubiera existido un trono, habría estado en ese lugar. La actitud deferente de mi padre me incomodó.

—Ya sabes de mi relación con Oriana, ¿no es así?

—Sí, papá —respondí con una leve inclinación de cabeza.

—Ha pasado más de un año desde la muerte de tu madre y Oriana me ha ofrecido vivir con ella. Me siento solo en la casa de Ñuñoa y el dinero de la venta le vendrá bien a Joaquín.

—¿Tiene ella una casa apropiada para recibirlo?

—Sí, le compré una hace años, en la calle Sazié.

—Es decir, usted tenía otro hogar.

—No, Julia, el único hogar que he tenido es el nuestro.

—¿Tuvo otros hijos? —una pregunta guardada durante años.

—No, en eso ella fue comprensiva. Un hijo habría sido una presión demasiado grande para mí.

—Papá, no es comprensivo desintegrar una familia.

—Julia —dijo molesto—, no es el momento para sermones. Te vengo a hablar como tu padre y como un hombre que sabe lo que hace. No me digas lo que es o no correcto, ése es mi problema.

—Muy bien.

No sentía nada. Mis manos estaban frías. Quería que terminara y se fuera.

—Bueno, el punto es que tengo que contarle a Joaquín y no sé cómo hacerlo. Podría decirle que nos enamoramos después de la muerte de tu madre.

—¿Y usted cree que Joaquín se va a tragar esa patraña? Oriana lleva más de quince años trabajando en la tienda.

—Pero, hija, es posible, ¿no crees?

—Si me está pidiendo que apoye esa versión, mi respuesta es no. Usted tendrá que hacerse responsable de sus actos.

—Joaquín se irá de la tienda.

—Entonces no se vaya a vivir con Oriana, santa solución, todo sigue igual. Podré callar lo que sé, pero no mentir abiertamente.

—No seas dura conmigo, no puedo negarme, ya lo sabes; tu madre me contó que había hablado contigo de este tema.

—No sé qué ideas le metió usted a la mamá en la cabeza. Yo no lo entiendo y me niego a pensar que ella tuvo algo que ver en este asunto. Si usted le cuenta a Joaquín, yo le voy a contar lo que sé.

—No me tengas rencor —dijo, mirándose las manos.

—Pídame mi atención, mi ayuda, pídame vivir conmigo si quiere, pero no voy a ser su cómplice.

—No me dejas alternativa. Le voy a contar todo a Joaquín esta tarde. Sabrás lo que haces.

—Usted sabe lo que hace. No me endose sus problemas. Haga lo que estime conveniente.

—¿Y por celo a la verdad estás dispuesta a que todo se arruine?

—No fui yo quien lo arruinó.

—Bien —dijo al tiempo que se levantaba del sillón—, así será. Quizá tu hermano tenga una idea de la vida menos estricta que la tuya.

—No creo —dije alzándome y componiendo mi falda—, somos educados por los mismos padres. Si su deseo era que tuviéramos una manera de pensar diferente, debió habernos enseñado otros valores.

—Tienes razón. Los eduqué para que no tuvieran que pasar por lo que yo he pasado. ¿No me vas a perdonar nunca?

—El tiempo dirá.

Nos despedimos con un reticente beso en la mejilla y salió al frío invernal protegido por su abrigo y su sombrero; luego se perdió a paso rápido en la neblina que descendía sobre las calles.

43

El día lunes, a menos de veinticuatro horas de la confesión de Andrés, llamé a Juan Alberto y lo invité a almorzar al Villa Real. Me esmeré por verme elegante y segura de mí misma: chaqueta negra cruzada, pantalones beige de caída recta, mi collar de perlas de dos vueltas y los aros en juego. Cartera negra de cocodrilo. Me pasó a buscar en su auto, una station Peugeot con tres filas de asientos.

—Qué auto tan largo —exclamé con jovialidad al cerrar la puerta.

—Es para llevar a los niños, las nanas y las excentricidades de mi mujer —él me inspeccionaba de reojo.

—Ya era excéntrica a los dieciocho años —comenté con la vista dirigida hacia adelante.

—Si supiera la cantidad de juguetes que les compra a los niños. Cuando nos vamos de vacaciones, llevamos hasta bote inflable —hablaba para darse tiempo de descifrar mi estado de ánimo y, tal vez, adivinar mis intenciones.

—Qué asfixia.

Llegamos poco después de la una y media al restaurante. Nos sentamos al fondo, en la semipenumbra, rodeados de los frescos infantiles de Cuca Burchard. Niños y sus juguetes nos hacían compañía en un fondo verde pálido. Más allá, en el jardín de invierno, el sol de diciembre filtrado por los árboles le confería al ambiente un aire festivo, una escena de la vieja Viena imperial traída al presente, con la cooperación de hombres y mujeres elegantes, hablando en un tono bajo, respetuoso de los demás. El exceso de civilización me molestó. No era real lo que mis ojos veían. La vida no era tan ordenada. Juan Alberto estaba más serio que de costumbre. Vestía un traje gris. Se veía joven, como si aún estuviera en los veintitantos. Me pregunté por qué estaba a punto de tratar el tema con él y la respuesta fue clara: mi hijo mayor me ayudaría a solucionar el problema. Su determinación y sus capacidades argumentativas me serían útiles. Andrés debía darse cuenta de que lo suyo era una enfermedad y someterse a un tratamiento psiquiátrico. Debía además cortar todo vínculo con su amigo y mantenerse apartado de ese mundo. Había otra razón para que Juan Alberto fuera quien me secundara. La noticia no lo tomaría por sorpresa, y la imagen de Andrés quedaría intacta ante los demás. Era imprescindible que nadie aparte de nosotros se enterara, sobre todo debíamos evitar que el asunto llegara a oídos de Alberto. No deseaba abrumarlo aún más mientras lidiaba con la pesadumbre de saberse enfermo. Y no puedo negar que, de estar sano, lo hubiera pensado dos veces antes de confiarme a él; temía una reacción impulsiva de su parte.

Se acercó a la mesa uno de los viejos mozos del lugar:

—Señora Julia, qué gusto de verla. Nos tenía olvidados.

—Cómo está, Álvaro; ya no salgo de la casa, me he puesto muy cómoda. Pero vine, ¿ve? Le presento a mi hijo mayor, Juan Alberto.

—Cómo le va —dijo Álvaro, extendiendo su mano, sonriente.

—Bien, bien —respondió Juan Alberto algo incómodo.

—Álvaro nos ha atendido por más de veinte años. —Y luego me dirigí al mozo—: Ha sido usted siempre tan gentil, se lo agradezco, con Alberto nos acordamos de usted a menudo.

—Gracias, señora, ha sido un placer. ¿Cómo ha estado don Alberto?

—Bien... gracias —dudé. La pregunta me tomó desprevenida. La enfermedad de Alberto todavía era una sorpresa—. A mí tráigame una ensalada, por favor —dije para salir del tema—, la mixta, y un vaso de agua con hielo y limón. ¿Y tú, hijo?

—Un ave palta y una coca-cola.

—Igual a tu padre. ¿Lo quieres en pan frito?

—Sí, frito.

Hablar se me hizo más difícil de lo que había imaginado.

—Andrés me confesó que es homosexual —dije mirando el plato delante de mí, en el tono más neutral que logré dar, mientras extendía la servilleta sobre mis pantalones.

—¿No se lo dije? Yo tenía la sospecha desde que él era chico.

—¿Y por qué?

—¿Por qué? —replicó como si preguntara una obviedad—, llorón, con mamitis, sensible. Además es pretencioso y centro de mesa. ¿Le parece poca evidencia?

—¿Alguna vez notaste algo raro?

—¿Y qué más raro? —dijo haciendo vibrar las erres.

—Sexualmente, quiero decir.

—¿Si me miraba a mí o a mis amigos, algo así?

—Eso.

—No, no me acuerdo. Se pasaba leyendo, o jugando solo. No fuimos muy hermanables, eso usted ya lo sabe.

—Me ha pedido que lo aceptemos como es.

—¿Aceptarlo? —se rió entre dientes—. A ver, una cosa es que él viva como quiera, pero nosotros no tenemos por qué aceptarlo.

—Quisiera que hablaras con él para persuadirlo de que vaya a un psiquiatra. Es una enfermedad que se puede curar. Lo he leído en varias revistas. Tiene que renunciar a esa idea de vivir como lo que es.

—Mi hermanito, siempre tan idealista —dijo moviendo la cabeza en un plano vertical—. Si quiere hablo con él, pero no creo que lo vaya a convencer. Que yo sepa esta cuestión no se quita.

—Me contó además que tenía un amigo.

—¿Un amigo? No se priva de nada el perla.

—No hables así de tu hermano.

—Y cómo quiere que hable. Qué tratamiento psiquiátrico ni que ocho cuartos. Si ya está metido hasta el tuétano.

—Bueno, no sé qué más hacer. No tengo intención de darme por vencida.

—Estos tipos son todos de la misma calaña. Una vez que lo prueban se les olvida el resto del mundo.

—No seas vulgar; no se habla de un hermano como si estuvieras hablando de un extraño.

—Yo hablo como se me antoja. ¿Y quiere que le diga?, no tengo la menor duda de que el papá piensa igual que yo. Una vez pillaron a uno en la fábrica, que se pasaba en el baño tratando de mirarle el asunto a los demás, y el papá lo echó cascando. Y gritó bien fuerte en medio del galpón: "¡No quiero ningún maricón en mi fábrica! ¿Oyeron?".

Llegó nuestra comida. Álvaro, el mozo, sonreía con cada movimiento. Se demoraba más de lo necesario. Juan Alberto se veía aliviado de la seriedad que lo rodeaba en un comienzo. Se volcó sobre su ave palta como un lobo. Masticaba todavía cuando le exigí:

—Juan Alberto, escúchame, ni una palabra de esto a tu padre. Te lo prohíbo.

—¿Y por qué se arroga usted el derecho de ocultárselo al papá? —dijo sin haber terminado de tragar. Luego me quedó mirando mientras masticaba el resto. La contracción de su nuez marcó el final de la tarea—. Que yo sepa, Andrés es tan hijo de él como suyo. Es justo que lo sepa. Además, mamá, en la fábrica no podemos tener a un ejecutivo así. Imagínese si nuestros clientes importantes se enteran. Va a correr como la pólvora. No se olvide que el papá es vicepresidente de la sociedad de exportadores. El cuento de un hijo mariquita es sabroso...

—Cállate.

—¿Que me calle?

—Ni una palabra de esto a tu padre o tendrás que vértelas conmigo. ¿Me entendiste? —lo amenacé por sobre el murmullo general.

No tenía ganas de llorar, al contrario, me habitaba un sentimiento de arrojo. La gente de otras mesas se volvió, unos por curiosidad y otros para exteriorizar su desagrado. No faltaría quien pensara que era una escena entre un joven amante y su benefactora. Alberto se limpió las comisuras de los labios, con el rostro a punto de estallar en sangre. Me dijo en voz baja, en tono vindicativo:

—Lo que pasa es que usted no puede soportar que su hijito adorado le haya salido maricón, y quiere ocultarlo a como dé lugar.

Se levantó de la mesa y recuperando el aplomo, me sonrió:

—Mándele mis saludos a Andresito.

—¡Siéntate!

—Mamá, por favor, no haga el ridículo —dijo con desdén, al tiempo que se perdía a mis espaldas.

No sé cuánto tiempo pasó. Me quedé sola en el salón. Contemplaba el plano formado por las mesas numerosas. La ensalada aún intacta había languidecido. Saqué un billete, lo dejé sobre el mantel, fui al baño a retocarme, me despedí de Álvaro y salí.

44

"¿Por qué no me habías contado?", me espetó Joaquín por el teléfono. "Yo como un imbécil, en la misma tienda con ella. Esta tarde no estaba, gracias a Dios, porque la hubiera matado".

Una vez descargada su ira por la línea, vino hasta mi casa. Caía una llovizna desalentadora. No daban ganas de hacer otra cosa que no fuera estar sentada en un lugar con buena calefacción. Le ayudé a quitarse el impermeable. Tiró su sombrero sobre la mesa de la entrada. Pasamos al living; se repetía la escena de la tarde con mi padre, las mismas posiciones, yo sentada en el sofá de felpa azul y él en el sillón de respaldo recto. No duró más que cinco segundos en su lugar y dio inicio a un paseo agitado.

—Yo no me merezco algo así.

—La mamá menos que tú.

—No me refiero a eso —me dijo despreciativo—, me refiero a haber vivido en la ignorancia por tantos años. Buenos días, Oriana, le decía yo gentil todas las mañanas, como un imbécil.

—O un buen hombre, que no piensa mal de la gente.

—Por Dios, Julia, cuando tomas esta actitud de como si nada te afectara eres insoportable. No necesito la voz de la conciencia en este minuto, o alguien que me ayude a mirar las cosas con ponderación, necesito a mi hermana. Si no, es cosa que me digas y me voy.

—¿Y qué quieres que te diga? —pregunté en un tono más agresivo—. ¿Quieres que te acune, como hacía la mamá? ¿Quieres que te diga "ya va a pasar, mi amor"?

Cómo no eres capaz de entender que esto me duele igual o más que a ti.

—Pero has tenido muchos años para tragarte el veneno. A mí me taparon las narices hoy en la tarde y me lo echaron dentro de la boca todo de una vez. Tengo ganas de vomitar.

Fue hasta el sillón, se sentó y se tomó la cabeza por las sienes. La belleza se había esfumado de su rostro y nunca volvería a recuperarla. Sus pupilas se transformaron en dos círculos ausentes de toda expresión, ni siquiera el instinto de venganza brotaba de sus ojos inmóviles.

—Debes pedirle al papá que saque a esa mujer de la tienda. No la volverás a ver.

—Comprende que yo no voy a poner un pie en esa tienda nunca más, la echaría abajo. ¿Eres capaz de imaginarte lo que siento? Quince años, o no sé cuántos, contemplando el rostro blando de esa mujer por la ventanilla de la caja, con esa expresión que sólo tenía conmigo, ese gesto de... conmiseración. Esa mujer, durante todos estos años, sintió pena por mí. Es horroroso.

—Esa tienda será tuya y tienes una familia que mantener —dije intentando sonar convencida—. En pocos meses no tendrás siquiera el recuerdo de esa mujer en tu cabeza y seguirás trabajando con el papá como siempre. Es por el bien de ambos.

Ya no hablaba como una mujer distante, ahora iba en pos de mi objetivo: las cosas debían continuar como estaban, con la vida del papá junto a Oriana limitada a su covacha, fuera de nuestra órbita para siempre. Ella sería la amante de mi padre, pero de ahí no pasaría. Y si él se veía obligado a elegir, no dudaba que se inclinaría por su hijo.

—Déjame entender, ¿tú quieres que yo siga trabajando con el papá como si nada hubiera pasado? No entiendes nada, está claro.

—¿Te habló acerca de la responsabilidad que tuvo la mamá en todo esto?

—Qué responsabilidad pudo tener, aparte de ser engañada y verse obligada a soportarlo.

—¿No te dijo nada de ella?

—No, Julia. ¿Hay algo más que deba saber? ¿Voy a enterarme de a gotas que viví una ficción durante todos estos años? ¡Dime de una vez lo que me tengas que decir, por Dios! —dijo, pasándose las manos por el rostro con desesperación.

—Eh... —si mi padre no le había hablado acerca de los problemas de la mamá, juzgué que tampoco yo debía hacerlo, y siempre pensé que a ella no le hubiera gustado que Joaquín lo supiera—, no tengo nada nuevo que decirte, sólo que la mamá se resignó y lo perdonó. Ella quería que nosotros continuáramos siendo una familia, como si esa mujer no existiera. Ella me lo pidió antes de morir. Perdona a tu padre, me dijo, y quiero que estés cerca de él hasta su muerte, hazlo por mí.

—Sí, me dijo algo semejante, sin explicarme por qué me pedía cosas tan obvias. No abandones nunca a tu padre, necesita a su hijo para que lo acompañe y lo proteja en su vejez. Y yo como huevón creyendo que la enfermedad la había vuelto paranoica.

En ese instante entró Alberto al living y, al ver el abatimiento en el rostro de Joaquín y los subidos colores en el mío, preguntó:

—¿Pasa algo grave?

—Mi padre se va a vivir con Oriana —Alberto balanceó la cabeza acusando recibo de la noticia—. Joaquín se acaba de enterar de todo.

Fue hasta donde estaba mi hermano y le dio unos suaves palmazos en la espalda.

—No sabes lo mal que me siento —dijo Joaquín—, como si no pudiera respirar.

Alberto se sentó junto a mí, me besó en la boca y mientras se acomodaba, le preguntó:

—¿Qué piensas hacer?

—No sé, por eso vine a hablar con Julia, ni siquiera he hablado con Laura.

—¿Quieres mi consejo?

—Por favor. Julia no me ha dado ni un solo consejo, me está dando órdenes.

—¿Y cuál es tu idea, Julia?

—Creo que Joaquín debe pedirle al papá que saque a Oriana de la tienda y continuar trabajando con él. En un par de meses se le va a pasar el enojo.

—Podría ser.

—Mi padre es un ser despreciable. Mantener a esa empleaducha de amante por todos estos años... a vista y paciencia de mi madre —gritó—. A vista y paciencia mías. No sé qué les pasa a ustedes. Mi padre se va a vivir con esa mujer, ¿no se dan cuenta? ¿Ustedes saben realmente cómo es Oriana? Ah, es abominable, una mujer pretenciosa, llena de remilgos y cadenitas y masticables, llena de pequeñas ambiciones, en ella todo es pequeño, deja los recados en unos papelitos con el mensaje escrito en la letra más diminuta que he visto. Están locos, es más de lo que yo puedo resistir —se puso de pie en señal de irse.

—No te vayas todavía —lo detuvo Alberto tomándolo de un brazo—. No te vayas con la sangre caliente, no es buena idea, conversa un rato más con nosotros, te ayudará a descargarte. Te prepararé un whisky, te sentirás mejor. —Con un trago en la mano, Alberto prosiguió:

—Creo que Joaquín tiene razón, Negra, es más de lo que puede aguantar.

—Ya es un hombre adulto para aguantar esto y mucho más —dije para evitar que la presa se me escapara.

—Deja de comportarte como una madre juiciosa... Voy a hacer lo que yo decida, no lo que tú quieres que haga.

—¿Y si sales de la tienda, tienes idea en qué puedes trabajar? —preguntó Alberto.

—Bueno, imagínate, no lo he pensado, quizás en otra tienda o para algún cliente.

—¿Te gustaría trabajar en la fábrica?

—Pero, Alberto, Joaquín tendrá que hacerse cargo de la tienda cuando el papá jubile, no puede dejarla.

—Claro que puede. Yo creo que lo mejor es que se busque su propio destino y no le deba nada a su padre. Si lo perdona o no en el futuro, esa es otra cuestión. Me parece lógico que no quiera depender de una persona que lo ha engañado de esa manera.

—¿Puedo ir mañana a la fábrica? —preguntó Joaquín como si lo considerara.

—El papá va a pensar que estamos conspirando en su contra. No podemos.

—Mañana nos vemos a las ocho y media en la fábrica. Si sabes de balanzas y dispensadores, vas a saber de máquinas más rápido de lo que te imaginas.

Durante un año Joaquín trabajó con Alberto. Mi padre no hizo comentarios al respecto en las tres o cuatro ocasiones que lo llamé para saber de él. A veces sentía el impulso de pedirle perdón por darle una oportunidad a Joaquín para que abandonara la tienda, pero luego me refrenaba para no traicionar a Alberto. También había llegado a comprender a Joaquín. Y mi comprensión aumentó todavía más cuando mi padre se mudó donde Oriana y me entregó las llaves de la casa de Ñuñoa. Fui hasta ahí por la tarde y me encontré con la mayoría de los muebles en su interior. Ahí estaban los bergères y la vieja mesa de comedor, los cuadros de los abuelos, la cama de mi madre, el sofacito, prácticamente todo. Tuve la sensación de que había dejado atrás esa casa, su existencia en ella, el recuerdo de mi madre enferma y también a nosotros. Imaginarlo en tierna convivencia con Oriana me hizo sentir el mismo rechazo de Joaquín. Desde ese día mi padre pasó a ser otra persona para mí, un espíritu diferente que habitaba el mismo cuerpo. Ya no se reflejaba en él la luz de mi madre.

Después de un año, nos informó que se casaría por la Iglesia con Oriana. Mientras me lo decía por teléfono con toda frialdad, juré nunca más volverlo a ver.

Joaquín anunció al poco tiempo que se iba a Estados Unidos, a Tucson, donde el padre de Laura le había conseguido un trabajo como representante técnico de una empresa de instrumentos de precisión. Zarparon desde Valparaíso a bordo del *Santa María,* un barco mercante de la Grace con camarotes de pasajeros. Nos despedimos a los pies de la rampa que ascendía desde el muelle hasta la cubierta. Cuando Laura y los niños subieron, Joaquín se volvió para darme un último abrazo y me dijo con emoción en la voz: "Perdóname, Julia, ya no puedo vivir aquí". Giró sobre sus talones y dando grandes zancadas se unió a su familia. Alberto me tenía tomada por la cintura. Nos despedimos con nuestras manos en alto. Una ráfaga de brisa agitó nuestras ropas. Alberto afirmó su sombrero con una mano para que no fuera a dar a las aguas oleosas.

Nos fuimos alejando del bullicio del puerto, hasta que el resonar de nuestras pisadas sobre los adoquines fue el único sonido que permaneció junto a nosotros.

45

No deseo morir, no antes de terminar esto. Tengo miedo y la angustia ya no me abandona. Me obligo a no pensar en la muerte, a mantenerme concentrada en los asuntos de la vida. Pero no lo consigo. Me arrebatarán todo lo que quiero de una sola vez. Como si tuviera la certeza de que pronto vendrá un pelotón a quemar la casa y a fusilar a los míos. Por eso me niego a que me administren la morfina por vía intravenosa. Sería el fin. Me alimento por suero y recibo antibióticos para combatir las infecciones en el abdomen. Una hemorragia severa es el mayor peligro. A mi lado tengo una de esas perchas donde cuelgan las bolsas deformes y al teclear, la mariposa entubada se balancea sobre el dorso de mi mano izquierda. Mis brazos ya no son mucho más que huesos y piel.

Mi vecina no se ha contentado con sus visitas diarias a la puerta y su espionaje para ver quién entra y sale de la casa. Me dice Azucena que está construyendo una ampliación. Cada golpe de martillo me retumba en la cabeza como el timbal enfurecido de alguna ópera wagneriana. Nunca me gustó Wagner. Los italianos son más melódicos y melodramáticos. Puccini era mi debilidad y la de todos en mi familia original. Mi padre cantaba arias completas de *Tosca* y lo hacía con una bella voz de tenor que no se ocupó de cultivar.

Creo haber escuchado o leído que las personas que se acercan a la muerte reviven con nitidez momentos de su infancia largo tiempo olvidados. Pensé en esto por el canto de mi padre. Le gustaba hacerlo en el patio interior de la casa de la calle Viña del Mar, el encierro creaba la ilusión de que su voz tenía más volumen. Cantaba los domingos antes de almorzar. Un pisco sour, único brebaje alcohólico distinto de la copa de vino diaria que se permitía durante la cena, lo envalentonaba. Mi madre le rogaba: "Canta, *babbo,* canta", y Joaquín y yo nos sentábamos a escucharlo en una banqueta bajo el colorido ventanal del comedor. Lo recuerdo imponente, tan alto como un hombre podía llegar a ser, vestido con un pantalón gris o azul oscuro y una camisa descolorida. El primer indicio de que se animaría a cantar lo daban sus piernas al abrirse, para tener un buen apoyo cuando el esfuerzo de sus pulmones lo requiriera. Mi madre era su más entusiasta admiradora y lo alentaba aplaudiendo antes de que hubiera emitido la primera nota. Dejaba el pisco sour sobre una mesa de madera y comenzaba a cantar. Si estaba de buen humor iniciaba el recital con *Recòndita armonía.* Si su traza era más bien melancólica, prefería *E lucevan le stelle.* Cuando llegaba el final, así lo recuerdo, traicionaba su amor por Puccini y cantaba la triste aria de *I Pagliacci* de Leoncavallo. La pasión con que acometía sus notas le hacía saltar lágrimas que nunca asomaron en otras circunstancias. Mi madre se abrazaba a él cuando terminaba. Y nosotros aplaudíamos e intentábamos imitarlo. Ambos heredamos su bella voz y el amor por la música.

En la casa de Vitacura me acostumbré a cantar con María Teresa durante los fines de semana, a comienzos de los años sesenta. Ella tomaba la guitarra, desmedida aún para sus brazos, y por lo general cantábamos tonadas populares italianas o las canciones más famosas del Festival de San Remo. También cantábamos tonadas chilenas. La Tere había adquirido el metal de una mezzo y yo hacía de soprano. Llegamos a desarrollar la segunda voz de muchas canciones, a veces yo acompañaba la melodía central con algún juego de registros altos y en otras María Teresa le daba profundidad a la melodía liderada por mí. Andrés permanecía quieto, sentado en el suelo en posición hindú, los codos en las rodillas y parecía estudiarnos mientras cantábamos. Al terminar una canción salía corriendo del living y en la cocina le entonaba a Olimpia a grito pelado la parte de la letra que había conseguido retener. Volvía luego a su puesto y se concentraba en la siguiente melodía. Juan Alberto siempre concebía alguna excusa para evitarse el "canturreo". Alberto y María del Pilar nos escuchaban con gusto y él felicitaba a María Teresa con genuina admiración: "Cantas muy bien, hija, me has alegrado el día". Ella se sonrojaba de orgullo.

Una década más tarde, meses después del matrimonio de María Teresa, durante el gobierno de la Unidad Popular, recibí una llamada de Oriana. Mi padre sufría de arterosclerosis y su lucidez se esfumaba a paso rápido. Decidí visitarlo ese mismo día. No tuve la menor duda en hacerlo. Por fin me enfrentaría a los fantasmas de la calle Sazié. Me interné en ese barrio antiguo como si viniera de otra ciudad. Treinta años o más que no iba por ahí. La cuadra de mi padre estaba flanqueada a lado y lado por una fachada continua de ladrillo, ennegrecida por el polvo, de seis o más metros de altura. Eran casas de dos pisos, el primero a un metro sobre el nivel de la calle. Las entradas ascendían en cuatro o cinco peldaños hasta la semioculta puerta principal. Al caminar por la vereda, el aire frío que brotaba de los sótanos me atenazó los tobillos. La filigrana de ramillas grises de los olmos desnudos velaba una franja de cielo nublado. Tuve la impresión de que tras el frontis continuo las familias vivían recluidas en una o dos habitaciones, arrinconadas por la vejez y la pobreza, como si compartieran con las decrépitas fachadas el mismo carácter de fin de época. Oriana me abrió la puerta. Nos dimos la mano. Ella sonrió al tiempo que bajaba los ojos. Fuimos hasta el salón principal. El punzante aroma de su perfume colmaba el aire. Mi padre se hallaba inmóvil en un sofá, con la vista perdida. Una luz mortecina se colaba desde la calle a través de los visillos y le perfilaba el rostro. Las paredes mostraban cierta irregularidad y un color indiscernible, fruto de las sucesivas capas de pintura que había recibido. Al acercarme, me inspeccionó como si fuera una desconocida:

—¿Y usted quién es? —no tenía puesta su placa dental.

—Se saca la placa a cada rato y ya me cansé de andar tras él para que se la vuelva a poner —explicó Oriana, aún bajo el umbral.

—Soy su hija, papá... Julia.

Me volvió a inspeccionar y dijo enseguida:

—Páseme esa taza.

Tomé la taza humeante de la mesa de centro y se la entregué. En casi todas las superficies horizontales había miniaturas de porcelana. Dos gatos subieron al sofá después de olisquearme y se echaron enroscados el uno en el otro. Mi padre nunca aceptó animales en nuestra casa. No había una alfombra que cubriera el desgastado piso de tablas.

—Papá, soy yo, Julia.

—Julia —dijo como si intentara recordar algo.

—¿Cómo se siente, papá?

—Bien, me siento bien —respondió a medida que recuperaba el aplomo. En sus ojos noté que me había reconocido, como si cincuenta años de su historia se hubieran sentado frente a él. Vació el contenido de la taza de un trago y la apoyó en sus piernas cubiertas con una manta de lana escocesa.

—Qué bueno, papá.

—¿Dónde está mi placa? —preguntó a Oriana malhumorado.

—En la mesita, Maurizio, ahí, en la mesita que tienes a tu lado.

—¿Conoces a Oriana? —preguntó luego de encajársela.

—Sí, ya nos saludamos —dijo ella.

—Ah, qué bueno.

En las paredes colgaban reproducciones de cuadros célebres en diversos formatos. Me ofendieron los girasoles de Van Gogh. Sobre una mesita se hallaba un marco plateado con una fotografía tomada durante su matrimonio por la Iglesia con Oriana. Mi padre peinado a la gomina como siempre y vestido de frac. Quise salir de ahí. Desvié la vista de la fotografía y concentré mi atención en él para no cometer una tontería.

—Lo vendré a ver todas las semanas, ¿le parece? —me miró un tanto desconcertado—. ¿Le gustaría que viniera los miércoles como a esta hora? —pregunté en voz más alta, mirando a Oriana. Ella asintió con la cabeza y me devolvió una mirada comprensiva.

—Sí, hija, me gustaría mucho.

—Está bien, papá, nos vemos el próximo miércoles.

—Trae a tu hijo menor, no lo veo desde que nació.

Dos meses más tarde convidé a mi padre y a Oriana a almorzar con nosotros un domingo. Me sentía en paz. Habían pasado más de quince años desde su última visita, aquella durante la cual me preguntó si podía mentirle a Joaquín. Una tormenta de lluvia nos había dejado como compensación un día soleado y diáfano. Las plantas brillaban. Cuando llegó a la entrada de la casa le hice notar la cordillera nevada hasta los faldeos, se apreciaba con tal nitidez que parecía estar a unos cientos de metros de distancia. Mi padre le dio una mirada y volvió de inmediato a concentrarse en los escalones que tenía que salvar. Una vez dentro de la casa se quitó su bien conservado sombrero negro. Era el mismo que usó durante el año que siguió a la muerte de mi madre. Llevaba puesto un traje de tres piezas color marengo, con rayas blancas casi imperceptibles. A pesar de la limpieza y el perfecto planchado, su atuendo no ocultaba los años de uso. Cuando estuvo listo para seguir, Oriana se tomó de su brazo izquierdo. Entre ella y yo lo guiamos hasta la terraza de piedra frente al comedor. A cada tanto se detenía y se volvía a mirar atrás. Luego continuaba convenciendo a sus pies de que avanzaran. Los demás esperaban al sol. Alberto se levantó de una silla de fierro blanco y vino hasta nosotros. Tomó a mi padre por los hombros con energía y dijo:

—Don Maurizio, es una alegría tenerlo en casa.

—¿Conoces a Oriana? —dije para que Alberto no incurriera en la falta de no saludarla.

—No nos conocíamos —dijo Alberto sin detenerse en ella—, cómo está.

No le estrechó la mano y tampoco la besó en la mejilla. A Andrés no le había mencionado el hecho de que su abuelo era casado con otra mujer. Si bien había cumplido diecisiete años, prefería que tomara a Oriana por una especie de cuidadora. Cuando le anuncié que venía su abuelo se puso bastante nervioso. Lo conocía sólo por las fotografías y había dejado de hacer peguntas respecto a él en su infancia, al notar quizá que nos resultaban incómodas. Saludó a ambos con soltura y simpatía. Juan Alberto desplegó una semisonrisa desde su silla y luego se puso de pie, haciendo ostentación de su esfuerzo con un bufido. Extendió la mano para saludarlo, pero su abuelo no se percató y lo pasó por alto. Les ofrecí un pisco sour. Mi padre parecía no entender dónde estaba ni qué ocurría. "Creo que está nervioso, por eso está más ido que otros días", me dijo Oriana cuando me acompañó a la cocina. María del Pilar le preguntó a su retorno cómo veía que avanzaba la salud del abuelo. "No muy bien, no muy bien", dijo con su acostumbrada sonrisa tierna y algo relamida. Le pasamos el vaso de pisco sour a mi padre y luego de unos cuantos tragos se puso a decir algo incomprensible y con uno de sus pies, calzados con enormes zapatos, golpeaba el suelo. Me angustiaron las expresiones de tensión en los rostros de los demás. De pronto se levantó de su silla, dejó la copa en una mesa y abrió sus piernas como para darse un mejor apoyo. Acudieron lágrimas a mis ojos.

—Canta, *babbo,* canta.

—Sí, canta, Maurizio —me apoyó Oriana.

Nos dedicó una mirada como si fuéramos dos desconocidas.

—Canta, *babbo,* para que los niños te oigan.

De su boca arrugada surgió su bello timbre de voz, desgastado por los años: "*Recòndita armonía di bellezze diverse...*". De las miradas desapareció la incomodidad. No alcanzó a terminar el aria. Lo alenté a seguir: "canta, *babbo*". Entonces lanzó un potente "*Ridi, pagliaccio*" y calló. Se quedó de pie, mirándome a los ojos como si hubiese algo que no comprendiera. Fui hasta él y lo abracé. Sus ojos brillaron en medio de la incertidumbre.

Pasamos a almorzar y Oriana tuvo dificultades para darle de comer. Masculló tres o cuatro frases con voz apagada en todo el almuerzo. Se fueron después del café, en el Fiat 1100 celeste que manejaba Oriana. Mis hijos me esperaban en el living y me llenaron de preguntas acerca de su abuelo. Fui relatándoles poco a poco su historia, desde su nacimiento. Me escucharon en medio de un silencio reverente, poco usual entre esas paredes llenas de voces y conversaciones entrecruzadas.

Mi padre murió un año más tarde, pocos meses antes del golpe. Oriana había adquirido una tumba para los dos en el Cementerio General. Una lápida tendida unas decenas de centímetros sobre el nivel del suelo, en un sector al que se accedía por la entrada de Recoleta. El mausoleo de la familia Bartolini, ubicado en la calle Valdivieso, donde mi madre había sido enterrada casi veinte años antes, no sería su última morada.

La tienda quedó a nombre de Oriana y se hizo cargo de ella el marido de su única sobrina.

En diciembre de 1978, cuando Chile y Argentina estaban al borde de la guerra, la sobrina me llamó para informarme que Oriana agonizaba. Fui hasta la casa de Sazié después del almuerzo. El calor había espantado a la gente de las calles. El reflejo del sol encendía el pavimento como si fuera una placa metálica. Las ruedas chirriaban en los virajes. Las fachadas de las casas se desdibujaban tras un aire vibrante. Esa noche anunciaron en las noticias que había sido el día más caluroso de los últimos veinte años, más de treinta y seis grados de calor. La cuadra donde se hallaba la casa era un oasis bajo la sombra de los olmos frondosos. Dentro de la casa, el olor a encierro, aumentado por la falta de ventilación y el calor, volvía el aire irrespirable. No bien entré, abrí las ventanas del living que daban a la calle; una bocanada de aire caliente no ayudó a mejorar las cosas. El brillo de las figuras de porcelana daba la impresión del sudor. El cuarto de Oriana se conservaba algo más fresco gracias a la sombra de un damasco que crecía en el patio. Su sobrina nos dejó solas. Abrí la ventana en busca de una brisa refrescante. Me asaltó el olor a damascos podridos. El aire inflamado permanecía inmóvil, como si toda la ciudad estuviera encerrada en un gigantesco cuarto de calderas. Me arrodillé junto a ella y me saludó con su sonrisa habitual, pero esta vez no me pareció falsa.

—Qué bueno que hayas venido —dijo con una voz privada de volumen.

No daba muestras de sufrir por el calor. La mayor evidencia de los años que habían pasado a través de su cuerpo era la piel marchita del cuello. Rezamos juntas el Rosario. Día de misterios gloriosos. Creo que fue reconfortante para ella. Cuando me disponía a partir, me llamó a su lado. "Quiero que me entierres junto a tu padre, eres la única hija que tengo". Hizo un esfuerzo para volverse hacia el velador y tomar un sobre donde apenas se leía la palabra "tumba", escrita en una letra diminuta; me tomó por la muñeca y lo depositó temblando en mi mano. Una mezcla de satisfacción y tranquilidad brotó de sus ojos. Me acarició el antebrazo hasta que el sueño la venció. Acaté su deseo como si mi padre me pidiera un último favor.

Murió de noche, mientras dormía. En el funeral estábamos Alberto y yo, la sobrina con su marido y sus hijos y nadie más.

Días después mandé a grabar la lápida con su nombre y las fechas. En la tumba se leía:

Maurizio Bartolini Onetto 1893-1973
Oriana Mesina de Bartolini 1890-1978

Ese "de" concentra parte importante de mi vida.

Ya no me quedan fuerzas, me cuesta dar con las palabras. Sólo me resta describir las circunstancias en que Andrés se fue a Estados Unidos. Me he demorado tanto en llegar aquí, como si lo hubiese postergado mi inconsciente para no revivir esos días aciagos. No había tenido sino hasta ahora la certeza de haber recuperado a Andrés. Por años pensé que nunca más lo volvería a ver.

María Teresa insiste en que permanezca en la cama: recostada también podría escribir. No quiero echarme a la cama todavía, cuando lo haga ya no la abandonaré.

Es primordial terminar el episodio de Andrés. Seré breve, para no arriesgarme a quedar en el camino.

Al día siguiente de mi desastroso encuentro con Juan Alberto, le pedí a Andrés que volviera temprano de la fábrica para continuar nuestra conversación. Venía acalorado. No aceptó nada de comer. La salita estaba fresca. Se sentó en el sofá no muy lejos de mí. Era posible apreciar en sus ojos la intensidad de sus emociones.

—¿Cómo has pasado el día? —pregunté para tantear su estado de ánimo.

—Asustado.

—¿Asustado, por qué?

—Mientras no sepa qué es lo que está pensando y no la tenga cerca para recordarle quién soy, voy a continuar asustado.

—No tienes por qué tener miedo de mí, no soy una histérica que va a salir corriendo a la calle a contarle al primero que se me cruce por delante.

—Me da lo mismo a quién le cuente, me importa más saber cómo lo está tomando. No creo que pueda sacarse los prejuicios de encima sin mi ayuda.

—Lo mío no es un prejuicio, es una convicción. Lo tuyo es una enfermedad y pienso que necesitas ayuda psiquiátrica.

—¿No será usted quien la necesita?

—No seas insolente.

—Desde que acepté la realidad tal cual es se me ha pasado la angustia y puedo decir que me siento feliz por primera vez en la vida. Mi única aflicción es cómo lo van a tomar mi familia y mis amigos. Me costó mucho llegar hasta aquí y no pegarme un tiro. No voy a dejar de ser como soy para sacarle a usted un peso de encima.

—¿Y por qué tienes tanto miedo de ir a un psiquiatra, entonces? Si es tan incontrarrestable como dices, él lo confirmará. Y sería una ayuda para enfrentar lo que viene.

—Mire, en Europa y en Estados Unidos no se va al psiquiatra por ser homosexual, se va porque se siente angustia, ansiedad, o uno está loquito o deprimido. A mí, por ahora, no me pasa ninguna de esas cosas. Estoy pisando sobre mis pies y me siento mejor que nunca. Sería como el mundo al revés. Debiera haber ido al psiquiatra a los quince años, pero no ahora.

—No me vengas con tus cuentos europeos, vivimos en Chile y vas a tener que enfrentarte al rechazo —dije displicente—. No te engañes, Andrés, nadie en esta familia te va a aceptar así como así, y tampoco tus amigos.

—A Eduardo lo han aceptado en su familia, y eso que son pechoños. Y varios de nuestros amigos y amigas le han dicho que les da lo mismo, que lo quieren igual que siempre.

—Eso dice la gente para no herirlo. Te aseguro que no les da lo mismo —dije, enojada.

—Está claro que a usted no le da lo mismo.

—¿Cómo quieres que me dé lo mismo, Andrés? —exclamé en un tono más cariñoso, reclinando mi cuerpo en dirección a él—, eres mi hijo, ¿cómo pretendes que me resigne a que vas a tener una vida solitaria? He soñado decenas de veces con tus hijos, con lo lindos e inteligentes que van a ser. ¿Y me pides que de un día para otro considere que da lo mismo que seas homosexual?

—No se lo pido de un día para otro, pero me gustaría que hiciera el esfuerzo de mirar desde otro punto de vista.

—Estás siendo egoísta, Andrés, sólo piensas en tu bienestar y que los demás se lo traguen sin protestas. No es fácil, déjame decirte.

—¿Yo estoy siendo egoísta? Si es así, no tenemos nada más que hablar.

—No seas infantil.

—¡No quiero seguir hablando —concluyó mientras se ponía de pie— con una persona que piensa que soy testarudo, egoísta, infantil y, lo peor de todo, que estoy enfermo! Me siento sano por primera vez y usted no me quiere escuchar. Tome —dijo mientras dejaba un libro sobre el televisor—, le traje un libro, está en inglés, pero es un inglés sencillo; si quiere léalo y si en algo cambia su manera de pensar hablamos. Si continuamos en este tono, lo único que vamos a lograr es herirnos.

—Un libro no va a solucionar este problema. No quiero ni imaginar lo que va a decir tu padre.

—¿No será ése el problema? ¿No será que usted le tiene miedo al papá? ¿Miedo a enfrentarse con él por mi causa?

—No le tengo miedo a tu padre. Y no me voy a enfrentar a él ni por ti ni por nadie.

—Claro, ni por usted misma lo ha hecho —murmuró.

—¿Qué estás diciendo?

—Nada. No voy a alojar aquí esta noche.

Salió de la salita antes de que yo pudiera reaccionar.

Alberto me preguntó por Andrés a la hora de la cena y le dije que se había ido a alojar donde un amigo. Empleé todas las artes del disimulo para no ponerlo en alerta. Una jaqueca era la justificación de mis ojeras y mi desánimo. Si Alberto olía el rastro de un conflicto no pararía hasta dar con él.

Al despunte de la mañana me fui a la peluquería de Marisol, donde me peino desde hace cuarenta años. Esa noche cenaríamos en casa de unos amigos. Al salir de ahí, di un paseo hasta la verdulería y elegí las primeras uvas de la temporada. Me habitaba un incipiente optimismo, como si el problema hubiera decantado. Al llegar a la casa, llamaría a Andrés.

Mi última parada fue en la iglesia. La frescura de la nave me hizo sentir acogida. Dejé mis cosas en la banca y le recé al Señor. Sentí que estaba conmigo y que me guiaría a través de ese trance. A medida que me fui acercando a la casa me vino a la memoria una canción de Nicola di Bari y comencé a tararear: "*Come le viole anche tu ritornerai...*".

Olimpia abrió la puerta con lágrimas en los ojos:

—Andresito está en su pieza haciendo las maletas, dice que se va para siempre, señora... se despidió de mí...

Dejé caer la cartera y las verduras y corrí hasta la habitación de Andrés. Arrojaba la ropa dentro de un par de maletas que no eran nuestras.

—Deja tu ropa donde está, Andrés —le ordené. Volvió su rostro hacia mí, desfigurado por las lágrimas; no podía hablar.

—Andrés, hijo, cálmate —intenté tocarlo, pero me rechazó—. Dime qué pasó, no sigas tirando la ropa. Andrés, por favor.

—El papá me echó..., me echó de la fábrica y de la casa.

—No puede ser, tu padre no... —en ese instante comprendí lo que había sucedido—. Andrés —rogué—, tranquilízate, tu padre debió reaccionar mal.

—Y usted peor. Le contó y además acepta que me eche.

—Yo no le conté a tu padre, Andrés.

—¿Entonces, quién? —gritó volviéndose hacia mí.

Bajé la cabeza.

—¿Quién?

—Fue tu hermano.

—¿Y él cómo lo supo?

—Yo se lo conté. Ya lo sospechaba. Le prohibí que hablara con tu padre.

—Por Dios, mamá, como si no... ¿En qué mundo vive? Le dio el arma perfecta para sacarme del medio. No me diga que no sabía lo que estaba haciendo, usted es más inteligente que eso.

—No sabía.

—Bueno, ya no hay nada que hacer. No quiero verlos más, ni al papá ni a Juan Alberto ni a usted.

—No seas injusto —dije implorando.

—El injusto soy yo, por supuesto.

Para cerrar la primera maleta tuvo que sentarse arriba. Yo sentí que el calor se fugaba de mi cuerpo.

—Tu padre está enfermo, Andrés, no puedes dejarme sola en este momento.

—¡Y a mí qué me importa que ese viejo de mierda esté enfermo! —me desafió.

—Tiene Alzheimer. Perderá la razón.

Me miró a los ojos por un largo segundo. Tenía un par de zapatos en la mano. Enseguida, dijo:

—¿No es a usted a quien le gusta pensar que Dios está detrás de todo? Él destrozó esta familia. Ahora le toca su turno. Ya me cansé de tenerle miedo, ya me cansé que ande por la casa sin que nadie le importe un rábano.

Para su información, mamá, ese hombre, su marido, no tiene escrúpulos, y la única que ha vivido convencida de que es un hombre bueno y santo es usted. Quizá entienda de una vez por todas que el papá es un egoísta. No le importan ni María Teresa, ni María del Pilar ni yo, y si algún interés muestra por usted y Juan Alberto es porque le son útiles.

—Estás dolido, hijo, lo sé, es como si me echaran a mí, yo no voy a poder vivir..., no voy a resistir la enfermedad de tu...

De pronto me asaltó un frío repentino y me faltó fuerza en las piernas.

Reaccioné un rato después y grité al tiempo que me incorporaba violentamente: "¡Andrés!". A mi lado se hallaba Alberto, sentado en la cama. Comencé a golpearlo con los puños. Él cruzó sus brazos en el pecho para defenderse. "Eres un imbécil", dije con una voz que me salió del estómago. "¿Cómo te atreves? ¿Cómo te atreves?". Permaneció en silencio, mirándome con el rostro tenso. Cuando recuperé el aliento, le pregunté:

—¿Dónde está?

—Se fue.

—Si no lo encuentras y lo traes de vuelta, yo también me iré.

—No sé dónde encontrarlo y no quiero que vuelva a pisar esta casa.

—Soy su madre, Alberto, no entiendes que no puedes echarlo así como así. ¡Esta también es mi familia!

—No podemos aceptar a un hijo maricón. Así aprenderá.

—Eres un estúpido —dije profiriendo lágrimas y desprecio—. Aprender... Tiene veinticinco años, ¡¿Crees que aún es tiempo para enseñarle algo?! No entiendes nada. ¿Sabes lo que has conseguido? Perder a tu hijo, como perdiste a tu hija. Y cuando te agraves y te vuelvas torpe e indefenso vas a rogarle al cielo que te lo traiga de vuelta; y querrás despedirte de María Teresa antes de que te falle el juicio; y no vendrán. Estos hijos, Alberto, son nuestros, los que educamos con amor y esmero. A un hijo no se le echa, no se le borra, ¡es como arrancarse un brazo!

—Estás demasiado emotiva, descansa. Después hablamos —dijo mientras se ponía de pie.

—Si me das la espalda, no volverás a verme —mi amenaza lo inmovilizó.

—No pierdas la cabeza, Negra, no vamos a pelearnos porque nos salió un hijo marica —dijo con un gesto de su mano que me pedía tranquilizarme—. ¿Crees que yo podría dormir con un maricón en la casa? —su voz había perdido su neutralidad—. ¿Tan poco me conoces? Si se queda lo reviento a patadas o lo meto en un manicomio. ¿Qué prefieres?

—¿No será tuyo el problema?

—Yo no soy deschavetado ni maricón.

Sus palabras se incrustaron en mi mente. María Teresa no era para él más que una desequilibrada y, desde hacía unas horas, Andrés había pasado a ser un afeminado como cualquier otro. Comprendí que no tenía caso continuar con la discusión.

—No sé si pueda seguir amándote.

—Por Dios, Negra, no seas melodramática. Has escuchado demasiada ópera —dijo, mientras que su rostro se liberaba de la tensión—. ¿Me puedo ir a comer algo ahora? Tengo hambre.

—Anda donde quieras.

—Gracias, mi amor —dijo sardónico, me hizo una venia y salió.

Al mes de este episodio, Andrés llamó para informarme que se iba a vivir a Estados Unidos, con el solo fin de evitar que me preocupara si hacía el intento de buscarlo. "No sabrán más de mí", dijo sin dejarme hablar, y cortó.

Se lo conté a Alberto esa noche. Me pareció notar emoción en sus ojos.

Días después de recibir la noticia, comenzó a mostrar signos de fatiga, algo insólito en él. No tenía ánimo de ir a la fábrica. Con la excusa de un resfrío se echó a la cama y no salió de ella durante dos semanas. Logré arrastrarlo hasta el neurólogo y el diagnóstico fue depresión. Alberto se rió en su cara, él nunca había sufrido de algo semejante. El médico le aseguró que era común que sus pacientes al recibir el diagnóstico de Alzheimer presentaran síntomas depresivos. Una tableta en la mañana de un antidepresivo que recién salía al mercado, junto con sus remedios paliativos del Alzheimer y la epilepsia, le devolvieron el ánimo hasta cierto punto, pero no volvió a ser el mismo. Su andar y su conversación se tornaron erráticos, y cualquier escena emotiva en la televisión lo hacía lagrimear. Sufrió el segundo ataque. La familia se enteró de la enfermedad, dejó de trabajar y su deterioro tomó un ritmo acelerado. Un año y medio más tarde ya no me reconocía y le costaba valerse por sí mismo. Hacia el final fue sorprendente constatar que las tres únicas personas a quienes escuchaba eran María del Pilar, María Teresa y yo. No sabíamos si identificaba nuestras voces, o si la enfermedad no pudo acabar con un pequeño transmisor genético que sobrevivió hasta los últimos días. Una tarde de 1990, a la hora del tráfico, mientras yo leía a su lado en la salita, sufrió un ataque al corazón. No gritaba ni decía nada, sólo hacía esfuerzos por respirar con los ojos abiertos y se tomaba el pecho con ambas manos. La Unidad Coronaria llegó media hora más tarde, cuando el cuerpo ya había comenzado a enfriarse.

Epílogo

Pocos días después de escribir la última frase de estas memorias, nuestra madre nos pidió a María Teresa y a mí —Andrés— que la acompañáramos al cementerio. Sólo nosotros, dijo, no quería que nadie más viniera. Visitaríamos la tumba de la abuela. Era el aniversario de su muerte. Nos pareció una idea tétrica. Ella insistió.

Después de haber leído estas páginas, creemos que le hubiese gustado desdoblarse y relatar sus últimos actos. Pero ya no le quedaban fuerzas. Pensamos además que las cosas que nos reveló ese día forman parte fundamental de esta historia. Con la ayuda de María Teresa y de un editor más adelante, intentaré relatar lo que ocurrió.

La mañana se presentó soleada y fresca. Fuimos en el auto de María Teresa. Manejé yo. Echamos en la maleta la silla de ruedas. Mi madre se sentó adelante; iba de negro, su cuerpo se había encogido. María Teresa se subió atrás, con un vestido de color lila y un chal fucsia (me dice que eligió colores alegres a propósito). Compramos flores en el puesto frente a la iglesia de Vitacura. El mismo casero de los últimos treinta años, dijo la mamá. Rosas blancas. Dos ramos. Tomamos la Costanera hacia el centro. Avanzábamos hacia la nube de smog que ascendía desde el poniente. Entramos en la nube. El cielo se tornó brumoso. Nos estacionamos en la plazoleta de Avenida La Paz. Yo empujaba la silla de ruedas. La mamá con las flores y la cartera en su regazo. Los tacos de María Teresa resonaban en el pavimento. Avanzamos hacia el pórtico del cementerio. Un color ceniza imperaba en arcos y domos. El frío era el único habitante del oscuro y al parecer inútil edificio. Salimos al patio principal, humilde en comparación con el pórtico. La tumba del Presidente Aguirre Cerda a la derecha, nos indicó la mamá. Tomamos una calle transversal con sepulcros de la década 1860-1870, para llegar a Valdivieso. Un par de ginkgos lanzaban fuego amarillo. Llegamos al mausoleo. Una columnata de cipreses a lado y lado de la calle. Noble lugar. Un modesto edificio en mampostería gris con techumbre ojival. En la coronación del frontis se leía: *Familia Bartolini.* Al centro del piso cuarteado, una plancha metálica cubría la entrada a la tumba. El lugar estaba limpio. La mamá me pasó las llaves para que abriera la reja. En el centro del pequeño altar había una hermosa escultura en mármol blanco. Un ángel en oración. María Teresa fue a llenar un florero a una fuente cercana. En la pared derecha estaban grabados los nombres de nuestra abuela Victoria y el de la bisabuela Assunta. A mano izquierda se leía en primer lugar *Giancarlo Bartolini Barbaglia, 1869-1938.* Bajo él había dos hombres y una mujer de apellido Bartolini y una mujer "de Bartolini". "No sabía que teníamos familiares Bartolini en Chile", dije desde el interior, "¿Giancarlo era tío del abuelo?" María Teresa puso las flores junto al ángel. Preguntó para quién era el otro ramo. La mamá no contestó. Rezaba cabizbaja. Pregunté por qué no estaba grabado el nombre del abuelo Maurizio. Me respondió entre murmullos que no estaba enterrado ahí. María Teresa se sorprendió mucho. "Esta es la tumba de los Bartolini, no de los Campos", dijo. "Está enterrado con Oriana", aclaró la mamá. Ya conocíamos la historia. Nos quedamos intrigados. Inaudito que el abuelo estuviese enterrado con su amante y no con la abuela. La mamá nos tomó de las manos y rezamos un padre nuestro, un avemaría y un "Dios te salve, reina y madre". Luego nos pidió que nos sentáramos en la tumba de al lado. Una extensa superficie plana. Hierbas de abandono en las grietas y alrededor. Frente a nosotros, una enredadera cubría un corpulento mausoleo abandonado. La mamá sacó de su cartera dos disquetes. "Es una copia para cada uno. Este disquete constituye mi legado. Ahí están las páginas que escribí este último tiempo. Es mi manera de pedirles perdón. Ustedes fueron a quienes más dañé". Nos apresuramos a decirle que ya nos había pedido perdón y que nosotros la habíamos perdonado hacía tiempo. "Sí, es cierto", dijo, "pero a través de ese disquete quizá puedan comprender los motivos que había detrás de mi manera de actuar con ustedes. Pueden hacer con ese archivo lo que deseen, es suyo, de ambos; si quieren enseñárselo a otras personas, publicarlo o hacerlo desaparecer es cosa de ustedes. Lo dejé estipulado en el testamento. Son las únicas copias, borré el archivo del computador". María Teresa y yo nos miramos desconcertados. La mamá se veía derrotada, como nunca la habíamos visto.

"Hay algo más que deseo contarles", dijo a continuación, sin levantar la vista de sus manos, aferradas al envoltorio de papel del ramo de rosas que aún llevaba consigo, "algo que en un principio no pensé revelar y que no está en ese archivo". La brisa de la mañana se coló dentro de mi camisa. María Teresa me tomó del brazo y se apegó a mí. "Pensaba que sería suficiente con lo que escribí, pero hay algo más que influyó en nuestras vidas y, si he realizado un esfuerzo de sinceridad como esas memorias, no podría morir tranquila llevándome este secreto a la tumba". "Ustedes dos, ambos, me han recriminado que yo no sé qué se siente ser un paria, una persona rechazada por los demás. Pero yo sé cómo se siente, lo he vivido en carne propia...".

Hizo una larga pausa, como si dudara, y luego continuó sin levantar la vista: "A los catorce años supe que mi padre tenía a Oriana por amante, pero tuve que enterarme de algo peor. Yo no soy hija de un matrimonio legítimo". Se detuvo y lanzó un suspiro pesaroso: "A la mañana siguiente de la matanza del Seguro Obrero, tres días después de encontrarnos con mi padre y Oriana en un tranvía, mi madre me reveló que ella era la segunda mujer de mi padre y que no estaban casados por la Iglesia. La primera mujer, de quien no recuerdo el nombre, lo engañó con respecto a un niño que vivía con ella antes de que se casaran, diciéndole que se trataba de un sobrino que tenía la obligación de cuidar, pues la madre había muerto y el padre desaparecido. A los dos meses de casados salió a la luz que el niño de cuatro años era de la mujer y mi padre la repudió. Luego vinieron los años con mi madre. El tío Giancarlo, el que trajo a mi abuela Assunta a Chile, le prohibió a los miembros de su familia relacionarse con la nuestra. Ese ángel fue tallado por él, era un buen escultor. Muchas de sus obras están en este cementerio. La abuela no vio nunca más a su cuñado ni a sus sobrinos por causa de mi padre".

Calló. El silencio parecía brotar de ella. La calle estaba vacía. Los cipreses, inmóviles.

"Dos años después de la muerte de mi madre, la primera mujer del papá también murió. Legítimamente viudo, se casó con Oriana por la Iglesia. Ha sido el dolor más grande de mi vida, fue lo mismo que me enrostraran que nuestra familia no había existido, que sólo era un artificio de mi imaginación. Mi familia pasó a ser, ante ojos extraños, poco más que una anécdota. Desde el minuto en que mi madre me reveló su concubinato, y por todo el resto de la vida, viví atemorizada de que alguien me apuntara con el dedo y me gritara '¡Bastarda!', o alguna brutalidad por el estilo. En las esquinas creía que una de las mujeres que esperaba para cruzar la calle sería la mujer legítima de mi padre, y que se pondría a vociferar que yo era una negra guacha. Temía que las monjas en el colegio se dieran cuenta. Al parecer mi padre falsificó la libreta religiosa de familia. Cuando me casé con Alberto viví meses asustada con la posibilidad de que él y los Sartori se enteraran si la falsificación era descubierta. Una vez me crucé en la calle con el tío Giancarlo —continuó la mamá, alzando la vista hacia el ángel por un instante—, a quien conocía por fotos. Yo tendría doce años en ese tiempo y no sabía del conflicto entre las familias. Pensaba que no nos visitábamos porque ellos vivían lejos, en Peñaflor. Me acerqué a saludarlo. Era un hombre alto y corpulento, de pelo rubio. Juan Alberto me lo recuerda. Sus ojos eran los de mi padre. Me examinó de hito en hito y luego me dijo: 'Es una pena que seas tan bonita'. Y siguió su camino. Cuando le relaté el hecho a mi madre, me dijo: 'Tu tío abuelo tiene la cabeza en cualquier parte, vive en su propio mundo, no le hagas caso'."

"Ésta es la explicación de por qué mantuve distancia con la mayoría de la gente, al igual que mis padres. Y por lo mismo puse tanto empeño en que nuestra familia fuera ejemplar. Hasta el día de hoy no consigo desprenderme de la sensación de estar manchada, de no ser digna de respeto, y sólo la muerte me librará del juicio que siempre he temido de parte de los demás. Joaquín no lo supo. Alberto sí, se lo conté a los dos años de estar casados y nunca le dio la menor importancia. Fue mi protector".

"Yo me he sentido como una paria al igual que ustedes", dijo, levantando la mirada por fin, "pero nunca tuve la valentía de rebelarme y sobreponerme al miedo. Hubiera significado renunciar a mi fe. Por eso, con los años, he llegado a admirarlos tanto como los admiro".

Nos abrazamos los tres, María Teresa y yo en cuclillas. No pisábamos el mismo suelo de hacía un minuto. La mamá no lloraba, mantenía sus manos esqueléticas aferradas al papel que cubría los tallos de las rosas. Lo atribuimos a la morfina. Quizá también fuera la causante de su confesión.

Nos pidió que continuáramos calle abajo por Valdivieso. Más cuidadores que visitas deambulaban entre las tumbas. Ingresamos a un sector más pobre. No había árboles. Los sepulcros se extendían horizontales, levemente alzados sobre el nivel del suelo. Los sitios eran pequeños. El patio estaba rodeado de nichos decrépitos. Llegamos a una tumba donde estaba inscrito el nombre del abuelo y de Oriana. Lápida de mármol de Carrara. A simple vista, la única entre el extenso tablero de cubiertas de cemento. La mamá le entregó las flores a María Teresa. Ella las arregló con gracia. Nos ubicamos a lado y lado de la silla para rezar las mismas tres oraciones. Mi madre entonces dijo: "Los traje hasta aquí por dos razones. Para que supieran dónde está enterrado su abuelo y lo vengan a visitar. Tú, hija, te harás cargo de las tumbas. Toma las llaves del mausoleo —dijo estirando su brazo para entregárselas—. Debes venir por lo menos una vez al mes para revisar que estén limpias y a poner flores nuevas. La señora que mantiene el mausoleo se llama Julia, igual que yo. Dale una buena propina cuando vengas y que no se te apriete el puño, que bastante dinero vas a heredar". En ese momento levantó la vista como si buscara a alguien. "No veo a Jorge, él se ocupa de este sector, un mechón blanco le sale de la coronilla, lo vas a reconocer cuando lo veas".

"La segunda razón para venir hasta aquí es demostrarles que yo perdoné a mi padre y a Oriana, y les juro que no les guardo ni un *àttimo* de rencor. Desde que lo hice, cuando mi padre estaba pronto a morir y presencié con qué amor Oriana cuidaba de él, mi vida pasó a ser una mejor vida. Por fin estuve en paz. Cuidé de su padre guiada por el ejemplo de Oriana, gracias a ella fui capaz de tenerlo en la casa hasta el final. Les quiero pedir que perdonen su memoria, él ya atravesó su calvario, el peor que se le podía imponer. Se sentirán aliviados".

Volvimos hasta el auto en silencio. Tuve que cargar a la mamá en brazos para ponerla en su asiento. María Teresa la abrazó desde atrás durante el camino y le decía al oído: "Vieja linda". Mi madre no daba señas de estar escuchando, parecía dormida.

Tres semanas más tarde murió en su cama, luego de seis días de inconsciencia. En la habitación, sus hijos; afuera, yernos y nietos. Ocurrió alrededor de las seis de la tarde. María Teresa dijo: "Dejó de respirar". Se acercó a ella para cerciorarse y la mamá dio un último respiro, dándole un susto. Mis hermanas la vistieron y la maquillaron. El rostro había recuperado su lozanía. Ya no era más un esqueleto con piel. Se entregó a los brazos del Dios al cual amaba. María del Pilar llamó al tío Joaquín a Tucson. Nos comentó de su parquedad al recibir la noticia. Juan Alberto y yo nos encargamos de los trámites. Juntos elegimos el ataúd en un local del Hogar de Cristo. Estuvimos de acuerdo en todos los detalles del funeral. Fue una verdadera sorpresa. Al regreso nos detuvimos en el Villa Real. No comíamos desde la mañana. Pasamos un buen rato juntos.

La misa fue en la iglesia de Vitacura, donde se celebraron la mayoría de los ritos católicos de nuestra familia. Había más gente de la que esperábamos. La concurrencia desbordaba por las puertas hacia la calle. Bill llegó desde Nueva York y estuvo en todo momento a mi lado. Fue una ceremonia emotiva y alegre (María

Teresa está de acuerdo conmigo). El padre oficiante dijo: "Estamos aquí para celebrar la vida de Julia". Habló María del Pilar para agradecer el cariño de todos. María Teresa cantó y arrancó lágrimas a los más endurecidos. Yo me subí al púlpito para decir: "Gracias, mamá, por querer a cada uno de tus hijos tal cual es, a pesar de ser tan diferentes unos de otros". Noté algunas caras incómodas entre la parentela Sartori. Mis hermanos, incluido Juan Alberto, asintieron.

La enterramos en el mausoleo que construyó para nuestro padre. Un cubo de hormigón con perforaciones e interior de mármol travertino sin pulir. Los nichos se encuentran sobre el nivel de la tierra. El papá está enterrado en el tercero de abajo hacia arriba, a mano derecha, la mamá inmediatamente bajo él. El impecable barniz del ataúd no parecía destinado al encierro. Antes de dejarla sola, cantamos una bella canción: "Ven, amada mía, ven a mi jardín".

D0636176

FIRST BORN

By Doris Mortman

CIRCLES

FIRST BORN

Doris Mortman

FIRST BORN

NEW ENGLISH LIBRARY

Grateful acknowledgement is made for permission to reprint lyrics from: I WON'T GROW UP by Carolyn Leigh and Mark Charlap from 'Peter Pan' © 1954 CAROLYN LEIGH and MARK CHARLAP. © Renewed 1982 CAROLYN LEIGH and MARK CHARLAP. All rights Controlled by SBK U CATALOG INC. and EDWIN H. MORRIS & COMPANY, A Division of MPL Communications, Inc. International Copyright Secured. All Rights Reserved. Used By Permission.

First published in the United States of America by Bantam Books in 1987
First published in Great Britain in 1987
New English Library, Mill Road, Dunton Green, Sevenoaks, Kent TN13 2YA
Editorial office: 47 Bedford Square, London WC1B 3DP

Printed in Great Britain by Mackays of Chatham Ltd

British Library Cataloguing in Publication Data

Mortman, Doris
First, born.
I. Title
813′.54[F] PS3563.08818

ISBN 0–450–41562–7

For my parents, Annette and Harold,
and my children, Lisa and Alex.
Because there are two sides to every story.

I am blessed with wonderful friends, who have never denied me their time, their advice, their help, or their support. I'm grateful to them all, but offer special thanks to: Hank Hofbauer, Ira Lassman, Roy Posner, the crew at Wolf & Vine/Greneker, Sharon Weng; my agent, Peter Lampack, who asked questions that made me think; my editor, Linda Grey, who provided answers to questions I didn't think to ask; and David, who is without question, my best friend.

FIRST BORN

PROLOGUE

ON SEPTEMBER 1, 1939, just moments after the German blitzkrieg had been announced on American radio, Franyu Bekah Lublin Rostov died. The Germans had invaded Poland swiftly and savagely, storming over the borders with enough force to claim absolute victory. The cancer that had invaded Franyu's body more than a year before had moved more slowly, but it had been no less devastating. Without pity or conscience, the disease ravaged the life of a forty-year-old woman, leaving Sinnoch Rostov, her husband of twenty years, a widower and her five children without a mother.

They were all at her bedside when she died, each of them swimming in his own pool of grief, his own flood of memories. For Sinnoch, it was as if one of his limbs had just been amputated, leaving him less than whole, less than complete. As he looked at the lifeless body of his wife, he refused to see death. Instead, he looked at Franyu's rich, dark hair, still curled around her heart-shaped face. Her skin, paled by death, was, oddly enough, not too different from her true complexion. In life, her skin had been delicate, a lustrous, pearlescent color that made even the slightest touch of rouge an imposition. Her nose was small, marked by a dimple at the end, a small crevice that made one look and then look again. Though her eyes were closed, Sinnoch felt their intensity. He saw the brilliant blue flecked with orange. He sensed the directness, the honesty, the openness that had always given him strength. And he saw the twinkle that appeared whenever one of the children did something special, or when he kissed her, or when she teased him out of a sullen mood.

He touched her wrist, turned the plastic hospital bracelet, and stared at her name. Fanny. He smiled. Even after twenty years, he and Franyu considered "Fanny" and "Sam" their Ellis Island names, bestowed upon them by an impatient clerk with no time to interpret faulty English. Their friends used the Anglicized names, so did customers in their jewelry store, and their fellow congregants at the temple. But alone, in their home, with their children, they remained Franyu and Sinnoch, the way it had been since the first time he saw her.

She had been an aristocrat. He had been a jeweler's apprentice, but to Franyu there were no distinctive lines separating classes, only distinctive characteristics separating people. They had met during one of the periodic pogroms that plagued Poland during the early 1900s. He was a member of the Jewish Resistance, trying to escape a horde of Polish soldiers on the lookout for enemies of the state. Unfortunately, when he had surfaced from the maze of underground tunnels that ran beneath Warsaw, he had found himself cornered in the small alleyways that made up the Jewish quarter of the city.

He sought refuge in the first safe house he could find, an old storage depot now used to dole out bread and flour to the needy. Without introduction or explanation, he jumped inside and asked for help. Two of the women looked away, terrified at the thought of harboring an obvious criminal. Only Franyu had looked at him directly. Only Franyu had offered him shelter.

She hustled him into the safest hiding place in the open warehouse—beneath her voluminous skirts. As Sinnoch crouched among her ruffled petticoats, he heard the soldiers approach. He heard them question the women. Shrewdly, Franyu invited them inside, her voice calm and unafraid. Sinnoch listened, his hand ready on his gun, his breath coming in short, anxious puffs. Within seconds, he heard the militiamen retreat, moving on to the next doorway, the next hiding place. Franyu had saved his life. She had protected him then, just as she had protected him throughout their marriage.

Sinnoch had tried to protect her as well, but cancer had proved too formidable an adversary. No matter how much he loved her, no matter how hard he fought or how hard he prayed, he could not save her life.

Gently, as if he didn't want to disturb her sleep, he put her hand down at her side and with heavy steps, led his children out of their mother's hospital room, across the hall to a small lounge. For a while, he sat silently and listened to his children mourn their mother.

Suddenly, he felt Molly's hand on his. He turned to look at his eldest. She had been born in a secret tunnel just outside Paris nearly twenty years ago, delivered by one of the doctors in the Jewish underground. She had crossed the Atlantic bundled in whatever shreds of bunting Franyu could scavenge. It hadn't been an easy voyage, but Molly had survived. Now, she was married and pregnant with her first child, a child who would never know its grandmother.

Pacing in front of him was Jacob, eighteen years old and filled with the same fury that simmered within Sinnoch. Jacob was his father's son—a warrior, a champion of justice who was repelled by senseless death. He wanted to fight, to avenge his mother's death, just as he wanted to avenge the German invasion of his parents' homeland, but like his father, he had been forced to stand by and accept the specter of death in frustrated silence.

Tessa, seventeen, huddled next to Molly, hanging on to her older sister, her pale eyes wide with sadness. Tessa had been Franyu's helpmate, the child who was always willing to pitch in, always willing to ease her mother's burden. She was weeping now, but Sinnoch knew that of all of them, Tessa would recover her strength first. Tessa would carry on.

Benjamin hadn't spoken a word since they had arrived at the hospital early that morning. He was twelve. In less than three weeks, he was to be called to the Torah as a Bar Mitzvah. Every night for the past year, he had prayed that his mother would live long enough to hear him chant his haftarah. She had tried, Benjamin knew that, but it didn't make the pain any less.

Molly's husband, Herb, held Lillie on his lap. She was the youngest, but even at ten years old, she was clearly the most beautiful. Everything about her was dramatic: her dark eyes, her coal-black hair, her speech, the way her arms laced around Herb's neck, even the way her eyes misted and her voice broke whenever she called out "Mommy."

Just a few minutes before, Sinnoch had felt life leave his wife's body, yet still he resisted the thought that he was now going to have to live without her. Though it was not his habit to balance life's books, as he looked at each of his children, he felt that Franyu's death was not only premature, but also unfair. He felt God owed him something. He tried to swallow his blasphemy, but he choked on his own grief, his own sorrow.

Next to him, Molly stirred, rubbing her stomach. Beneath that fleshy mound was the first Rostov grandchild and, Sinnoch realized with sudden hope, perhaps a fitting memorial for his wife.

"God took Mama too soon," he said in his accented English. "Forty years is not a lifetime. It's a wink. A drop. A step. Mama died too young. She left too many loose ends, too many unfulfilled dreams."

He paused, taking a few minutes to compose himself.

"You children were the light of her life," he continued, trying to smile. "So maybe it's God's will that your children carry on the light of Mama's life."

He glanced at Molly, patted her belly, and then addressed the others. "I'd like to ask you to promise to name each of your firstborn daughters Frances Rebecca, in Mama's honor. Would you do that?"

At first, he was greeted with skeptical silence as each of his children absorbed his request. Then, one by one, they assented, the older ones understanding the significance of their pledge, the younger ones confused, but participating in the ritual nonetheless. When each of the five had made his promise, all of them sealed their vows by solemnly clasping their right hands together in a single knot.

Sinnoch nodded with pride and relief. Someday, he thought as he looked at his own progeny, there might be five Frances Rebeccas, each of whom could pick up a strand from Franyu's past and complete her future; each of whom could share a bit of Franyu's vision and fulfill her dreams. . . .

BOOK ONE

1
Frances Rebecca Elliot
Jinx

Christmas 1967

A BRISK DECEMBER BREEZE swept down into the valley and scooped up pockets of fog, shaking them and hurling them into the distance. The thick grayness swirled about, carrying with it bits of dust and litter, moving at the insistence of an impatient wind. The opaque blue of night began to ombrée as the sun slid out from behind the mountains and the symphony that was daybreak climbed to its crescendo.

North, just inside Phoenix's city limits, Jinx Elliot challenged the post-dawn stillness with the sound of hoofbeats. Riding with exhilarated abandon, Jinx led her horse up and over rocks and sagebrush, in and around spires of prickly saguaro cactus. She was a confident rider, sure of the animal beneath her as she galloped across the sleeping landscape, oblivious to everything but the joy of the moment.

Suddenly, Jinx jerked on the reins. Her horse reared from the unexpected change of command. Jinx felt the animal's confusion and patted his neck, shushing him. She had heard something. Cautiously, she held her position, afraid to move, afraid to stay where she was. Again, the sound, this time unmistakable. A cry for help. She scanned the vast, empty terrain, searching for the source of the scream.

Just then a blond stallion thundered into view, its rider precariously off balance. Jinx started toward them, but her movements had startled the already skittish horse. He neighed, reared up onto his powerful hind legs, and flung his passenger to the ground. Jinx ran to the man's side, pressed her finger to his neck, and prayed for a pulse. He had missed hitting a jagged boulder by mere inches. His color was a pasty white, his body completely motionless. For a moment, Jinx feared he might be dead, but then she heard a low moan. She checked his pulse again and tried to assure herself that he was not in any immediate danger. Then she looked at him. The man lying at her feet was no stranger. She had seen enough pictures and press clippings to know without a doubt his identity.

She had heard that Harrison Kipling might come to Phoenix for the Christmas holidays, but even the normally efficient hotel grapevine hadn't been able to confirm or deny the rumor. For more than a month, she and every other young woman on the staff of the Kipling Oasis had spent hours inventing ingenious ways to meet the dashing hotel magnate. Though they had come up with several creative ideas, *this* had not been one of them.

He began to regain consciousness, and as he did, Jinx experienced a rush of anxiety. What if he accused her of trespassing on his property? What if he blamed her for his fall? She was so lost in her own musings, she never noticed that the eminent Mr. Kipling had opened his eyes.

"What happened?" His voice was weak and she could tell that his vision was blurred.

"You've had a bad fall," Jinx said, wondering if she should go for help or remain where she was. He was silent, blinking, trying to focus. Jinx sat back and observed. Even groggy and smudged with dirt, he was handsome, even more handsome than the local gossips had said he was. Pictures and descriptions had not done justice to the dark intensity of his eyes or the strong jut of his chin. He had the facial structure of a Renaissance sculpture—angular, chisled, definite—and might have appeared hard if not for his thick black hair tweeded with enough flecks of gray to attest to his forty-one years.

"I think you should lie still," Jinx said. "Just in case of concussion."

He offered a wobbly smile, but insisted upon easing himself up onto his elbows. He slid against the rocks, wincing as he rubbed the back of his head. Jinx removed her jacket.

"Lean forward," she said softly. "Let me slip this behind you."

As he allowed her to cushion his back, he noted how gently she did so and how sweet she smelled. His head began to throb, beating as if the pain had been held hostage inside his skull and was now demanding release. He shut his eyes and waited for the spasm to pass, yet he could feel her hovering over him, her warm breath hitting his face in short, nervous puffs. When finally the pain had subsided, he opened his eyes again. Greeting his gaze were large eyes, not-quite-lavender, not-quite-blue, that peered out over high, wide cheekbones and a narrow nose dimpled at the tip. His savior was young and beautiful, with pale skin and full lips. She was kneeling, but he could see that she was tall, with a supple, lithe body.

"Since I'm not seeing too clearly, would you mind introducing yourself?" Even through his haze, he noticed how her hair seemed to dance with the wind, tickling her face one minute, resting on her shoulders the next.

"Frances Elliot." A blush intensified the pink on her cheeks. "But everyone calls me Jinx."

He started to smile, but she looked oddly uncomfortable.

"Why do they call you Jinx?" he asked.

"I don't know. My father named me that when I was a baby and that's what I've been called ever since."

Kipling nodded politely. Why had her smile faded so rapidly? Why had her eyes darkened? And why did he care?

"Would you rather I call you Frances?"

She laughed. The momentary gloom was gone.

"Jinx is fine."

"Okay. Jinx it is." He smiled and extended his hand. "I can't say it's been a pleasure, but I am glad to meet you. I'm . . ."

"I know who you are, Mr. Kipling." His hand was large, his grip firm. "I also know that these hills are part of your ranch and that I shouldn't have been riding here without your permission, but George, the Oasis manager, didn't think you'd mind."

"George was absolutely correct. I don't mind at all. But," he said, finding her immensely appealing, "if you're the type who feels compelled to pay penance, how about helping me up and joining me for breakfast?"

"I couldn't do that," she said abruptly.

"Why not? Have I offended you?"

"No. Not at all." She heard herself stammering. "It's just that, well, I work for you and it wouldn't be right."

"I work for me, too, and I'm going to have breakfast."

She laughed again—an open, exuberant laugh.

"What is it that you do at the Oasis?"

The question was rhetorical. Once she had mentioned her name, Kipling had known exactly who she was and what position she held. He had a computer-retentive memory and periodically reviewed personnel files to keep himself current on all his employees.

Jinx Elliot was a month shy of twenty years old. Her parents were prominent Phoenicians: Hank Elliot, head surgeon at Phoenix General Hospital; Kate Elliot, retired nurse, active in the community. Jinx had worked at the Oasis every vacation since her sophomore year in high school. Now she was a senior at the Cornell School of Hotel Administration. She was known to be thorough, ambitious, extremely able and very creative—a real "comer."

". . . And during the holidays I'm in charge of keeping the children busy so their parents can enjoy themselves," she was saying. "Today we've scheduled an all-day bus tour of Sedona and Oak Creek Canyon."

"I've never been there," he said, unable to take his eyes off her. "Maybe I'll tag along."

"You're too old." Instantly, her face went crimson. "I mean, it's only for children eight to fourteen."

"In that case, you're right," he said, trying to ease her embarrassment. "I'm definitely too old, but I do have all my teeth and I'm starving. Please. Join me for breakfast."

He could have made his invitation sound like an order. She appreciated the fact that he didn't.

"I'll have to call in and let my assistant know."

"Good!" He was obviously pleased. He started to stand, but when he did, his ankle buckled and he grimaced in pain. Jinx jumped to her feet and held out her hand.

"Hold on to me," she said. When he hesitated, her voice sharpened. "Mr. Kipling, you're hurt, and the way I see it, you have two choices. You can either swallow your pride and lean on me or fumble about on your own. Now, which do you prefer?"

He took her hand and allowed her to help him onto his feet and then, onto his horse. As she grabbed his reins and led both horses back toward his ranch in a slow-paced walk, she smiled.

Harrison Kipling's ranch was considered one of the finer tourist attractions in Phoenix, even though it was unavailable to the public. The house was perched high on a ridge overlooking the city and had been modeled after the limestone cliff dwellings of the Sinagua Indians at Verde Valley. Constructed of white adobe and contoured to fit the surroundings, the building appeared to be an integral part of the mountain on which it sat. The upper level rested on a flat ledge, while two lower levels, wedged together like puzzle pieces, jutted out over a cliff.

The interior was not at all what Jinx had imagined. She had

envisioned palatial grandeur. What she found was a warm, open space defined by furnishings rather than by walls. Kitchen, dining room, living room, den—all were centered around a huge, circular fireplace with a multi-sided hearth and high stucco chimney. Large couches and wide-bottomed chairs gave a feeling of comfort and luxury. Bleached wooden floors and thick woolen area rugs added to the overall effect of clean, uncluttered space.

Indian artifacts broke up the unrelenting white with striking bursts of color and design. Large Navaho rugs hung like paintings, softly illuminated by overhead spots. Rugged stucco shelves traced the shape of the round fireplace with row upon row of hand-carved Hopi kachina dolls. Pueblo and Hopi pottery abounded, decorating tabletops, dotting ledges, peeking out from built-in niches. On one wall, a brightly lit case displayed an astonishing collection of silver and turquoise Zuni jewelry. And opposite the entrance, a magnificent feathered headdress flanked by Apache tomahawks welcomed visitors to Casa Kipling.

As her host guided Jinx about, she was struck by the newness of everything. Though the house was more than four years old, not one room looked lived in. Even for a man known to value his privacy as much as Kipling did, this house appeared strangely untouched, as if it had been left deliberately unfinished. Certainly, there were no vacant corners or blank spaces. But, she realized with a start, there were no pictures, no souvenirs, no signs of any presence other than that of a talented decorator and an ardent collector. A sudden chill prickled her skin. It was four years before that Kipling's wife and children had been killed in a horrible car crash.

At the time, the story had dominated the news. Elizabeth Kipling, thirty-five years old. Philip Kipling, eight. Delilah Kipling, six. All three had died instantly when the car Elizabeth had been driving had spun out of control, slammed into a cement barrier, and burst into flames. Though every news report stated that police had turned up no evidence of foul play, hotel scuttlebutt said that Harrison Kipling had refused to accept that conclusion. For months afterward, he had commanded an intensive investigation, looking for some explanation, some proof that his entire family had not been wiped out by mere circumstance.

"I hope you're a good eater." Kipling's deep voice intruded on her thoughts. "Halona makes the best breakfasts this side of the Rockies."

Jinx responded with a wan smile and nodded with as much enthusiasm as she could, but in truth, she doubted whether she could eat at all.

"Chair or cushion?" He led her to a seating area nestled between the fireplace and a large window that framed a spectacular view of the Valley of the Sun.

"Pillow," she said, dropping down onto one of the soft floor cushions that surrounded a low tree-trunk table.

Halona, a native of the Gila River tribe, poured steaming coffee into hefty stoneware mugs and then retreated to the kitchen. Kipling raised his mug in a genial gesture of greeting.

Jinx reciprocated, but couldn't completely shake the image of that car—bent and shattered, engulfed in flames. And, she thought, if she couldn't erase that picture, surely he must be haunted by it.

Jinx had heard that after the accident, Kipling had gone into seclusion. For a while, the press played with the idea that Harrison Kipling had become a Howard Hughes–like recluse, holed up in one or another of his hotels, relying on a skeletal staff to keep his businesses afloat. According to Jinx's friends at the Oasis, that story was only partly true. Yes, Kipling had retired from public life to mourn his losses. And yes, he had made himself virtually inaccessible for more than two years. But he had not locked himself into some anonymous suite. Rather, he had retreated to the Westchester estate where he, his wife, and his children had lived.

Halona reappeared carrying a platter of bacon and eggs, a basket of cornmeal cakes, a crock of butter, and a jar of fresh blackberry preserves. Despite Jinx's objections, the housekeeper filled her plate.

"I'm really not that hungry," Jinx said, trying to protest as politely as possible.

"I'm afraid you don't have any choice," Kipling told her. "Halona cooks. We eat!" Halona filled her employer's plate without comment. "If we don't, she goes on the warpath."

Halona winked at Jinx, scowled at Kipling, and returned to the kitchen.

"She's terrific," Jinx said, picking up on the friendly feelings between Kipling and his maid. "Has she been with you long?"

"Ten years. Ever since I built the Oasis."

He ate heartily. Jinx picked at her meal.

"Do you spend a lot of time here?"

"I was here for a month after we moved in." Kipling's face became reflective. "Then I lost my family and I couldn't bring myself to come back. Until now." He played with his food, pushing a piece of egg around on his plate. Then he looked up. "I'm glad I did. If I hadn't, I wouldn't have met you."

Jinx returned his smile. At the same time, she tried to quell the butterflies that insisted upon fluttering inside her stomach. "That's very sweet. Thank you, Mr. Kipling."

"You're going to have to stop that." The hard edge in his voice caught Jinx by surprise.

"Stop what?"

"Calling me Mr. Kipling." It took her a moment, but she did notice that the corners of his eyes had crinkled in a smile. "I'm Kip to my friends."

"Kip." She liked the way it felt on her lips. She also liked the way he smiled when she said it.

"My father always called me Harrison. My mother, who was a bit more liberal, called me Harry. Kip seemed to be the least of several evils. I am, however, open to suggestion," he said.

Jinx was curled up on a pile of cushions, her knees tucked under her chin, her arms wrapped around her legs. She was more relaxed than she had ever expected she would be in the presence of such a celebrity. Maybe it was because he was so at ease with himself. Maybe it was because his eyes had a hypnotic effect on her. Or maybe Halona had put a secret potion into her coffee. Whatever—she felt light-headed and giddy.

"Lots of people go by their initials," she said with mock seriousness. "You could call yourself H.K. or H whatever your middle initial is."

"Too impersonal."

"How about using your middle name?"

Kipling put down his mug and furrowed his eyebrows.

"There are certain things men do not discuss with young women. My middle name is one of them."

He leaned forward, pretending to glare at her. His dark eyes locked on hers and she felt her arms go weak. There was a sudden, unexpected warmth emanating from this man, and she could feel it wrapping around her like a down comforter.

"I'll tell you my middle name if you tell me yours."

He sat back and considered her offer, mulling it over as if she had just offered him the deed to the Grand Canyon.

"You first."

She took a deep breath, complicating the move with broad stage gestures, prolonging the suspense.

"Rebecca." She didn't say the name. She exhaled it as if it were the secret of life itself.

"Not fair." His upper lip curled in disapproval. "You made it sound as if it were going to be Hephzibah or Swanhilda."

"A deal's a deal," she said, slapping the table for emphasis. "What's your middle name?"

"I'll tell you what," Kip said. "In exchange for dropping this entire matter, I'll let you tell me everything you think is wrong with the Oasis."

"I intend to do that anyway." Jinx was surprised at her own boldness.

"You drive a hard bargain, woman. Ready?"

She nodded and the beginning of a giggle bubbled on her lips. He leaned forward again, this time gently pulling her close to him. Then he looked around, as if to see who else was listening.

"Phineas."

Her giggle sputtered and then exploded into laughter that seemed to fill the huge house. Kip felt transported. He surrendered to the spontaneity and allowed his laughter to join hers. For the first time in years, he was enjoying himself. And it felt wonderful!

"Frances Rebecca Elliot! Where have you been?"

Jinx burst through the front door and nearly collided with her mother.

"I called you at the hotel and they said you hadn't been there all day. I was afraid they had recruited you for the night shift and you'd have to miss my Christmas Eve party."

Jinx had forgotten all about her mother's plans. As she looked into the dining room, she saw the table pushed up against the wall, chafing dishes separated by holly sprigs and tall white candles. Kate Elliot loved holidays and celebrated them all with equal fervor—religious or national. Two weeks ago, the family had hosted a Chanukah party for half the neighborhood.

"It's been so long since we've all been together, what with you and Heather at school and Dad's hectic schedule. I've made turkey and sweet potatoes and . . . well, tonight is sort of a Thanksgiving rerun." She laughed, a full-hearted chuckle that let the world know she was aware how silly her holiday fetish appeared—and that she didn't care.

"Don't get crazy, Mom, but I'm not going to be able to stay." Jinx gave her mother a quick kiss and started for her room. Kate's silence stopped Jinx at the door. "I have a date," she said slowly, wishing her mother didn't look so crushed.

"Anyone I know?" Kate asked.

Jinx's mouth spread into a wide, excited grin. "It's Harrison Kipling! You know, Kipling of Kipling Hotels and Resorts." Kate's face was without expression. "Kipling. As in my boss. The man who owns the Kipling Oasis."

"Then tonight is a business meeting." Kate made no effort to temper her sarcasm.

"I hope not." Jinx answered her mother with the same biting tone.

"I wasn't aware that you had ever met Mr. Kipling."

"I met him today."

Infatuation had attached itself to Jinx like fairy dust, blushing her cheeks, sparkling her eyes, warming her smile. Kate Elliot felt a small ache grip the dark recesses of her soul.

"Where did you meet him?" Kate insisted that her lips form a smile.

"It's a long story which I'd love to tell you, but I have to jump into a shower and get dressed. His car is picking me up in an hour." She started to turn, but Kate caught her arm.

"You don't have to tell me the whole saga. Just the highlights."

Jinx told her mother about Kip's runaway horse, the breakfast, the ranch—everything except the fact that her heart had not stopped racing since the moment Kip had opened his eyes and looked at her for the first time.

"And you've been at his house all day? It's almost six o'clock."

"We talked and talked and talked. It was endless. I told him my ideas for improving some of the services at the Oasis as well as ways to update and improve his other resorts. He listened to everything," she said, picturing his face, the little lines around his eyes, the way his upper lip lifted unevenly when he smiled. "At least I think he listened."

Kate heard the hope in her daughter's voice. She saw the dreamy veil over her eyes. "Go take your shower," she said with a forced smile. "You don't want to be late."

As Kate watched Jinx race into the bathroom, her long hair flying behind her, she felt the palms of her hands go moist and wiped them on her apron. Harrison Kipling wasn't the first older man in Jinx's life, but, Kate thought with frustrated resignation, if he was anything like Dell Talbott, she hoped he would be the last.

The Oasis was a sprawling luxury resort located on Phoenix's north side. A large stone entrance with a brass gate opened onto a palm-lined roadway that led up to the two main buildings. They were twin structures, each three stories high, built around open courtyards and connected by a gracefully arched arcade. In all Kipling hotels, both architecture and interior design reflected local tastes and styles. The Oasis was a blend of Spanish and Indian. It was Kipling's belief that since it was an innkeeper's job to make visitors feel at home, the inn had to be a part of, not stand apart from, the city it served.

Inside each main house was a sundry shop, a front desk, a travel desk, and a gift shop. Both had handmade tile floors and twenty-foot ceilings in the lobby. Both were constructed so that each room had its own balcony overlooking the courtyard. And both were heavily staffed with congenial people eager to please. One contained a massive convention complex, while the other catered solely to vacationers.

For amusement, the Oasis had twelve tennis courts, stable, a riding rink as well as mountain trails for experienced equestrians, a small movie theater, three swimming pools, and a championship golf course, site of the annual PGA Sun Valley Classic. There was a small exercise room, a beauty salon, a barber shop, and five top-quality restaurants on the premises: the Mesquite, a poolside snack shop that featured salads and sandwiches; the Saguaro, a coffee shop with a large menu for those who wanted inexpensive meals and quick service; the Cottonwood, a hotel dining room for those on the American plan; and two gourmet restaurants—the Palm, a glass-walled gazebo just off the arcade, and Paloverde, a rooftop nightclub that overlooked the city and boasted the finest food in Phoenix.

Tonight, on Christmas Eve, the stark decor of Paloverde was softened by huge terra-cotta pots overflowing with white poinsettias. Tiny votive candles flickered gaily from one end of the room to the other. Bunches of red-ribboned mistletoe hung from chandeliers and doorways. Each table had at its center an arrangement of holly branches and pine. And ceiling-high ficus trees were strung with tiny white lights that blinked in concert with the stars, creating a magical setting for a young woman falling in love.

Jinx sat across from Kip. Their table, cornered between two expansive picture windows, made her feel as if they were floating. This was not the first time Jinx had dined at Paloverde, but tonight everything seemed special. The food had never tasted so good. The service had never been so attentive. The wine had never been so perfect. The room had never looked so glamorous.

"This has been a wonderful day, Frances Rebecca Jinx Elliot." Kip clinked his champagne glass to hers, and sipped slowly, watching her.

Throughout dinner, he had tried to keep himself from staring. Jinx was beautiful, and she excited him in a way that no other woman ever had, including Elizabeth. His wife had been as pretty, but in a delicate, ladylike way. She had been a pale blonde, petite, with a keen intellect and a droll sense of humor. But Elizabeth had been a shy beauty, embarrassed by compliments, ill-at-ease with too much attention. Kip used to think that in another era, she might have taken comfort behind the protective flutter of a lace fan.

Jinx wore her womanhood blatantly. Tonight, her black silk dress was mini length and decidedly spare. A dainty slip top formed a low V that tantalized Kip with hints of a strong, firm bosom, rounded and youthful. The high hemline accentuated long, slender legs that gleamed beneath sheer black hose. Her hair was a mass of springy, untamed curls. She wore no jewelry. Her scent was fresh. And her makeup was so artfully applied that it appeared as if she wore nothing except the berry-red lipstick that stained her mouth.

What appealed to Kip most was that she was so obviously unaware of her impact on him. Each time she leaned forward and her breasts pressed against her dress, he was tempted to think she was teasing him. Then he would look into those lavender eyes and see the innocent uncertainty, and he would know that only he was thinking about sex.

He was fighting it, but the nearness of this young woman made him feel as if he had inhaled a ray of sunshine. He felt like laughing even when nothing funny had been said. He felt like smiling even when she was discussing something serious. Still, Jinx was not yet twenty and he was over forty. She was his employee. He was her boss. No. He would not take advantage of her, but oh, how he would love to make love to her.

"Would you like some more champagne?" he asked, hoping the huskiness of his voice didn't betray his thoughts.

"No, thanks," Jinx said, wondering why she felt like blushing. "Not right now."

"Then how about teaching an old dog some new tricks on the dance floor?" He stood and extended his hand to her. "I warn you. My feet are extremely independent. They go where they want, when they want. I have absolutely no control over them."

He led her out of the restaurant, up the circular stairway to the nightclub. The dance floor was crowded with elegantly dressed guests and locals gyrating to a medley of Motown favorites. The captain led them to a table on the upper tier next to a window. Kip whispered something into the man's ear and within seconds, a waiter was popping open a new bottle of champagne.

Suddenly, the roof opened, revealing an enormous skylight. Oohs and aahs and a smattering of applause greeted Paloverde's newest contrivance. Instead of a ceiling, they were being treated to a glimpse of infinity.

Jinx turned to Kip, who was smiling like a delighted child.

"Do you like it?" he asked. "I saw this at a restaurant in Paris and loved it so much, I've had it installed in several of my southern hotels. What do you think?"

"If you'll pardon the pun," Jinx said, "I think it's heavenly!"

Kip laughed, pleased by her approval.

The band shifted to a slower tune and Kip invited Jinx onto the dance floor. The minute he took her in his arms, something electric passed between them. Without words or signals and without hesitation, Jinx slid next to him as if she belonged there, her head nestled close to his, her hand resting on the back of his neck. Kip encircled her waist, holding her so closely she could feel how uneven his breathing had become.

She, too, felt the current. His cologne filled her nose, swirling around her brain like an aphrodisiac. Her nerve endings pulsed with excitement, her muscles felt weak and unsure. All around the room, people stared at the striking young woman and the handsome older man, but Jinx was oblivious. The evening had become a fairy tale, and she was completely swept up in it, suspended in the timelessness of romance.

When the music changed tempo again, she wanted to stop it, to keep it soft and slow. Kip's sheepish grin told her he, too, was reluctant to let go. But the music grew louder, wilder, hotter. Jinx began to move with it, letting her body slither and slide. Kip thought she looked like a young filly—all lean and limber, her hair flying around her face, her hands raised above her head, her legs pumping in time to the beat. He didn't even try to keep up with her, but instead watched appreciatively, clapping his hands, thoroughly mesmerized by her performance.

As she twirled around, his imagination placed her next to him on a bed sheeted in creamy satin to match her complexion. He watched his fingers stroke the silken strands of her hair and touch the ivory coolness of her skin. He imagined her moving beneath him the way she was moving before him—without inhibition, without restraint. They were in a nightclub, yet watching her dance with such primitive abandon, under the open sky, he felt as if he were witnessing a tribal ritual celebrating a young girl's passage into womanhood.

When the music stopped, Jinx was momentarily disoriented and then embarrassed, as if she had just snapped out of a trance and had found herself standing naked in the middle of the street.

"I guess I got a little carried away."

"Nonsense! You were fabulous!"

On impulse, he pulled her to him and kissed her. His lips tasted the softness of her mouth and for that brief instant, he forgot that they were standing in the center of the dance floor; he forgot that there were people watching them; he forgot that he had vowed never to get involved again. Then, there, it was only the two of them and the world was perfect.

The band began to play and reality crashed through.

"I'm taking you home now."

He was so abrupt, Jinx was certain she had offended him. Should she have apologized for dancing the way she had? Should she have kissed him differently? Should she have kissed him at all? Before she had time to say anything, he had taken her by the arm and was leading her toward the door.

"Let's go." His tone was parental and demanding. By instinct, Jinx obeyed, but long after he left her at her door, she wondered what had caused his sudden change of mood.

"I don't know why you're so uptight. She helped the man out and he's simply repaying her kindness." Hank Elliot zipped his wife into her dress and kissed the back of her neck.

"He could have repaid her kindness with a thank-you note. Picking him up off the ground and dusting him off doesn't require breakfast, dinner six nights in a row, enough roses to fill a baseball stadium, and New Year's Eve!"

Kate turned away from him and started to brush her hair furiously.

"Kate, darling. You're overreacting."

Hank knotted his tie, slipped into his suit jacket, and sat down in an armchair, wishing that his wife would brush less and hurry more. They were going to be late.

"I don't think so." Kate's voice reverberated with frustration. "Jinx is a sensational-looking young woman, and in case you've forgotten, that man's been locked away in his house for years. Believe me, he wants to give her more than just his thanks!"

"Really, Kate. Do you honestly think that after all this time Harrison Kipling has not been able to find a single living soul other than Jinx to help him relieve his libido?"

Kate stared at her husband. His eyes were gentle, as they always were when he looked at her.

"You think I'm being silly."

"Overprotective, maybe. Silly? Never." He went to her and took her in his arms.

"But he's twice her age," she mumbled into his neck.

"I know. Old enough to be her father."

Kate heard the bitter edge in his voice. She broke free of his grasp and paced in front of the bed.

"When is she going to stop chasing this fantasy?"

"I wish I knew!" He took hold of her arm as she walked in front of him. "But if you challenge her, you'll only make it worse." Kate nodded. It was not the first time they had discussed this.

"She's falling in love with him." Her voice was low.

Hank heard the sadness that lurked just beneath the surface.

"Let's try and be positive about this," he said. "What's the worst that could happen? That he falls in love with her and they get married and live happily ever after? Or that he doesn't fall in love with her, but leaves her with some pretty sensational memories of the Christmas of sixty seven? It's an all-win-no-lose situation."

"You always make things sound so sane and sensible. I always sound as if I'm on the brink. Why is that?"

"Because you don't want your daughter hurt." He kissed her lightly. "But you can't protect her forever. She has to make her own mistakes."

"It's not her mistakes I'm worried about," Kate said quietly. "It's mine."

Jinx had been fifteen when she discovered that her mother had lied to her. Her social studies class was studying Europe after World War II. Her particular project was the Berlin Airlift and its effect on German-American relations. She knew that her parents had been in Berlin at the time, her father on the surgical staff, her mother an OR nurse at the army hospital there. It was only natural that she would assume that some of their old photographs would make an interesting addition to her report.

The house was quiet. Hank, Kate and Jinx's younger sister, Heather, had gone to Scottsdale to visit the senior Elliots. Jinx had opted to stay home and finish her assignment. With a radio and flashlight for company, she climbed up into the crawl space behind her parents' bedroom, where Kate stored the family memorabilia. Puffs of dust flew into her nose, causing her to sputter and cough. Her eyes teared from the dirt and the darkness, but as soon as she was acclimated to the small area, she began to look around. Fortunately, Kate was efficient. Every box was within reach, marked and labeled: Jinx's baby clothes. Heather's camp clothes. Vacation pictures. Holiday decorations. Passover linens. Berlin.

Jinx reached for the box, then hesitated. She wondered whether or not she should have asked permission to go through these things. What's the big deal, she thought. It can't hurt anybody. She opened the box and began to rifle through the loose photographs. The edges were slightly crinkled and yellowed with age, but the images were clear and sharp. In some of the pictures, she didn't recognize anyone, but still, it was fascinating. It was a look back at another time, like watching an old movie on TV, except that her parents had been there, in that place, before she was born.

There were lots of pictures of Kate: Kate standing between two men in wheelchairs waving into the camera; Kate and several other nurses, capes flung over their shoulders, arms linked, kicking their legs like the Rockettes; Kate in a skirted bathing suit, her hair tied up in a big ribbon, her eyes hidden behind heart-shaped sunglasses; Kate being silly; Kate looking very professional; Kate oozing a lustiness that embarrassed the fifteen-year-old Jinx.

As with most children, Jinx rarely thought of her mother as a sexual being. She had always considered Kate a striking woman, but seeing her like this was startling. Kate had been an unquestionable knockout—a sumptuous blonde with a cheerleader's face and a pinup's body. Jinx was glad that the passage of time and the rigors of motherhood tamed the wild flush of her mother's youth. She couldn't imagine the sultry woman in these pictures meeting her teachers on open-school nights or bringing late-night snacks up to her and her friends when they had slumber parties at the house.

There were pictures of Hank, too, but in keeping with his quieter personality, they were generally more posed and formal. Odd. There were only a few pictures of Hank and Kate together.

Jinx burrowed deeper into the box. There was nothing that would help her project, but she was having such a good time peeking into the past that it didn't matter. The box was just about empty, when she found a stack of papers neatly tied with a piece of faded ribbon. They looked like letters, and from the way they had been pushed into the corner, they seemed intriguing. Jinx untied the ribbon with no small amount of guilt. Maybe she shouldn't read them. Maybe they were love letters. Maybe she would just read one.

She read one and then another. They were love letters, but they weren't from her father. They were from some man named Benjamin Rostov, a captain in the Air Force. As she read one after the other, she felt her face flush, but at the same time, something deep inside her went cold. A chilling premonition clutched at her, causing her hands to shake. There was a passion in these letters that unnerved her, a longing that spoke of uncontrollable love. This man, Benjamin Rostov, worshipped her mother, and from what she could tell, Kate returned his feeling. Over and over again, he told Kate how desolate he felt when he was away from her; how he counted the seconds until he would return and take her in his arms and make love to her.

Jinx felt as though she had burst into a private room that should have remained locked forever. She wanted to put these letters away and pretend that she had never found them. She wanted to leave the private room and forget that she had ever been there. But she had, and now she felt compelled by a force outside of herself, a force that urged her to read the letters again, twice, three times. Get a sense of Benjamin Rostov. Who was he? What had happened to him? How much had he really meant to her mother?

The last envelope had no letter in it. Instead, Jinx found several official-looking documents. Again, the chill. She opened the first one. It was a marriage license. Her heart began to pound. Kate Freedman and Benjamin Rostov. January, 1947. Jinx had been born in January, 1948. Her fingers shook as she opened the next document. It was her birth certificate and it named Benjamin Rostov as her father. Attached to it was an adoption certificate making Hank Elliot her legal father.

Jinx couldn't breathe. Suddenly, she felt trapped beneath an incredible weight that insisted on pressing against her chest. She gasped, filling her lungs, giving her the strength to scream. She was frightened, disoriented, as if she had been kidnapped and taken to a strange place. In a way, she had. In the space of a few seconds, her life had been inexorably changed. Whatever she had thought to be true was false. Whatever she had believed to be real was fake. She was not Hank Elliot's daughter. She belonged to a stranger, a pilot who had written long, intimate letters to her mother. Where was he from? What was he like? And more important, where had he gone?

The questions stabbed at her heart. Why had they lied to her? Did Hank really love her? Had he been play-acting all these years? Did he favor Heather? Jinx felt a desperate need to answer these questions with a firm "yes," as if to prove the depth of the charade, the depth of her rejection. But Hank had been an exemplary father. There were no slights, no favoritism. In fact, over the years, he had probably shown more interest in her than he had in Heather, his natural child. Tears crowded into the corners of Jinx's eyes.

It was pity, she thought. Pity.

For the next few hours, she sat in the dark crawl space and cried as she searched the pictures for a face that looked like hers, for eyes that might have belonged to her father, for a glimpse of the man who had given her life. She picked up each snapshot with the slow, deliberate tempo of a pallbearer's walk—lifting, studying, hoping, putting the picture down. Eventually, she fell asleep, most of the photographs still on her lap, the birth certificate clutched in her hand.

* * *

Kate knew something was wrong the instant she opened the front door. It was well after midnight, the lights were on, Jinx's report was spread out on the floor, but Jinx was nowhere in sight. Heather had fallen asleep in the car, so Hank carried her to her room, tucked her in, and then joined Kate in the living room.

"Do you think she went out?"

"She wouldn't do that," Hank said, reassuring his wife. "Did you check her bedroom?" Kate nodded. "Maybe she fell asleep in our bed."

Kate brightened. Often, the girls crawled into their parents' bed to watch television or talk on the phone. She followed Hank to the back of the house. Her face darkened when she looked in and saw their room was empty. Panic was fast taking over, when she heard a noise. It was a radio, faint, but definitely coming from somewhere inside the room. Hank motioned for Kate to stand behind him. The closet door was open and a light was on. Hank went in quickly. When he saw the door to the attic was open, his stomach fluttered with a sudden attack of nerves. He pushed his way into the small space. The minute he saw her, he knew. He didn't even have to look at what she was holding. He could tell by the streaks of dried tears on her face and the downward twist of her mouth.

Carefully, he made his way to her side, lifted her up and cradled her in his arms. Kate followed, unsuspecting until she, too, saw the opened box. She froze in the doorway. At first, she felt drained, as if someone had slit her wrists and siphoned out all emotion. Then, with frightening suddenness, a myriad of feelings attacked her—fear, anger, guilt, remorse, love, hate. She wanted Hank to let Jinx sleep, to sidestep the confrontation she had managed to avoid all these years. She wanted to convert this nightmare to a bedtime story in which she could sprinkle grains of forgetfulness over Jinx's eyes so that when she awoke, whatever horrible facts she had unearthed would be erased from her mind.

"Jinx, sweetheart. It's late. Let me help you to bed."

Hank's voice was soft and soothing. Jinx snuggled next to his chest, still lost in sleep. Hank stroked her hair.

"Come on, pussycat. Let's go to bed."

She stirred. "Okay, Dad." She stretched and yawned, but as sleep faded and consciousness returned, she snapped up, pulling away from him.

"You had a bad night, didn't you?" The time for subterfuge had passed. "You discovered something very surprising." He reached into her lap and took the documents from her.

"You're not my father." Her voice was low, shaky.

"Yes, I am." Hank smiled. "It says so right here." He held up the adoption certificate.

"But you're not . . ."

He took her hand and encouraged her to move close to him. "No, I'm not your natural father. But I am the guy who helped you take your first step. And I'm the guy who taught you to ride a bike. And I'm the guy who's helped you blow out the candles on every one of your birthday cakes." He brought her hand up to his lips and kissed it. "I'm also the guy who's loved you for every day of your fifteen years."

Big, puffy tears rolled down Jinx's cheeks. Her mouth quivered. It took a few moments before she could look at Kate. Her mother was hiding in the shadows, but Jinx could see moisture glistening on her face.

"Who was he, Mom? Where did he go?"

"He was a pilot, darling, whom I met in Berlin. He had been a patient of Daddy's." She stopped. "Of Hank's."

"What happened to him?"

Kate wanted to be with Hank and Jinx, but something held her back, kept her in the doorway, separate and apart.

"He died," she said.

"Why didn't you tell me any of this?"

Hank turned Jinx's face toward his. "You were a baby. I know it seems wrong now, but at the time, we thought it was for the best."

Jinx fell silent. Hank and Kate respected her need to think. They watched as she fiddled her fingers, stopping only to wipe away her tears. When she looked up from her lap, she turned again to Hank.

"Did you love me?"

"From the moment you were born," he said, hoping that the pain he was feeling didn't show. "I had loved your mother for a very long time, and when you were born, I fell in love with you too."

Jinx threw her arms around him, clutching at him and sobbing. He held her firmly, assuring her of his continued presence, his continued love.

Feelings tumbled over one another: grief over the death of a father she had never known mixed with appreciation for the man who had assumed the role and suspicion about the woman both of them had loved. Anger piggybacked with compassion, pity with gratitude, confusion with curiosity. Just a few hours before, her life had been well-constructed and ordered, the perfect framework for a growing child. But now the past had bulldozed through to the present and nothing would ever be the same.

"You're upset now, baby," Hank said as he helped her climb down from the crawl space. "Get some sleep, and tomorrow we'll talk."

They did talk the next day. And the next. And the next. Jinx had embarked on a subconscious search for her natural father. She had stood over Kate until her mother found one picture with Rostov in it. It was a group shot and his face was too small to see clearly, but Jinx held on to it as if it were the key to the Rosetta stone. Hardly a week went by that she didn't ask something about the way he had looked or felt or how he might have acted in a particular situation. Kate answered most of Jinx's questions, but never volunteered anything. Hank claimed he hadn't known Rostov personally, only as a patient. Jinx wanted names of family members or friends, but Kate pleaded ignorance.

"There wasn't time," she'd say.

The strain on the family grew and Kate's concern deepened. There were endless discussions, constant arguments, frequent hurt feelings, but Kate had little control over the matter. Like it or not, Jinx's obsession had become part of the Elliots' lives.

As Jinx got older, a disturbing pattern developed. She'd meet someone who fit into Rostov's age category or vaguely resembled him or possessed some characteristic she thought he might have had, and she formed an instant crush. But fantasies were never meant to have flesh. No matter how often Kate tried to warn her about the inherent danger of pitting a mere mortal against the mythical Benjamin Rostov, Jinx continued to try. It had taken someone like Dell Talbott to convince her that perhaps Kate was right.

Jinx was eighteen and a sophomore in college. It was spring break and she was helping out at the Oasis front desk. Dell Talbott was a pilot for a commercial airline, thirty-two years old, over six feet tall, with dark hair, dark eyes, an aquiline nose, an easy smile, and a physique made to wear a uniform. He was also a smooth talker, and by the time he had finished registering, he had convinced Jinx to have dinner with him.

Throughout the evening, Jinx kept pinching herself, testing him, testing herself, trying to determine whether he was real or if she was dreaming. His looks, his job, his insouciant air, his flattering attention—he was everything her prince was supposed to be. Her infatuation was immediate and intense.

For three days, he romanced her, leaving funny notes for her at the front desk, taking her dining, dancing, and for long walks in the moonlight. Yet, when she went back to college and he returned to work, they had done nothing more than kiss good-night. When less than two weeks later he called her in Ithaca and asked if she would meet him at the airport hotel, she agreed.

Jinx had never consciously conspired to sleep with a man. She had always assumed that she would be wooed and wed before relinquishing her virginity. Yet that night, sitting across from him in the hotel restaurant, trying to appear interested in a sliced steak sandwich and house red wine, she could think of little else other than going to his room.

From the first, he made her feel like a woman. He undressed her slowly, gently, telling her all the while how beautiful she was and how wonderful it was going to be making love to her. He encouraged her to undress him, restraining himself from rushing, allowing her time to become accustomed to his nakedness. Jinx's inexperience showed, but he convinced her that he found it exciting, that he found *her* exciting.

Until now, Jinx's sexual partners had ranged from fumbling backseat romeos to supposed sophisticates who had viewed compliance as their due. On those occasions when she had permitted a man to caress her, her responses had been childlike, more the result of curiosity than passion. Dell Talbott changed that. He touched her in places no one had ever touched her before. He stroked her in ways no one had ever stroked her before. He said things to her no one had ever said before. He transformed her from an innocent girl into a sensuous being capable of giving and receiving pleasure.

For the next few months, Jinx counted the days between their rendezvous. Her schoolwork, her friends, her extra-curricular activities became secondary. After the school term ended and Jinx returned home for the summer, Dell arranged his schedule so that once a week, sometimes twice, from the end of May until early September, he could meet Jinx in an out-of-the-way motel. Certainly, it had been easier in Ithaca—without the parental prying, the disapproving looks, the need for explanations, the guilt—but Jinx did whatever was necessary. Dell Talbott had become the most important person in her life.

He made all the right moves and said all the right things and to someone as vulnerable and naive as Jinx was then, the "rights" overshadowed the wrongs of their relationship. She didn't see anything wrong with the fact that they never went out to dinner anymore or dancing or anywhere except to bed; or that he refused to pick her up at home or to meet her family; or that he had never given her a phone number where she could reach him if she wanted to, or needed to. Jinx didn't see anything wrong with anything concerning Dell. How could she? She wasn't looking.

It was in November of her junior year that she was forced to open her eyes. It had taken a great deal of talking and cajoling and apologizing, but Jinx had managed to convince her parents that she couldn't possibly come home for Thanksgiving. She had a research paper to do, she told them, and she planned to spend the entire weekend holed up in the library. Actually, she planned to spend her holiday with Dell. They hadn't seen much of each other since she had returned to school and she missed him. The last time they had spoken, he had said he didn't think he could get to see her until sometime in December. She had asked him about his plans for Thanksgiving. He said he would probably grab a drumstick in the hotel dining room between assignments. That's when she had decided to surprise him.

Late Wednesday afternoon, Jinx flew to New York and headed for the Roosevelt Hotel, where Dell's company housed its crews on layovers. Though he never gave her his complete itinerary, she recalled that he mentioned being on the Denver run. Barring any serious delays, he should have landed at Kennedy around five o'clock. By the time she reached the hotel, it was almost seven-thirty.

"I'm supposed to meet a Mr. Dell Talbott," she said to the clerk at the front desk, hoping she didn't look as giddy as she felt. "Can you tell me what room he's in?"

She could hardly wait to see the look on his face when he opened the door and saw her. Tomorrow morning, they would go to the annual Macy's Thanksgiving Day parade. After, they would watch the Bowl games in their room. And then, they would have Thanksgiving dinner together.

"Mr. Talbott hasn't checked in yet," the young man said after glancing at the registry.

Jinx was confused. He should have been there by now.

"If you'd like me to hold your suitcase while you wait, I'd be happy to take care of it for you," the clerk said.

Jinx offered him a distracted smile, thanked him, and handed over her bag. As she walked toward a small couch in the lobby, she wondered what might have happened. His flight could have been delayed. It could have been canceled. It could have crashed.

Quickly, she left the lobby, found a phone booth, and called Kennedy Airport. According to the woman on the phone, the flight from Denver had arrived on time, four fifty-one Eastern Standard Time. There were no traffic jams on the way into the city. In fact, the city appeared empty. Where could he be? Having drinks with some of the guys? Dinner? Possible. Very possible.

Feeling a bit discouraged, she returned to the lobby and took a seat. If she knew some of his favorite haunts or the names of some of his friends, she might have tried to track him down. But, she realized as she leafed through a newspaper someone had left behind, though she had been having an affair with Dell for more than six months, she knew very little about him.

"What the hell are you doing here?"

She must have fallen asleep, because the harsh sound of his voice jolted her. It took her a second to recall where she was and why. She started to smile, but suddenly the smile froze on her lips. He was furious.

"I came down here to spend Thanksgiving with you. I didn't want you to be alone. I wanted to surprise you." She was nervous and babbling.

"Well, I have a surprise for you," he said, his voice turning cold and nasty. "I'm not alone."

For the first time, Jinx noticed the woman standing behind Dell.

"Now, why don't you be a good little girl and go back to school?" Dell said, grabbing Jinx's arm and pushing her into the corner.

"Is she your wife?" Jinx hadn't taken her eyes off the statuesque blonde. She felt shaky and more than a little embarrassed.

"No," Dell snapped, his impatience growing. "She's not my wife, and neither are you!"

Jinx's head was spinning. His anger had thrown her completely off balance.

"What gave you the idea you could just barge in on me whenever you wanted?" he continued. "I made my own plans and they didn't include you."

"But, I thought we had a relationship . . . I thought you loved me. . . ."

"Well, you thought wrong! We didn't have a relationship, my dear," he said with obvious sarcasm, "what we had was an affair. A fling. An extended one-night stand. But whatever it was, it was. Am I making myself clear?"

Jinx didn't want to cry in front of him or in front of the woman or the strangers who were milling about the lobby, but she couldn't help it. Big, sad tears dribbled down her cheeks as she watched Dell turn his back on her, take the arm of his lady friend, and head for the elevator.

She stood and watched the door close, too hurt and humiliated to move. A few seconds later, someone tapped on her arm.

"Is there anything I can do to help?" The desk clerk spoke to her in a soft, kind voice. "Can I get you a room?"

Jinx shook her head. She couldn't stay there.

"No, but if you would call a taxi for me, please. I have a plane to catch."

On the way out to the airport, Jinx considered the idea of going home to Phoenix, but decided she couldn't do it. She didn't want to admit she had lied and she didn't want to tell them the truth. By the time she got to Kennedy, it was two o'clock in the morning. The flight to Ithaca was at ten. Eight long hours!

So what, she thought. There's no one waiting for me there. Just as there was no one waiting for me here.

Harrison Kipling was an example of a limited species known as natural romantics. They were a group of men who intuitively understood that setting and seduction were intimately related. They knew that surrounding a woman with the accoutrements of romance accomplished more than showering her with expensive gifts or poetic stanzas. These men knew that *where* a scene was played was as important as *how* it was played.

Never had Jinx been treated to such an elegant evening. Kip had picked her up in his limousine, tuxedo-clad, boutonniered, and as dashing as a Shakespearian swain. In true gallant fashion, he presented her parents with a bottle of Louis Roederer, her sister, Heather, with a beribboned nosegay of fresh violets, and Jinx with a single gardenia which she pinned in her hair. Then he whisked her off to his ranch for a formal dinner *à deux*.

The house was quiet and Kip led Jinx to the dining room, where a simple but sumptuous buffet had been arranged. A host of small fat candles cast an ivory glow throughout the room. Large baskets of pine boughs released a fresh mountain scent, and soft music floated around them like a delicate perfume, drifting through the air with the melodious lilt of a long-ago fugue.

Their table was set with a cotton Indian cloth, handcrafted candlesticks, bone china, sterling silver, and the finest Baccarat crystal. Throughout dinner, their conversation was light, like the soft steps of a minuet. Every once in a while, Jinx stole a look at her companion. Only the glow from the candles illuminated Kip's face. A few times, his dark eyes met hers and she felt intoxicated by his presence. For a week, he had lavished his attention on her: flying her up to the Grand Canyon; flying down to Mexico for a barbecue; escorting her to every night spot in Phoenix; even taking her for pizza and a movie. The moodiness of their first evening together appeared to have been a fluke. Since then, he had been nothing but charming and gracious and loving—and very, very tempting. Though she sensed that Kip wanted her too, each time he kissed her, he pulled back.

Jinx had no way of knowing it, but Kip's reticence was spawned by more than respect for propriety. During the past week, as he had felt himself growing more and more attached to her, he was moved to consider the advisability of such an involvement.

Jinx was too young, too innocent, too vulnerable for him to pursue without compunction. Then, too, were the logistics of a long-distance romance. His home base was New York. She was settled in Phoenix. He traveled frequently. She had neither the funds nor the incentive to follow him around. Yet Jinx had barged into the empty place that had become his life and the brightness and gaiety she brought with her were nearly impossible to resist. For too long, he had merely existed, shrouded by an oppressive loneliness. He attended an occasional charity event or a party hosted by an old friend. He went to business meetings and sales conventions. And though he had not remained celibate, his sexual forays had been as superficial and meaningless as everything else. Jinx had slipped through the barriers. There was something about her that made him want to love again, to trust again, to reenter the world. But there was something in him that continued to harness his emotions.

"You look a little lost," Jinx said quietly. "Are you thinking about your family?"

She reached across the table. The warmth from her hand seeped into his skin, soothing, relaxing.

"It's hard not to think about them during the holidays," he said. "Christmas was always such a grand time for all of us. I used to fill the living room with every toy and game imaginable. Electric trains. Stuffed animals. Dolls that walked, talked, cried, spit up, sat up. Footballs, baseball mitts, hockey pucks. You name it, they got it!" He laughed quickly, before the emotion caught in his throat. "It took us two days just to clean up the wrapping paper."

If the entire process of falling in love could be defined by a single act, Jinx would have said that, for her, it was watching Kip wipe a tear from his eye. There was no embarrassment about his display of emotion; there were no excuses offered for the way he felt. It was an instance of honesty and Jinx found it immensely appealing.

"Were you strict?" she asked.

"Sometimes. More often than not, I left the discipline to Elizabeth." His fingers stroked the back of her hand absentmindedly. "I wasn't home a lot and when I was, I guess I wanted to be the good guy. I wanted to love them, not to reprimand them. Whatever my children were, and they were good kids, Elizabeth deserves all the credit."

For a few moments, he lasped into a thoughtful silence. Jinx busied herself with the coffee, refilling his cup, topping off her own. Kip was immersed in his past, and with anyone else, Jinx might have felt alienated, but, with a perspicacity beyond her years, she felt secure enough to allow him his memories, knowing that they didn't threaten or demean her.

"If I had to do it all over again," he said as if Jinx had been privy to his internal debate, "I'd do it differently. I'd be around more, be more involved. I'd share the discipline too." Then he looked at her and smiled. "I'd be more like your father."

He had thought she would be pleased, but Jinx reacted as if he had poked her with a sharp pin. She pulled her hand away from his, deliberately distancing them.

"Did I say something to upset you?" he asked, confused.

Suddenly, she felt foolish. She had overreacted and now she was stammering.

"No," she said. "It—it must be the wine."

Kip nodded. "Must be," he said. "I remember reading somewhere that grapes can produce severe anxiety attacks as well as mild cases of athlete's foot, depending on what you do with them."

A shaky smile curled Jinx's lips, but only for a moment.

"Come on. What's going on inside that beautiful head of yours?" Gently, he lifted her chin so he could look into her eyes. "I promise I won't laugh. I won't criticize. I won't even comment if you don't want me to."

When she spoke, her voice was low. "Hank's not my real father," she said. "My father died when I was an infant. I never knew him."

That explained her discomfort the first day they met when she had mentioned that her father had named her Jinx. Kip eyed her carefully. "Still, you're lucky you were raised by someone as fine and decent as Hank Elliot. I'm sure he loves you very much."

"I love him too," Jinx said. "It's just I have a need to know more about the man who fathered me. I can't picture his face. I can't remember his voice. Yet I have his genes. It makes me wonder who I am."

"What did your mother tell you about him?" Kip's curiosity was peaked.

"His name was Benjamin Rostov. He was a captain in the Air Force. He flew in the Berlin Airlift. He met Mom in the hospital. And he was killed on one of his missions." She spoke as if she were reciting a list of spelling words—practiced, rehearsed, void of personal involvement. "She never said anything about his family except that she named me Frances Rebecca after his mother."

Kip saw the distress and felt the hurt. He rose from his chair and took her by the hand, leading her into the other room, onto a couch in front of the fire. He poured them both a brandy and encouraged her to take a sip.

"Jinx," he said, resting his hand on her arm. "During the war and in the years afterward, many men died. Many wives and babies were left alone. Most of them, like your mother, went on with their lives. Others chose to make mourning a full-time job. My bet is, they're still at it. You should be grateful that your mother didn't allow herself to become a professional widow."

"I am, but why did she lie to me all those years? If I hadn't stumbled across my birth certificate, I don't think she or Hank would ever have told me the truth."

Though he didn't say so, Kip suspected that was true. What puzzled him was why. He was savvy enough to know that whenever basically honest people did something dishonest, it was for very good reasons. If Kate and Hank had deliberately kept Jinx's parentage from her, it was his guess that she was better off.

"They probably wanted to spare you the very hurt you're feeling now," he said, trying to comfort her. "After all, this man died when you were an infant. Hank adopted you almost immediately. Why cause unnecessary confusion and pain?" She was listening, but she wasn't convinced. "I'd say that if your folks made a mistake, it was simply a mistake in judgment."

"I suppose." Jinx nodded. "But what about his family? Why haven't they tried to find me? I have a grandfather. Why hasn't he looked for me? Benjamin Rostov is dead and I'm his only legacy."

She was angry and he didn't blame her. She rose from the couch in a single, jerky movement and began to pace back and forth in front of him, trying to work out a problem that had refused to be solved before.

"Maybe they don't know about you."

"That's what Mom says. She claims he wasn't close with his family and that after he died, when she and Hank tried to locate the Rostovs, they couldn't."

Kip didn't believe that.

"But that just makes us even," she continued, "because I don't know anything about them. I don't know where they're from, how many of them there are, what they're like. God! It's so frustrating!" She was pacing like an agitated cat. "They're my family too," she said with quiet determination. "I belong to them, and one of these days, I'm going to find them and tell them so!"

Earlier in the evening, as Kip escorted Jinx from her house, Kate had flashed her badge of proprietorship. She had given him a look that said, "don't hurt my child or you'll have to deal with me." This was a mother who loved her daughter. If she wanted Jinx to forget this man, Kip would not encourage her to do otherwise.

"You belong to Kate and Heather and Hank," he said quietly.

She spun on her heel, her face hardened by an indignant scowl.

"Why does everyone react the same way? I'm not looking to replace one family with the other." She took a deep breath, hoping to control her tears. "I just want to meet my real father's family. What's wrong with that?"

He rose and went to her, holding her softly, stroking her back. "Nothing," he said. "Nothing at all."

He continued to hold her until he felt her relax, then he led her back to the couch and prompted her to take a sip or two of brandy.

"Chasing clouds is tough," he said after a while.

"You sound like my mother. According to her, I've turned this entire situation into a Hans Christian Andersen fairy tale where I'm the beleaguered princess locked up in a tower against my will." A slight blush rouged her cheeks. "She says the real reason I'm so attracted to you is that you fit my image of what my real father might be like if he had lived."

"And what exactly is that image?" He wasn't sure whether he was flattered or hurt.

"Let's see," she said. "Exciting. Sophisticated. Handsome. Daring. Lochinvar without the metal suit."

He laughed, as did she, but for both, it was a self-conscious kind of mirth. There was too much truth behind the jest. Was he merely a substitute for the father she'd never known? Was she a stand-in for the daughter who hadn't lived to grow to womanhood? Were they relating to each other or creating each other? Suddenly, Kip realized that he had been asking himself these same questions all week.

Jinx, too, was lost in her own thoughts. She sighed and Kip watched the dramatic interplay of candlelight and shadow upon her skin. Her hair was swept up into a French twist, and for the first time, he noticed how long and graceful her neck was. His eyes traveled slowly down to the cleavage between her breasts, lingering, feasting, indulging himself in her beauty. It was all he could do not to remove her clothes and rejoice in her nakedness. He had to fight the urge to gaze upon her body, to touch her, to love her, to feel her respond and, perhaps, to love him in return.

When he spoke, his voice was husky and full of forced gaiety. "Listen, it's New Year's Eve and this is not exactly how I had planned on greeting Father Time. Let's go!"

He held his hand out to her. She gazed into his eyes and forgot about deception and rejection and diasporic families. Right now, he was all that mattered.

"Lead on," she said.

By the time Jinx managed to rouse herself, it was early afternoon. The sun had pushed its way through the slatted blinds, striping the rose-colored carpet with yellow slashes of light. A crisp breeze sneaked through the slightly opened window, teasing her into wakefulness. Slowly, she stretched her long body until it traversed the bed, her feet dangling off the end, her fingertips brushing against the cool brass of an antique headboard. Her eyes remained closed as she replayed the events of the previous evening with a satisfied smile—the intimate dinner, the glittering crowd at Paloverde, the champagne, the music, the way Kip had looked when he kissed her at midnight, the way they had danced until three in the morning, never leaving each other's arms until he left her at her door.

The smile reversed itself into a tiny frown. In the single week that she had known Harrison Kipling, her body had been alerted to needs that begged to be fulfilled. Kip looked at her and her insides turned into a gelatinous mass. He kissed her and she felt as if her nerve endings had been singed by lightning. He caressed her and she felt a voluptuous heat that she knew was the essence of loving. Even now, alone in her bed, she felt deliciously queasy just thinking about him.

She tried to tell herself that he was being a gentleman, exercising control on her behalf, but she wanted him to grab her the way Rhett Butler had grabbed Scarlett O'Hara; to love her as desperately as Tristan had loved Isolde; to pursue her with the poetic loveliness of Zhivago and Lara.

The night before, when they danced, their bodies had fit against each other like perfectly meshed gears. She was almost as tall as he, so their eyes, too, were constantly level, constantly on each other. All around, New Year's Eve revelers danced and partied, counting down the minutes until 1968. Shortly before midnight, a frenzied conga line had formed and as it wound its way around the dance floor, Kip and Jinx found themselves shoved into a corner. Kip laughed, holding her closer.

"And I thought fighting in Korea was dangerous," he said, stroking confetti off her shoulder.

"It's fabulous!" she shouted over the din. "You're fabulous!"

She threw her head back, dislodging her coiffeur, shaking her hair free of pins, saving only the gardenia which she promptly stuck between her breasts.

"Would you do me a favor?" she said, keenly aware of his eyes on her chest.

"Slaying dragons was never my forte," he said, forcing his gaze to return to her face, "but, if you insist."

"I'll spare you by asking for something much simpler. In the morning, would you remember to tell Halona how much I enjoyed dinner?"

His fingers stroked the sides of her face.

"Why don't you tell her yourself?"

"Will I be with you in the morning?" She hoped she didn't sound coy. If she had, however, he appeared not to notice.

"I thought we'd have brunch." His lips grazed the flesh behind her ear. "Just the two of us." His tongue flicked against her neck. "A long, leisurely brunch." His arms slid around her waist. "And if all goes well, brunch might lead to dinner and dinner might lead to brunch and brunch might lead to dinner . . ."

An easy grin preceded a string of kisses that took his mouth across her shoulders, across the nape of her neck, down almost to her chest and finally, onto her lips.

Her arms went around him and at one point she wondered if she needed an embrace or support. Her knees had gone weak and a warm moistness had made her feel woozy.

"We have a problem." His voice was a whisper. He pulled away from her and she could see how flushed he was. It made the trembling in her hands seem less noticeable.

"You're an exquisite young woman," he said. "You've injected a badly needed dose of spirit into my life. I haven't felt this happy in years."

"I'm glad," she said.

"But I can't keep my hands off you."

"Then don't."

Before he could answer, the band began to play "Auld Lang Syne." Balloons fell from the ceiling. Merrymakers tossed confetti at one another and raised champagne glasses in cheerful toasts. Some danced drunkenly. Others watched. Kip took Jinx in his arms and kissed her deeply, touching her teeth, her tongue, her lips, drinking her in as if she were vintage wine. To him, she was far more intoxicating.

"I could fall in love with you, Miss Elliot," he said in a voice that sounded as if it had come from an unused part of his throat.

"I'm not stopping you, Mr. Kipling."

"I'm forty-one. You're going to be twenty."

"And it's nineteen sixty-eight. I thought this was a relationship. When were we reduced to an equation?"

Should she have been so bold? Morning-after doubts nudged her conscience. Swirling to the music, drugged by the joyous feel of his body next to hers, it had seemed the right thing to say, but was it? She thought she knew how he felt, yet he had taken her home to *her* bed. Home to *his* bed was what she had wanted.

She curled under the covers, enjoying the tingling sensation that had once again invaded her body. She pressed her blanket between her legs and closed her eyes, seeing his face, smelling his woodsy cologne, trying to recapture the magic of the previous night.

Screeching brakes intruded on her reverie. She sat up and looked at her clock. It was almost two in the afternoon. She jumped out of bed and went in search of her family. All she found was a pot of overperked coffee, the newspaper, and a note telling her they had gone to Scottsdale and would see her later.

As she settled onto a kitchen chair to drink her coffee, she noticed that the paper had been left open to a particular page, a particular photograph. It was Kip and her at Paloverde. She couldn't even remember when it was taken, but they were both smiling into the camera. A short squib underneath wondered "Is local beauty, Jinx Elliot, quickly becoming the leading candidate for number-one place in the elusive, but oh so eligible Kip Kipling's life?" Jinx laughed. Her thoughts exactly. She wondered if Kip had seen the paper. In fact, she wondered why he hadn't called.

He must have called while I was asleep, she told herself.

She stared at the photograph again. They made a stunning couple. Maybe he was upset about the picture. No. He wouldn't get angry about something like that. He was used to publicity.

She took her coffee and went to shower, leaving the bathroom door ajar so she would be able to hear the phone. She had showered and dried her hair and still, there was no call. By four o'clock, she was frantic. What could she have done that would have upset him enough not to call? Maybe something had happened to him. Suddenly, she felt desperate to speak to him. She ran to the phone and dialed his number.

"Halona, it's Jinx Elliot."

"Happy New Year, Miss Elliot."

"And to you." Be casual. Don't panic. "Is Mr. Kipling there?"

"No. Mr. Kipling is gone."

He must have gone to the hotel. Or else he was out riding. Maybe he was on his way to pick her up.

"When will he be back?" Her heart was racing. Something in Halona's monotone portended ill.

"I don't know, Miss Elliot."

One. Two. Three. Four. Five.

"Halona, we were supposed to have brunch together. Where did he go?"

"Back to New York." Jinx's heart stopped. "He left at noon."

Jinx stood frozen by the phone. Why did he leave without saying good-bye? Why did he leave?

With leaden steps, she walked back to her room and sat on the edge of her bed. For a long time, she simply stared at a spot of sunlight on the floor.

"He tried to tell you," she mumbled to herself. "You're too young."

Through tear-filled eyes, she surveyed her domain—the fluffy comforter in the tiny floral print, the ruffled throw pillows, the makeup table with pictures of Warren Beatty and Paul Newman Scotch-taped to the mirror, the big dollhouse in the corner, a string of pictures from summer camp on her bookshelves. She had always thought of this room as a haven, a shelter where she could restore a shaken confidence or heal a bruised ego. Now, each of her childhood treasures seemed an accusation, evidence of the chasm between her and Harrison Kipling. How naive she had been.

She looked at the newspaper picture again. She forced herself to feel his kiss and remember his embrace.

"I am *not* too young for you, Mr. Harrison Phineas Kipling. And I'm going to prove it!"

2
Frances Rebecca Kahn
Cissie

March 1968

FOR MORE THAN A WEEK, a freezing rain had besieged Paris, cloaking it with a raw, invasive cold. Pedestrians sloshed through puddle-ridden streets, heads bowed, umbrellas tilted against the wind. The Seine pitched and rolled. Traffic on the Champs-Élysées became inexorably snarled. And those few tourists brave enough to venture out stood huddled beneath leafless trees, fighting to keep their guide books and their enthusiasm dry.

On the Avenue Montaigne, Cissie Kahn stepped from her limousine, into the Plaza-Athénée Hotel, picked up her messages at the desk, and headed for the tearoom behind the lobby. The long, narrow gallery was filled with weather-weary guests eager to rest and refresh themselves. As Cissie gave her coat and her pastry order to a young waiter, several people called out—waving, pointing, inviting her to join them. She nodded to some, smiled at others, mumbled regrets in both French and English, and took the first available seat, next to strangers.

The gallery was Cissie's favorite spot in the hotel. Elegantly upholstered chairs and highly polished wooden tables divided the room into intimate seating areas—twosomes interrupted every so often by a settee that accommodated three or four. The delicate colorings and intricate patternwork of the fabrics complimented the subtle shadings of the faux-Savonnerie rugs that blanketed the floor. Enormous crystal chandeliers hung from majestic ceilings, casting a gentle glow on those who came to sit, to see, and most important, to be seen.

A wall of glass stretched the full length of the room, framing a charming interior courtyard. In summer, the courtyard would be transformed into a garden café festooned with fresh flowers and bright parasol-topped tables. Now it was a bleak square of stone and slate. Still, it was special to Cissie, for it held one of her best memories.

The familiar voice on the phone had asked if Mademoiselle Kahn was free to lunch with him at the Athénée garden. Cissie was four and understandably confused. Why was Daddy on the phone? Wasn't he coming home for dinner? Had she done something wrong? Why weren't Mommy and Andrew going out for lunch also?

On the appointed day, Bert Kahn gallantly helped Cissie on with her coat; waited patiently while his wife, Tessa, fussed over a straw boater; watched with amusement as Cissie struggled with lacy white gloves; promised they'd be home before five; cajoled seven-year-old Andrew out of a brief, green-eyed snit, and finally, led his daughter out the door.

The walk from the Avenue Foch apartment to the hotel should have taken no more than half an hour, even at the most leisurely pace. It took Bert and Cissie twice that. Bert couldn't resist showing off his progeny to anyone and everyone, neighbor and passerby alike. He beamed when people gushed about how beautiful she looked in her floral-printed dress and red party shoes; or how fluent her French was; or how appealing it was that father and daughter shared the same coppery hair, the same soft gray-green eyes and quick full-mouthed smile. Hand in hand, they strolled around the Arc de Triomphe *étoile*, down the Champs-Élysées, peering into store windows, thoroughly enjoying each other's company. Just before they reached the hotel, Bert stopped at a flower stand. He bought a corsage and with great ceremony, pinned it to Cissie's coat. "A gentleman buys posies only for a lady he loves," he'd said.

The clatter of the pastry cart disturbed Cissie's reverie and jolted her back to the present. She was in Paris for the prêt-à-porter collections, and in less than an hour Bert would be calling from New York for a report on that day's showings. As she stirred milk into her tea, she tried to analyze her performance during the past week. So far, she judged that she had done an adequate job. She had a natural eye for style and was confident that she had ordered the most salable of the designers' ready-to-wear offerings. She also believed that she had placed orders in the correct quantities. But "adequate," "ordinary," or "correct" were anathema to Cissie Kahn. To her, anything less than "outstanding" was tantamount to failure—possibly because to her parents, anything less than outstanding was unheard of.

Cissie's family owned several expensive clothing shops. New York. Palm Beach. Chicago. San Francisco. And the original LaTessa, off the Boulevard Saint-Germain. Over the years, LaTessa had earned the grudging respect of the retailing community. While most small stores sought to expand and one day grow up into large chains, LaTessa had remained deliberately exclusive.

Bert Kahn was regarded as a genius capable of turning a pushcart into a multi-million-dollar emporium. He was a master at utilizing space to its fullest, keeping his overhead low and his potential for profit high. He moved inventory from one store to another, believing that when one style had had its vogue in one area, it was just becoming chic in another. He created shops that reeked of opulence, yet demanded that his salesclerks greet customers with a folksy, down-home friendliness.

"A hillbilly in jeans has to be treated with the same courtesy as a socialite in pearls," Bert was fond of saying. "One could just as easily have a fortune tucked away in their wallets as the other!"

Tessa Kahn was a designer who had never lost her passion for clean lines and fine fabrics. For a long time, she had designed only for the stores that bore her name, but as the demand for her fashions increased, she allowed herself to be talked into designing a line of LaTessa clothes to be sold throughout the United States. She had won the Coty Award three times and was now in their Hall of Fame.

For Cissie, her parents' achievements were both a source of pride and a challenge. Often, she joked about it by saying, "Keeping up with the Joneses is a snap. It's keeping up with the Kahns that gives me a headache!" What made it difficult, aside from the obvious fact of Bert and Tessa's success, was the fact that the Kahns adored their children. They doted on them. Cissie and Andrew were the greatest, the smartest, the best-looking, the most likely to succeed. Small accomplishments were greeted with loud applause. Larger accomplishments were rewarded in grander fashion. Without anyone being aware of it, simple excellence had become ho-hum. Perfection had become the norm.

This was Cissie's first solo buying trip and she was feeling the pressure. She wanted to do more than merely justify her parents' faith in her. She wanted to distinguish this trip from all others, to make her mark with a new designer, a revolutionary new style, a brilliant merchandising idea. Something. Anything. So far, though, greatness had eluded her.

Outsiders would be shocked to know that uncertainty was not strange to Cissie. Usually, she projected confidence, and a style that was her own. The Vidal Sassoon geometric short cut was presently the rage, but Cissie was never comfortable in cropped hair. Her compromise was to cut her long red hair at slight angles that rose at her shoulders and peaked at the back of her neck. She pulled one side back behind her right ear and always wore a large costume earring. Where every other young woman in New York had stayed up nights practicing with eyelash adhesive so she might master the art of Twiggy eyes, Cissie hadn't bothered. Her own lashes were deliciously thick, and besides, she never wanted to look like anyone other than herself.

Cissie was short, but the force of her personality projected a formidable aura. Other women hesitated before greeting her. Men confronted her only when their egos were firmly intact. She seemed unapproachable, and to most, she was. Long ago, Cissie had drawn a very tight circle around herself. Inside were her family and the few others she felt she could trust. Outside was the rest of the world. From those on the inside, Cissie needed approval and worked hard to get it. From those on the outside? She couldn't have cared less.

As with most rules, however, there were exceptions. There was more than a touch of the do-gooder in the otherwise aloof Miss Kahn. Show her an innocent victim and she became a protector. Show her someone without and she offered to provide. Show her an injured person and she tried to heal. For Cissie Kahn had a need to be needed. It was then that Cissie could be conned. It was then that Cissie could be hurt.

Her black pen made squiggles on her notepad. Should she take a chance with a questionable item—something that received only polite applause from the audience? No. Never bet on a horse that limps. What if she waited until she got to London and went out on a limb with one of the more outrageous Carnaby Street or King's Road designers? Mary Quant had certainly been selling big. No. The image of LaTessa was more Bond Street than Carnaby. "You can surprise customers, but you must never confuse them," Bert always said.

She was so absorbed in creating sensations that when he walked from the lobby to the elevators, she almost missed him. She had been about to swallow a sip of tea. It caught in her throat and she began to choke. Quickly, she wiped her eyes so she could study him more closely. That tall athletic body. Those broad shoulders. That thick black hair. Those hooded onyx eyes. He entered the elevator and Cissie sprang to her feet, heading straight for the front desk.

"Did you see the man who just walked through the lobby?"

The young concierge looked confused.

"Yves. You see all and know all. Don't let me down."

Cissie had slipped easily into French, leaning across the massive front desk and speaking to the slightly built Parisian in a low, conspiratorial whisper.

"You mean the gentleman without the raincoat?"

"That's the one!" Only *he* would be arrogant enough not to wear a raincoat in this weather.

"Monsieur Gold."

Cissie smiled, enjoying the warm, weak feeling she felt at the mention of his name. She had been crazy about Noah Gold ever since her brother, Andrew, had brought him home from school when the boys were both ten and she was seven. Over the years, she had flirted with him, made adolescent advances toward him, even gone so far as to tell him she adored the ground he walked on, but to no avail. She was Andrew's baby sister, and she might just as well have been invisible.

"Yves, I need a favor." Her big, thickly lashed eyes stared intently at her prey. "I need to know where he's going, when he's going, and with whom."

"It would be dishonorable," Yves said, squirming in his high, tight collar. "The privacy of our guests is sacrosanct."

"Yves," Cissie said, impatient with the game he was playing. "This is not a monastery. This is a hotel. You are a concierge. Your job is to dispense information. I'm only asking you to do your job."

She allowed him to struggle with his conscience for another few minutes before she tapped her finger on the desk. The time had come for the acting to cease. From the start, they had both known that he would do whatever she asked.

"Room 304. He checked in this morning, went to Laserre for lunch, and has a chauffeur picking him up at eight-thirty."

"Where's he going?"

"The Fashion Industry Gala at the Château de Villars."

Yves watched Cissie's smile grow larger and brighter. After a few seconds' pause, he presented her with the coup de grâce. "His date is Mademoiselle Aimée Bézards."

Cissie pinched his cheek affectionately. "You devil. I'll bet you even know the color of his shorts!"

Yves lowered his small dark eyes so she wouldn't see how pleased he was with her approval. When he lifted them, she was gone.

Cissie's mind raced as fast as the taxicab speeding her across town. Of all the hotels in Paris, why was he at the Athénée? Why had he walked into the elevator at the precise moment she was looking up from her notepad? Why was he going to the Fashion Industry Gala? Fate?

In 1968, an unmarried woman of twenty-five was an oddity. Most women graduated from high school, worked for a few years, and then retired to bake cookies and burp babies. Those who went to college joked that they were going only to get their *MRS* degree. Any young female over the age of twenty-one who wasn't sporting a plain gold band or an engagement ring was immediately suspected of being terminally ugly, mentally infirm, a lesbian, or, perish the thought, a hippie.

Cissie was none of these, yet, despite her appeal she was twenty-five, unmarried, unattached, and, if the truth be known, very, very lonely. One by one, she had followed her college cronies down the aisle as a bridesmaid. She had attended enough baby showers to be able to debate the pros and cons of Dr. Spock like an expert. And more than once, she had been confronted by an old boyfriend who insisted upon introducing her to his wife. Though her date book was full and she had very few free hours in which to brood, the aura of emptiness that pervaded her life had begun to grow.

Often, she wondered why it was that she couldn't seem to find the easy happiness others had. Was she so particular? Was she too standoffish? Was there something wrong with her? She knew that some found her intimidating, but she also knew how warm she could be. She knew that some thought her remote, but she knew that she was capable of great passion. She knew that some viewed her as the quintessential single woman—beautiful, successful, independent, sought after—but she also knew that what she really wanted was to belong to someone.

Enter Noah Gold. He had returned at a time when her void loomed in front of her like a black hole full of infinite nothingness. Seeing Noah, even for a moment, had opened a window and allowed in enough light to shine on an infatuation that for years had been consigned to a shadowy corner of her mind. More than that, the very serendipity of him being in *this* place at *this* time made her think that maybe, just maybe, she wouldn't be lonely for much longer.

The taxi jerked to a stop outside a narrow town house just off the Boulevard Saint-Jacques. As Cissie paid the driver, she reluctantly shelved all thoughts of Noah and forced herself to concentrate instead on the issue at hand. She was here on a mission of mercy. A friend was in trouble and no matter what else was happening, this took priority. Using her own key, she unlatched the large wooden door, left her umbrella in a corner, and trudged up three dimly lit flights of stairs.

"*Allez!*"

Even through the closed door, Cissie could hear the despair in Paul's voice. Slowly, she opened the thick metal door that led to the attic workroom of her lifelong friend, Paul Rochelle. The room was dark and it took a few seconds for her eyes to adjust. It was a large, strangely angled space that dipped and peaked, bowing to the whims of a gothic roofline. During the day, two skylights and a large window flooded the area with light. Now, only the soft glow of a nearby streetlamp permeated the cavernous studio.

Paul was seated at his drawing board, a dusky silhouette against the early evening sky. That morning, he had presented his first couture collection. It had been a disaster. The press had left without comment. Several key buyers had walked out. One or two had mumbled bromides about success in the future, but when it came to placing orders, they stalled. Yes, they found several numbers very interesting, but first, they had to check with New York. Tight budgets. Overstocked inventory. Marketing policy changes. A shaky economy. Translation: no orders for Paul Rochelle.

Cissie tiptoed across the cold wooden floor, carefully avoiding the clothes that had been tossed about in an obvious fit of pique. A few sequins glittered in the gloom. Several puffs of chiffon billowed as she walked by. Wordlessly, she wrapped her arms around him and held him while he cried.

Paul was practically kin. When Tessa and Bert had first come to Paris in 1946, they'd rented a flat in the same building as the Rochelles. Bert, whose father owned Kahn's on Third Avenue, a department store which for fifty years had catered successfully to the middle class, had been sent to Europe in an attempt to upgrade Kahn's clientele with items that could be exported inexpensively—fashion accessories, home accessories, fabrics, furnishings. Paul's father was a doctor struggling to establish a practice, his mother, Claudine, a seamstress. Since Tessa and Claudine both had young children and a passion for clothes, the two women became close friends. When, in 1949, Bert and Tessa opened their first store, they made Claudine head seamstress. Today, Mme. Rochelle held that same position, only now she lived in New York and supervised the three factories that manufactured the LaTessa label.

Cissie kissed Paul's light-brown hair. "I think you're wonderful," she said, patting him as one would a child.

"You would say that if I had shown paper bags."

"You're right, I would, because I love you and I don't like to see you hurting like this." She found a tissue and dabbed at his eyes. "Besides, I ordered quite a few numbers for LaTessa."

"One complimentary order does not make a business." His voice was low, wobbly. "And I don't think your father defines *exclusive* as something no one else wants."

Cissie would never say so, but she had been worried about her father's reaction to ordering Paul's line. She had convinced herself that Bert would understand, and if they took a loss, would write it off to loyalty.

"Everyone's here for another week," she said. "Wait and see what happens."

"You were at the show today. You heard the response. What should I wait for?" He could see that Cissie was struggling to maintain an enthusiastic façade. "Was it that bad?"

He was asking for an honest critique, not a sugar-coated response. Cissie stepped back, distancing herself.

"It wasn't bad, *chou*. It was tentative." She pulled a stool near him and held his hand while she talked. "Buyers are running scared. Ever since the British dumped this miniskirt craze in our laps, people are afraid to take chances. English or outrageous. Those are the only two criteria for risk-taking right now. Middle-of-the-road elegance? From an unknown? Pass."

"Middle of the road." Paul repeated her words in the same dirgeful monotone as one pronouncing a death sentence. He turned away from her, staring blankly at the rain.

Cissie began to rummage about the attic, flicking on lights, looking for hangers, tidying up. After several minutes, she clapped her hands.

"Okay! Enough self-pity! It's time to move on."

Paul turned around slowly, his eyes puffed and watery.

"If you're going to be a designer, you have to learn from your mistakes," she said in a staccato schoolteacher voice. "Balenciaga and Chanel were not exactly overnight sensations, you know."

She had collected all the clothes and placed them on an overstuffed ottoman in front of her.

"Take this, for instance." She held up a white sequined dress. It was a shapeless sack, strewn with silver spangles. "This is a 'so what!' It's fussy without being fabulous."

Paul studied the dress and then nodded in rueful agreement.

"This one almost makes it." She pressed a one-shouldered blue chiffon against her body. "The color's good and the fabric drapes beautifully."

"But?" Paul was sitting up, attentive. Cissie's instincts were sound.

"Too safe. No excitement."

"Then the buyers were right."

Cissie hung the dresses on a long metal rack. Jumbled thoughts began to bounce off one another. An idea teased at her. She kept her back to him, allowing the idea to take on dimension and definition.

"Paul. Did you make up more clothes than you showed?" she asked, working on intuition.

"Of course. I made lots of samples that I decided not to put in the line."

Cissie turned around, a smile building. "You kept them out because they were too *outré, n'est-ce pas*?"

"So?"

"I'd bet a six-course dinner at Maxim's that you should have shown them."

"But I didn't!" He felt defensive suddenly. "And now it's too late." His tone was sharp. If he had made the wrong decision, so be it. No further discussion was necessary.

"Says who?" Cissie was on her feet, pacing eagerly. "Get them out of whatever closet you stuffed them in."

At first he hesitated, but then he obeyed her command and went to the back of the loft. He unlocked a small door practically hidden beneath a drop in the ceiling. Gingerly, he extracted a metal rack with more than two dozen dresses on it. As he rolled it out into the center of the room under the light, Cissie shrieked with delight. Suddenly, she was all over the clothes, pulling them off the rack, holding them, touching them, pressing them to her.

"*These* are Paul Rochelle designs," she said. "*This* is what I had expected to see on that runway today."

"It's too late." Cissie's burst of excitement had only served to depress Paul further.

"Stop saying that! You sound like a wimp!"

"Well, what would you like me to do?" he shot back. "Pack these up and swim across the Channel in time for the British showings? I'm sure they're all waiting for me with open arms. Jean Shrimpton and

Penelope Tree are panting at the thought of modeling Rochelle originals." His voice was whiny and bitter.

"You don't need them. You've got me." Cissie was wound up. She paid no attention to Paul, but crossed over to his desk and picked up the phone. Once she had dialed, she looked at her friend. "Now start shaking that skinny ass of yours. I have a party to go to tonight."

"That's another joke. We were going together. It was supposed to have been my triumphal banquet."

"Well it's not and we're not. I'm replacing you as my escort because you have work to do." She cupped her hands over the phone. "By tomorrow morning, you're going to be hot stuff or my name isn't Frances Rebecca Kahn!"

Noah Gold was not easily impressed. At twenty-six, he had seen more of the world than he had wanted and indulged himself more than he should have. There wasn't much that raised his eyebrows, yet he audibly gasped when he entered the Grand Salon of the Château de Villars.

Built in the seventeenth century, Villars was not as vast as Chambord or Chenonceaux, nor was it as well-known, but many considered it the most beautiful of all the châteaux for its grace and genteel elegance.

The architecture was the work of Louis Le Vau, the unchallenged master of his day. The gardens, deemed by experts to be the most perfect example of formal design both then and now, bore the stamp of André Le Nôtre, the landscape genius responsible for the Tuileries, and the resplendent paintings that decorated most of the walls and ceilings had been designed and executed by Charles Le Brun.

The Grand Salon, more than sixty feet long and sixty feet high, with its black and white marble floor and extravagant fenestration was dazzling. Unlike Fontainebleau, where every inch of available space was decorated, tapestried, or sculpted; or Versailles, which stretched splendor to excess, Villars's ballroom was startling in its simplicity.

The pure white stone walls were massive, yet without the cold foreboding nature one might expect from such an unyielding substance. Every few feet, a graceful archway curved around a triple-tiered window meant to invite warm daylight into the room. On a second-story level were more windows, more light. Noah's eyes were drawn upward, above the windows, to the intricate carvings that circled the ceiling. Sixteen statues—representing the four seasons and the twelve signs of the zodiac—appeared to support the enormous dome that bonneted the room. On the floor, marble columns provided the bases for busts of Roman emperors, a fitting touch, Noah thought, for such a regal chamber.

At the far end of the salon, the orchestra played a waltz. Several couples, propelled by a sense of the long ago, swept across the floor with extravagant gestures. They, too, felt the magic of the château.

"Would you like to dance?" Aimée Bézards's high-pitched voice intruded on his mood.

For an instant, he seemed to growl, as if she had violated a moment of silent prayer.

"Maybe the next one," he said, forcing himself to smile and pat her on the arm. She never noticed that he was patronizing her. She was too besotted with him to notice anything.

Although Aimée clung to him like a barnacle to a ship's belly, Noah was oblivious to her presence. She was another woman at another party in another city. Since he had been discharged from the army three months before, he had made his way from Saigon to Bangkok and from there to every major city on the Continent. During the day he had visited every palace and museum he could find. At night, he had frequented every cabaret and beer parlor each city had to offer. He spent money indiscriminately. He booked lavish hotel suites which housed his luggage, but rarely his body. And he had had sex so often, with so many different women, that he was almost bored. But still, he refused to go home.

He was not handling the transition from soldier to civilian well. His military experiences had made him moody and, at times, he was subject to fits of depression that came upon him without warning, and pitched him into dark, brooding silences that, to his amazement, seemed to fascinate women. And the more they fawned, the less he thought of them. He had always despised easily manipulated women, but now he used them, just as he was using Aimée.

As Aimée prattled on about who was there and who wasn't, black-jacketed waiters circulated among the guests, urging them to leave the anterooms and be seated so that dinner might be served.

Although one would never guess it from looking at this assemblage, the French fashion industry had been in a slump for the past several years. English designers were now the brightest stars in the firmament. All attention was focused on the Carnaby Street "mod" revolution—long hair for men. Thigh-high skirts for women. False eyelashes. High-heeled boots. Fishnet stockings. To the French, it was simply too déclassé. But to a world torn by unrest, it was unique enough and whimsical enough to have caught on. Tonight was an attempt by the French to present its version of *la mode.*

Marie-Hélène Rothschild had chaired the event, and thanks to her considerable influence, the haute monde of Paris had turned out in support. The heads of the various committees alone would have filled a social register: Jacqueline de Ribes, Marisa Berenson, Princess Grace of Monaco, Paloma Picasso, Luciana Pignatelli. American retail buyers were the unspoken honorees, and every woman with even a hint of French blood in her veins was oozing enthusiasm over the recent collections. Dior. Saint Laurent. Guy Laroche. Nina Ricci. Givenchy. Madame Grès. Courrèges. Tonight, their luxurious clothes were draped over live mannequins with titles before their names, jeweled bibs around their necks, and expensive furs tossed over their arms. The panoply of color and texture was a sight to behold and as Noah eased out of his mood and rejoined the party, he found himself being drawn into the carnival atmosphere.

Suddenly, he felt Aimée's fingers tighten around his arm. Conversation all around him stalled and then began again, only now more rapidly and with greater excitement. It was difficult to believe that in a room bursting with beauty and elegance, any one person could create an uproar, but Noah's head turned, just as the others' had.

Her dress was the most vibrant of reds. The hemline was jagged, spiking sometimes below the knees, rising in other places almost to the tops of her thighs, making her legs appear endless. Her slim frame was at the same time aristocratic and lusty, with rich, red silk that draped in lush folds over her breasts, then fell in a deep V to her waist. Her legs shimmered with lightly glittered stockings, just a touch softer than her red satin pumps. Her hair was brushed back behind both ears, framing diamond cluster earrings that were as bedazzling as their wearer. She strode into the salon with an assured arrogance that proclaimed the evening hers.

"Who is she?" The urgency in Noah's voice startled Aimée.

"I have no idea," she said, admitting to a certain amount of curiosity. "I do know her escort, though. He is Comte Michel de Vries."

Even through his bewitched haze, Noah thought he detected a note of jealousy. Had he questioned Aimée, he would have learned that Michel de Vries was indeed a prized commodity—the youngest son of one of the few families in Europe that still had a fortune behind its coat of arms, and independent enough to have eschewed his ancestral place in the family bank in favor of a career in photojournalism.

Aimée tugged at Noah's arm, but he shrugged her off. He was completely absorbed in his own response to the lady in red. Standing in that elaborate room should have overwhelmed most mere mortals, but looking at her bathed in the spotlight of her own self-confidence, Noah Gold experienced a rush of passion he hadn't felt for years.

Throughout dinner, he tried to be charming and attentive to Aimée, but even from across the floor, the woman's presence attracted him like a magnet, distracting him from everything except his single-minded desire to possess her. Recently, passion had become a matter of one lover being more skilled than another, one technique more inventive than the last. This woman simply had entered a room and he felt his emotions swell.

For Cissie, dinner was an interminable chore. She had a great deal riding on the success of this evening and time spent eating was time wasted. Paul's career was literally on her shoulders. Her own career would be better established if she pulled this off. And of course, there was the matter of that gorgeous man with the hooded onyx eyes. She might leave here with only a few orders for Paul and a minimum of press coverage for LaTessa, but one thing was certain, she was not leaving without making contact with Noah Gold.

Thank goodness for Michel. Walking in with him had created just the stir she wanted. They were old friends who had once tried being lovers, but found they were better suited in an unentangled way. He was a marvelous escort, just as she was a delightful date when either one needed a no-strings-attached partner for an evening. She didn't know what she would have done if he hadn't been in town. Since every mother of an unmarried young woman this side of the Atlantic was eager to rid Michel of his bachelorhood, whoever decorated his arm was the object of scads of attention.

"Where is he?" Michel whispered into her ear.

Without pointing, Cissie located Noah.

"He's at the table with the head of Galéries Lafayette, Diana Vreeland, and the Baron Alexis de Redé. To the right of the doorway."

Michel grunted.

"What's the story on Aimée Bézards?"

"Worried?" he asked with an amused smile.

"Curious."

"She's sweet, but not in your league." He was matter-of-fact, no flowers, no candy. Cissie didn't want compliments, she wanted information. "Also, I'd say he's about as interested in her as you are in the poached bass."

Cissie turned in Noah's direction and found herself trapped by the intensity of his stare. When her equilibrium was restored, she returned his gaze, boldly flashing him a brilliant smile.

"I think I know him." Michel's voice startled her. "I can't be certain from this far away, but I think I shot some footage on him in Vietnam."

"He was there," she said, suddenly alarmed. "Was he hurt?"

"Yes. In fact, I think he was some kind of hero, nominated for a medal."

Noah had no idea what Michel and the woman in red were talking about, but their heads were too close together, their smiles too easy. He wanted to charge across the room and separate them. In the two hours it had taken to serve the meal, he had grown more entranced with a woman who one minute seemed like a total stranger, and the next sparked a distant memory of another redhead from another time.

Finally, coffee was served. He began to watch her even more closely. The instant she stood, he stood, unaware of whether Aimée followed or not. Before he could reach her side, a crowd had formed. Flashbulbs were popping. Reporters had left their decorum at the tables, snatching notepads and pencils from sequined evening purses or tuxedo pockets. Noah hung on the outer perimeter like a stagedoor Johnny, awaiting his audience with the star.

". . . But I attended the Rochelle show. This was not in it."

One reporter was more insistent than the rest. While Cissie pretended annoyance, she was grateful. She had counted on someone just like this to cue her.

"This is exclusive to LaTessa." Cissie raised her chin until she reached the desired level of superiority. "It was ordered, along with five others, after a private showing with Monsieur Rochelle."

"He's a newcomer. Why would he hold private showings?"

This time the voice belonged to the buyer from Saks Fifth Avenue. Cissie had to be careful or she could alienate those very people she had come to impress.

"Being a newcomer doesn't necessarily mean that one is a parvenu. Rochelle's family has been involved in fashion for years. He knows that it's not unusual to thank a new customer by offering exclusives. LaTessa ordered ten numbers from the show and for that display of confidence, we were invited to his atelier."

Quickly, she turned to someone else, but not before she caught the Saks buyer summoning her assistant and whispering into the young woman's ear. Cissie would have bet a summer in Deauville that the Saks contingent was going to show up on Paul's doorstep within the hour. She only hoped he was ready for them.

Noah watched, rapt, as one by one the redhead dispensed with questions and requests for photographs. She spoke with authority, her face aglow with the knowledge that she was center stage. But he noticed that she didn't abuse her celebrity. She merely used it to her advantage. At some point in her performance, he became aware of the fact that it was just that—a performance. Some instinct told him that she was manipulating her audience so that they would buy from Paul Rochelle. Whoever she was, she was his shill.

"I'm Noah Gold," he said, elbowing his way through the pack. "I've been admiring you all evening and I just wanted to express my compliments."

He took her hand, bowed and kissed it with great ceremony. Eyes widened. Mouths curled with anticipatory smiles. Who was the brazen American? Everyone watched as he raised his head, bowed again, and began to turn.

"Noah Gold. What a small world," Cissie said as if it had just come to her. "You're Andrew Kahn's friend."

Noah couldn't decide whether he was more shocked by the rapid dispersal of the crowd or by the fact that she had mentioned Andrew Kahn.

"I haven't seen him in years," he said, a note of suspicion underscoring his words, "but I consider him my closest friend."

"I'm Cissie. Andrew's sister. Don't you remember me?"

Before he could react, she turned to Michel and rattled to him in French. Noah gathered that she was translating their conversation. While she did, Noah stared at her face. Now that she prodded his memory, he did recall a gangly, awkward girl who used to hang around him until he wanted to strangle her. The big gray-green cat eyes were the same—thickly lashed, almond-shaped. Then, he'd seen them as too big for her face. Now, they were sensuous beacons, luring him. When she turned back to him, he was momentarily startled. He had become lost in her eyes. He heard her introduce him to Michel. He felt himself shake the count's hand. He even heard himself wonder aloud where Aimée had gone. But he was functioning in a fog.

Cissie was completely aware of her effect. She sensed the animal response that had gripped Noah, and she knew that her own desire had sent out encouraging vibrations, but she had observed him with Aimée, and remembering what he had been like as a young man, guessed that he was prone to quick affairs and short-lived romances. If she gave in to him, she might as well give up on getting him. No. The way to snare Noah Gold was to let him chase her until she caught him.

"Monsieur Gold. I am a photographer," Michel said in his heavily accented English. "Were you in Vietnam?"

Noah stiffened. "Yes. What about it?"

Cissie found his reaction odd.

"I think I took pictures of you at Dakto. Were you there?"

Cissie was positive that she saw his body tremble, but it happened so quickly, she couldn't be sure.

"Everyone who was anyone was there." His laugh was hollow, as if it had come from deep within an empty skull. "But I'd rather not discuss it."

Cissie interpreted and added a warning of her own. Michel thanked Noah, apologized, and excused himself, claiming he wanted to fetch Cissie's wrap.

"I'm sorry if I was rude." Noah fumbled in his pocket for a handkerchief. He wiped his forehead and tried to smile. "I'm not as adept at dealing with reporters and photographers as you are."

She laughed and the lightness of it relaxed him again.

"Are you in Paris on holiday?" She had told Michel to take his time, but there was just so long one could stand around a coat room.

"Sort of."

Cissie suddenly felt shy. She realized that she hadn't seen this man in years and that she really didn't know him at all. But she knew how he affected her. She knew that for some inexplicable reason she was sure she was falling in love with him. But right now she didn't know what to say to him.

"Where are you staying?" He had saved her the trouble.

"At the Plaza-Athénée," she said, wishing her heart would beat more softly and that Michel would walk more slowly.

"So am I." Maybe Aimée had gone. Maybe Michel had gone. Maybe he would be able to be with her tonight. "May I see you again?"

Michel returned, toting a white fox coat which he slipped over Cissie's shoulders.

"The car is waiting. Monsieur Gold, it has been delightful meeting you." Michel extended his hand.

"Likewise," Noah said. "Cissie?"

"Call me." She tossed the words over her shoulder in the most casual way, but he nodded. He would call her. As soon as he could get rid of Aimée Bézards.

* * *

Between the clanging of the telephone and the thumping on her door, Cissie never got to sleep that night. She had hoped that Noah would call, but she hadn't been prepared for such persistence. It had taken all her energy as well as all her control to resist flinging open the door and throwing herself at him. But resist she did, burrowing under her blankets and murmuring to herself over and over like a mantra, "Abstinence, abstinence."

The next morning, sunglasses hiding the dark circles that underlined her eyes, she sneaked out of the hotel and spent the day with Paul and Michel, gloating over their apparent triumph. As she had suspected, many of the buyers who had walked out on Paul's debut had run to his atelier after the gala or first thing this morning. The dress had created a sensation, but the word *exclusive* had created a ground swell. No retailer worth his markup could afford to miss out on a hot trend and no buyer worth his or her expense account would dare return home from prêt-à-porter emptyhanded if a competitor was coming home with his arms full. Saks, Martha's, Bloomingdale's, Neiman-Marcus, Bergdorf Goodman's, Wilkes Bashford—all the fine stores had placed orders from the collection as a way of bartering for exclusive rights to designs from what Cissie had dubbed Paul's "studio pieces." Tessa Kahn's reputation for divining salable new talent was legend in the industry. Cissie had traded on that reputation, banking on the notion that everyone would figure "like mother, like daughter." Obviously, they had. From a rack of dresses stashed in an attic closet, Paul Rochelle was in business!

After the last buyer had gone and the last interview had been given, the three friends celebrated with dinner at a nearby bistro. By the time Cissie returned to her hotel, she was ready to collapse. But waiting outside her door, sitting on the floor of the hotel corridor reading a newspaper, she found Noah Gold.

"I gave at the office," she said, gently nudging his leg with her foot.

"So that's where you've been for the last twenty-two hours, thirty-three minutes, and approximately five seconds." He bounded to his feet. "Not that anyone's counting, you understand."

Cissie's heart lurched as his face broke into a broad grin. He was so glad to see her that she felt weak with happiness.

"Let me buy you a drink," he said, linking his arm through hers and steering them toward the elevator.

"I don't need a drink," she said. "I need sleep."

Without missing a beat, he spun them around in the direction of her room.

"I'm easy to get along with. If you'd rather sleep, I'd be happy to sleep with you."

Abstinence. Abstinence.

"Maybe a drink would be nice."

Again, like a pair of wooden dolls on a cuckoo clock, he spun them around and trundled her off to the elevator. They giggled like children and their tittering continued even after they were seated in the Rélais-Plaza, a sleek appurtenance to the hotel, where social moths gathered after hours.

For a long time they caught up on the past, playing "remember when" until there was nothing more to remember. Noah asked about Andrew and her parents and, of course, about herself—what she was doing, how she enjoyed her work, what it was like working for her parents. When she asked about him, he responded with a stilted résumé. Name, rank, serial number, and nothing more. When she tried to fill in the blanks, a shade dropped over his eyes, keeping her out, shutting himself in. Quietly, Cissie motioned to the waiter for another round of drinks.

When the mood had passed, Noah turned to her expectantly, almost arrogantly. This was the time when most women regaled him with knowing nods and advice from soap opera psychologists. "I understand" was the catch phrase. "I have moods myself," they'd say. Or, they would tell him about a friend of a friend of a friend who had been suicidal until he met "the right woman." Cissie continued to sip her drink.

"I'm prone to lapsing into depression." He wasn't sure whether he was annoyed or amused by her silence, but after a few minutes, he had felt the need to explain.

"You're entitled. I'm sure you've been through hell." Her gray-green eyes looked at him squarely as she took his hand. "I think it's time to go home."

His hand jerked free of her grasp. Sweat dotted his brow so rapidly that it frightened her.

"I meant to your room." Her voice was hushed, soothing. "I'm exhausted and my guess is that you could do with a good night's sleep yourself."

He laughed, but it was that hollow, otherworldly sound she had heard the other night. She didn't know that he rarely slept anymore.

They didn't speak until they reached her door. Then he stood facing her like an awkward schoolboy, unsure of what to do next. Cissie leaned over and kissed him, sweetly, without suggestion. His hand slid down her cheek and a faint smile flickered across his lips.

"If I promise to be scintillating, will you have dinner with me tomorrow night?"

"Even if you're not, I'll have dinner with you."

"You always were a sucker for stray dogs and cats," he said with a shy grin.

As she watched him walk down the hall, she wondered just how many ghosts lived inside the body of her brother's best friend.

Cissie was barely conscious as she lifted the phone from its hook and propped it next to her ear with a pillow. Speaking was a physical impossibility. Maybe listening would be sufficient.

"Hi, honey!"

She heard the voice. It was familiar. Her brain was transmitting messages to her mouth, but her muscles seemed to be on a ten-second delay.

"Hi, Daddy." Finally, her lips, teeth, tongue, and vocal cords decided to function as a unit.

"I've been calling until my dialing finger got sore. Where have you been? Are you all right? Did something happen?"

Cissie demanded that her body rouse itself. She stretched, letting blood course through her veins and lift her energy level one notch above total inertia.

"Everything's fine," she said, wishing for a cup of coffee. "In fact, things are great! You'll never guess who was the star of the Paris showings. Paul Rochelle!"

"Aided and abetted by none other than the inestimable Cissie Kahn. Right?"

She could hear the smile in his voice.

"I simply wore one of his dresses to the gala."

"You never do anything simply, darling." Bert's laughter affected Cissie like a jolt of caffeine. Suddenly, she was awake. "I got a call from the trade papers," Bert continued. "They want to do a story on you and LaTessa. Somehow, I had the feeling I'd better hear the story first."

"His collection bombed." She heard an I-thought-so sigh, but she kept going, explaining the show, the hidden clothes, Michel, everything. At the end of her monologue, she abruptly changed the subject.

"Noah Gold was there."

"Really. How was he?"

Alert. Her father hadn't commented on her shenanigans at the gala and his voice had dropped an octave. He and Isaac Gold were good friends.

"He was very handsome."

"Did you speak to him? How did he seem?"

"I'm seeing him for dinner tonight. Why?"

"His parents are extremely worried. Noah was discharged a few months ago and he won't answer their letters or return their phone calls. He doesn't seem to want to come home." Bert's pause was ominous. Cissie's stomach began to flutter. "Is he in one piece?"

Cissie knew the Golds well. Isaac was overbearing, but he worshiped Noah. He must have been counting the seconds until his son's discharge. Blanche was historically nervous. With Noah in a battle zone, she must have been frantic.

"Physically, he appears fine." Cissie wondered if she should say more. He wasn't fine. Those dark moods spoke of deep, grievous wounds, but they were Noah's business and she felt strangely protective. "Maybe he just wants to party before jumping into the electronics business. Tell Isaac and Blanche not to worry. I've seen the prodigal son and he's okay."

"He was awarded the Purple Heart. Didn't he tell you?" Bert knew she was holding back. He always knew.

"Really, Dad. What do you think he did? Walk over to me with a glass of champagne in one hand and his Purple Heart in the other?"

"You're right. Sorry, darling. Anyway, my congratulations on a job well done. Your mother and I are very proud of you." That meant a lot to Cissie and he knew it, so he made certain to emphasize it. "Tell Paul I'm proud of him too. And when you see Noah, give him our love."

I have every intention of doing just that, she thought as she snuggled back under the blankets.

They had dinner that night and the next three nights after that, dining at the swankest restaurants, sharing a brandy at Maxim's or the Rélais and then dancing until three at one of the private clubs in the eighth arrondissement. Each night, Noah escorted Cissie to her room. Each night, they'd kiss and both of them would feel the heat that passed between them. Noah would press his body against hers and his need was unmistakable. Yet each night, Cissie insisted upon denying him, denying herself.

He'd leave and she would crawl into bed, trying not to notice the cold, empty space beside her. Her body ached from wanting him, but she had convinced herself that short-term satisfaction might prove detrimental to her plan for long-term commitment. Instead of loving him, she spent her late-night hours thinking about him, attempting to relate the cocky teenager who had captured her adolescent imagination so many years before with the insecure, brooding man who was slowly but surely capturing her heart.

The Noah Gold of their youth had been quick-mouthed and extremely slick, much like the side Noah Gold presented to the world today. That side was a covering, a smooth shell that Cissie recognized. The core of his person was more difficult to find. He had set up invisible boundaries, emotional fences that allowed no trespassers. Each time Cissie poached those boundaries, he retreated into one of his dark silences. Like a volcano, he simmered beneath the surface and she feared that he was building toward an explosion. Cissie had tried to draw him out, but so far she had failed. It was not until the day before she was scheduled to leave for London that he allowed her a glimpse inside his soul.

She had covered two shows. A nap would have been delightful, but she had made plans to see Paul, have a quick drink with him and Michel, and then meet Noah for dinner at a charcuterie on the Left Bank. It was freezing and the wind was whipping around, but for the first time in weeks, it had stopped raining.

As Cissie left the hotel, she hiked up the collar on her coat, lowered her head against the wind, and allowed the doorman to help her into what she thought was her limousine. As the door closed, she realized she was in the front seat, not the back; in a Mercedes, not a Citroën; and being spirited away by a driver who looked nothing like her chauffeur, Robert.

"Don't scream lady, or I'll have to rearrange your face," Noah snarled in his best Humphrey Bogart tough-guy voice.

"What are you doing?" she asked, her eyes wide with mock fear, her tone appropriately shrill.

"You're being kidnapped."

"Am I going to be physically abused?"

"If you're lucky." His eyes remained fixed on the road, but the corners of his mouth curled in a smile.

"In that case, let me know the instant we reach the hideout!"

"You got it, babe."

It was the most relaxed Cissie had seen him. Even his clothing was a departure from the stiff, formal man who had been her companion for the past few evenings. His sports jacket was a charcoal gray tweed, his slacks gray flannel, his sweater-vest cabled and baby pink. His whole mien was freer, more open.

Cissie leaned back against the leather seat, lulled by the speed of the car as Noah kept pace with the traffic on the Periphérique, the road that circled Paris and led to all routes out of the city, and exited onto Motorway A6, headed south.

Two hours later, they pulled into a small cobblestone parking lot belonging to a quaint country auberge. The façade was generously daubed with stucco and then crisscrossed with strips of wood stained dark brown. Flower boxes adorned the upper tier of windows, filled now with small evergreens whose branches drooped over the edge and seemed to shiver from the cold.

"Where are we?" she asked, peering through the front of the car.

"Friends of mine own this place," he said, tying a scarf around her neck. "I hope you don't mind, but I had to get away from the city." He tugged at the ends of the scarf until her mouth met his in a soft, comfortable kiss. "I wanted you all to myself."

"Any specific reason?" she said, tasting the moisture on her lips.

"I thought we'd take a walk around the gardens and then have a long, leisurely dinner." Again, he kissed her. "And then, we're staying the night. I'm going to make love to you and we're going to fall asleep in each other's arms and we're going to wake up in each other's arms and then we're going to make love again. Any objections?"

"I forgot my toothbrush." Why was it that the more softly he spoke, the more excited she got?

"I brought an even dozen. Every color. You can take your pick."

"Then I have no objections."

He jumped out of the car, ran around to her side, and helped her out. His face glowed and he appeared more handsome than ever. For more than two hours, they strolled the grounds of the Auberge Loiret, their arms linked, their spirits beginning to blend.

Later, as they warmed themselves by the fireplace in the bar and sipped a local Sancerre, they became lost in the process of discovering each other. Technically, they had known each other for years, but really they were still strangers, their lives still uncharted territory that needed exploring. And explore they did. They talked. They laughed. They were serious. They were silly. As the afternoon lengthened they drew closer together.

By the time they entered the dining room, it was half filled, but

Noah's friends had saved them a table in the far corner, tucked away from other customers, yet near the window that overlooked the garden. A high, lofted ceiling made the room appear larger than it really was, but the tiled floors and richly toned area rugs retained a true country charm. Here and there, a brass chandelier hung suspended over a table for eight. Smaller tables relied upon candles for illumination and ceramic vases for decoration. Local faience was used to serve the food which was, as Noah had said it would be, perfection.

They lingered over each course, savoring the delicate tastes and textures of the cuisine. The wine, a robust Saint-Emilion, complimented their meal and added to the web the two young people were weaving about themselves.

They had their coffee and now Noah was sipping a Sambucca, Cissie an Amaretto on the rocks, when something caught Noah's eye. Across the room he noticed a couple rising from their seats. The man held on to the table while the woman walked over to the wall, where she retrieved a set of crutches. The man steadied himself and then hobbled toward the door. He had only one leg.

Suddenly, without warning, Noah retreated. Cissie felt as if she were watching him disappear into himself, leaving only a casing.

"Noah Gold! Don't you dare block me out!" Her voice crashed through to his consciousness and he turned, caught midway between the darkness and the light. "I want to help you," she said. "Whatever happened, you've got to talk about it." She grabbed his hands and shook him.

He stared at her, but his eyes were blank. She was about to shake him again when she realized that his hand was gripping hers so tightly that his class ring was cutting into her skin. His face had paled, and when he spoke, his voice sounded as if it were coming from a long tunnel.

"It happened the first week in November. The North Vietnamese were swarming all around Dakto. My orders were to capture a Cong stronghold near the Cambodian border. I guessed that we could parachute without being detected. I guessed wrong."

His head rattled as he heard the screams of the attacking guerrillas. Before his eyes, the battle played itself out again, as it had countless times before.

Get down! Take cover! Watch your ass. They're grabbing strays!

"I had led my men into an ambush. The jungle was on fire. Bullets were flying. Grenades were exploding all over the place and still, one of those bastards stood in the middle of it all, took one of our boys, and sliced off his arms and legs as if he were a human potato."

Cissie listened in horror. Noah's eyes had gone black. Sweat rimmed his face and dripped onto his neck.

"One by one, men fell to the ground, but we kept fighting. God, they were tough! At one point, we machine-gunned the area like exterminators going after rats, but they kept right on coming. It took four hours, but finally, there was silence."

Quickly, a body count was taken. Theirs. Ours. Fifteen Americans had been taken prisoner.

"The boys wanted to go after their buddies. My job was to join up with the platoon before the Cong could bring in reinforcements. There was no time for a rescue mission."

He could still feel the angry eyes that bored into his back as he led them away from their comrades. He could still feel the bugs that had attached themselves to his sticky body as he and his men crawled along the jungle floor. He could still see the faces of the men who had died.

"We found a pond and slid into it so they couldn't track us. The water was filthy, but we stood in it for hours, holding our rifles and ammo above our heads. The stagnant water was up to our necks, but we stood in that toilet, afraid to sneeze, afraid to cough. One man swallowed his own vomit."

Even now, Noah felt submerged, stuck in a muddy-bottomed pond, arm muscles tense and aching, head throbbing.

"When I thought it was safe, I took one other guy with me while the rest of the squad pushed on ahead."

Just then a twig snapped off a tree and hit the window. Noah jerked. His eyes turned to slits. He was on alert. His shoulders stiffened. His eyes remained fixed on the window, seeing another time, another scene.

The two men wriggled their way back to the spot where they had been ambushed. The Cong had known they would return. Extremities lay strewn about like discarded clothing. An arm. A hand. Fingers. A foot. In the center was a pile of human feces. Stuck in it were the dog tags of all the men who had been slaughtered. Noah's aide, Pete, went to retrieve the tags.

"Don't touch them. It's a trap!"

"The mine went off instantly. I dragged Pete away, but he was barely alive. I hoisted him up onto my back, grabbed the dog tags, and ran."

He's like dead weight! I'll never make it. My legs are going to break. I've got to find help! I've got to save Pete!

"I don't know how far we ran. Miles, I think."

Blood dripped down onto Noah's face. His nose filled with the odor of rotting flesh.

"Every once in a while, he'd slip, but I was afraid to stop."

It was twilight, the most dangerous time of the day. The jungle became overrun with ominous shadows and eerie noises.

"I thought I heard a platoon up ahead, but it could have been the enemy. I should have run, but I stopped to listen. Two guerrillas jumped out at us."

Again, Noah's head filled with the sound of their wild screaming.

Fear gripped Noah. He clutched his machine gun and riddled his two attackers with bullets. Panic spread through his body like a virus. His finger froze on the trigger. He sprayed an entire belt of ammo into two small men. Even after they lay on the ground without a single breath between them, he kept on shooting. Even when he had no more bullets, his finger pressed against the trigger.

Noah crooked his finger and stared at it for the longest time. When he allowed himself to speak, his voice was so low Cissie had to lean closer just to hear him.

"I never looked at them. I was too scared. I just hit them again and again and again."

Tears ran down Cissie's cheeks. She tried to feel his terror and his guilt, but she knew it was impossible. Only another soldier could know how Noah had felt.

"Pete had fallen during the shooting. When I looked at him, I got sick. He had been dead for hours."

Noah's voice faded to a whisper and his eyes riveted on a spot on the floor.

Rigor mortis had already set in and Pete's body had stiffened into a curl. Noah bent down and, using both hands, pried open his friend's mouth and stuck his dog tags between his teeth. Then he hoisted Pete back onto his shoulders.

"I couldn't leave another one behind for them to butcher."

"Did you find your platoon?" Cissie wished he would look at her. He didn't, but he nodded in response.

"My men had gotten there in time. They had stopped an attack on our airfield." Now Noah looked at her, but his gaze was vacant, his mouth twisted into a sardonic smile. "According to the United States Army, my mission was a great success. I was a hero."

"Yes, you were," she said softly. "You were very brave."

"I am not a hero," he shouted, oblivious to the others in the room. "I am not brave!" The tears poured out of his eyes and he covered his face with his hands.

Cissie rose from her chair and walked around so she faced him. Kneeling, she grabbed his arms.

"Why not, Noah? Tell me why you're not a hero." His body quaked. "Don't go back into that darkness! Tell me!"

Slowly, his head lifted off his chest. He began to sob, sliding off the chair onto the floor where Cissie was kneeling. She took him in her arms and let him cry on her shoulder.

"I abandoned fifteen men," he said in that hollow tone that had become horrifyingly familiar. "I left fifteen men to be cut up and diced into little pieces by the Cong."

"You had no choice," Cissie said firmly. "More men would have died if you hadn't sent your squad on ahead."

"I killed those two guerrillas. I pumped enough lead into their bodies to wipe out an armored division."

"They came after you. If you hadn't killed them, they would have killed you. It was war. You were a soldier. You were doing your job."

He simply stared at her. When he spoke, his voice strangled in his throat.

"Was it my job to slaughter children? After I killed those two, I turned their bodies over with my foot and I looked at their faces for the first time." His eyes filled with the memory of those faces, watering with tears of regret and remorse. "They couldn't have been more than twelve years old."

For a long while, they sat huddled in the corner, Cissie cradling Noah in her arms, whispering to him, talking to him, loving him. The restaurant had emptied. The owners had had the grace to leave them alone. Slowly, Noah came back to himself. Cissie wiped his eyes with a napkin.

"I'm embarrassed," he said.

"Don't be," she said. "You did what you had to do and you're man enough to admit that you hated doing it. Don't be embarrassed about being human."

A brief smile grazed his lips.

"I think I love you," he said.

"I think you think too much." She stood and offered him her hand. "You promised to make love to me tonight, and I intend to hold you to that promise."

Noah's arms wrapped around her with a need that bordered on desperation. There were no words, no preliminaries. He stripped off her clothes as quickly as he stripped off his own, dumping them into a pile on the floor. The room was small, overwhelmed by a huge four-poster canopied in pale-blue muslin. A narrow window facing the courtyard admitted light from the moon and the street, bathing Cissie and Noah in softly veiled shadows.

Her body was taut and firm, and as he lifted her into his arms, he felt as if he would burst with anticipation. He carried her to the bed and placed her on top of a thick down comforter that puffed and billowed around her warm, naked form.

His hands were moist and stuck to her skin as his mouth covered hers. She felt him tremble, and all control vanished. Her hips pressed against his, moving in rhythmic waves, pushing, shifting, pushing as if she couldn't get close enough. Passion shot through her veins as if it had been injected, enflaming her body, enslaving her soul. She heard her own breath quicken as he found his way inside her. Then it was over. Too fast. Much too fast. But there had been an urgency to this encounter that had to be satisfied. As Cissie opened her eyes, Noah's face loomed above hers, smiling.

"Patience was never my long suit," he said.

"Mine either." She smiled, noting how calm he looked, how relaxed his movements were as he shifted next to her.

For a moment or two, he appeared preoccupied with fixing the blanket, then he took her hand and looked deeply into her eyes.

"Thank you," he said softly. "I needed to talk, but more than that, I needed someone like you to listen."

Cissie leaned over and kissed his cheek. Again, they lapsed into silence. It was not an uncomfortable void, or an awkward pause, but rather a time of contemplation.

"A lot of guys avoided the draft," Noah said suddenly. "I couldn't do that."

"I'm glad you didn't. You had a horrible experience, but you did the right thing."

"My father certainly didn't think so."

"I'm sure he didn't. The Isaac Gold I know only wanted his son to take his rightful place on the throne of Gold Electronics. I was surprised he agreed to law school."

"Me too."

She had expected bitterness, yet his tone was understanding, even loving.

"Are you going to practice law when you go home?"

She waited. If he was going to explode, "going home" was the detonating phrase.

"For a while."

She breathed a sigh of relief. He was beginning to trust her.

"And then?"

At first, he responded with an embarrassed chuckle. When he spoke, he seemed younger than his years, and shy.

"During college, I was very active in the civil rights movement. I joined marches and sit-ins. I attended meetings and did volunteer work in the ghettos. I worked on John Kennedy's campaign staff doing research and canvassing. I learned a lot, but I learned even more from my time in Vietnam." He paused, and Cissie waited for the shade to fall, but he continued to speak in a clear, strong voice.

"Everyone says the world is divided into two groups—the haves and the have-nots. I agree that it's divided, but I think it's the powerful and the powerless, and in order to help one, you have to be the other. One of these days, I'd like to be a United States senator."

He had never spoken those thoughts aloud to anyone and his nervousness surprised him. Obviously, Cissie's reaction was more important to him than he had imagined.

Her mouth spread into a broad grin. "I think you'd be wonderful," she said.

"I think you're wonderful."

His lips found hers and they kissed, sweetly, with a tenderness that spoke of a caring that went beyond the bedstead. His hands began to move across her body again, slowly now, deliberately. He stroked her until she ached deep within, his mouth following his hands, exploring her, touching her, exciting her to a point where even the feel of his breath caused her to quiver. As Noah lifted her up, onto him, and held her, murmuring how much he wanted her, how much he needed her, how much he loved her, she felt transported.

Just as he had said, they fell asleep in each other's arms, woke up in each other's arms, and made love again. Over coffee and croissants, he proposed, and she accepted. That afternoon, they planned to return to Paris, call both sets of parents, and get married immediately.

On the ride back, Cissie tried to doze, but her mind refused to sleep. For years, she had viewed Noah as Olympian, without faults, without flaws. Last night, adolescent illusion had been brutally stripped away and she had been confronted with the truth—Noah was not Zeus incarnate. He was merely a man, a mortal with insecurities, failings, and fears. Was she disappointed? Disenchanted? Hardly. She was more in love with him than she had ever thought possible and she knew why. He needed her. Her parents, her brother, her relatives, her friends—Cissie knew they all loved her, but she never believed any of them really needed her. Noah did. He needed her strength and her encouragement. He needed her love and her enthusiasm. He needed her body and her soul. He needed all of her, and Cissie was more than willing to give all of herself to him. What she didn't know then, was that one day he would demand more from her than she could afford to give.

3

Frances Rebecca Travis

Frankie

May 1968

"OKAY, HONEY, make like you're loving it. Let me feel those hips move. Come on. Do it! Good. Good. Oh, God, you're wonderful! Don't stop!"

Jose Banta, New York's premier fashion photographer, paced in front of his camera, clicking the shutter cable, all the while talking, coaxing, calming, directing. Rock music blared in the background. Huge strobes bounced light off the ceiling onto a stark wall of white no-seam paper. Thick wires snaked in and around the set. An assistant stood on Banta's left, holding extra cameras and film. A stylist stood on the right, hairbrush and powder puff ready for use. Several magazine people huddled in a corner, watching and whispering. And every so often, one of Banta's gofers ran in or out of the studio.

At the center of all this hubbub was Frankie Travis, a five-foot-eleven-inch seventeen-year-old child who just happened to be the hottest model in the United States, possibly the world. Her lips were glossed a brilliant pink, her eyes slashed with wide strips of purple. Magenta rouge blushed her cheeks. And her thick wavy black hair had been twisted up into an off-center ponytail ribboned in silk.

A slink of fuchsia satin hugged her breasts, girdled her hips, and strained against her thighs. It was as if the strapless sheath had been painted on, a second skin. As she followed Banta's directions—bending, swaying, pumping to the rhythm of the music—the electricity in the room heightened. She was a baby in a woman's body, and whether it was right or wrong, conscious or unconscious, clean or dirty, everyone there was responding to the sexual aura surrounding Frankie Travis.

"Yawn for me," Banta said. "Do what I showed you. Come on, baby. Get me hot."

Frankie's eyes smiled at her mentor and her long, sinuous arms slowly moved upward. Her fingers tickled her cheeks, then continued up above her head, reaching, stretching, seducing. Banta nodded his approval.

The music changed. Banta leaned forward, forever clutching his shutter cable, and snapped his fingers, grinning at Frankie. She leaned over, grinned back at him, hiked the gown up on her legs and began to rock like the teenager she was—snapping her fingers, shaking her shoulders, singing along with the Stones.

Banta urged her on. As they rocked in time to the music, Banta's eyes automatically framed shots. Long ago, he had trained himself to see what the camera saw without looking through a lens. That way, he could work with his subject without worrying about the intimidating intrusion of the black box. His eyes narrowed. He focused. He looked. And then, he smiled. These were the best takes of the morning.

The song ended and Banta yelled, "Cut!"

He kissed her cheek and patted her behind.

"I love you, baby," he said. "Now get changed. We have three more to go."

Within ten minutes, she emerged from the dressing room, this time in an emerald green ball gown with a ruffled bodice and taffeta skirt. The no-seam paper had been changed to pale pink. The lights had been dimmed, the music toned down. Banta wanted the mood parlor-proper.

They were shooting a portfolio of haute couture evening wear for an upcoming issue of *Vogue*. The dresses were from the top New York designers, the photographs stark, without any gimmick other than the elaborate hairdos created for Frankie. This time, as a contrast to the turn-of-the-century feel of the gown, Dario had teased Frankie's thick mane into an aborigine fullness, forcing it to frame her face with a feathery halo.

Frankie, responding to Banta's direction, shifted her attitude from modern-day bold to antebellum reserved. She batted her eyelashes, curtsied, fanned herself, brushed hair away from her face with delicate flicks of her fingers, and blushed on cue. She had become Scarlett O'Hara, mistress of Tara, symbol of the South. The only thing missing was the scent of mint.

Banta guided her with hand signals, whispering occasionally, maintaining the soothing atmosphere, allowing the click-click of the shutter to be the only sound other than Frankie's soft mumblings.

"Abdominal oblique. Abductor pollicis longus. Biceps. Deltoid. Extensor pollicis brevis."

As she went through her recitation, her lips pursed, her mouth curled, then pouted. The camera caught every nuance, recorded every subtlety.

"What are you doing?" The harsh voice sliced through the air like a saber.

Frankie glanced in the direction of the interruption, but only for a second.

"I'm studying for a biology test," she said, turning back to the camera, looking over her shoulder into the lens. "Pectoralis. Sartorius. Trapezius."

"Study later!" All heads turned toward Lillie Rostov, Frankie's agent, manager, bodyguard, and mother. "Right now you have a job to do and you're running behind schedule."

"Cut!" Banta motioned for the lights to be turned off and for Frankie to sit down. "She *is* doing her job, Lillie, and we're on time, so relax."

Banta was quick to defend Frankie. He had worked with her for years and she was extremely conscientious, always willing to go the extra hour just to get it right. She was a sweet kid with none of the affectations that traditionally plagued other child models. Finally, Banta was convinced that if Lillie Rostov had been his mother, he would have shot himself—or her—before he was ten.

"Frankie wouldn't be where she is today if I took your unsolicited advice and relaxed." Lillie strode toward Banta like the leading lady she believed she was.

"What's the big deal if she studies while she works?" Banta asked. "As long as she gives me what I want, she can recite the Koran backward for all I care."

"She was losing the attitude. She wasn't concentrating." Lillie's tone had turned insistent.

Banta wanted to tell her to "stuff it," but he held his tongue. She would only take it out on Frankie and he didn't want that. Also, he was protecting himself. More than one photographer had challenged Lillie's interference and suddenly found himself exiled to fashion

Siberia—doing catalogues and statement enclosures. Jose Banta was currently considered the best in the business, with more jobs than he could possibly handle, but he was smart enough to know that in the fashion world, "best" was, at best, a temporary title.

"How about a soda?" Ina, the stylist, had wandered over to where Frankie sat perched on a stool. "They could be at this for quite a while."

Lillie and Banta had squared off. In controlled whispers, they battled for supremacy. Banta's assistant grabbed a smoke in the corner. The people from *Vogue* sidled over to the set so they could listen to the proceedings. Only Frankie and Ina kept their distance.

"Why does she do this to me?" Frankie asked, sipping her Pepsi. "Why does she insist on embarrassing me every chance she gets?"

Ina shrugged. "Maybe it makes her feel important."

Frankie played with the straw, swirling it around in the bottle until the bubbles began to foam.

"How did it look to you?" she asked. "Was she right? I mean, had I lost my concentration?"

"If you had started to sour, Banta would have stopped the shoot," Ina said. "You looked great. Then again, I always think you look great!"

Frankie giggled.

"That's because you're too short to see my face!"

"True."

Ina was five feet two and in her early twenties. Although they didn't pal around off the job, they had worked together so often that a warm, workaday friendship had formed between the stylist and the young woman *Women's Wear Daily* had dubbed "The Jolly Teen Giant."

Suddenly, Frankie slid off her stool.

"Do your thing," she said to Ina. "If I don't break this up, we'll be here all night and I'll never get to study."

Ina brushed, fluffed, rouged, and powdered. Then Frankie walked to the center of the set.

"Mom's right. I wasn't giving you a hundred percent, Jose, and I'm sorry. It won't happen again."

Her eyes sought Jose's, apologizing, asking if he understood. He winked, motioned to his assistant to turn on the music and the lights, and told Frankie how to pose. It was over.

He went to his camera and Lillie retired to a canvas chair, a small but triumphant smirk parting her lips. She had won, but in the interest of time, she would relish her victory in silence. The last thing she wanted was to gloat in front of the *Vogue* editors. Not only wouldn't it look good, but, even though they had obviously enjoyed the contretemps, they were paying for this shoot and further delay would be costly.

Throughout the next change, Lillie remained the silent observer. She had every intention of continuing that way, but when Frankie took an inordinate amount of time getting into the last dress, Lillie began to fidget. The *Vogue* people were checking their watches and chattering nervously. She jumped out of her chair, tossed an I-don't-know-what's-happening look at the editors in passing, and headed for the dressing room.

"What's going on?" she demanded, banging on the door.

When no one answered, she threw open the door. Ina was bent over, a bunch of safety pins in her mouth, trying to hold together a white panne velvet gown while Frankie stood stone still, sucking in her breath.

"It's a little tight," Frankie said at last. "I'll be ready in a minute."

As Ina worked on the dress, Dario put the final touches on his latest creation—a thick, luxurious braid that he had twisted up and across Frankie's head like a crown. One by one, he poked plastic icicles through the braid until she looked like a snowy Statue of Liberty.

"I thought we had a fitting on all these clothes." The senior fashion editor had followed Lillie to the dressing room. She had borrowed the clothes from the designers and it was her responsibility to return them in good condition.

"We did," Ina said, gently moving the woman aside so she could continue what she was doing.

"Well, then, what happened?"

"I guess I ate too many cookies," Frankie said, her cheeks pinking with embarrassment.

The tiny room had filled with spectators, all of whom were staring at Frankie as if she had committed an unspeakable crime.

"It's not that bad," Ina said, giving one last look to her handiwork. "We're only shooting the front and Frankie knows how to be careful."

"I'm sure she does, but I don't understand why it's suddenly too small." The lady was indignant and had no intention of dropping the subject until someone provided her with a satisfactory explanation.

Lillie began to hyperventilate. The shoot had been going too well for something like this to ruin it.

"What day is this?" she asked.

"The fifteenth." Jose eyed her carefully.

"Well, no wonder," she said as if the truth had just been revealed to her by a heavenly messenger. "Frankie's due to get her period any minute now. It's bloat."

Frankie stood frozen to the spot. She sensed every pair of eyes staring at her. She heard one of Banta's gofers chuckle. Her mother, completely oblivious, started to shoo everyone out of the dressing room and back to the set. Jose waited for Frankie.

"She doesn't mean it, baby," he said, stroking her arm. "Her mouth goes before her brain turns on, that's all."

Frankie couldn't speak. She felt Jose wipe a tear from her eye. She felt Ina squeeze her hand. But inside, all she felt was a familiar, throbbing hurt.

"Jose says she doesn't mean it, but he's trying to make me feel better. She does it too often for it to be a mistake. Besides, what difference does it make whether she means it or not? It hurts just the same."

Frankie lay stretched across her oversized bed, her arms clutching a few throw pillows, her long legs dangling off the side. The room was dusky, illuminated by one small lamp that sat on a table near the bed. Gray shadows intruded themselves on the soft yellow walls, forming strange shapes that changed with the breeze. A window was open and city sounds drifted up from the street.

"I've told her a hundred times I hate it when she acts as if I'm not there. Obviously, how *I* feel doesn't matter. I'm an investment. I have no mind, no soul, and thanks to her, no one to talk to other than you."

She spoke and a profound loneliness filled the large space that was her domain. She spoke and the need in her voice searched for someone, anyone, to respond. She spoke, but her companions only listened.

"I know you're tired," she said, "but Cissie's away on her honeymoon, so you have to play sounding board."

She flipped over onto her back and smiled into the dimness.

"Did I tell you how gorgeous Noah Gold is? Wow! I wish you could have seen what a beautiful couple they made. Cissie looked incredible, as usual. Aunt Tessa designed her gown and it had a long veil that followed Cissie down the aisle. It must have been a block long!"

She giggled, sat up, and hugged her legs.

"I was her maid of honor I got to stand under the *chuppah* and to hold her bouquet while Noah put the ring on her finger. She even let me pick out my own dress."

Just then, her voice dropped and her eyes clouded.

"It was terrific until *she* ruined it, just like she ruins everything. Cissie and Noah were walking back up the aisle, when a crowd of photographers shoved them aside as if they were unimportant and started taking pictures of me. Guess who arranged that? I thought Aunt Tessa and Uncle Bert were going to kill her, but of course, they didn't."

A few tears trickled out of Frankie's eyes, leftovers from that day two weeks before when she had suffered the latest humiliation. No one had blamed her—they never did—but that didn't mean she didn't feel somehow responsible, somehow accountable for her mother's actions.

She reached over, opened the drawer to her night table, and rummaged around until she found a photograph, a Polaroid shot taken at the wedding—Cissie, Bert, and Frankie, all huddled together. A wobbly smile flickered on Frankie's lips. Out of everyone in the world, Frankie felt closest to her cousin Cissie. She had stayed with the Kahns whenever Lillie took off to parts unknown, and Cissie had taken her younger cousin under her wing from the day Frankie had taken her first step. Cissie had always made Frankie feel wanted.

Frankie had been five years old the first time she stayed with the Kahns for an extended period of time. She thought she'd feel strange boarding with her aunt and uncle, but they had made certain she felt more than welcome. The second day, Tessa had dressed Frankie in a pretty pink dress with a lacy collar, shiny new black patent shoes, and little white gloves. Uncle Bert had presented her with a nosegay of violets, given Cissie a gardenia corsage, and then escorted the two of them to lunch at the Plaza. For Frankie, it had been a very special day, even more so because she knew that those lunches were usually just for Cissie and her father.

"You don't have a daddy anymore," Cissie had said. "So, you'll share my daddy."

"Things are going to be different now," Frankie said aloud. "Cissie's married and nice as Noah is, he's not going to be crazy about me hanging around them all the time. Looks like it's you and me, guys."

With a sweeping glance, she sought confirmation and allegiance from the friends who inhabited her room. She stared into their eyes, studied their expressions, waited for the sounds she knew would never come. It didn't matter. They didn't have to speak. At least they were there. Her dolls—sitting on shelves, lounging against walls, seated on a sofa, propped up against her bed. Dolls were everywhere. Stuffed dolls. China dolls. Miniature dolls. Rag dolls. Dolls that did everything. Dolls that did nothing. Each had a name, a personality, a history, and a place that was exclusively its own.

They were the ones who listened to Frankie's problems when no one else would. They were the ones who cuddled with her when she cried in the night. They were the ones who stayed with her despite her traveling, despite her fame, and despite her mother.

Not that Lillie hadn't tried to get rid of them. More than once, she had threatened to clean out Frankie's room. Where Frankie acquiesced on most issues—because it was easier—here, she remained resolute. Each time Lillie suggested dumping the collection, Frankie became so hysterical that the matter was dropped. Now it was just one more subject they never discussed.

Suddenly, Frankie heard the front door slam. She shut off her light, grabbed those dolls nearest her, and hugged them in the darkness. She waited until she heard Lillie's footsteps outside her door. The footsteps stopped. Frankie waited and watched. The doorknob never turned. The footsteps moved on. Frankie couldn't remember the last time her mother had kissed her good night.

"I don't understand why she doesn't love me," she whispered. "I try so hard to please her. Sometimes I wonder why she ever had me in the first place."

Explaining Lillie Rostov's behavior was easy if one reduced her life to a basic pattern—periods of adoration alternating with periods of neglect. As the youngest of five children in a boisterous, affectionate family, Lillie's early childhood saw her coddled and spoiled. She was spared the responsibilities and expectations foisted on the other children and was rarely left to fend for herself. If Franyu was not around to cater to Lillie's needs, Molly was there, if not Molly, Tessa, if not Tessa, Lillie's two older brothers looked out for her. She was, in every sense of the word, the baby.

When Lillie was nine years old, her entire world got turned upside down. Molly got married, and then Franyu got sick. Though Sinnoch tried to maintain the family's routine, Franyu was the fulcrum, and without her, the structure began to crumble. Molly took her mother's place in the jewelry store. Tessa took over the running of the house. Jacob and Ben spelled their father from whatever obligations and chores they could, and Lillie was left alone. Suddenly, there was no one to fawn over her or to do her bidding. Suddenly, she was expected to pitch in and pull her weight, an equal member of a group instead of its star player. Lillie was thrown by the abrupt change, but no one had the time for lengthy explanations. She took it personally.

After Franyu died, Lillie's desolation increased. She was grieving for her mother, but so were the others. Though each of them tried to comfort her, no one could do what she wanted, no one could make things the way they once were. Lillie felt neglected and began to search for ways to regain the spotlight. For a while, she simply misbehaved—negative attention was better than no attention—but then she discovered a very important facet of her personality. She couldn't handle disapproval. From then on, she retreated, creating a fantasy world for herself in which she was, once again, the central figure. She began to divorce herself emotionally from her family, relying less and less on their approval. Her own approval became the only thing that mattered. If she felt good about something, then it was good. If she didn't like something, then it was bad.

Since Lillie had isolated herself from the others, they missed much of what was happening to her. They noticed that she spent most of her allowance on fan magazines and most of her spare time at the movies. They noticed that she became fixated with her own appearance. They noticed that she didn't have many friends and that occasionally, her blue moods lasted a very long time. But they chalked it up to adolescence. They never noticed that Lillie had become obsessed with stardom.

In 1947, Molly and Herb Schwartz's daughter, Frannie, died of infantile paralysis. She was eight years old. She had been the first Frances Rebecca, born shortly after Franyu's death, and her passing had reopened many old wounds. The day after Frannie was buried, as the rest of the Rostov clan gathered to sit *shiva* in Molly's house, Lillie left for Hollywood.

For the first year, she lived in a tattered boardinghouse, washing dishes at night in exchange for her meals. During the day, if she wasn't waiting outside some casting director's door for a chance at an audition, she was doing one odd job after another, keeping herself afloat and waiting to be discovered. After months of hoping and dreaming, reality took hold and she began to understand that fate was not going to lend a hand. She would have to make her own destiny.

After a thorough investigation, she decided to zero in on Hershel Samuels, head of Olympus Studios. Hershel and his wife, Sunny, were in the habit of tossing parties for any and every occasion, gathering no less than a hundred nearest and dearest to celebrate the opening of an Olympus movie, the signing of a new star, Sunny's latest bracelet, or the fourth Sunday of the month. It had taken most of her savings to pay off the caterer, but the next time Sunny Samuels opened her doors, Lillie Rostov was going to be right behind her, serving drinks and canapes.

It took almost a month, but finally, Lillie got her chance. Outfitted in a short black uniform, she waited on some of the most powerful men in Hollywood. She eavesdropped on conversations, smiled at every producer she recognized, and some she didn't, even cozied up to some of the wives, but by late afternoon, it became clear that the process was too slow and too uncertain. Something more immediate was called for.

The last time she had seen Sunny, the woman had been in the garden regaling a group of friends with stories about her recent visit to the Golden Door. The caterer was busy in the kitchen readying the main course, and Hershel Samuels was making his way around the pool. The minute he was within twenty feet of her, Lillie swooned. Her tray crashed to the ground as she fell into a heap on the lawn. As a man's arms lifted her up, she heard Samuels's voice directing them to bring her into the house. If all went well, Samuels would follow. He did. The next day Lillie Rostov became a contract player for Olympus and Hershel Samuels's mistress.

At nineteen, Lillie was startlingly beautiful. Her anthracite eyes and pitch-black hair contrasted sharply with the snow-whiteness of her skin, giving her an ethereal look, her high cheekbones and delicate features making her seem fragile and innocent. She was neither, but it was an aura she cultivated. It was, in fact, her finest performance. Her talent as an actress was mediocre at best, but in Hollywood, stars were not always talented and the talented did not always become stars.

In 1949, after a series of walk-ons and bit parts, Hershel cast Lillie as the female lead in *The Black Russians*, a sweeping romantic saga full of magnificent scenery, lavish costumes, a cast of thousands, and no call for more than average acting ability. It was precisely the vehicle Hershel had been looking for. Lillie's haunting beauty overwhelmed the large screen, and overnight she became the celebrity she had always wanted to be.

She became America's darling, but as with all darlings, the press and public were fickle. By 1950, with Rita Hayworth marrying Aly Khan, the North Koreans crossing the thirty-eighth parallel, and Sid Caesar and Imogene Coca wowing audiences on *Your Show of Shows*, Lillie Rostov's reign as queen of the media had ended.

In order to combat a growing sense of ennui, the studio invented a torrid romance between Lillie and another Olympus star-on-the-rise, Sterling Travis. Sterling was twenty-four, blond and hunky, with limpid blue eyes and plush, full lips that made teenagers faint in the aisles and adult women melt in their seats. Lillie claimed he wasn't her type, but at Hershel's insistence, went along with the charade.

Her second movie, *The Goddess,* was an extraordinary box office success. Once again, the press was hungry for all they could get, and so the romance between Lillie and her costar heated up. They went everywhere together—kissing in restaurants, waving to reporters from the backseat of limousines, smooching in the Brown Derby, and dancing the night away at the Coconut Grove—all for the benefit of an adoring public. They even got engaged and broke up three times.

By 1951, new starlets were coming on the scene, Lillie's last two films had been borderline successes, and the Travis-Rostov romance had become old hat. Their next project, *Eden,* was a movie with a so-so script and a director whose genius was slowly but surely being pickled by Russian vodka. Midway through the filming, Hershel decided they needed something so socko-boffo that when *Eden* opened no one would care what was on the screen. The problem was turned over to the publicity department of Olympus Studios. It was there that Frankie Travis was first conceived. After many long meetings, it was decided that Lillie Rostov and Sterling Travis eloping and having a love child just might create the excitement they wanted. And so, they did.

Frankie was a knockout from the moment she was born, which was probably a good thing. Had she been slightly less adorable, Lillie might have paid no attention to her whatsoever. As it was, Lillie had found Frankie's birth traumatic. It was not her choice. This was not a life created out of love or passion. This was one child ordered, one child delivered. Worse, despite all her work and personal sacrifice, *Eden* was the biggest flop in Olympus's history. As Lillie's star descended, Hershel Samuels was stricken with a case of selective amnesia—he couldn't seem to remember her phone number, her name, or where he used to send her weekly "play checks." Sterling had somehow managed to extricate himself from *Eden*'s critical quicksand with a few good reviews and was presently working on another film while Lillie sat at home, staring at Frankie.

Sure, reporters swarmed around recording Frankie's first smile, first burp, first giggle. Sure, they all loved the story of how the Rostov children had chosen to honor their mother's memory by naming their first-born daughters Frances Rebecca. And yes, Frankie and Lillie looked angelic gracing the covers of *Life, Time*, and *The Saturday Evening Post.* But eventually, the press moved on to other attractions. Lillie felt abandoned and plunged into a depression.

Sterling Travis's reaction to Frankie's birth was the exact opposite.

From the moment he laid eyes on her, he fell madly and desperately in love with his child. Not only did he not leave when most had thought he would—and should—but when Lillie tried to throw him out, he refused to go.

Frankie enchanted him. He loved nothing more than rolling around on the carpet, making funny faces and silly noises, and hearing her high-pitched, giggly response. He took her to the studio with him, to the store, to ball games, to ice cream parlors. Wherever he was, she was. He seemed oblivious to the fact that their closeness infuriated Lillie. When they were together it was as if she didn't exist, and her sense of abandonment and rejection increased.

For four years, Sterling endured Lillie's carping and her depressions, but eventually, she wore him down. Finally, Sterling left. For Frankie, it was a crushing blow.

For Lillie, it meant a return to the spotlight. She sued Travis for divorce and he sued her for custody of Frankie. The press had a field day covering the trial. Lillie's performance was inspired. Her portrayal of the loving-mother-who-would-come-this-close-to-dying-if-her-child-were-wrenched-from-her-bosom was played to such perfection that even Travis believed her. He dropped the suit, settling for visitation rights.

Once again, Lillie was in her glory. The press was in attendance and she was constantly surrounded by photographers, who delighted in taking mother-daughter pictures. And why not. Frankie and Lillie were a devastating portrait. Frankie had the Rostov paleness, the Rostov black wavy hair. She even had her mother's anthracite eyes. The only physical feature she had of her father's was his full, sensuous mouth. What couldn't be seen by the camera was that she had also inherited his sensitivity, his keen intellect, and his gift for acting.

The day the court took her away from her father was the day Frankie's career began.

A soap company executive who had watched the Travis-Rostov proceedings approached Lillie and asked if she and Frankie would consider representing them. Lillie hemmed and hawed, deliberated and debated, and then signed on the dotted line before anyone could change his mind. Those ads launched Frankie's modeling career. At first, she and Lillie were a team, posing together, doing mother-daughter fashion shows, doing commercials together. But as she (and Lillie) got older, the jobs began to come in for Frankie alone. After a few shaky instances, Lillie made the transition from costar to manager with surprisingly good humor. In the process, however, Frankie was transformed from a child to a corporation.

When she was little, Frankie thought it was fun to smile into the camera or play with dolls or dogs, or go to amusement parks and zoos while other children were in school. It was terrific to try on new dresses and even get to take some of them home. It was super to hear everyone compliment her and tell her how pretty she was. But for every acceptance, there were rejections.

She was barely five years old when her mother took her to a big advertising agency for her first look-see on a cereal commercial. She did everything the man asked. She smiled when he said and frowned when he said and curtsied when he said. She had laughed when he asked her to and even cried on command. Still, he turned her down. When Frankie asked why, he told her there was another girl who was better for the job. Better? How? At five years old, "You're just not right" was difficult to understand.

Lillie didn't make things easier, especially if she was in one of her low periods. She took each rejection personally, carrying on as if Frankie had deliberately lost the job just to humiliate her. They'd go on calls and Lillie would sweep into the casting director's office with a flourish worthy of an opening night, dismiss whoever else was in the waiting room with a withering glance, and announce her presence while Frankie took refuge in a corner. If the receptionist hesitated for even a second, Lillie protested. Frankie was then hustled in to the audition. Six times out of ten, the director resented Lillie's interference and turned Frankie down. Lillie never understood why.

By the time Frankie was thirteen, she was five feet eight and the demand for her became intense. Physically, she was a woman, with all the curves and angles that usually defined that term. Mentally, she was a fledgling adolescent who would rather chew gum than try on furs, rather stay home to watch *The Beverly Hillbillies* than go to a premiere. Few, however, cared what she wanted or how she felt. She had a mystique about her, and advertisers were willing to pay a great deal of money in order to capitalize on it. Lillie might have been many things, but she wasn't lazy and she wasn't a poor businesswoman. She booked her daughter on as many assignments as she could.

Frankie herself was ambivalent about modeling. There were periods when she loved it, especially as she got older, but modeling took a great deal of time, time she might have spent with her father or making friends or just having fun. In the years before bitterness began to taste familiar, she didn't mind being deprived of all that. She had been willing to give up certain things in order to please her mother and win her love. What hurt the most was that at some undocumented point in her young life, Frankie knew that she had compromised herself for no reason. She understood—as well as she would ever understand—that no matter what she did, her mother was incapable of loving anyone or anything but herself.

"There she is!"

"Miss Travis. What's the scoop on you and Rick?"

"One more, Frankie. Atta girl!"

"Turn this way."

"Give me a heads-together, kids. How 'bout a kiss?"

Frankie smiled until her face hurt. She waved to the fans lining the entrance to Carnegie Hall as she walked up the steps on the arm of Rick Steele, rockdom's latest king. Girls not much younger than herself screamed and squealed as she and Rick passed by. Several of them shook autograph books in front of their faces. Frankie obliged them. Rick had on too many rings to grip a pen.

They had been playing this game for several months now. Rick's agent would speak to her mother. His limousine would pick her up and they would make an appearance at whatever event was scheduled to attract the press. Though the gossip columnists had turned their relationship into a modern-day *Romeo and Juliet,* in fact, there was no romance between them, barely a friendship. Rick was nice enough and handsome enough, but the whole arrangement made Frankie feel like a mindless decoration.

To begin with, Rick was gay (his public would die if they knew) and wherever they went, he insisted upon looking straight past her at other men, a habit that Frankie found humiliating. Then, too, Rick was only five foot seven. She felt like a Brobdingnagian standing next to him. It never seemed to bother him and she knew it shouldn't bother her, but it did. Despite the thousands of times that Jose and her mother told her to be proud of her height, pride like that required a sense of self that Frankie had yet to acquire. No matter how hard she fought it, with anyone other than Jose and a few close friends, Frankie felt like a freak.

Tonight was the music industry's salute to jazz great Ivory Haines and the famous concert hall was packed. Uptown chic rubbed shoulders with downtown funk. Harlem and Motown sat side by side with Park Avenue and Gramercy Park. Some were there because they loved jazz. Most were there because they truly respected "the man with the magic hands." But all of them were there because they wanted to be seen.

Just as she did for most occasions like this, Lillie had borrowed Frankie's dress from LaTessa. It was a strapless pouf of white moiré that bustled out over her hips and curled in around her knees. Her stockings were white, as were her shoes and elbow-length gloves. Lillie's instincts had been correct. The socialites were gowned in basic black. The rock-and-rollers were outfitted in head-to-toe leather or sequins. And the majority of the men were ever-so-dashing in formal black tie. Frankie stood out like a snowball in a coal mine.

It took them ten minutes to work their way through the crush in the lobby and find their seats. Frankie and Rick gave each of the three networks a short interview for the evening news. They posed for dozens of pictures. And Frankie smiled beatifically as Rick fed newspaper reporters the dates and details of his upcoming tour.

Finally, an usher led them to their seats. All around, people rubbernecked to get a look at the beautiful foursome. Frankie and Rick were the very essence of youth. Lillie's date, Dr. Danton Rochelle, was lean and handsome with a *je ne sais quoi* that said he was European and well-to-do. Lillie, at thirty-nine, was a magnificent woman. Her black hair was slicked back into an elegant chignon which drew attention to her large dark eyes and still flawless skin. She was shorter than Frankie and her figure was more voluptuous, especially in the clingy gray jersey she was wearing, but as she took her seat next to her famous daughter, there was little doubt that the two women were closely related.

Most of the crowd was electrified by the first act. Ivory Haines and his band played brilliantly. Even Lillie shed her icy persona. Frankie was not a jazz buff, and though she watched her mother and tried to imitate her enthusiasm, she was bored to death. When the curtain went down to signal intermission, she practically ran to the lobby.

Once again, she was besieged by photographers. Rick wrapped his arm around her waist—he couldn't reach her shoulders—and cuddled as best he could, offering his famous grin to the cameras, twisting and turning so that each view of his leather jumpsuit was duly recorded. Frankie forced herself to join in, smiling, hugging, preening. When at last the photographers had had enough, Frankie breathed a sigh of relief. She started to head for the ladies' room, but Rick caught her arm, trying to steer her in the direction of the TV cameras.

"Haven't you had enough?" she asked.

"We're here for publicity, baby, and that's what I intend to get." He brushed his hair back, shaking his head for extra fluff. Frankie waited for him to turn around so he could catch his reflection in one of the glass doors.

"We've been interviewed by every reporter and photographed at least once by every shutterbug in the place."

"Well, then. It's time for the second go-round."

"I'm tired," Frankie groaned, wishing her mother would pay less attention to her date and more attention to her daughter. "And I'd like to go to the ladies' room."

"You're being paid good money to drape this arm, baby, and I want my money's worth, so start draping!"

Again, he grabbed her arm. This time it hurt.

"Watch it," Frankie said, rubbing the spot where he had pinched the skin.

"What seems to be the problem?" Lillie had positioned herself directly between them.

"We had a deal, Lillie, but her highness doesn't want to fulfill her part of the bargain."

Lillie inched closer to Steele, her eyes narrowed and menacing.

"She's done her part. If your ego needs further massaging, I suggest you take a trip to the men's room."

Rick spun on the heels of his boots and stalked away.

"Thanks, Mom."

Lillie patted Frankie's cheek.

"I know it's going to devastate you, but you've just broken up with the love of your life," she said with a sly snicker.

"I'll try to carry on," Frankie said, returning her mother's smile.

Lillie then turned and resumed her conversation with Rochelle as if the interruption had been nothing more than a sneeze.

As Frankie made her way to the ladies' room, she wondered if this man was going to be Daddy number four. It was obvious that he was taken with Lillie, but what fascinated Frankie was that Lillie seemed so taken with him. The other day she had been callous and unthinking, embarrassing Frankie in front of Jose Banta's crew. Yet tonight, Lillie had been soft and charming, motherly and protective. Frankie wondered if the change in mood was due to Dr. Rochelle. Lillie did seem more comfortable with him than she usually was, considering her basic distrust of men. Maybe it was because he was an old friend of Aunt Tessa and Uncle Bert. Maybe it was because she had mentioned that she had known him before. Maybe it was because he was so suave and continental that she couldn't help herself. Or maybe it was an act.

Frankie timed her exit from the ladies' room just right. The lobby was almost empty. Everyone else had returned to his seat for the second act. Her footsteps echoed on the marble floor as she made her way down the hall.

"Miss Travis." A very tall, very striking young man tapped her on the shoulder. "Your mother told me I could have a few minutes of your time."

"Who are you?" Frankie asked, noticing how green his eyes were.

"Zach Hamlin. I'm with *Life* magazine." He pulled a card out of his wallet and showed it to her.

She handed it back to him, he smiled, and just then, she wouldn't have cared if he were a hit man for the KGB.

"I'm sure you know that your mother has arranged for *Life* to do another feature on you," he said.

She knew nothing about it.

"We thought we'd do something about your being accepted to Radcliffe, how you juggle work and school, brains and beauty. That sort of thing. If it's all right with you, of course."

She hated the whole idea, but she wasn't used to looking up at men. She was finding the experience delightful.

"I'm a little rushed right now," she said, seeing Rick Steele motioning to her to hurry up. "But if you can make it over to my apartment tomorrow after school, I'll show you how I juggle milk and cookies."

"Great. See you around three-thirty."

She turned and in her best model-of-the-year form, glided up the steps toward Rick, allowing herself a brief look back. The tall man with the strong chin and the emerald-green eyes was gone.

May 15, 1968

PRELIMINARY INTERVIEW WITH FRANKIE TRAVIS:
Apartment surprisingly tasteful. Expected something more garish, considering Rostov's background. Entrance hall—inlaid marble floor. Brass sconces. Antique Venetian mirror. Living room—beige, cream, peach. Comfortable couches. Fine artwork, lots of windows. Dining room—Queen Anne chairs. Glass table, marble base. Lalique chandelier. Dhurrie rug. Elegant. Perfect for photos.

Zach Hamlin was scribbling in his notepad when Frankie burst into the study, frazzled and out of breath.

"I'm sorry I'm so late. I couldn't find a cab. The buses were late. You know how it is. I ran all the way, but . . ."

Zach stood and waited while she plunked herself down on one of the love seats flanking the fireplace. Her face was flushed and her hair was disarrayed, but he couldn't help noticing how absolutely beautiful she was. He had seen hundreds of photographs of her, and although he had never examined it consciously, something about her image had always disturbed him. Seeing her now, sprawled out on a couch, face devoid of makeup, hair tousled and loose, he knew what it was. In those photographs, a makeup artist had taken a naturally exquisite creature, scrubbed away her youth with grains and creams, and then hidden her innocence under foundations and shadows. It was like painting graffiti on the Grand Canyon.

Once she had settled herself, Zach took his place opposite her.

"Don't worry about me," he said. "Your housekeeper, Tildy, is a wonderful hostess. I've had a cup of her special mocha-java brew and some cookies that put her neck-in-neck with my mother for baker of the century. She also gave me a guided tour of the apartment. Believe me, I'm a happy man."

Frankie smiled, but he thought he noted an odd look wash over her face.

"Did she show you the whole apartment?" she asked, cooling off her cheeks with the backs of her hands.

"If you didn't make your bed this morning, you're safe. Tildy showed me the front rooms only."

She was relieved and it showed in the way she curled her legs up under her. Though she loved each and every one of her dolls, she had learned that not everyone understood a young woman having such girlish attachments.

"So, what did you think?" she asked.

"It's not bad if you happen to like spacious apartments that overlook Park Avenue and are decorated in excellent taste."

"And you don't like that sort of thing?"

"Personally, I'm into small, cramped quarters with very low rents." He smiled and took a sip of his coffee.

She had listened for even the slightest hint of sarcasm or condescension. There had been none. She was glad.

"Do you have a roommate sharing the cost of those cramped quarters?" she asked, liking the way his thick, caramel-colored hair curled in the front.

"Now that you mention it, there are three cockroaches who keep me from getting lonely."

She giggled.

"Where's your family?"

"The last time I heard from my mother," he said, looking at his watch, "and that was no more than twenty-six minutes ago, she and my father were still in Los Angeles." Suddenly, he clapped his hands, forced his face to turn serious, and propped his notepad up on his knee. "This is my interview, Miss Travis. If you get more information about me than I get about you, I'm going to lose my job."

"I wouldn't want that to happen," she said, her mouth still caught in a wide smile.

The study was darker than the other rooms—painted a rich bottle-green, lined with bookshelves, and furnished with two Lawson couches and two leather wing chairs. Pictures of Frankie abounded, all elegantly framed and carefully placed. Several photographs were of Frankie and Lillie together, some dating back to when Frankie was a baby, but surprisingly, there were very few portraits of Lillie. Office scuttlebutt had pegged her as an egotistical has-been, prompting Zach to expect her image plastered on every inch of available space.

"How do you feel about being accepted to Radcliffe?" he asked, shelving his curiosity about the dynamics of this mother-daughter relationship, plowing through the basics of family background and vital statistics.

"I'm very pleased," she said.

Stiff smile. Attitude a mix of nerves and boredom.

"But?" he asked, wanting to know why she kept changing her position on the couch.

"But what?"

"Frankie, it's a tough school and unless I've missed something, you haven't exactly retired from the workaday world. Now, either you have a twin who takes some of the pressure off your shoulders or you're a masochist in designer jeans."

Frankie lowered her eyes and played with the hem on her sweater.

Long fingers. Pretty. Nails bitten down to the cuticle. Raw. Ragged.

"Don't you want to go to Radcliffe?" he asked gently, still staring at her hands.

"I guess so. I just don't want to disappoint anyone." Her voice was so soft he had to lean forward to hear her.

"Your mother?"

She looked up, her dark eyes studying him, deciding how much to trust him, if at all. The media had hurt her too many times for her to trust easily.

"My mother," she said. "And my father. And my fans. And the press. And the school."

"And yourself?"

Most reporters didn't care how she felt about anything. He was the first one who had ever asked. He deserved an answer.

"Radcliffe expects me to study hard and get good grades. My fans expect me to look terrific every waking moment and then some. The press expects me to be cooperative with them no matter how obnoxious they are to me. My mother would rather I concentrate on my career. My father says, 'College first, work later.'"

"You still haven't answered my question," Zach said. "How does Frankie Travis feel?"

Her eyes widened and a wry smile possessed her lips.

"Pushed and pulled."

Honest. Open. Smart. Sweet. Get back to work.

"Your father went to Harvard, didn't he?" Zach asked, quickly turning the page in his notepad.

"It's thanks to him that I got in," she said, chewing on her nails.

"Do you see your father often?"

Her face clouded over and she turned away from him, resting her chin on the back of the couch.

"I used to, but he remarried. He has another family and my career keeps me pretty busy."

"Don't you visit?"

"Occasionally." She turned around and in a rare moment of confession said, "I miss him a lot. He's a nice man."

Sad. She's just a little girl who wants to see her daddy. Keep this out of the article. Too private for public consumption.

"Would you like to make a picture with him?"

She laughed. "I'd love to, but I'd be afraid. He's so good. I'd hate to have him see me fail."

"Why do you think you'd fail?"

"Didn't you read the reviews of my movies?"

He forced a laugh. Her hands kept going toward her mouth, where she chewed and gnawed on the skin until he was certain he saw blood.

"You could claim temporary insanity," he said, trying to lighten the mood. She smiled, but only briefly.

"How about your mother's other two husbands?" he asked, changing the subject. "Are you close to either of them?"

"No."

Answer absolute. Sounded angry? Scared? Did one of them come on to her? Easy to see why they might try.

"How old are you?"

Zach looked up from his notepad. She had startled him. He had gotten lost in the image of someone abusing her. It was ugly and offended him.

"Twenty-three," he said, regaining his composure.

"Do you like what you do?" She had relaxed again, crossing her legs under her, munching on a cookie and sipping the milk Tildy had left for her.

Zach sat back, amused by the shift in roles, relieved that she had lost the tenseness around her eyes, the rigidity around her mouth.

"I suppose," he said.

"But it's not what you want to do for ever and ever."

"No. I'd like to be an investigative reporter when I grow up."

"Sounds exciting."

"It appeals to the Dick Tracy in me. How about you? Are you doing what you want to do for ever and ever?"

Frankie laughed. "There are a million girls out there who would die to be me, but no."

"What do you want to do?"

She blushed. He found that charming.

"I'd like to act," she said shyly. "Not in the kind of things my mother arranges for me, but in the kind of plays and movies my father acts in. I want to be respected for what I do."

"Modeling doesn't give you that respect?"

"No." She shook her head emphatically. "A model is a piece of property. Move her over here. Shove her over there. Throw that dress on her. Take that coat off her. It's horrible!"

"You're very good at it, though."

"I guess. If I weren't, they wouldn't pay me what they do." She wiped her mouth clean of cookie crumbs and then stared at him. "You're very tall."

"So are you," he said.

"On you it looks good. It's much better for boys to be tall. Girls like me look strange."

It was Zach's turn to laugh.

"Frankie," he said, reaching over to take her hand. "At the risk of sounding like a dirty young man, let me assure you that you look anything but strange."

She blushed, but she didn't take her hand away from his.

"How tall are you?" she asked.

"Six four. Too tall for limbo dancing. Too short for professional basketball." He suddenly felt uncomfortable with the easiness he felt with her. "Now, for the final question of the afternoon. Are you ready?" She nodded. "What's the real scoop on you and Rick Steele?"

"Off the record?"

"If you like."

"It's pure publicity. Nothing more, nothing less."

For some reason, he felt relieved.

"I've never had a real date in my life," she said with a candor that surprised both of them.

"Well, then. It just so happens that I know this terrific hamburger joint. How about giving me the honor of being your first, honest-to-goodness date?"

"I wasn't hinting," she said.

"And I wasn't patronizing." He stood up, stuck his notepad into his back pocket, and helped her to her feet. "I was asking you out. Since you've never done this before, pay attention and I'll tell you what to do. You smile and say, 'Yes, I'd love to.' You don't have to curtsy or kiss my ring."

"Yes, I'd love to," she said, feeling like Cinderella.

"I'll pick you up at seven," he said as he walked to the door. "Now you say, 'I can hardly wait.'"

"I can hardly wait," she said. And meant it.

"How could you agree to a date without consulting me?" Lillie stood by the door to her closet, a cavernous space that had once been a maid's room.

"We're only going out for a hamburger," Frankie said, cautioning herself to appear casual. The last thing she wanted was for her mother to know just how important this evening really was to her.

"You don't know anything about him," Lillie shouted from within what Frankie called Rostov National Park. "You don't know where he's from or what he's like. And he's way too old for you."

Frankie groaned and threw herself down on her mother's bed.

"He's twenty-three. That's hardly ancient," she said, a touch of exasperation in her voice. "Besides, Rick Steele is two years older than that!"

Lillie emerged wearing a cream-colored chenille robe with a lacy jabot collar.

"Rick Steele was business," she said, sitting down at her dressing table and slathering cold cream all over her face.

"So is Zach Hamlin," Frankie said, suddenly inspired. "It got late and he never finished the preliminary interview, so he asked if we could continue over dinner."

Lillie eyed her daughter suspiciously.

"I know I have a shooting tomorrow. I'll be home early."

"I certainly hope so," Lillie said. "Banta turns into an absolute animal when he sees bags under your eyes."

Inwardly, Frankie smiled. Why Lillie couldn't simply say "Go and have a good time" was beyond Frankie. Now, she had given her approval without giving in, a subtlety it had taken Frankie years to catch.

"Who're you seeing tonight?" she asked, eager to change the subject.

"Dr. Rochelle." Lillie bent down, leaned over, and brushed her hair vigorously. Then she tossed her head up and back, shaking it from side to side.

"What kind of doctor is he?"

Lillie pulled her hair up into a knot and began to apply a clay masque.

"He used to be a surgeon," she said, twisting her lips out of the way of the thick gray preparation. "Then he and another doctor bought a pharmaceutical company. Last year, his partner died."

Frankie didn't need a lexicon to translate: Dr. Danton Rochelle was not only very, very handsome, he was also very, very rich.

"Isn't he a friend of Aunt Tessa and Uncle Bert?" Frankie already knew the answer, but there was no easier way to prolong one of Lillie's good moods than to let her talk about herself.

"They all met in Paris after the war. Now Danton's ex works for Tessa."

Frankie wanted to laugh. Even through the tightening masque, Lillie had managed to sneer. Claudine Rochelle was hardly a factory worker. She was a stunning woman who managed the entire LaTessa manufacturing division with easy efficiency. What Frankie would love to know was the real story behind the Rochelle divorce. From what Cissie had told her, it had been very stormy, but no one would ever say why.

Lillie rose from her tufted bench, went into her closet, and came out holding two dresses. One was a dusty mauve jersey with classic lines and fine tailoring. The other was black and sultry.

"Which one?" Lillie said.

Frankie pretended to study them carefully. Lillie was holding the black one out about an inch in front of the mauve.

"You wore a gray jersey the other night," Frankie said as if her conclusion had been based on intense deliberation. "I think the black would be better for tonight."

Lillie smiled, put the mauve dress away, and laid the black dress out on a chaise longue. Her face had hardened into a crusty shell, with only tiny cracks around her mouth that lengthened each time she spoke.

"Danton is taking me dancing at El Morocco," she said with a tinge of dreaminess.

"He's very nice, Mom."

Lillie turned and looked at her daughter. "I'm glad you like him, dear." She offered Frankie as much of a smile as the masque would permit, and then retired to the bathroom to shower.

That's it, Frankie thought as the bathroom door closed. Here comes the bride. Whenever she says she's glad I like someone and calls me "dear" to boot, the next thing she says is, "Why don't you call him Daddy?"

She heard the water splash in the shower and checked her watch. Zach would arrive in less than an hour. She knew she should go and get ready, but, as she often did, she lingered in her mother's room. Somehow, this room defined Lillie in a way that nothing else did and, therefore, helped define Frankie.

The rest of the apartment was modern and sophisticated, but this room was an oasis of antique furniture and homespun comforts. Basically, it was white, with a tiny floral covering walls and ceiling. The drapes were fashioned from another, larger floral and tied back into voluptuous folds. Underneath, sheer white curtains veiled the five-foot windows, puffing and puckering, depending on the whims of the wind. The bed boasted a huge hand-carved headboard. Lillie had scoured the city to find it and considered it one of her greatest treasures, second only to the brilliantly colored, hand-woven shawl that had once belonged to her mother and was now used as a coverlet.

Lillie's dressing table was new, but her bureau was old, topped with lace doilies and antique frames filled with family portraits. Frankie looked at them now, drinking in the past that had made up her present. There was Grandpa Sam, so handsome and natty in the daguerreotype Franyu had kept by her bedside until the day she died. There was Uncle Jacob in his Air Force uniform standing next to his plane just six months before he was shot down and killed in France in 1944. There was a wonderful picture of Aunt Molly, Uncle Jacob, Aunt Tessa, and Uncle Ben holding Lillie when she was just a baby. There was another picture of Grandpa sitting at the bench in his jewelry store, his loupe up on his forehead. And in the center was Franyu, graceful and lovely, holding a sprig of flowers, dressed in white lace and smiling with the happiness of a bride.

Frankie lifted up the picture of the woman for whom she was named. She was fascinated with Franyu Bekah Lublin Rostov. She could listen to stories about her over and over and over again. Before Grandpa Sam died, she used to make him tell her how he and Franyu had met in Warsaw and how they had rendezvoused in secret tunnels and how they had outwitted the Russians during their escape. She used to laugh at the tales of Franyu taking "used jewels" off the hands of the bored rich during the twenties and then selling them in the early thirties for big profits. It was that perspicacity and foresight that had kept the Rostovs from starving during the Great Depression and had made Franyu a bit of a legend.

To Frankie, there was no greater compliment than to be told she was like her grandmother. When Grandpa Sam used to remark about the similarity in their looks or how Frankie seemed to embody the poetic side of his late wife's nature or how pleased Franyu would have been to see Frankie doing so well in school as well as at her job, Frankie glowed with pride. Maybe because she had had so little of it during most of her life, family acceptance and approval was paramount.

Sometimes, she fantasized about making a movie of her grandmother's life and starring in it. Maybe Sterling would play Franyu's father, the courageous doctor who refused to leave his homeland for fear that if he did, there would be no one to care for his people. Maybe Lillie would play Franyu's mother, the gifted pianist who housed indigents in her elegant town house until she found them a home. But who would play the love of Franyu's life, the dashing, heroic Sinnoch Rostov?

"Zach Hamlin's here." Tildy stood in the doorway to Lillie's room, her hands on her ample hips. "Claims he has a date with you."

"Oh, my God! I'm not ready!" Frankie looked in the mirror and almost cried. Her hair had dried naturally and was a mass of thick black curls.

"Should I tell him to get lost or to get comfortable?"

"Tell him I'll only be five minutes, Tildy. Five minutes," Frankie said as she ran into her room.

Tildy just laughed. "If he believes that, I've got some oceanfront property in Arizona I'd like to unload."

"Maybe if I went to your mother and said, 'Listen, lady. You let your daughter go to the movies with me or I'll huff and I'll puff and I'll blow your closet in.' How does that sound?"

Frankie laughed. "Sounds great. Won't work."

"Okay," Zach said, steering her around a corner. "How about telling her I'm a Tibetan monk and in three days I have to leave for a twenty-year retreat in the Himalayas?"

"Not even close."

Zach growled.

"I'll bet if I told her I was taking you to '21' for dinner and dancing at El Morocco afterward, she'd sing a different tune," he said, as arm in arm they strolled up Park Avenue, enjoying the early June sunshine.

"So would I," she said, obviously delighted with the idea.

"You would?" Zach stopped and turned her toward him. "Then that's what we'll do. I'll ask her high-and-mightiness if I can escort the fair princess Travis on a night of epicurean and terpsichorean pleasure."

"If you put it that way, it sounds gruesome enough for her to okay it," she said, wondering why she never stopped smiling when she was with him. "But you don't have the money for an evening like that."

"How can you say that?" he asked, arms akimbo, expression indignant.

"You're supporting three cockroaches," she said.

"True, but if you think I'm some kind of spendthrift, then it's clear that you've never heard of Sheila Hamlin. No son of hers would squander his fortune thoughtlessly. I'll have you know that I've saved enough money to live comfortably for the rest of my life."

"You have?"

"Certainly," he said. "As long as I die on Friday."

Frankie giggled and snuggled closer to this man who had injected humor and laughter into her life. Though Tildy teased her that she was falling in love with Zach and she denied it vehemently, giving her the standard "just good friends" routine, she had to admit that since their first date, she had connived, contrived, and concocted as many excuses as she could to see him. She'd remember something she hadn't told him for his article and ask him to come by for cookies and milk. She'd happen to be in the neighborhood and stop by his office for a quick sandwich. She'd have an early photo session, it was a glorious day, and would he like to walk her home. She'd have a free evening—Lillie was out—and she'd ask him to keep her company. He had never said no.

What made their time together so special, as far as Frankie was concerned, was that they rarely talked about her. They discussed politics, Lyndon Johnson's policies in Vietnam, the impact of Yves Saint Laurent, the real meaning behind Bobbie Gentry's "Ode to Billy Joe," and how well the Yankees were going to do. Zach talked about his work, his hopes, his parents, even some of his dreams. And Frankie listened, for a change.

She felt like a totally different person when she was around Zach. Not only was she interested in the world around her, and involved in what was going on, but also, she was very relaxed. With him, she never wore makeup, hardly dressed in anything more elaborate than jeans and a shirt, and would have been content to do nothing more than sit and talk. She had even stopped biting her nails.

As they neared her apartment, Frankie checked her watch. Lillie was negotiating a contract for a series of soft drink commercials. Frankie whispered a prayer that the meeting had run late. She had run out of excuses as to why Zach was always hanging around the apartment.

When they reached her floor, Zach seemed hesitant to follow her down the hall.

"I've gotten you through traffic jams and snarling pedestrians," he said. "I've pressed your elevator buttons and held your makeup case for twenty floors. But I don't think I'm up to another go-round with Lillie the Lionhearted."

Zach, too, had run out of excuses and, no matter how much he liked Frankie, he had begun to feel a bit like a stagedoor johnny. His interview had been completed weeks ago. He should have been seeing other women or concentrating on his career. Instead, he was carrying Frankie's books like some starstruck schoolboy and reminding himself every three minutes that despite her lush, voluptuous body, she was only seventeen.

"You don't have to see me anymore." Frankie's voice was small and sad.

"What are you talking about?" The elevator door closed.

"I know I'm too young for you," she said, her eyes focused on the floor. "You're used to older women, not little girls. And I know you don't understand my mother."

"That's the first smart thing you've said." He laughed. "I do not and probably will never understand Lillie Rostov, but I like *you* very much, Frances Rebecca Travis. And you may be young, but neither of us is in a hurry."

He smiled, a slow, easy smile. Then he leaned forward and gently brought her to him, his eyes holding hers as if they were possessed of some magnetic force. He took her in his arms, his face coming closer to hers. At last, their lips touched. His mouth felt soft against hers. His breath was warm and sweet. She had made three movies and been kissed hundreds of times, but she had never felt like this. Her insides rollercoastered and her cheeks flushed. The kiss had lasted an instant, but in that moment, an exciting, new world of experiences and sensations revealed itself.

No wonder Frankie never heard the door to her mother's apartment close.

Three days later, Frankie stood on the corner of Fiftieth Street and the Avenue of the Americas, staring up at the Time & Life Building. Without any hesitation, she strode into the lobby, barreled into the first available elevator, and let it take her to Zach's floor. Today, she was going to treat him to lunch.

Waving to a few of the people she had already met, Frankie made her way down the long office, winding through the maze of desks and clattering typewriters. Five steps before she reached his desk, she felt a familiar coldness creep inside her body. The desk was empty. The wooden bookends that had once belonged to his brother, Jeremy, and had always held Zach's dictionary and thesaurus were gone. The small leather picture frame that housed snapshots of his parents was gone. The little ceramic pencil holder Frankie had given him for his birthday with Pogo flashing a peace sign was gone. Hurriedly, Frankie made her way to Zach's editor.

"I hate to bother you, Mr. Compton," she said, flashing her famous-person smile. "I was looking for Zachary Hamlin."

"Come in, Miss Travis. What a pleasure to meet you."

Leonard Compton was a handsome, well-respected journalist with a fine reputation. At any other time, Frankie would have noticed how charming and polite he was. Now she couldn't see past the empty desk.

"It's a pleasure to meet you," she said somewhat impatiently. "Has Mr. Hamlin moved to another floor?"

"Mr. Hamlin is no longer with us," Leonard Compton said, finally understanding that this was no social call. "Thanks to your mother's kind words, Zach has been shifted over to our sister publication, *Time,* and was promoted to full staff reporter."

Mother's kind words. Shifted over. Promoted.

"We sent Zach out last night to cover Bobby Kennedy and the California primary."

Last night. Where was she last night? Out with that new rock star, Cheetah.

Frankie simply turned and walked out of Compton's office. The chill that had seeped into her skin had become a shivering coldness. Lillie had done it again. She had chased Zach out of Frankie's life. He would write or call—she knew that—but it wouldn't be the same. It was never the same.

All Frankie wanted to do was to run home and lock herself in her room. But first, she had a stop to make.

Frankie walked into her room with funereal slowness. She closed the door behind her and locked it. Then she took the box she had been carrying and placed it in the middle of the floor. She sat down next to it, unwrapped it, and gently lifted its contents out, holding it up. It was a long, gangly rag doll with yellow woolly hair, freckles, and green glass eyes. It was dressed in a basketball uniform and had a goofy grin on its face.

"Everyone. This is Zach. I want you to make him welcome. He's one of you now."

With great ceremony, she introduced each of her dolls to the lanky rag doll with the ½ on its shirt.

"Vanessa, this is Zach. Zach, this is Vanessa. She was my governess's daughter in California. This is Patsy and Penny. They used to live next door. Say hello to Beth, Carol, and Susie. They went to nursery school with me in Los Angeles."

On and on she went, introducing the new doll to the others. Each name represented someone Frankie had known and liked, someone who was no longer a part of her life. Her eyes filled with large, sad tears that spoke of a lifetime of introductions and disappointments, of loving and losing. Finally, she came to a magnificent porcelain doll gowned in white lace and set out in a brass cradle. Reverently, Frankie picked up the doll.

"This is Frannie," she said. "She was my cousin, Frances Rebecca Schwartz. She died before I got to know her."

She returned the porcelain doll to its cradle and went over to the sofa in front of the windows. Carefully, she moved a few dolls aside, making a space in the center. As she put him in his place, Zach Hamlin became one of Frankie Travis's lost friends. He was number fifty-one.

For a long time, Frankie sat on the floor in front of Zach, staring at the doll, seeing the man. When she spoke, her voice was low and eerie.

"You're the last," she said to the doll. "She's not going to take anyone away from me, ever again!"

4

Frances Rebecca Ross

Becca

August 1971

FOR EIGHT DAYS, a blistering heat seared the atmosphere. Temperatures hovered near the hundred-degree mark while the humidity held at more than seventy percent. It was brutally hot, even for August. Flowers drooped. Leaves withered. Birds seemed too listless to chirp. Even normally pesky insects had been stultified into silence. There was no movement, no breeze. There was practically no air. Still, a band of enthusiastic onlookers trudged behind the finalists of the New Jersey Women's State Amateur Golf Championship.

For an entire week, entrants from all over the state had competed for the title. One by one, they had been eliminated. Now, only two young women stood on the seventeenth tee of the Alpine Country Club, their short skirts wrinkled and smudged, their polo shirts drenched with sweat. Becca Ross was two down with two holes to go. She had to win this hole or the match was over.

Throughout the tournament, her opponent, Sue Ann Hartly, had played practically flawless golf. Becca had played well, but she had not been at the top of her game. At key moments, she had allowed her concentration to lag and it had cost her. She was in that exact situation today. She had lapsed and now she had to fight her way back or accept defeat.

Just then, one of the tournament officials asked if she and Sue Ann could hold up for a few minutes. The group in front—finalists in the first flight—were having trouble around the green, creating a delay on the tee. People in the gallery broke their silence and began to chatter. The caddies went off to the side for a smoke. Becca strolled over to where Sue Ann was standing.

"Hot, isn't it," Becca said, initiating conversation.

"It's awful. I can't stand it!" Sue Ann's face was florid and she kept mopping it with a damp golf towel.

"Really. I'm surprised," Becca said. "I heard you like things hot." Her voice was low, but there was no mistaking the insinuating tone.

Sue Ann's guard went up. She had played against Becca many times, and although nothing had ever happened, she did recall that she had been warned by several of the other girls to watch out for the slight blonde with the pale, pale skin. Becca, they said, not only carried a full compliment of clubs in her bag, but also a penchant for gamesmanship.

"Well, I do prefer it when the temperature is above sixty, but a little breeze would feel real good right now."

"As good as Jimmy makes you feel?" Becca smiled in the direction of Sue Ann's caddy, a strapping young black man with bulging muscles and a gold-toothed grin. "If he makes love the way he reads the greens, you have snagged yourself one hell of a guy!" Again, Becca smiled knowingly.

"I don't know what you're talking about," Sue Ann said.

"You. Jimmy. The caddyshack at your club. Room Thirty-five at the Castaway Motel on Route Twenty-two. That's what I'm talking about."

In a gesture that appeared to be a gracious good-luck tap, Becca patted Sue Ann's arm and walked slowly to the other side of the tee, stopping to shake hands with a few fans. As she reached the other side, she saw one of the tournament officials signal to Sue Ann to resume play.

Sue Ann didn't take her customary practice swing. She didn't waggle the club to relax her arms. In fact, she barely glanced at the hole in front of her. She simply took her driver and pounded the ball, coming off it just enough to pull it left down a small hill, over a cart path, and into a cluster of rocks. Though Alpine was not Becca's home course, she knew Sue Ann was stymied. Calmly, she took a three wood, faded the ball from left to right, and landed it in the center of the narrow fairway, half a wedge from the green.

The gallery applauded. Becca acknowledged them with a tip of her visor and a quick smile. As she walked off the tee, she wiped her face and neck with a damp towel and permitted herself a moment's recess to search the crowd for her parents. They never came to her tournaments—her mother's Charles Jourdan shoes were not made for hiking, her father's schedule was too hectic for time off—but still, she had hoped that for something as important as the Amateur, they might have made an exception. They hadn't, and a small, private pocket of disappointment and anger pulsed inside her.

As Becca suspected, Sue Ann had no shot. She was forced to take an unplayable lie and a penalty stroke. Dropping the ball over her shoulder, she then selected a club, lined herself up, and hit a magnificent shot right to the green, four feet below the pin. On in three.

As Becca approached her ball, she could feel Sue Ann's hostility burning into her back. Inwardly, she smiled. If Sue Ann thought that an evil stare would rattle her, she was sadly mistaken. The effect was quite the opposite. Becca felt triumphant. She had managed to throw off Sue Ann's game and provide the opening she needed for herself.

Becca's caddy handed her a pitching wedge. She took several practice swings, breathed deeply, and retreated into a mood of intense concentration. Then she addressed the ball and hit. The ball lofted high into the air, landing three feet behind the pin. It stopped. Suddenly, it spun backward toward the cup, coming to a halt six inches from a birdie three. Sue Ann conceded the hole.

Becca was pumped up. The momentum had shifted. The advantage was hers. Now she had to win the eighteenth hole. Again, Sue Ann helped. She appled over a birdie putt. Becca sank hers. The match was even and the two young women went on to sudden death.

As they walked toward the first hole, Becca saw Sue Ann's father wrap his arm around his daughter's shoulders. Becca felt overcome with heat and fatigue. Also, with frustration and more than a touch of envy. God, how she wished her father were here! Ben had said he thought the Amateur was important, but obviously, it wasn't important enough for him to come out as Mr. Hartly had—every day that week.

"What do you expect?" she mumbled to herself. "Your father has a major advertising agency to run with hundreds of people counting on him and millions of dollars at stake. Harry Hartly's a schoolteacher with nothing else to do!"

On her way to the tee, Becca continued to rationalize Ben's absence, putting the Hartlys down in order to build herself up. So what if Harry Hartly was dependable. He was probably boring and had never even heard of Ralph Lauren. So what if Harry Hartly drove Sue Ann to all her tournaments. His 1964 Chevy was little more than a heap. Benjamin Ross was handsome and dashing and wildly successful. And if he was a bit mercurial, so be it. It was a fact that made him as fascinating as he was exasperating. One minute he was the loving, adoring father who thought his daughter could do no wrong. And then, without warning, he turned cold and distant and Becca couldn't do anything right. It was like playing a never-ending game of he-loves-me-he-loves-me-not, but still, Becca wouldn't trade Ben for a hundred Harry Hartlys.

Becca's eyes narrowed as she studied the long par five in front of her. A thick grouping of trees lined the right side. High rough threatened from the left. The fairway was wide, but sloping. She took her driver and slammed into the ball, drawing it along the tree line, down the slope, and onto the left center of the fairway. Perfect position.

Sue Ann pushed her shot slightly right. She wasn't in any trouble, but her ball was parallel to the trees, leaving her without a clear second shot.

Becca's heart was racing. Her second shot was masterful, bouncing off the bank in front of the green and rolling upward, leaving her a short chip on. Sue Ann punched a three iron long and hard, coming up behind Becca, but still in excellent position. She was about to play her third shot, when a noise distracted her. She watched as Becca leaned over, whispered something in the young man's ear, nodded toward Sue Ann, then toward Jimmy, and then toward Harry Hartly. Becca and the caddy laughed. Sue Ann dumped her shot.

Becca sauntered over to her ball and stalked it as if it were the enemy, studying its position, analyzing its alternatives, determining its fate. All her energy was directed toward getting that small circle of tightly wound string as close to the cup as possible.

"Eight iron."

Becca's caddy handed her the club and then both of them squatted behind the ball, plumbing and gauging the roll of the green.

"It breaks right to left," he said. "And it's slick as glass."

Becca nodded and took two short swipes at the grass while her caddy backed away. Then she struck the ball. It touched down a third of the way to the pin, rolled straight, broke, and turned onto an invisible yet definite path that led directly into the cup for an eagle.

She threw her visor up in the air, dropped her club, and gave forth with a triumphal howl. At eighteen years of age, Becca Ross was the new State Amateur Champion. She had come from behind and decisively defeated last year's winner and this year's odds-on favorite. The crowd swirled around her, offering congratulations, marvelling about her last shot, praising her for her ability to hang in and fight back. Sue Ann waited for some of the excitement to die down before slowly walking toward Becca for the obligatory after-the-match handshake.

"You cheated," she hissed, her fingers squeezing Becca's until they hurt.

"I beg your pardon?" Becca continued to smile, but she pulled her hand out of the other girl's grasp and took a step back.

"You did a whole head trip on me, you bitch!"

"Head trip?" Becca remained infuriatingly calm and cool. "Where would I find that in the rule book? Under manmade obstacles or natural disasters?"

"It's cheating."

"If you think so, then go complain to the officials."

"I can't do that and you know it," Sue Ann insisted.

"Then back off, sister. I'm about to get my trophy and there's not enough room in the spotlight for the two of us."

"You're disgusting," Sue Ann retorted, her voice low and menacing.

"I'm disgusting? After what you've been doing? My dear, you have the morals of an alley cat," Becca said with a sneer. "And your father looks like such a nice man. If only he knew."

Sue Ann looked as if she would strangle Becca, but instead, she stepped away. She had been beaten. There was nothing else to do except hope that someday, somehow, Becca got what was coming to her.

Becca saw the anger, but she couldn't have cared less. As the photographers snapped her picture and the head of the Women's Amateur Association presented her with the silver loving cup, she chuckled to herself.

Whoever said winning isn't everything was either a loser or a fool!

Becca Ross was neither.

Occasionally, in some families, there is an inherited trait that repeats itself so clearly that it can be tracked from generation to generation until it becomes a genetic marker. In the Rostov family, for instance, self-preservation and the will to succeed were as distinctive as delicate pale skin and long graceful fingers.

Franyu Rostov had unquestionably been a woman of indomitable spirit, but if asked, she would have defined winning as a triumph over life's adversities, not a tromping of one's adversaries. The fact that she and Sinnoch had left Warsaw on foot when she was five months pregnant and managed to make it to Paris, where Molly was born without complication—to her, that was winning. That the three of them had survived a wretched ocean voyage, evaded the dangers of scurvy and tuberculosis, and arrived at Ellis Island alive and together—to her, that was winning. And that she had given birth to five children and never lost one to scarlet fever or influenza—to her, that was winning. Until the day she died, she and Sinnoch had never begged or taken charity—that, too, was winning.

Franyu's son, Benjamin, had inherited both her drive and her ability to manipulate circumstances to a satisfactory end, but in him, the characteristics were slightly altered. Ben was more selfish than Franyu. Though he disliked causing unnecessary hurt, he did what was best for himself first and worried about others later.

Sometimes, as when he'd talked his sister, Tessa, and his brother-in-law, Bert, into risking their life savings so he could start his own ad agency, it had worked out well for everyone concerned. Other times, as when he changed his name to Ross—explaining to his father that Madison Avenue preferred turkey on white to pastrami on rye—it had worked out well for him, but had hurt someone he loved. And once, he had done something under the guise of self-preservation that had created wounds that would never heal and rifts that would never mend. Once, he had done something he would regret for the rest of his life.

Becca possessed that same fierce, instinctual sense of self-preservation, but unlike her father and grandmother, she was completely void of regret, remorse, recrimination, or any of the other emotional disciplines that prevented outrageous behavior. Rarely did she suffer second thoughts. Never did she suffer guilt.

Long ago, Becca had learned to excuse her actions by finding an antecedent cause—something that had been done to her first, something that warranted retaliation. Sue Ann Hartly had snubbed Becca on more than one occasion. She had never invited Becca to join her table for lunch. Often, Becca had walked by Sue Ann and a small clique of girls in the locker room and all conversation had ceased. In addition, she had beaten Becca several times in major matches. As Becca rode home from the Amateur, her trophy perched on the seat beside her, she felt wonderfully victorious. She had played brilliantly, paid her caddy a handsome fee (both for his services and his information), and, as far as Sue Ann was concerned, Becca felt she had gotten exactly what she deserved.

Had there been no obvious antecedent to salve her conscience, Becca still would have justified her behavior. In her mind, life had made her a victim. She had been an unwitting pawn in someone else's lie and that entitled her to compensation. Whether it was unrealistic or not, Becca expected the rest of the world to understand her position, allow her whatever retribution she wished to exact and reward her with the love and support she felt was her due. If some pegged her as cold and manipulative or expressed disapproval over something she did, it wasn't because *she* had done something wrong. It was because *they* didn't know the truth.

It had been on a Saturday morning in April, eight years before, that Becca's life had changed. Sylvia, Becca's mother, had left the house early to set up a charity art auction. Ben had gone to play golf, and Becca had slept late, hoping to sleep away a nagging cold. She woke up after noon, slid out of bed into her robe and slippers, and padded down the stairs in search of some orange juice. On her way to the kitchen, she passed the library. The door was slightly ajar. When she peered in, she noticed her father standing by the fireplace, reading a letter. She was going to call out to him, but something held her tongue. Maybe it was his face. He looked funny, as if something were hurting him. She crept behind the door, continuing to watch him through the space between the hinges.

Ben seemed hypnotized by the contents of that letter. It was only one page, yet he read it over and over again. Once, Becca saw him rub his eyes and wipe his hand on his trousers. That embarrassed her. She had never seen her father cry. She turned away. When she looked back, he was angry. He crushed the letter in his hand and threw it on the floor. Becca was frightened.

He paced, moving back and forth across the room with long strides. Becca stood riveted to the spot outside the door. Once or twice she had to swallow a sneeze or wipe her nose on a tissue, but she wasn't leaving. Suddenly, as if he had just made a decision, he went to the phone. He dialed, asked Information for a number in Phoenix, Arizona, and then dialed again.

"Kate Elliot, please . . . Kate? I didn't recognize your voice. It's Ben. I got your letter. . . . Of course I'm upset. What did you expect? . . . That's not fair. I care very much. I've thought about you often since Berlin. . . . You're entitled to that. . . . How much did you tell her? . . . Good. It would cause too much trouble if she knew. . . . Kate, this must be very painful for you. I never . . . Kate? . . . Kate?"

Slowly, he hung up the phone. Becca had never seen him so forlorn. For a minute, she was afraid he was going to cry again. Who was this Kate? What had she done? *It would cause trouble if she knew.* Who was *she*?

Ben picked up the crumpled letter, smoothed it out, and put it back in its envelope. Then he stuffed it into his pocket and started for the door. Becca held her breath. What if he found her out here? She stood there trembling until she realized he had opted to go out through the kitchen. A few seconds later, she heard the top of a trash can clang down. When he came back in, she was waiting. She ran to him, hoping he would pick her up and swing her around and assure her that everything was all right. Instead, he kept on walking.

"Would you watch TV with me, Daddy? I don't feel well," she said, hanging on to his arm.

He shook free of her grasp.

"I'm going to take a nap. I don't want to be disturbed."

There it was. That distance. That coldness. That strange tone of voice he affected every so often. Becca could never understand where it came from or what prompted it. Usually, she blamed herself, assuming that it was something she had done that had precipitated his bad humor. But something in the back of her young mind clicked. This mood had nothing to do with her. It had to do with that letter and Kate—and whoever *she* was. Suddenly, she felt a chill.

That night, as soon as she heard her parents' car leave the driveway, Becca sneaked out of her bed and went downstairs, careful not to attract the attention of the housekeeper. She picked through the trash until she found what she was looking for, took it up to her room, locked the door, and put the mysterious envelope on her bed. For a long time, she simply stared at it. Instinct warned her not to open it. Curiosity begged her to do otherwise.

March 1963

Dear Ben,

Despite all our efforts, Jinx has finally unearthed the truth. She was rummaging through some old pictures, when she found her birth certificate as well as the adoption papers that name Hank her official father. I don't have to tell you how upset she is. She's only fifteen and extremely vulnerable. Hank and I told her you were dead and not just to protect you. We feel guilty enough, lying to her all these years. To have her discover that her real father hadn't died, but had abandoned her, would be too much for all of us to deal with. Maybe even too much for you!

Kate

As Becca read the short note, the first headache began. She felt as if her brain had filled with explosives. The throbbing was unmerciful. She was too young to comprehend the full impact of what she had just read, but she understood the basics. Her father had fathered another child and that child must have done something very wrong because he had left her. He had never seen or spoken to her again. But he had thought about her.

On some subconscious level, Becca finally connected Ben's remoteness to this other child. It was when he thought about *her* that he had no time for Becca. It was when he missed *her* that his eyes became opaque and impenetrable. It was when he felt guilty about *her* that Becca's tiniest infractions were elevated into felonies.

Becca was only ten years old, but all her life she had lived on an emotional edge, wanting to please her father, never understanding why something that should have been so simple was so difficult. She had always felt as if she were competing for his love, but she never knew with whom she was competing. Now she knew.

By the time Becca's MG pulled into the garage, it was well after five. She grabbed her carryall and her trophy and ran into the house. As she had suspected, her parents were waiting for her in the library.

"Ta-da!" She raised the trophy above her head and began to dance around the room.

Ben and Sylvia Ross waited for some of their daughter's exuberance to subside before attacking her with hugs and kisses.

"Let's see," Ben said, taking the gleaming silver loving cup from Becca and examining it. He ran his finger along the lines of past winners, feeling the engraving, coming to rest on the empty space that would soon hold his daughter's name. "It's beautiful, baby. Well done!"

He planted a quick kiss on her cheek. To Becca, it was like having the medal of honor pinned to her chest. Ben's pride meant everything to her and to see it so plainly etched on his face was truly thrilling.

"How'd you play?" Ben led Becca to the couch and sat down next to her. Sylvia, using her sleeve to polish the fingerprints off the silver, sat across from them in a chintz-covered armchair.

"I almost let it slip away from me," Becca said, her voice falling into the soft whisper she always used at home. "My concentration was poor and Sue Ann was playing like the champion that she is, but I guess she clutched because on the seventeenth hole, she stiffed one into the rocks."

"Lucky break," Ben said.

"Yes, it was. I won that hole, squeaked out a bird on the eighteenth, and eagled to win in sudden death."

Ben whistled appreciatively. Sylvia was not a golfer and so the true significance of what Becca had just said eluded her, but Ben seemed pleased and Becca was delighted with herself. To Sylvia, that was all that mattered.

"I can't tell you how proud I am," Ben said. "Hartly's tough. I wasn't sure how you'd fare. That girl's got a killer instinct!" He patted Becca's knee protectively.

"If I'm thinking of the right one, she is terribly apish," Sylvia sniffed. "Who cares what her instincts are!"

It always amazed Sylvia that Becca—short, slightly built, somewhat frail—could compete against amazons like Sue Ann Hartly, let alone beat them.

"I think an accomplishment like this deserves a party!" she said.

"You think anything Becca does deserves a party," Ben teased.

"True, but this is special. What do you say, darling, to a small but elegant gala at the club?"

"When and how many people?"

"Next Saturday night and the entire membership."

Ben laughed.

"That's keeping it nice and exclusive," he said. "But it's a great idea, so go to it!"

Her parents began to discuss details and Becca's head began to pound. Why now, she wondered as her fingers rubbed her temples? Why now, when Ben was so loving and approving? Why now, when she was the center of attention?

"It all sounds very exciting," she said, standing up carefully, "but you'll have to excuse me. I have to lie down. My head is killing me."

Instantly, Sylvia was at Becca's side.

"Take some pills," she said, helping Becca find the stairs. "Sleep, but not too long. The Hillmans are coming for dinner at seven-thirty."

"Who?" Becca couldn't believe it. Her head was hurting enough for her to consider suicide a viable alternative, and her mother was babbling about dinner guests.

"The Hillmans, dear. I told you. They're clients of your father's."

"Tell them I'm sick," Becca pleaded, wondering why her mother hadn't thought of that on her own.

"I can't, darling. They're bringing their son. Now, come on and be a good girl. You wouldn't want to disappoint your father, would you?" Sylvia asked in her otherwise-he'll-leave-us voice.

Each time Sylvia assumed that urgent tone, Becca speculated on whether Sylvia shared the same knowledge of Ben's past that she did, or whether her mother's nervousness was a simple case of paranoia. Probably, she thought, it was a little bit of both.

"Okay, Mom. Don't panic. I'll be ready on time."

Sylvia kissed her daughter's cheek.

"Look pretty, baby. I understand their son is very handsome!"

Becca spent the next hour secluded in her own private hell. Her head pulsed like a vein about to burst, pushing, pumping, beating against the sides of her skull until she thought she would rip her head apart. Sweat gushed from her pores and soon her bedcovers were damp and limp.

Breathe. In. Out. In. Out.

How was she ever going to make it through the evening? Her medication was working more slowly than normal, and her body was exhausted from the tension of a week's tournament. All she wanted to do was sleep.

Breathe deep. In. Out. In. Out.

Besides, these so-called business dinners were utter torture. They were nothing more than thinly disguised fix-me-ups during which Sylvia honestly believed Becca and the man of her dreams would meet and fall in love over a perfectly baked soufflé. One by one, Sylvia paraded her candidates for Mr. Right through the Ross house, each and every one of them well qualified for the starring role in Sylvia's fairy tale, in which the golden princess gets swept away by a dashing prince to live happily ever after in a five-bedroom-three-and-a-half-bath castle. So far, to Sylvia's disappointment, there had been no lightning bolts, no ringing bells, and only several second dates. Probably because Sylvia's idea of Prince Charming was very different from Becca's.

That shouldn't have been surprising. Becca was very different from her mother. Sylvia was unsuspecting and naive; her daughter was wary and suspicious. Sylvia was frightened and vulnerable; Becca was spoiled and resilient. Becca was skeptical. Sylvia was romantic. Sylvia had found her knight and if his armor had chinks in it, she refused to notice them. Becca always kept her eyes wide open, while Sylvia shut hers to anything she deemed unpleasant. There was, however, one area in which mother and daughter were in full agreement.

Ever since Becca could remember, Sylvia had impressed upon her daughter the importance of position. Early on, she had made an elaborate study of all the requisites for social recognition and had taught Becca exactly what was expected of her. It was all right, for instance, to be a gladiator on the golf course, especially if you won, but that same overt aggressiveness was gauche inside the clubhouse. It was all right to think one was the best, but in public, modesty was de rigueur. It was all right to compete for honors, boyfriends, girlfriends—whatever one wanted—as long as one never appeared to be competing and spoils were accepted with violet-like humility.

With great diligence, Sylvia passed her teachings on to her daughter in the hope of providing Becca with the accoutrements of sociability and popularity. While Becca was sociable, she was not popular. She remembered birthdays, bought nice gifts, made grand gestures and appropriate remarks. She had looks, brains, background, and talent. But to most people her age, Becca seemed stiff, too heavily costumed in propriety to be much fun. She was judgmental about others, yet she had no sense of humor about herself. She couldn't handle even the most common, everyday slight. A non-invitation to a party. Two people huddled in a corner looking in her direction. An unreturned phone call. Her insecurities flared at a moment's notice and activated a very complex system of defense mechanisms that ranged from simple, honest tears to Borgiaesque plots of revenge.

When she thought about it, Becca would have liked to have friends and to be more popular, but she couldn't help herself. She honestly believed that, given enough time, most people would betray and reject her. Consequently, she rejected first, lashing out the instant she felt there was cause.

Breathe. In. Out. In. Out.

Finally, the medication took effect and the spots before Becca's eyes began to dissipate. She lifted herself off the bed, squinting at the residual pain that pricked her temples. She waited until she regained her equilibrium and then made her way toward the bathroom. As she passed the mirror on her dressing table, she curled her mouth into a wide-toothed grin.

"Look pretty," she said to the disheveled face, using a voice meant to mock her mother. "Whatever-his-name-is is supposed to be very handsome and very rich and very smart and very available. And," she continued as she turned on the water for her shower, "if he's anything like the last twelve romeos, he'll be very, very boring!"

Sylvia couldn't stop congratulating herself. Jonathan Hillman was a definite find. The Hillman name was truly a household word. Hillman pots and pans were the largest-selling cookware in the country, and though it was hardly a royal product, it had made the Hillmans extremely rich. Jonathan's father, Max, was president of his country club (one of Long Island's toniest), a frequent honoree at the many charity dinners Sylvia attended, and one of Ben's biggest clients.

Jonathan himself was so handsome he was almost beautiful, tall and lanky with sapphire eyes and raven-black hair. Even Sylvia had to admit that one look at him and she forgot all about the pots and pans. Obviously, Becca agreed. She had not taken her eyes off him the entire evening.

Jonathan seemed equally interested, Sylvia noticed. But who could blame him. Becca was all in white, pale as a bride, in a loose linen dress that hung away from her small body, stopping mid-calf. Sheer hose and Pappagallo slippers continued the unremitting whiteness. Even her skin appeared to have been dipped in sugar so as to blend in with her dress. The only touches of color came from her long blond hair and the delicate pink gloss that tinted her lips.

So far, however, aside from the two young people stealing glances at each other, Sylvia rated her party a mere six. Her hors d'oeuvres had been outstanding. Her dinner—Cornish hen lightly sauced, orzo, and asparagus Polonaise—had been tasty, but awkward to eat. And where her fresh peach tart was presently receiving rave reviews, she was certain that if Ben didn't stop talking about the Rostovs, the whipped cream would curdle.

"It must be nice to have such a large family." Ruth Hillman had spoken exactly four times. This was the fifth.

"It's great," Ben enthused. "Though we've all gone our separate ways, we still keep in touch and try to stay close."

"How many are you?" The woman sounded fascinated. One would have thought that Ben had found the cure for cancer.

"There were five of us, but my older brother, Jake, was killed during World War Two. Now there's Molly, the eldest, married to Herb. They have three children. Then, there's Tessa and her husband, Bert. They have a son, Andrew, and a daughter, Cissie, who's married to an up-and-coming lawyer, Noah Gold. And last, but far from least," he said with a showman's flourish, "is my baby sister, one-time movie star, Lillie Rostov, mother of big-time model, Frankie Travis."

"Frankie Travis is your niece?" Ben had made Ruth Hillman's night.

Becca thought she saw a flicker of interest in Jonathan's eyes at the mention of her famous cousin, but when he looked at her, smiled, and winked, she felt better.

"It's not something we advertise," Sylvia said with more than a hint of disapproval in her voice.

"My wife is convinced that once you place a child in front of a camera, you've placed her on the road headed straight to Sodom and Gomorrah."

"You make it sound as if I stand on street corners with a tambourine!" Sylvia was totally exasperated. "I just feel that it's unnecessary exploitation. After all, Becca is beautiful enough to be a model. With her father in the business it would have been a snap to launch a career. I feel it's much better for a child to be nurtured at home. Don't you agree?" Sylvia said, turning to Jonathan's mother.

Ruth Hillman hadn't heard a word Sylvia had said.

"Are your parents still alive?" she asked Ben.

The woman was beginning to annoy the hell out of Sylvia. She had gone from being mute to being queen of the filibuster.

"My mother died when I was twelve," Ben said. "Becca's named for her."

"How sweet. Is Becca anything like your mother?"

Ben looked at his daughter, searching for resemblances, connections, maybe even memories.

"She's pale like my mother was and small-boned. Other than that, she looks more like Sylvia's family. But she does have the spirit of her grandmother. My mother was a doer who never understood the word *can't*. If she wanted to do something, she did it, no matter what. Becca's like that."

"Becca won the State Amateur Golf Championship this afternoon," Sylvia said with trumpets in her voice.

Jonathan raised his wineglass in a toast and his eyebrows in admiration. Becca blushed at both gestures.

"And how about your father?" Ruth Hillman seemed obsessed.

"He died a few years ago," Ben said.

"Were you close?"

"We had our differences, but what father and son haven't?"

Becca noticed that Jonathan and Max didn't even look at each other.

Sylvia couldn't stand it anymore. She glared at Ben and then turned her attention quickly to Ruth. The woman had a pinched face and an occasional twitch that drove Sylvia to distraction, but she was determined to change the subject.

"I take it your family is rather small," she said, maintaining a modicum of charm.

"Max and I are both only children, as is Jonathan." Ruth smiled for a second and then became serious, as if she had done something wrong.

"Isn't Becca your one and only?" Max Hillman compensated for his wife's shyness with an overabundance of bravado.

"She is." Sylvia swiveled her head so as to face Max, who sat in the seat of honor on her left. "She leaves for Smith soon and I just know we're going to miss her terribly."

Max laughed.

"We don't get a chance to miss Jonathan. He flunks out too fast for us to get lonely."

"Why don't you just up the ante, buy me my diploma, and get this college crap over with!" Jonathan's voice snapped like a dry branch.

"With what I've paid to get you into the five schools you've already attended, I could've bought my own college!" Max's face burned florid with anger.

"You should have. Then you could've had the pleasure of flunking me out yourself!" Jonathan rose from his chair, scraping the legs against the floor. "Becca. Would you like to take a walk? The air's too heavy in here for me."

Without waiting for a reply, he walked around the table, took Becca's arm, and led her out of the room. Max fumed. Ruth twitched. Ben smiled. And Sylvia cut her rating down to four.

Love is not a simple emotion, it's a complex mass of interlocking feelings and needs tied together like a huge net that wraps and clings and grips from all sides. Most often, it begins with the physical response of one person to another. Then it grows and takes shape. Why and how depend on the people involved. Who they are when they're apart. What they become when they're together. Sometimes the driving force is passion. Sometimes it's money. Frequently, it's a sense of completeness in which one fills in the personality or emotional blanks of the other. And occasionally, it's the unexpected juncture of opposites. It was probably that very fascination with differences that explained why Becca Ross and Jonathan Hillman were so taken with each other.

Becca was structured to a fault, fixed between the rigid boundaries set by her mother's myopic view of society. Jonathan was complaisant, loose, bolstered by the belief that—being third-generation money—he was a prince and didn't have to concern himself with plebeian rules and restrictions. Becca's biggest fear was rejection. To Jonathan, the idea that someone might exclude him from something was ludicrous. Becca didn't drink, smoke, or curse. Jonathan did all three with great relish. Becca had a view of sex that would have made Queen Victoria appear a harlot in comparison. Jonathan's credo was: If it feels good, do it! He was outspoken, rebellious, and contemptuous of many of the things Becca had been raised to revere. But in his own way, Jonathan was far more honest than Becca. Like it or not, he said what he thought. She said what she thought was appropriate.

"How could you talk that way to your father?" Becca asked, still in shock.

"It's easy." Jonathan steered her across the street that led away from her neighborhood and into a nearby park. "He gets off making fun of me. I get off making him angry."

"What if one of these days you make him angry enough to kick you out?"

He laughed. "Get serious. That would never happen. I'm the only Hillman left. I could flunk out of sixty colleges. I'll still wind up president of his company and I'll still inherit all his money. That's why all this stuff about diplomas and graduating is bullshit!"

They sat down on one of the wooden benches that lined the bicycle path. The air was thick with humidity and Becca could feel her skin growing moist and her dress going limp. Jonathan leaned back and lit a cigarette. The smoke filled Becca's nose and she winced in disgust. She hated the smell. Usually, she coughed delicately or wheezed as if she had asthma or did whatever was necessary to encourage the smoker to put out the offensive thing. This time, she did nothing. Though their relationship was only hours old, it was already clear that Jonathan Hillman did not like being told what to do.

"Do you want to take over the business?"

Becca sat stiff-backed on the bench, her legs crossed, her hands resting on her lap. Jonathan sprawled, his head resting on the top slat while his bottom edged out over the seat. His eyes were closed and he seemed preoccupied with blowing a perfect smoke ring.

"Yes and no," he said, curling his lips into a circle. "It's a fantastic money-maker. There's no denying that, but if I had my druthers, I'd spend my life sculpting."

"Sculpting?" Becca thought she had heard wrong.

Jonathan laughed.

"I know it doesn't seem to fit my image, but I love it. What's more, lots of people, other than my father of course, think I'm very good at it."

"What do you sculpt?"

"People. Animals. Things. I never know," he said with a shrug. "Whatever comes to mind when I pick up a hunk of clay or a piece of wood."

"Have you told your parents that this is what you want to do?"

Jonathan laughed again.

"Are you kidding? My father would have a heart attack. Besides, I like the things money can buy."

"So what will you do?"

"Just what I'm supposed to do. I'll go into Daddy's business.

Eventually, the old man is going to either retire or die. Until then," he said with a dramatic sweep of his arms, "I'll be Jonathan Hillman, potmaker by day, sculptor by night."

He grinned and Becca found herself falling under his spell. He was so sure of himself. Self-confidence surrounded him, wafting like the strong scent of his musky cologne. Too, Becca couldn't deny that she liked the way he looked. He had a little-boy gleam in a pair of thick-lashed bedroom eyes that was difficult to resist. His clothes were expensive. His style was casual elegance. His bearing was to-the-manner-born. Obviously, he fulfilled every one of Sylvia's requirements for Prince Charming, but if Sylvia knew how defiant and irreverent he was, she'd keel over in a dead faint. That fact alone made him the most appealing young man Becca had ever met.

"Hey, what's this about you winning some championship?" Jonathan said, butting out his cigarette and turning to face her.

Becca lowered her eyes, tilted her head, and blushed.

"It was the State Amateur," she said in a tiny, antebellum whisper.

"Funny, you don't look amateurish," he quipped, waiting for a smile that never came.

Suddenly, he sat up and gripped her shoulders.

"Nope. No pads."

He furrowed his eyebrows. His face turned serious as he bent down, lifted her foot, and examined the soles of her shoes.

"Nope. No cleats."

Then he palpated her upper arms.

"Not even a hint of a tricep."

He backed away and placed his hands on his hips.

"Okay," he said. "You can tell me. Where is it?"

"Where is what?"

"The phone booth."

Becca's insides began to twitter. She knew he was teasing, but teasing made her nervous. She never knew whether or not someone was making fun of her.

"What phone booth?" she asked cautiously.

"The one where you go and strip off these debutante clothes and get down to your Supergirl leotard."

She wished she had a clever retort, but glib rebuttal was not one of her strong suits. Instead, she lowered her eyes again, relying on the familiar façade to ease her out of an uncomfortable moment. When she felt his arm touch her shoulders, she flinched.

"I'm sorry," Jonathan said. "Really. I didn't mean to insult you. It's just you're so small and pretty and you don't look like the athletic type. I meant it as a compliment. Honest. Please, forgive me."

She could feel his warm breath on her neck and his body pressed against her back. Closeness frightened Becca and for the minute, she didn't know what to do. Instinctively, she pulled away. Jonathan misinterpreted the move.

"Can't I do anything to make this up to you?" He sounded as if he were pleading.

"I'm just overly sensitive about things like that," she said at last. "I enter these tournaments only to please my parents, and I guess it embarrasses me."

"Why? I think it's great!"

"I'm not a competitive person by nature," she said. "In fact, that kind of one-on-one, kill-or-be-killed kind of contest usually makes me physically ill."

"If you can win when you don't like anything about it, you are some kind of girl, Miss Ross." Jonathan's voice rang with sincere admiration. "Me? I'm a horse of a totally different hue. I only play easy games I'm sure of winning. That way, I never have to learn to be a good loser."

For the first time all evening, the shell cracked and Becca let loose with a genuine laugh. Jonathan threw himself onto the ground. For several seconds, he lay there, stone still. Then he opened his eyes and clutched at his heart.

"Thank you, Lord. I have finally seen her smile. Now I can die."

"You are impossible," she said, having fun in spite of herself. Jonathan was like a child, and since Becca spent most of her time being very grown-up, he was a refreshing change.

"I'm also incorrigible, immature, inconsiderate, and probably irrelevant. But," he said as he took her hand, "I am extremely adorable."

Without waiting for her to comment, he led her over to the playground and invited her to sit on a swing. Becca was too intrigued to do anything except what he said. He walked behind her and began to push. Gently, the swing rose and fell. He pushed her higher, the breeze disarraying her hair, billowing her skirt. She was flying, and for a brief moment she felt uninhibited, unfettered, uncontrolled. Her laughter rang out through the silent park, and when finally Jonathan stopped the swing, caught her in his arms, and kissed her, she forgot that she was supposed to resist.

"Listen," she said, backing away, searching for something to fill the silence. "My parents are having a party next week at our club. I'd like it if you would come."

The second the words were out of her mouth, her head began to twinge. *What if he said no?* Suddenly, she felt like an utter fool. She had let him kiss her. Then she had asked him to a party. He had to think she was a tramp.

"As your date?"

Becca's head throbbed. It was worse than she had thought. He assumed she had no one else to ask. She was so humiliated she didn't know what to say.

Jonathan took her silence to be a "yes."

"I'd love it," he said, "but you have to promise me one thing."

"What's that?" she asked.

"I don't have to compete for your attention."

He smiled and it was so warm and so sincere that Becca allowed herself to relax.

"Don't worry," she said, almost believing her own script. "I already told you. I don't enjoy playing games."

The dining room of Rolling Greens Country Club was awash in sunshiny shades of yellow. Jonquil-colored damask cloths draped the tables. Silver bowls overflowed with garden-fresh fresia and pale yellow tea roses. Hundreds of fat yellow balloons with curlicue ribbons bounced around the ceiling. Long tables resplendent with bounteous platters of everything from oysters and crab claws to Napoleons and chocolate eclairs circled the upper tier of the rotunda. Soft lights created an intimate ambience, and a lively trio did its best to entice couples down onto the dance floor. Those who managed to resist either lingered at the bar for another round of show-and-tell, filled their plates at the buffet, or stood in clusters playing "can you top this?" with every golf joke they'd ever heard.

Sylvia was in her glory, hostessing in a manner worthy of a coronation. She lined Ben, Becca, Jonathan, and herself up at the entrance and insisted upon greeting each guest as if he or she were a foreign dignitary. Once or twice, Ben could have sworn he saw her knee bend in a half curtsy. Since the Rosses knew everyone there, introductions were really superfluous, but they were part of the event and, therefore, performed with an appropriate flourish. The only thing missing was a plumed and knickered footman blowing into a heraldic trumpet.

Everyone who went through the line pecked at Becca's cheeks and offered congratulations. Most of the men seemed far more comfortable discussing business with Ben, the women with scrutinizing one another's outfits. Only the real golfers lingered for a shot-by-shot accounting of Becca's victory. Throughout, Becca was charming.

And why not? She was having the time of her life. Usually, she floated along the periphery of a party, never quite getting into the spirit of the evening. Tonight was different. She was the guest of honor and there was nothing Becca liked better than a spotlight. Her father was more effusive and loving than he'd been in a long time. And she was the envy of every girl there because without a doubt, Jonathan Hillman was the handsomest young man in the room.

Becca looked every inch the champion, every inch the lady that she was. Her pale, flaxen hair was pulled back into a neat, single braid laced with ribbon. Diamond studs twinkled on her earlobes. Clear gloss glistened on her lips. And her frothy yellow chiffon dress puffed and billowed when she walked, giving the appearance of coolness even though the club's air conditioners were straining.

The minute Sylvia dismissed them from her receiving line, Jonathan and Becca headed for the dance floor. Slow, fast, hot, cool—whatever the music commanded, they did. Jonathan loved to dance and he was good at it. Becca, who had done most of her dancing alone in her room in front of a mirror, surprised herself. Not only did she keep up with Jonathan, but she was even able to follow the one or two other boys he allowed to cut in.

Something else surprised Becca. While other girls her age had already dabbled in some kind of pubescent sex, she had rejected all advances, no matter how minor or innocent. She had harnessed any urges to experiment because she was convinced that chastity evidenced control, which evidenced class. With Jonathan, however, she felt strange twitters in and around her rib cage. During some of the slow dances, her face had flushed so pink she was afraid she had a fever. Naturally, she made excuses for her sudden burst of sexuality—the night was too warm, she was overheated from dancing, she hadn't eaten, she was getting her period—but at some point she had to own up to the truth. She was attracted to Jonathan Hillman.

"Are you all right?"

The sound of his voice embarrassed her, and she tripped over her own feet.

"I'm fine," she said, angry with herself for appearing so clumsy.

Jonathan took her by the shoulders and stared deeply into her eyes.

"How can anyone who's eaten three hors d'oeuvres and a chicken wing be fine?"

"I'm not hungry," she lied, slipping back into her charm-school façade.

"You can't possibly know whether or not you're hungry. You're obviously teetering on the brink of death. But don't fret, my pretty damsel. Sir Jonathan will save you."

With a gallant bow and a devilish grin, Jonathan disappeared into the crowd. Becca had let herself weaken enough to smile, but quickly swallowed it when Tracy Stein's voice intruded on her reverie.

"That trophy you won is big enough for two people to bathe in," Tracy said, her eyes trailing after Jonathan like a hunter peering through a rifle sight. "And I know just whose back I'd like to scrub."

Tracy was, without debate, a beauty. Tall, willowy, with azure-blue eyes and thick reddish-brown hair that looked like it belonged on a pillow, she was sultry and sensuous, even at seventeen. Boys who were normally self-assured and macho with everyone else acted like complete fools around her. Girls who were otherwise independent and confident tagged after her hoping that whatever she had was catching. She was the undisputed queen of Rolling Greens' young set, with only one unwilling subject—Becca Ross.

"Try and keep a tighter rein on your more prurient urgings, won't you?" Becca said in her most imperious tone.

"Do you want to translate that into English?"

Becca snickered. "Sorry, darling. I forgot what a cretin you are. What I was trying to say was keep your clothes on. The gentleman is spoken for."

"By whom?" Tracy asked as if the expected answer were totally incredible.

"By me," Becca retorted. "And if I were you, I would dangle my panties under someone else's nose."

Tracy rested her arm on Becca's shoulder, accentuating the difference in their heights.

"You're not me and even though you're the reigning jock of New Jersey, there are certain tournaments you shouldn't even bother entering, because you don't stand a chance."

With a fling of her hair, Tracy turned on her heel and strode away. Immediately, Becca looked for Jonathan. Fortunately, she didn't have to look very far. He was winding his way down the steps, two plates balanced in one hand, two drinks in the other.

"If the entire country suddenly decided to eat out and Hillman Cookware folded, it's nice to know I have a future as a busboy."

He led Becca to an out-of-the-way table, laid out his offerings, and demanded that she sit and eat. As he watched her pick at her food, he noticed that occasionally, her eyes darted around the room, reconnoitering.

"Who was that girl you were talking to?" he asked.

"Which girl?"

"The one with the rear end in high gear." Jonathan tilted his head in the direction of the dance floor, where Tracy and one of her swains were holding center court.

"Tracy Stein." Becca carefully inserted a touch of tsk-tsk into her voice.

"I could have sworn that the two of you were arguing. Were you?"

"I don't want to talk about it."

"Why not?" Jonathan was intrigued, just as Becca wanted him to be.

"It's too embarrassing." She lowered her eyes, caught her breath in her throat, and looked away.

"It obviously upset you. Come on. Spit it out."

Becca lifted her eyes and stared at him. She bit her lower lip and then spoke in a halting whisper.

"Tracy is a lesbian." Her lip curled quickly. "She thinks that because I'm athletic, I'm one of them too. She's always making advances to me and she gets angry when I turn her down." She looked as though she was about to cry. "I don't know what to do about her."

Jonathan was shocked. He patted Becca's hand, looked at Tracy, and then back at Becca.

"Are you sure? I mean the girl looks like anything but the butch type."

"All the girls at school know about it, but they won't talk. They're as embarrassed as I am. She comes on to just about everyone, but in public, she throws herself at any boy who walks and talks. It's a cover so her parents won't find out."

The circle around Tracy had grown. She and her dancing partner had taken over the floor with their wild gyrations and foot-stomping. The young people in the audience clapped their approval. The older group stared. Jonathan and Becca stood up so they could see what was going on.

"My mother would faint if I ever made a spectacle of myself that way," Becca said.

"I know what you mean. This is hardly up my mom's alley either," Jonathan chuckled. "I get the feeling that your mother and mine are cut from the same mold."

"I beg to differ," Becca said with mock indignation. "My mother was not cut from any mold. I assure you, Sylvia Ross was custom-made."

Jonathan's eyes widened with surprise. Then he laughed.

"I didn't think you'd ever criticize either of your folks."

"I usually don't," she said, wondering if he was laughing with her or at her.

"See," he said with a sly grin. "Hang out with me and look what happens."

She couldn't stop the blush, especially since he had reached behind her and loosened the ribbon that held her hair.

"As long as you're going to go to hell with yourself, do it right," he said, running his fingers through the silky blond tresses and draping them over her shoulders. "Much better. Now, let's go show Tracy Stein a thing or two."

Jonathan pulled Becca onto the dance floor just as the music had slowed. With a dramatic tug, he pulled her next to him as he led her around the room. They had made one turn, when Tracy Stein bumped into them.

"Becca, darling. You've been dancing all night. I think it's time you rested."

"What?" Becca couldn't wait to see if her plan had worked.

Tracy kept her arms around her partner as she turned to Jonathan. "I'm very worried about her. She's prone to headaches, you know."

Jonathan noted the flirtatious flutter of the lashes, the seductive slump of the shoulders. His mouth immediately curved into a small grin.

"She looks okay to me," he said, "but I'll tell you what. If Becca does get a headache, I'll give her two aspirin and we'll call you in the morning."

With all the moves of a young Fred Astaire, he quickly steered Becca away and into the crowd. Becca saw Tracy's mouth drop. A few minutes later, she watched her rival leave in a huff. Jonathan must have seen it, too, because his arms wrapped around her protectively. Becca wasn't sure whether it was love or triumph that she was feeling, but whatever it was, it felt great and she had Jonathan Hillman to thank.

It was noon, the day after her party, and Becca was just beginning to rouse herself from a deep, contented sleep. When the phone rang, it jolted her. She picked it up on the second ring and was about to speak, when she realized her father was on the extension.

"Hello."

"Ben?"

"Who's this?"

"Kate Elliot."

A numbing cold shot through Becca's system. Her hand cupped the mouthpiece. *Why is she calling? What does she want?*

"How are you, Kate?"

Why did her father suddenly sound so different?

"Ben, this is not a social call. Jinx is on her way to New York. She arrives this afternoon."

There was an urgency to Kate's voice. Becca felt it on her end. She had little doubt that her father had heard it too.

"I see."

"She still thinks you died in Berlin, but she's determined to track down your family."

Ben was silent. Becca's head began to pound.

"She's looking for a part of her past that was taken away from her, and, damn it, you're going to give it back. I've kept your secret for years. I'm not going to shield you from her or her from you any longer."

"What do you want?"

"I want you to call her at the Cotillion Hotel. I want you to see her and I want you to tell her who you are."

"Kate, I have a wife and a daughter."

"A daughter? What's her name?"

Becca didn't hear the ancient pain in Kate's voice, but Ben did. All Becca heard was the horrible hesitation, the multi-seconds that passed before her father acknowledged her. Anger hovered like a rain cloud, ready to burst.

Tell her! Tell her my name!

"Frances Rebecca. We call her Becca."

Such a long silence ensued, Becca began to think that Kate had hung up. But there had been no click.

"How could you?"

Becca's temples began to throb unmercifully. She was getting one of those awful headaches. She wanted to hang up, to avoid what she knew was coming. But she didn't hang up. She listened. And she heard.

"My family would have asked questions. The first born daughter was to be named after my mother."

"Your firstborn daughter *is* named after your mother. This child is your second daughter."

"Kate. We had separated."

"You had walked out. I was four months pregnant."

"I never told anyone about the other baby."

"The other baby, as you so casually put it, is Frances Rebecca Elliot."

"You were the one who named her Frances Rebecca," Ben said, almost defensively.

"You named her Jinx. I didn't like the way that looked on the birth certificate."

"Kate. This was such a long time ago. By the time Becca was born, we were history. There seemed no need to say anything."

"History? Well, Benjamin Ross, né Rostov, our history is about to become your current events!"

Kate slammed down the phone with such force that the reverberations pushed sound waves into Becca's head, spiraling around in her brain until she felt dizzy with pain. For a few minutes, she sat and stared at the phone. Then, still in a daze, she forced herself to her feet. She locked her bedroom door and went to a special hiding place in her closet—a loose panel behind which she kept the letter she had found eight years before. As she took it in her hand, the pain in her head doubled, blinding her, throwing her off balance. She groped her way back to the bed and lay down. Her eyes closed. Her hand continued to clasp the letter.

In. Out. In. Out. She took deep breaths, trying to rid herself of the torturous throbbing.

Lie quietly, she told herself. *It'll pass. It always does.*

In. Out. In. Out.

Her hand curled around the heinous letter, the piece of crumpled paper that still served as a constant admonishment. *Be good,* the letter said to her. *Be good or he'll leave you too.*

In. Out. In. Out. *Don't cry.*

Frances Rebecca. Her name. Her father. It was almost too much to bear. Becca rubbed her temples, trying to relieve her torment, trying to remove the whole conversation from her mind. No matter what she did, it wouldn't go away.

Frances Rebecca. First child. Ben's daughter. Coming to New York. Going to find you.

Becca jumped up. With wide, vacant eyes, she sat on her bed, looked down, and stared at the letter.

Watch out, it shouted at her. *Watch out or the other one will take him away from you.*

Becca lifted the letter and held it out in front of her, glaring at it.

"She'll never get him," she said, her voice trembling with conviction. "Never!"

The smallest secret sometimes carries with it the seeds of the greatest destruction. No one knew that better than Benjamin Ross. For more than twenty years, he had harbored a secret that, if revealed, would surely have had a devastating effect on his life.

What lucky star watched over him, he wondered as he lay on the massage table at the club. Twice, Kate had contacted him and both times, Sylvia had been out. What if she had intercepted that letter? What if she had overheard this afternoon's phone call? He shivered despite the warm oil the masseur was kneading into his tense, aching muscles.

Many times, Ben had considered pre-empting the inevitable by telling Sylvia about Jinx, but he could never bring himself to do it. The truth, especially when it had been hidden for so long, was like a ball of loosely wound string—pull one strand and the entire ball unraveled. When they were courting, he had told Sylvia about Kate, but he had passed it off as a brief, foolish encounter, an episode that was nothing more than a lonely serviceman's mistake. He couldn't tell her about the baby then, and he didn't think he could do so now.

A bilious fluid gurgled up from his stomach and soured his mouth. Down in his gut, where there was no room for dishonesty or delusion, he knew that no matter how intelligently he reasoned or how passionately he rationalized the situation, the only thing perpetuating his silence was the enormity of his own sense of guilt.

He buried his face in the towel pillowing his chin. For the first time in years, tears of regret dropped onto the terry-cloth. Why had he done it in the first place? Why had he abandoned Kate? Youth. Fear. Impetuousness. Ego. Maybe if they had come together at another time, in another place. They had been so young, so far from home.

He had been twenty, she nineteen. It was Berlin during the reconstruction, and life seemed to be on fast-forward. Relationships didn't blossom, they burst into being. Instinct ruled. Reflection, convention, contemplation—they took too long and seemed strangely out of synch in a city rushing to bury its past and build its future.

There was no question that the core of Ben and Kate's relationship had been intensely physical. From the moment he had seen her, he had wanted her. Though her face was fresh and innocent, her body spoke of paradisiacal pleasure. When finally he made love to her, he felt as if he were Adam and she Eve, and no man and woman had ever come together in such a way before. They spent hours in bed—loving, caressing, comforting—each time seemed more rhapsodic than the last, each crescendo louder and more splendid.

Thinking back, Ben recalled that Kate had possessed an honest simplicity that had also appealed to him. He was hyper, always racing, always leapfrogging rungs on the ladder of success. Kate was calmer, more circumspect. The next rung was the next patient. Curing that patient was challenge enough.

They married, but not because Ben was making a conscious, adult commitment. They married because Kate excited him. It had seemed right coming home to her, having a place that was theirs, feeling that she belonged to him and him alone. True, he loved her, but at the time, he hadn't been prepared for the responsibilities of loving her.

When she told him she was pregnant, things that had seemed annoying but minor, suddenly became major. Problems that had been easily solved, suddenly escalated into full-scale battle. Between ferrying cargo and personnel in and out of Berlin, Ben was flying three missions a week. He was overworked and under tremendous pressure. He became jittery and churlish. Several times, he was grounded for flight fatigue. Kate, too, was overworked and overtired. They began to snipe at each other and their lovemaking lost some of its heat. Little by little, the circumstances of their existence tugged at Ben's immaturity and, for lack of any other available scapegoat, he began to think of the unborn child as a jinx.

The final blow came when his plane lost an engine. He escaped the explosion by mere seconds, but was laid up in the hospital for two weeks with burns and broken ribs. When he left the hospital, he left Kate.

Ben had finished his massage and now sat in the sauna, slumped in a corner crowded with might-have-beens. Maybe Kate had grown fat and jowly. Maybe her lustrous blond hair had turned gray and limp. Maybe it was only her voice that remained young and buoyant. Ben shook his head and a small, sad smile crooked his lips. No. He'd bet everything he owned that Kate Elliot was still one hell of a good-looking woman!

And the child? In all this time, he had never erased the picture of her hyacinth-blue eyes and her fuzzy black hair. Her nose had been tiny, but at the tip there had been a slight indentation, a dimple, just like his mother's. When Kate had called him just after she had given birth and told him that she had named his child Frances Rebecca, he'd wavered. He went to the hospital to visit Kate, but when he got to her room, she was crying and Hank Elliot was comforting her. He then went to the nursery and viewed his baby through a window. He had seen her only once, but that small face had haunted him for more than twenty years.

Someone splashed water on the rocks and steam hissed into the sauna. Ben's attention was forced back to his surroundings and the reason he had hidden himself away for most of the afternoon. After Kate's phone call, he had felt overwhelmed by the past. His head had cluttered with memories. His heart had filled with emotion. He had to get out. It had felt adulterous to think of Kate in Sylvia's house or to wonder about Jinx when Becca was sleeping upstairs in her room.

But it was getting late and he had a decision to make. Reluctantly, Ben raised himself from the wooden bench and padded toward the door. The past tugged at him and for a moment, he hesitated. Then he went to the showers, where he would wash away any remaining surface guilt and wipe dry any remaining tears of regret. He would not do what Kate asked. He would not go to see Jinx Elliot.

It wasn't that Ben was totally unfeeling, but rather, he was a pragmatist who didn't believe that any purpose would be served by a breast-beating confession. What was done was done, and no matter what he did to try to rectify the situation, he knew that in the eyes of both his daughters and both his wives, it could never be undone.

Despite the terrible pain in her head, Becca forced herself to dress quickly. She had heard Ben's car pull out of the driveway more than twenty minutes ago. If he had gone to the club, as was his weekend habit, he would certainly be there by now.

"Rolling Greens Country Club. Good afternoon."

"Mr. Ross, please."

Becca tried to be patient while the operator located Ben, but her mind was racing. What if he wasn't there? What if he had gone off to meet Jinx?

"Mr. Ross is taking a massage right now. Would you care to leave a message?"

"No, thank you. It's his daughter. I just wanted to verify our dinner plans."

"Your parents have reservations for three at six-thirty, Miss Ross. Does that help?"

"Yes, it does. Thank you."

Becca hung up and put a check mark next to the first item on her mental list—locate and position all players. Sylvia was visiting her parents. Ben was at the club. Jinx was on a plane.

Item number two—locate Ben's appointment book. Becca inched her way down the hall to her father's study, reached into the top drawer of his desk, and pulled out a large alligator looseleaf. She turned to the upcoming week and allowed a brief smile to flicker across her lips.

August 16–August 24: CALIFORNIA—SHOOT FOR GRIPSHOLM TV SPOTS. BEVERLY KIPLING HOTEL.

It was August 15. Perfect! Ben always took an early morning flight to L.A. He packed the night before, went to sleep early, and left the house at the crack of dawn. If he was going to call *her,* he would do it either that afternoon or when he got back from the Coast. Once he boarded that jet, he would be all business, and Becca was willing to wager that even the specter of Jinx Elliot would not be able to interfere.

That meant that Becca's first priority was to protect the hours between now and the flight. Since Jinx didn't know about Ben, what Becca had to prevent was Ben reaching Jinx. He could call from the club, but it seemed unlikely. It would hardly be a two-second, hi-you'll-never-guess-who-this-is kind of call, and Becca doubted that Ben would risk being overheard or interrupted.

As she drove into the city, Becca tried to analyze the various options and alternatives. It wasn't totally unreasonable to think that after one week, Jinx would be gone from the Cotillion. It was a women's hotel with comfortable rooms, modest rates, and very strict rules. Unless they were novitiates, most young women new to New York who stayed at the Cotillion when they first arrived moved out the minute they found a way to afford an apartment. Jinx was an unknown quantity, but instinct told Becca that Jinx was not leaving the security and sanctity of hometown and family to come to New York so she could have a ten o'clock curfew and a sign-in sheet.

After she parked her car, Becca went to a phone booth, called the Cotillion, and asked if Miss Elliot had checked in yet. She was told that Miss Elliot was not expected until later that afternoon. Becca then called most of the airlines and jotted down the arrival times of every flight coming in from Phoenix. When she had all the information she needed, she strolled into the lobby, found a chair that offered a view of both the door and the front desk, and began her vigil.

The Cotillion was an anachronism. Built in the early nineteen hundreds, it still boasted a turn-of-the-century morality. The decor was English—marble floors, extra-high ceilings, brocade-covered wing chairs—the atmosphere puritan. On Sundays, the lobby became a tearoom where young ladies entertained their beaus over tea and cakes. Small groups gathered around polished Chippendale tables and sipped delicately. It was all quite archaic as far as Becca was concerned, but today it had come in handy, providing enough hustle and bustle for her prolonged presence to go unnoticed.

For more than three hours, Becca leafed through the same magazine, turning the same pages over and over again. Each time someone walked through the revolving doors, her heart flipflopped. Fear insinuated itself on her insides, as if she were anticipating the appearance of a ghost.

It was, in fact, the ghost of her father's past that terrified her.

Ghosts had a way of coming back and reappearing like uninvited guests. She could tell from her father's tone that talking to Kate had brought back many memories for him, most of them pleasant. It was clear that Ben had loved that woman. Though Becca was loathe to admit it, there was no denying the regret that had echoed in his voice when he had realized that Kate had hung up the phone.

To help pass the time, Becca tried to concentrate on Jonathan. He had been wonderful at the party, so sweet, so handsome, so attentive. They had made a date for Tuesday and Wednesday and the following Saturday. Becca silently patted herself on the back. He was a prize and she had no intention of letting him go.

What fascinated her was that she really liked him. She even had decided that with him, sex might not be too bad. Becca was a compulsively neat person. Wrinkles, smudges, stains, dust—they disgusted her. From what she had heard and read, sex was not neat. It was a lot of touching and slurping and dripping and mussing and fussing and messing. Then again, Jonathan did make her legs feel wobbly. He did set off a flutter in her stomach. He did make her laugh. Maybe with him . . .

Without meaning to, Becca drifted into a half sleep. A dreamy light intruded behind her eyelids. Two figures stood together. The faces disassembled. Lips. Eyes. Hair. Chin. Floating. Coming together. Breaking apart. The brightness increased. A third person came. Faceless, shrouded in fog, swathed in gossamer veils, but Becca knew. It was the other Frances Rebecca.

Becca's eyes jolted open. Her blouse was drenched with sweat. Pain pounded against her skull and her breath got stuck in her throat. She looked up and an arctic cold rippled over her flesh. The apparition suddenly had a face. Walking through the front doors was a young woman with wild dark hair and violet eyes. She wore a simple cotton dress with a blazer tossed over her shoulders, yet everyone in the lobby turned to look at her. Becca's worst fears had been realized. Jinx was stunning. No man's ego would turn down a chance to claim paternity to her. Worse, she looked exactly like Ben.

Becca watched with a leaden stare as Jinx approached the front desk.

"I'm Miss Elliot," the woman said.

Anger simmered inside Becca. None of this was her fault. Why should she have to lose any part of her father's affection or attention because some woman in Phoenix had decided to collect on an old debt? Why should she have to work so hard at gaining her father's approval and keeping his love? Becca rose from her chair and moved nearer the desk so she could hear Jinx's room number.

"Are there any messages for me?"

Becca's skull pulsed as she waited for the clerk's answer. The young man handed Jinx a pink slip of paper. Becca wanted to rip it away from her. She felt dwarfed by the other girl's height, overshadowed by the intensity of her presence.

"Can I make a long distance call from my room?"

The clerk nodded yes and Becca almost fainted with relief. The message must have been from Jinx's mother. For an instant, Becca's relief faded as quickly as a blush. Kate had Ben's phone number. What was to stop her from giving it to Jinx? No. She wouldn't do that. If she had intended to tell Jinx herself, she never would have called Ben.

While Jinx finished registering, Becca stared at the woman she knew to be her half-sister. She looked at her as if Jinx were a specimen on a slide. She studied her legs, her clothes, her shoes, her jewelry. If she could have, she would have examined the contents of Jinx's luggage. Although consciously she was assessing the competition, subconsciously she sought a family resemblance, a tie between them. There was none other than the fact that Ben Rostov was their father.

As Jinx went to the elevator, Becca ran to a house phone.

"This is Miss Elliot in Room 406," Becca whispered. "I've just checked in and I'm very tired. If you wouldn't mind, I'd like you to hold all incoming calls."

"Certainly, Miss Elliot. Would you like to leave a wake-up call now?"

"No, thank you. First, I'd like to get settled, then I have to call my parents. Then, we'll see."

"Have a good night."

Becca hung up, knowing that this was merely a stopgap at best. This was not enough to keep Jinx and Ben apart, especially if either of them was really determined to stage a reunion. Becca knew all too well how tenacious a Rostov could be. She had to make certain that the prospect of claiming Jinx was more trouble than it was worth. She had to make Ben think that a secret phone call to one Frances Rebecca might mean disaster for the other.

Maybe she didn't have to worry. After all, Ben had walked out on Kate and Jinx. In all these years, as far as she knew, he had never attempted to make amends, even after the letter. Why would he do so now? Because Jinx was in New York and not miles away in Arizona? Because she was so gorgeous? Because the resemblance between father and daughter was undeniable?

Becca called the Cotillion every day. Three days after her arrival, Becca was informed that Miss Elliot had checked out. She had not left any forwarding address. Becca expected to feel victorious, but she didn't. Her hatred had filled every pore. There was little room for anything else. It was as if she believed that by channeling this hatred in one direction she could eliminate the threat of Ben's other child. But deep down she knew. One day, no matter how clever she was, she would have to deal with Frances Rebecca "Jinx" Elliot. And she would have to do it face to face.

BOOK TWO

5
Frances Rebecca Elliot
Jinx

August 1971

"MR. KIPLING will see you now."

From the day Kip had left Phoenix without saying a word, Jinx had thought of little beyond this moment. She was twenty-three now, had served as manager of the Oasis for more than nine months, assistant manager for a year and a half before that, and under her leadership, the hotel had begun to outpace all the other Kipresorts in the Southwest. Her advertising concepts and promotion packages had become models for all the other hotels in the chain. Her in-house innovations—free breakfast by the pool for early risers, complimentary cosmetics and toiletries, welcoming baskets of fruit—had raised eyebrows at first, but had proved immensely popular with the guests and surprisingly profitable for the hotel.

It was her latest suggestion, however, that had won her a trip to New York and a job in the corporate offices of Kipling Worldwide. Working with an architect, a city planner, bankers, builders, and realtors, she had drawn up a prospectus for constructing town houses on the outer perimeter of the Oasis. By selling some of these as condominiums, renting others on a seasonal basis, and utilizing the remaining units for family-plan reservations, the project would pay for itself within three years. Her concept was so solid and so financially sound that Harrison Kipling could no longer ignore her.

The receptionist ushered Jinx out of the waiting room and down a long hall. On the way, Jinx checked her reflection in every glass door she passed. She had wanted to wear her hair pulled back in a sleek chignon, but August humidity had made that impossible. Instead, her black mane curled wildly about her face. A hint of violet shadow and a touch of mascara framed her hyacinth eyes, while coppery lipstick and light russet blush intensified the golden bronze of her Arizona tan. Outside the president's office, she smoothed the skirt of her white linen dress and prayed that Kip thought she looked as sophisticated in it as the saleswoman who had sold it to her.

Just before leaving Phoenix, Jinx and her mother had flown to Los Angeles for a shopping spree. Kate had insisted on celebrating Jinx's promotion with a trousseau, so with Hank's blessing and several charge plates, the two of them had hit every store on and off Wilshire Boulevard. The department stores provided everyday work clothes; boutiques yielded shoes, bags, and accessories; and a smart shop which had just opened on Rodeo Drive, LaTessa, became the source for what Kate still called party clothes. Their outing had cost Kate a fortune, but she seemed to love every minute of it. "No daughter of mine is going to the Big Apple looking like a tourist!" she had said.

"You may go in now." The tall, taciturn woman who had escorted Jinx to Kip's office opened the double doors and, with a grand sweep of her arm, invited Jinx to enter.

Jinx took a deep breath and strode into the room, shoulders back, head high. She was the picture of confidence. Until she looked at his face. Then she faltered. Even though she carried the newspaper clipping of them in her wallet, she had forgotten how truly handsome he was. As he walked out from behind his desk to greet her, his eyes burned through her cool façade.

"How wonderful to see you," he said, taking her hand and holding it in his.

She pulled her hand away. "It's nice to see you again, Mr. Kipling. How've you been?"

"Mr. Kipling, is it?" His upper lip lifted into that quizzical, uneven smile. "I've been fine, Miss Elliot. And yourself?"

"Very well, thank you."

"Good. I assume your family is all well?"

She nodded.

"May I show you to a seat?"

She nodded again and followed him to one of the burgundy leather chairs that dominated his executive lair.

This is not going well, she thought.

Although she had initiated the formal tone, she suspected that he was poking fun at her and, in a way, she didn't blame him. Even to her ears, she sounded stuffy, pretentious, and immature. That was not the way she had planned to behave.

She tried to regroup by looking around his office, but as warm as she had found Casa Kipling, that was how intimidating she found this room. It was very New York with its uncluttered cleanliness and skyscraper severity. Carpet, walls, couches, chairs—all were a rich shade of burgundy. The desk was stainless steel. The window blinds were brushed aluminum. The lights were hidden in the ceiling. The only accessories were two glass ashtrays and an enormous abstract painting that covered one entire wall. The office looked like a page from *Architectural Digest*. Jinx felt her confidence flag. She wasn't sure she belonged here.

"You should be very proud of yourself," Kip said, breaking the silence. "Your work at the Oasis has been exemplary."

Jinx offered an unsteady smile in response. This was more difficult than she had dreamed it would be. His very presence challenged her control. She wanted to throw herself at him, to kiss him, to scream at him for leaving her.

"I've been reading over your town house proposal and quite frankly, I'm impressed." He had not taken his eyes from her face since she walked in.

"I'm glad," she said, trying to maintain a strict, businesslike aura. "I think it would work just as well in Santa Fe, Dallas, Houston, and Las Vegas. Unused land surrounds every one of those resorts, land that could be used for profitable expansion."

"Possibly." His face remained expressionless, his tone noncommittal.

"Plus, town houses should be considered for ski areas. Mini-lodges are a natural for Vail, Aspen, and Tahoe."

She had hoped her enthusiasm was contagious, but instead of involving himself in the conversation, he cut her short.

"All of this will have to be discussed with Jeffrey Dodge. He's the gentleman you'll be working with."

Kip stood and helped her to her feet. As she rose, she found herself so close to him that their bodies were only inches apart. Both of them lingered. She backed off. He turned and led her out of his office and down the hall.

Jinx was disappointed and a little angry with herself. She had overplayed her part. Now he was dismissing her. Three years of work.

Two hours to dress this morning. Wasted! She followed meekly, feeling like a deflated balloon.

"Jeffrey is extremely capable," Kip was saying. "He's been with Kipling Worldwide ever since he graduated from Harvard Business School. In fact, much of our recent growth can be directly credited to his department. The official title is Corporate Development. I call it our think tank. Jeffrey calls it the 'thank tank.'"

"Thank tank?" Jinx asked only because she knew she was expected to, not because she cared.

"Jeffrey feels that the purpose of his department is to come up with ideas that rate either a thank-you from guests or from me. If there are no thanks, then the idea was no good and Jeff takes all the blame personally."

"He sounds like a remarkable man," Jinx lied, wondering why Kip didn't remember that she had worked for Kipling Worldwide since she was sixteen. How about her ideas? How about the fact that she had labored as a waitress, counselor, desk clerk, tour guide, and even soda jerk? Had his precious Jeffrey Dodge done any of those things? Why was Kip prattling on about some goody-two-shoes apple polisher when he should be holding her in his arms and kissing her and telling her how lonely he'd been for the past three years?

Suddenly, following him down the hall, she began to feel foolish. Though those intervening years had strengthened her feelings for Kip, she had to recognize the possibility that he had never given her a second thought; that she had been a vacation dalliance, nothing more; that he might be involved with someone right now. The thought unnerved her. Meeting Jeffrey Dodge unnerved her further.

He was a formidable man. He looked about Kip's age, with undistinguished facial features and light-brown hair cropped close. His suit was pinstriped and tightly vested. His glasses were horn-rimmed tortoise shell. His nails were neatly manicured. His shirt was white-on-white, heavy on the starch. And his manner was most definitely imperial.

"Have a seat, Miss Elliot," Dodge said, walking behind his huge mahogany desk, sinking into a wide brown leather chair.

Jinx tried to make herself comfortable, but she was finding it very difficult. Kip's abrupt departure had upset her, and even though Jeffrey Dodge had been cordial, her antennae were picking up strong warning signals.

"Mr. Kipling has told me that you are to become a member of my department." His voice was low and he spoke with a definite Brahmin accent. "I've read over your file and I must admit, it's quite impressive for someone so young."

"Thank you," Jinx said.

"If you don't mind, I'd like you to tell me a little about your background. Personnel files are so impersonal."

As Jinx proceeded to recite her various duties at the Oasis and her educational training, Dodge took the time to study her. When Kip had returned from Phoenix three years before, Dodge had noticed a distinct change in his employer. For months after his return, he seemed depressed and out of sorts. He turned down invitations to dinner and social functions that he normally would have felt obligated to attend. He became agitated very easily and overly demanding. And he began to take an unreasonable interest in the Oasis. Dodge had suspected that a woman was involved. A few well-placed phone calls had confirmed that yes, Kip had been seen in the company of a very young woman throughout his holiday stay. Jinx had been that woman. When Kip had told him he was promoting her and bringing her to New York, Dodge had been alarmed. Seeing her, he knew that his concern was well founded.

". . . And I hope this plan will be the first of many."

Jinx had concluded her autobiographical sketch with a pitch for her town house proposal.

"I must confess," Dodge said, leaning back in his chair and giving her a practiced smile, "I'm not totally convinced that your town house suggestion is valid for Kipling Worldwide at this particular point in time, but certainly, we'll give it every consideration."

Jinx was confused.

"I don't understand," she said. "I thought the idea had already been approved by Mr. Kipling."

"Forgive me," Dodge said with a smile most people reserved for children, "I forgot that you would have no way of knowing home-office procedure. That was a preliminary approval, contingent on the findings of my department."

Jinx nodded. She may not understand home-office procedure, but in the few minutes she had been with him, she understood that Jeffrey Dodge's honeyed politeness and considerate gestures were nothing more than socially acceptable covers for a fiercely competitive nature. This meeting was meant to impress her with the importance of Jeffrey Dodge. He was the undisputed lord of his domain and he was letting her know that he would fight any challenge to that authority, no matter how small or how innocent.

"Well, then," she said, putting her own competitive mechanism on low, "I look forward to seeing how thorough your department is and exactly what their findings are."

Even though it had been slight, Jinx's sarcasm was not lost on Dodge. He covered his surprise with another patronizing smile. Clearly, this woman was not easily cowed.

"Where are you staying?" he asked, quickly switching gears.

"Right now, I have a room at the Cotillion."

"That's such an unpleasant place," he said, crinkling his nose. "We do have a few suites at the hotel which we make available to employees. Perhaps you would be more comfortable there."

Jinx didn't have to think twice. Even after two days, the Cotillion was beginning to get on her nerves. With all their rules and regulations, she had begun to feel that brushing her teeth without white gloves on was a faux pas punishable by death.

"That would be fantastic," she said. "Thank you."

"It's my pleasure," he said, rising and walking around his desk. "Why don't you spend the rest of the day collecting your things and settling in. I'll arrange everything with the front desk. You can start work tomorrow morning."

He walked her to the door, shook her hand, and watched her leave with a satisfied smile. The young "comer" from Phoenix had just made a mistake. If she was interested in an after-hours romance with Kip, the one place in New York she should have stayed away from was the hotel. Harrison Kipling might be many things, but he was discreet. He would never compromise himself by pursuing a woman in view of his employees. One visit to Jinx's suite and their affair would be public knowledge. Score one for Jeffrey Dodge.

For weeks, Jinx never even laid eyes on Harrison Kipling. He was out of town much of the time, and when he was in New York, it appeared as if he was avoiding her. Ironically, Jinx received a long letter from her mother, who apparently suspected that Jinx's main function at Kipling Worldwide was to decorate Harrison Kipling's bed. Kate also seemed strangely preoccupied with whom Jinx had met since coming to New York. Jinx responded with names and descriptions of the men and women at work, but Kate asked the same question over and over again, as if Jinx still hadn't given the correct answer.

Hank's letters focused more on Jinx's job—was it interesting, stimulating, rewarding, everything she wanted, more, or less. Heather's letters read like a gossip-column interview—who was wearing what, where, when, and why wasn't Jinx being wined and dined by every eligible bachelor in town? The answer to that was simple: Jinx was in love with Kip and though her optimism about a relationship with him was beginning to fade, she hadn't given up all hope.

No matter how disappointed Jinx was personally, however, professionally she was content. She loved working for Kipling Worldwide. It was exciting and enlightening and the more she learned, the more she wanted to learn. Almost immediately, she had understood that her years at the Oasis had been preparatory, an on-the-job training program that had allowed her to view only a small section of an immense jigsaw puzzle. Here in New York, she was permitted to see how that section related to the whole and, on occasion, to contribute to its growth.

Kipling was a huge, vital organization that tentacled the globe, involving other governments, other cultures, business people's needs, travelers' needs, local towns, major cities, airports, seaports, changing tastes, differing styles. It was staffed with interesting people doing interesting jobs, and housed in luxurious surroundings—three floors in the New York Kipling, four floors in the newly completed Kipling Building on Fifth Avenue—and headed up by a man who had a reclusive streak, but nonetheless remained dedicated to his business.

The one negative was Jeffrey Dodge. It was quite obvious that Kip placed a great deal of trust in Dodge's abilities. It was also obvious that the other members of the Development department respected him and got along with him, even if privately, several had admitted that they didn't view him as a candidate for Mr. Congeniality. He ran an efficient operation, worked long hours, was thorough in his research, and somehow managed to extract the best from those working under him. Apparently, from what Jinx could see, his particular genius manifested itself in his ability to ferret out the most feasible improvement plans from all those suggested and to implement them quickly, well before the competition.

Jinx's problem was that his openmindedness was extended to everyone but her. Though her town house plan had finally received approval, several other ideas she had submitted had all met with rejection. She asked for explanations. He gave her none. She became more insistent. So did he. Once, when she asked for permission to present her projects to Mr. Kipling, Dodge reminded her that *he* was head of the department and sole liaison with the front office.

After that, Jinx had retreated slightly, sitting back and observing. Mainly, she noticed that Dodge took on projects that were easy to put into motion and appeared to have more than a fifty-fifty chance of succeeding. He was fiscally responsible, but Jinx felt he carried his concern for profit and loss too far. The more creative an idea, the greater the risk, and therefore the more likely it was that Jeff would reject it. Though Jinx could see that it was not wise to voice an opinion during the early stages of any project, she truly felt that his viewpoint was too narrow and that he was letting many innovative and potentially profitable ideas slip away.

Fortunately for Jinx, the other members of the Development team were far more friendly than their superior. There were four men and three women, each with impressive credentials, each older than Jinx. The women adopted Jinx immediately. They took her on quick sight-seeing tours after work. They showed her every department store on the island of Manhattan, and occasionally, invited her to their homes for a family dinner. The men were equally friendly. They treated her to lunch, stopped by her office for casual chats, frequently took her out for a drink after a late-night meeting, and encouraged her to find her own apartment before the monotony of living and working in the same place afflicted her with an extreme case of cabin fever.

After weeks of searching, she finally located a studio on Eightieth and East End Avenue. It was in an older building, on the third floor in the back, without much light, no view, and a bathroom tiled in penal-system gray, but it was roomier than most studios she had seen. It had a small dining alcove, a large living room/bedroom, plenty of closets, a crosstown bus on the corner, and a monthly rent that didn't rival the national debt. The only problem was that it was the first Thursday of the month, the day Dodge held his departmental meetings. If she didn't sign the lease that day, she would lose the apartment.

When Jinx got back to the Kipling offices and raced into the meeting, twenty minutes late, she was met by an indignant Jeffrey Dodge. Although recently, he had been short and snippy with her, she was unprepared for his blatant nastiness.

"How nice of you to honor us with your presence, Miss Elliot."

"I'm sorry. Really I am. But I found an apartment and I had to sign the lease and I couldn't get a cab and the bus was late. . . ." She was out of breath and a little perturbed by his attitude.

"That's all very interesting, I'm sure. In the future, take care of your personal business on your time, not ours."

He glared at her as if she had just drowned her pet cat. Then he turned toward the conference table and directed himself to a tall blond woman seated near the back, ignoring Jinx.

"Claire," he said. "What were you saying before we were so rudely interrupted?"

Claire Billings, one of Jinx's new friends, waited for Jinx to settle herself and for Dodge to calm down. Claire was in her forties, French, married to an international tycoon involved in shipping, and an old friend of Kip's. In her designer clothes and lavish jewelry, she might have seemed a dilettante, but she was possessed of a keen intellect, a professional sangfroid, and a social savvy that made her input into the resort arm of the operation invaluable.

"I was saying that Jinx and I have been working on a plan to bring spas into several of our larger resort complexes."

"Too much extravagance with too little return." Jeff never even looked at Claire. He was too busy scowling at a bit of cuticle his manicurist had missed.

"Why don't you study our proposal before dismissing it?" Claire said with no small amount of criticism in her voice.

"I don't have to study it to know it's frivolous."

"I disagree!" Jinx leaned forward, like an animal on its haunches ready to pounce. "There's nothing frivolous about physical fitness."

"Trimming waistlines and firming thighs is hardly the concern of Kipling Worldwide." Dodge was being belligerent and though charm was not his strongest asset, pigheadedness was not really his style. Something was bothering him, and it was becoming increasingly obvious that Jinx was at the root of it.

"Again, I disagree," Jinx said. "Fitness is becoming part of everyone's lives. All over the city, exercise salons are filled with men and women working out."

"My point exactly," he sniffed. "People do that sort of thing at home. Not on vacation."

"I think you should tell that to the accountants for La Costa and Palm-Aire and the Golden Door. I'm sure they'd love to know where their profits are coming from." Two people tittered. Dodge growled. And Claire continued, "I'd like to know also, especially since I already know those places are solidly booked, twelve months a year."

"This is a growing market," Jinx added, more quietly than her compatriot. "I think it would serve us well to build luxurious spas. During the height of the season, it's an added draw. During the off season, we could pull in income from locals."

"Why not just apply for a franchise for Stillman's Gym?"

"Why are you being so negative?" Jinx was getting angry. "It's a sound idea that deserves exploration if nothing else."

"I'll tell you what," Dodge said, standing and facing Jinx. "I'll bounce your little scheme off Mr. Kipling. If he shows any interest whatsoever, I'll institute follow-up procedures."

"No offense, but Claire and I would like to present this idea to

Mr. Kipling ourselves. We've worked out the costs in some detail. I think we could make a more complete presentation."

"If Mr. Kipling is interested," Dodge repeated woodenly, "I'll let you know."

With that, he walked out of the conference room. The meeting had been singularly adjourned.

"I don't trust him," Jinx said to Claire, her eyes still fixed on the closed door.

"Neither do I," Claire said, a concerned look on her face. "I don't know why, but, my dear, there is something about you that aggravates that man."

"Well, I have a hot flash for you," Jinx said. "There's something about him that aggravates me! I can't imagine why a man like Harrison Kipling would keep someone around who's so consistently negative."

"For one thing, he's Kip's brother-in-law," Claire said, unaware of Jinx's feelings for Kip and therefore surprised by the absolute shock on her young friend's face.

"I didn't know Dodge was married to one of Kip's sisters," Jinx said, suddenly besieged by a host of unrelated thoughts and suspicions.

"He's not," Claire said, "he's Elizabeth Kipling's brother."

Jinx left the conference room and headed straight for Kip's office. Although this spa project was important on its own, it had suddenly become symbolic for Jinx and there was no way that Kip was not going to hear her side of this issue, no matter whose brother Jeffrey Dodge was. As she opened the door to Kip's outer office, she braced herself. She knew that first she had to get past Antoinette Troy, otherwise—and not always affectionately—known as "Cerberus."

"Miss Troy. I'd like to make an appointment with Mr. Kipling."

Every other time Jinx had tried to see Kip, Cerberus had given her a pat excuse: Mr. Kipling was out of town, not available, in a meeting, on the phone, not making appointments, or just plain out.

"His appointment book is rather full," she said with her automaton voice and vinyl smile. "If you'd like, I can try to fit you in sometime next week. I'll call you when he's free."

"Miss Troy, either you make an appointment for me to see the elusive Mr. Kipling sometime tomorrow, or you can accept my resignation at the end of the day."

"Rather rash, don't you think?"

"No, I don't."

The phone rang. Antoinette Troy went through her secretarial paces, then excused herself to go into Kip's office. Jinx would never know what prompted her to do something like this, but she picked up the phone and listened in. It was Jeffrey Dodge. He was arranging a dinner meeting with Kip. La Côte Basque at seven-thirty. It was five o'clock now. That didn't give Jinx much time. She waited for Cerberus to hang up in Kip's office. She replaced the receiver and left the outer office. She had a lot to do.

As the taxi pulled up in front of La Côte Basque, Jinx paid the cabbie, took a deep breath, and stepped out onto Fifty-fifth Street. For the last hour, her stomach had been doing an admirable imitation of a food blender, churning at a rate that could only be described as "puree." She sneaked a peek at herself in the window, slicked back a strand of hair that had come loose from her very-grown-up upsweep, and opened her coat so she wouldn't have to fumble with buttons at the door. Another deep breath and she ventured inside.

The restaurant was busy and there was a slight traffic jam at the front desk, giving Jinx a moment to get her bearings. The last thing she wanted to do was to appear like a tourist, but she couldn't help glancing toward the back. Beneath a striped awning was a mural depicting the bustling harbor at St. Jean de Lux. Other waterside recollections by Bernard Lamotte enlivened the large, high-ceilinged space, some scenes viewed through false windows outlined with stone arches. Small pots of fresh flowers dotted the tabletops. Huge pots of lush floral arrangements sat in specially lighted niches. Exquisitely dressed women and immaculately groomed men added chic to the ivory-colored stucco and dark-brown timbers that made up the faux-country surround.

Claire had treated Jinx to lunch here one afternoon and had warned her that pants were positively verboten and anyone who looked even slightly less than uppercrust was immediately banished to a table three steps away from the kitchen. With that in mind, Jinx had selected one of her LaTessa dresses for tonight's performance. Designed by a newcomer, Paul Rochelle, it was a lush black crepe de chine with a jewel neckline, long sleeves with buttoned cuffs, and a bias-cut drape that swooped down off one shoulder and caught on her left hip in a gentle knot. The pearl drop earrings Kate and Hank had given her for her college graduation added a quietly elegant touch.

As two couples standing in front of her were led to their table, Jinx spotted Kip and Dodge. They were seated in the bar area, deep in conversation. Thankfully, they were not at some tiny table for two that would not have accommodated her without a major fuss. Kip was sitting on a red leather banquette. Dodge was sitting across from him. There was plenty of room next to Kip.

Jinx took off her coat, handed it to the attendant, and began to walk into the bar, when she was stopped by a suave, but resolute maître d'.

"Pardon, Mademoiselle. May I help you?"

"I'm joining Mr. Kipling and Mr. Dodge," she said in a tone she hoped indicated that she was not the riffraff he had pledged to keep out.

"I was not aware that Mr. Kipling was expecting anyone else." He was pleasant, but skeptical.

"And I was not aware that I would have to survive an inquisition before I was seated!"

He bowed and invited her into the inner sanctum. "This way."

Obviously, she had achieved just the right amount of hauteur in her voice. If Dodge or Kip turned her away now, Jinx was convinced she would die on the spot. Cause of death: humiliation.

"Monsieur Kipling, your other guest has arrived."

Kip looked up, surprised at first. Then his mouth broke into a spontaneous grin.

"What a pleasure, Miss Elliot," he said, standing and helping her into the seat nearest him. "How nice of you to accept my invitation."

"How could I refuse?" she said, flashing Kip a look of sincere gratitude.

Kip ordered her a Kir and asked that the captain repeat the specials for her benefit. He never asked for an explanation from Jinx, nor did he offer one to Dodge. Judging by the tenor of Jeff's conversation for the past half hour, the reason behind Jinx's appearance was obvious.

The drinks, the appetizers, the wine, the entrees—they were all probably quite divine, but Jinx was too lost in the middle distance to notice. All she could feel was the lure of Kip's presence. She filled her nose with his scent, her ears with the sound of his voice, her eyes with the sight of his face. She wanted to touch his hand and taste his lips, but she couldn't. And she wouldn't. She had already made the first move by coming to New York. Now it was up to him.

Throughout the meal, Dodge had scowled at Jinx whenever he thought Kip wasn't looking at him, which was most of the time. Kip had not taken his eyes off Jinx since she had walked in. Dodge, undeterred by Jinx's arrival, hammered away at the utter foolishness of Jinx's spa proposal, stubbornly refusing any change of subject. Occasionally, Jinx returned to the present long enough to counter Dodge's negative badgering with a few positive facts gleaned from her and Claire's research.

It didn't really matter who said what. Kip wasn't listening. When the waiter came to take their dessert order, he made it clear that for Jeffrey, dinner was over.

"Miss Elliot and I will share a Grand Marnier soufflé," he said, indicating to the waiter that there would be no other order. "Jeff, I know you don't like to run off, but you do have an early meeting with the head of our European division, and besides, I'm sure Alicia is waiting for you."

Dodge rose reluctantly. "Right. I'd best be going," he said. "I'll call you the minute the meeting ends."

Pointedly ignoring Jinx, Jeffrey Dodge made his exit.

"The man loathes me," Jinx said.

Kip leaned back against the banquette while the waiter poured coffee.

"I'm afraid it's my fault," he said. "I've asked for weekly progress reports on you and I think my special interest has made Jeffrey a touch insecure."

"I don't see why," Jinx said, wondering just how special his interest was. "I'm certainly no threat to him."

"I don't know if he views you as a threat," Kip said, "but you are a challenge. After all, you had no intention of letting him present me with only one side of this spa notion, did you?"

"No."

"Wouldn't you call that a challenge to his authority?"

"I'd call it a demand for equal time."

"Okay," Kip said. "I gave him twenty minutes. I'll give you twenty minutes."

Immediately, Jinx launched into a thorough explanation of the Kipresort spa plan. She was well-informed, but as much as Kip tried to absorb what she was saying, his mind was elsewhere. It roamed back into the past, lingered, and then returned to the present. Had the spirited young woman he met in Phoenix disappeared? No. Not completely. He could still catch a glimpse of her in Jinx's eyes—as now, when she was so enthusiastic, or before, when she had mischievously barged in on his table. The youthful vitality that had bewitched him in the first place was still there. The unconscious yet startling beauty that had dominated his dreams and intruded on all his private thoughts for three years was still there. But the person sitting next to him was far from a teenager. She was a stunning, sensuous, self-possessed woman who had him totally entranced.

"Jinx." He put his hand over hers. "I don't want to talk about mudpacks or herbal baths or tiled floors. I want to talk about us."

"I came here to discuss business."

His fingers wrapped around hers and his mouth curved into that uneven smile.

"I'd like to clear up some unfinished business, if you don't mind."

His eyes caught hers and held her captive. It was the moment she had been waiting for, yet now that it was here, she felt nervous and shy.

"I owe you an apology," he said.

"For what?"

"Let me count the ways. For running out on you, not calling, not writing, not explaining myself, not helping you out when you moved to New York. Take your pick. I plead guilty on all counts."

"I don't remember accusing you of anything," she said quietly.

"All the more reason to ask your forgiveness. Will you listen?"

Jinx nodded. The touch of his hand on hers, the gentle timbre of his voice, the shyness in his eyes—at that moment, she would have forgiven him anything.

"When I met you in Phoenix, though it had been quite a while since they had died, I was still mourning my wife and my children. Oh, I had finished crying, and I could look at pictures of them without going to pieces and I was functioning on most basic levels, but I don't think I had truly vented my grief. Also, I think I had allowed myself to get very comfortable in the role of the widower. I allowed loneliness and isolation to become habits—they gave me a strange sense of security. You threatened that security. You broke through the bars of my prison and demanded that I come out into the sunshine and live among people again. I wasn't ready."

"And so you left," Jinx said softly, feeling terribly sad.

"And so I left." Kip's fingers tightened around her hand. "I needed time to come to grips with the fact that although I knew I would never forget them, I couldn't mourn forever. I needed time to become accustomed to life without them. And I needed time to come to terms with my guilt."

"What guilt?" she asked curiously.

Kip's eyes grew dark.

"Guilt because they died and I lived. Guilt because no matter how kind friends and relatives were, being in their company made me feel like an outcast and a burden. Guilt because when I met you, I knew it was possible for me to feel again, to love again and be loved. Guilt because I feared that caring about you meant I'd abandoned them."

Jinx didn't know what to say. She had acted out this scene a thousand times, putting one excuse after another in Kip's mouth, reacting to it, responding to it, preparing for it. But this was too overwhelming.

She leaned over and gently kissed his lips, mindful that they were in a restaurant, mindful that he had made no offers, no commitments. For a few minutes, they sat silently, holding hands, looking at each other. Then, suddenly, Jinx's eyes narrowed.

"Okay," she said, "I understand why I didn't hear from you for three years. Now I want to know why you've been avoiding me all these weeks?"

Kip laughed and then became serious again.

"Because I knew that if I was with you for more than ten minutes, I'd have asked you to come home with me, just as I'm asking you to do now."

Jinx looked into Kip's eyes and smiled.

"It's been much longer than ten minutes," she said. "I was ready to leave a long time ago."

Kip's apartment occupied the entire upper floor of the New York Kipling. A spacious marble foyer led into an enormous room bordered on two sides with floor-to-ceiling windows that framed the city. There were no curtains, no blinds that she could see, nothing to obstruct the magnificent view. Outside, the black of night sparkled with lights like diamonds glittering against silk.

Kip walked her through one sumptuous room after another. Jinx saw it all in a romantic haze. She noted the fabulous art on the walls, the thick hand-woven carpets on the floor, the statuary, the furnishings, the carefully chosen accessories, but it was all part of a foggy picture, not a clear portrait.

His bedroom was suffused with a warm yellow glow that emanated from a single bedside lamp. The room was sleek—hunter green and beige. The bed was huge, upholstered in rich green glove leather, blanketed in quilted cashmere with leather and suede throw pillows resting against a headboard that contained a complex control center for Kip's intercoms, telephones, televisions, and stereo systems. Across from the bed was a small stainless steel drum table flanked by two thick-armed chairs covered in a beige and green flannel stripe. There were no visible dressers, no closets, no shelves. On the walls were two large canvases, bold abstracts like those that graced the other walls in this ultramodern penthouse.

While Kip went to get a bottle of wine, Jinx sat in one of the armchairs and let the lushness of her surroundings engrave itself upon her mind. She wanted to remember every detail of this night. She didn't know what the future held for her and Kip, but she didn't care. She had been waiting for this for a very long time.

When Kip returned, he poured two glasses of wine, handed her one, and watched as she sipped it slowly. He, too, drank. Then he bent down and kissed her hand.

"I love you, Frances Rebecca Elliot," he whispered. "I've loved you from the minute I met you."

Jinx didn't know why, but she felt tears well up in her eyes as she answered him. "I love you, too, Harrison Phineas Kipling. Very much."

Kip placed her wineglass on the table, helped her to her feet, and took her in his arms. His mouth met hers and she was certain she felt his lips quiver as they kissed. He pulled her closer and filled her ears with softly mumbled words of love. His breath caressed her neck. His mouth burrowed into her shoulder. His fingers unzipped her dress. The black sheath fell to the floor and encircled her ankles. He stepped back and then, as if they were about to dance, offered her his hand and helped her step out of her clothes and shoes.

Kip led her to his bed, inviting her to lie beside him. The buttery softness of the cashmere blanket curled around her as she waited for him to undress and join her. Softly, lovingly, he kissed her, taking his time, letting her savor the sensations that had flooded her being. She loosened her hair, pulling it out of its restraints, allowing it to billow and puff and cascade over her shoulders. As he looked at her, clad only in a spare black slip and her wild black hair, she appeared magically transformed into a mythical goddess.

Delicately, he lowered one strap of her slip. His lips traced a line from her neck to just above her breast. His tongue marked the spot. Then he lowered the second strap and once again his lips found her flesh. Jinx's body began to move, swaying involuntarily, separately, as if it no longer claimed connection with the brain or any other thinking mechanism, as if it were nothing more than a molecular mass activated by the feel of Kip's hand or the touch of his lips. Her eyes closed and deep inside her a feeling of longing began to grow, an inner echo called out for completeness.

Gently, Kip slid her slip down her body. Inch by inch, slowly, deliberately, the cool silk and his warm hands glided across her skin, fueling the fire that had started to rage. His arms tucked underneath her and his mouth returned to her lips. He kissed her and stroked her and loved her, guiding, teaching, pleasing. Her hips undulated, spiraling, pressing against him, moving with him, searching for the fulfillment she knew would soon be hers.

Finally, they found each other, reuniting two spirits who had never been apart, by uniting two bodies which had never been together.

For the next few months, Jinx and Kip were together often. Though they tried to keep their relationship *à couvert,* Jinx was certain that they were topic A on the office gossip agenda. Judging by the buzzing and tittering that went on whenever she passed a gathering of employees, it was not unreasonable for Jinx to suspect that each time she and Kip spent the night at his apartment or hers, the details were broadcast on the morning news—just after traffic, right before sports.

Jeffrey Dodge had grown progressively colder, treating her with a plastic politeness that made her uncomfortable. He was never openly hostile, simply quarrelsome and indifferent. Worse, he looked for every opportunity to discredit her in front of the Development team.

Jinx assumed that his attitude was a response to her relationship with Kip, exacerbated by Kip's support for her spa suggestion. Kip had decided, after lengthy meetings with Jinx, Claire, and Dodge, that the proposal had merit. He organized a group of accountants, architects, decorators, and fitness experts, and charged them with the task of providing him with a thorough examination of the subject. The overwhelming opinion was that luxury spas would be an attractive, profitable addition to almost every Kipresort, but before he invested heavily, he wanted a test site. He selected Le Chalet Kipling in Vail, Colorado, and scheduled construction to begin in the spring so that they could be fully operational by early winter, when the tourist boom began. If Le Chalet were successful, spas would be put into other Kipresorts.

Throughout, Dodge played Cassandra, predicting doom and failure, refusing to alter his stance one millimeter. He had become so blindly argumentative that Jinx had to force herself to be civil when discussing it. Claire ignored him. Kip urged them both to be more tolerant.

"Everyone's entitled to one blind spot," he said. "If this project is a thorn in Jeff's side, for whatever reason, let it be. Don't let it interfere with everything else that's going on in Development."

Little interfered with the growing closeness of Kip and Jinx. During office hours they maintained a discreet distance, but after, unless Kip was traveling or Jinx was working late, they were together. Sometimes they dined with Claire, who was delighted with their relationship, and her husband, Peter Billings. Sometimes they flew to one of Kip's resorts for a weekend in the sun. Occasionally, they went dancing at El Morocco or Le Club. Rarely did they go to theater openings or other events which would naturally attract the press.

The best times were when they were alone. Then, they spent hour after hour talking. Kip spoke of Elizabeth and how hard it had been for him to adjust to her death. She had been a part of his life for a very long time and though the pain had lessened over the years, there were still days when something—a sound, a scent, a phrase—triggered a memory. He spoke of his children and the terrible void that had dominated his life because of their loss.

"That's why I moved into the penthouse," he told her. "The Westchester house had become a coffin. I couldn't bear to sell it, but I couldn't bear to live in it either."

Jinx spoke of Benjamin Rostov and how much she wanted to find some part of the father she had never known. She spoke of the sense of alienation she felt, the sense of separation and displacement.

"I need to make contact with one of his relatives and find out more about him," she said. "I need to touch my history."

"What if you find out something you don't like?" Kip asked.

"I'll deal with it. Nothing could be worse than knowing nothing."

Kip disagreed, but wisely kept his thoughts to himself. Until there was something more concrete, there was no reason to debate.

Jinx, like many other young women in the early seventies, was an amalgam of modern thinking and traditional values. Though her consciousness had been raised and her attitudes toward everyday life typified the emerging feminist—career-oriented, financially independent, emotionally and sexually liberated—she still entertained the more conventional notions of marriage and family. She wanted to be Mrs. Harrison Kipling. She wanted to have children. Yet for some reason, the subject never came up.

She wasn't even conscious of how much it disturbed her until one Sunday morning when she and Kip were lying in his bed, drinking coffee and making their way through the Sunday *Times*. Kip was reading the business section, Jinx was struggling with the acrostic puzzle. She was so wrapped up in finding a nine-letter word for "of times past" that she didn't notice when Kip put down the paper.

"I think I could be completely happy doing nothing but looking at you," he said, tracing a line down the center of her breasts, marveling at how much better she looked in his bathrobe than he did.

"I called in sick on Friday," she said, writing "erstwhile" in the little spaces and feeling triumphant. "If I don't go in tomorrow, Dodge will call out the dogs."

"I am wildly, madly, crazily in love with you," he said, taking her hand and kissing the tips of her fingers.

His lips then found hers and she slid down next to him, forsaking the puzzle. His arms tucked under the silk robe and wrapped around her. She felt a familiar weakness in her legs, a familiar flutter in her chest. When she spoke, her voice was hoarse.

"I have a question," she said.

"I'm about to make love to you, in case that's what you wanted to know." He nuzzled under her chin and pressed his lips against the soft flesh on her neck.

"Do you want to marry me?"

A broad smile spread across Kip's face as he moved back so he could look at her.

"Is this a proposal?"

"Do you want me to get down on bended knee?"

"I don't want you to move," he said, lightly stroking her arm. "However, I do want you to know that asking me a question like *that* at a time like *this* is taking unfair advantage and I object."

Jinx was flustered. Asking him about marriage had been a serious breach of etiquette. Worse, it had been presumptuous and pushy. A thought that had been plaguing her had voiced itself, sneaking past her control system.

"Besides," Kip continued, noticing the downward arch of her eyebrows, "I had every intention of proposing to you."

He sidled next to her again, his hands caressing her body.

"When?" Jinx wanted to concentrate on what he was saying instead of what he was doing, but it was difficult.

"Would you believe today?"

"No."

Without untangling his legs from hers, he reached behind him and rummaged around in a bedside drawer. He handed her a box and told her to open it. Inside was the most incredible diamond she had ever seen. It was oval and at least six carats. Suddenly, he took the box away from her. She stared at him in disbelief.

"In answer to your question," he said, returning the box to the drawer. "Yes, I want to marry you. Right now, however, I want to make love to you."

"What were you waiting for?" she asked, her eyes still wide with disbelief. "Why did you put that ring away? What are you talking about?"

"I was waiting to see if you completed that puzzle," he said matter-of-factly, his mouth slightly curled. "I wanted to see if you were a woman who finished what she started, a woman capable of total commitment. And now," he continued, his hands beginning to slide down her body, his lips reaching for hers, "I'd like to finish what I started."

As he went to kiss her, he felt her body stiffen. He opened his eyes and saw that she was staring past him.

"What's the matter?" he asked. "Did my teasing upset you? You can have the ring now if you want."

"No. But it made me realize that I'm not a woman who finishes what she starts."

"What are you talking about?"

"When I came to New York, I had two goals. One was to find you," she said with a brief, affectionate smile, "and the other was to find at least one member of the Rostov family. So far, I haven't turned up so much as a clue."

"That's because I've been taking up so much of your time," Kip said. He knew how deeply she felt about this, and he made sure he sounded sympathetic. "I'll tell you what. We'll look together. I'll use some of the resources I have at my disposal. You'll use your natural cleverness and ingenuity. And between us, I'm certain that if we search long enough and hard enough, we'll be able to find at least one long-lost somebody."

Jinx grinned and threw her arms around his neck.

"I think I'm the luckiest woman in the world."

And I think, Kip reflected silently, *if we search long enough and hard enough, we just might find Benjamin Rostov himself.*

6
Frances Rebecca Gold
Cissie

October 1971

"YOU HAD TO SEE PAUL'S FACE as he marched down that runway and saw the crowd give him a standing ovation. He was positively beaming!"

Cissie propped her feet up on one of her suitcases and grinned at her father. She had just flown home from Europe and had come to the office straight from the airport.

"Judging by the trade papers," Bert said, "he's now being accepted as a certified member of the couture."

"That he is," Cissie said with pride. "You should have seen it! On one side of the runway, the front row was lined with every important buyer in the United States. The other side was lined with super-rich, super-social women writing down style numbers as if his were the only clothes in town."

Bert laughed as Cissie screwed her face into her version of pinched aristocratic excitement.

"I'm glad Paul's doing so well," Bert said, "but as far as I'm concerned, you're the one responsible for the success of Monsieur Rochelle. Aside from your antics after his first show, your unrelenting promotion of his designs in this country is what paved the way for his acceptance."

"He's really good, Dad. If he wasn't, I couldn't have paved his way into Filene's basement."

Bert smiled, pleased with her modesty.

"What were the other shows like?"

Cissie's face lit up as she spoke.

"Dior was predictable, but Saint Laurent was brilliant," she said. "Every time I think he's used up the last of his creative energy, he comes out with something extraordinary. His evening clothes were to die! The fabrics alone were worth the trip. Naturally, I bought almost everything he showed."

"Naturally," Bert said.

"Ricci was elegant. Givenchy was staid, but with a little more snap than usual. Ungaro's clothes were silky and sexy. Valentino's soft suits were stunning. But other than Paul, I'd say the second brightest star of the French collections was Kenzo. Of course, he's not couture, but he's so innovative! So colorful! He's hot, I tell you. He's going to bring lots of new, younger customers into LaTessa, women who I think tend to see us as a bit too frou-frou."

While Cissie spoke, Bert scanned her order slips, nodding his approval. In a relatively short time, Cissie had become a major asset to Kahn Enterprises. She had her mother's instincts when it came to style and his own when it came to numbers. Not once had she over- or under-bought.

"Speaking of younger women," she said in a tone that made Bert put down his pencil and look at her expectantly. "I took a flyer on several experimental pieces from some up and coming, off the beaten track designers in both London and Paris. It's mainly sportswear, but sportswear with a definite flair. Once you see it, I think you'll agree that LaTessa should open a new department to house just this kind of merchandise."

"Reasons, please." Bert sat back, skeptical, but prepared to listen.

"The way I see it," Cissie said, putting her feet down and adopting a more businesslike pose, "times are changing. Our wealthier customers are becoming more casual in their approach to daytime and weekend dressing. It's no longer necessary for each outfit to carry a whopping price tag. Sure, brand names will always be important for evening, for lunching out, and for those who are insecure about wearing anything other than major-league labels. But we have a lot of customers with a real sense of style who are searching for something new and unique. They own the big labels. What they want now is to make an individual fashion statement. They want to have fun. With these clothes, they can."

"What're you suggesting?" Bert asked. "A new department? A separate floor?"

"For now," Cissie said with a wink. "Maybe someday we'll have a separate store just for this type of sportswear. Who knows?"

Bert stood and walked over to where his daughter was sitting. He bent down and kissed her cheek affectionately.

"You did well, little girl."

"You really think so?" Cissie asked, obviously pleased.

"Would I say so if I didn't?"

"Certainly not!" She laughed, but both of them knew how important Bert's approval was. "Meantime, what's been happening on the home front while I've been gone? Have you been taking care of my honey?"

"I called him several times, but he said he couldn't get away. So, one night, I just went down to that storefront office of his and literally dragged him out for a pizza. The man is working himself into a frazzle. What's he doing?"

Cissie frowned.

"Playing Beat the Clock," she sighed. "You know Noah. He wants to change the world. He wants to make everything he thinks is wrong, right. His problem is that he's very impatient and things are just not moving fast enough for him."

"From what I can see, he's helping an awful lot of people who would have no place else to turn without him. He should be delighted."

Cissie walked over to the window, her face pensive.

"I agree, but Noah's restless," she said. "He's straining like a runner waiting for the gunshot that signals the start of a race. No matter how many cases he wins and no matter how many thank-yous he gets from his clients, he's still searching for that one thing that will switch his life onto the forward track and launch his political career."

Bert knew how devoted his daughter was to her husband. In the three years they had been married, she had lavished all her physical and emotional attention on him. She went to every Giant football game, Yankee baseball game, political rally, movie, show, concert, and business meeting he wanted her to. She took cooking classes, attended wine seminars, and joined the League of Women Voters. Sometimes, she even went down to Noah's office after work and spent hours doing filing and other secretarial chores to help out. What disturbed Bert was that she seemed to feel she wasn't doing enough.

"Andrew's involved with a lot of politicos," he said, noticing how tired Cissie looked, wishing he could do something more substantial than just talking and listening. "I'm sure he'd be happy to introduce Noah around."

"He has," she said, rubbing her eyes and trying to stifle a yawn. "Actually, he's been terrific. He and Noah spend hours talking about campaigns they hope to wage and legislation they would like to propose. But Andrew understands that politics is a game where you have to play by the rules and wait it out until opportunity knocks. Noah rebels against rules. He's not good at waiting and he hates playing games."

"He may have to learn," Bert said.

Cissie heard her father's concern and smiled.

"Either that," she said, patting his cheek, "or we'll just have to create our own opportunities."

"In the meantime," Bert said, "I think what you should do right now is go home, take a nice long bath, have a light dinner, and get some sleep."

"Dinner!" Suddenly, Cissie was scrambling for the door. "Forget the bath! I've got to change and be ready to leave in two hours. Noah's planned for us to go to a fund-raiser for some local candidate tonight."

"You've been traveling for three weeks and just got off a plane," Bert said. "Do you have to go?"

"Do birds have to fly? Do fish have to swim?" she said, laughing at her own plagiarized lyricism. "Noah is a political animal and political animals go to fund-raisers and eat rubbery chicken and drink watered-down scotch and smoke smelly cigars. It's democracy in action!"

She grabbed her suitcase, bolted for the door, shouted, "Love you. Call you tomorrow," and was gone before Bert could stop her.

Six months after Franyu, Sinnoch, and Molly had arrived at Ellis Island, another refugee family stood in the long lines of immigrants waiting to be processed. Like the Rostovs, Haroun and Edra Gold—Noah's grandparents—had left parents, siblings, friends, and belongings behind. Unlike the Rostovs, their firstborn, a son named Enoch, had not survived the treacherous voyage. On the third day at sea, the child had died. He was buried at sea in his mother's shawl.

The Golds found their way to the Lower East Side, where, with whatever pittance they had, they rented an attic room in a raucous boardinghouse. Though they shared a bathroom with five other families; though the room was lacking heat, light, and space; though they had to sleep on a mattress instead of a bed—everyone in the house spoke Yiddish, which made them feel a little less strange and a little more secure.

At that time, jobs were scarce. Haroun applied for anything and everything. When he saw a line of men, he stood on it, no questions asked. But his English was poor and his experience lean. Where Sinnoch Rostov had come to the United States with a trade, having apprenticed as a watchmaker-jeweler in Warsaw, Haroun came with no such experience. In Russia, he had been a farmer, and there was no call for his services in downtown Manhattan.

After months of rejection and disappointment, being sustained only by whatever sewing Edra was able to take in, Haroun and Moishe Plotnik, a *landsman* from the boardinghouse, took to the streets with slap-dash wooden wagons. Pots, pans, rags, clothes. Whatever they could find, buy, or pick from the garbage, they sold.

For three years, from early morning to early evening, Haroun peddled his wares from a pushcart. After dinner, he studied English, teaching it to himself and Edra at the same time. Slowly, their savings grew, as did their family. Edra had borne two healthy sons, Isaac and Gershon. While she and Haroun really couldn't afford to move to larger quarters, it was becoming obvious that the boys needed space to play and Haroun and Edra needed privacy. After weeks of thinking and planning, Haroun approached Moishe with an idea: "Why not open a store?"

It wasn't as farfetched as it seemed. When their pushcarts had grown too burdensome to lug around the bumpy cobblestone streets, Moishe and Haroun had taken to setting up on corners, calling out to customers and bringing them to the carts instead of the other way around. Both men were good talkers, and by the end of the day, their pockets were heavier and their carts lighter. If the customers would come to the corner, Haroun reasoned, why wouldn't they come to a store? In 1922, on the corner of Essex and Houston, Gold and Plotnik opened its doors.

The first few years were torturous. Haroun and Moishe worked ten-hour days at the store and then took odd jobs at night to help pay for rent and food. Edra and Moishe's wife, Minna, took in laundry and sewing to add to the coffers.

Once a week, one of the men toured the local factories in search of stock. On one trip, Haroun came back with three radios. Since few people in their neighborhood had the money for such luxuries, the radios sat in the shop for months. Finally, Haroun took them home. He had a quick mechanical mind and talented hands. Given the opportunity, he loved nothing more than taking things apart and putting them back together again. For a month, Haroun stayed up nights, dissecting the strange boxes, studying their innards, and then reassembling them. At the end of that month, Haroun knew as much as he needed to know about the wireless. He also knew what he wanted to do with that knowledge. It took a few days, but he convinced Moishe to manufacture radios.

That was the beginning. From one radio and one store, Gold and Plotnik grew into a chain of stores throughout the metropolitan area. In addition, Haroun had contracted with the Ford Motor Company to make radios for some of their cars and with the government to make walkie-talkies for the army. Within ten years, Haroun and Moishe—now known as Aaron and Murray—were millionaires.

Isaac, Gershon, and Murray's son, Nathan, worked their way into the company gradually, first apprenticing in the factory, then working as salesmen in several of the stores. Later, they sold Gold and Plotnik radios to industry or out-of-state dealerships. Eventually, they were permitted to join their fathers in the executive offices overlooking Eighteenth Street and Fifth Avenue.

During the war, Nathan was killed and that seemed to siphon all of the spirit out of Murray. He became listless and disinterested in the business. "I have no one to leave it to," he'd say. So, in 1946, Aaron bought out his partner and his friends, Murray and Minna moved to Florida. Soon after that, with his sons at his side, Aaron renamed the company Gold Electronics, and began to investigate a new frontier—television.

In 1942, just before he was shipped overseas, Isaac married his childhood sweetheart, Blanche Epstein. Seven months after he left, she gave birth to Deborah Gold. Isaac came home on leave in 1944 and nine months after that visit, Blanche presented him with a son, Noah.

Noah's earliest remembrances were of a Scarsdale mansion, a nanny to tend his every need, a room filled with toys, and parents who nearly smothered him with their devotion. In a way, he was like a child created by the writers of *Father Knows Best*—respectful to his elders, loving and obedient to his parents, only mildly obnoxious to his sister, and a true pal to his friends. He got into trouble occasionally, but it was harmless boy stuff like breaking a window with a slider that didn't slide, or getting into a fight with the school bully in defense of someone else's honor.

Though an outsider might have viewed his existence as enviable—and in most ways it was—there was little challenge in Noah's life. His family was so wealthy that wanting was merely a prelude to having. He was so stellar that achieving was only the first step toward excelling. He made honor roll in high school, dean's list at Brown, *Law Review* at Harvard. He lost his virginity at fourteen, and from that moment on found girls as easy to get as good grades. He was president of the student government, captain of the baseball team, and voted Most Likely to Succeed. There was no question that he was a leader. The problem was, he didn't know where he was going. Then the army sent him to Vietnam.

Now Noah was sitting alone at his desk, watching another one of his clients walk out onto Houston Street. The man had come to Noah asking for help, just like all the others who filed in and out of Noah's office daily. This man had been hurt in a factory accident and was now permanently disabled. His workman's compensation had run out. He was no longer entitled to unemployment benefits. He was ineligible for welfare and he was begging Noah to find some legal loophole that would help him support a wife and three children until he could find someone, anyone, to employ him.

Noah closed the man's file and put it on top of a stack of folders that chronicled other tales of woe told by those who lived on the Lower East Side of Manhattan. Tenants whose landlords bilked them for high rents and didn't deliver essential services. Illegal aliens who wanted to speed up their immigration papers so they could obtain their green cards and apply for better jobs; others caught working without green cards and fighting deportation. Factory workers complaining about unfair conditions. Women trying to track down errant husbands who refused to pay child support or alimony. Cases of domestic violence and child abuse. Cases of teenagers accused of petty theft and old people accused of shoplifting.

For three years, Noah had listened to hard-luck stories and for three years, he had forced himself to stretch the limits of his compassion. Truly, he wanted to cry for these people and feel for them and work for them with diligence and commitment. Truly, he was sincere about wanting to help and to effect change; it was just that for him, it would be so much easier and so much more gratifying if it were on a grander scale. Down deep, Noah didn't really care—the way he knew he ought to care, the way Cissie might care—about each individual's specific hardship. Rather, he wanted to focus on the whole, to create major legislation, to bring about massive change, to gain national attention. Helping locals might provide a dose of momentary satisfaction, but it didn't, and could never yield the long-lasting euphoria inherent in real power.

He leaned back in his chair and looked around his office at the stark walls and shabby furnishings. When he had first opened his doors, nothing had mattered except the challenge. He had felt propelled by a moral imperative to help the less fortunate. Then, he had viewed himself as a crusader, a champion of the people, a man who would fight for "truth and freedom and the American way," a Superman in a three-piece suit. The first year was exhilarating because he really thought he saw progress being made. Then, time began to drag and the mundane sameness had begun to get to him. He felt frustrated and depressed. Over and over again, he found himself presented with the same problems, often from the same clients, and he in turn could do nothing more than come up with the same solutions, solutions he now accepted as temporary measures, not permanent cures.

Then why was he here? he asked himself. Why didn't he just pack it in and move on to something else?

Noah had asked himself those questions many times before. The answers came easily: he wanted to finish what he had started; he was committed to the community; he was making progress, and even though it seemed minuscule, it was better than nothing; this was something that would give him good marks with voters later on and therefore couldn't be abandoned. Sometimes, though, like now, when he was tired and unable to defend against his innermost thoughts, he wondered if perhaps the real reason he continued to stick it out in this dreary place was that he needed a safe place to hide.

Vietnam had changed him. He had been one of the lucky ones—he had survived—but he had come too close to death too often not to have been permanently affected. Since his discharge, he had steadfastly avoided dealing with the deeper, more painful side effects of his service. He had avoided most discussions on the subject, and he had repressed most of his memories of that horrible time. But there was one memory he couldn't bury.

In Vietnam, he had seen how vulnerable a man could be. He had learned that once you stepped out from behind the barricades, you were open to attack. Noah had never felt vulnerable before. He had never been attacked before. And certainly, he had never experienced failure before. Success had been as plentiful and as easy to obtain as his father's money. Failure had been simply a word, a word that had no meaning for him. But now, thanks to that vile war, he had tasted failure. He had had it shoved down his throat. He had felt its acidity on his tongue and in his gut. He had been sickened by it and was loathe to ever experience it again.

So was he using this storefront as a cover, as a form of camouflage? Was he biding his time, assessing the situation, making certain he had the proper backup before making a move? Or was he protecting himself? Was he quietly but definitely stating that he would play King of the Mountain only if it was guaranteed that he could be king? In the silence of this room, he had to admit that that was probably very close to the truth.

Since the army, he had sidestepped every circumstance that was measured by victory versus defeat. He hadn't joined a regular law firm, thereby eliminating the risk of failing to make partner. His storefront office was designed to help the indigent, thereby eliminating a conclusion based on profit and loss. He didn't play sports. He shied away from bridge. He never entered contests. And so far, despite his ambition and his impatience, despite Cissie's urging and that of her brother, Andrew, he had managed to steer clear of any real political entanglement.

But, as he straightened his files and prepared to leave, he knew he couldn't sit here forever, drumming his fingers on his desk, making ambitious noises while secretly waiting around for someone to hand him a political plum. Soon, he would have to declare himself. Soon, he would have to test himself.

Slowly, almost hesitantly, he locked the door and started home. Halfway there, his mood brightened. Cissie was there. He always felt better when she was home. She made him feel secure. She made him feel strong. She made him feel like a success.

Cissie had been half dressed when Noah walked in. A few minutes later, she was undressed and being welcomed home by a very loving husband. By the time they arrived at the New York Kipling for Jackson Wilmont's testimonial dinner, cocktail hour was half over.

"I hate to be late. It makes me feel too conspicuous," Noah muttered as they walked into the long gallery-like room where canapés and promises were being passed around.

"It's your fault," Cissie said, leaning over and kissing him behind his ear. "Besides, I love being late. And I love being conspicuous!"

Before Noah could say anything, Cissie had pushed into the crowd and was working the room, slowly making her way toward the guest of honor. As she walked about, shaking hands with people she knew, smiling at those she didn't, Noah couldn't help but admire her. She stood out like a rose in a cattailed swamp, intimidating most of the other women with her beauty and disarming most of the men with the force of her personality. Noah had questioned her choice of attire—an electric blue and black print silk dress from Ungaro with a low sweetheart neck and form-fitting hip-wrapped sash—but she had poohpoohed his reservations with her own peculiar brand of logic.

"If I have to wear something that blends in with the woodwork," she had said, "it defeats the purpose and I may as well stay home."

Watching her now, Noah had to agree. Most of the other women there were indistinguishable. They all wore something safe, simple, and predominantly black. They were all standing by their husbands' sides in practiced poses, offering everyone the same standard-issue smile. They rarely spoke, but when they did, they didn't express opinions on anything other than the most obvious, undebatable topics. They did nothing that might draw attention to themselves and away from their husbands.

But Cissie caused heads to turn immediately. Her smile was brilliant and bestowed only upon a carefully selected few. Her conversation was witty, intelligent, often controversial, sometimes slightly risqué, but never, ever banal or boring. Within the span of ten minutes, she had lassoed the spotlight and placed it directly over her head and Noah's. Even if they had no idea who they were, everyone in that room was aware of their presence, including Jackson Wilmont, who kept looking at them expectantly.

"Don't you think it's time to say hello to the guest of honor?" Noah asked, committing to memory the names of the two aldermen he had just been speaking to.

"No," Cissie said, deliberately turning her back on Wilmont and waving at someone across the room. "There'll be plenty of time to pay our respects to the eminent Mr. Wilmont later on."

"What are you up to?" Noah whispered with amused curiosity, noticing that no one had waved back.

"Nothing," Cissie said with a conspiratorial wink. "It's just that right now, Wilmont's surrounded by a group of nobodies. When he's surrounded by a group of somebodies, then we'll say hello. Why get only one bird when, if you wait long enough, you can get a whole flock with the same stone?"

Noah laughed and guided her out into the hall and toward the ballroom, fully aware that Jackson Wilmont's feathers had definitely been ruffled. Noah picked up their escort card and was heading for their table, when Cissie tugged on his arm.

"Wait," she said.

"Why?"

"I don't like where they put us. They stuck us all the way in the back near the kitchen."

"At least our food will be hot," Noah said.

"Ha-ha. Where's Andrew sitting?"

"He's not coming. Didn't your father tell you? He had to go to Chicago this morning."

"No, Daddy didn't tell me, but that works out just fine, because we're going to take his seats. Andrew's been a fixture at these dinners for years. I'm sure his table is much more desirable than ours."

With that, Cissie picked up her brother's card, made certain that it included a guest, grabbed Noah's hand, and together, they walked to the front of the huge room and sat down at table number four, just below the dais.

Cissie knew she had done the right thing as soon as all the introductions had been made. While she sensed that four of the people at the table were inconsequential, the others were sources of potential power. She was sitting next to Jeremy King, leader of the Village Democratic Club, and Noah was seated next to Hilary O'Donnell, a well-known public defender. Across from them was a city councilman and his wife, a woman whose family was well known in political circles.

"I'm sorry Andrew couldn't make it tonight," King was saying, "but I'm glad I finally got a chance to meet his sister and brother-in-law. He's mentioned you both, quite often."

Cissie smiled and shook his hand.

"In fact," King said to Noah, "I believe he told me he's tried to recruit you for our club downtown, but so far, you've resisted. How come?"

Jeremy King was forty and had been around politicians and government all of his professional life. He was smooth, but not slick. He knew how to speak without preaching. And he knew how to probe for information without poking into areas marked private.

"I haven't had time," Noah said, giving King the same answer he had given Andrew. "I run a storefront legal office and it takes up most of my day."

King nodded. "I know all about your office," he said. "You live in my district and work in my district, so I've had my eye on you for quite a while. I know how busy you are, but I'd really love to have you and your wife come over to the club and get involved. We need bright young aggressive people to help shape the party's future."

"And to take the place of old dull worn-out folk like Jeremy and me who've probably been there way too long," Hilary O'Donnell said with a laugh.

"I've followed your career for a long time," Noah said respectfully. "There's no way anyone could ever call you dull or worn-out."

Hilary and Noah launched into a discussion about one of Hilary's pet causes—the need to change the parole system in order to protect the citizenry. Cissie noticed that at first, Jeremy King paid rapt attention to the lively exchange, as if he were taking mental notes and sizing Noah up. When he, too, jumped into the fray, Cissie noticed how often he threw questions at Noah, questions that a reporter or another candidate might ask.

The three of them debated through the first course, expanded their subject matter to include the political effects of a change on the Supreme Court during the salad, and heated up the main course by delving into the morality versus justice conundrum raised by the death penalty. The only thing that silenced them was Jackson Wilmont's speech.

Wilmont was a state senator rumored to be two terms away from being a viable gubernatorial candidate. His speech was well written, but hardly inspired and, as far as Cissie was concerned, about seven minutes too long. True to her word, however, when the speech was over and all the party bigwigs had gathered around to offer their congratulations, Cissie and Noah were part of the claque.

"You were wonderful," Cissie oozed, flashing him her most adoring smile.

"I'm so glad you enjoyed it, Mrs. Gold," Wilmont said. "And you, Mr. Gold. I've heard great things about your storefront office. You seem to be the savior of the Lower East Side."

"We do our best," Noah said, still wondering when, how, and why Wilmont had gone to the trouble of finding out their names. "Thank you for your kind words."

"You have the look of a winner," Wilmont said, his tone magnanimous, his voice loud enough for his coterie to hear. "One of these days I expect to see your name on a ballot."

He shook Noah's hand and three photographers snapped their picture. Cissie was delighted. After, as they made their way back to the table, Cissie was concerned about Noah's odd response. Instead of being excited, he seemed nervous.

"Do you realize how many people in this room would kill for that kind of free publicity?" she said. "How come you're not smiling? Whether you know it or not, you just staged a coup."

"I want to be where he is," Noah said quietly, surprised that he had chosen this time and this place to confess. "I want to be the one they're applauding, the one they're looking to for future leadership. But I'm really not sure how to go about it."

Cissie slipped her arm through his and stared deeply into his eyes. When she spoke, her voice was low, but firm.

"Noah Gold, you listen to me! You can't grab hold of the brass ring unless you jump on that horse and ride the hell out of it! Do you understand? It's time you made your move."

"I don't want to rush into anything I'll regret," he said, feeling her determination surrounding him like a caul.

"It's like swimming," she continued. "You don't dive in headfirst. You get your toes wet and then your knees and then, when you're ready, you go for it!"

"You're the best," he said, squeezing her hand and kissing her. "I don't know what I'd ever do without you."

Cissie merely grinned.

"I don't ever intend to let you find out."

They found their way back to the table just in time to catch Jeremy King before he left.

"It's been a pleasure," he said warmly, extending his hand to Noah and then to Cissie. "I really hope to see you both again."

"I hope so too," Noah said.

"When are your meetings?" Cissie asked King.

"The fourth Thursday of every month except in November—on our dues, we can't afford to treat everyone to Thanksgiving dinner."

"Next week's the fourth Thursday of October," Cissie said, looking first at Noah and then at King. "Save two chairs. We'll be there!"

7
Frances Rebecca Travis
Frankie

January 1972

ON THE THIRD FLOOR of the building across the way, something caught Frankie's eye. A light had gone out. A glowing rectangle that had been an integral part of the landscape until just a moment ago, had suddenly ceased to exist. Frankie stared at the darkened window with envy. From her vantage point, she could see only two lighted windows other than her own and she was willing to bet a year's tuition that soon they, too, would turn black as those unknown, but fortunate souls completed their studies and climbed into bed.

She looked at her watch and groaned. It was three o'clock in the morning. She had a Shakespeare exam the next afternoon and before she could even think about going to bed, she had to read two plays and memorize an entire semester's notes.

Frankie leaned back against the wall of her window seat, and tried to concentrate on the vicissitudes of life during Elizabethan times. Though she loved reading Shakespeare, right now she wished that he had been less prolific. Dates, times, characters, plots—they were all beginning to merge into an unintelligible jumble. She shifted position, tucking a cushion behind the small of her back. She stretched her legs and winced. That afternoon, she had gone ice-skating with a bunch of her friends. A bad fall had ripped open her knee and even though the doctor had dressed it and given her a painkiller, it was oozing and beginning to throb. She lifted her robe, looked beneath the gauze bandage, and laughed. Lillie would have a fit when she saw this! She had warned Frankie about doing anything that might disfigure herself in any way. After all, she was a model, and models were supposed to have perfect bodies and perfect faces and perfect hair and perfect teeth.

"I guess I'm not perfect," Frankie said to her Zach doll which sat facing her at the other end of her window seat. Her raggy companion with the yellow woolly hair stared at her, his green glass eyes offering no response. Suddenly, Frankie grew wistful, seeing the man who had inspired the doll. "But you never cared whether I was perfect, did you?"

Big, sad tears filled her eyes as she thought about Zach, the way it had been between them, the way she had wanted it to be.

"I loved you, you know," she said shyly. "I would have told you so if you had hung around just a little bit longer, but you never gave me a chance." She sighed, looking at the rag doll expectantly, as if waiting for him to explain. "I guess I can't blame you, though. You did the right thing. I mean, really, if I got the chance to cover Kennedy's campaign, I would have taken it. It would have been stupid to turn down such a great job opportunity just to romance a seventeen-year-old girl. Right?" She nodded, answering her own question, agreeing with her own conclusions.

No matter how often she repeated this sort of dialogue, no matter how often she rationalized his hasty departure and subsequent silence, the fact was that Zach Hamlin had left a tremendous void in her life. It didn't help that most of the young men she met at college were too intimidated by her celebrity to ask her out and so, rather than risk rejection or embarrassment, didn't. She wondered what her adoring public would think if they knew that her entire freshman and sophomore years had come and gone without a single date.

In her junior year, things had improved, but only slightly. Her circle of friends had widened and the novelty of her fame had begun to wear off. She still didn't have many dates, but at least she got out occasionally, thanks to a clubby aura that encouraged students to fall into groups and go out en masse. For Frankie, those nights when everyone fell into the pizza parlor or grabbed Sunday dinner at the deli or ordered in from the local Chinese restaurant were the most wonderful part of college life. They helped ease the loneliness of all the Friday and Saturday nights when she just sat in her room.

She was a senior now, and if time had eliminated the problem of isolation, she now had the problem of maintaining her average. Lillie had never completely accepted the idea that Frankie was a student. For her, the only value in it was the publicity value. She booked jobs with the same frequency she always had, picking Frankie up, flying her to New York, and then flying her back to Boston. Often, she embarrassed Frankie by arranging fashion shoots on the campus itself. Each time Frankie thought she had pushed her star status into the background, Lillie brought it centerstage. It was hard to be one of the girls with a team of photographers dogging her every step. Some viewed these intrusions with resentment, some with jealousy, others with nonchalance, but most responses were more negative than positive and Frankie felt it long after Lillie and her crew had gone home.

These intrusions also affected her grades. The first two years, she had been able to get by, but last year she had barely passed. This year was worse. Her courses were harder. Her professors more demanding. Her participation in drama workshops more time-consuming. More and more often, she found herself spending nights like these, alone in her room, cramming for one subject while neglecting three others. It was a constant cycle of catching up and it was beginning to take its toll.

"Concentrate," she told herself, turning back to her books, trying to memorize specific instances that defined Othello's character as a tragic hero.

"Coffee break!"

Vera Knowles, Frankie's closest friend at Radcliffe, burst into the room carrying two mugs filled with water, a jar of instant coffee, and a heating coil. Her hair was in rollers, covered by an orange hairnet, her face was shiny from night cream, and her lumpy chenille robe was hanging half open, revealing a maroon Harvard nightshirt.

"I thought you went to sleep hours ago," Frankie said, smiling.

"I did, but the sound of you grinding away at the old books woke me up."

Vera plugged in the coil and began to heat the water in the two mugs. She was a plain girl—some called her homely—with large facial features and a short, stubby body. They had met during freshman orientation. Vera had been the only girl willing to pal around with Frankie. She had seemed neither intimidated by Frankie's fame, nor overly impressed by it. She simply looked behind it, finding that Frankie was just as frightened as every other freshman—maybe even more so—and needed a friend.

What attracted Frankie to Vera was that in spite of her ordinary appearance, she exuded incredible self-assurance. She knew who and what she was and accepted it, a quality Frankie found worthy of admiration and respect. She too, was interested in drama, blessed with enormous talent, but she saw her future as a character actress.

"If God had wanted me to be a leading lady," she always said, "He never would have given me this honker!"

"So, where are you?" she asked, handing Frankie a mug and sitting on the floor beside the window seat.

"I'm analyzing Othello."

Vera shook her head.

"Tragic fellow, Othello. He believed people are who they seem to be. Definitely a fatal flaw."

"I take it you don't subscribe to that theory," Frankie said, sipping her coffee, waiting for Vera to launch into one of her philosophical soliloquies.

"Absolutely not!" Vera leaned against the wall, pulled her knees up under her chin, furrowed her brow, and adopted a serious visage. "First of all, the best actors and actresses in the world are the ones able to convince people they are who they are not, correct?"

Frankie nodded. She had never thought of it that way before.

"Closer to the home front," Vera continued, "let's consider the case of Frances Rebecca Travis. Here we have what seems to be a woman who has everything—beauty, brains, talent, money, straight teeth, and legs that will never see a varicose vein. Yet poor Frances is besieged by self-doubt and insecurity, overwhelmed by an obsessive fear of failure. Now, who would've ever guessed?"

Frankie giggled, laughing in spite of the obvious truth in Vera's words. That was one of the things she loved most about Vera. She was honest, even if it hurt.

"Okay. So now we know my tragic flaw. What's yours?" Frankie asked, suddenly awake.

"My undeniable sex appeal," Vera said with a snicker. "One of these days, this voluptuous body is going to be my undoing." She opened her robe, thrust her large chest forward, pursed her lips, and struck a pinup's pose, knowing full well that she looked ridiculous.

"You're nuts, but I'm crazy about you," Frankie said, grinning at her friend.

"There, you see. I'm irresistible!"

"That you are, but I'm afraid I'm going to have to resist you and get back to work. Professor Cantor is not my biggest fan, and if I don't do well on this test, he's going to flunk me."

"Okay," Vera said, scrambling to her feet. "I'll come by and check on you in the morning."

"Thanks," Frankie said.

"No problem."

She left, closing the door behind her, and Frankie turned back to her books, wondering what she would have done these past three years without Vera. She had become Frankie's first real adult friend. Together, they shared confidences, bolstered each other's spirits, kept each other company, helped each other study, and just generally practiced the art of give and take.

Frankie had told Vera things she had never told anyone else. In order to cover her embarrassment at having so few suitors, she had told the other girls in their dormitory that she and Zach were engaged, but that his job kept him on the other side of the world. To Vera, she had told the truth. When people asked about Lillie, Frankie had lauded her good points, keeping the faults to herself, painting her mother as a woman dedicated to her daughter's success, a woman who only wanted the best for her child. To Vera, she had told the truth. And when people assumed that Frankie was happy and content with her lot in life, Frankie appeared to support their suppositions, pretending to be thrilled and grateful for every modeling assignment and every public appearance. Vera knew otherwise.

Because Vera was a mere mortal, she had less façade, less to confide. Vera claimed that her childhood was a study in mediocrity. She was the middle child of three, the only girl. Her father was an insurance salesman, her mother a housewife. They lived just outside of Philadelphia in a comfortable, but modest neighborhood. Her two brothers were not only top students, but also superb athletes, each captain of one team or another, each winning scholarships to Ivy League schools.

According to Vera, her only distinguishing characteristic was, as she put it, that she pretended better than anybody else. From the time she was little, she had made up stories, acting out each of the parts, changing voices and gestures to accommodate each role. Often, she said, she would test herself by fabricating intricate tales, telling them to teachers as a way of excusing herself from not doing her homework or telling them to her parents as a way of avoiding punishment for some household rule she had broken. The fact that most times people believed her convinced her that her destiny was the stage.

Though she often joked about wanting to be an overnight sensation, Vera was a realist. She knew that to achieve even a modicum of success, she would have to work long and hard, trekking from one audition to another, taking any part that was offered and making the most of it, proving herself over and over again. When Frankie thought about it, the only time Vera ever expressed anything even resembling envy was when they talked about Frankie's parents and their show-business connections.

"Between your father and your mother," Vera said, "all you have to do is pull a few strings and *voilà,* there you are, first on the marquee."

Frankie couldn't deny that she had a distinct advantage, but on a night like tonight, sitting alone in her room trying to prove herself worthy of her father's name and her mother's ambitions, she knew that those very strings that Vera thought assured Frankie of success could just as easily strangle her.

Shortly after her Shakespeare exam the dean of students called Frankie into her office.

"Frances, I asked you to come by today because I'd like to discuss something very important with you."

Frankie knew she shouldn't chew on her nails, but she was nervous and couldn't help herself. Clearly, Dean Caldwell hadn't invited her to these august chambers for a casual chat. As Frankie sat facing her in a green leather chair, she felt as if a guillotine blade were hovering over her head.

She crossed her legs and smoothed the pleats on her tartan plaid skirt, trying to get comfortable. It was hard. Her clothes felt scratchy. Aside from the skirt, she was wearing a round-neck Shetland sweater, a short strand of pearls, knee socks, and loafers. "In order to act like Sally Coed, you have to look like Sally Coed," Vera had told her, rummaging through Frankie's closet to select the appropriate costume.

"This is not the school play," she had told Vera, for once impatient with her friend's lackadaisical attitude.

"Life is play," Vera had countered. "Just do your best. No one can ask more than that."

Right now, Frankie wished that this were a play and that she could call in sick and let Vera go on in her place.

"I'd like you to consider taking a leave of absence," Dean Caldwell said. She was an older woman, with thin gray hair she wore slicked back into a tight chignon and big red-rouged lips that always looked puckered.

"A leave of absence?" Frankie said, confused. "May I ask why, ma'am?"

Caldwell opened a manila folder and rifled through a sheaf of papers. Then she clasped her fingers together, placed her hands on her desk, and stared at Frankie. Dean Caldwell's pose and face had taken on the aspect of a stern parent, alerting Frankie to the reprimand she was certain would follow.

"I understand, dear, that throughout your stay at Radcliffe, there have been many demands placed upon you other than your academic responsibilities. You've been trying to be both student and personality at the same time, and I'm afraid it has been a less than successful experiment."

"I've tried very hard, Dean Caldwell, not to let my outside projects interfere with my studies," she said, trying to remain calm. "Really, I have."

"I know that, Frances, and believe me, this is quite painful for me, but after having lengthy discussions with your professors and after considering all sides of the issue, I feel that this leave is in the best interests of all concerned."

"It's not the best thing for me," Frankie said, her voice rising. "I love it here! I want to graduate with my class. Please, let me stay."

She smiled, but it didn't soothe Frankie's growing desperation.

"Frances, your grades are extremely poor. I'm afraid that if you don't take a leave of absence, we're going to be forced to flunk you out, and we don't want to do that, especially in your senior year. We don't want to subject you, or the college, to the negative publicity that would follow your dismissal. This way, you can say that you're leaving to fulfill your career commitments. You can be spared the disgrace of failure and we would be spared the accompanying notoriety."

Frankie began to weep.

"Please don't do this to me," she whispered. "I know I haven't done as well as I should have, but it's just that I had to miss so many classes and take so many makeup exams, it was tough to keep up. But I'll do better. I'll study real hard next semester and I'll do well, you'll see."

"I'm afraid it's beyond that," the dean said in a voice that indicated no negotiation. "It's simply a case of conflict of interest. We shall mark this as a leave and simply cancel out the semester. If, at any time, you decide to continue your education in earnest, we would be happy to readmit you as a senior."

Frankie nodded, wiping her tears away with the sleeve of her sweater. She stood and, knowing she had no other recourse, accepted Dean Caldwell's handshake.

"Thank you, ma'am." She tried to smile, but it just wouldn't come. She started for the door, but then turned around. "I'll be back," she said, wondering whether she was trying to convince the dean or herself. "One of these days, I'll be back."

"I hope so, Frances," she said. "That would be very nice."

But as she closed the door, they both knew Frankie would never be back. Her college days were over.

* * *

Vera helped put the last suitcase into the limousine and then, with great ceremony, slammed the trunk shut.

"Whoever said 'parting is such sweet sorrow,'" Frankie moaned.

"No wonder you flunked your Shakespeare exam," Vera said, throwing her arms up in mock exasperation.

"Very funny. I'm miserable and you're making jokes."

Vera hugged Frankie. "Don't be miserable," she said, determined to keep the mood upbeat. "Maybe this is a blessing in disguise. Maybe now big-time producers will come clamoring after you to star in major pictures. You'll go to Hollywood and find fame and fortune on the silver screen! You'll see your name up in lights! You'll be, da-ta-da, Frankie Travis, superstar!"

Frankie laughed, but then she began to cry.

"When Caldwell told me I had to leave, I felt the same way I did when I was five and some stupid director told me I wasn't right for the part. I hate feeling like I don't fit in, like I don't belong."

"People who fit in are usually boring," Vera said. "They're little cogs who fit into little holes in big machines. Ugh! Be grateful that you're different. You're gorgeous and exciting and talented and you have a fabulous future ahead of you. Don't let this pull you down."

"The worst part of all of this is leaving you," Frankie said with sincere regret.

"We'll write, we'll get together," Vera said, trying to assure her.

Frankie shook her head.

"No, we won't. We're never going to see each other again. I know it."

"Never's a long time," Vera said.

Frankie nodded glumly, but remained unconvinced.

"Do you know what Lillie said when I told her what happened? She said she knew I'd never make it, that I was never meant to be a college girl. Is that true?"

"Maybe she thinks that you're meant for bigger and better things," Vera said, trying to be kind. "Maybe she feels you're just meant to bring a little beauty into this humdrum, dismal world we live in. There's nothing wrong with that."

"There's nothing right with it either," Frankie said. "I wanted to graduate from college. I wanted to prove myself to my father who wanted me to succeed here and to my mother who didn't."

"I keep telling you, Frances my girl, forget about them. 'To thy own self be true,' and all that stuff."

"That's easy for you to say. You know who you are. I don't."

"I wish I could introduce you to your inner self," Vera said. "You're really a very nice person and I'll bet if you got to know you, you wouldn't be so afraid and life would be a lot easier to take."

Frankie smiled.

"I think you're wiser than all the professors at Harvard and Radcliffe combined," she said. "You've certainly taught me more than they have."

Vera blushed from the compliment.

"Ah, but you have yet to hear my final lecture," she said with forced brightness.

She folded one arm across her chest, raised the other toward the sky, lifted her chin, puckered her lips and in her most Old Vic voice, proclaimed, "On the stage of life there may be many footlights, but there is only one spotlight. Once it shineth upon you, don't let those who belong in the chorus upstage you and never let anyone, man, woman, beast, or child step on your lines. If you do," she said, bowing low at the waist, "you shall deserve nothing more than total oblivion."

Frankie laughed and applauded, clapping her hands together and grinning at Vera, who was blowing kisses to the chauffeur and a few passersby.

"You're terrific," Frankie said as she hugged Vera closely, then climbed into the car. "I know that one of your favorite clichés is 'Many a truth is said in jest,' and so I promise, I'll remember what you said. But most of all, I'll always remember you."

As the car drove away, and Vera waved at Frankie, she shouted, "I'll remember you too."

Then she made her way back to the dorm, her gait slow and mournful. She was going to miss her friend, really miss her, but despite Frankie's pessimism, Vera remained convinced that they would see each other again someday, somewhere, somehow. Maybe by then they would both be big stars. Maybe by then they would both have found the right man and the happily-ever-after marriages they wanted. Maybe by then Frankie would have found herself. Vera hoped so, because until she did, Vera was willing to bet that between what her father wanted for her, what her mother demanded of her, what the public expected of her, and what she dreamed of for herself, Frankie's life was going to be hell.

8
Frances Rebecca Gold
Cissie

March 1972

"WE NEED A STALKING HORSE."

"Bullshit! What we need is a candidate!"

"Yeah? Who's going up against Jack Duffy? The guy's got such a tight lock on the twenty-seventh, he'll probably be reelected five years after he's dead."

The office of the Village Democratic Club reeked of cold pizza and stale cigars. Empty coffee cups and soiled paper napkins littered the floor and tabletops. The sound of honking horns and the voices of street-corner denizens drifted into the second-story space and mingled with the lively back-and-forth of a strategy session. A conglomeration of rickety chairs and lumpy sofas had been pulled into a circle around which sat many of the city's politicos. Some were power brokers. Others, like Cissie and Noah Gold, were power seekers.

"The party doesn't have the money to mount a serious campaign down here. They're concentrating on the twenty-sixth, uptown."

"So what are we supposed to do? Lie down and be still until it's our turn?"

The speaker was Andrew Kahn, Cissie's older brother. He was dark like his mother, quick-tongued like his father, optimistic and energetic like his sister, and a political enthusiast like his brother-in-law.

"Duffy's a disaster," Andrew said, scowling. "The guy glad-hands his way through every bar and grill in the district, but he hasn't done one thing for his constituents. Not one stinking thing!"

"The voters don't agree with you." Jeremy King, the leader of the Village Democrats, leaned back against the wall and smiled at Andrew. He was used to the young man's outbursts and, in fact, had been waiting for this one.

"Some of the people living down here are illiterate, but even they have to know that the quality of their lives hasn't improved one iota in all the years Duffy's been in Albany."

"But," Jeremy said patiently, "they think it's the system that stinks. Duffy's a regular guy who hangs out with them, a buddy who's doing the best he can under the circumstances."

"Great! The guy's a hero because he can chugalug a keg of beer without stopping to belch!"

"God bless America!" Another of the young warriors, as King called them, chimed in and nodded his head toward Andrew as a sign of support.

"Why not hit Duffy where it hurts?" All eyes turned to Noah Gold, who was sitting on the arm of a time-worn couch, next to his wife. "Why not attack his record? Point out every bill he voted against, every absence, every broken promise, every lie."

"Sensible plan," King said, "but it would take more than one election year to get through to the people living in this district. Aside from all you young intellectuals who live in the Village proper, you have the Lower East Side, with scads of immigrants and old people. They'd have to understand that they're not deserting Duffy, but instead, voting for someone who might save their lives. Whoever we run now is going to lose, Noah. Maybe next time around, we'll stand a better chance."

The mood escalated from calm to clamorous as the two factions of the club squared off. The older, more experienced group argued about the need to educate and prepare the voter for eventual change. The younger, more idealistic group countered with discussions about the futility of sacrificial lambs and hands-off campaigning. They didn't want to showcase because they didn't like to lose. The older members felt they had to showcase because they couldn't win. They all shouted their opinions.

"Noah, why don't you run?" Cissie whispered to her husband. "I don't believe any politician is invincible, especially an old rummy like

Jack Duffy, but even if he is, it would be a great way to get your feet wet."

"I'm too new," Noah said, shaking his head.

"In this kind of race, that's a plus." Andrew had overheard and decided to put in his two cents.

"Andrew, why not you?" Noah asked. "You're a party regular. They'd rally behind you faster than they would a plebe like me. You're known in the district. And you've got a big mouth. You're perfect!"

"If modesty permits, I will admit that I am without flaw." Andrew bowed low, sweeping the floor with his fingertips in a gesture of humility. "But alas, I am sorely lacking charisma. I am destined to be the man behind the throne, the force behind the front. You, on the other hand, are handsome in a Cary Grant kind of way. You possess an overdose of charm and, unlike Cissie and me, you know how to sweet-talk a wino out of his grapes. I think you're the man for the job."

"Me, too." Cissie's eyes were bright with enthusiasm. She knew how badly Noah wanted to run for public office. Often, she had encouraged him to become more active and better known, but still, he remained hesitant, uncertain, determined to wait for just the right moment. As far as she was concerned, this was it. She leaned over and grabbed hold of his arm as if her excitement could be transmitted by her touch.

"Do it," she said.

"I don't think I have the personality to take a loss graciously," Noah said, shaking his head. "Unlike you, my dear, I'm not crazy about lost causes."

"Who says it has to be a loss?" Cissie's mind was clicking. "What if we mounted a real campaign and went after Duffy? Who knows? We just might pull it off."

"I agree!" Andrew and his sister grinned at each other.

"Look at it this way." Andrew pulled his chair closer to Noah. "You're a virgin. You have no track record for Duffy's people to rip apart. You're a lawyer with a fancy education and a rich family, yet you park your ass in a storefront waiting to help the unfortunate. You're a war hero. You're married to a fabulous-looking lady who knows how to wave and smile at the same time. And you'd have me as your second. What else could you want? A promissory note signed in blood?"

Cissie never even waited for an answer. Before Noah could speak, she was on her feet.

"Okay, everyone, pipe down. I've got our candidate," she said with proper bravura. "Noah Gold." She pointed to the handsome man with the hooded onyx eyes and thick black hair.

"You wanted a stalking horse? Someone to showcase?" Cissie continued. "I present you with a mildly cooperative volunteer. Go ahead, darling. Flash that senatorial smile!"

Noah smiled in spite of himself and the room burst into amused and appreciative applause.

"How do you feel about all this?" Jeremy King asked.

Noah was skeptical, but definitely interested. Certainly, he wanted to run for office, but there was no way to gauge how a loss this early in his career would affect his future. Duffy was a tough opponent. But *if* he won—and deep down Noah believed he had a chance—the State Senate would be a great stepping-stone.

"I'll do it as long as everyone understands I'm going for the win."

King smiled and nodded his approval. The older members passed soon-he'll-see-what-it's-like-in-the-real-world glances among themselves and the young warriors hooted and hollered.

"Right! Let's give Duffy a run for his money!"

"The Mets won the Series in 'sixty-nine. Why can't Gold win the Senate in 'seventy-two? One good miracle deserves another."

"Let's do it!"

"How about huge posters with Noah's picture and the phrase 'He's not just a pretty face'?"

"Hey! In this business, there's nothing wrong with being a pretty face. Just ask John Lindsay or Ted Kennedy."

"That's the spirit!" Cissie was on her feet, cheerleading, pushing Noah into the center of the room. As far as she was concerned, the campaign had begun.

Avenue B and Fourth Street was hardly Cissie Gold's normal milieu. She and Noah lived in a three-story brownstone on Tenth Street, just off Fifth Avenue—a wedding present from Noah's parents. Their neighborhood boasted The New School, Washington Square, the Mews, New York University, a host of charming boutiques and restaurants, and a row of swanky apartments that made up the high rent district known as "lower Fifth."

This neighborhood had little to boast about. Prewar buildings in various stages of dilapidation stood next to one another like has-been chorines stripped of their makeup. Garbage overflowed trash cans and littered the sidewalks. Laundry fluttered on fire-escape clotheslines. Cement stoops became open-air clubhouses for men seeking an after-dinner diversion, while soot-caked windowsills became resting places for the women, some with tiny babies on their laps, their eyes vacant and tired, staring out like prisoners without bars.

It was early April and Cissie was in her third week of canvassing. Each night, after putting in a full day at the office, Cissie ran home, showered, changed, and hit the streets. In order for Noah to be on the ballot in November, he first had to present a petition to the Board of Elections with one thousand valid signatures agreeing to his candidacy. To be on the safe side, Jeremy told them to get two thousand signatures. He reminded them that though they were the biggest, they were not the only political club in the district. Aside from the Liberals, there were a number of splinter groups ranging from Communists to Democrats who were right-wing enough to be mistaken for Republicans. Each of those clubs could, and probably would, sponsor a candidate and submit a petition, necessitating a September primary. That's when the old-time pols would play the game, knock out the other guy's petition by invalidating signatures—not registered, not a citizen, name on more than one petition, living in the wrong district, not a resident long enough in this district. If Noah survived the primary, he would be able to challenge Jack Duffy in the November election.

While Cissie had been in Europe on her most recent buying trip, Andrew had rounded up twenty volunteers—some regular party workers, most of them students—and organized them into teams. Each person had a buddy. No woman was ever sent out without a man and, whenever possible, one member of the team spoke the predominant language of the sector—Spanish, Italian, Slavic, Polish, or Yiddish. He had split the district, which included Greenwich Village, Little Italy, and the Lower East Side, into small sections so that each team could cover four to five blocks a night. It was not an easy task. They had to canvass every apartment in every building on every block. There was a great deal of talking with one's hands, *no comprendos,* doors slammed in one's face, and doors not opened at all.

For Cissie, it was enlightening She thought she had seen much of the human condition, but in truth, she had seen it only as a visitor, a tourist protected by the safety of a return flight airline ticket. She was a visitor now, too, but here she came face to face with the reality of poverty. Families jammed into one-bedroom flats with haphazard plumbing and capricious heating systems. Nine people sharing one apartment, sleeping on floors and couches, eating in shifts. Hallways that stank from urine. Cockroaches and worse.

Some apartments she visited were truly squalid. The stench of unwashed bodies and unclean clothes hit her like the rebound of a rifle, jerking her head back and making her recoil in disgust. Small children with dirty hair and filthy faces stared at her in fascination, touched her clothes and her red hair, and felt her pale skin as though she were from another world.

Other apartments were neat and clean, prettied by handmade curtains and plastic flowers, religious icons and family momentoes. In these homes, the people were poor but proud. Couples worked several jobs. Youngsters tutored their elders in English and schooled themselves in survival. Grandparents, most of the time too afraid to venture more than a block from where they lived, cooked and cleaned and ran errands so that they, too, could contribute their share.

Cissie's grandparents, Franyu and Sinnoch, had lived not too far from here in a building not too different from this. More than once during the past three weeks she had thought about them. They, too, had been strangers. They, too, had had to learn a new language, new rules, new customs. But they had made it and so would many of these people, especially families like the Hidalgos.

The night Cissie met them, she had been climbing up and down stairways for almost four hours. Cooking odors had filtered into the hall, mixing and blending into one steamy, noxious smell. Cissie's buddy had been trying to get her to quit for the night, but she had insisted on finishing up the sector. By the time she rang the Hidalgos' buzzer, she was exhausted and queasy.

"Rosa Hidalgo?" Cissie checked her list to be sure she had matched the correct name with the correct apartment number.

"Sí."

Cissie was glad the woman had answered so promptly. Suddenly, her eyes were blurry.

"I'm Cissie Gold," she said, "and this is Ramon Fuentes. We're from the Village Democratic Club and we'd like you to sign a petition so that Noah Gold can run for the State Senate."

The small woman was struggling to understand. Without a moment's hesitation, Ramon translated.

"Come in." The woman smiled and motioned that she wanted the two of them to step inside.

A single light bulb dangled from the center of the crowded room, drawing attention to a badly cracked ceiling. Two thick chenille bedspreads hung over clotheslines in the front corners to define small sleeping areas. An old lace tablecloth draped over the back of a frayed green couch lent a touch of antiquity to something that otherwise would have been merely old and worn. Gingham cushions added brightness to two wooden chairs with chipped paint and wobbly legs, and a bowl of waxed fruit sat on a junk-shop table alongside several Spanish magazines which had been read and reread until the pages had begun to curl. It was typical of what Cissie had dubbed "Lower East Side eclectic"—bits and pieces put together in a chaotic but colorful mélange.

Rosa led Cissie and Ramon to the back of the room, where an older woman with gray hair pinned into a hairnet stood by the sink drying dishes. At Rosa's introduction, the woman turned and smiled, quickly covering her mouth to hide the spaces where she had lost her teeth. Rosa also introduced them to her father, her three children, and, finally, her husband, who had come out of a door Cissie assumed led to the bathroom. Luis Hidalgo had only a few minutes before he was due at his night job at a nearby factory.

"Welcome to my home," he said, buttoning his blue denim workshirt and smiling broadly. "Sit. Have some tea."

The old woman immediately rewiped cups and spoons and returned the teapot to the stove. While she did, Cissie went through her spiel about Noah. Though she didn't realize it, and he didn't realize it, Cissie was truly her husband's best asset. When she spoke about him, her green eyes grew soft and beautiful, encouraging those who listened to believe. Her manner was gentle and instructive, not forceful or demeaning. More than that, her love for Noah seemed to send out waves of positive vibrations and rarely did she leave a home of potential voters without signatures.

". . . And though he's not doing it now, your state senator should be sponsoring bills or supporting action that would improve sanitation, schools, living conditions, and job opportunities."

At times, it was all she could do to control herself. She wanted to take them by the hand and show them the bugs crawling around their pantries and the vermin that inhabited their hallways and cellars. But she didn't. She wanted to take them to the schoolyard and show them the drug dealers who tempted their children, then taught them how to steal to support their habits. She didn't. She wanted to drag them down to the factories and make them aware of the substandard conditions they worked in for substandard pay. But she didn't have to. People like Luis and Rosa Hidalgo knew. They just needed to be convinced that with Noah Gold representing them in Albany, maybe they stood a chance at a better life.

"Do you know who your state senator is?" Ramon asked, noticing how peaked Cissie looked.

The Hidalgos looked embarrassed. They lowered their eyes as they shook their heads.

"It's okay," Cissie said reassuringly, patting Rosa's hand. "There are plenty of people who don't know. And more who don't care. His name is Jack Duffy."

Rosa and Luis were suddenly alert. They looked at each other and then at their two guests.

"What's wrong?" Cissie asked, certain that they looked frightened.

Ramon spoke to them in Spanish, quietly, as a comrade.

"Every few years, people come to the door." Luis was determined to tell his story in English. He spoke slowly, but distinctly. "They tell us it's time to vote. We must vote, they tell us. They're very nice most of the time." Luis's tone was apologetic, as if he had to explain his actions. "They take us to the place where the machines are and they tell us how to work them."

"And who to vote for," Ramon said.

"*Sí*. Rosa and me, we just do what we're told. We heard about neighbors who didn't want to go to the machines. They were told that Señor Duffy was responsible for their heat and water. They never said he would shut it off, but that's how it sounded. Rosa and me don't want that, so we vote for him. It's bad, yes?"

"It's not bad," Cissie said, secretly furious with Duffy's strong-arm campaign tactics. "At least you vote. It's just that my husband, Noah, Ramon, and I and many others think that Jack Duffy hasn't done enough for you. We think we can do better. But we need your help."

"What can we do?"

"First you sign your names here and here," she said, pointing to the appropriate lines on the petition. "Then you remember to vote for Noah Gold in the September primary and, hopefully, the November election."

They nodded and signed their names, but Cissie was certain she detected a look of disappointment, as if they wanted more.

"If you'd like," she said, "we could always use you at Gold headquarters."

"*Sí!* We want to feel part of it, but"—as quickly as Rosa's face had brightened, it drooped—"we don't have much time to give."

"How about Sundays after church? We need people to stuff envelopes and make calls and translate. Even an hour would be a big help."

"*Bueno!*"

They were patting one another on the back in gestures of friendship and camaraderie when Cissie fell to the floor. No one had noticed how pale she had gotten and how weak her legs were as she stood to go. It was only when she lay in a heap in front of them that they knew she was ill.

Luis took Ramon down to the pay phone in the hall while Rosa stayed with Cissie, wiping her forehead with a damp towel. Ramon called the club. No one answered. He called Cissie's home. No one was there either. Finally, he called Andrew Kahn's apartment. When Andrew heard what had happened, he told Ramon to sit tight. He would send an ambulance, locate Noah, and meet them at the hospital. Within the hour, Cissie had been admitted, treated, and bedded down at Carnegie Medical Center.

Diagnosis: viral pneumonia complicated by exhaustion.

Patient condition: seven weeks pregnant.

From that first night at the Auberge Loiret in France four years before, until this night in New York, Noah Gold's dependence on Cissie had grown steadily. He had gone from trusting no one, including himself, to little by little turning over pieces of himself to her care. Before long, without either one saying "should I" or "would you," Cissie controlled most aspects of Noah's life. She reconciled him with his family and arranged when and how often they would see one another. She brought him into her family and regulated those visits also. When he wanted to set up a storefront legal practice, she helped locate the space, find furniture, hire personnel, and then negotiated a raise for herself so they could live on their own funds and not parental donations.

Her single demand had been that Noah begin individual sessions with a psychiatrist and join a group of Vietnam veterans. She had hoped that by being with other men who had suffered similar traumas, Noah would be able to purge his guilt and relieve his nightmares and recurring fits of depression. Unfortunately, it was easier for him to repress his Vietnam hangover than to deal with it. He stayed with the psychiatrist for a year and a half. He left the veterans group after five meetings. Though Cissie pleaded with him to return, Noah refused. The psychiatrist had taught him how to live with his ghosts and that, he told her, was good enough. Cissie didn't agree. She wanted Noah to exorcise his ghosts, not only for his own mental well-being but because she didn't want to share him with anyone or anything, including his past.

Another reason Cissie wanted Noah to confront his wartime memories was that she wanted children. Whenever she raised the idea of starting a family, Noah retreated, offering her no response other than a black silence. She knew that all he saw were those boys he had killed, those children who had lain at his feet, their life oozing from their young bodies. Once or twice, she had forced him to talk about it.

"God will punish me," he said. "He'll harm whatever children we have and I don't want you to pay for my sins."

But now she was pregnant, due to deliver sometime around the beginning of December. As she waited for Noah to arrive at the hospital, she wondered how he would greet the news. She was thrilled, but he might be less enthusiastic. Would he be angry? She didn't think so. Though she was convinced that once he was faced with the fact of his pending paternity he would deal with his fears and hesitations, she never would have sought to get pregnant without his knowledge. She wasn't the kind of woman to deceive her husband in any way, and she was certain that Noah knew that. Besides, she thought with a grin washing across her face, she knew the exact moment of conception, and it wasn't her fault.

The morning after Noah had been selected to run for the State Senate by the Village Democratic Club, they had both slept late. Before her body had even roused itself from the depths, she had felt Noah's hands gliding across her skin. His fingers and lips seemed part of a dream and she luxuriated in the sleepy deliciousness of what was happening to her. Slowly, she awoke, keeping her eyes closed, savoring the sensation of eager kisses against drowsy flesh. She stretched, reaching her arms above her head, snaking her body into a curve. Noah punctuated each movement with a caress, a touch that raised her out of somnolence into a far more sensuous reverie. His arms slipped under her, his legs wrapped around her, and she felt her nightgown pass over her face like a bride's veil being lifted. There had been no time to think about birth control. There had only been time to respond and react, to give back what was being given to her, to love him and to have him love her in return.

It had been a wonderful morning. She only hoped Noah remembered it as vividly as she did.

Noah's lips felt cold against her brow. Cissie had been drifting in and out of a medicated sleep for hours, too febrile to notice that Noah had been there since one o'clock in the morning. It was nearly five when she opened her eyes.

"How are you?" Noah was sitting at her side, holding her hand. His eyes were bleary. His tie hung around his neck. His face appeared gray, shadowed by a morning beard.

"I'm fine," she said, her mouth parting in a brief smile.

"Funny," he said, "that's not what I heard. I heard you've got pneumonia."

She shook her head, trying to see beyond the tilt of his mouth and into his eyes.

"I also heard you're pregnant."

She shook her head again, too nervous to speak.

"Why didn't you tell me?" His tone was even, but indecipherable.

"I know this sounds like a grade B movie, but I wasn't sure. I've been so tired lately, I thought that was why I'd missed my period."

"Did it ever occur to you to go to a doctor?"

"I would have," she said somewhat defensively. "Eventually."

"Eventually, you would have given birth! Really, Frances Rebecca, this was dumb."

He didn't sound angry. Maybe, she thought, he was simply concerned. Maybe he was even a little glad.

"Do you love me even if I'm dumb?"

The lines in his face softened, and he leaned down to kiss her.

"I love you no matter what."

He held her hand and stroked her hair. Cissie, her strength sapped, just lay in bed, limp and weak.

"Where were you last night?" she asked after a while.

"With Jeremy King. He and I went out for what was supposed to be a quick dinner. We began talking strategy and the time just got away from us. I'm sorry, honey. Really I am."

"You couldn't possibly have known that I was going to make a fool out of myself by passing out in someone's apartment."

Noah jerked his hand away from hers and slapped his forehead.

"I forgot all about them!"

"Them? Who?"

"The Hidalgos. They've been sitting outside your room ever since you were brought in."

Cissie's eyes widened.

"Noah, I feel terrible. Luis will lose his job."

"He already did. Ramon told me that when Luis called his foreman, the guy fired him for being late."

Cissie's face dropped.

"Please take care of it," she said. "See if Isaac has a job at the electronics plant. If not, my father can always find a place at the LaTessa factory."

Noah nodded.

"Saint Frances of Greenwich Village, Our Lady of the Strays speaks and another soul is saved."

"Bless you," Cissie said, ignoring his teasing, feeling infinitely better.

"Meantime," he asked slyly, "before you hit the carpet, did you get their signatures?"

Cissie's laugh was instant and hearty. She would have thrown a pillow at him if not for the tubes hooking her up to dripping bottles of glucose and penicillin.

"Noah?" she said, suddenly turning serious. "How do you really feel about the baby?"

"How do you think I feel? I feel great!"

His voice was strong and sure, his face the very picture of the father-to-be. Anyone other than Cissie might have missed the shadow that clouded his eyes. Anyone else might have missed the slight tremor in his mouth. Only Cissie understood how hard he was fighting.

Noah sat down on the bed and cradled his wife in his arms. For a long time, they didn't speak.

"I hope we have a beautiful, healthy baby," he said, kissing the top of Cissie's head. "A little girl who looks just like her mommy, with bright red hair and soft pale skin and big gray-green eyes."

A tear rolled down Cissie's cheek. She heard what he said. She knew what he was thinking: *As long as our baby doesn't remind him of those two young boys he killed in the jungle near Dakto.*

It took Cissie a month to recover—one week in the hospital, three weeks of complete bed rest at home. By the time she was on her feet, it was the end of May, and she was under strict orders to limit her activities. Defining that in her own terms, she went to work from ten to four at LaTessa, spent several hours after that writing Noah's speeches and arranging his public appearances, reluctantly leaving the canvassing of voters to Andrew and his staff.

Noah, on the other hand, worked at his office from eight in the morning until six at night, attended dinners or strategy sessions in his off hours, made speeches whenever and wherever he could, and made himself available to every group that requested his help.

Their home became a clubhouse. Dinner for ten, twelve, even twenty was not an uncommon occurrence. Meetings dragged on well past midnight. Weekends meant more of the same. Andrew had slept over so often, Cissie was beginning to think of him as a permanent boarder. And Jeremy King was becoming such a fixture at the kitchen table, Cissie found herself setting a place for him automatically. Where Noah appeared to be thriving on all the frenetic activity, by the end of July, Cissie was forced to hire a housekeeper to help out. Tessa was concerned.

"You're pushing yourself," she said, shutting the door to Cissie's office and seating herself on the couch opposite Cissie's desk. It was reflex, not vanity, that prompted her to smooth out her white silk skirt and straighten the pleats on her black and white shirt. Having been in the fashion business for more than twenty-five years, Tessa was more conscious of the wrinkles in her clothes than she would ever be of the wrinkles on her face.

"You've been increasing your hours here," she continued, "and then you put in God knows how much time working on Noah's campaign. I don't think you're taking proper care of my daughter or my grandchild."

Tessa Kahn was a woman still beautiful enough at fifty for magazine editors to want her photographed in her own creations; a woman bright enough to oversee all design aspects of Kahn Enterprises; and a woman whose top priority had always been, and would always be, her family.

"Your grandchild is doing fine," Cissie said, patting her abdomen. "Can't you tell? I'm getting fat as a house."

Actually, aside from a tiny bulge, Tessa thought Cissie looked rather thin.

"I think you should stop working altogether."

"You sound like Noah," Cissie said, recalling the numerous conversations they had had recently about her job. "He's been lobbying for me to quit."

Before her pregnancy, she had made periodic trips to check on other stores as well as regular buying trips to Europe. Since her stay in the hospital, her only concession had been to eliminate her travel.

"I think it's a sensible suggestion," Tessa said. Cissie nodded, but Tessa could see that she was unconvinced. "Are you afraid I'll fill your spot and never let you come back? You know you always have a place here. The last time I looked, this was a family business and you are still family."

"I don't want to stop working." Cissie's eyes watered and her lips quivered. "But lately, Noah's become rather insistent."

"He's concerned about your health."

Cissie nodded, but inside, she wondered. Noah had not asked her to give up her work on his campaign. To the contrary. He wanted her to quit her job at LaTessa so that she could devote herself completely to his election bid. He kept telling her they were a team and that they should both be concentrating on his election and his future. For Cissie, it was a push-pull situation. She knew how badly Noah wanted a career in politics. She knew how important a wife's role was and how much Noah depended on her. But she also knew that she needed to be her own person.

"What if I just changed jobs," she said, half speaking to herself. "Mrs. Kaufman is retiring. What if I took over her job and managed the New York store?"

Tessa sensed that her daughter was struggling with priorities. She also understood how difficult that struggle was. It wasn't easy trying to fulfill one's career goals as well as fulfilling one's role as a wife and mother.

"I think that's a great idea," she said. "You could arrange your own hours. You wouldn't have to travel and you could spend more time working with Noah."

Cissie forced herself to smile.

"I'm the one who encouraged him to do this," she said. "And if he needs my help, I certainly can't deny him, can I?"

Tessa heard the resignation in Cissie's voice.

"Marriage is a partnership," Tessa said gently. "And often one partner has to compromise for the good of the other. Noah's star is just beginning to rise. Now is his time. Your time will come. Just be patient."

"I'll try," Cissie said.

But try as she might, she couldn't erase the fear that the brighter Noah's star shone, the greater the chance that she would get lost in the shadows.

9
Frances Rebecca Elliot
Jinx

August 1972

MOST FRIENDSHIPS BEGIN SERENDIPITOUSLY. They happen by chance or casual introduction or fortuitous circumstance. After the initial meeting, some relationships germinate slowly, developing and deepening over years of sharing triumphs and tragedies. Other, more superficial associations are dictated by certain situations—neighborhoods, car pools, country clubs, work, children. Sometimes, though, the longest-lasting friendships are the quickest starting. Two potential confidantes meet, an inexplicable click is heard by both of them, and a bond is formed. Instant and intense. That's how it was with Cissie and Jinx.

Although Jinx and Kip would have been happy to get married quickly and quietly, Kate wouldn't hear of it. She insisted they pick a date with enough time for her to plan a proper wedding. After much discussion, the bride and groom acquiesced and settled on Christmas Eve. By August, in the middle of one of Kate's checklist phone conversations, after she had gone over menus, guests, decorations, and other prenuptial minutiae, she informed Jinx that it was time to start looking for a wedding gown. Jinx's first stop was LaTessa.

Since moving to New York, Jinx had shopped at LaTessa several times, but only for very special occasions. She still couldn't bring herself to spend fortunes of money on everyday clothes. She did, however, browse there often. There was something about the store she loved. Was it because she and Kate had bought her "New York trousseau" at the Los Angeles LaTessa? Was it because she had been wearing a LaTessa dress the night Kip had declared his feelings? Or was it simply because the store made her feel rich and beautiful?

It was a trilevel structure dominated by a serpentine staircase with curved balconies that bellied out at each landing to overlook the floor below. The front, facing Fifty-Seventh Street, was all glass and clerestory, creating an open, lofted space of total elegance. The walls were a delicate peach, the carpet a soft gray. The lighting was subtle and flattering, the dressing rooms spacious and grand. They served coffee and tea on request and had a car service available for those who couldn't find a cab. Most important, the saleswomen were cordial, competent, and equally pleasant whether you were buying a single scarf or an entire wardrobe.

Jinx had made an appointment for a bridal consultation at four-thirty. As she left the Kipling Building to walk up to the store, she felt her stomach flutter with anticipation. She was on her way to try on wedding gowns! An uncontrollable girlish grin took momentary control of her face. All her life she had dreamed of how she would look as a bride—what kind of dress she would wear, what type of veil, bouquet, shoes, stockings, jewelry, gloves. She had envisioned every item, every detail, a thousand times. Now she was going to pick it all out.

Why then did the reality suddenly feel so strange when the dream was so familiar? The flutters had not calmed, but Jinx's grin faded. This was one of those times when she needed someone with her. She needed someone to share this experience, to sigh over her gown and fuss over her veil, to assure her that she would be, without a doubt, the most breathtaking bride ever to set foot on a petal-strewn aisle.

Kate and Heather were in Phoenix. Claire was in the South of France on vacation, and, she realized with a twinge of sincere regret, although she had been in New York almost a year, she hadn't made any friends, especially with women her own age. When she pushed open LaTessa's huge brass and glass doors, she did it alone and with dulled spirits.

She hesitated for a moment, looked at her watch, and wandered over to the first counter she found, fingering suede and lizard handbags while she screwed up enough courage to go upstairs. Finally, she allowed herself to lift her eyes from the counter. It was then that she spotted a lovely looking redhead coming down the steps. She was wearing a floaty pink lisle chemise the color of cotton candy and as

Jinx watched her progress, she found herself admiring the woman's smooth, sleek appearance. Her hair was brushed back off her face, held by two tortoiseshell combs. Enormous coral earrings were her only other accessory. It wasn't until she rounded the bottom step that Jinx realized the woman was coming straight toward her.

"Are you Miss Elliot?" she asked, extending her hand to Jinx. "I'm Cissie Gold. Miss Powell went home early today. She wasn't feeling well, but if you don't mind, I'd be happy to help you."

Jinx took her hand, noticed the firmness of her handshake, and responded to the warmth of her smile.

"How did you know who I was?" she asked, feeling quite shy and small despite the fact that she was several inches taller than the other woman.

"You have a four-thirty appointment," Cissie replied, "and you're the only one in the store at this precise moment still young enough to fit into the category of blushing bride. I'm afraid some of these women haven't blushed in years!"

Jinx looked around and laughed. Cissie was right. There wasn't a woman under fifty.

"Also," she continued, "you've been clutching the same purse for fifteen minutes, and that's a LaTessa record. Most people put that bag down within thirty seconds. It's a signed artist's piece that sells for over fifteen hundred dollars."

Jinx heard the price and released the bag instantly, as if it had jolted her with electric shocks.

"Nervous?" Cissie wondered how anyone with such exquisite violet eyes, such wonderful thick hair, and such long legs could ever be nervous about anything. She was beautiful enough to be a model or a movie star and, in fact, reminded Cissie of her cousin, Frankie.

"I guess so," Jinx said, more embarrassed than nervous.

"Don't be. This is going to be fun!"

For the first time since she had entered the store, Jinx believed that. As she followed Cissie up to the third floor, where the bridal salon was housed, she felt herself relax. They chatted about the weather, the store, weddings, flower girls, even the possibility of selecting outfits for Kate and Heather and shipping them to Phoenix for their approval. By the top step, they were jabbering away like old chums.

As they entered the bridal room, Jinx asked Cissie if she was married. With a straight face, Cissie turned around and pulled her dress tight across her bulging belly.

"Yes," she answered. "And a good thing, don't you think?"

Again, Jinx felt embarrassed. Cissie suspected as much and patted Jinx's arm.

"I'm sorry. I didn't mean to tease you. It's just that I'm so conscious of being with child, I forget I'm still at the stage when people aren't sure whether I'm pregnant or bloated."

Jinx smiled.

"Is this your first?"

Cissie nodded.

"I'd be excited too," Jinx said. "I can't wait to have a baby."

Cissie held up both hands.

"Stop! First things first. LaTessa doesn't sell wedding gowns with stretchable middles. Now, let's get to work."

For the next two hours, Jinx tried on one gown after another, each with at least two different veils, just to test the effect. She barely knew Cissie Gold, but suddenly those dreams that had faded on her way to the store were revitalized as she and Cissie finally decided on the perfect gown and the perfect veil, and then decided to go to dinner.

Giancarlo's was a small restaurant in the East Fifties that catered to an elite clientele. The owner, a charming Roman with a knack for attracting beautiful people, treated his customers with great respect, but Giancarlo's, unlike some of New York's tonier establishments, stopped short of reverence. It was sufficient that the atmosphere was elegant, the food was the best Northern Italian cuisine in the city, the service was impeccable, and the congenial ambience encouraged quiet conversation.

Cissie and Jinx lingered over dinner. Over carpaccio in green sauce, Jinx talked about her parents, life in Phoenix, and her sister's ambition to become a model. Over salad, she talked about her job at Kipling Worldwide and the spa project. When the entrees came, they shared spaghettini primavera and butterflied veal, and Cissie surprised Jinx by telling her she was Tessa Kahn's daughter and manager of the store. From there, she moved on to talking about Noah and his hopes for the State Senate, which carried them right through to fresh raspberries and cream. Since they had jumped from one subject to another, it wasn't until coffee was served that Cissie realized she didn't know the name of Jinx's fiancé.

"Is the groom's name a secret? Or can you tell me who he is?"

"It's no secret," Jinx said, surprised that she hadn't mentioned Kip. She and Cissie had talked about practically everything else. "His name is Harrison Kipling."

"Well! So much for the rest of my questions," Cissie said with raised eyebrows and an embarrassed laugh. "No need to ask what he does or where he lives or what he looks like. Instead, may I ask how you met the estimable Mr. Kipling?"

Jinx smiled. She had stopped thinking of Kip as a celebrity long ago, but she couldn't help feeling slightly smug seeing how impressed Cissie was.

"He fell off a horse and I happened to be there to pick him up."

"I always said 'timing is everything'." Suddenly, Cissie raised her coffee cup. "Let's drink to Harrison Kipling, Edna Powell, and being in the right place at the right time."

"What?"

"If you hadn't been in the right place at the right time, you never would have met Kip, he never would have proposed to you, and you never would have been looking for a wedding gown. If Edna Powell hadn't had the flu, she would have waited on you, we wouldn't have met, and that would really be too bad, because I like you, Jinx Elliot."

"I like you too, Cissie Gold."

Both of them smiled and clinked coffee cups. They knew then that they were friends. What they didn't know, was that they were cousins.

Tessa Kahn rarely envied anyone anything. This morning, though, still logy and jet-lagged, she envied Bert his ability to change time zones by merely resetting his watch. Usually, upon her return from an extended business trip, Tessa's secretary kept her schedule free of appointments, but she saw that this morning she had a meeting with Cissie and a Miss Elliot.

While Tessa sipped her coffee, she swiveled her chair around to face the huge window that dominated her office and overlooked Fifty-Seventh Street. She had been looking out this window for more than ten years, but she was convinced that even if it were a hundred, she would never tire of the view. Fifty-Seventh Street had style and vitality. Women dressed up to shop on that street. Their posture seemed straighter than when they walked on other blocks, their heads higher, their gait more graceful. Even now, in the midst of a late August heat wave, Tessa could find women garbed in chic ensembles, some sporting jaunty hats, and even a few toting lacy white gloves.

Was it the steepness of the price tags or the obvious quality of the merchandise that inspired such polish in its customers, or was it the European attitude of the architecture and the Old World feel that came from the way art galleries, boutiques, silver merchants, jewelers, antique dealers, coin sellers, and crystal and china emporiums all clustered together like precious stones strung into one glittering necklace? To Tessa, it was the quintessential marketplace, and she loved it.

She remembered when she first had seen this special street. She and her mother had celebrated her seventeenth birthday by spending the afternoon in New York. First, they had lunched at the Charleston Gardens in B. Altman's on Thirty-Fourth Street. All four walls of the fifth-floor restaurant were covered with detailed murals that transported diners to a garden outside one of the South's grandest plantations. The tables were wrought iron and glass-topped, and lunch consisted of delicate tea sandwiches served from a rolling cart. Tessa remembered how strange it had been eating those tiny fingers with no crusts. What had made it fun was that the bread had been tinted. Filling and taste became secondary. Instead of eating tuna fish and butter, she ate pink. Instead of salmon and watercress, she ate blue. Instead of cream cheese and chives, she ate green.

After lunch, they had strolled up Fifth Avenue to Best & Company, where Franyu had surprised Tessa by buying her a navy blue spring coat. It was here that Tessa had been confronted, for the first time in her life, with her parents' immigrant background. Inside, the store was hushed, with proper, elegant customers with Brahmin speech patterns and carriage-trade manners. Her mother looked fine and spoke softly enough, but the more Tessa listened, the more aware she became of the fact that Franyu was the only one with a pronounced accent and alien idioms. Before then, whenever her mother had said she had to wash her hair "because *they* were dirty," Tessa had thought it was cute. That day, she had discovered such expressions were "foreign."

By the time Tessa and Fanny had wended their way up to Fifty-Seventh Street, they were giddy with fatigue and grateful to just stroll up and down, window-shopping and people-watching. While they walked, they talked about Fanny's hopes for her children and Tessa's hopes for herself. Tessa wanted to create and sell pretty clothes. Fanny had once wanted to act. Her parents had forbidden her. She wanted her children to do what they wanted with their lives, to indulge their fantasies and follow their dreams.

It had been a wonderful day. It was also the last day Tessa ever spent alone with her mother. Shortly after their excursion, Franyu went into the hospital. Six months later, she died.

Tessa wiped a tear from the corner of her eye. It must be the jet lag, she thought. Yet, staring out that window, all she saw was her mother and how she had looked that afternoon with her dark curls bobbing in the breeze and her pale face flushed with the crispness of the March air. She could almost feel her mother's arm through hers, still strong and sure and firm-fleshed, not the way it became after she got so sick. Tessa saw her sisters and brothers, too, and the way their family had been before the cancer and before the war. They had been so close, with so much love passing from one to the other. There was still the love, but the closeness they'd once shared had been distilled by time and distance, the commitment further dissipated after Sinnoch had died in 1965.

Tessa had started to make a note to call her older sister, Molly, when her secretary buzzed to say that Cissie and her friend were on their way up. Quickly, Tessa dabbed at her eyes and checked her image in a small mirror. Her black hair was pinned in a tight French twist. A few stray wisps tickled her face, and she brushed them back so she could see the pearl and diamond studs that tipped her earlobes.

Cissie knocked on the door and Tessa took a deep breath, shooing away the past so she could deal with the present. But as the door opened, the past walked toward her in the person of Jinx Elliot.

"Mom, this is Jinx Elliot," Cissie said, too excited to notice the rigidity of her mother's pose. "Jinx, this is the famous Tessa Kahn!"

"How do you do, Mrs. Kahn. This is truly a pleasure. I'm an admirer of yours."

She smiled and extended her hand. Tessa was too stunned to move. The name. The face. She had to summon up every ounce of breeding she had to overcome her shock and return the handshake. As she felt the young woman's fingers grip hers, her knees went weak. She was holding the hand of her brother's child.

"Jinx is here on behalf of Kipling Worldwide. And she happens to have a fabulous idea to present to you. I can't wait for you to hear it!"

Tessa hadn't taken her eyes off Jinx. In fact, she had forgotten Cissie was in the room until the sound of her voice intruded on her stupor.

"Of course," Tessa said, commanding her body to walk and her mouth to talk. "I'm sorry if I seem a touch out of it, but I've just returned from a long buying trip and I'm suffering from travel hangover."

"I understand." Jinx was grateful for the explanation. She had felt extremely uncomfortable in the heat of the older woman's stare.

Tessa invited everyone to sit, initiated the conversation, and asked all the appropriate preliminary questions, but for the next hour, she felt as if she were watching this entire scene from behind a one-way mirror. She saw how much Jinx looked like Ben, with his almond-shaped hyacinth-blue eyes and his high-cheekboned oval face. She saw the pale, delicate skin that looked exactly like Cissie's and Frankie's and Becca's and her own. She saw the gracefully arched eyebrows of her sister, Lillie, and the wild black hair that capped most of the Rostov women.

As obvious as the family resemblance was to her, however, it was equally obvious that neither Jinx nor Cissie had seen it or even suspected their true relationship. Part of Tessa wanted to tell them, to let them know they were cousins and that she was Jinx's aunt, the one person in the Rostov family who had visited Jinx in the Berlin Army Hospital, the one person in the Rostov family, other than Bert, who even knew of her existence.

"I'm very involved in a new project for Kipresorts," Jinx was saying. "We're experimenting with the idea of putting spas into our luxury resorts. Recently, it struck me that the perfect addition to this project would be small LaTessa boutiques stocked with wonderfully elegant resort clothes."

Tessa heard herself mumble something about being interested, but that her son, Andrew, would have to do some studies and projections. Thankfully, Cissie picked it up from there, explaining Andrew's role in the organization and how he went about analyzing new ventures for Kahn Enterprises.

Tessa couldn't stop analyzing Jinx. She couldn't get over the fact that Jinx possessed the one distinctive feature that positively identified her as Franyu Rostov's granddaughter—the dimple at the tip of her nose. None of Fanny's children had it. Neither did any of her grandchildren. Except the one no one was supposed to know about.

"The Chalet spa is scheduled to open in December," Jinx continued, "and even though I know it's short notice, if all the forecasts and projections are favorable, I'd like to be able to launch the LaTessa Boutique at the same time as we launch the spa."

Tessa willed herself to concentrate on the conversation. This was, after all, a business meeting, and she must conduct herself accordingly.

"I personally will instruct Andrew to give this matter his immediate attention." She heard the formality and regretted it the moment she saw the disappointment register on both women's faces. "But I don't see any reason why we wouldn't do it. It's a great idea!" she said, smiling as if she had been teasing them all along.

"Really, Mother! You have the strangest sense of humor." Cissie came out of her seat as quickly as her ever-increasing abdomen would allow and leaned over to kiss her mother.

"I have one condition." Tessa turned to her daughter. "I want you to take charge of the LaTessa Resort operation. You brought the concept in and I think you should have something of your own to run."

Cissie didn't respond.

"Most of the buying could be done right here in New York. It would require minimal travel, if any, and I don't think it would interfere with the management of the New York store or Noah's campaign or the impending birth of my grandchild. Do you think you can handle it?" Tessa asked.

"You know how much this means to me," Cissie said, hugging her mother.

Tessa nodded, slightly embarrassed by Cissie's display of emotion. She stood suddenly, signaling the end of the meeting.

"It was a pleasure meeting you, Miss Elliot."

"Jinx, please."

But Tessa was barely listening. She was edgy. She wanted them to stop talking. She wanted them to leave. She wanted to call Ben.

Tessa had first met Kate Freedman in Paris. It was 1947 and the Kahns had been in Europe almost a year. Thanks to Claudine Rochelle, Tessa had found a part-time job as a seamstress in an atelier. Though Bert's salary from his father's store was generous, they lived on very little. Their dream was to open a store of their own one day, so they saved every penny they could. They thought they were doing just fine, but once a month, Tessa received a letter from her father asking the same question: "Are you succeeding?" Once a month, Tessa sent back the same answer: "We're succeeding at surviving. One day we hope to succeed at succeeding."

In 1947, Tessa had been twenty-five and the busy mother of two. Ben, at twenty, was extremely handsome and he knew it. He looked smashing in his Air Force uniform and he knew it. Women found him irresistibly sexy and he knew that as well. In fact, Bert, listening to all of Ben's conquests, dubbed his younger brother-in-law "the perennial pubescent," issuing repeated warnings about the long-term effects of terminal lust and continuous heavy breathing. Ben ignored the teasing, playfully accusing Bert, eight years his elder, of being over the hill. Naturally, when Ben cabled from Berlin to say that he was coming to visit and was bringing a special lady for them to meet, Tessa and Bert were surprised, excited, curious, and most definitely, skeptical.

Though the Kahns' apartment was tiny, Tessa offered to put them both up for the weekend. It didn't matter that Danton and Claudine Rochelle had had to go to Périgord to care for Claudine's ailing mother and had left four-year-old Paul with them. It didn't matter that their budget didn't include entertaining. Ben was family and that was more important than anything else.

Tessa had liked Kate immediately. She had been warm and open, unusually at ease considering the close quarters and the fact that she was surrounded by total strangers. Maybe it had been her nurse's training. Nothing fazed her, not even when Paul suddenly came down with a vicious twenty-four-hour virus. Kate, maintaining that Tessa had more than enough on her hands with Andrew and Cissie, insisted on caring for the sick boy herself, cleaning up after him, preparing his food, feeding him, bathing him, swabbing him with alcohol, administering his medication. By the time the fever had broken, little Paul had grown so attached to Kate that Tessa could have sworn that Ben was jealous.

That was one of the things Tessa recalled so vividly about that weekend—Ben's incredible attachment to Kate. He couldn't stay away from her for more than two minutes without getting a hangdog expression on his face. It was obvious that Ben was madly in love with this young woman and frankly, having suffered the presence of several of Ben's other "friends," Tessa couldn't have been more pleased. Kate was bouncy and bright and sensible and charming and beautiful. She was also more mature than Ben, and that worried Tessa.

One month later, Ben sent Tessa and Bert a telegram announcing the fact that he and Kate had gotten married. Tessa wished them well and crossed her fingers. Europe was in a state of flux, and instant romances were an everyday phenomenon. She had already seen too many victims of the slam-bam-thank-you-ma'am school of courtship not to be concerned about her baby brother and his new bride.

The months passed and as far as Tessa knew, all was well. She and Kate wrote regularly, and most of Kate's letters were upbeat and loving. Then Tessa began getting letters from Ben. They were short and curt. He was critical of Kate's hours at the hospital, critical of her cooking, her friends, her attitude. He griped about how hard he was working, how grueling the flights had become. Tessa began to have an uneasy feeling. She had heard talk about great unrest in Berlin; about the strain of maintaining a divided city; about the forcefulness of the Russians. There would be trouble there. She felt it. Tessa had already lost one brother to an anti-aircraft bullet. She didn't want to lose another.

She wrote back that perhaps it was time to request a transfer to another unit. He was in line for a promotion, why not ask for a new post? Ben's answer was a simple, "Kate's pregnant," as if that were the reason he couldn't do any of the things Tessa had suggested. Odd. She and Bert thought Kate's pregnancy would have been precisely the reason needed to prompt a transfer request. Tessa's concern mounted.

A few weeks later, Ben came again to Paris.

"Where's Kate?" Tessa had asked with no small amount of trepidation.

"In Berlin."

"Why didn't she come with you?"

"We're finished. I walked out."

"Why?"

"Because the whole thing's wrong, that's why. She, that baby. Ever since she got pregnant, things have been going bad. I've been grounded for flight fatigue. We've been fighting. It's that baby. It's a jinx, I tell you. A couple of weeks ago, my plane lost an engine. I just got out of the hospital and I'm not going back."

Tessa was quiet. Bert had gone to the South of France to buy fabric and, she imagined, to leave her alone with her brother. For once, she was glad he wasn't around. She would have been embarrassed for Bert to see the way Ben was behaving. He was whining and grousing like a spoiled child.

"Do you still love her?"

"No."

He was lying. She could see it in his eyes.

"Are you sure?"

"Okay! Yes, I still love her, but it's not going to work."

"Why not?"

It took Ben quite a while to answer.

"I can't handle it."

Tessa knew how hard it was for him to admit that. She also knew he wouldn't have told that to anyone but her.

"If you love her, Ben, you can make it work because I know how much she loves you." Tessa's voice was soothing, almost hypnotic. "Your tour is up soon. Then, you, Kate, and the baby could go back to the States. You could be a family."

For a few minutes, she thought she had convinced him. Then he bounded out of his chair and paced up and down in front of her.

"I can't do it, Tessa," he said. "I'm choking."

Tessa spent the rest of the weekend trying to calm him. His nerves were brittle and the slightest thing set him off. No matter how hard Tessa tried to talk him into going back to Kate, he resisted. His mind was set.

The following week, Bert had returned, and Tessa flew to Berlin to see Kate. She liked her sister-in-law, and if there was any way she could get them back together, she was going to find it.

"He still loves you, Kate." Tessa was touched by how frail Kate looked, how totally miserable.

"Tessa, other than this child I'm carrying, your brother is the most important person in my life. I love him, no matter what he's done or said. I only want us to be a family."

"Maybe after the baby's born," Tessa said hopefully.

"If it's a girl, I'd like to name her after your mother, like you did."

Tessa hugged Kate, holding her close.

"That would be special. I'm sure Ben won't be able to resist a baby girl named for our mother."

But Ben did resist. When Tessa heard about Jinx's birth, she flew immediately to Berlin hoping to be witness to a reconciliation. She never even saw her brother. His friends told her he had taken off for a little R & R. Kate told her that when she had called him, told him he had a daughter and that she had been named Frances Rebecca, he had shouted at her. She had no right to do that, he had said. She wasn't going to be a Rostov and neither was her child.

"He won't even come to see her," Kate said between sobs. "Look at her. Look at this face. All he'd have to do is see her once and I know he'd love her."

Neither Kate nor Tessa ever knew that Ben had been to the hospital. He had seen his daughter. And he had been smitten with the tiny baby with the hyacinth eyes. But, being young and stubborn and full of pride, he had left anyway.

It was quiet in La Caravelle. Most of the regular patrons were still vacationing, so Tessa and Ben had nearly the entire place to themselves. They sat near the back dining on lush chef salads, sipping cool white wine spritzers.

"I'm really glad you called me," Ben said, smiling at his favorite sister. "I haven't seen you in ages. I miss you."

"I know. I miss you too," Tessa said. "In fact, I called Molly just after I spoke to you. She also hasn't seen or heard from you in quite a while and she's not happy."

"Molly's never happy with me," Ben said as if he were stating the obvious. "Lillie's never happy with me either. You're the only one who's ever happy with me. That's why I love you so much."

He patted her hand affectionately, but she didn't respond. She looked distracted, perhaps a little distressed.

"You *are* happy with me, aren't you?" he asked. "Or is this lunch the condemned man's last meal?"

Tessa deliberately kept her eyes focused on her plate. She didn't want to be swayed by the dazzle of his smile.

"I was feeling nostalgic this morning," she said softly, "and I needed to talk to you."

"This sounds heavy." Ben was curious, but determined to keep the tone light. "Go ahead. Lay it on me."

Tessa took a deep breath, raised her eyes, and plunged.

"Have you ever spoken to Kate Elliot since Berlin?"

Ben's stomach lurched. By sheer force, he maintained an even expression.

"No. Why do you ask?"

Tessa thought she heard a slight stammer.

"You mean to say that in all these years you've never called her or written?"

"Why would I?" Ben said firmly. "It was over between us years ago, Tessa, you know that."

She nodded in agreement, but she had no intention of dropping the subject.

"Did Kate ever call you?"

Kate and Tessa had kept in touch all the time they were in Europe. Tessa knew that Kate had married Hank Elliot. She knew that Hank had adopted Jinx. She knew that they had moved to Phoenix. After they did, their correspondence dwindled and eventually died out altogether. Until 1963, when, unexpectedly, Tessa had received a short note addressed to her in care of the New York store. It was from Kate. She had wanted Ben's address. She wouldn't tell Tessa why, but she pleaded with her to forward the information. Tessa knew Kate well enough to know that she would not have asked if it had not been for some good reason and that the good reason probably had something to do with Jinx. Tessa sent Kate Ben's address, but since she had never heard from Kate again and Ben had never mentioned a letter or a phone call, she had assumed that Kate had thought better of contacting Ben.

"Tessa, why are you grilling me about Kate?"

"I told you. I was feeling nostalgic today and I just wondered if you spoke to her. Or if you ever saw your other daughter."

Ben's face went rigid. His eyes blanked.

"You promised you would keep that secret. I never told anyone about that child. As far as anyone knows, I was married quickly and divorced quickly. A soldier's romance, plain and simple."

"I never betrayed you, Ben, nor would I. I just asked a question."

"I'm sorry. I didn't mean to jump. It's just—you can imagine what would happen if that ever came out. Sylvia would have a stroke and Becca . . . Becca would never understand. My life would be turned upside down."

"Do you want the truth, Ben? I'm not sure I understand."

"Understand what?"

"Why you've never owned up to that child. Why you deserted her in the first place."

Ben had a hard time dealing with Tessa's disapproval. All his life, especially after his mother had died, Tessa had been his mainstay, accepting the positive with the negative, giving him a sense of balance about himself. She never hesitated to point out his defects, but neither did she shy away from recognizing his worth. Somehow, as long as she approved of him, everything was all right.

"I couldn't help myself," he said honestly. "I admit it was the wrong thing to do, but at the time, it seemed like the only thing to do. Believe me, I regret it."

As he spoke, Tessa tried to picture the look on his face if and when he ever saw Jinx. She was so beautiful and she looked so much like Franyu. Ben would be proud, she knew it.

"If you regret it, why don't you do something about it? Why don't you contact Kate and find out where Jinx is?"

"Because it's too late!" His tone turned snappish and impatient.

Tessa's heart stopped. That was not the response she had expected.

"Announcing her existence to Sylvia and Becca, to Molly, to Lillie. It's too complicated. It would hurt too many people."

"What do you think it did to Kate? And the baby? You left Kate without a husband. You left that baby without a father."

"Okay," he said, trying to control his frustration and his nervousness, "but that was only two people who were hurt. Three, if you count me. Now it would be many more, and it wouldn't be hurt, it would be devastation."

"Maybe." Tessa sounded unconvinced.

"It's better this way. Kate married Hank Elliot. He adopted the child." A strange look washed over Ben's face, and when he spoke, his voice had softened. "Hank's a good man. When I signed those papers, I knew Jinx would be well taken care of."

"That didn't make what you did right."

"I know." Suddenly, he noticed that Tessa's eyes had filled. "Why are you so emotional over something that happened more than twenty years ago?"

"Maybe because tomorrow is the anniversary of Mom's death and I know that somewhere out there, there's a child who's named for her and doesn't even know about this family. I don't like that and I know Mom wouldn't have liked that."

"Don't lay that on me, Tessa. Mom is dead and that child is hardly an orphan. She has a family. The only difference is she's an Elliot, not a Rostov." He leaned over and kissed his sister's cheek. "Tell me you still love me."

"I still love you," she said.

But as they left the restaurant, she knew that she loved him a little less than when they had walked in.

Lincoln Tunnel to New Jersey Turnpike. At Newark Airport, follow signs to Route 22. Go until sign says McClusky Boulevard. Make right turn. Go two blocks. Right on Yulsman Avenue. Entrance to cemetery on left.

The directions made it sound so simple. Just a few turns here and there and that was that. For Jinx, this trip today was anything but simple.

For months, she and Kip had immersed themselves in a search for Benjamin's father. They had decided that since the younger relatives probably had scattered in the intervening years, and older people tended to remain closer to their roots, the senior Rostov was a good starting point. The only fact they had to go on was that Kate had mentioned Ben's father had owned a jewelry store. When Jinx called and asked where the store had been located, Kate said she thought it was somewhere in New York, but couldn't remember exactly where.

Jinx combed the Yellow Pages of every county in New York, looking for the name Rostov or something that sounded similar. She even went to the telephone company and looked through phone books as far as five years back. Still, she found nothing. Kip suggested that perhaps they should take another tack and proceed from the assumption that Ben's father had died. By taking advantage of Kip's contacts, Jinx was able to go through death certificates in New York City, New York State, Connecticut, and finally, New Jersey. A man named Samuel Rostov had died of a heart attack in Newark on January 5, 1965. Jinx went to the hospital where he had died, trying to find if they had a record of where he had been sent for burial. They didn't.

For several days, Jinx felt stymied, as if the door she had thought was about to open was little more than a work of trompe l'oeil. Kip thought that perhaps he could make a few inquiries through the mayor's office in Newark and, failing that, the governor's office at Trenton. The whole process sounded too slow and too unsure for Jinx. Instead, she got into a car and went from one funeral home to another, tracing a thirty-mile circle around the hospital. Finally, after visiting more than twenty mortuaries, she found one that had handled the remains of someone named Rostov. Though the mortician gave her the name and location of the cemetery, he refused to give her any of the family's names and addresses. Also, he pointed out that the first name of the deceased had been Sinnoch, not Samuel. He could not guarantee that they were one and the same. At that point, all it meant was another drive. There was nothing to lose except time.

Jinx parked her car across from the entrance and slowly walked toward the gate, thinking that she should have taken Kip up on his offer to accompany her. Maybe she should forget about this search for her roots. No. Years ago, she had set out on this pilgrimage into the past, and she was determined to confront it. As she had told Kip a hundred times, she'd never rest until she did.

Tiptoeing, she made her way through the maze of gravesites and winding paths. Finally, she came upon a large plot shaded by a leafy elm tree. A small stone bench sat across from a huge family marker with big letters that spelled ROSTOV. In front of the marble monument were four headstones designating four graves. The one in the center of the plot had a bunch of white lilacs on it.

Jinx's heart began to pound in her chest and her throat tightened. It was her grandmother's grave. She looked at the inscription on the headstone and felt tears crowd her eyes.

FRANYU BEKAH LUBLIN ROSTOV
b. Nov. 10, 1899. d. Sept. 1, 1939
DEVOTED WIFE AND LOVING MOTHER
With triumphs and glories and the rest . . . love is best.

The quotation was from Robert Browning. Jinx felt a shaky smile form beneath her tears. She and this woman both liked the same poet. Perhaps they would have shared other likes and dislikes. Perhaps they would have liked each other.

Suddenly, Jinx's head was bursting with questions. Franyu had been only forty when she died. What had she died of? Where had she died? How had she lived? What had she done? What had she wanted to do?

Lying next to Franyu's headstone was one with Sinnoch's name on it. He had been born in 1898 and had died in 1965. Had they loved each other? Had he remarried after she died? Had he known about Jinx? Had he ever looked for her? Asked about her?

To the left of the center two stones was another grave: JACOB ROSTOV, b. 1921, d. 1945, Verdun, France. This man was her uncle. He must have been a soldier, killed during World War II. Jinx felt compelled to bow her head.

To the right of the large family monument was a smaller grave with a headstone that sent a chill up Jinx's spine:

FRANCES REBECCA SCHWARTZ
b. Dec. 8, 1939. d. March 3, 1947

A child with her name. The exact name. A name that was obviously a tribute to the woman who rested in the center of this cemetery plot. This little girl had been born after Franyu had died. Jinx was born almost ten years after that, and she, too, had been named for Franyu. How many others bore the same name? One? Three? None? Who was this child's mother? Was she one of Franyu and Sinnoch's children? How many other children did the Rostovs have?

Jinx's legs felt shaky. She went to sit on the bench, but something stopped her. This bench was not meant for visitors. It was meant for family, and just then Jinx wasn't sure the people resting there would have considered her family.

Instead, she stood in front of the graves, silent and respectful, and confused by a mass of unfamiliar emotions. So many questions. No answers. It was strange to feel things about people she had never met or, in fact, heard of until now, but somehow she felt her blood tingling as if it were in the process of reuniting with those who shared that bloodline.

She bent down and gently picked up the lilacs. The scent drifted up her nose and a few drops of moisture trickled onto her wrist. These flowers were very fresh. But they were out of season. Whoever had bought them must have searched every hothouse in the metropolitan area. White lilacs must have been very special to Franyu and to whoever put them here. Who was it? And why today? Her eye caught the dates on Franyu's grave. September 1. Today was the anniversary of Franyu's death. She put the flowers down.

It was as she turned to leave that she realized there was no grave for Benjamin Rostov—the thing she had really come to find. Where was her father buried? Jacob had been killed overseas and his body had been shipped home. What had become of Ben? Had he been buried in Europe? Had he been missing in action? Was he buried in another cemetery?

Or, was he still alive?

10
Frances Rebecca Gold
Cissie

November 1972

"WELL, EITHER I'M GOING TO ALBANY and beyond or to hell and back. If I lose, I think I have to work for my father."

Noah sighed dramatically and nuzzled into the small space that remained between Cissie's neck and the ever-burgeoning mound that was once her abdomen. That week, Cissie had entered her ninth month, and to mark the occasion, her belly had "popped" and "dropped," making her look as if she were balancing a huge beach ball on her thighs.

That day was Election Day and Cissie had been up since before dawn to go over Noah's acceptance speech and to prepare breakfast in bed for the candidate—orange juice with a splash of champagne, three-and-a-half-minute eggs, hot croissants, and freshly ground coffee. They ate slowly, but it was still only six o'clock by the time they finished and began trying to coordinate schedules.

At seven, Noah was leaving to shake hands at subway entrances and smooch toddlers at supermarkets. Cissie wanted to leave with him and go over to campaign headquarters. She planned to oversee the telephone squad in charge of reminding registered voters to vote and to supervise the pool of drivers who would be transporting the elderly and the infirm to voting sites. After the polls closed, she intended to shower, change, and meet Noah back at headquarters, where they would keep a running tally on the results and, she hoped, host a big victory party. Noah wanted her to stay in bed most of the day.

"I don't know if you've noticed, my dear, but you're bigger than a bread box."

"Maybe," she said, hoisting herself up onto her pillows, "but I'm not bigger than a voting booth."

"Says who?" Noah grinned and snuggled next to her.

"One more fat joke," she said, poking him, "and faster than you can say, 'I humbly beg your forgiveness,' I shall squeeze this body into the nearest booth and cast my ballot for Jack Duffy!"

Noah's mouth dropped open. His hand clutched his heart. Then he bent over and put his lips to her stomach.

"Did you hear what your mother said? It must be that ninth-month madness we've heard so much about. I guess we'd better humor her, kid. Otherwise, it's cracker time." Noah kissed her belly gently. Then he reached up and kissed her lips. "Okay. No more fat jokes."

"That's better. Now, let's get going."

She started to get out of bed, but Noah stopped her.

"All kidding aside. Please stay home. It's getting too close and I don't want anything to happen." His voice was soft, but Cissie heard the fear.

"Okay," she said quickly, not wanting to upset him on this, of all days. "I'll call Frankie and have her come over and baby-sit. We'll hang out here and meet you later."

"I love you," he said, smiling with relief.

"I love you too."

Cissie watched as he went into the bathroom. Noah's attitude had taken a one-hundred-eighty-degree turn from that night in the hospital when he'd first learned she was pregnant. Then, he had felt burdened by his past. Now he felt buoyed by his future. The first few months had been touchy, as he had tried to adjust to the thought of becoming a father. He kept returning to Vietnam, revisiting those ghosts, reviving his fear of retribution. But then he felt his baby move inside his wife. From that moment on, everything had changed.

Cissie had been feeling flutters for weeks, but finally, the child was big enough for Noah to chart its movements. With no small amount of trepidation, he had placed his hand on Cissie's flesh. Patiently, he had waited, barely breathing, listening as if it were something he was going to hear rather than something he was going to feel. Suddenly, there was a ripple. Then it was gone. He kept his hand on the same spot, paralyzed by the miracle of it all. Another ripple. And then another. Noah felt redeemed. He felt as if a divine finger had touched him and granted him absolution. He was helping to bring a child into the world. He was replacing a child who had left this world. He was repaying his debt to God.

Noah became obsessive about Cissie's well-being. He went with her on her monthly visits to the doctor. He checked in with her several times a day to be sure she was where she said she'd be, doing as little as possible. He gave her her vitamins, counted out three glasses of skim milk per day, and watched what she ate. Toward the end of her seventh month, they began Lamaze classes. Every morning and every night, no matter how late it was, Noah insisted that they practice the breathing and that Cissie do her muscle-relaxing exercises. They were in training for the most important event in their lives. He was the coach. Cissie and the baby were the players. Together, they were a team.

At ten minutes to seven, Noah emerged from the bathroom, dressed and ready to go. Cissie smiled at the sight of him. He was and would always be, the most exciting man she had ever known, with his hooded onyx eyes and sculpted face, his smoldering intensity, and even his brooding silences. As he walked toward her, she felt like grabbing him and making love, but instead, she held her arms out for a hug.

"You look wonderful!" she said, approving the navy blue suit and dark pin-dot tie.

"Do I look like a winner?" he asked with a sheepish grin.

"You've always looked like a winner to me." Cissie held him close, hoping to infuse him with an extra dose of confidence.

"As long as I have you," he said, kissing her softly, "I am a winner."

Cissie straightened his tie and smoothed his lapels.

"Just remember that, Senator."

"I will, Mrs. Senator."

He gave her a quick bow and left. She smiled, refilled her coffee cup from the carafe on her night table, and waited to hear the door slam before dialing Frankie's phone number. A sleepy voice answered.

"'Lo."

"Frances Rebecca Travis. This is your cousin, Frances Rebecca Gold."

"Huh."

"Today is Election Day. You promised to flash your famous face on behalf of our candidate, Noah Gold. It is now seven A.M. Get your body out of bed!"

"What? Oh! Election Day. Noah." Frankie was suddenly awake. "I'm up. I'm on my way. Don't move. I'll be there soon."

Cissie giggled and started to tell her to take her time, but Frankie had already hung up. Knowing her as well as Cissie did, she knew she'd better hurry up herself. Frankie would be there at eight o'clock sharp.

Noah's storefront office/campaign headquarters was so crowded with people and furniture, moving about was single file only. It looked chaotic with people and papers cluttering desktops. Telephones rang, doors slammed, feet shuffled, messages and orders and questions and answers were shouted back and forth, sometimes in two or three languages. But beneath the appearance of chaos, Noah's organization functioned with utmost efficiency. The setup was straight out of a military operations handbook, because, in Noah's judgment, if this type of structure worked for a conglomerate as vast as the army, it would surely work for his small campaign. So far, he appeared to be correct.

Each task had been analyzed, isolated, and staffed with enough personnel to effect that task. Those workers, selected for their aptitude in a particular area, were a unit, headed by a captain. Several units constituted a division, which was headed by a leader. From there, the chain of command went to either Andrew Kahn or Jeremy King. What made the system run so smoothly was that everyone had a place and a job. Everyone had someone of whom he could ask questions and from whom he could receive answers. No one floundered about alone, because everyone felt part of a group.

Usually, the Houston Street office appeared stark, obviously and deliberately undecorated—old Venetian blinds on the front windows, three big, lumbering wooden desks for Noah and the two attorneys who had joined him several months back, plus a battered metal desk for the secretary they all shared. Once the campaign had kicked up, Noah had moved in more desks and more people, but the office had still maintained its spartan look.

Tonight was different. Tonight enthusiasm had barged through the doors and insinuated itself into the large room. The back wall had been given over to a huge blackboard on which they would keep a tally of the results as soon as the polls closed. Stretched above the blackboard was the bright red, white, and blue bunting edged in shiny gold that had become the symbol of Noah's campaign. Twinkling gold stars hung from the ceiling on invisible strings, creating a paper firmament. The side walls were tattooed with the same posters that had plastered every lamppost, subway entrance, and bar in the district. They were big black and white photos of Noah, his dark eyes strong and confident, his broad smile warm and trustworthy. At the bottom, in large capital letters flanked by bright gold stars, was his name, NOAH GOLD. Underneath, in black type, was his dream—STATE SENATOR.

Every desk held at least three telephones, four clipboards, and two volunteers. One squad, in the front corner, was being supervised by Luis Hidalgo. Rosa had worked the early shift and had gone home to feed the family. In the center of the hubbub, orchestrating most of the activity, was a very pale Cissie Gold. When Noah had arrived at seven that evening, having just come from home, where he had found a freshly pressed suit laid out on his bed, but no wife in that bed, he looked more than a little annoyed.

"You promised you'd stay home."

Cissie was perched on top of a desk. Noah stood directly in front of her, making it impossible for her to wriggle away.

"I lied," she said with a smug smile. "I'm not running for anything. I don't have to be boy-scout honest."

"Terrific." Noah shook his head. "I have enough on my mind without having to worry about you."

"I feel great," Cissie said, trying to ignore the edge in his voice. "Soon I'll go home and change and I'll look great. Not as great as you, of course."

"You are a piece of work, Frances."

"I love you too. Now, tell me how it went today."

Someone handed Noah a cup of coffee. He smiled his thanks and took a quick sip of the steaming liquid.

"Who knows? I shook hands, they shook back. I kissed babies, they kissed back." His eyebrows furrowed. The strain was beginning to show.

"You're a shoo-in," Cissie said, stroking his forehead. "I feel it in my bones."

"Wherever they are," he said, his good humor returning.

"I think that was another fat joke."

"Certainly not," he said with a grin. "Where is Andrew?"

"Closeted with Jeremy King in the back. They're talking to some of the party biggies about what's going on in the rest of the city."

Noah nodded. "And Frankie?"

"Right now, she's working the car pool." Cissie laughed. "She's turning into our secret weapon. No one refuses a ride with Frankie Travis."

"She's a good kid," Noah said, "but I thought she was supposed to be taking care of you."

"Rosa is taking care of me. And Jeremy. And Andrew. And Hilary. And everyone else in this place. I can't even go potty without an escort!"

"Good," he said, patting her belly. "However, I'd like it a lot better if you went home and got some rest. You look very tired and I need you here later."

"Frankie will be back soon, and when she shows up, I promise, I'll go home."

Cissie and Frankie had arrived at headquarters before nine that morning and Cissie had worked straight through the day. About three o'clock that afternoon, she had begun feeling strange—weak, with an occasional pinch in her lower back. She had chalked it up to fatigue and stress, but if the truth be known, she was dying for a nap.

"Will you sleep?" Noah was still concerned.

"Yes."

"Okay," he said, looking around impatiently. "I have to get to work. Now stay put and wait for Frankie. We've got a long night ahead of us."

He gave her a quick kiss and went toward the back room to confer with Andrew and Jeremy. Frankie arrived twenty minutes later. Cissie hadn't moved from the desktop where she had been sitting.

"Hi!" Frankie yelled from the doorway. She was obviously keyed up. Her long hair was flying wildly behind her and her big eyes glowed with excitement. As she strode across the room toward her cousin, everyone turned to look at the tall girl in the camel's-hair polo coat and the red, white, and blue knitted muffler. Some looked because she was famous. Most looked because she was gorgeous.

"What a great time I had," she enthused. "The people were so nice and so appreciative."

Cissie cut her short. "Let's get out of here."

"Sure." Frankie was confused. She had thought Cissie would be pleased that she had done so well. She had hoped Cissie would be proud of her. "We'll go to your place, rest, change, and come back here around ten. How's that?" she asked, hoping for a softer reply.

"I think you'd better take me to the hospital," Cissie said. "My water broke ten minutes ago."

8:30 P.M. *This is Chase Barrett with an election night news break. In just half an hour the polls will close in New York and another campaign season will be history. According to our sources, voting was heavy throughout the state, especially in certain districts, where some hotly contested congressional and state seats were at stake. That's it for now. See you again at nine for another update. For complete election coverage, tune in at eleven for Campaign '72.*

"Yan-kee-doo-dle-went-to-town-a-rid-ing-on-a-po-ny. That's it. Keep your breathing steady. Shallow, rhythmic puffs. You're at the top of the contraction. Just a few more seconds and it'll be over."

A labor-room nurse stood by Cissie's side, a stopwatch in her hand, a special obstetric stethoscope around her neck. Frankie stood in the corner watching. She had rushed Cissie to New York General Hospital, her own nerves rattled at the thought of doing something as important as this on her own. Usually, people took care of her. She was never called upon to take care of anyone else. She was rarely allowed to make a decision for herself.

She had begged Cissie to let her call Noah, but Cissie had said she'd never speak to Frankie again if she did. Even when she was wheeled up to the labor floor, she continued to insist that Noah not be told.

"This is his night," she kept saying. "Let him do what he has to do. The baby and I will do what we have to do."

But Frankie loved Cissie. If anything happened to her or her baby, Frankie would never forgive herself. Besides, it disturbed her that Noah didn't know his child was going to be born. She knew she wouldn't want to give birth without her husband at her side, loving her, encouraging her, supporting her. Certainly, Zach would want to know if Frankie were in the hospital.

Stop that! she told herself. Zach Hamlin is out of your life.

For years, she had waited to hear from him. She had written him more times than she cared to remember and had called *Time* magazine in Los Angeles so often the switchboard operator had begun to recognize her voice. Finally, she had given up. For months, she'd had no idea where he was. Then, last summer, she had found a news article with his byline. It had been filed from Vietnam.

She knew they would never be together, but that didn't stop her from dreaming about him or fantasizing about life with him. He had treated her like a person, not a commodity, and that was so rare that it had made an indelible impression. Zach Hamlin had changed her life and for that alone, she could never forget him.

"Yan-kee-doo-dle-went-to-town-a-rid-ing-on-a-po-ny."

Cissie huffed and puffed in time to the nurse's chant, gently circling her abdomen with her fingertips, her eyes focused on a spot across from the bed. The room was chilly, but sweat beaded her forehead and upper lip. Between contractions, Frankie had taken to mopping her cousin's brow and squeezing a wet washcloth over her lips to relieve the dryness. She hadn't mentioned calling Noah in quite a while, but that didn't mean she had stopped thinking about it. When the doctor came in to examine Cissie and asked Frankie to leave, she was delighted. She had made a decision, and before she lost her nerve, she was going to act on it.

9:00 P.M. *Good evening. This is Chase Barrett with another election update. The polls have just closed and shortly, the results will begin to come in to our election headquarters. Campaign '72 has been a study of incumbencies. Some ins, like Jackson Wilmont, State Senator from the 26th District, barely had to worry about his race. He seems a solid choice for reelection. Jack Duffy, however, Republican State Senator from the 27th, was challenged to a real duel by Democratic newcomer, Noah Gold. What makes this race particularly interesting is it pits Duffy, an old political warhorse with conventional backing and conventional ideas, against a fresh face with fresh ideas and grass-roots support. We'll be watching this one very closely as the night progresses.*

"She's four centimeters dilated and progressing nicely, but you can relax, Noah. First babies don't fall out." The doctor patted Noah's shoulder and tried to reassure him, even though he knew that most expectant fathers expect the worst. "My guess is that Cissie won't deliver until tomorrow morning."

Noah nodded, as if he, too, had picked that as the estimated time of arrival.

"How's the baby?" he asked, still out of breath from his trip uptown. After Frankie had called, he had simply left, barely stopping to tell Andrew where he was going. "This is three weeks before the due date. Isn't that too early?"

"Not at all. The baby is healthy. The heartbeat is strong and regular, but, of course, we have it monitored just to be sure. I examined Cissie ten minutes ago. She's doing just fine."

"Can I see her?"

"Of course."

The doctor led Noah out of the small lounge area down the hall to where Cissie lay. The hallway was dark and Noah noticed there were no doors on any of the rooms. He tried to look straight ahead as he walked, and to ignore the cries and moans and occasional screams emanating from inside the rooms. By the time he reached his wife, he was almost frantic with concern.

"Yan-kee-doo-dle-went-to-town-a-rid-ing-on-a-po-ny."

He waited for the contraction to be over before leaning down and kissing Cissie. Gently, his hand pushed a lock of red hair off her face.

"Hi." He took her hand and kissed each of her fingers. "I thought you told me you were going home."

"I lied again," she said, offering him the brightest smile she could. "I also told you I would look great the next time you saw me."

"You look gorgeous," he said, stroking her arm.

"How'd you know where I was?"

"Don't be mad." Frankie stood at the end of Cissie's bed, her mouth drooped in a nervous pout. "I thought he should know."

"I'm not mad," Cissie said softly, secretly delighted. "You did the right thing."

Frankie was about to speak, when suddenly, as if an invisible button had been pressed, Cissie began to puff and Noah began to count, grabbing the stopwatch and timing the contraction. One second before, it had been the three of them in that room. Now, clearly, it was the two of them. Frankie retreated to the lounge.

Noah stayed by his wife's side for almost an hour, talking to her, coaching her, caring for her. It wasn't until the doctor came in that Cissie realized what time it was.

"You should get back to headquarters," she said.

"The voting is over. What's done is done. I have nothing to do except hang out here and wait for you to give birth."

"Either you leave this instant or I'm going to keep my legs crossed until you do."

Noah laughed.

"You haven't seen your legs in three months, so don't boss me around."

"I want you to go," she said quietly, lying, wanting him to stay by her side. "I'll be fine, really I will."

Noah looked as if he were struggling, trying to make the right decision.

"I have no choice but to stay here," Cissie said. "You have no choice but to be there."

Another contraction began and as the doctor shooed him from the room so he could examine his patient, Cissie looked at Noah. He blew her a kiss and she knew he wouldn't be back. Part of her understood and accepted his leaving. She had told him to go. In point of fact, she had insisted. Yet another part of her had wanted him to stay, no matter what she'd said.

* * *

Before he left the hospital, Noah stopped at the lounge.

"Can you stay with her?" he asked Frankie.

"Of course," she said, surprised that he was going, indignant that he would even think that she would leave Cissie alone.

"I thought you were taking off to do Jody Hart's Christmas show for the troops overseas."

"I am, but we leave Thursday. Today is Tuesday. I have plenty of time."

"Will you sit with her and coach her? The doctor says she won't deliver until the morning. I'll be back by then."

"I don't know what to do!" Suddenly, Frankie panicked. "I don't want to do anything wrong!"

Noah knew Frankie well. She was a bundle of innocence and insecurity, the perpetual child whose dependence was deliberately nurtured by an overpowering, manipulative mother. Frankie longed to grow up, but each time she stretched her maturity and tried to grab hold of adulthood, someone smacked her back. Cissie didn't and, in the four years he had known her, Noah hadn't.

Noah took her by the shoulders and looked straight into her eyes.

"You watched me and I know you watched the nurse," he said in an even voice. "You know what to do and you can handle it. The nurse will stay with you until you've gotten the hang of it, and she'll tell you what to expect." He crooked his finger and gently lifted her chin so she couldn't avoid his gaze. "I'm counting on you, Frankie."

She nodded and tried to smile.

"I won't let you down," she said, watching him go.

Frankie Travis had been a star since she was a small child. She had been on the cover of every major magazine, had headlined several shows, played the lead in several movies, and was hounded by fans most of the time, but she had never felt as important as when she walked back into Cissie's labor room, picked up the stopwatch, and coached her cousin through a contraction.

11:30 P.M. *So far, our spotlight race is running neck in neck, with Jack Duffy and Noah Gold each claiming half the votes already tabulated. Unless one of them pulls out in front soon, this one could go to the wire.*

"The doctor says you've just entered transition, Cissie. Just about an hour more and the baby will be born. You'll be a mommy and Noah will be a daddy and I'll be . . ."

"Godmother." Cissie's voice strangled as another, more powerful contraction began.

Things had moved rapidly. She was eight and a half centimeters dilated. She had switched to transition breathing at the insistence of her very serious coach, blowing out air in quick staccato puffs. The contractions were only a minute apart. The pain was intense.

12:20 A.M. *In that race for the 27th state senatorial seat, with only forty percent of the vote in, Jack Duffy has a small lead.*

"We're taking her into the delivery room now, Frankie. If you follow the nurse, she'll outfit you with a surgical robe, hat, and mask so you can assist."

Frankie nodded, unwilling to let go of Cissie's hand. She felt as if they had grown so close that they were, indeed, bonded.

The doctor misinterpreted her hesitation.

"You don't have to if you don't want to," he said, low enough for only Frankie to hear.

"I'll be there in a minute." Frankie's voice was loud and clear and definite. *Where was Noah?* "Don't you push until they tell you, okay?"

Cissie licked her lips and tried to smile. She couldn't. She hurt too much.

12:35 A.M. *Noah Gold has jumped out in front. Even though his lead is significant, Jack Duffy refuses to concede.*

Cissie's entire lower body felt as if it were on fire. The throbbing, the pressure. It made her loins feverish, even though her chest and shoulders felt chilled from the cool delivery room air. Odd, though. Each time she pushed, holding on to Frankie for support, the pain disappeared. The respite was brief, but welcome.

"I'm about to do the episiotomy," the doctor said.

A quick, cold spray and suddenly, Cissie felt nothing. She knew he was cutting her, she knew that any second now her baby would be born, but she felt nothing for that one second.

* * *

12:40 A.M. *With more than eighty percent of the vote in, Noah Gold has increased his lead. No word from Duffy headquarters.*

"The head is born. Don't push, Cissie. Wait until the next contraction."

12:49 A.M. *Duffy has decided not to wait. He has conceded. Noah Gold has his victory.*

"You have a little girl!"

An hour later, Cissie lay in a private room on the maternity floor, groggy, sore, slightly uncomfortable, but awake. Next to her, in a small isolette, slept Alexis Gold, six pounds one ounce, seventeen inches long, with cloudy blue-green eyes, Rostov pale skin, and a dusting of light red fuzz. The television was on, and there on the screen was Alexis's father, his arms raised in a victory salute, his mouth spread in a triumphant smile.

Noah was jubilant, glowing with a sense of accomplishment. As the camera panned the crowd, Cissie heard him thank his staff and all the volunteers who had helped make his victory possible. She heard him promise the voters that he would not let them down, that he would represent them fairly and forcefully. She even heard him thank her for her love and support.

Among the mass of people swirling around him, Cissie saw Luis and Rosa, Ramon, Andrew, Jeremy King, even her parents. Almost unconsciously, her hand reached out and into the isolette, resting on the back of her newborn baby. Frankie had gone home. The nurses had moved on to their next patient. The doctor had said he would look in on her in the morning. Except for the tiny, sleeping infant lying near her, Cissie was completely alone.

Her eyes grew moist. Truly, this night had changed both their lives. Noah had won an election. She had borne a child. But they had done neither of those things together. Despite the gains, Cissie felt an overpowering sense of loss.

As Noah raised his arms in a victory salute and his mouth spread into a broad, joyous grin, Cissie knew that things between them would never be the same. A small part of her husband had slipped away from her and was lost, forever.

11
Frances Rebecca Travis
Frankie

December 1972

"I'M SORRY, but that seat is taken."

The young man next to the window looked up from his magazine and into the dark eyes of Lillie Rostov. Without blinking, he lifted one of his legs and peered beneath it.

"I'm sorry," he said, mimicking Lillie's imperious tone, "but there seems to be no one in this seat but me."

"It's reserved for Frankie Travis."

"Gee, the card must have fallen off. These Thais are so careless."

Lillie moved in front of the unyielding youth and snarled.

"This is a bulkhead seat in a very small, very antiquated airplane. Frankie Travis is a very tall young lady who requires ample leg room."

"And who do I look like? Rumpelstiltskin? It's only a two-hour ride. Frankie's a trouper. Believe me, she'll make it in one piece."

Lillie bent over and leaned close to her adversary's face.

"In case you have forgotten," she said, "you are a chorus boy, and a rather insignificant one at that. No one cares if you're cramped. Frankie Travis is a star, and her place is at the front of this aircraft. Now, go park yourself somewhere else!"

The young man stood up slowly, a scowl turning down the corners of his mouth. Offering Lillie a low, sarcastic bow, he sidled past her into the narrow aisle, bumping into Frankie, who had just boarded.

"Ah, if it isn't the star now."

With showman's flair, he brushed the seat in question with his magazine. When he was finished, he bowed and touched his hand to his chest and his forehead, honoring Frankie with an Arabic "salaam."

"I do hope your flight to Nakhon Phanom is comfortable, Miss Travis," he said. "If there's anything else I can do to serve you, just tell your mother. I'm sure she'd be delighted to pass along your every demand!"

With that, he walked toward the back of the Douglas DC-3. Frankie stared after him for a moment, and then looked at Lillie. For more than a month, Frankie had endured the humiliation of an overbearing, self-indulgent chaperone and she wasn't certain how much more she could take. It was bad enough that, though she was twenty-one, her mother still insisted upon traveling with her, but worse was the fact that Lillie antagonized just about everyone. Often, Frankie had considered sparing herself further embarrassment by leaving, but she knew she couldn't do that. She had made a commitment to Jody Hart and she would see it through.

Fortunately, the tour was almost over. They had spent the first two weeks rehearsing in Hawaii. Then they had traveled to Korea, Taiwan, Japan, and the Philippines. They had arrived in Bangkok four days ago, performed for troops at air bases in U-Tapao near Patthaya on the Gulf of Siam and Korat in the central plains. Now they were on their way north to Nakhon Phanom, a smaller air base and surveillance center housed in a border town in northeast Thailand. After that, they had a show at Ubon Air Base and then, on to South Vietnam.

"What did you say to get Tommy so annoyed?" Frankie said in a controlled whisper.

"Nothing. I merely asked him to change seats."

"Asked or told?"

"Do not question me, Frances. He was not in the right place. It's as simple as that!"

Frankie knew better. She knew that once again, Lillie had carried on as if Frankie were the undisputed star of this mammoth production. The truth was, Frankie's role was little more than a walk-on. First and foremost, this was Jody Hart's show. He was the world's most famous comedian, knighted by the Queen of England, beribboned by the Premier of France and honored by five United States presidents. He was a warm, avuncular man with a rapier wit and a genius for timing. He had been a star for almost half a century, with fame and money enough to retire several times over, but he was also a dedicated patriot who had started to bring troupes to the troops during World War II and had continued up to the present fighting in Vietnam. He had bivouacked in so many army camps in so many different countries that no one even challenged his claim that he had replaced Betty Grable as the army's all-time number one pinup.

It was quite a plum to be selected for Jody Hart's Christmas show, but those who received top billing were always major headliners. Singers, dancers, comics, Broadway veterans—each had his specialty and brought to the audience not only great entertainment, but also a touch of celebrity and a taste of home. Aside from the orchestra and the chorus line, the only other role was that of the showpiece—the beautiful young woman who remained onstage long enough, in a skirt short enough, to fill every soldier's head with fantasies guaranteed to last a minimum of six months. Frankie filled that role.

Though Lillie hyperbolized Frankie's importance in order to bolster her own image, Frankie knew exactly what her job was. She was a glamorous straight man for Jody Hart, a look-but-don't-touch chunk of meat in a sexy, spangly dress. She walked out onstage, smiled, shook hands, blew kisses, swiveled her hips, strutted through a brief sophomoric song and dance, gave Hart a target for some of his jokes, and then, walked off. It was an uninspiring role, but if she made the soldiers happy, she was happy. In fact, if not for Lillie, Frankie would have had a wonderful time.

But Lillie was very much present. As Frankie looked toward the rear of the plane, she noticed Tommy and several of his friends were snickering. She didn't know whether or not they were laughing at her, but she was uncomfortable anyway. Without explanation, she turned to leave.

"Where are you going?" Lillie demanded.

"On the second plane."

"Don't be absurd! That's for the crew. This is for the cast."

"The air's a bit too heavy in here for me," Frankie said. "I'll see you at the hotel. Have a nice flight."

Before Lillie could grab her, Frankie was out the door and on her way into the terminal. Quickly, Lillie collected herself, tossing off her daughter's rebuff with self-righteous aplomb. She fussed with her makeup case, searched for and located a blanket and two small pillows, stuffed her jacket in the cubby above her head, and tried to look busy while she waited for someone of some import to claim the seat beside her. After several minutes, she noticed that while she had been talking to Frankie, Hart and the others had settled elsewhere, leaving the seat next to the window vacant. Just as she was about to sit, Jody Hart's dresser—a slim, fey gentleman with a reputation for stale breath and stale jokes—slid into the empty spot. From the back of the plane came the noisome, mocking laughter of one very amused spectator.

The flight from Bangkok was surprisingly peaceful. Despite the loud whirr of the propellers and the scrunched-up position necessitated by the small seats, Frankie slept much of the way. She, like most of the others, would have preferred flying in the Hart jet that had ferried them halfway around the world, but the runway at Nakhon Phanom hadn't been built to accommodate Boeing 707s, so the big jet had been parked in Bangkok while cast and crew were being shuttled north in two smaller aircraft.

The landing was bumpy, jolting Frankie out of a deep sleep. Her eyes flew open the minute the plane lurched, and the person in the next seat practically fell into her lap. Her body, exhausted from the physically grueling, emotionally draining rigors of the tour, took longer to awaken. When the plane finally taxied to a halt, she waited for the rest of the passengers to disembark before making her own way out onto the airfield.

The area designated by the army to serve as a reception center was a concrete boxlike structure that had once functioned as the terminal for a small commercial airport. It had no doors and square cutouts tracing the roofline, providing nest space for hundreds of screeching blackbirds. Several enormous ceiling fans circulated the thick, humid air, creating an artificial, unsatisfactory breeze.

It took almost an hour to process everyone's papers and to unload luggage and supplies. While she waited, Frankie fanned herself with a magazine, speaking to the occasional serviceman who asked for her autograph, and smiling at those who requested a picture. Finally, she was permitted to leave. As she moved away from the passport control counter, she was besieged by a group of young Thais waving papers in front of her nose and shouting into her ear. She looked to the side, seeking a friendly face and a helping hand. It was then that she saw him towering over the crowd—Zachary Hamlin, in the flesh.

"Welcome to Nakhon Phanom," he said, wading through the sea of waifs and hugging her.

He held her at arm's length and grinned at her. She said nothing. She couldn't stop staring at him, drinking in the sight of him, the fact of him. For so long, he had been reduced to little more than a doll and a dream. Now the reality seemed like a dream. She didn't want to speak. She didn't want to do anything but look at him, reach out and touch him and make certain that he was really standing in front of her.

"Boy, am I glad you showed up!" he said, still smiling, but wondering how to interpret her silence. "I used my last baht to bribe the guys organizing the welcoming committee for Hart's troupe. When you weren't on the plane with the rest of the cast, I began to worry. I thought maybe you had cancelled out."

"I came with the crew," she said, choosing not to explain why.

"However you came, you are just what the boys need. You look terrific!"

In truth, he thought terrific was putting it mildly. To him, she looked breathtakingly beautiful. Her hair was all mussed from the flight, her eyes heavy-lidded from fatigue. Her pale porcelain skin glistened from the heat. Still, she looked like a cameo carved from one of the earth's more delicate shells.

"You look pretty good yourself," she said, conscious of the way he was looking at her. "This place must agree with you."

"I doubt it. I don't agree with this place or that place or this entire hemisphere for that matter, but I think this is a conversation for another time."

Without meaning to, Frankie yawned.

"You're tired," Zach said, taking her arm and leading her outside. "I'm sorry. Where are you staying? Can I drop you somewhere? Do you have to go with the group? Do I sound ridiculous?"

Frankie laughed, and for the minute she forgot that he had never answered any of her letters or phoned or made any attempt to see her in more than four years. He had made her laugh just now, the way he had always made her laugh back then. At least now she knew he was real. Her Zach doll never made her laugh. He only made her cry.

"I am tired. There's no reason for you to be sorry. We're staying at the Villa de la Paix and no, I don't think I have to go with the group."

"How about the ridiculous part?"

"Yes, you sound ridiculous."

"Good," he said, raising his hand and motioning for a pedicab. "I'd hate to think I lost my touch."

Frankie was suddenly aware of the fact that she hadn't seen Lillie. Though the rest of the passengers from the first plane had gone on ahead, she had expected to see her mother standing at the edge of the runway.

"I'll be right back," she said, spotting the head of the crew.

She ran over, told him who Zach was and what she wanted to do. In an instant she was back at Zach's side, climbing into a pedicab, a mongrel vehicle indigenous to Southeast Asia—half motorcycle, half rickshaw. Thankfully, the ride from the airport to the Villa de la Paix was short. Frankie didn't think she'd ever get used to the blackness of a jungle night. It was a dense, unbroken darkness pierced only by the cab's headlight and the eerie sound of animals and birds calling to each other in the thick ebony blanket of evening.

On the way, she and Zach sat quietly, he luxuriating in her presence, she too nervous and shy to initiate conversation. When they reached her hotel, Zach helped her out of the cab and escorted her up the steps. At the entrance, he stopped.

"Can I see you tomorrow?" he asked.

"Aren't you staying here?" she answered.

"No. I'm booked into a swanky four-star hovel called the Manida. I have a room and quasi-bath, no meals, and all the bugs I can catch."

She laughed again. It felt so good.

"You must feel right at home then," she said, keenly aware of how close they were to each other. "You were always comfortable with creepy crawlies."

"Please. A moment of silence for my dear, departed roommates." He lowered his head and clasped his hands. When he looked up, his expression remained solemn. "You still haven't told me if I can see you tomorrow."

She was about to ask him why he was suddenly so interested in seeing her when for years he had totally ignored her, but she knew this was neither the time nor the place.

"The first show is late tomorrow afternoon," she said, "so we have most of the day to ourselves."

"Great! How about if I meet you here at eight for coffee and then I'll take you sight-seeing."

"I'd like that."

"Me too," he said as he ran down the steps toward the waiting pedicab. "See you tomorrow."

She stood there for a long time after he had disappeared into the inky night. She couldn't understand how he could be so casual, so nonchalant. He had behaved as if they had seen each other the week before. Why hadn't he even offered an explanation for his neglect? Didn't he know how much she had cared for him? Didn't he realize how upset she must have been when he left? Didn't he read her letters?

Tomorrow, she would ask him those very same questions. Tonight, she'd have to come up with some answers of her own, for Lillie.

* * *

"What took you so long? The others arrived over an hour ago."

"That's not true, Mother. The bus pulled in less than ten minutes ago."

"Still, you weren't on the bus. How did you get here? And with whom?"

Lillie sat propped against a wall, her hair twisted around rollers, her face agleam with night cream, her arms folded across her chest. In one hand, she held the rattan fan most of the Americans had taken to carrying about. In the other, she held her appointment book.

"I ran into an old friend," Frankie said, keeping her back to Lillie, pretending to unpack.

"This God-forsaken hole is hardly the corner soda shop. Who on earth could you have run into?"

"Zach Hamlin," Frankie said as offhandedly as she could. "Remember him? The reporter from *Life* magazine."

"Frances darling. I know at least forty reporters from *Life* magazine. Which one is Zach Hamlin?"

She hadn't skipped a beat. Not a single eyelash had fluttered. Yet some instinct told Frankie not to discuss the subject further.

"No one important," she lied, heading for the bathroom.

"Hurry, won't you," Lillie called after her. "I received a bunch of telegrams when I arrived and I want to go over your schedule for the next few months."

"Be right there."

Frankie closed the door and leaned against it. Then she clapped her hands and watched as several chitchats scampered away into the woodwork. They were tropical lizards that inhabited every hotel, every house, every tent, every corner in that particular part of the world. Though she had been told she would have to learn to live with them, in her heart she knew she could never accept the notion of living among lizards. But, like so many things in her life she couldn't honestly accept, she was adjusting.

Frankie was working very hard at growing up and adjusting to who and what she was. Because she was always on display, she had learned early on how easy it was to make a fool of herself. Consequently, like the animals who lived in the jungles surrounding this village, she was beginning to adapt to the demands of her environment. Without a mother to guide or protect her, she had resorted to a rudimentary process of trial and error, developing her own peculiar defense mechanisms and internal security systems. She was learning to cope with constant loneliness and rejection; to internalize feelings of abandonment and isolation. She was learning to grab hold of whatever sporadic doses of affection came her way and stretch them out until the next time.

Most important, she was learning to take control of her own life. She was beginning to make decisions for herself, by herself. As when she called Noah and told him Cissie was about to give birth. As when she helped bring Alexis Gold into the world. As when she walked off the cast plane and flew here with the crew. As now, when she decided not to tell her mother about her date with Zach Hamlin.

There was no gentle sunrise in the jungle, no slow, leisurely arrival of morning. Instead, night ended abruptly. A fiery orb vaulted over the horizon and glared down at the earth. One minute it was dark and dense. The next minute it was brilliant and brutally hot.

By seven-thirty, Frankie was washed and dressed and tiptoeing down to the dining room, unnoticed and unchallenged. She had relied upon nature's quick-change artistry to rouse her rather than an alarm clock or a wake-up call. She also had relied upon the fact that Lillie always slept with a satin mask over her eyes. As long as a chitchat didn't find its way into her pajamas, Lillie could be counted on to sleep until well past ten.

A white-coated waiter with a toothless smile greeted her, showed her to a table, wiped off her chair, and bowed with great ceremony. The Villa de la Paix, built by a Frenchman in the late thirties, would have been a rather grand home no matter where it was, but given its remote location, outside Nakhon Phanom, it seemed like a palace. The original owner had come to Southeast Asia while Cambodia was still a French protectorate. Like many other industrialists based in the Far East at the time, he conducted his business in Phenom Penh and vacationed in either Saigon or Bangkok. On one of his holidays, he met a young Thai woman and fell in love. Though he managed to convince her to marry him, he couldn't convince her to live in Cambodia, nor could he interest her in moving to France. Rather than lose her, he divested himself of his business, bought land, and built this villa in the northern province where she had been brought up. They had been married only five years when his young wife died. The Frenchman was so distraught, he simply abandoned the villa. Eventually, his wife's relatives sold the house and its surrounding property to another Frenchman, who transformed the once private home into a small hotel.

A large baroque chandelier hung in the center of the room, many of its lights gone, many of its crystal teardrops shed. The chairs, though worn, were Louis XVI. The crockery vases, though chipped, were filled with magenta cyclamen blossoms. The glassware, though spotty and mismatched, was heavily carved and quickly filled with water and juice by a very attentive waiter. In recent years the villa had been used more often to quarter soldiers than to house paying guests, but while the Hart troupe was in residence, at least, the management was determined to pretend that all was well.

As Frankie waited for Zach, she wondered why she was being so secretive about their meeting. After all, it was little more than an innocent reunion of two old acquaintances. Was she having a simple knee-jerk reaction? Was she afraid that if Lillie knew she was seeing Zach, he'd mysteriously disappear again?

Once, about a year after he'd gone, Frankie had raised the subject of Zach's transfer. She had intimated that Lillie had precipitated the job shift and the move to California. Lillie had been indignant.

"I simply complimented the young man's work," she had said. "If his superiors saw fit to elevate him based upon my favorable critique, so much the better for him!"

Lately, Lillie had been floating in and out of one of her depressions. The heat had been making her dizzy. Her stomach was rebelling against what she labeled "chopstick cuisine," and the constant trekking through insect-ridden jungles had taken its toll on her stamina. Her nerves were ragged and her patience more limited than usual.

Frankie told herself she had kept the meeting secret because she didn't want to upset her mother further, but there was another, simpler reason. She hadn't seen Zach in years. She had no way of knowing if she'd ever see him again, and more than anything, she wanted this day to be perfect.

Zach strode into the room with the confidence of a gladiator, a camera slung around his shoulder, his bush shirt open at the neck, his mouth spread in a big, easy smile. He slipped into the chair across from Frankie, summoned the waiter, gave him an order in French, and then turned back to Frankie.

"I want to tell you something, Frances Rebecca. If I thought you looked good last night, you look even better this morning."

People complimented Frankie on her beauty all the time. She had been photographed by every major magazine and labeled by every casting director as one of the world's great faces. She had heard it all before, but coming from Zach, it sounded new and special. She blushed.

"Are you experiencing a menopausal flash, an attack of malaria, or have I embarrassed you?" He reached across the table and took her hand. The blush deepened. "I'm sorry," he said. He went to pull his hand away, but she wouldn't let go until the waiter came with tea and croissants.

While they ate, they chatted about basics: where he had been, where she had been, what each had been doing. Throughout, Frankie kept an eye on the door.

"Are you expecting someone?" Zach asked.

Frankie hesitated, as if at the mention of Lillie's name, whatever spell was in force would immediately be broken. She would blink and find herself talking to a lanky rag doll with a ½ on its chest instead of a real man with sandy hair and deep emerald-green eyes.

"My mother's here," she said. "She was sleeping when I left, but you never know."

"I know one thing," Zach said, standing and grabbing her hand. "We're not waiting around to find out if she had pleasant dreams. I'm not Lillie Rostov's favorite person and, if you must know, she's not high on my top ten either."

Without giving her a chance to respond, he escorted Frankie out of the dining room, through the lobby, down the steps, and onto a motorcycle, which was parked outside. She climbed on behind him, put on a helmet, wrapped her arms around his waist, and held on for dear life as he roared out of the parking lot.

For three hours that morning, Zach and Frankie toured the environs of Nakhon Phanom. Situated in the northeast on a tableland known as the Korat Plateau, the area was a mix of jungle and savanna, low hills and mushy swamps. The monsoon season had ended less than a month before, but already, parts of the land were drying out, turning into a dustbowl of swirling iron-filled soil that looked rusty-red.

Outside of the central city and away from the air base the landscape was a patchwork of grasslands devoted to cattle grazing, wetlands where rice was grown, and muddy *klongs*, or canals, that started at the Mekong River in the east and snaked their way through the countryside. On the higher ground, herds of lumbering water buffalo and oxen nosed about, foraging for food, carefully avoiding scaly anteaters, who fed on ten-foot-tall nests constructed by the vast armies of termites that inhabited the land. In the low areas, islands of thatched farmhouses poised precariously on thin stilts kept their backs to the jungle, their porches facing out toward the flat, soggy ground that produced a healthy harvest of rice and kenaf, a jute-like plant with fibers good for making gunnysacks.

"After the first heavy rains, when the dirt was good and sloppy, the women transplanted the seedlings from small nursery beds into those flooded fields," Zach said as they stopped next to an area verdant with fresh young rice plants. "They slosh around in their bare feet with their sarongs tucked up above their knees and their heads covered with palm-leaf hats like the one I gave you."

He turned around, patted the top of Frankie's head, and smiled. The hat was shaped like a lampshade, with a flat top and a wide bottom, but with her hair tucked up inside of it and the morning sun dappling her face, Zach didn't think she could have looked any more beautiful if she were wearing a diamond tiara.

"How do they know when it's time to pick the rice?"

"Ripe rice has a straw-colored head," Zach explained. "When that head bows down in correct Oriental fashion, it's ready to be harvested."

"By hand also?" Frankie asked, her attention diverted by a swarm of insects.

Zach nodded, flailing his hands to keep the bugs away.

"They use knives or sickles to cut the stalks. They tie the stalks in sheaves, leave them in the sun, and thresh them when they're good and dry."

"How do they do that?" Frankie was having a hard time imagining the delicate, swaying grass she saw before her as small hard white kernels of rice.

"The bigger rice farms in the central plains have threshing machines. Smaller farmers have simple foot-powered threshers, but here, where each guy owns only two or three acres, they either beat the stalks against a screen or trample them."

"How do you know all this?" Frankie asked.

"You hang around this area long enough and either you get engaged to a water buffalo or you become an expert on rice," he said, grinning and revving up the motorcycle. "You're just lucky I didn't find a great-looking water buffalo," he shouted as he drove away.

Being with Zach was exhilarating. She loved listening to him, talking to him, learning from him. He didn't bark at her, he spoke to her. He didn't dismiss her, he shared with her. He didn't treat her like a piece of flesh that had worth only when some designer's cloth was draped on it. He treated her like a woman. Almost.

Apart from taking her hand to help her on or off the motorcycle, Zach didn't touch her. In fact, he seemed to be deliberately avoiding all physical contact with her. If she stood next to him, he took a step back. If she moved up against him on a ledge or bench, he found an excuse to get up. When he relocated himself, he was inches away. The only time he didn't flinch or pull away was when they rode on the bike and she had to put her arms around him and press against his back. When they stopped, however, he disconnected himself from her as quickly as he could. Frankie was still such a sexual naif and so terribly insecure that naturally, she never suspected that he might have been trying to hold himself in check. Rather, she viewed it as a lack of interest, another sign of rejection, like her unanswered letters and unreturned phone calls.

Frankie was so lost in her own thoughts that for the minute, she forgot where she was. Zach's voice had become part of her reverie and he had to snap his fingers to gain her attention.

"I hate to interrupt you, Miss Travis, but I've made reservations for lunch at a very exclusive restaurant and if we don't hustle, they won't hold our table."

"Where are we going?" she asked, hesitant to leave the bike.

"You'll see."

He took her hand, grabbed the knapsack he had tied to the back of the motorcycle, and led her into the jungle. They walked for about five minutes before coming to a clearing. There was a stream and, tied to a tree, a small wooden boat with a big purple parasol attached to one end.

"Your sampan awaits." With a deep bow, Zach helped Frankie into the boat, positioned her beneath the parasol, and steadied the primitive sailing craft as it rocked beneath the weight of its passenger. Zach put the knapsack between them, climbed in, took a seat at the front end, grabbed one oar, gave Frankie the other, and said, "When in Rome, do as the Romans do. When in Thailand, row!"

For the next half hour, Zach and Frankie rowed in tandem, stroking the water with their wooden paddles, steering the boat through the dense jungle that skirted the path of the narrow *klong*. In some places along their route, the sunlight was almost completely blocked by the thick overgrowth, creating strange shadows that blended with eerie, unfamiliar animal sounds. To some, the setting might have seemed frightening, but for Frankie, it was Shangri-la, because there, even in the dimness, she felt as if a door inside her had burst open, letting out a rush of feelings.

She hadn't realized until now how little she had allowed herself to feel in the time since Zach had vanished from her life. She hadn't felt love, or happiness, or even sadness. She had gone through the motions of her life—doing her job, going to school, making appearances, being obedient. After a while, even her angry suspicions about Lillie's involvement in Zach's disappearance had faded. It didn't matter why Zach had left. What mattered was that he had gone.

Frankie didn't know whether it was fate or coincidence or some cruel joke that had brought them together again. All she knew was that he was back in her life and she felt joyous for the first time in years.

Just as she was getting accustomed to the relative calm of the shadowy *klong,* they floated into a larger, rougher body of water. Zach increased the pace of their rowing, yelling back at her so they could work together, assuring her that they would be fine, laughing every time the boat rocked and Frankie yelped. Within a few minutes, they reached shore. Zach jumped out and pulled the boat up onto the land.

"Welcome to Sabai," he said with a self-satisfied smile as he helped her disembark.

Frankie looked around. They were on an island in the middle of nowhere. There were no houses that she could see, no people, no other boats. The greenery appeared practically impenetrable, but then Frankie noticed a flash of color, an orange glimmer somewhere in the center of the thickness.

"Where are we?" she asked.

"This is the Mekong River and I would say we're situated just about halfway between Thailand and Laos."

"Isn't there anyplace else around here to have lunch?" Frankie didn't like being so close to Laos. Thailand was an American ally. Laos was not. Suddenly, the strip of land across from this island was not just another bit of green earth. It was a war zone, a battlefield where the Pathet Lao were engaging American troops. Frankie felt uneasy, and it showed.

"We're safe here," Zach said, noting her nervousness. "I wouldn't have brought you here if we weren't."

Frankie nodded and offered him the bravest smile she could muster.

"I know that. Okay. Onward."

Zach threw the knapsack on his back, took her hand, and led her deep into the brush. As they hiked, the orange glimmer grew larger. Soon Frankie was able to see greens and blues and lots of glittering gold. The colors rose high off the ground, taking shape, becoming more defined. Suddenly, they were there, standing in front of a deserted temple.

It was a magnificent structure, a medley of gracious shapes imbued with the unique fairyland quality that characterized Thai architecture. The steep, multi-tiered roof was covered with orange and green glazed tiles that glistened in the sunlight. Slender antlerlike *chofas*, or finials, soared skyward from every edge, adding a sense of movement and delicacy to the large, ponderous structure. Gilt-covered *nagas*, or sacred serpents, wrapped themselves around teakwood gables, their sinuous bodies encrusted with pieces of broken glass and cracked porcelain, their curvaceous tails spiraling toward the sky. On either side of the entrance were two golden *chedi*—sharply pointed spires that sat on top of thick, drumlike bases. The effect was at once dazzling and tranquil, prompting Frankie to smile.

"It's fabulous," she said. "But it looks like it should be at Disneyland instead of here on this island."

"It used to be a retreat," Zach said, inviting her to join him on the steps of the temple, "but because of the war, the monks have gone back to the mainland."

Once again, Frankie felt anxious, fearful of people she couldn't see and a war she didn't understand.

"If they left, why are we here?"

"Because it's beautiful and peaceful and private and it was the only place I could think of where we could have a picnic without being bothered by stray elephants."

With that, Zach opened his knapsack, surprising Frankie by setting out two plates, two forks, two bottles of mineral water and a large container of what looked like *salade niçoise.*

"Since I didn't have room in my bag for a fire extinguisher, I had them leave out the *pri-kee-noo,*" Zach said, referring to the tiny super-hot peppers the Thais used in most of their cooking. "Besides, with you having a show to do, I wouldn't take a chance. One bite of *pri-kee-noo* and you could kiss your singing voice good-bye."

They ate and drank in contented silence, easy enough with each other not to have to talk. Frankie had taken off her hat and loosened her hair. Her face was pink from the heat and the walk through the brush, and every once in a while she fanned herself with the straw bonnet like a Southern belle passing the time of day on her veranda. After lunch, she untied her boots, removing both them and her socks. She rolled up her pants, stretched out on the ground, and lay back, using one of her boots as a pillow.

Oddly, she felt at peace here in the shadow of this ancient temple. She knew she was surrounded by a jungle which could be harboring armed guerrillas. She knew that Zach was committed to a two-year contract with his press service and that even if her wildest dreams came true, they wouldn't leave this place and ride off into the sunset together. She knew that Lillie had booked her solid for the next six months. And she knew that inside her there was a turmoil swirling about and gaining strength. But for now, this day, this moment, this second, she was at peace.

"I could stay here forever," she whispered, gazing up at the sky.

"Unfortunately, forever can't last more than two hours. You have a show to do."

Frankie could have sworn he sounded disappointed.

"I'm happy here," she said.

"It's been a beautiful day."

She could feel his eyes studying her. There was so much she wanted to say, so much she wanted to ask, but she feared the rejection that always seemed to result from an expression of emotion.

"I've missed you," she said softly, deciding to say what was on her mind despite the risk.

"I've missed you too." Zach moved closer.

"I thought about you often," she continued, too shy to look at him, too afraid of what she'd see.

His fingers played with her hair and then stroked her cheek. Gently, he bent down and kissed her lips. She wanted to wrap her arms around his neck and pull him to her, but he backed away.

"Why didn't you ever answer my letters?" he asked in a low voice that vibrated with unmistakable hurt.

Frankie sat up with a start.

"What letters? I didn't get any letters. I wrote to you. I called you, but you never answered me. Never!"

Zach appeared as startled as she was.

"I did," he insisted. "I called the night I left for L.A. I called when I got to L.A. I called from Washington after Kennedy's funeral. I wrote you at least two dozen letters. Believe me! I have the phone bills and the pencil sores to prove it!"

Frankie's head was reeling. She'd never gotten one message, one letter.

"When you called," she said with sudden insight, "who'd you speak to?"

As the realization of what had happened became clearer, the light drained from her eyes, the color faded from her cheeks.

Zach knew too. He answered her slowly, cautiously. She looked like a grenade with the pin pulled.

"I spoke to Lillie," he said.

"And what did she say?"

"It's not important now."

"What did she say?"

Zach took Frankie's hands in his. They were limp and icy to the touch.

"Usually, she said that you were out working and that she would tell you I called."

"Usually?"

Zach hesitated, but something told him Frankie needed to hear the truth.

"The last time I called, she told me you had specifically asked her to tell me not to bother you again."

Frankie's expression didn't change.

"Still, I continued to write you," he said. "Didn't Tildy bring up the mail? She was crazy about me. She wouldn't have destroyed my letters."

He tried to coax a smile from her, but Frankie's eyes had filled with tears.

"Lillie fired Tildy," she said woodenly. "A few weeks after you left. I never knew why."

Zach took her in his arms and comforted her. He could feel the loneliness that clung to her like a shroud. He could taste the bitterness that salted her tears.

"But you wrote to me," he said softly. "Where did you send the letters?"

Frankie sat back and wiped her eyes.

"*Time* magazine. I didn't have any other address."

Zach shook his head and shrugged his shoulders with obvious frustration.

"I was traveling so much, they probably never caught up to me."

"And if they had?"

Zach took her face in his hands and kissed her again.

"I would have come running."

For a few minutes, she clung to him like a child. Then, as if a button had been pressed, the child disappeared.

"We have to go back," she said. "I have something to do."

There was a definite shift in attitude, an undeniable change in tone.

"It doesn't matter, Frankie," he said, eyeing her carefully.

"It matters to me."

Her mouth turned rigid, her posture ramrod straight. Innocence had been replaced by rage, insecurity by determination.

"We're older and wiser and we don't have to lose each other again. Just forget it."

She stood and started down the steps. When she spoke, her voice was edged in steel.

"I'll never forget it," she said. "Never!"

Lillie sat enthroned by the window, daintily polishing her nails. Her feet were perched on top of a pillowed rattan table, her hair was pinned back in a neat chignon, and her lips glistened with bright red gloss. Frankie opened the door knowing that the next few minutes would change her life forever, but there was no hesitation, no second thoughts. Years of hurt and rage had broken free of their restraints. Lillie was not the forgiving type, but there was a touch of the avenger in Frankie also. She walked in and slammed the door behind her.

"Pack your bags," she said without preamble. "You're leaving."

Lillie's jaw tightened at the authoritative snap in Frankie's voice, but she refused to give her daughter the satisfaction of appearing rattled. She polished the last nail, put the top on the bottle, placed the bottle on the windowsill, and then, finally, acknowledged Frankie's presence.

"Excuse me. What did you say?"

"You heard me. Pack your things and get out!"

Lillie's response was a patronizing laugh.

"You really should lie down, dear," she said. "I think you're suffering from heat stroke."

"The only thing I'm suffering from is you!"

Lillie looked at her watch and then back at Frankie.

"You should start to get dressed, you know. The show begins in an hour. In fact, you should get there early to go over your music."

"I can't stand it," Frankie said, her voice rising. "Should! Should! Should!" She began to pace. Her anger was so close to the surface that her skin was pink. "That's all I've heard my whole life. You *should* do this. You *should* appear here. You *should* go out with this one. You *should* go to this school. You *should* wear this skirt, this lipstick, these shoes. You *should* think this way or that." She stopped directly in front of Lillie and leaned over her. "But they were always your 'shoulds,' never mine."

"You're raving, Frances." Lillie found her fan and fluttered it in front of her. Her face was dispassionate, almost disinterested.

"From now on, *my* 'shoulds' are going to be the only ones that are important." Frankie was still glowering at her mother. "*I*'m going to decide what *I* should do."

"And what, pray tell, is that?" Lillie said, unruffled by the signs of the oncoming storm.

"I should get rid of you and live my own life." Frankie waited for a response, but there was none, so she continued. "I've arranged with Colonel Holt to fly you by army plane to Bangkok. There, you'll be put on a commercial flight back to the States. A car will be waiting downstairs in twenty minutes."

Lillie remained in her chair, blowing on her nails with infuriating calm.

"May I ask what brought on this temper tantrum?" she said without looking at Frankie.

"It's simple. I've finally come to the conclusion that for the twenty-one years you've been running my life, you've been doing a lousy job, because you've never made me happy." Her lower lip quivered and she had to bite down on it for control. "I never had any friends or any boyfriends. I never had a family and, if the truth be known, I never had a mother. All you've ever been to me is an agent." She paused, breathing deeply. "Well, agents can be fired."

"You ungrateful bitch!"

With an unhurried step, Lillie rose from her chair and leaned against the windowsill, her arms crossed, her expression contemptuous.

"Do you think you became Frankie Travis superstar on your own? *I* made you who and what you are. *I* got you the jobs and the publicity. *I* got you the fame and the fortune. And I did it using *my* talent, not yours!"

It surprised both of them, but even in the face of such hostility, Frankie refused to be cowed.

"Maybe so," she said, "but now I'm going to do it for myself."

"You can barely brush your teeth by yourself."

"I'll learn."

"You want to learn? Here's your first lesson. Since I no longer represent you, I intend to cancel every booking, every audition, and every engagement I arranged for you. I made you something, and mark my words: without me, you'll be nothing!"

She brushed past Frankie, took her luggage out of the closet, and began to pack. Frankie stood and watched, convinced that if she moved so much as a muscle, she would buckle under, rescind everything she had said and beg for forgiveness.

Lillie locked the last suitcase and turned to her daughter. Her lips had become a snarl, her voice a hiss.

"This is all because of that Zach Hamlin, isn't it? He fed you some sort of adolescent pap and you fell for it." Lillie laughed. It was a shrill, ugly laugh, like a harpy about to close its talons around her soul. "The boy is horny, Frankie dear. He'd tell you anything if he thought it would get you to take off your pants!"

"You're wrong!" Frankie screamed.

She heard herself shriek and quickly took a deep breath. She was losing control and she had promised herself she wouldn't do that. She had to fight back. She had to stand up for herself, declare herself independent, prove to herself that she was worthy of respect.

"This is all because of you," she said more calmly. "Zach was nice and sweet to me and you were jealous, so you chased him away, just like you chased away everybody I ever cared about. My father, my friends, my relatives, Tildy. You pushed them all away."

"I didn't push any of them," Lillie said, matching Frankie's churlish tone. "They left because they wanted to. And as for your precious Zach Hamlin, I didn't chase him, honey, he ran, first chance he got!"

Lillie moved away from the bed and began to stalk Frankie, circling around her, glaring at her.

"You think I was jealous?" she said. "What a joke! I can have any man I want, including Zach Hamlin. Do you know why? Because I'm a woman and you're a child. You think like a child and you act like a child and if you think that by getting rid of me you're going to become a woman, you're sadly mistaken. You'll always be a child!"

Frankie was hurting. She wanted to clamp her hands over her ears and block out her mother's venomous words. She wanted to cry and bury her face in a pillow so she didn't have to see her mother's hateful look. But she didn't dare do either of those things. Instead, she summoned up her last measure of courage and ordered her mother to leave.

Lillie walked to the door, her gait regal and self-assured.

"My mother deserted me," she said, "and I survived. Your father deserted me and I survived. And in case you think otherwise, I'll survive without you too! Better than you'll survive without me!"

She opened the door and started to go, but before she did, she took one last shot.

"One of these days, you'll come crawling back on your hands and knees."

"Never!"

Lillie laughed, that same harpy laugh.

"Then it'll be my turn to throw you out."

As the door closed, Frankie began to shake. Feelings poked at her like electric prods, jolting nerves, enflaming emotions. Uncertainty. Fear. Guilt. Anger. Even a touch of regret. She experienced them all. She had known that this confrontation would be difficult. She had known that it would change her life. What she didn't know then, and wouldn't know for some time, was how much it would change her.

Zachary Arthur Hamlin was born in New York City on April 30, 1945, the same day Adolf Hitler committed suicide in an underground bunker in Berlin. Fifteen days earlier, Zach's father, Gabriel Hamlin, had watched a story he had been covering for more than five years write its grim conclusion. He and scores of other journalists were there when the Allied Forces liberated the Nazi concentration camps. Treblinka. Auschwitz. Dachau. Buchenwald. Thousands were freed. Millions were dead.

The horror of the Holocaust was suddenly thrust upon a disbelieving and outraged world. Why hadn't it been stopped? Why had it gone on so long? Why hadn't anyone known about it?

Gabriel Hamlin had known, but the United States was involved in a World War and that had taken precedence. Besides, all he had were unconfirmed rumors, secondhand information, tales told to him in dark alleyways by people who appeared one day and disappeared the next. Nonetheless, to Gabe, every whisper had a haunting ring of authenticity and he had insisted that his wire service print his stories. They did, and for his tenacity, his investigative reports, and his compassion, Gabriel Hamlin was awarded a special Pulitzer citation. The wire service for which he worked elevated him to the prestigious post of Chief of the National Desk. In October 1945, the Hamlin family—Gabe, his wife, Sheila, three-year-old Jeremy, and baby Zach—moved to Bethesda, Maryland, just outside Washington, D.C.

Most of Zach's childhood was a blend of rough-and-tumble and show-and-tell. Gabe loved sports and it was not unusual for him to come home from work so he could scrimmage with his boys in the backyard for an hour or two before dinner or to spend Saturday mornings at the playground shooting hoops and playing one-on-one. When the baseball season rolled around, the entire family turned fanatic, including Sheila. Whether it was at the stadium or at home watching the games on TV, they all hooted and hollered, argued over close calls, spouted statistics, and challenged the managerial wisdom of whoever was piloting the Baltimore Orioles. If baseball was the national pastime, then the Hamlins were the quintessential, all-American, "root, root, root for the home team" fans.

Gabe and Sheila were equally fanatic about education. Every night, the boys were expected to be prepared to discuss the day's events at dinner. "History's more exciting when you live it," Gabe always told them. "Why read about something ten years from now in a book when you can read about it today in a newspaper?" In election years, each boy was to pick a candidate and follow his campaign. He was to familiarize himself with issues and platforms and be ready to debate and defend his positions. By the time Zach entered the sixth grade, he knew more about politics, world affairs, and national problems than most adults. Whatever he didn't know about life, he learned on May 2, 1957.

Once Gabe Hamlin had taken over the national desk, it didn't take him long to focus on the need to investigate the activities of the underworld. Just as he had been morally offended by the unchecked criminal behavior of the Third Reich, so was he horrified by the apparent carte-blanche boldness of the syndicate. Every spare minute he had was spent scrounging around slum areas, digging through garbage, searching for that one mistake, that one piece of evidence that would nail a mobster. Little by little, he gathered information, never allowing himself to become impatient or impetuous, never printing half a story. He was going to save everything until it had a beginning, a middle, and an end.

Naturally, it was impossible to ferret around alleys without disturbing the rats. On May 2, Gabe and the boys were headed for the first Yankee-Oriole matchup of the season. Sheila had a nagging cold and had stayed home, under protest. The traffic was crazy, as usual, but suddenly Gabe noticed two cars following him. He began to pick up speed—which was exactly what they had wanted him to do. At seventy miles an hour, the car began to swerve wildly across the highway. The car on the left slammed into Gabe, pushing his car toward the side, crowding it until, with no control over the steering wheel and nowhere else to go, Gabe's car jumped over the side and fell to the ground, fifty feet below. Jeremy, who had sat in the front seat next to his father, was killed instantly. Gabe's left leg was crushed and had to be amputated. Zach walked away unscathed, but not unscarred.

During the three months Gabe was in the hospital, Zach visited him four times. He was only twelve, and the burden of survivor guilt was far too heavy for his young shoulders. Slowly, he began to sink into an immobilizing depression. He became listless and brooding, rarely leaving his room, lying on his bed in the dark, insisting that he was in pain and couldn't go to school. Day by day, his withdrawal worsened.

Gabe and Sheila were not unaware of his suffering. Though they were mourning the loss of one son and coping with the physical and emotional effects of Gabe's crippling, they were sensitive enough to seek advice on how to handle Zach. "Give him time to grieve," they were told. "Love him enough to be supportive, but respect his need to be angry, self-pitying, and guilty."

By July, Gabe was released from the hospital. When he came home, Zach refused to greet him. Eventually, he popped his head into Gabe's room for a perfunctory "hello," but then he was gone, retreating into his own dark world. After a week of practiced avoidance, Gabe and Sheila decided that the situation called for drastic measures. Without warning, Sheila announced that her mother had taken ill and needed her in New York. She'd be gone for at least two weeks. Zach was in charge.

For two hours after his mother left, Zach sat in his room, terrified that his father would call for him. Four hours passed and Zach heard nothing, not one sound. Suddenly, he began to panic. What if his father had fallen out of bed? What if he had choked on a piece of toast? What if he had had a heart attack? He ran down the hall and burst into Gabe's room.

Gabe was up and out of bed, dressed in short cotton pajamas. Zach froze in the doorway. His eyes were drawn instantly to the stump that had once been a leg. As he looked at the still sore, mangled piece of flesh, nausea bubbled up from his stomach, stinging his throat and leaving a bitter, bilious film on his tongue. His father had always been such an imposing figure—six foot two, athletic shoulders, muscular legs—but hospital confinement had trimmed close to twenty pounds off that frame, leaving Gabe frail and wan-looking. His remaining limb had atrophied from lack of use and now, stooped over his crutches, Zach thought he looked like a fragment of what he had once been.

He wanted to close his eyes and run from the room. Instead, he cried, releasing a torrent of emotion that had been locked inside him for far too long.

"I'm so sorry," he said, his voice choked and shaky. "I didn't want this to happen to you. I didn't want Jeremy to die."

Gabe hobbled over to his son and, as best as he could, wrapped an arm around the sobbing boy's shoulders.

"Of course you didn't want any of this," he said, kissing his son gently. "But you have nothing to be sorry about."

Zach turned and looked into his father's eyes.

"Why wasn't I hurt too?" he asked.

Gabe's chest throbbed from the heartache he felt.

"Would you feel better if you had lost an eye or broken some ribs or crushed your spine?"

Zach could barely see beyond his tears. His body quaked, but his voice was strong.

"Yes!" he shouted. "Yes!"

Gabe's strength was ebbing. He took his arm away from his son and returned to his bed. Again, Zach simply watched. When Gabe had settled himself, he motioned for Zach to join him on the bed. Zach shook his head.

"Now, look," Gabe said. "You didn't do anything. I'm the guilty one. I'm the one who should be saying I'm sorry. I'm the one they wanted to hurt."

Zach still didn't come, and as Gabe looked at the gangly twelve-year-old who was his baby, his eyes filled with tears until they overflowed and ran down his cheeks in streams.

"They took Jeremy from me," he sobbed, "and now it looks as if they've taken you too. They've won."

Sometimes, when boys have painted hero's clothing on their father's backs, tears can wash away the paint, stripping away everything except disappointment and disillusionment. For Zach, the sight of his father sitting among the crumpled blankets, his face stained, his body sagging from the weight of his unhappiness, the portrait had instead added shadow and texture. Gabe had become less of a god and more of a man.

Zach leaped up onto the bed and clasped his father with a ferocity born of loss and rediscovery. They hugged each other and cried with each other and talked to each other and, in the end, began to help each other.

A few months later, on October 4, 1957, the Russians launched the first manmade satellite, Sputnik I, into orbit. It was also the day Zachary Hamlin had the honor of escorting his father into the large oak-paneled chamber where the Senate's McClellan Committee was conducting an investigation on mob infiltration into the unions. As Zach pushed Gabe's wheelchair through the doors and down the short aisle, he was certain that everyone could hear the pounding of his heart. When they neared the front, two men scuffled about to remove several of the chairs in order to make way.

"After this," Gabe said as he settled at the table and took hold of the microphone, "I'd like to be taken to whatever committee is looking into equality for the handicapped."

There was laughter, quick and embarrassed, and then there was silence. Zach locked the wheels on his father's chair and prepared to take a seat in the gallery.

"You sit right here." Gabe pointed to a chair next to his.

Flashbulbs began to pop. Reporters anticipating something special inched their way closer. Television cameras started to roll.

"Gentlemen." Gabe's rich baritone filled the chamber. "As most of you know, for years, I have been investigating mob activities. Now, despite the efforts of those very same people, I intend to present my complete file of names, dates, incidents, bribes, crimes, and wrong-doings.

"I am here today by the grace of God, but I am here because I believe that this country is being infested with vicious, blood-sucking vermin. They have killed my son. And they have destroyed my leg. But, as God is my witness, they will never break my spirit or dull my determination to be rid of them!"

Zach had tears in his eyes. He had never sat this close to greatness. He knew, as he listened to his father's strong voice condemn those who had tried to kill them, that he was witnessing an act of rare courage and daring.

"Aren't you afraid they'll come after you again," he said as they rode home after the hearing.

"No. They've done all they're going to do to me," he said. "Bobby Kennedy has promised government protection for at least a year, but even without it, I would have gone public."

Zach looked confused and more than a little frightened. Gabe drew him close.

"I couldn't let them think that Jeremy's death didn't mean anything to me, could I? If I didn't speak up, it would look as if I had accepted what they did, as if I would sit back and let them do more. I loved Jeremy too much to do that. I love you and your mother too much to do that. Do you understand?"

Zach couldn't speak, so he simply nodded.

Gabe remained at the National Desk until Zach finished high school. Then he resigned and the family moved to Los Angeles, where Zach entered UCLA and Gabe began a second career as a novelist. The day Zach graduated, *Treblinka* by Gabriel Hamlin—a novel tracing a young Polish Jew from the ghetto to the concentration camp—hit the best-seller list for the first time. It remained there for forty-five weeks.

By the time Gabe's second book, *Union Boss*, made the list, Zach was settled in New York and working for *Life* magazine.

Now, Gabe's fifth book, *Reasonable Doubt*, was riding the crest of public popularity in the United States and Zach was sitting in a remote airfield in Thailand waiting to be entertained by the Jody Hart Christmas Show.

Every available inch of the main runway was occupied. Servicemen, technicians, engineers, military advisers, clerical workers—all jammed as near to the entertainers as they could get. This audience might have been one of the smallest on the Hart tour, but they were no less enthusiastic than the throngs that had already applauded the show, no less eager to see, hear, and touch someone from home.

The stage was primitive, a hastily slapped together structure of wooden planks and metal steps. There were no props other than fighter planes resting between missions, no designed sets or colorful backdrops, just black metal chairs for the orchestra and a huge American flag that rippled in the evening breeze. Army trucks served as dressing rooms. A nearby hangar became a storage depot. It was catch-as-catch-can to those involved in the show, but to those entranced with it, it was pure perfection.

Most of the credit deserved to go to Jody Hart. He was without question a master at his craft. Despite the obvious inconveniences, logistical problems, security precautions, and political red tape, he managed to transport enough show-biz glitz and glitter into the middle of nowhere to make everyone forget about guerrilla raids, napalm, and red ants for at least two hours. When he walked out, the audience went wild, yelling and screaming, singing Hart's theme song, *My Funny Valentine,* along with the orchestra. The maestro let them roar, standing in the center of the allotted space donned in his world-famous red, white, and blue flag-waving cabana shirt and U.S.A. sneakers (one-striped, one starred). On his head, he sported an army cap with six stars. He was, as he told them in his monologue, the real commander-in-chief and that extra star was proof of his extra-special status. He rattled off jokes at machine-gun speed, tapping his famous cane ("The minute either side starts taking prisoners, I start limping"), and working his audience like a sculptor manipulating clay. His comedic timing was quick, his one-liners snappy, but his pace was deliberately slow, making his act appear effortless and intimate, as if it were just Jody and a few friends hanging out and shooting the breeze.

His friends were top-drawer talents, all of whom had donated their services for the tour, merely taking scale for the television special that would be made for a *Jody Hart Christmas with the Boys* airing in late December.

Zach watched from the sidelines, laughing and cheering along with the rest of the audience, but when Frankie walked out onstage, a broad smile dominated his face. A skimpy beaded sheath that looked more like a slip than a dress barely covered her body. Her hair was teased and sprayed until she looked as if she had been coiffed by Medusa's hairdresser. Her face was heavily rouged, her skin lightly dusted with glittery powder. She was the quintessential star—shimmering and shining—and though she looked beautiful and assured, Zach knew it was all a façade. Beneath that seductive slither was an innocent child. Behind the giggles and wisecracks was a frightened, insecure woman. And though her sexiness elicited lusty hoots and hollers and her comedic talents engendered laughter and applause, Zach knew that what she really wanted was love and affection. What he really wanted was her.

During his time in Southeast Asia, Zach's social life had been as sporadic and unstable as that of the men in uniform. Over the years, he had learned to settle for one-night stands and occasional affairs, involving only his body in relationships, never his heart. He claimed that his job precluded entanglements, and it did. He claimed that no woman had inspired anything more than a fleeting burst of passion, and none had. He claimed that he wasn't the type for long-distance romances, and he wasn't. But then he had spotted Frankie at the airport. He knew then, just as he knew now, the real reason he had protested so much, the real reason there had never been room for anyone else in his life—he had never gotten over the tall young woman with the wild ebony hair, the bittersweet eyes, and the chewed-up fingernails. He was not sure he ever would.

The airfield was practically empty by the time Frankie ran across the runway and into his arms. As he held her, he felt her tremble. Her arms tightened around him and he stroked her back gently. After a few minutes, some of her tension eased.

"I waited to be sure she wasn't hanging around." Frankie's eyes were dark.

"Are you all right?" Zach asked.

"I will be." It was more of a declaration than an answer. She looked around and noticed the pedicab that Zach had waiting for them. "Don't take me back to the Villa," she said quietly. "I don't want to stay in that room."

After Lillie had gone, Frankie had tossed on her costume and makeup, hurrying so she could avoid the fiendish ghosts that had filled the room. Lillie's words had transformed themselves into eerie shapes and sounds, taunting Frankie with portents of failure and doom. Wherever Frankie looked, she had seen Lillie's face or smelled her scent or felt her presence.

"The Manida is a long way from the Villa," Zach said as a warning.

"I don't care."

He nodded, told the driver where to go, and helped her into the cab. She was still wearing the beaded sheath, and as they pulled away, Zach covered her shoulders with his jacket. She cuddled next to him, but remained silent, as if debating her next move or her next word.

The jungle had donned its black gown of night and the only touch of brightness was the small headlight of the pedicab. The road was a dirt path, and the straw bucket seat bolted to the back of the motorcycle bounced around on its flimsy wheels. Out from the thickness came occasional whoops and screeches of animals who sensed an invasion of their space. Frankie pressed closer to Zach. Suddenly, she turned to him.

"I love you," she said. "And I want you to love me."

Zach brushed a strand of hair off her face and kissed her.

"I've loved you since the first time I saw you," he whispered.

"Then make love to me. Treat me like a woman, not like a child."

At first, Zach heard only what he wanted. He heard desire and love. But then he listened more carefully and he heard determination and demand.

"This is hardly the time or the place," he said lightly, pointing to the driver, the cab, and the jungle. "Besides, you're not the backseat type."

"Later."

Again, the insistence, the intensity.

"Later," he agreed.

He would have kissed her again, but something caught his attention. He put his finger to his lips, cautioning Frankie not to speak. His eyes tried to penetrate the blackness that surrounded them. He had been with the army too long not to notice markings and trees. The driver was not headed toward the Manida. He had taken a different turn, one Zach recognized as heading east toward the Laotian border. Suddenly, he pulled Frankie to him, taking off one of his shoes as he did.

"I think we're being ambushed." His voice was so soft she could hardly hear him. "The Cong pay handsome bounties for American lives, and I think this guy saw numbers over our heads."

"What do we do?"

"If he doesn't turn onto the right road in two seconds, I'm going to crack his skull with my boot. Just stay calm."

She nodded. Her heart pounded in her chest and she felt so frightened she wanted to scream, but she remained quiet and watchful.

The pedicab stopped. Zach didn't wait to ask why. He jumped up and brought his arm down on the back of the driver's neck, hitting the man's skull with deadly force. The man slumped over the handlebars. Zach leaped out of the cart, ran to the front and dragged the unconscious man off the bike, pushing him to the side of the road. It was when he heard Frankie scream that he knew the driver had not been acting alone. Two others had emerged from the jungle and were wrestling Frankie out of her seat.

Frankie followed Zack's example. She took off her spike-heel shoes and began to flail wildly at the two bounty hunters. With a strength and awareness spawned by danger, Frankie realized that she was taller than either of them and probably stronger. Like a tigress, she kicked and smacked their heads with her shoes. Zach took one of the attackers, beat him down, grabbed his gun, and pistol-whipped him into unconsciousness. He turned to do the same to Frankie's opponent, but she, too, had used the man's weapon against him. Without wasting time on congratulations or superfluous questions, Frankie climbed into the basket seat, Zach jumped on the motorcycle, and they sped away into the night.

She was still shaking when they reached the Manida Hotel.

"Welcome to paradise," Zach said as he opened the door and invited Frankie inside. His room was small, furnished with only a bed and a chair, a small nightstand, and a single light bulb attached to a squeaky ceiling fan. There were no curtains, no bedspreads, no attempt at amenities.

"It's been a harrowing day and an even more harrowing night," he said as he took a bottle of brandy from his nightstand and poured three fingers worth into two glasses, handing one to Frankie, keeping the other for himself. "I think we need to experience the recuperative powers of these liquid spirits." He raised his glass to her in a quick toast and then sipped his brandy slowly, relishing the taste of it on his tongue, the bite of it as it went down his throat.

"Where were they taking us?" Frankie asked, finding the brandy more medicinal than pleasurable.

"Thakhek, probably. It's just over the border in Laos. There've been reports of kidnappings by the Cong and the Pathet Lao. Mostly American civilians."

Frankie shook her head and continued to sip her brandy. It was beginning to taste a lot better and she was beginning to feel very warm and relaxed. She rose from her chair and walked over to the window where Zach stood, looking out.

"You saved my life tonight," she said.

"It's a life worth saving."

"Do you really think so?"

Zach saw the shyness and the uncertainty. He moved toward her and slid his arms around her waist, leaning over and placing his mouth on hers. She tasted of brandy. He knew how much he wanted her, how long he had waited to be with her, but he also guessed at her inexperience and knew he had to move slowly.

"Why don't you take a shower," he said, his voice husky and deep.

Frankie couldn't speak at all. His kiss had released a store of emotions that raced through her now like carbonated fizz. She felt a rush. Her insides fluttered and her throat went dry. Without saying a word, she walked into the bathroom, then reappeared, a bewildered look on her face.

"There's no shower in there."

She looked so confused, Zach had to laugh.

"Sure there is."

He brought her back into the small room and showed her the nozzle in the ceiling, the faucets on the wall, and the hole near the commode for drainage.

"The entire room is the shower," he said, turning to go.

"I need a towel." She said it quickly, as if she were afraid he'd never come back.

He turned, and her eyes locked on his. Slowly, she slipped out of her dress and tossed it past him into the bedroom. He unbuttoned his shirt and waited for a reaction. Frankie slipped out of her stockings. Zach removed his pants and shut the door.

His arm moved past her and turned on the faucets, showering a soft spray of warm water over them. Tenderly, Zach soaped the corner of a towel and washed her face, wiping off the rouge and eye shadow, cleansing away the powder and lipstick. Then his fingers pulled through her hair, untangling, untwisting. He shampooed and rinsed until it squeaked and hung loose and straight down her back. Throughout, Frankie stood like a statue, content to experience the raging new sensations that coursed through her.

Water splashed over their bodies as Zach's hands began to explore her flesh. Softly, slowly, they glided up and down, stopping to caress, lingering to touch. Following his lead, she rubbed his chest with her hands, snaking them around his body and down his hips. A low groan escaped his lips. She knew then how much he wanted her. She was beginning to sense how much she needed him.

With a boldness that surprised her, she shut off the water and left the bathroom, still wet, still eager. She stretched out on his bed watching as he removed the ugly, glaring light bulb that hung above them. He lit a small candle that sat on the dresser across the room and came to her, pulling the netting that surrounded the bed closed. Silver shadows diffused by the net danced on Frankie's body, casting a mystical spell over him. He kissed her deeply, hungrily, and his body quivered as he neared hers. Again, his hands explored her, but now with greater urgency.

Frankie felt his need and his desire. She also felt a passion of her own. Her body was moist and hot, and she threw her arms around Zach, afraid he might stop what he was doing, afraid that these wonderful feelings would disappear as quickly as they had come. Instead, Zach led her, guided her, taught her how to please him, showed her how he could please her. Suddenly, her hips began to move on their own. Her body tingled and she pushed and swayed against him, wanting what he wanted to give her.

Finally, he filled her, his breath falling heavily on her neck. As they moved in concert, she waited for something to happen to her, for some new and powerful feeling to overwhelm her, and it did. She felt her legs weaken and a sweet stinging sensation rise from her toes and fill her head until she felt faint. She began to throb, inside, outside, the feeling growing in intensity. She felt Zach tighten and release just as she, too, shuddered, experiencing a flash of heat that seemed to envelop her.

"I love you," he whispered into her ear. "I'll never love anyone else."

"I love you too," she said, snuggling closer, unwilling to pull away.

They lay there quietly for quite a while, the only sound the soft whirr of the ceiling fan, the only movement the occasional flutter of the netting. Zach fell asleep in Frankie's arms, his lanky body half-draped by a wrinkled sheet. Frankie, too, began to doze off, but in the gauzy haze of a half sleep, the candle's flame cast terrible shadows in the room. Frankie stared into the darkness that loomed around her, feeling Lillie's presence, hearing her words: *I can have any man I want. Because I'm a woman and you're a child. I made you something. Without me, you'll be nothing.*

She tensed. Zach moved, making her conscious of his presence. He had changed positions, but still, he was clinging to her. She looked at him through drowsy eyes, her gaze drifting over her own body and her own nakedness. It was then that she spoke to the shadows.

"I'm not a child anymore," she whispered, her voice trembling with resolution. "I'm not nothing. And you can wait forever, but I'll never come crawling back to you. I'd rather die."

12
Frances Rebecca Elliot
Jinx

December 1972

NO MATTER HOW OFTEN SHE DID IT and no matter how expert she thought she was, there was always a moment of hesitation before Jinx pointed her skis downhill. It was the commitment that caused the stall, the knowledge that that one definite, irreversible action would place her on a course that promised as much danger as it did excitement. Yet, as she stood next to Kip on top of Vail's Back Bowls and looked out on the majestic glory of Colorado's Rocky Mountains, she knew that commitment was the reason they were here. In three weeks, they would be man and wife.

"Ready?" Kip asked, breathing deeply, trying to acclimate himself to the high altitude.

Jinx looked at her husband-to-be, this glorious, sensitive, handsome man who seemed so at home on top of a mountain. She thought about how empty and unfulfilled her life had been without him. She thought about how much she loved him and how proud she was that he loved her. She thought about the perils of being a famous man's wife—the lack of privacy, the hurtful gossip, the unsolicited criticism. And yes, she was concerned, but as he leaned over to hike her gaiter up under her chin and gently adjusted her headband, she smiled, once again affirming that none of that mattered.

"I'm ready," she said.

Kip went first, working up an easy rhythm around the large moguls that populated the Slot. Jinx followed, planting her poles, leaning out over her skis, gracefully carving crisp semi-circles in and around the freshly powdered mounds. Though it had snowed the night before, the sky was clear, a light turquoise ceiling suspended over the frosted beauty of the stark white earth. It was cold, with the thermometer registering single-digit temperatures, but the sun was shining, brilliantly insinuating itself onto the wintery landscape, pushing through the thin air in wide, warm swathes of yellow heat.

Up. Down. Flex. Extend. Pole. Turn. Edge.

Jinx's legs burned from the workout she was giving them, and her eyes teared from the force of the wind, but still, she was aware of the awesome uniqueness of the bowl. The rest of the mountain boasted man-made trails with steep inclines and peaked apexes, but the bowls were a natural phenomenon that had no peaks. Instead, the top rim curved around, cupping a huge basin. For the sightseer, the bowl was a pristine valley of intimidating grandeur. For the skier, it was a visual as well as a physical challenge, an optical illusion that encouraged the sensation of skiing down, around, and up, all at the same time.

Halfway down, Jinx allowed her concentration to drift. Her eye caught the shadow of a cloud passing overhead. Her ski caught a tuft of deep powder and tumbled her to the ground. Her binding released, her ski went left, and her body tumbled right, sliding and slipping until one huge mogul stopped her fall.

"Are you all right?" Kip shouted several feet below her.

"I'm fine," she said, brushing snow off her jumpsuit and searching around for one of her poles. "My dignity's a little ruffled, but other than that, everything's A-okay."

Kip sidestepped up the mountain, retrieving Jinx's maverick ski on the way. Balancing himself on his edges and leaning against his poles, he helped her to her feet and held her arm while she snapped her boot into the binding.

"If you don't mind," he said, readjusting her sunglasses and softly kissing her lips, "I'd prefer it if you were a little more careful. Wheelchairs and crutches tend to distract from the solemnity of the wedding ceremony."

Jinx smiled and playfully rubbed her nose against his.

"Gee, and I thought here in Vail, the tradition was something old, something new, something borrowed, something black and blue."

"Very funny." Kip's tone was light, but his eyes had turned dark. "I just don't want anything to happen to you."

"Nothing's going to happen to me," Jinx said, wishing she could exorcise the ghosts that plagued him, wishing she could reassure him once and for all. She reached out and caressed his cheek. "Relax. I'm fine. You're fine. The day is gorgeous and I'm supposed to meet my mother for lunch, so let's get a move on!"

Kip nodded and returned her smile, but as they started back down the mountain, a familiar fear nagged at him.

I can't relax, he thought, venting his frustrations by skiing harder and faster. This might have been a simple accident, but next time something happens to Jinx, what if it's not so simple?

It seemed as if right from the beginning, Vail was destined to become a resort town. In the 1800s, the Ute Indians summered beneath the huge Colorado mountains, leaving their flat plains reservations in the spring, returning in the fall, when they relinquished their beloved, columbine-dotted tundra to grizzly bears, bighorn sheep, mountain lions, and heavy drifts of snow. In the 1930s, the chief engineer of the Colorado Department of Highways, Charlie Vail, opened U.S. Highway Six, which ran from Nebraska, through Denver, to Utah. Suddenly, civilization was pushing itself farther and farther into the interior, luring modern-day pioneers out from the cities, over rough, hilly terrain. They traveled in trailers, not covered wagons. They cooked over Bunsen burners, not open campfires. And they fought loneliness, not savages. But they were, in every sense of the word, pioneers.

In 1942, Vail Mountain was partially developed, but not for pleasure and not for profit. In a small railroad siding not far from Vail, Camp Hale was built to house the Tenth Mountain Division, America's first and only ski troop. Starting with the National Ski Patrol as its core, these 14,000 men bivouacked in blizzards, marched for hours in altitudes of 10,000 feet or more, scaled treacherous mountainsides, and, of course, skied, cutting trails into the virgin slopes of Vail, Aspen, Snowmass, and the Arapahoe Basin. When finally they were put into active duty, they fought the Japanese on Kiska Island in Alaska's Aleutian chain; secured major victories along the Gothic Line in the high ground of the Apennine Mountains across Northern Italy against the Gebirgstruppe, Hitler's crack mountain troopers; and, at the end of the war, battled the enemy throughout the Alps.

In December 1962, however, Vail, as it is known today, was born.

Conceived from the start as a ski resort, the development of the area was planned with the sporting tourist in mind and executed with all the precision and detailing of a finely tuned set of skis. Its beginnings were modest—three lifts, a few lodges, a couple of restaurants, a deli, and a liquor store. And its future unsure—one day before Vail's debut, the developers were forced to summon Minnie Cloud, a member of the Southern Utes, to do a snowdance. But twenty-four hours and eighteen inches of snow later, the resort opened and eventually, Vail became a mecca for ski enthusiasts.

The town of Vail spreads over a large parcel of land, stretching itself out along Interstate 70, but Vail Village is quite compact, with no building more than nine stories high, and no service more than two blocks away. Charming restaurants with outdoor patios and colorful window boxes cuddle up against equally quaint shops and inns. The streets are winding, deliberately too narrow for cars. Pushcarts with gaily colored umbrellas sell cotton candy or fresh popcorn. Here and there, tiny pedestrian bridges cross over Gore Creek, the one rippling string of water that gurgles its way through the village no matter how cold it gets.

There's no denying the Austrian and Swiss influence and there's no avoiding it. The architecture starts and ends with the basic A-frame. The predominant decorative style is chalet gingerbread—wooden beams, window shutters, heart-shaped cutouts, lively painted trims, and balcony railings affixed beneath windows, just for effect. Words like *haus* or *stube* or *stein* are sprinkled about to enhance the European flavor. And at noon, when the skiers schuss into town for their midday repast, and shoppers take a break from their all-day binge, and everyone gathers at the local restaurants for a bit of mulled cider or cold beer, the mélange of accents, attitudes, and attire creates an aura of international sophistication that's hard to resist.

By the time Kate and Jinx had finished lunch, they had ogled every passerby, critiqued every outfit, commented on every skier barreling down Giant Steps, and still managed to discuss every last detail of the wedding. Though Kip had generously offered Le Chalet Kipling and all its services for the ceremony and reception, Kate had been given the task of pulling it all together. Taking her role as mother-of-the-bride quite seriously, she had poured over the guest list and scrutinized every invitation, cocktail napkin, matchbook cover, tablecloth, napkin, swizzle stick, toothpick, and place card available within a hundred-mile radius of both Denver and Phoenix. She had tested and retested every hors d'oeuvre, entree, and dessert on the menu.

Thanks to Kip's largesse, this was certainly going to be the social event of the season, a gala celebration in every sense of the word, but

Kate's original reservations lingered. She had held herself in check all through the meal, but as the second cup of coffee was poured, she decided to ask what she needed to ask.

"Are you happy?" she said, eliminating preliminarics.

"Very," Jinx said, not realizing how infectious her affection for Kip was. "He loves me very much, Mom."

Kate smiled and then, for no apparent reason, appeared to become obsessed with studying her fingernails. Finally, she said, "There's something I have to ask you. Are you marrying him because he's everything you might wish your real father to be if he were still alive?"

"I don't think so," Jinx answered honestly.

"I hope not. I'd hate to think that the ghost of Ben Rostov had played matchmaker for my daughter."

"As long as we're discussing Ben Rostov," Jinx started hesitantly, "I may as well tell you that Kip has offered to help me track down some of the Rostov family."

Kate practically leaped out of her chair.

"Why would you want to do something like that? What purpose would it serve? Why would you want to hurt your father like that?" Kate leaned across the small metal table, puffed with an anger Jinx found difficult to understand.

"I need to make contact with at least one of his blood relatives. I need to know something more about my lineage. And I would never do anything to hurt Dad. You know that."

"Do I? How do you think he feels, knowing you're moving heaven and earth trying to find out about a dead man when he's the one who's been by your side ever since you were a year old? Whether you think so or not, I think you're being cruel."

"I love Daddy," Jinx said, protesting her mother's charge. "And I love you. But I have to know more about Benjamin Rostov. You, of all people, should understand."

"I do understand," Kate said, still speaking in a harsh whisper, but showing signs of calm. "That doesn't mean I like it."

"I visited my grandparents' graves," Jinx said quietly.

Kate sat back, stunned.

"My grandmother died when she was forty years old. Did you know that?"

Kate nodded. Obviously, there was no avoiding the subject.

"Franyu had cancer. They operated several times, but they could never cut it all out. Her death was merciful."

"Sinnoch Rostov died in 1965. He was sixty-seven."

Kate hadn't known about Sinnoch's death, but in truth, she had no reaction. She had never met him.

"Next to them was the grave of one of their sons, Jacob Rostov. He died in 1945, during the war."

Jinx's eyes had fixed on a spot beyond Kate. Her voice was hollow. She had returned to that cemetery. She was reliving that day.

"I think it was because Jacob died that Ben enlisted in the Air Force and came to Europe," Kate said, she, too, reliving the past.

"Was my father buried in Europe?" she asked.

"Yes," Kate said quickly, hating to perpetuate this lie.

"Why didn't his family bring him home the way they brought Jacob?"

Kate was sweating. She was so tempted to blurt out the truth, to reveal what a cad Ben was, but Jinx would have been the victim.

"He was . . ." Kate looked away, unable to look at her daughter squarely as she lied. "He was badly burned in the plane crash. I think it was too painful for them."

"There was another grave," Jinx said, almost as if she hadn't even heard her mother. "A little girl named Frances Rebecca who had died in 1947. She was only eight years old."

Kate was about to say, *That was Molly's little girl. The one who had polio,* but she caught herself. She had told Jinx she didn't know anything about Ben's family—who they were or where they lived—and she still believed that Jinx was better off knowing as little as possible. If Ben had called Jinx, it might be different, but he hadn't. Just then, seeing the sadness in her daughter's eyes, Kate wondered why she had ever thought he would.

"Were we both named for our grandmother?" Jinx asked, needing to continue the discussion though Kate's body language told her she'd like nothing more than to end it.

"Yes. Franyu Bekah was Ben's mother's name."

"I tried looking it up to find out if the names had special significance. Franyu must be the Polish version of Frances, which doesn't mean anything in particular. But Bekah is more interesting. It's Hebrew and it means 'half sister.'"

For an insane moment, Kate wanted to laugh. No matter to what lengths Ben had gone to try to keep his "mistake" a secret, no matter how hard he had tried to deny Jinx's existence, and to deny his guilt, his conscience had won out and he had chosen to call his second daughter by her rightful title, "Becca."

"It's a name, that's all," Kate said, not intending to be so sharp. "Speaking of names," she added, recovering quickly. "In a few weeks, your name is going to change. Why don't we stop wallowing around in the past and concentrate on your future? It's much more exciting."

Yet, as they sipped their coffee and chatted about music and seating arrangements and who'd be wearing what, Jinx couldn't help wondering why discussing Ben Rostov always upset her mother so. Was it because she had loved him so much when he lived? Or was it because she had hated him so much when he died?

For the Elliots' sake, Jinx stayed with her parents and sister in a large penthouse suite in the Chalet's lodge annex, while Kip moved into a separate, smaller room down the hall. Jeffrey Dodge, who had flown down with Jinx and Kip on the private plane, checked into one of the executive suites in the main building, ostensibly to keep an eye on the spa. Claire Billings also moved into a room in the main building. She wanted to keep an eye on Dodge. Begrudgingly, he had acquiesced to the spa plan, but both Claire and Jinx knew that his acceptance was nothing more than window-dressing meant to impress Kip. At staff meetings, he waited for opportunities to snipe at the idea or to inject a sarcastic comment about the LaTessa Boutique going in alongside the spa. On more than one occasion, he was overheard to say, "Just because Harrison Kipling is dressing and undressing Jinx Elliot doesn't mean we should dress and undress everyone who checks into a Kipling hotel!"

The major construction work had been completed by the middle of November, in plenty of time to avoid inconveniencing holiday vacationers. The remaining work was decorative—laying tile, installing fixtures, papering walls, mirroring dressing rooms, receiving furniture and equipment, selecting towels and linens. There was also the hiring of personnel and the testing of whirlpools, saunas, steams, and exercise machines to be done.

Kip restricted his activities to the ledger sheets, delegating less fiscal responsibility to others. Claire busied herself with what she called the "petty details of pretty." Jinx, acting on behalf of Cissie and Tessa Kahn, took charge of the LaTessa Boutique. Dodge donned a hard hat and assumed the role of foreman, interviewing prospective workers, inspecting machinery, and following through on advertising and publicity proposals presented by a local agency. Each afternoon, the four met in Kip's office. Two days before the scheduled December twentieth opening, the spa and boutique were declared ready for business.

Kip led the final inspection tour. He, Jinx, Claire, Dodge, the general contractor, the decorating team, the electrical team, and the newly hired managers of both the spa and LaTessa marched through the lobby of Le Chalet, out and around the dome-covered pool into the spa. Huge ficus trees lit with tiny white lights arched toward each other, touching boughs and forming a gateway to luxury. The lobby, done in travertine marble and bleached wood, was a paean to peace, both outer and inner. Soft colors dominated the palette, soothing, relaxing, almost hypnotizing those who entered the huge glass portals. Thick wooden beams delineated space. Plush couches in soft off-white cotton beckoned to the weary traveler while enormous evergreens in wooden planters provided an atmosphere of edenic promise.

Beyond the travertine reception desk were two doors, one leading to the men's spa, the other leading to the women's. In both sections, there were glassed-in atriums with Jacuzzis that would soon be filled with swirling, steaming water. Three exercise rooms opened off a long hall, one of which was filled with the latest exercise equipment. Another hallway led to the specialty rooms—facials, massages, herbal wraps, salt scrubs, eucalyptus steam closets, milk baths, a barber shop for the men, a beauty salon for the women.

The locker rooms were more functional, but still opulent. Each customer would receive his or her own bathrobe, slippers, bathing suit and/or exercise outfit, if so desired. Attendants would be on duty to get whatever else was needed, from shampoo to a glass of freshly squeezed orange juice. Naturally, there was a small area set just opposite the entrance, which had on display all the beauty products used at the spa, packaged in inviting gift assortments and priced in accordance with the exclusivity for which Le Chalet was renowned.

LaTessa had two entrances, one from the spa and the other leading off the main lobby of the hotel. Here, too, delicate colors prevailed. Taupes and beiges mixed with three shades of white to provide a neutral setting for the elegant clothes. Big stone bowls filled with fragrant potpourri sat on the cashier's desk and two accessory tables, scenting the entire store with the essence of rose petals, jasmine, and cloves. Cushy barrel chairs faced a glass wall which overlooked the mountain, so that shoppers or their companions could wait in pleasant surroundings, enjoying a glass of mulled cider or mineral water.

"I wish Cissie could see this," Jinx said to Kip as they sat in the center of the boutique and watched one of the workers fill the outdoor planters with sturdy tufts of boxwood and holly.

"She will. She's not planning on nursing Alexis forever. The first chance she gets, you can be sure she'll be on a plane for Denver."

Jinx laughed and nodded. There was no question about Cissie's devotion to this project. She had worked tirelessly on the plans for this shop, overseeing not only the buying, but also the decor and display.

More than once, Cissie claimed she was nursing two babies, Alexis and the boutique.

"I have to admit," Jinx said, "I'm disappointed that she and Noah won't be at the wedding."

"I am too," Kip said, drawing her into his arms.

"Listen, you two," Claire said, emerging from the stockroom. "The honeymoon hasn't started yet. General Dodge is eager for us to visit the men's exercise room and when the commander calls, I hop to." She gave a brisk salute, clicked her high heels together, and walked to the door that led to the spa, giving some last minute instructions to the decorators and the boutique manager as she went.

The three of them walked down the hall noiselessly, their footsteps absorbed by the thick carpet. On the way, Claire jotted notes on her ubiquitous yellow pad, and reminded Jinx that one of the local gallery owners from whom they had bought the artwork still had several lithographs to deliver.

"We're supposed to have four pieces on this wall," Claire said, pointing to the blank spaces with annoyance.

"Do you think four might be too busy?" Jinx asked, standing back and squinting, trying to bring the entire area into focus.

"If you don't mind, I'm going to leave this particular detail to the two of you and go ahead to meet Jeff." Kip turned, waved, and disappeared around a corner.

By the time Jinx and Claire joined him, he was seated on an exercise bike, pedaling furiously. Dodge was standing at his side staring at a stopwatch. When he looked up and saw the two women, a definite frown insinuated itself on his face.

"What are you doing here?" he demanded.

"We're viewing the facilities, Jeffrey. What do you think we're doing?" Claire had no patience for Dodge and no qualms about exhibiting that impatience.

"This walk-through was arranged specifically for Mr. Kipling. I hadn't planned on a group show."

"Surprise, surprise!"

Claire walked past Dodge, flashing a sarcastic grin as she went. Jinx followed quietly, unwilling to start up with him again. They had had too many disagreements already and she didn't want another debate to dampen her mood.

While Dodge adjusted the speed on Kip's bike, Claire played with the chrome barbells, picking them up, putting them down, trying to curl them without damaging her manicure. Jinx walked from machine to machine, fascinated by the intricate relationship between weights and pulleys. The metal gleamed and the leather on the seats shone with inviting newness. Gently, as if she were stroking a baby, she ran her hands over the bars and pads. Out of the corner of her eye, she took note of Dodge's glaring disapproval, but nonetheless continued her private examination of the equipment.

Kip moved from the bicycle to the trainer's desk, took a much needed drink of juice and began to question the electricians about the lighting plan before moving onto the next piece of apparatus. Claire had tired of muscle-building and had gone back to supervising the decorators. Jinx could no longer resist trying out at least one of the machines. Since most of them looked too complicated to tackle without an instructor, she chose the simplest one, an overhead pull. First, she checked the weight. It was set at ninety pounds. She wasn't certain how heavy that really was, but it didn't seem impossible, so she hoisted herself up onto the seat, strapped herself in, and lifted her arms until she could grab the metal handlebars. As she began to pull down, she could feel her muscles straining. She pulled harder, leaning forward as she did, lowering her head so that her shoulders and neck became involved in the exercise.

Suddenly, she heard a loud snap. It was only a split-second, but the instant she felt the metal bar lose its resistance, instinct took over. She let go, sat up, and pressed against the back pad. The weights thundered past her, crashing to the floor. She began to shake uncontrollably. With wide, frightened eyes, she stared downward, frozen to the small leather chair on which she sat. It took less than a minute before she was surrounded by Kip, Claire, Dodge, and every workman within hearing distance. Everyone began talking at once, asking her if she was all right, telling her she was all right, wondering aloud how something like this could happen. The one thing no one said, the one thing no one even whispered, was that if she hadn't reacted so quickly, she would be lying on the floor next to those weights—dead, from a broken neck.

"It could have happened to anyone." Jinx lay in her bed in the Elliot suite, tucked in as if cushioning were an accepted curative. Kip nodded and took her hand in his.

"But it didn't happen to anyone," he said. "It happened to you. I can't stand the thought of you being hurt."

She stroked his cheek and tried to make him smile, but that darkness which she had seen before had returned to his eyes, shadowing them with a haunted look. She felt the pressure on her hand increase.

Ever since they had become engaged, Kip had grown more and more obsessed with the idea of protecting her against any and all harm. If she had to travel for business, he insisted upon accompanying her. If she sneezed, he insisted she have a thorough checkup. When she refused to move out of her apartment until after they were married, he installed elaborate security devices. When she wanted to buy a car to use for business meetings, he put his chauffeur and limousine at her disposal. It didn't help to remind him that Elizabeth's accident had been tragic, but unavoidable. He had already suffered one major loss in his life, and he was bound and determined not to suffer another.

Just then, Kate knocked on the door.

"I thought this might help," she said. She set a tray down on a table near Jinx's bed and poured three cups of tea, handing one each to Kip and Jinx, taking one for herself, and pulling a chair next to her daughter's bed. "I think a bit of tea and sympathy is in order, for both of you."

Kate looked at Kip, whose face still wore a forlorn frown.

"You two are supposed to be married in four days," she said. "I hope you're not thinking of doing anything foolish, like postponing it."

Jinx wanted to throw her arms around her mother. Kate had just verbalized exactly what Jinx had been worried about. She knew that Kip was thinking of calling off the wedding, of leaving Vail and returning to New York alone, just as he had done four years before. Then, Kate had been relieved to see him go. Jinx was grateful that this time, she appeared determined to make him stay.

"We're not postponing anything," Kip said, throwing his arms up in a gesture of surrender.

"Thank goodness," Kate said, rising from her chair. "What would I have done with six hundred matchbooks, three hundred guests, and a roomful of hors d'oeuvres?"

"You know what, Mother, my money's on you. You would've come up with something," Jinx laughed.

Kate thought for a moment and then she laughed too.

"Probably." She opened the door to leave and nearly collided with Jeffrey Dodge.

"Pardon me," he said, as if he were speaking to a chambermaid. "I came to see Kip."

"Right in here." Kate couldn't help crinkling her nose at the citrusy smell of his cologne and the snobbish tilt of his chin.

"Come on in," Jinx said, pulling her bedjacket closed, noting that Dodge hadn't said he wanted to see her. "Have a seat."

"I've completed my investigation," Dodge said, dispensing with niceties, refusing to sit. "The cables were faulty. I've spoken to the manufacturer. They're going to replace the entire machine. Naturally," he said, looking at Jinx for the first time, "they asked me to apologize for any inconvenience."

"How nice," she said, not bothering to hide her sarcasm.

"It was your fault, you know," Dodge said patronizingly.

"How do you figure that?" she said.

Dodge glared at her, unable to hide his dislike.

"You hadn't been invited to that run-through and yet you insisted upon barging in where you didn't belong," he said pointedly. "People who take liberties like that always get hurt."

"Thank goodness she was only bruised," Kip said, uncomfortable at the tenor of the conversation. "In a few days, she'll be back on her feet, the spa will open on time, and our wedding will go off as scheduled."

"Do you really think that's a good idea?" Dodge said. "Perhaps you should wait until the bride is fully recovered."

Jinx started to speak, but Kip took her hand and squeezed it.

"Thank you for your concern, Jeffrey," Kip said, "but if you don't mind, I'll worry about Jinx. You worry about the spa."

Dodge turned and walked toward the door, his face pinched.

"There's a staff meeting at five."

"I'll be there," Kip answered, his words lost in the sound of the door slamming.

"The man hates me," Jinx said.

"It's not you. He just can't bear the thought of me remarrying. To him, I'm dishonoring his sister's memory."

"Maybe, but I'll bet he'd be a lot happier if I was older and more sophisticated and had my name listed in the Social Register and could walk down a flight of steps with a full teacup in each hand."

Kip leaned over and kissed her.

"I'm not interested in what makes Jeffrey Dodge happy," he said. "You make me happy, and that's all that counts."

"I'm glad," Jinx said, feeling infinitely better.

"But," he added with a playful grin, "the teacups wouldn't be a bad trick."

Jinx sat in her bedroom before a large-mirrored dressing table, applying the final touches to her makeup. Her younger sister, Heather, lay sprawled on a floral print chaise longue.

"You really lucked out," she said, her eyes closed, her hands folded across her middle. "What a catch!"

"Is that your primitive way of saying you're happy for me?" Jinx asked, knowing better than to let Heather's bluntness upset her.

"Of course I'm happy for you. I'd be happy for you if you married a gym teacher or a beach bum—anyone. But Kipling Worldwide's not too bad. That's for sure." Heather opened her eyes long enough to inspect her nail polish. Then she closed them again. "Do you realize how much you're going to be worth in less than two hours? It boggles my mind!"

"Well, unboggle yourself and get dressed." Jinx got up from her small stool and swatted Heather with a towel. "I'd like to have my maid of honor walk down the aisle in something a bit more dignified than a bathrobe."

Heather sat up and grinned.

"Not even a multi-millionairess yet and already, it's pick, pick, pick."

Jinx sat down on the foot of the chaise.

"I'm not marrying him for his money, you know."

"I know," Heather said, trying to emulate Jinx's serious expression. "I know that his money didn't make you love him any more than you would have if he were just an ordinary guy, but you have to admit," she said, the grin beginning again, "it doesn't make you love him any the less!"

Jinx poked her sister in the ribs, giggled, and went to answer a knock on the door. Kate and Hank stared at her.

"You're not dressed," Kate said.

"That seems fairly obvious," Hank said, "but since I, for one, have seen this young lady in a similar state of undress several times before, I'm going to enter the bride's boudoir."

As he offered his arm to Kate, Jinx couldn't help but notice that even after all these years, it was blatantly, unashamedly obvious that Hank Elliot was madly in love with his wife. On this day especially, Jinx prayed that Kip would feel the same way about her twenty years from now.

Kate looked stunning. Cissie had shipped her five white growns, each a head-turner in its own right. Kate had selected the simplest of the five—a Nina Ricci snow-white silk garnished with tiny seed pearls and crystal bugle beads. The plain jewel neckline was embellished with a choker of pearls. The long, loose-fitting sleeves were punctuated by a gold bracelet-watch on one wrist, a diamond bracelet on the other. Kate's thick blond hair had been tucked into a neat French twist, pinned smooth in the back, curling softly around her face. A small silk cap with a pouf of delicate veiling at the back sat atop Kate's head and, in her hand, she carried a pair of short white lace gloves.

After she had inspected Jinx's makeup, she went into the bathroom to see what had happened to Heather. Hank took a seat on the bed and patted the place next to him, inviting Jinx to join him. When she sat down, he took her hand.

"This is the last time I'll have you to myself," he said. "But I just want you to know that as far as I'm concerned, you'll always be my princess."

He leaned over and gently kissed her cheek.

"I love you, Dad," she said, feeling close to tears. "You are an incredibly special man."

"Only because I was blessed with an incredibly special family."

"I never argue with him when he's right," Kate said, flashing her husband a smile as she reentered the bedroom.

"I have to say something to the two of you while there's still time."

"Are you backing out?" Kate's face flushed red.

"No," Jinx said, amused at her mother's immediate panic. "I just want you both to know how much I love you and how much I appreciate everything you've done for me." Then she stared deeply into Hank's eyes. "I also want you to know that no matter what has happened in the past or what might happen in the future, *you* are my father. *You're* going to walk me down the aisle, and *you're* going to give me away because there's no one else who deserves that privilege. Even if Benjamin Rostov were to walk in that door right now, it wouldn't change a thing. I love you."

She threw her arms around Hank and clung to him as she had so many times as a child, feeling safe and secure in his embrace. Kate watched the scene with mixed emotions. It gave her tremendous joy to witness the closeness between Jinx and Hank, but, at the same time, she couldn't help feeling a surge of anger at Jinx's natural father, the man who had sired her and then deserted her.

Why can't she just put him out of her mind and get on with her life? Kate thought. *Why can't she just forget about Benjamin Rostov?*

Le Chalet's restaurant had been cleared of its usual furnishings and turned into a wedding chapel. White velvet chairs had been set up on either side of a generous aisle. Tall ribbon-swirled posts topped by baskets of white roses stood guard at the end of each row of seats. A white satin runner stretched from the back of the room to the front, where a flower-decked canopy waited to shelter the bride and groom. Along the window wall stood fifty ficus trees, each one strung with tiny white lights, each one surrounded by lush white poinsettia plants.

A string quartet played softly in the background as relatives, friends, neighbors, and business associates filed into the room.

At precisely seven-thirty, the quartet began to play the love theme from *Romeo and Juliet,* signaling the start of the ceremony.

Heather paused at the entrance and then proceeded down the aisle with all the drama and grace of a leading lady about to mount her stage. Heather deserved all the approving nods and envious sighs that followed her. She was the goddess of winter, pure and serene in a luscious white charmeuse gown with an off-the-shoulder bodice trimmed in white fox. Her blond hair had been tucked into a white fox pillbox hat, and instead of carrying a bouquet, her hands were hidden inside a fluffy fox muff. Slowly, she paraded toward the canopy. Slowly, she stepped up onto the slightly elevated platform. Slowly, she gave up the spotlight in favor of her sister.

As the ensemble played Mendelssohn's wedding music, all eyes turned toward the back. The large doors opened and those nearest gasped audibly. Jinx was, without doubt, breathtaking. Her gown was the essence of simplicity—stark white peau de soie with a sweetheart neckline that dipped down from slightly puffed shoulders and curved around the gentle swell of her breasts. The gown seemed to caress the bride, flowing softly to the floor like a milky fluid that waved and billowed with each measured footstep.

She wore no veil. Instead, her hair had been sleeked back into a tightly woven braid. A pearl-encrusted comb held an antique lace mantilla in place on top of her head. The mantilla rose up at her crown and then followed along behind her as a lady-in-waiting follows a queen. Six feet of intricately tatted lace trailed after Jinx as she glided slowly down the aisle, her arm linked through Hank's, her hands clasping Hank's mother's Bible which had been covered with tiny orchids and streamers of satin ribbon tied around fragrant stephanotis. She was what she had dreamed she'd be—what every young girl dreams of being on her wedding day—a beautiful bride.

As she walked, her eyes sought and found those of her groom—beacons, guiding her toward him, bringing her closer to his side. Just before they reached the canopy, Hank stopped. He kissed Jinx and whispered, "Be happy." Jinx felt a damp drop fall onto her skin and mingle with a tear of her own. For a second, she held on to Hank. Then, she took the hand of the man who was about to become her husband and walked away from the man would always be her father.

The ceremony was romantic, yet brief, but to Jinx, it was little more than a jumble of words and gestures. She knew she drank wine and grimaced from its cloying sweetness. She knew she repeated vows and placed a ring on Kip's finger. She knew he did the same for her. But nothing was exact, nothing was explicit. Nothing seemed to stand out. Except for one phrase, one answer: "Do you take this man . . . till death do you part?"

"I do."

13
Frances Rebecca Ross
Becca

December 1972

BECCA FLIPPED THROUGH THE FRONT SECTION of the morning paper, skimming more than reading.

Sylvia was sitting on one of the love seats in the library, still in her dressing gown, an afghan and a large needlepoint canvas draped across her lap. Ben sat across from her, looking like an ad for pipe tobacco—hunter-green corduroy pants, hunter-green flannel shirt, red silk foulard, plaid socks, tassled loafers. Becca was snuggled into the wing chair closest to the fireplace, which was asserting itself with a roaring flame. Outside, a picture-postcard snowfall was making some people's dreams come true while putting a crimp in the travel plans of others.

"Why did every store in New York feel compelled to replace their usual ads with these soppy holiday greetings?" Becca snapped the paper for emphasis, turned the page, and retucked her robe around her legs.

"Because it's Christmas Day, darling."

Ben was growing impatient. From the minute Becca had arrived home for Christmas break three days before, nothing anyone said or did had managed to elicit a positive response. Everything was boring. College was boring. Ben and Sylvia were boring. Vacations were boring. And probably, Ben suspected, at that present moment, even Jonathan Hillman was boring.

Becca and Jonathan had been dating for over a year, and although both families assumed that one day they would be related by marriage, the "kids" had not made any plans. Usually, Sylvia tiptoed around the issue. On the few occasions when she came right out and asked Becca why she and Jonathan weren't even talking of marriage, Becca simply blushed and left the room as if she were embarrassed by Jonathan's hesitancy to declare his intentions. The truth was, Becca simply wasn't ready to be proposed to. When *she* was ready, *he'd* be ready.

"Do you realize there are four articles on the first two pages alone about how our first and second families are spending Christmas? They've even printed their dinner menus, as if anyone cares what they eat."

Ben dug his nose deeper into the book he was reading, but not before Sylvia noticed the scowl on his face. She looked up from her needlepoint, hoping to catch Becca's attention and urge her to brighten up, but Becca was too involved with her own mood to notice anyone or anything else.

"God! If it's not sweet potatoes and cranberries, it's blood and gore. Can't they come up with anything more newsworthy than stories about people who blaspheme Christmas by raping and pillaging?"

"Can't you do anything but complain?" Ben slapped his book closed and glowered at Becca. "It's Christmas Day, your mother has planned a wonderful family dinner for us, and I will not tolerate another second of your bah-humbug attitude. Do I make myself clear?"

Becca nodded dumbly and retreated behind the newspaper. Though she couldn't bring herself to offer it to her father as an excuse, for the past few weeks she had been feeling unusually unsettled and cranky. At first, she had thought she was experiencing the early stages of some exotic flu. Then she chalked it up to a heavy workload at school. At one point, she even shifted the blame to the increasing sexual tension between her and Jonathan, knowing that sooner, rather than later, that debate had to be resolved. But deep down, Becca sensed that it was neither Asian germs, end-of-semester papers, nor Jonathan's gropings that had her on edge. Her distress was rooted somewhere else, with someone else.

With an almost absentminded rhythm, she flipped the pages of the paper, rolling them over one by one. Suddenly, her eyes zeroed in on a headline in the society section: "HARRISON KIPLING, HOTEL GIANT, WEDS JINX ELLIOT IN VAIL CEREMONY."

Becca's head began to pound and her palms filled with sweat as she stared at Jinx's Bachrach wedding portrait. Three times Becca went over the half-page story, lingering on words like "lavish" and "stunning" and "happy couple" and "fairy tale wedding." Like an engine with a loose valve, her mind kept missing, deleting extraneous words, editing the entire article down to snips and blips. Her head had begun to pound so unmercifully that intermittently, all she saw was a dark blob in front of her eyes.

Becca bit down on her bottom lip as she rose from her chair and struggled toward the hall. The newspaper was tucked securely under her arm. Her hands were closed into tight fists. Her jaw was set.

"Where are you going, darling?" Sylvia asked.

"I have a terrible headache, Mother. I'm going up to lie down until our company comes."

"Would you like me to call the doctor?"

"That won't be necessary." Her voice had become a low hiss, seeping through clenched teeth.

The blackness before her eyes thickened. She stumbled, but quickly recovered, moving as fast as she could to the sanctity of her room. Once there, she locked herself in the bathroom and opened the window. A gust of cold air rushed past her. A few stray snowflakes wandered onto the windowsill and dressing table below. From a drawer, Becca took a pack of matches, lit one, and held it to the offensive newspaper.

Tiny sparks grew into small flames as Becca twirled the paper in her hand. The fire spiraled around and around, devouring its prey. Becca's head throbbed and her vision blurred, but her upper lip curled into a half smile as the flames licked across the face of Frances Rebecca Elliot Kipling and turned her portrait into crumbled gray ash.

By three o'clock that afternoon, the Ross house overflowed with guests and good cheer. Everyone gathered in the garden room or the library, where Max Hillman was trying to impress everyone with his latest business coups while Ben tried just as hard to catch up on the latest family news with his brother-in-law, Bert. Ruth Hillman had barnacled herself to Tessa, asking a thousand questions, barely waiting for a single answer. She would have preferred attaching herself to Lillie, Ben's movie-star sister, but Lillie had dismissed "that twitching Hillman woman" *tout de suite.* She was intent on gaining sympathy for the mistreatment she had suffered at the hands of her ungrateful daughter.

Sylvia would have loved to have used the excuse, "I'm needed in the kitchen" to escape her sister-in-law, Molly, but since she had hired three in help in addition to her live-in cook, she knew she had no choice but to stand there and be cordial. Molly was the plainest of the Rostov sisters, but she was also the most intellectual and, therefore, Sylvia's least favorite. There was no way she could even feign an interest in Molly's recent election to the Board of Education or get involved in a discussion of Richard Nixon's presidency. Sylvia was as allergic to politics as she was to polyester.

Fortunately, Andrew Kahn loved talking politics in general and to his Aunt Molly in particular. As soon as he had a drink, he relieved Sylvia by ushering the senior Rostov into the garden room. Within minutes, Ben, Bert, Tessa, Herb, Herb and Molly's son, Jack, and his fiancée, Beth, had joined the circle so they, too, could listen to Andrew's account of Noah's successful run for the State Senate. That left Lillie to entertain the Hillmans.

"You sacrifice everything and then, for no reason at all, they toss you aside like an old shoe." Lillie wiped an imaginary tear from her eye. As much as she would have preferred playing this scene out for the entire Rostov clan, any audience was better than no audience at all. "Not that I wasn't thrilled to leave that overgrown rice paddy, mind you."

"Weren't you frightened being so close to the war?" Ruth had turned into a perfect foil.

"Of course, darling, but in show business, one must go where the show is, no matter how dreary or how dangerous."

"Show business is so glamorous," Ruth oozed.

"Not always." Lillie patted her hand, sighed, and lowered her eyes.

"Where's Frankie now?" Max asked.

"I don't know," Lillie lied. Frankie had completed the Jody Hart tour, spent a few extra days in Thailand with Zach, and then had gone to Hollywood to be with her father. "I'm still her mother and no matter how horrid she was to me, I'm still concerned about her. You'd think she could drop me a line to let me know where she is."

"Stuffed mushroom? Cheese stick?" Sylvia couldn't listen to another word. She had walked over with a tray of hors d'oeuvres just in time to witness Lillie's performance.

"Where are Becca and Jonathan?" Ruth said, nibbling delicately on a cheese stick.

"Off somewhere exchanging gifts," Sylvia said, winking.

"Don't get your hopes up," Max said as he shoveled a mushroom into his mouth. "If Jonathan were going to pop the question, believe me, I'd be the first to know."

"Why you?" Lillie batted her eyes at Max, deciding to amuse herself with a small flirtation.

"Because before he'd put a ring on her finger, he'd stick his hand in my pocket!" he chortled.

Lillie laughed and patted Max's thigh. Ruth blushed and Sylvia took her tray of canapés into the other room.

Jonathan and Becca sat on the beige channeled-silk sofa in the living room, dwarfed by the enormous space and the large scale of the furniture. The view from the leaded windows that looked out over the front lawn was pristine and picturesque. Snow frosted the trees, gilding them with a thick whiteness that glittered against the gray winter sky.

Pots of pink poinsettias lined the windowsills, peeking out from behind ivory damask drapes. On the antique marble mantelpiece, two eighteenth-century Imari cachepots held fresh holly and pine boughs, and flanked an oil by André Derain, a French painter of the Fauve school. Behind Becca and Jonathan, on the back wall, hung a Beauvais tapestry, its muted grays, greens, golds, and beiges providing the main palette for the room. In front of them sat a large brass and glass cocktail table on which were displayed antique silver candlesticks with tapers tied in red velvet ribbon, a country basket filled with white pine cones, and a terra-cotta bowl brimming with fresh walnuts.

"I hope you like it," Jonathan said, handing Becca a large box.

He waited anxiously as she untied the ribbon and unwrapped the package, gingerly lifting his handmade gift out of the box and holding it out in front of her. As her mouth spread in a slow, appreciative smile, Jonathan sat back and smiled with her.

"It's beautiful," Becca said, studying the wooden sculpture of a nude woman lying on her side, her arm behind her head, her back arched.

Gently, Becca's hand caressed the smooth, highly polished surface, tracing the form with her fingers, feeling its innate sensuality.

"Anyone I know?" She was suddenly very self-conscious.

"I keep telling you you'd make a great subject, but for some strange reason, you insist on thwarting my artistic leanings by keeping your clothes on."

"I'm going to ignore that," she said, leaning over to plant a soft kiss on his cheek. "In spite of the fact that you're an incurable sex maniac, you're a truly remarkable sculptor. This is definitely the best you've done."

"Do you really think so?" Becca was knowledgeable about art and her opinion meant a great deal to Jonathan.

"Yes. She's beautiful."

"Stop feeding him that crap! Any two-year-old could do that!"

Neither of them had heard Max enter the room. He stood over them like a hulking bear, his face twisted into a cynical snarl. He reached for the statue, but Becca stopped him.

"This is mine, Mr. Hillman, and I'll thank you to leave it alone."

"With pleasure. It's junk!"

"That's your opinion," she said in a tone that was as condescending as she dared be to one of her father's clients.

"You bet it is," Max fumed. "It's also my opinion that if he spent more time in the factory and less time in that stupid studio, he might learn something important, like how to earn a living!"

Becca started to speak, but Max had exited as abruptly as he had entered.

"The man is a pig," Jonathan said, fighting to harness his anger and his humiliation. He got up from the couch and walked over to the front window. His hands gripped the sill and for a few moments he stood and watched the snow fall, silently, sullenly.

Becca let him be. She had seen these confrontations before and knew that in a few minutes, Jonathan would be himself again. She also knew that while she agreed that Max Hillman was an unquestionably awful man, she would not enflame Jonathan's hatred, nor would she encourage his feelings of rebellion. Max controlled an extremely large, extremely profitable company, one that would keep Jonathan and his future wife living in a style to which Becca was very much accustomed and had no intention of giving up.

So, as she had done many times before, Becca would bolster his ego and salve his wounds knowing that whatever recovery she effected was only temporary. Tender loving care was not the antidote for Jonathan's problem.

Jonathan was a man of average intelligence with an above-average aptitude for working with his hands. When tested, results consistently indicated that his best career choices were in the fields of construction, craft, engineering, or fine art. Naturally, Max's response to these tests was utter disbelief. No matter how many experts said that Jonathan's native artistic ability was extraordinary, Max continued to demand that Jonathan be an executive. He insisted that the teachers had rigged the results as a way of whitewashing their own inadequacies and covering up their failures. He could never and would never accept the fact that his only son was neither equipped for nor interested in becoming a mogul.

"I haven't given you my present yet," Becca said, coming up behind him and slipping her arms around his waist.

He looked down. In one of her hands she waved a check made out to him. When he looked at the signature, he was overcome with joy and gratitude.

"I brought two of the other sculptures you gave me to an acquaintance of mine who owns a gallery on Madison Avenue. When I asked for his opinion," she explained, "he raved! In fact, he asked if he could put them in a group show. Last month, he sold one. I hope you don't mind."

"Mind? It's the greatest thing that's ever happened to me." Jonathan kissed the check. "Someone actually paid three hundred American greenbacks for a Jonathan Hillman sculpture! God! I feel wonderful!" He grabbed Becca and hugged her. "You feel wonderful! And do you know what else would feel wonderful? Shoving this check up the old man's ass," Jonathan said.

"I don't blame you, but why don't we keep this our secret. Telling him wouldn't change the way he feels, and besides, I did this for you, not him."

"True," he said, taking her in his arms. "You are a brilliant woman." He nuzzled into the soft flesh under her chin and kissed her neck. "You are also a very sexy woman." As his mouth moved toward her lips, she stopped him.

"Let's stick to brilliant," she said, pushing his hands off her hips. "At least for now."

"Does that mean that later, we can get back to sexy?"

"Maybe."

Jonathan grinned. That was the closest she had ever come to a "yes." He had tried everything to seduce Becca, to no avail. He told her about his other women in the hopes that it would make her jealous. It only made her cry. He pushed himself on her in the hopes that it would make her excited. It only frightened her. He threatened to leave her and never see her again in the hopes that it would make her agreeable. It only made her more determined than ever that if she let him "have his way with her," he would be gone the next morning in search of his next conquest.

Jonathan didn't know whether this sudden thaw was due to gratitude for his gift, sympathy because of his father, a growing sense of closeness, or simply an honest desire for intimacy. Whatever it was, it was a step in the right direction, and he planned to follow it up—as soon as possible.

By the time Becca and Jonathan rejoined the party, cocktail hour was coming to an end. Sylvia nudged Becca to speak to her aunts and uncles, while Ruth took Jonathan to meet Becca's cousin, Jack. Lillie was still playing up to Max, and Molly continued to hold court in the garden room, so Becca opted to chat with Tessa and Bert.

"Where are Cissie and Noah?" she asked. "When I heard that they called at the last minute to cancel, I was so disappointed."

"They didn't want to take the baby out in this snowstorm," Tessa replied, matching her niece's saccharine smile with one of her own.

"Too bad. I would have loved to have seen little Alexis. I heard she's quite cute."

"You heard wrong. She surpasses cute. My granddaughter is the most gorgeous child ever born," Bert said with a broad grin. "But don't take my word for it. Go see for yourself."

"I'll try and make it." Becca's smile was wilting.

"Actually," Bert continued, disliking the sarcastic edge in her tone, "I'm surprised you haven't been to visit your newest cousin. Everyone else has."

"I've been busy shopping for frankincense and myrrh." She kept what was left of her smile firmly fixed, but turned her attention to Tessa. "I did send an adorable Smith sweatshirt, however. Didn't Cissie mention it to you?"

"I believe she did." Why did Becca always answer what she interpreted as a criticism with an implied criticism of her own? "If she hasn't thanked you already, I'll do it for her. Thank you, dear."

"My pleasure." Becca had tired of Tessa and Bert. She looked around to see if there was anyone else to talk to, but everyone seemed occupied. "And did I tell you how lovely you look today, Aunt Tessa? One of your own designs, I suppose." Becca picked up a fold of Tessa's dove-gray pleated cashmere skirt and rubbed it between her fingers.

"Yes, as a matter of fact, it is." Tessa gently took the skirt away from Becca and resmoothed the pleat.

"You're so talented," Becca said. "I wish I had something obvious to zero in on and make a career out of. I seem to be a jack of all trades and a master of none."

"Why not try acting? Or creative writing? Or even politics?" Andrew Kahn said, breaking into the circle and ignoring his mother's warning look.

"I suppose, if I can't find anything else, I could always go into my father's business," Becca said sweetly. "Isn't that what you did?"

"Ouch!" Andrew grabbed his throat and gagged.

"And now, if you'll excuse me. I must find Jonathan."

As Becca left the library, Tessa started to admonish her son, but he and Bert were too busy laughing to listen, so she kept her thoughts to herself. Though it pained her to admit it, she thorougly disliked her niece. It pained her even more to know that her opinion was shared by Bert, Cissie, and Andrew. Over the years, Tessa had tried to find some common ground with the daughter of her favorite sibling, but for some reason, there remained a massive chasm between them.

"Talk about the proverbial wolf in sheep's clothing," Andrew was saying, pointing to Becca, who was now standing with Jonathan and Ruth, "that woman has the sharpest fangs this side of the Bronx Zoo!"

"Is that a roundabout way of saying that she lunged and you weren't quick enough on the parré?" Bert asked, wrapping a consoling arm around his son's shoulder.

"What I'm saying is that spending an afternoon with Becca Ross has never been my idea of a good time."

"Dinner is served."

A tall, gaunt gentleman with a British accent escorted the Ross's guests into the dining room. Something about the disapproving lift of his eyebrows discouraged lingering.

Tessa didn't have to search very long to find her place. Just as she walked in, she spotted a small white card which placed her on her brother's left, across from her sister, Molly, who was seated on Ben's right. As she took her seat and glanced around, she silently congratulated Sylvia on her exquisite taste.

Surrounded by walls upholstered with a beige-on-beige patterned silk and bleached floors covered with a Savonnerie rug, a large Sheraton table dominated the room, draped in ecru lace and set for thirteen with Sylvia's best Limoges china, Tiffany silver, and Baccarat crystal. In addition to eight leather-seated Hepplewhite chairs, Sylvia had added five wooden fold-ups to accommodate everyone. A brass hunting-horn chandelier hung from the center of the ceiling, highly polished and gleaming like a torch even though its thirty-five electric candles were set at only half their maximum wattage.

"Isn't it great having everyone together," Ben asked, taking Tessa's hand in his and giving it a tender squeeze.

Tessa smiled and nodded. It was wonderful being with her two sisters and her brother at Christmas, but even her normally ebullient sense of holiday, mixed with her enormous love of family, couldn't overcome the nagging discomfort she felt being in Ben's company.

That morning, she had read several newspaper accounts of Jinx and Kip's wedding. From Cissie, she had heard all the spicy little details not covered by reporters. In addition, she had spoken to Jinx the previous evening just minutes before the ceremony, when Jinx had called to say "thank you" for the gowns in her wedding party and especially for her very own LaTessa original. Tessa's heart ached at the thought of Jinx's real father being so deliberately absent from such a momentous event. She truly believed that Ben had lied to her when he'd said he had not heard from Kate, and she truly believed he was making a mistake.

In the weeks preceding the opening of the Chalet boutique, Tessa had spent a great deal of time with Jinx and she felt she had begun to know her fairly well. She had seen Jinx handle complicated business dealings with calm assurance. She had watched her smooth over personality flareups with diplomacy and grace. She had marveled at how, no matter how busy Jinx was, she still found time to do nice things for others, especially for Cissie and Noah. Jinx Elliot was a wonderful young woman, a woman Tessa would have been proud to call her niece. But she couldn't claim her as a relative. Not until her brother claimed her as his daughter.

"What's the matter, Tessa? Don't you feel well? You haven't eaten a thing."

Ben's voice seemed to come out of a babbling chorus. For a second, Tessa was disoriented.

"What? Oh," she said, snapping back. "I was just admiring this beautiful gathering. The young people are quite stunning, don't you think?"

Ben glanced around the table and nodded in agreement.

"Molly, darling," Tessa continued, "Jack's Beth is very special."

"Herb and I think so too. She's a marvelous addition to the family. We're very grateful."

"How's Mark doing in L.A.?" Ben asked.

"He's increased production to a point where Acropolis Mannequins is fast becoming number one in the industry."

"Mannequins?" Jonathan's ears had perked. "What a fascinating business that must be."

"That's one way of looking at it," Herb said, responding to the young man's obvious interest.

"One of these days, if I ever get to L.A.," Jonathan said, "I'd love to visit your factory."

"My son has an obsession with naked women," Max boomed, poking Lillie in the ribs. Lillie moved her chair to the left. To her credit, she had already lost interest in Max Hillman.

"Don't we all," Herb countered, smiling encouragingly at Jonathan. "Molly claims the only reason our business is so successful is because I'm such a dirty old man!"

"Don't believe a word of that," Molly laughed. "The business works because Mark has an eye for beauty, Herb has a head for numbers, and Jack has the gift of gab."

"Let's not leave big sister Sarah out of this," Jack said. "Before she married Michael, she used to sketch faces for us."

"What a family you have," Ruth said. "Two obviously gifted sons, an equally talented daughter, and a daughter-in-law-to-be who's both beautiful and, if I understand correctly, soon to be admitted to the bar. You're very lucky."

"They had another daughter," Becca said in a low, tragic whisper, "but she died very young. Polio."

Tessa was incensed. Even though Frannie Schwartz had died almost twenty-five years ago, it was still a sensitive topic, one most of the family left alone.

"I'm so sorry," Ruth said, suddenly embarrassed, as if she had walked in on something she wasn't supposed to see.

"It's all right," Molly said, annoyed with Becca for putting an innocent woman in an uncomfortable position. "It happened a long time ago."

"Way before I was even born," Becca continued, deliberately concentrating on Ruth and ignoring the rest of the table. "The poor little thing was cursed."

"I beg your pardon?" Ruth didn't know whether she was supposed to drop the subject or pursue it.

"Aunt Molly was pregnant with Frannie when her mother died. Everyone knows it's bad luck for a pregnant woman to go to a cemetery, but after all, it was her mother." Becca shrugged, leaving the impression that Molly had made a choice that had doomed her unborn child to an early death.

In the silence that followed, Sylvia busied herself serving dessert. Ben asked about after-dinner drinks and disappeared into the library to oversee the bar.

No one spoke.

Tessa was confused. Why had Becca brought up Frannie? What purpose had it served other than to raise an old hurt? She glanced over at her niece. There was no sign of remorse, no hint of regret. She sat stirring her coffee as if nothing had happened.

"I read in the paper that you've opened a new LaTessa," Ruth said, directing her query to Bert, hoping to break the awkward silence and to make up for what she presumed was a major faux pas. "Somewhere in the Southwest, I believe."

"Vail, Colorado," Bert said, far more enthusiastic over his coconut cream pie.

"It's a test boutique." Tessa knew how much Bert hated to discuss business over dinner. "We opened it up as part of a test program with Kipling Hotels."

Tessa was certain that Becca flinched at the mention of Kipling's name.

"It sounds very exciting," Ruth continued, oblivious to any undercurrent.

"It is." Tessa kept her eye trained on Becca. "The Chalet opened up a spa and one of the new young executives at Kipling Worldwide suggested that we open a boutique right next door."

"Sounds like a bright young man on the way up," Max Hillman interjected, staring at his son.

"In this case, the bright young man happens to be a bright young woman," Tessa said pointedly. This time there was no doubt. Becca flinched. Was it possible she knew something?

Tessa debated whether or not to continue this conversation or just to let it drop. There were strange vibrations in the air, vibrations that closed in around her like a too-tight scarf. "I don't like to break up the party," she said, finding her need to escape greater than her need to investigate, "but the snow is getting thicker and we've all got a long drive home."

She stood, a signal to her husband. Reluctantly, Bert pushed his second helping of pie away and joined his wife.

"It's been wonderful," he said, "but as usual, Tessa is right. It's getting ugly out there."

The Kahns led the exodus to the foyer, where everyone climbed into fur coats and galoshes and said good-bye. Only the Hillmans stayed behind. Max had decided that it was too far and too dangerous for them to drive home and he had imposed on Sylvia to put the three of them up for the night.

As they pulled out of the driveway, Tessa turned around. Standing in the doorway were Ben, Sylvia, and Becca—the typical American family posed in the portal of a grand house on a snowy Christmas Day, waving farewell to family and friends. It looked right. But Tessa knew it was wrong. All wrong.

Ruth Hillman was an insomniac. It was not unusual for her to wander downstairs in the middle of the night in the hope that a quiet moment, a cup of warm milk, and a bit of alcohol would coax her body to sleep. What was unusual, however, was to have company during her midnight meditations. While her milk heated in the kitchen, she tiptoed into the library, heading for the liquor cabinet and the Courvoisier. To her surprise, she was greeted by her son, who quite obviously had already paid more than one visit to the bar.

"Good evening, Mother dear," he said, a crooked grin twisting his mouth into an uneven curl. "How nice of you to stop in."

"Jonathan! What are you doing?" she whispered, upset at how tipsy he was, concerned, too, at the thought of someone else finding him in this condition.

"I'm doing what you're always telling me to do," he said, his blue eyes watery but shining. "I'm learning to deal with my father."

"Drinking isn't the answer," Ruth scolded as Jonathan raised his snifter, toasted his mother, and took a hefty gulp of the stinging liquid.

"Stay here," she said. "I'm going to fix you some coffee."

Ruth shook her head, went into the kitchen, and quickly fixed milk for herself, coffee for him. When she returned, it was clear that he had finished his brandy and poured a refill.

"I'm sorry if he embarrassed you today," she said, sitting down beside him.

"Why should you be sorry? You didn't do anything. Besides, he embarrasses me every day." Jonathan laughed suddenly. "This time, though, I think he finally embarrassed himself. Did you see him falling all over that Lillie Rostov? He kept stroking her arm and puffing in her ear and rubbing up against her leg and trying to lay on the charm, but she threw him aside like yesterday's garbage, which is just what he is. I don't know why you stay with him."

It was a good thing Jonathan wasn't expecting an explanation, because Ruth had none to offer. She, too, had watched Max make passes at Lillie. While part of her wanted him to stop because she felt he was making a fool out of her, another part wanted him to continue because secretly, she enjoyed watching Lillie make a fool out of him.

"Is that the real reason you're so upset?" she asked, sensing that there was more. "Or did something happen with Becca?"

Jonathan swallowed the last of his brandy.

"Something must have happened with Becca," he said woodenly. "If she said two words to me after dinner, that was a lot. Shy is shy. I'm used to that. This was pissed off."

"She complained of a headache," Ruth said, trying to sound reassuring. "You know how prone she is to migraines."

"I think she wanted to complain about me. That's what I think." He sipped some coffee. His eyes had lost some of their brightness. "She went out of her way to do something really terrific for me and how did I repay her? By embarrassing her in front of her whole family."

"How did you embarrass her?" Ruth said, jumping to his defense.

"By just being me, Mother."

"I think just being you is wonderful."

"You're my mother and mothers get paid to say things like that," he said, leaning over and kissing her cheek. She patted his head and, for a few moments, they sat silently.

"You know the old expression, When everyone tells you you're drunk, it's time to lie down," he asked, his voice very soft and low. "I'm beginning to think it's time for me to lie down. It's time for me to admit that maybe the old man isn't all wrong."

"What do you mean?"

"Andrew Kahn works for his parents and he loves it. Jack Schwartz and his brother both work in his family's business and they're proud of what they do. I should be thrilled to carry on the Hillman name and to have a chance to work in such a successful business. Why is it that I'm the only one who can't stand the thought of working with his father?"

"Maybe because your father makes it difficult." Usually Ruth sided with Max, believing that parents had to provide a united front for a child, but her child was too sad and hurt for her to do anything except tell the truth.

"Maybe he makes it difficult because I'm difficult."

"You're beating yourself up for no reason, darling. In the morning, Becca will be feeling better and the two of you will be back to your old selves. You'll see."

"You really like her, don't you?"

"Don't you?"

Jonathan laughed.

"Right now you could ask me if I liked Lucretia Borgia and I'd say yes."

Jonathan sat back. His head was spinning. Then he sat up and sipped his coffee until the double image of his mother blended into one recognizable person.

"You'd like me to marry Becca, wouldn't you?"

"I'd like you to be happy," Ruth said.

"But you'd like me to be happy with her."

"Yes, I guess I would." It was easy for Ruth to answer quickly. She had thought about this for a very long time. "She's a fine young woman from a wonderful family. She seems to be genuinely fond of you, and from what I can see, she's more than capable of taking care of you."

Jonathan laughed and, at the same time, wiped a drop of moisture from his eye.

"And you think I need taking care of, don't you?" he said.

Ruth kissed his cheek and smoothed down a lock of his hair.

"You're very sensitive, Jonathan," she said, "with a great deal of emotion bottled up inside of you. With the right woman, you'll lead a full and happy life. You'll also find peace, not only with your father, but also with yourself."

"And exactly what constitutes 'the right woman'?"

"Someone who loves you and understands you and accepts you exactly as you are. Becca loves you, Jonathan."

"I wish I could be that sure."

"Have you ever told her you love her?"

He shook his head.

"Why not?"

"I guess I'm afraid."

"Tell her," Ruth said, understanding all too well his fear of rejection. "I think you'll be surprised at her response."

An instant. A second. A single look passing between two people. That was all that was necessary. At the mention of Kipling's name, Becca and Tessa's eyes had met accidentally and then locked purposefully. It was in that instant that Becca knew.

Ever since she had managed to excuse herself from her parents and the Hillmans, Becca had paced back and forth across her bedroom floor. Her head hurt. Her eyes hurt. She couldn't bear the glare of even a single light bulb. The room would have been completely black, save for a wide sheath of moonlight that painted a silver path on her carpet.

Her long blond hair hung loosely down her back. Her nightgown undulated as she walked, rippling against her body like soft waves lapping at a shoreline, the silky white fabric blending with her pale skin until she appeared almost pearlescent. She looked like a Midlothian heroine—small, pale, delicate, bravely trying to do battle with forces beyond her control. But Becca was not a product of Sir Walter Scott's imagination. She was not frail and frightened. Nor was she innocent and defenseless. As far as she was concerned, nothing was beyond her control. It was simply a matter of figuring out *whom* to manipulate and *how.*

Obviously, her Aunt Tessa was aware of Jinx's existence. Worse, she had befriended her. That created two questions that needed answering: had she discussed Jinx with Ben, and, if not, why not.

Why did she change the subject so abruptly when Ben walked back into the dining room?

She could have continued the conversation, Becca reasoned.

Ruth Hillman was more than willing to pursue it. Why did she abort it then, at that precise moment? Why did she suddenly stand and make a hasty exit?

Had she mentioned Jinx to Ben before?

Maybe they had had a row. Ben had denied Jinx's paternity and demanded that the subject be dropped forever. Becca knew that her father could be a formidable man, often stubborn and unforgiving. She also knew that Tessa was devoted to Ben and would never do anything to jeopardize their relationship. Possible.

Had Tessa given Kate Elliot Ben's phone number and address?

Becca stood by her window, staring sightlessly at the snow that continued to fall outside. The memories of that letter and then, that woman's voice on the phone demanding that Ben acknowledge another child flooded her with violent spasms of pain.

But Ben had asked Kate where she had gotten his phone number.

Becca had answered one of her questions: Ben and Tessa hadn't discussed a thing—yet. Why not? What was Tessa waiting for? She knew who Jinx was. She knew where she was. Plus, it was evident that she liked her. Why hadn't she tried to effect a reconciliation between father and long-lost daughter?

Certainly not because of me.

Becca had the instincts of a fox. She could pick up the scent of an enemy from miles away, unearthing it from beneath even the thickest coat of pretended friendship or affection. She knew that none of her relatives really loved her. They pretended to. They probably even wanted to. But they didn't. And Becca refused to understand why, because basically, she didn't care. Becca was interested in people only in terms of what they could do for her or to her. If she needed something from them, she cared. If they could be an asset to her, she cared. And, as in this case, if they could hurt her in any way, she cared.

Becca moved away from the window, retreating into the darkness to help her think, as if the shadows could give shape to her jumbled thoughts. Finally, it dawned on her.

Tessa hasn't said anything because Jinx still doesn't know about Ben!

Becca rocked back and forth, groping for a chair, trying to catch her breath. Gently, she lowered herself onto her chaise, inhaling, exhaling, pressing against her temples to try to relieve the incessant pounding. After several minutes, her head cleared enough so that she could think.

If Tessa hadn't yet confronted Ben or Jinx, Becca could only assume that she wouldn't unless provoked. She also assumed that if Kate hadn't told Jinx where Ben was, she, too, would remain silent. That left only Ben to worry about.

Except that when he had the chance to call Jinx, he didn't.

If he had contacted her in any way, Tessa wouldn't be fighting so hard to cover up the truth.

Still, Becca thought. *I have to be sure he never wants to contact her. I have to be sure he never wants or needs any daughter other than me.*

Becca stretched, lifting her arms above her head. As she did, her eyes caught the quick glimmer of her golf trophies. She smiled.

"Frances Rebecca Elliot Kipling. You may be one up right now," she whispered to the darkness. "But this match isn't over yet."

She must have dozed off, because the knocking on the door startled her.

"Come in," she said, half awake, not thinking.

Moonlight continued to spread a subtle, seductive glow around Becca's bedroom. Through a brandied fog, Jonathan peeked in and marveled at the luminescent veil washing over the sleepy woman on the chaise. He took a second to adjust to the dimness and then quietly, closed the door behind him and went to her side. He didn't speak. He didn't even touch her, but his eyes stroked her body with long, sensuous glances.

"I wanted to apologize," he said, his voice little more than a whisper.

"For what?" Becca felt the heat of his stare.

"I'm not sure." His mouth curved into a small smile. "But whatever it was that made you angry, I'm sorry. I didn't mean it. I'll never do it again. And if you'd like to punish me by sending me straight to bed, well, I'd understand."

She laughed, which Jonathan interpreted as forgiveness and encouragement. He leaned over and gently pressed his lips against hers. She didn't push him away, so he continued to kiss her, tickling her lips with his tongue, making tentative moves with his hands. He slipped one arm underneath her, lifting her off the chaise and bringing her to him. Still, she didn't resist. His kisses grew stronger, deeper, more passionate. He began to massage her back, sliding his hand along the silken cloth of her nightgown, onto her skin, and up into her hair. When her arms wrapped around his neck, his hand glided around to her breasts. Slowly, gently, almost respectfully, Jonathan touched and caressed her, expecting her to tell him to stop, joyous that so far she hadn't.

Always, Becca had pulled back from Jonathan's caresses. She had never allowed him to kiss her below her neck. Tonight, his lips grazed her breasts. She had never allowed him to touch her without clothes on. Tonight, his hands pushed aside the skinny straps of her nightgown and exposed much of her chest.

It surprised her that just the sensation of a man's mouth exploring hers would tingle her insides. It surprised her that the touch of Jonathan's hands on her body should make her feel so warm, so weak. Her breath quickened when Jonathan stroked her breasts. Jonathan had done all of this before, but Becca had never allowed herself to respond in any way. Tonight, she did.

Jonathan stretched out beside her on the chaise, never rushing her, never overwhelming her, but also, never letting up in his gentle pursuit. He wanted to carry her to the bed, to take off his clothes, her clothes, to show her how much he cared about her. But he had learned that Becca did things at her own pace.

Soon, Jonathan's own excitement began to demand something more.

"Please," he whispered in her ear.

He pressed against her so that she could feel his need. He took her hand and placed it near him, hoping she would understand what he wanted her to do.

She snapped her hand away.

"Please," he whispered again. "I want you."

"I can't!" she said, her lower lip quivering. "Why is sex so important to you?"

Jonathan smiled at her and ran his finger over her lips.

"Because it's the only thing I do that makes people happy," he said. "I love you, Becca, and more than anything else, I want to make you happy."

As if to prove his point, Jonathan kissed her deeply, shifting his body closer to hers. For a minute, Becca considered relenting, but just as quickly as the thought entered her mind she dismissed it. She had a better idea. She responded just enough to keep his excitement building, but mentally, she concentrated on what was to happen next, forcing herself to ignore what she was feeling now.

His thighs pressed against hers and she could feel his full weight on top of her. Still, she returned his kisses, she gave his hands free rein on her body. Her moment was coming. She was too inexperienced to know when it would occur and how she would know, but instinct guided her. Then she felt his legs stiffen. She heard his breath shorten to quick puffs. His palms moistened and his fingers closed tightly around her arms. Suddenly, she felt a warm wetness seep through her nightgown onto her thigh. Instantly, she began to cry.

"I can't believe you've done this to me," she sniffled. "You claim you want to make me happy and what do you do? You treat me like some common tramp!"

Jonathan was still puffing, and slightly embarrassed at his lack of control and the large stain on his pants, but he couldn't believe what he was hearing.

"Becca, I'm sorry. I didn't mean for this to happen," he said, sliding off her. "Don't cry," he said, using his shirttail to wipe her eyes. "We didn't really do anything."

Becca sniveled and occasionally, shuddered.

"We almost did! And now, you won't ever see me again, will you?" She kept her eyes down, her lips twisted into a sad, sloping arc.

"I love you," he insisted.

She shook her head and sobbed slightly.

"No, you don't," she sputtered. "Now you think I'm *that* kind of girl."

Jonathan brushed her hair off her face and lifted her chin, forcing her to look at him.

"Becca. Do you love me?"

For the longest minute, she stared at him. Then she nodded.

"If I love you and you love me," he said, "then we didn't do anything wrong."

"But we're not—" She paused, searching for the courage to finish the sentence.

"We will be," he said, kissing her hand. "If you'll say yes."

She offered him a shy smile.

"I think I already did," she said.

The next morning, Becca and Jonathan appeared hand in hand at the breakfast table.

"We have an announcement to make," Jonathan said.

Ruth smiled immediately. Sylvia's eyes widened. Ben and Max waited.

"If you'll give me your daughter's hand, sir, Becca and I would like to get married." Jonathan faced Ben, speaking quickly, as if this were an ordeal he couldn't wait to have over.

"It's not that this is unexpected," Ben said, smiling, in the hope that it would relax Jonathan and quell some of the boy's nervousness. "And it's not that I wouldn't be thrilled to have you as a son-in-law, but I would like Becca to finish school."

"I know, sir. And I agree. That's our plan. Even though I've never been a big fan of academia, I think it would be nice if Becca and I had one degree in the family."

Ben rose from his chair and walked over to Jonathan, his face properly solemn.

"In that case, you have my blessing and my congratulations." He shook Jonathan's hand and then hugged his daughter. "I'm happy for you, Becca."

"I'm happy too, Daddy," she said, more certain than ever that she had done the right thing.

For the next few minutes, Sylvia and Ruth tittered and giggled and embraced everyone in the room. Becca held on to Jonathan's hand throughout, looking up at him every so often, letting him peck at her cheek affectionately. Yet, it had not escaped her notice that Max still hadn't said a thing.

"How about a June wedding?" Sylvia said, brimming with excitement.

"It sounds lovely, Mother. What do you think, Jonathan?"

"Fine with me."

"At the club?" Sylvia asked. "Or at the Pierre?"

"Whatever Jonathan wants," Becca said, again looking up adoringly.

"Mrs. Ross, I'm going to leave those details to you and Becca. Just tell me where and when. I'll be there."

"You haven't said anything, Mr. Hillman." Becca shifted her attention from Jonathan to his father. She put on her best smile, her sweetest face. "I hope you're happy for us too."

Max pushed his chair back and stood, slowly, milking the moment. He walked around the table to where Jonathan and Becca were and wrapped his arms around his son. When he spoke, his voice cracked.

"I couldn't be happier if I picked the bride myself!" he said, a broad grin taking hold. "I'm proud of you, son."

Jonathan beamed. He hadn't realized just how important his father's approval was. He thought he had hardened himself against hoping for a pat on the back. That way, when he received a punch in the stomach, it didn't hurt quite so much. But when Max hugged him again, he thought he felt something approaching love emanating from that bearish body.

Max went from his son to his prospective daughter-in-law, embracing Becca gruffly.

"My son is a lucky man," he said. "But I hope you know what a lucky young woman you are to have someone like Jonathan for your groom."

Becca batted her eyes at Jonathan and offered Max a beatific smile in spite of the fact that he had insisted on pinching her cheek. She wanted to tell him that luck had little to do with this engagement, but she held her tongue.

Max went back to the table and lifted his mimosa glass high in the air.

"To my son and his bride. May they always be as happy as they are today."

"Here! Here!"

Everyone raised their champagne and orange juice to toast the future Mr. and Mrs. Jonathan Hillman, each offering his own wishes for continued happiness. Becca and Jonathan kissed and hugged. They looked every inch the storybook couple.

14
Frances Rebecca Travis
Frankie

June 1973

"YOU WERE GREAT, honey. We'll call you."

Frankie had been in Hollywood for six months and she hadn't been able to land a single part. She had tried out for several important roles, but each time she got the same pat on the rear end, the same pinch on the cheek, the same, "You were great, honey. We'll call you."

At her father's urging, she had signed up for acting classes. If she didn't have an audition, she spent long days studying, or working, or rehearsing with the small repertory company her teacher had recommended. Sterling thought she was doing wonderfully. Her teacher thought she showed definite promise. Her fellow students greeted most of her performances with respectful applause. But she couldn't get a job.

By the beginning of June, discouragement was quickly becoming despair.

"It's humiliating," she said as she and her father sat on the terrace of his Beverly Hills home. "It's not like I'm some ingenue off the street. Everyone knows who I am. My failures are public knowledge."

As she slouched down in a wrought iron patio chair, her long body stretched into a fluid line of white cotton and white skin. Her dark hair was tightly curled, thanks to a particularly humid night, and hung down her back in springy ringlets. Her face glistened from the heat, but her dark eyes burned with anger.

"You know, I think that's part of it. I'll bet some of these men get off on turning down Frankie Travis. Especially after they've tried to get off by pawing me with their grubby little hands."

Sterling let her rant, but as he watched her, his blue eyes narrowed. Despite the years of separation and the difficulty he had always encountered trying to see or even speak to his daughter, he loved Frankie. She was special to him. He suspected it was in some measure because he felt guilty about giving her up. But there was a vulnerability about her that seemed to beg for protection. Whatever the reason, she had come to him for help and so far, he had been unable to oblige.

"I think it's time you got an agent," he said.

Frankie turned. Her father's lips were pursed with concern and his eyes reflected his own frustration in finding a solution to her problem.

"I don't trust anyone," Frankie said. "Not after Lillie."

Sterling smiled.

"I can't say that I blame you, but take a tip from a veteran. The worst thing you can do is to let your mother run your life."

"She's not." Frankie's tone was indignant.

"She is if you allow your hostility toward her to dictate what you do." He leaned over and took her hand. "Don't spend precious time trying to get back at her. Concentrate on getting ahead for yourself."

Was that what he had done? Was that how he had survived after their divorce? Frankie wondered, equating her parting from Lillie with a divorce. Didn't he want to get back at Lillie?

As she looked at him now, so handsome and elegant in his linen slacks and silk shirt, she tried to imagine him married to her mother. He appeared so confident, so sure of who and what he was, it made it difficult to understand how Lillie could have browbeat him. Several times Frankie had broached the subject, but Sterling refused to discuss it, except in the most superficial terms. Clearly, life with Lillie had been painful. Just as clearly, life without Lillie could be good and happy.

For an odd moment, Frankie was jealous of his peace. How long would it take her to purge herself of her mother? How long would it take her to be happy?

"I don't see how an agent can help me when you couldn't get me anything more than a four-liner?"

Sterling had called in every favor due him trying to get something for Frankie, but nothing had panned out. The best he could do was a walk-on in the film he had just wrapped and that was only because he threatened to come down with a three-week flu if the director didn't use her. Though he didn't tell Frankie, he thought the whole situation smelled foul.

"Not everyone in Hollywood is a fan of mine, darling," he said, offering what he thought sounded like a reasonable explanation.

He wanted so badly to bolster her spirits. He was afraid that any more rejection and she would give up. He couldn't let that happen because, in his heart he believed that, given the chance, she had the talent to become an accomplished actress.

"And," he continued, "unfortunately, more people than not believe that models are little more than pretty faces and sexy bodies zipped into someone else's clothes. The general consensus among casting directors is that even the most successful models have a tough time making the transition from print to talkies."

"I hate it!" Frankie rose from her chair, clenching her fists in frustration. "I never asked to be a model in the first place and now I can't live it down."

"People have lived down worse things," he said, and she put her arms around his neck and hugged him, needing a parent to hug her back.

For a while, they just sat together, drinking their coffee, enjoying each other's company.

During the past six months, Sterling and his wife, Karen, had done everything they could to incorporate Frankie into their lives. When Frankie had first come West, Sterling had invited her to live with them, but she had declined.

"It took me long enough to stop being a mama's girl," she had said. "The worst thing I could do now is become a daddy's girl."

Instead, Karen helped her find a small one-bedroom apartment on Wilshire Boulevard. Since Lillie had refused to let Frankie take anything from the New York apartment (the only concession she had made was to ship Frankie's clothes to Sterling's house—collect), they decorated the entire place from scratch. When she and Karen were done, Frankie's apartment was simple, attractive, and comfortable enough so that Frankie didn't mind living alone. In fact, after the first month, she found she liked being responsible for herself. She liked inviting friends from her acting class over for dinner or for weekend reading sessions. She liked spending time shopping for and fussing with her own place. But most of all, she liked spending her spare time at the Travis home.

Karen was so different from Lillie—calm, sensible, affectionate, giving—it was a pleasure to be in her company, a fact that only made Frankie regret even more those times when Lillie had talked her out of visiting her father and "that woman."

Frankie felt a strong need to be part of a family. Although Sterling and Karen's two older boys, Kevin and Craig, were away at college most of the year, they had all come to know one another over vacations. This year, when the term ended and they flew off to summer in Europe, Frankie was truly sad to see them go. The youngest, Kelly, lived at home, though soon he, too, would be gone for a summer at sleepaway camp. Still, when they were all home, it was lively and fun and most important, everyone made Frankie feel welcome.

"How about more coffee?" Karen came out of the house carrying a tray of fresh coffee and cookies.

"Where's Kelly?" Frankie asked.

"I believe your favorite playmate has deserted you in favor of *Hawaii Five-O*."

"The story of my life," Frankie mumbled.

Karen refilled everyone's cups and joined them at the table. "Why do the two of you look so down at the mouth? I agree, Bessie's roast beef was overdone, but I didn't think it was that bad."

"We've been discussing the sorry state of my career."

Karen nodded. Her dark hair was cut into a tight cap and her skin was very tanned. Pale blue eyes and a slender, swanlike neck were her best features, and she usually accentuated them by wearing jewel-neck shirts in either white or blue, as she did tonight.

"Things will pick up," she said, patting her stepdaughter's hand. "Maybe they're just making you pay your dues."

"I thought that's what I was doing these past twenty years. Would someone like to tell me when I'll be paid in full?"

"What do you think of Luke Maddox?" Sterling directed his question to his wife.

Karen turned away from Frankie, sipped her coffee, and considered Sterling's suggestion.

"He's young and ambitious and they say he's very good," she said finally.

"Who's Luke Maddox?"

"He's a hot new agent around town," Sterling explained.

"Seen one flesh peddler, seen them all," Frankie said with decided disinterest.

"Occupational hazard, my dear. You can't live with them, but you can't work without them."

Having stated the facts as he knew them to be, Sterling was on his feet, headed for the phone. "What if I call and set up an appointment?"

Frankie looked at Karen, who shook her head encouragingly.

"Why not," Frankie said, more resigned than excited. "The last time I looked, I had nothing to lose."

Luke Maddox was a man on the rise. He was thirty years old and, as he was fond of telling his cronies, "poised on the brink of greatness." Brooklyn-born and bred, he had come to Los Angeles in 1967, just after he had graduated cum laude from law school, thereby fulfilling his parents' fondest dreams. That done, he handed them his diploma, packed his bags, and went West to fulfill his own dreams.

From the time Luke had been a little boy living on the corner of Ditmas and Coney Island avenues, he had been a *fan*. Every minute he could, he spent in local movie theaters, watching films four and five times, critiquing the direction, the editing, the cinematography, the acting. He read every fan magazine printed, every gossip column, every review. If there was an opening in Manhattan, he took the subway and stood around for hours if he had to, just to catch a glimpse of one of his idols. He lived, breathed, ate, slept, dreamed about movies. There was never any question in his mind that he was going to be in the business when he grew up. It never bothered him that his parents had set different goals for him, or that he hadn't set specific goals for himself. All he knew was, he was going to Hollywood and whatever he wound up doing, he was going to do it better than anybody else.

In college, he took all the requisite pre-law classes, spicing up his curriculum with drama, creative writing, and music. In law school, contracts, writs, torts, title searches, and stock offerings bored him to distraction, but he did find that he liked the adversarial process, negotiating, debating, and playing cat-and-mouse for big stakes.

For a time, he thought about becoming a show business attorney, but dismissed it as too risky. With actors for clients, winning and losing could depend more on a defendant's in-court performance than his lawyer's legal expertise.

By the time he landed in L.A., he was twenty-four years old, and while he may not have known exactly what he was going to do, he had narrowed down the possibilities by a process of elimination. He had tried directing college plays and summer stock; he wasn't bad, but he wasn't great. He had tried acting, too, but with the same results.

Luke might have floundered about for years, searching for his calling, but then he met Carla Blake. Once his savings had run out and he had discovered that eating was not a luxury, he put his dreams of Hollywood moguldom on hold and applied for a job at one of the tonier law firms in town. Carla was the receptionist—striking to look at, three steps above "educable," willing to answer phones, take messages, make coffee, and negotiate her favors for favors in return.

Luke and Carla hit it off immediately. The first week Luke was there, they lunched together every day. The second week, they slept together every night. By the third week, it was clear that either Luke was going to find her a job in the movies or he was going to find himself marching down an aisle.

So it was that Luke decided to try his hand at agenting. He figured all it took was a little research, a lot of brass, and a modicum of guts. He wasn't far off. He assessed Carla's talents and studied the trade papers until he found a call that seemed right for her. Since there were almost as many agents in Hollywood as there were actors, barging into a producer's office was not only possible, it was commonplace. Also, since he had learned from Carla how to tap-dance past a receptionist with relative ease, he was convinced of victory right from the start.

Within minutes after bluffing his way onto the lot of Olympus Studios, Luke was inside Howie Meredith's office, puffing on a cigar, discussing the problems of finding new faces, and playing that perennial Hollywood favorite, "who-do-you-know." Meredith was the man just underneath—both figuratively and literally according to industry gossip—Sunny Samuels, reigning queen of Olympus. After choking on an entire cigar and spitting out a lot of blarney, Luke convinced Meredith to give his client a screen test. Two weeks later Carla Blake was signed as a contract player, having successfully tested on and off the screen. Luke didn't care how she had gotten the job. He had gotten ten percent. He was open for business.

When he first heard Sterling Travis's voice on the phone, his response was pure ecstasy. A chance to represent Frankie Travis! It was not only a challenge, but also the break he had been looking for to catapult him over the brink into superstardom. Until now, Luke's roster had included a lot of up-and-comers. Frankie was an already-there.

Luke might have been eager, but experience, no matter how limited, had taught him to be thorough. His working philosophy had become: avoid surprises at all costs. Immediately, he put in calls to several of his sources to get background on Frankie. The reports were puzzling. Since splitting with her mother and coming to L.A., she had answered a large number of casting calls and come away with nothing.

Everyone knew she had looks. Word was that she had talent. And, she was a Hollywood brat. Usually, Frankie's sort of lineage guaranteed a minimum of three callbacks and two grade B parts. This apparent industrywide cold shoulder didn't make sense.

For their first meeting, Luke had reserved his favorite table at Chasen's. Had she been a total unknown, he probably would have taken her to a less popular eatery, but whether or not he could help her, being seen in the company of Frankie Travis certainly couldn't hurt him.

"Why aren't you getting any jobs?"

Drinks had been served. Their order had been taken. He had waved to John Cassevetes and Gena Rowlands, said "hi" to Ed McMahon and Suzanne Pleshette, and sent a note to John Huston. Time was money. He got right to the point.

"If I knew that," Frankie said, completely unimpressed by Luke Maddox, "I wouldn't need you, would I?"

"Touché." He raised his wineglass, then he looked around to see if anyone had heard what she said. He also reminded himself that although Frankie was relatively new to Hollywood, she was no novice.

"I didn't mean to sound so brusque," he said, putting on the charm. "It's just I don't understand why someone with your obvious talent and your outstanding reputation should be having such a hard time."

Frankie watched his eyes dart past her to Warren Beatty, who had just walked in with a starlet on each arm.

"My so-called obvious talent," she said, loud enough to regain his attention, "is to stand in front of a camera with a pretty dress on, smile, and say cheese. As for my outstanding reputation, I did a few films and they were real clunkers. If you ask me, which you didn't, I'd spread the blame out over me, my then-agent mother, and the studios that couldn't wait to capitalize on my fame long enough to give me decent scripts."

"There is no such thing as blame in Hollywood. Forget that angle."

Again, his eyes wandered past Frankie to a new celebrity who had just walked by. When he looked back, Frankie had risen from her seat and was about to leave.

"Where are you going?" he asked, truly taken aback.

"I have things to do. First on my list is finding an agent."

He stood, too, and grabbed her arm.

"Hey, I'm sorry. Really. Sit down. Let's talk."

"You move those eyeballs one more time, and I'm gone. Got it?"

"Got it."

For the first time since she had met him, Luke Maddox offered her a sincere smile. It was also the first time she had seriously looked at him. He was tall, about her height, with light-brown hair thinning at the top. His eyes were gray and his lips were thin, almost nonexistent. When he smiled, however, his left cheek dimpled and his eyes crinkled at the edges.

The waiter brought their lunch, refilled their wineglasses, and departed. It had been four minutes since their truce.

"I have to tell you, Frankie," he said, keeping his eyes trained on her. "I reread the reviews of your pictures. *Nicht* good."

"I know that. What's the word around town? That I'm box office death? I made those films when I was a kid."

"Usually, kids are forgiven. It must be something else. Why don't we send you out for a few jobs and see what happens. Maybe it had something to do with the split with your mother. Studios shy away from dealing with actors and actresses directly."

Frankie nodded, noting that Luke had voiced a notion she had entertained for a long time. Was Lillie in any way responsible? It was a thought she knew she couldn't dismiss.

"I do have a few rules I think you should know about."

"What kind of rules?" Frankie had almost forgotten where she was, with whom, and why.

Luke took a dramatic gulp of his wine, cupped his hands, and leaned across the table.

"You do what I say. You say what I tell you to say. And you take whatever jobs I tell you to take."

"Do I goose-step to and from work, *Mein Führer*, or will you send a chauffeured tank?"

Luke laughed and leaned back.

"You just stick with me."

"And you'll make me a star." Frankie grinned. "I hate to say this, but Bogart did the scene better."

Luke laughed again. Then, he got serious.

"I won't ask you to do porno, unnecessary nude scenes, or spaghetti westerns. I just want it established up front that I'm in charge of your career."

"No questions asked?"

"No questions asked."

Frankie stood again. The grin was gone.

"I had that kind of agent once before. Thanks, but no thanks."

Luke also stood. Again, he grabbed her arm.

"Maybe one or two questions," he said, letting his dimple show. "But no more. Deal?"

Frankie let him stand there long enough to attract the attention of every diner in Chasen's. When she was certain that he was squirming underneath his silk shirt and gold chains, she smiled and shook his hand.

"Deal."

"This connection is awful. I can hardly hear you."

Zach's voice sounded faint and distant through the phone. Frankie had to press the receiver against her ear just to hear him. They had been speaking to each other twice a month, if possible, since Thailand. This night, it was four in the morning by the time he got through. She was home, in her own apartment. The room was dark and she was snuggled into her blankets next to the only important remnant of her other life—her Zach doll.

"I hired an agent," she said, listening for his approval.

"Good move! Now, just wait and see. It's all going to start happening for you."

Frankie felt her eyes brim with tears. She missed him so. In the short time they had spent together, he had become an anchor for her. Without him, she felt as if she were floating unprotected in a hostile sea.

"I wish you were here," she said.

"I do, too, but we went over this. You can't follow me around a war zone. Besides, you have your own career to think of."

She nodded, as if he could see her, as if her career were worth thinking about.

"I love you, Frankie. And I'll be home before you can say Winner of the Academy Award for Best Performance by an Actress in a Feature Film."

I need you now, she wanted to say.

"Hey, are you just sitting there biting your nails? Do you know this call is costing us as much as a B-52?"

"No," she said, suddenly snapping to and laughing. "I'm sorry. How are you? Are you being careful?"

"No. I'm being deliberately reckless. What is this? Have you been talking to my mother?" His voice was beginning to fade. Frankie pressed the phone closer. "I don't want you to worry about me," he said. "I want you to lust for me and have dirty little dreams about me. But I don't want you to worry. Understand?"

Again, she nodded, laughing in spite of the tears that had begun to trickle down her cheeks. Suddenly, she realized she hadn't answered him. She started to speak. The phone crackled. Then it went dead.

Darkness closed in around her. She wrapped her blankets even tighter and hugged her doll to her chest, as if that would keep the loneliness out and the tears in.

"I love you," she said into the silent receiver. "And I need you."

"'You were great, honey. We'll call you.' If I hear that line one more time, I will go bonkers!"

"I know." Luke had spent all evening trying to calm Frankie down. She had just finished her third screen test in as many weeks and had been dismissed with the same phrase each time.

"Now, you watched all three tests. Was I that awful?" She was close to tears. The last thing Luke needed was an hysterical client, in Scandia of all places.

"Frankie, there is no question that there's something rotten in lotusland, but I've got my feelers out. Soon we'll know what this is all about."

"I'll be in a home by then. Just write to me care of the loony bin."

Frankie twirled spaghetti around on her fork, dropped it onto the plate, retwirled it, dropped it again. She hadn't yet brought one forkful to her mouth. Luke had finished his pasta and was eyeing hers, when a waiter brought a telephone to the table and plugged it in behind the scarlet suede banquette.

"Maddox here."

Frankie always wanted to laugh when Luke took on his telephone persona. At any given moment, he would break into an imitation of Kirk Douglas or Jimmy Cagney or John Wayne or Cary Grant. He had even been known to do a fair Ronald Coleman. Right now though, he had shifted back to Luke Maddox and that worried her. He wasn't saying anything. He was not humming or nodding. He had even pushed his plate away. Finally, he hung up.

"Why didn't you tell me you have a host of lawsuits pending?"

"What are you talking about?"

Luke leaned across the table, his voice low and angry.

"Don't bullshit me, Frankie. You've got people suing your ass off."

She turned her head to the side, trying to avoid his eyes. He grabbed her wrist and squeezed it until she turned back and faced him with an answer.

"I thought you knew. You told me you knew everything about me."

"If you don't stop stalling, I'm splitting."

"Don't go!" Frankie was panicked. The last thing in the world she wanted was to lose Luke. He was rough and demanding and crude, but he had a great abundance of something she had in very short supply—confidence.

"Start singing, baby."

She wanted to tell him that that line usually went along with his George Raft voice, but she could see that he was too angry for quips.

"When I fired my mother," she said, beginning slowly, "and she told me she was going to cancel all my bookings, I didn't really understand the consequences. While she was in charge, I never read my contracts, so I never knew the exact terms of any of the agreements."

"That was stupid."

"Okay, but spanking me isn't going to make this go away." She took a sip of her wine and then continued. "Several of those contracts had penalty clauses. Naturally, those are the ones Lillie canceled first. I knew nothing about them, time passed, and suddenly, I was slapped with subpoenas and lawsuits and several unfriendly threats. When I realized what had happened, I told my father and he put his lawyers to work on it."

"Have any of them been resolved?"

"I've agreed to fulfill two modeling obligations in New York for half my contracted fee and no expenses. Sterling's lawyers tell me that the other four cases are still in the negotiating stage, but within a month, settlements should be reached with all of them."

Luke shook his head.

"Who was that on the phone?" Frankie asked. "And what did they say about me?"

"That was the assistant producer of the film you tested for today. He's a buddy of mine and he nosed around trying to find out why there seems to be a kabosh on hiring you for anything bigger than a dog-food commercial. He says that word came to his boss that you were a deadbeat."

Frankie's eyes filled with tears.

"I'm not a deadbeat," she sniffled. "I've always worked like a horse, giving my all on every job no matter how tired I was or how difficult the circumstances were. And I never broke a contract in my life. Ask anyone."

"You know," Luke said, speaking more to himself than to her. "I did ask people. Lots of people. And your reputation was solid as a rock. Plus, there's not a person in this business who hasn't been hit with a lawsuit from time to time. That's never stopped anyone from working."

"What're you saying?"

"Someone's fucking with you, Frankie Travis. We've got to find out who and why, and we've got to do it fast."

"Do I have to go?"

At Luke's suggestion, Frankie had taken refuge at the Travis mansion, holing herself up there until Luke could come up with some answers. She had begun to feel like a pariah, and though he more than understood, the last thing Luke wanted was for his hot new property to be seen around town all mopey and teary-eyed.

Karen, Sterling, and Frankie had discussed the situation ad nauseam. At that moment, they had a more pressing problem. Frankie was supposed to leave the next morning to fly east to be maid-of-honor in Becca's wedding. For weeks, ever since the invitation had arrived, she had been seesawing back and forth about whether or not she would go. Now, she flatly refused.

"I am not going to face Lillie while my life is such a mess."

"Your life is not a mess," Karen said, certain that she had said the same thing at least twelve times in the last ten minutes. "Zach loves you. We love you. The boys love you. And Luke is going to get you a wonderful part in a wonderful movie very soon."

"You forgot to start that little story with 'once upon a time.' I thank you for your encouragement, Karen, but I'm not going to give my mother the opportunity to say 'I told you so.' Not yet, anyway."

"I'm sure all your cousins are dying to see you," Karen said, thinking that perhaps being surrounded by family on a happy occasion would snap her out of her doldrums. "And Becca will be so disappointed."

Frankie laughed.

"You don't know Becca," she said. "Believe me, if she knew that my star was not shining as brightly as it once had, she would personally rip up my plane tickets. She asked me to be her maid-of-honor only because I'm a celebrity and she asked Cissie to be her matron-of-honor because her mother is the famous Tessa Kahn and her husband is Senator Noah Gold. She can't stand either of us and frankly, the feeling is mutual."

"I can't believe that."

"Becca Ross is first and foremost a climber. Once you get past that, she's really a terrible person."

Sterling smiled. He didn't know Becca, but he knew Sylvia Ross. He had never liked her and somehow, he guessed he wouldn't like her daughter either.

"In fact," Frankie was warming to her subject, "I don't think Becca and I have shared more than five words in years. She is jealous and competitive and vindictive, and those are her good points. Boy, if she knew how down and out I was, it would make her almost as happy as it would make Lillie."

"You're punishing yourself again," Sterling said, stroking his daughter's hair. "And I for one don't think you deserve what you're dishing out."

"Don't I? Maybe I'm getting exactly what I deserve." Frankie's voice trembled.

For days, Frankie had been suffering from a case of acute depression. She spent hour after hour sitting in her room all alone. Nothing Sterling, Karen, or Luke said made any difference. The longer it took Luke to find out why she was being blacklisted, the deeper her depression grew. To make matters worse, it had been weeks since she had last heard from Zach.

"Let me tell you what I think you deserve," Sterling said softly. "I think you deserve to be loved and taken care of. You've spent too many years starved for affection. I know that I'm largely to blame for the tremendous emotional voids in your life. If you'll let me, I'd like to make it up to you."

The tears came in torrents as Frankie flung her arms around her father's neck and cried into his shoulder.

"Then please don't ask me to humiliate myself by going to Becca's wedding," she sobbed. "Don't make me face Lillie. Don't let them laugh at me."

"It's okay," he said, rocking her in his arms. "If you don't want to go, you don't have to."

"Thank you."

"But Frankie." Gently, he took her arms off his neck and held her at arm's length. "Don't run away from your problems. Solve them. The best way is usually to tell the truth. And if you make a mistake, learn from it. Understand?"

Frankie nodded. She heard what he said and she understood what he said. However, when the time came, his words would lose something in the translation.

* * *

"No, I haven't heard from him in a month."

Frankie wiped the sweat from her forehead and fanned herself with a magazine. The air-conditioning in her apartment had broken and it was a steamy July day. She would have been at the beach by now, but Sheila Hamlin had called just as Frankie was about to leave.

"I was hoping you had gotten a letter or a call." Zach's mother was growing more and more concerned. There had been no word from him in weeks. "I spoke to someone at World Press Service, but no one there has heard from him either."

"Mrs. Hamlin, has anyone contacted the army?"

"Yes. Gabe used several of his connections to get through to the commanding officer in Laos. His recollection was that Zach had left Laos to return to Saigon."

Sweat poured off Frankie's brow. Her insides felt weak, as if she were about to be sick.

"What if we call someone there, in Saigon?"

There was a silence on the other end of the phone.

"Did you hear me, Mrs. Hamlin?"

"We called there too. Nothing."

Now Frankie was silent as well. When she spoke again, her voice was low and scratchy.

"I know that he's all right," she said.

"I hope so, dear."

"No, really. You know how close Zach and I have become. I'd feel it if something happened to him. I'd know it in my heart because it would be broken," Frankie said, her words measured. "Zach knows how much I need him, Mrs. Hamlin. He wouldn't do anything foolish."

"I know." Sheila Hamlin was fighting to hold back her own tears. "You keep those thoughts, Frankie darling, and if you hear anything, please let me know?"

For a long time after Frankie hung up the phone, she simply sat and stared at it, as though if she waited long enough, it would turn into a crystal ball and reveal Zach's whereabouts. Until now, she had pushed the fact that she hadn't heard from him to the back of her mind, behind the lawsuits, behind Becca's scathing response to Frankie's no-show, behind her apparent blacklisting, behind the knowledge that with Sterling and Karen now in Europe on location for a film, she was very much alone.

Maybe she should have stayed in Thailand and waited for Zach there. Maybe she should have trailed after him, no matter how impossible it seemed. At least they would have been together. At least she wouldn't have been lonely.

Sheila Hamlin's call had unnerved Frankie. For one thing, it had forced her to focus on something other than herself and her problems. Also, it had forced her to deal with the reality of how few people there were in her life whom she considered important. But most of all, it had forced her to face the fact that for all intents and purposes, the man she loved was missing.

By the end of July, Frankie's nerves were raw. She had thought that changing her environment by moving into Sterling's house while he and Karen were away would help relieve some of the acute alienation she felt. She had thought that surrounded with their things, she would feel connected to them. Instead, it served only to increase her feelings of isolation and estrangement. The Travis home was enormous, designed to accommodate a large family. Without the boys, without Sterling and Karen, it felt like an empty stage set.

Since her acting classes were on summer hiatus and she had no work, no cronies to pal around with, no gentlemen friends to date, she had taken to sleeping late and then doing nothing more constructive than lounging at the pool, waiting for the phone to ring. At this point, her withdrawal was so complete, she almost didn't care who might call—Zach, Sterling, Luke, a wrong number—as long as she heard a human voice at least once a week.

"Eureka!"

Frankie's head jerked toward the phone. She was groggy from the sun and at first she couldn't understand why the voice was shouting before the phone rang. It wasn't until Luke plunked down on her lounge chair that she snapped to attention.

"What did you do to Sunny Samuels?" he demanded.

"Nothing." Frankie hated when he yelled at her.

"You must have done something, because she's behind your blacklisting."

Frankie shook her head, trying to jog her memory for a fact she knew she didn't have.

"I've never even met the woman," she said.

"Well, baby, she's got it in for you, no ifs, ands, or jobs about it. From what I can gather, she has put the word out that anyone who hires Frankie Travis can forget about ever coming near Olympus Studios or any of its subsidiaries. That's heavy duty."

Frankie would have cried, but she had run out of tears. She would have screamed and raged and stomped about, but she had run out of anger. She lay back on the lounge and closed her eyes. She wanted to escape, to fly away, to rid herself of whatever curse was stalking her and start over. But she had run out of energy.

"Get up," Luke said, shaking her.

"Why? So someone else can slap me down? No thanks."

"Stop giving me the pathetic-waif routine. I've put in a lot of time on you, Travis. You owe me. Now, get dressed and look gorgeous. We're going to a party!"

From the road, the Holmby Hills mansion of Sunny Samuels was barely visible. Huge cedar trees rimmed the ten-acre estate, standing bough to bough to create a lush, verdant shield which discouraged passersby from loitering outside the grounds. A high brick wall and metal gate with electronic sensors added to the forbidden-castle façade while providing more practical protection than mere shrubbery. A shiny brass plate riveted to the brick lamppost next to the entrance bore no name, no identification other than the street number. Above it was a small, but obvious TV camera.

"Since something tells me we do not have an engraved invitation for tea, exactly how do you plan on getting us inside this fortress?"

Frankie and Luke had been parked around the corner for more than an hour. Luke seemed to be waiting for something.

"Had I known we were scaling walls and jumping fences, I would have dressed differently," Frankie continued, chatting to mask her nervousness. "I mean, had you told me this was a *To Catch a Thief* party, I would have dressed in head-to-toe black. No matter what Mr. Blackwell says, I've always thought the cat-burglar look was rather chic."

"If you don't shut up," Luke said at last, "I'm going to smack you silly."

"Funny, I don't remember Cary Grant saying that to Grace Kelly." She was trying to alleviate some of the tension, but Luke ignored her.

"There he is. Let's go."

Suddenly, he opened the car door and grabbed her by the hand, leading her to a white panel truck that had stopped a few feet from them. Without any explanation, Luke unlatched the back doors and shoved Frankie inside.

"I don't mean to be pushy," she whispered, "but where are we and where are we going?"

"We are inside a florist's truck and we are going to attend Sunny Samuels's birthday party."

"Oh, no, we're not," Frankie said, the whisper replaced by a panicked squeal. "The woman hates me as it is. What are you trying to do, give her motive *and* opportunity?"

"I tried to get in to see her at her office. No go. I called her at home and one of her slaves told me to call the office. I don't like getting the runaround."

"I don't like being thrown out of parties. And I don't think I'd like being dead, which is just what we're going to be if she catches us."

"You're not going to be thrown out of anywhere," he said. "Or rubbed out by anyone. Just stick with me. I'll take care of everything."

"That's what Laurel used to say to Hardy just before the piano fell on his head," Frankie said, resigned.

For more than two hours, they hid in the florist's truck, helping Luke's friend unload lavish centerpieces and elegant gardenia and candle floats for Sunny's pool. By the time he signaled that most of the guests had arrived and they could leave the truck, Frankie was certain she smelled like a funeral wreath. She thought that seemed apropos, considering the circumstances.

They entered through the kitchen door and quickly followed their frightened accomplice down long hallways and through baronial rooms. He showed them to the patio entrance and then ran as fast as he could to his truck.

"Luke, I don't want to go through with this." Frankie's heart was pounding inside her chest.

"Do you want to work?" Luke asked, his impatience obvious.

"Of course I want to work."

"Now's your chance to prove how good an actress you really are."

He took her by the hand and led her out to the pool, greeting people he knew, smiling at those he didn't, acting like the perfect guest. Frankie watched. No one pointed an accusing finger. No one threw a drink in their faces. Luke was right. All she had to do to make it through this sham, was to pretend it was nothing more than a scene from a movie.

Get into character, she told herself. You can't get hurt. This is not real life. It's only make-believe.

Half an hour went by. So far, so good. They were mixing and mingling and oddly enough, having a very nice time. The champagne was delicious, the hors d'oeuvres perfection, and the crowd varied and fascinating. Many of the guests had recognized Frankie and sought her out, complimenting her on how lovely she looked, how beautiful her portrait on the cover of the May *Vogue* had been, how charming she was on the Jody Hart special. While the attention was doing a great deal of good for Frankie's deflated ego, it also served to make her very nervous. Sooner or later, in spite of the large crowd, Sunny Samuels was sure to notice her. Luke had hoped it would be later. He was wrong.

"It's good manners to say hello to your hostess when you arrive."

Frankie turned. Standing before her was a short blonde woman with tanned, leathery skin and a slight southern accent. Though she claimed to be celebrating her fiftieth birthday, Frankie's trained eye picked up lines that revealed more than one encounter with a plastic surgeon's knife.

If she's fifty, I'm sweet sixteen, Frankie said to herself, feeling stronger now that she had located a few imperfections in her otherwise formidable opponent.

"Sunny. I'm so sorry I missed you when I came in," she said aloud in her best Katharine Hepburn-as-ingenue manner, "but you and Howie Meredith seemed so engrossed with each other, I decided not to intrude on what was obviously an intimate moment. Forgive me."

Frankie heard the words coming out of her mouth, and the response they were getting, but she couldn't believe what she was hearing. Up from her gut had come the voice of self-preservation. It sounded strange, but wonderful.

While Sunny glowered at her, Frankie studied Sunny, a woman who, for reasons known only to her, had declared herself an enemy.

She was attractive enough, with a trim figure, a melodic—if a touch high-pitched—voice, and a decent profile. Although her flowery chiffon garden dress, straw hat, strappy sandals, and overdone diamond jewelry made her look like an anachronistic Southern belle, Frankie knew that Sunny Samuels was not to be taken lightly. Twelve years before, when her husband, Hershel, had died of a heart attack, she had taken over the reins of Olympus Studios. Not only had she rescued it from near insolvency, but she had expanded it into an empire by moving into television. Singlehandedly, she had become one of the most powerful people in Hollywood.

"Why don't you and your date have a private drink with me in my library?" Sunny turned without waiting for their reply. She didn't expect a reply, because she hadn't presented a request. She had issued a command.

Frankie followed Sunny into the Régence paneled library. There, the woman's power became even more evident. Plaques according her one honor or another, framed citations and "thank-yous" from major charity organizations, plus dozens of photographs with movie stars, politicians, and various other celebrities decorated walls and tabletops. Five Oscars and seven Emmy awards glistened from a specially lit glass case that sat to the left of her gilt-edged antique Louis-Philippe *écritoire*. The instant the three of them had entered the room, large wooden double doors snapped shut. Frankie was certain she heard a lock click.

Sunny wasted no time on amenities. She stood behind her desk waiting for Frankie and Luke to find their own seats.

"Why did you crash my party?"

"Why have you blacklisted my client?"

Luke had warned Frankie to let him do the talking.

"I did nothing of the kind."

"Bullshit."

"Don't be rude with me, young man."

"Then don't play games with me. I want to know what ax it is you're grinding with Frankie Travis. As far as I know, you two have never even met until just now."

Sunny sat down, removed her hat, crossed her legs, smoothed her skirt, fluffed the ruffle around her bodice, rested her elbows on the arms of a velvet-covered Empire chair, played with several of her diamond bracelets, and finally, interlaced her fingers. The process took forever.

When she was ready, she leaned forward and fixed her gaze firmly on Frankie.

"You look exactly like your mother," she said with the same cold detachment one might use to dictate autopsy information into a tape recorder. Then, before Frankie could respond: "Your mother was my husband's whore."

Frankie felt as if someone had just thrown a concrete block against her chest. Lillie. Always Lillie.

"Ancient history," Luke said quickly, noting Frankie's chalky color and uneven breathing. "Besides, it has nothing to do with Frankie."

"Your mother was more than just Hershel's mistress." Sunny continued as if Luke weren't even there. "She was his obsession. Even after he stopped sleeping with her, he couldn't get her out of his mind and I couldn't get her out of my house. For eight years, every night I listened to my husband murmur the name of your mother. For eight years, I knew that when he made love to me, it was *her* he was thinking of, *her* he wanted to be with. For eight years, I suffered the humiliation of knowing that I was second choice."

Sunny's stare had grown cold and bloodless. Frankie wanted to run away from her, from that room, from her mother's past. Why was someone always holding her accountable for her mother's actions?

"I'm very sorry you were so unhappy, Mrs. Samuels," Frankie said, shaking off Luke's restraining hand in favor of defending herself.

"But I hardly see how I'm responsible for the breakdown of your marriage."

Sunny never acknowledged that Frankie had spoken. She simply continued with her monologue.

"When he died, I went through his things. I found hundreds of news clippings of your parents' divorce. Your name was underlined. Your picture was circled. As you began to get work, he made a scrapbook of your ads. But that wasn't all. When they read his will, I learned that he even left you money."

Frankie almost fell off the chair.

"I never . . . I didn't . . ." She was totally confused.

"Lots of money."

"Was the money in trust?" Luke said, trying to make some sense out of all this.

"You're supposed to be a smart boy. What do you think?"

Frankie had begun to weep. "I never saw a cent of it. I swear."

"Why would he leave money to Frankie?" Luke asked. "Why didn't he just leave it to Lillie?"

Sunny rose from her chair and walked around to where Frankie was sitting. She stood in front of the young girl, glaring at her with intimidating fierceness.

"Maybe because Frankie was his child," she said.

"It's not true. I know it's not true!"

Frankie and Luke had been going over that afternoon's revelations for hours. Frankie was a wreck and Luke had been trying everything to calm her, though he didn't feel much more in control himself.

"Hey, I don't mean to get you crazier than you already are, but maybe it is true. Your mother wasn't exactly Snow White."

"She would have said something."

Luke had not stopped pacing the den since they had come home.

"Right. I can picture it now. 'Frankie, darling, did I forget to tell you that Sterling is not your daddy? Really, it's that old man who shows up every night and peeks in my bedroom window. Hershel what's-his-name.'"

"Luke! Stop it! This is no joke."

"Look at this face," he said, bending over her. "This face is not laughing."

"I'll call Sterling in London and ask him." She went for the phone, but Luke shook his head.

"How would he know if Lillie was humping other men? The one to ask is your mother."

"No."

"Okay," he said, knowing enough to leave that subject alone. "Let's try another tack. Sunny Samuels was not Hershel's first wife. Correct?"

"Sunny was number three."

Luke nodded and continued to circle the couch where Frankie was stretched out, her feet dangling over the end, savaging her fingernails. While Luke considered possible solutions to their problem, Frankie sank deeper and deeper into a state of self-pity.

Everyone else she cared about had a life to lead. She might have been part of that life, but certainly she wasn't the focus. In each instance, whenever it had come time to pick and choose, she had come in second to someone's career—Sterling, Zach, Cissie, Noah, Aunt Tessa and Uncle Bert. Sterling and Karen loved her. Zach, Cissie, and the others loved her. But where were they? No one meant to desert her. No one would refuse to come if she called. Still, if not for Luke Maddox, she'd be completely alone.

Perhaps she should have kept a more professional distance, maintained a greater objectivity. But circumstance had created a void that she thought could be filled only by a career. She was scared and vulnerable and the very nature of the agent-client relationship fostered mutual dependence, because it was based on mutual need.

"How come a man has three wives and when he dies, he leaves his business, his house, his cars, and most of his money to wife number three?"

"What?" Frankie had been lost in her own thoughts.

"Why didn't he leave Olympus Studios to his son by his first wife? Or his daughter by his second wife? Or any of his offspring by any of his wives?"

Frankie noticed a gleam in Luke's eye. What's more, a huge smile was dimpling his face.

"I'll tell you why." He slid onto the coffee table and grabbed Frankie's hands. "Because Hershel Samuels never had any children."

"Except me."

Instead of answering, Luke pulled her to him and gave her a big bear hug.

"If I'm right, babycakes, not only are we going to get more job offers than we can handle, but we're going to push that jealousy-crazed old crone right off her solid-gold pedestal."

* * *

The grand ballroom of the Los Angeles Kipling was jammed with reporters, photographers, cameramen, and as many onlookers as had been able to squeeze inside. It had taken almost a month for Luke to gather the information he needed and then to arrange this press conference, but now he was so excited, he felt as if the soles of his shoes were made of hot coals. He couldn't stand still. He couldn't stay put. He couldn't make time move quickly enough. All the signs were there. All the signals were right. Success was going to be his.

He had called this conference for three-thirty on a Wednesday afternoon, allowing more than enough time for the story to make the nightly news and for it to be discussed, rehashed, analyzed, and reanalyzed through the weekend. Though he hadn't told anyone the real nature of his announcement, he had said that "it was a shocking story that would grip the hearts of every American."

On the basis of that not-so-subtle leak, *Newsweek* had already photographed Frankie for the cover of their next edition. So had the *Ladies' Home Journal* and *New York* magazine. Carson's booking agents were vying for Luke's attention. Luke had received offers for three films, two TV series, and a soap. All of this before even one word had been uttered by the star of this extravaganza, Frankie Travis, who was still sequestered in a small anteroom off the ballroom.

Howie Meredith, there on Sunny Samuels's orders, stood in the back, next to a beautiful young woman with violet eyes and thick black hair.

"When do you think they're going to get this show on the road," he said, giving Jinx his most seductive smile.

Jinx looked at her watch.

"Three more minutes."

"You from the press?" he said, wondering what it would be like to make love to a woman several inches taller than him.

"No. I'm from the hotel." Jinx had just flown in from Palm Springs, where she had officiated at the opening of the latest Oasis Spa. She was scheduled to fly home to New York on the red-eye.

"Here to be sure no one breaks the furniture?"

"No." Jinx was trying her best to be polite, but his personality was so oily it was making her squirm. "Miss Travis is a cousin of a very good friend of mine."

"Anyone ever tell you you look a little like her?"

"No. No one ever did."

"Your hair's a little darker and you have blue eyes where hers are brown, but I think the resemblance is striking."

Though Jinx hadn't responded, that didn't mean she hadn't heard what was said. As Luke introduced Frankie and she walked across the ballroom floor to where the microphones were set up, a strange feeling rippled up and down Jinx's spine. Whether Howie Meredith's comments had anything to do with it or whether it was just idle curiosity or the fact that she was watching Cissie's favorite cousin, Jinx's total attention was riveted on the young woman in the demure white lace dress.

"Ladies and gentlemen of the press. I want to thank you all for coming today and for being so patient."

Frankie paused, bit her lower lip, and wiped her palms on her skirt. She and Luke had planned certain moves for effect, but this was not planned. This was nerves.

"Several months ago, I came to Los Angeles in search of a job. I had decided that the time had come to be a big girl and go out on my own. Naturally, it was difficult leaving my mother, and, as with every business dissolution, there were problems. I wound up the victim of some unintentional lawsuits and some unflattering criticism."

Lower eyes. Fiddle with a hankie. Give everyone a chance to whisper about the lawsuits and wonder about what is to come next.

"During that time, my father, Sterling Travis, was my strongest defender as well as my softest shoulder. He helped me make amends with those who were willing to make amends and to come to terms with those who weren't willing to make amends. I thought my troubles were over."

Pause. Brave smile.

"At my father's suggestion, I hired Luke Maddox as my agent." *Turn to Luke. Small, pathetic laugh.* "Poor Luke. He went all over town trying to get me even the tiniest part in a film, but everywhere he went, a door slammed in his face. I didn't know why, but for some reason, I was persona non grata."

Scan the room. Look for a sympathetic face. Speak to that person.

"By questioning tons of people, Luke finally unearthed the person behind my apparent blacklisting. Frankly, I was shocked to learn who it was, especially since I had never met that person in my life."

Switch faces.

"We confronted this person, demanding to know what was behind such unwarranted hostility. The story we were told was not only incredible, it was also completely untrue."

Luke handed her some papers. He pumped her hands encouragingly and gave her his own version of the small, brave smile. Frankie placed the papers on the podium and gripped the top, exposing her raw, jagged-edged blood-stained fingernails.

For a moment, she hesitated, but then she turned and looked at

Luke. She remembered how humiliating it had been being turned down time and time again for parts she knew she should have had. She remembered all the closed doors and unanswered calls. And then, she remembered Luke's motto: Don't get mad, get even!

"The reason I called a press conference is that I don't have any idea how far this vicious lie has been spread. I have family and friends who would be devastated by a story like this. I have business associates who would also be shocked and dismayed. But more than that, I have my own integrity, my own reputation, and my own good name to protect. I don't care how powerful she is, I will not be a doormat for Sunny Samuels."

While everyone reacted to the dropping of her first bomb, Frankie took a sip of water, flung back her hair, and again wiped her hands on her skirt and bit her lip. This time it was planned.

"According to Mrs. Samuels, my mother was Hershel Samuel's mistress. That may or may not be true. I wouldn't know. After all, that's hardly something a daughter asks a mother. But if my mother and Mr. Samuels were"—*Hesitate. Look embarrassed*—"involved, I feel bad, but it wasn't my fault."

There were a number of concurring murmurs and mumbles. Frankie was encouraged.

"I might have understood how hurt Mrs. Samuels must have been, and how she might have wanted to hurt my mother in return, but still I couldn't understand why she was being so horrible to me."

Pause.

"Luke pressed her and finally, she told us. She thought I was her husband's child."

The noise was deafening. Inwardly, Luke was positively giddy. Outwardly, he remained solemn.

"Again, Luke and I were stunned. But we didn't want to accuse anyone unjustly. We didn't want to attack anyone unfairly. We merely wanted the truth. So, Luke went to Hershel Samuels's first two wives as well as to his longtime family doctor." *Pause.* "I can't be Hershel Samuels's daughter. He couldn't have a daughter. Hershel Samuels was sterile."

The ballroom exploded with questions and the clatter of reporters rushing to call in the story. Frankie, who had managed to summon up several heart-wrenching tears, was being besieged by hungry reporters who wanted every last detail of this juicy scandal. Sunny Samuels may have been one of the most powerful women in Hollywood, but she had never been one of the most popular. For many, this was pay dirt.

Howie Meredith's mouth had dropped open midway through Frankie's performance, and he hadn't been able to close it since. Nor had he been able to figure out what he was going to tell his employer or when. If he didn't get to a phone in the next two minutes, she would be able to hear tales of her lunacy on every radio and TV channel in the country.

Jinx Kipling smiled. There was no question about it—Frankie Travis was Cissie Gold's relative. Someone had tried to do her in and instead of lying down, she had stood up and fought back.

Cissie would have done the same thing, Jinx said to herself as she too, tried to get near the podium. As a matter of fact, so would I.

Just as Jinx reached the front of the room, Frankie was whisked to the nearest exit. She was about to leave, when someone ran past her, shouting at Frankie, "You were great honey, we'll call you." Jinx didn't know why, but both Frankie and Luke laughed.

Sunny Samuels lay on a chaise in her darkened bedroom and watched the report on Frankie's news conference. She had watched it on the six o'clock news, the seven o'clock news, the nine o'clock news and the ten o'clock news. By now, she knew Frankie's speech by heart. She had seen the doctor's statement attesting to Hershel's sterility so many times, she had memorized that too. Naturally, she had given orders that she was receiving no visitors, taking no calls.

As the camera zeroed in on Frankie's face for what seemed the thousandth time, Sunny's own features wrinkled with rage.

"You should have come to me first," she said through gritted teeth. "Thanks to you, I'm a national laughingstock."

She stared at the TV until there was nothing else in that room except Frankie Travis and her.

"If you did your research well," she said to the image on the screen, "then you know you'd best be careful. I never forget. And I never forgive."

15

Frances Rebecca Kipling

Jinx

November 1974

EVERY FAIRY TALE has its own bête noir—a wicked stepmother, a poisonous apple, a hundred-year curse—for the same tradition that demands a damsel in distress, a hero on a white charger, a "once upon a time" and a "happily ever after," also demands a thorn.

Certainly, to the casual observer, Jinx and Kip led a fairy-tale existence. She was the beautiful maiden who had won the heart of the handsome prince. He was the gentle ruler who controlled his kingdom with a firm, but fair hand. They traveled all over the world; had more money than they could ever conceivably spend; counted among their many friends political leaders, social barons, corporate giants, and innumerable show business celebrities; and they shared a storybook love that grew stronger with each day. Still, their life was not without its thorns.

In the two years they had been married, an incorporeal presence had insinuated itself into their lives. Kip's concern for Jinx's well-being had grown in direct proportion to his happiness. The more contented he was with his new wife and his new marriage, the greater his fear that it would all come to some tragic end, just as his first marriage had. He became obsessed with Jinx's safety, especially after she became pregnant.

Before they flew anywhere, he had his pilots check and recheck the plane, no matter what the mechanics said. He made it a habit to call ahead to arrange a security check on whatever hotels they were scheduled to visit. Every car they drove was put through thorough, periodic inspections. The apartment in the city was constantly examined for "bugs" and other intrusive devices. The house in Westchester, which Jinx had redecorated as a surprise for Kip and was now used as their main residence, had been equipped with the most sophisticated security systems available. Locks in those two houses, as well as the Casa and their new vacation home in Palm Springs, were changed on a regular, if deliberately sporadic, basis. This was their bête noir. They didn't discuss it. They didn't dwell on it. They simply lived with it.

The other unspoken, yet persistent presence in their lives was Jinx's missing family. Before her visit to Franyu's grave, Kip had urged her to make peace with her past. She thought she had. Before her wedding, her mother had urged her to forget about Benjamin Rostov and content herself with the love of her adoptive father, Hank Elliot. She thought she had. But now, she had given birth to her first child and she knew she hadn't done either of those things. From the instant she had gone into labor until now, the morning after the birth, the ghost of Benjamin Rostov had hovered over her.

"How about 'Bonnie'?" Jinx asked timidly, finally speaking the name she had been toying with.

Kip sat in a chair next to his wife's bed. He wasn't sure whether it was his mood or the fact that every available inch of space was filled with pink floral arrangements, pink balloons, and pink trinkets, but Jinx's room seemed to have a rosy glow about it.

"It means 'pretty.'"

Kip lifted Jinx's hand to his lips and kissed it. "Our daughter is exquisite," he said. "Why would you want to give her a name that means merely pretty?"

"Because I thought it would be nice to name her after my real father, Benjamin."

"Somehow I think I knew that," Kip said, his forehead wrinkling.

"You don't like the idea, do you?"

For a very long moment, Kip didn't answer her. When he spoke, his voice was as serious as his expression.

"I don't want to name this child after someone who's dead."

Jinx leaned forward and kissed him tenderly.

"That was thoughtless of me," she said. "I'm sorry."

Kip forced himself to brighten, and within seconds, he had returned to the blissful-new-father state he had been in ever since the baby had been born.

"There is nothing for you to be sorry about," he said. "Last night, I watched you perform a miracle. I watched our child come out of your body!" He bussed her lips and smiled. "Have I told you how very much I love you."

"I'm sure you must have, but I don't remember hearing it for at least thirty seconds."

He tucked his arms around her and kissed her deeply.

Then a wide grin spread across Kip's face.

"Joy!"

"What?"

He moved onto the bed next to Jinx and held both her hands in his. Gently, he kissed her lips again and then looked into her eyes.

"Joy," he said. "That's what I want to call her. Because that's what you and she fill my life with—joy."

"What a lovely thought," Jinx said, truly touched by her husband's romanticism. "It's such a happy name, I think even Ben Rostov would approve."

She wrapped her arms around Kip and hugged him. He felt her love and her trust and he knew that soon, he would have to tell her the truth.

To Jinx, the world was a kaleidoscope, a constantly changing prism that mixed and mingled and overlapped and overlaid colors to create shades and patterns which, in turn, influenced moods and actions. She saw color everywhere, in everything and everybody. She believed there were "red-letter days" and "blue Mondays" and "black Fridays" as well as days when she was "in the pink" or "sickly green." She described people in general as "colorful" or "colorless."

Optimists, comedians, most grandmothers, her mother, and all children were yellows—bright, sunshiny people whose sole purpose on earth seemed to be making others laugh and feel good. Those motivated by passion and challenge—she put herself and Cissie in this category—were reds, vibrant and fiery, but easily hurt. Hank and Kip and those who provided stability and security were greens. Blues were thinkers like Noah Gold, essentially idealistic, sometimes naive, often disappointed. And the browns were the dullest personalities on Jinx's palette—dark and muddied like Jeffrey Dodge, boring, void of emotion, full of suspicion.

Usually, Jinx's life produced a rainbow of cheerful color, but in the two months since Joy had been born, her sunlight had been shaded. She felt surrounded by an all-pervasive cloud, an invisible fog that had bleached the warmth out of her life and had left her only the colder shades.

She felt guilty about her malaise, as if she were cheating her husband and her child, indulging herself at their expense. Her doctor told her it was postpartum depression and it would pass. Her mother, who had spent the first month helping Halona and the nurse, also attributed Jinx's uncharacteristically maudlin state to the aftereffects of Joy's birth. Claire told her it was work withdrawal and suggested that she have certain projects sent home so that she could involve herself in something other than herself and the baby. Cissie commiserated with every nuance of Jinx's mood swings, recalling her own postpartum doldrums, anticipating a recurrence when she gave birth to her second child in less than three years. Yet with all the support, with all the creditable diagnoses, hopeful prognoses, and loving encouragement, Jinx was finding her case of the blues difficult to shake.

It didn't help that Kip had been working very late recently. Too often, Jinx found herself confined to the house with nothing but her thoughts and a very young baby for company. She brooded about small things with the same intensity as she brooded about big things. She stewed over Jeffrey Dodge's continued attempts to belittle her abilities to Kip and to the rest of the Kipling Worldwide board. She worried about how her parents were dealing with their empty nest now that Heather had moved to California to try her hand at modeling. She worried about Cissie, who was having a difficult pregnancy. And she worried about the fact that she seemed incapable of exorcising the ghost of Benjamin Rostov.

One night, Kip came home quite late. The house was quiet. He tiptoed up the staircase and down the hall to Joy's room. He walked over to the crib, peeked in, put his hand on her back to assure himself that she was breathing, and then patted her diapered behind contentedly. He filled his nose with the sweet smell of baby lotion and talcum powder. He gently stroked her arm to feel the softness of her skin. He rearranged the toys at the end of her crib and untangled her mobile. And he enjoyed every second of his fussing. Everything about this child filled him with a sense of pleasure.

The master suite was at the opposite end of the house, an entire wing, with spacious dressing rooms, closets, an enormous marbled bath, and a huge bedroom/sitting area. As Kip opened the door, he recalled how hesitant he had been to return to this house. He had lived another life here, a life that had ended in tragedy. He had spent two years buried in this house after Elizabeth and the children had died, and he had never been certain that he could put any of that behind him.

Jinx had understood his feelings, but she also had understood how dearly he loved this house. Though it had taken her and a team of decorators almost a year to complete, she had refurbished and modernized it without his being aware of a thing.

Considering the hour, Kip expected her to be asleep or in bed reading. She was in bed, but she was neither reading nor asleep. She had tried to do both, but couldn't. Instead, she was curled up on her side, holding a frayed snapshot in her hand. Often, in the past few months, Kip had found her like this. Tonight, he knelt down on the floor beside her, took the photograph out of her hand, and put it on the nightstand. He never even looked at it. He didn't have to.

"Frances Rebecca Kipling," he said, wiping a few tear-soaked tresses off her face. "When are you going to let go and find peace?"

Jinx lifted her eyes and looked at her husband.

"I wish I could," she said.

"What are you waiting for?" Kip asked, hurting for her, with her.

"I don't know." Her voice was so small, so sad. "I only know that something inside me keeps urging me not to give up."

Her words salted his guilt, stinging, burning, making it difficult to do what he knew had to be done. Consciously, he had tried very hard to avoid this moment. Subconsciously, he had always known it would come. From the first time he had heard about Benjamin Rostov. From the first time Kate Elliot had shot him a warning, protective glance. From the first time, almost a year before, when his fears had been confirmed. He sat down on the bed and faced her, hoping that after he finished saying what he had to say, he could still meet her eye.

"I have something to tell you," he said, starting slowly, keeping his eyes trained on hers. "But before I do, I want you to understand that I would never do anything deliberately to hurt you."

Immediately, Jinx felt weak. Kip took her hands, but she didn't have the strength to return his grip.

"There are a lot of reasons behind the fact that what I'm about to tell you wasn't told to you before," he said. "Some of those reasons I know. Some of them I don't. But they're all tied up in the fact that there are a lot of people who love you as much as I do."

"Tell me," Jinx said, her tone suddenly demanding. "Now."

"Benjamin Rostov is not dead."

She didn't speak. She didn't cry. She didn't move. She simply stared at him, waiting for him to continue.

"He left before you were even born, divorced Kate and returned home to the States once his tour of duty was up. Several years later, he remarried."

Jinx remained rigid, her body taut and unmoving, her face set and expressionless. Only the large tears that fell from her eyes told Kip what she was feeling.

"Why didn't my mother tell me?" she asked, an angry edge to her voice.

"For the same reason I didn't tell you," he said, knowing that that would be her next question, "because it seemed kinder to let you continue to think that he had died."

"Instead of telling me that he had abandoned me."

"Yes."

Again, tears dampened her cheeks. Kip took her in his arms, stroked her hair, and tried to quell her trembling, wanting to absorb her agony, wanting to transfer her pain onto himself.

"You were an infant," he said softly. "It was between him and Kate. You had nothing to do with it."

"How could she keep this from me!" Jinx's anger had risen slowly to the surface. Now it bubbled over in a hot, lava-like spew of hostility. She pushed away from Kip.

"He left her," Kip said. "And by her own admission, she loved him very much. Think of how hurt she was, how devastated and humiliated." Though Jinx was too self-absorbed to hear it, there was anger in Kip's voice too. "Benjamin Rostov left your mother pregnant, alone in Berlin, without any family to help her or to support her or to love her. Frankly, if Kate thought she had a choice of telling you what a louse your father was or telling you nothing and allowing you to believe he had died, there's a part of me that says she made the right decision."

Jinx hadn't heard a word he had said. She stared past him, her gaze lingering on a distant object across the room.

"Have you met him?"

"Yes."

Jinx's eyes remained trained on the same spot, but her back stiffened.

"Where? When?"

"He's president of the advertising agency that handles Kipling Worldwide. I've known him for years."

He paused, knowing that from here on in, he was revealing all that he knew, all that he had kept secret.

"I always knew him as Ben Ross. It never dawned on me to suspect that he was your father or to ask if he had ever changed his name. I probably never would have known except that by chance, one afternoon, we were relaxing after a business meeting and one of his copywriters began to tell us about a problem she was having coming up with a name for a new soft drink. The conversation shifted to how important a name was to a product's image and how often the original name for something was wrong and had to be changed. I remember he laughed and said that the same was true for people, that often, they, too, changed their names to change their image. That's when he mentioned that his name had been Rostov."

"Do you know where he lives?"

Kip nodded. He knew everything about Ben Ross. He had made it his business to find out the minute he had left Ross's office.

"In Short Hills, New Jersey, with his wife, Sylvia, and his daughter, Becca."

"Becca?" Jinx's already pale skin turned chalky. "Is that short for Frances Rebecca?"

"Yes."

"My name. The same name as that little girl buried next to Franyu Bekah."

"The same name as your best friend," Kip said tentatively.

"Cissie?"

"I know this is hard to digest, but yes, Cissie Gold is another Frances Rebecca. Her mother is Ben's sister."

"Tessa is my aunt? Cissie is my cousin?"

"So is that actress, Frankie Travis. Her mother is Ben's other sister, Lillie Rostov."

"The girl in Los Angeles. The one that man said looks just like me." She was mumbling, speaking to the air. "That day in Tessa's office. Her odd behavior when I walked in. She kept staring." Jinx was rambling, recalling times when Tessa had acted strangely. "She wouldn't come to our wedding. She wouldn't come to see Joy while Kate was here."

Then suddenly, she was shouting. "How could you keep all this from me? You knew how desperate I was to find out even the smallest bit of information! How long did you know? How can I ever trust you again?"

Kip kept his voice even. "I wanted to protect you, to prevent you from getting hurt. I admit, I've known the truth for a long time, and I should have told you, but like your mother and Hank, I felt that the truth was more painful than the lie."

"That was not your decision to make." Her voice was cold. The effect on Kip was chilling.

"I apologize," he said. "I . . ."

"I want to be alone. Please leave."

For the next few hours, while Kip sat on the couch in the library companioned by recrimination and regret, Jinx tried to unscramble everything she had just learned. Her father was alive! That should have been wonderful news, but the gift had been tied with rotten string. Her mother had lied to her. Her husband had lied to her. Hank had lied to her. And why? Because Benjamin Rostov, the father whose death she had mourned for so many years, had abandoned her.

Each time that fact answered one of her questions, Jinx's heart felt weighed down with an inexplicable grief. She must have done something. It had to be her fault. Why else had he walked out on Kate? Why else had he never tried to find her? Why else would he keep her existence a secret from his family?

One hour became two and then three. By then, she had shed so many tears that her eyes no longer watered. She had felt so many different emotions that her body no longer quaked from their impact. She had paced the floor and wrung her hands until her strength was completely sapped. Exhausted, she sat on a cushioned ledge by the window, looking out over the darkened landscape. She hugged her knees, trying to squeeze out the pain. Her body was limp, her face ashen and tear-stained. The fairy tale princess sat locked in her private tower, imprisoned by a past she had not been responsible for.

Sitting there, she felt more alone than she had ever imagined was possible. She wanted to reach out to someone, but to whom? Kate? Hank? Kip? She was angry at all of them. She had loved them. They had said they loved her. She had trusted them. She had believed in them. And yet, they had lied to her. They had cheated her out of information that was rightly hers. They had prevented her from contacting the one person they all knew she was desperate to find.

"But," she realized in a flash of calm, "*they* never abandoned me."

Slowly, she got up and made her way to the library. Kip was sitting on a couch, sipping a brandy. His shirt was open. His tie hung loosely around his neck. His face was gray, shaded by early morning stubble. She fixed her own drink and settled herself on the couch across from him. For a few minutes, neither of them spoke.

"Kip," Jinx said finally, "deep down, I think I knew the truth all along. There were so many hints, so many clues. My usually unflappable mother getting so rattled every time I mentioned his name. My father, whose credo is to face life head-on, walking out of a room whenever I raised the issue. And you, the most thorough man I know, deliberately discouraging me from following up leads, begging me to let it drop after I had gone to the cemetery. I guess I just didn't want to see it."

"And now?"

"I feel happy and sick and angry and depressed and displaced. . . . But most of all, I feel numb. None of this seems real to me. None of it feels right, except maybe the fact that Cissie and I are related."

Again, there was a silence between them.

"Would you like to meet him?" Kip asked, eager to refocus the conversation.

"Yes," Jinx said quickly. "No," she said just as quickly. "I'm afraid."

"Of what?"

"What if he doesn't like me?"

"What if you don't like him?"

"I'm afraid of that too," Jinx said, allowing a wry smile to flicker across her lips. "Wouldn't it be awful to find out after all these years and all those dreams that my real father doesn't even come close to my fantasies?"

Once again, Kip was forced to juggle what he knew with what he thought Jinx should know. He had worked with Ben Ross for years and for the most part, he supposed they had gotten along fairly well. But once he'd become aware of who Ross really was, he had begun to pick up personality flaws he might have overlooked before. He objected to business procedures he might have accepted before. He listened to gossip he would have dismissed before. He could tell her what he knew, what he thought, how he felt, but, he told himself, the man was her natural father. Jinx had a right to make up her own mind about Benjamin Ross.

"If you're going to meet him," Kip said, "the first thing you have to do is recognize that he's nothing more than an ordinary man with all the faults and foibles of an ordinary human being."

Jinx leaned back against the sofa and sipped her brandy, wondering why it wasn't filling the terrible hollow in her stomach.

"You sound like Kate," she said. "She always told me I had idealized the late, great Benjamin Rostov to such a point that no one could ever compete with him."

Kip laughed. It was a nervous laugh and it caught Jinx's ear.

"Kate was right," he said. "It wasn't easy."

"Why not?" She was softening.

"Because dead men don't make mistakes. They don't have bad breath in the morning and they don't trip over their own feet and they don't say stupid things and they don't risk destroying their marriages by lying to their wives, no matter how well intentioned the lie."

Jinx wished that she could tell him it was all right, that it didn't matter, but for the first time since she had known him, he had made a mistake she couldn't easily forgive.

"I love you," she said in a voice that was more thoughtful than romantic, "and I'm going to accept your word that you kept this from me because you believed it was the best thing to do."

"I did," he said, keenly aware that her tone had implied a "but." "Let me make up for my lapse of judgment by arranging a reunion."

"I won't know what to say or what to do."

"It'll be awkward, but you'll be fine," Kip said.

"Where would we stage this rendezvous?" she asked nervously. "How would you get him there?"

"We'll have a dinner party, here, in our home, where you feel safe and strong."

"Should we invite Cissie and Noah? I'd feel so much better having them here for support."

"I think you should confront one new family member at a time."

"You may be right," she said. "Afterward, I'll have lunch with Cissie and tell her the incredible news. Then, maybe she and Tessa will introduce me to the rest of the Rostovs."

"Maybe." Kip wished he could join in Jinx's newfound optimism, but as he watched her hopes build, his instincts went on alert.

"I can't wait," she said excitedly. "The best part is going to be introducing Joy to her grandfather."

"First, let's worry about introducing Ben Ross to his daughter," Kip said cautiously. "The rest will take care of itself."

The Kipling mansion was resplendent with all the accoutrements of wealth and position. Strategically placed spotlights beamed onto the wood and stucco façade of the majestic Tudor and its surrounding gardens. Guests in chauffeured limousines drove through fieldstone gates and up a cobblestone driveway to a circular motor court, where they were greeted by tuxedoed parking attendants. At the front door, white-aproned maids continued the welcome, taking coats and hats, and inviting each new arrival to join the host and hostess for cocktails in the conservatory.

Then, a young man in a stiff white collar and black tailed jacket led the guests through the grand foyer, with its towering columns, subtly lit sculpture niches, and intricately marbled floor, down a long hall that served as an art gallery, into an elegant room distinguished both by its rich boiserie and its view of the snow-covered sculpture garden. A grand piano presided over the opulently furnished space, its belly covered by an antique lace shawl and dotted by gleaming sterling silver frames that held pictures of the Kiplings—sisters, brothers-in-law, nieces, and nephews included—and the Elliots. A chamber music trio from Juilliard played Mozart while waiters circulated among the black-tie crowd, offering hors d'oeuvres on mirrored trays.

Kip was the consummate host, the very essence of charm and distinction. He greeted people at the door with a handsome, assured visage and a manner that was completely at ease, yet totally in charge. Next to him, Jinx was the picture of elegant confidence. Her black hair was fluffed into silky curls that flew around her face, cascading down onto smooth, bare shoulders, with one side pulled back and restrained by a diamond comb, a companion to the diamond and ruby earrings Kip had given her when Joy was born. Her gown was a sleek lipstick-red Fortuny-pleated silk, with a strapless top that wrapped her body to the hip, and then fell in pencil-thin folds to a tulip-edged hem.

In the relatively short time she and Kip had been married, Jinx had learned that public presence was part of being a Kipling. Though Kip's elite social circles had intimidated her at first, she had not only grown accustomed to being among the celebrated and the powerful, but had become an accomplished hostess herself. Before Joy was born, she and Kip had given dinner parties frequently, and developed a familiar routine for circulating among their guests. Tonight, however, was different. Neither of them left the door.

When Ben and Sylvia Ross arrived, it was Kip who noticed them first. He spotted them as they turned the corner into the hall from the entry foyer. Ben stopped once or twice to admire the paintings, while his wife fussed with her hair and readjusted her dress. Several times, Kip tried to interrupt Jinx, but she was talking to one of their other guests. By the time he had a chance to warn her, it was too late.

"Good evening," Kip said, nudging Jinx as she shook hands with Ben. "It's a pleasure to have you in our home."

As Kip shook Ben's and then Sylvia's hand, Jinx turned to look at the newest arrivals. No names had been mentioned, but in an instant, Jinx knew. The man's hair was flecked with gray, his jawline was sharper and more masculine than hers, the eyes were slightly less lavender, but the face was a mirror image of her own. There was no question. The man standing before her was her father.

"This is my wife," Kip said, deliberately neglecting to mention her name. "Darling, this is Sylvia and Ben Ross."

"How do you do." Jinx smiled, but her mouth had gone dry. She was having trouble looking at him, even more trouble trying to sound relaxed.

"Ben is head of Ross Advertising," Kip said, maintaining the conversation as best he could.

"You're doing a marvelous job for us," Jinx said, strengthened by the feel of Kip's arm around her waist. "I've wanted to meet you, but for some reason, our paths have never crossed. I'm glad finally to have the opportunity. I hope we'll have a chance to chat later on."

"I hope so too," Ben said, quickly moving aside, allowing other guests to greet their host and hostess.

Jinx smiled graciously as the Rosses moved on into the conservatory, took champagne from an obliging waiter, and began to mingle, but it was all she could do to keep from running over to him and demanding that he speak to her right then and there, that he explain why he had done what he had, why he had left Kate, why he had left her.

But she said nothing. She did nothing. Her time would come. Later.

Quickly, Ben Ross exchanged his champagne for a vodka on the rocks. His insides were rumbling and he knew it was more than hunger that was causing his internal chaos. Just as Jinx had not needed names to know who he was, he had known her also. He had seen her only once, when she had been days old, but when he had looked at her tonight, he had felt his body tremble as he came face to face with his own flesh. Every instinct he had told him to leave, now, but what would he tell Kip? What would he tell Sylvia?

"This house is to die!" Sylvia enthused as they wandered over to the window and looked out over the flagstone pool. "Did you see Leonard Bernstein?" she whispered. "I heard someone say that that man in the corner is Robert Motherwell. And that couple over there is Irving and Sylvia Wallace."

Ben nodded patiently. He had noted the notables. He had also admired the house. But he knew what Kipling was worth and he had expected nothing less.

"I heard that John Saladino did the house. He's here tonight too," Sylvia continued, undaunted by Ben's lack of attention. "I've been meaning to hire someone to redo our living room. Maybe I'll take his card. What do you think?"

"Whatever you want." Ben motioned for a waiter to refill his drink.

"The Kiplings have more rooms here than we do, but I would hardly call our home a shack," Sylvia said, as if she had been asked to present a bank statement. "I'm sure Saladino would be thrilled to work for us."

"I'm sure you're right," Ben said patiently.

"Would you look at the size of the diamond on that woman's finger! It must be twenty carats!" She looked from one woman to another. "Oh! And that necklace! I've never seen jewelry like this before."

Sylvia gulped her wine, turning sullen and quiet. She had been looking forward to this evening for weeks, but now she, too, wanted to leave. Before coming here, Sylvia had believed she had it all. Now she knew how much she was missing. She had always felt top-rung and first class. Tonight, however, she discovered that there was a difference between first class and deluxe. That difference depressed her because, for the first time in her life, she understood that *she* was merely rich. *They* were truly wealthy.

She began to comment on every bauble, every gown, every piece of furniture, every pair of shoes. Her voice had become a steady, noisome drone. Ben was trying his best to block her out. The vodka helped.

"What do you think of his wife?"

"What?"

"What do you think of Harrison Kipling's wife?"

Instinctively, Ben did the one thing he had been trying to avoid, he turned and looked at Jinx.

"She's beautiful," he said honestly, surveying her with an odd sense of pride.

"Awfully young, don't you think?"

Twenty-seven this month.

"I know he's very handsome and very rich, but if I were her mother, I don't know if I would be so thrilled about my daughter marrying someone so much older."

You could never be her mother, he thought, seeing Kate's face in front of him, her blond hair, her bright eyes. Suddenly, he was certain he heard her laugh. His head swiveled in the direction of the sound. It had come from Jinx.

He turned away, but as he did, his eye caught one of the photographs on the piano. It was Kate. Though she was older, with a few crinkle lines around her eyes and a softness around her chin, she was exactly what he had thought she'd be—beautiful.

"What's her name?"

"What?" he said, still riveted to the snapshot in the silver frame.

"When Kipling introduced us, he never mentioned his wife's name.."

Ben hadn't noticed that. He had been too caught up in the young woman's hyacinth eyes, her pale skin, and especially, the small dimple at the tip of her nose. Now that Sylvia mentioned it, it did seem odd.

The whole thing seemed odd. He had been handling the Kipling Worldwide account for years and he had never socialized with Harrison Kipling. Why now? Why had they invited him here? Did she know who he was? Did Kip? If so, why the charade? Suddenly, Ben panicked. He had told Sylvia about Kate, but he knew that she had repressed the whole story. What if Jinx decided to introduce her "father" to everyone? What if she simply introduced herself to Sylvia? What if she introduced herself to him?

Ben signaled for another vodka. This time, he made it a double.

Antique Aubusson tapestries hung on all four walls of the taupe-tinted dining room, warming the large space with their muted tones and Rubenesque portraits, establishing the color scheme for the evening. Eight round tables had been set up to accommodate the sixty-four guests, five fitting comfortably in the dining room, three spilling over into the gallery. Bone-white table linen provided a neutral background for the multi-colored floral arrangements and skinny silk ribbons in rich medieval colors—russet, hunter green, sky blue, and deep gold—that flowed in, among the flowers, out onto the table and down to the floor. Tall white candles flickered gaily from silver candlesticks, their soft light augmented by small votives in crystal cups. Each table was set with different china, different crystal, and different silver. Each place was designated by a sterling animal that held a white card hand-printed with the guest's name. And each guest was gifted with a small box that contained a vial of the new Oasis scent Jinx had had developed especially for the spas.

Jinx and Kip had worked on the seating for hours. After much shuffling and reshuffling, it was decided to seat Sylvia at one table next to Leonard Bernstein, and to seat Ben at another table, directly across from Jinx. Kip's table was in between.

Throughout most of the meal, Ben had been quiet. Jinx couldn't help noticing how often he had his wineglass refilled and how rarely he directed any conversation her way. She had wanted to get a sense of him, of who he was and what he cared about and how he thought, but he was making it extremely difficult.

During cocktails, she had seen him by the piano. She had seen him touch the frame of Kate's picture. She even thought she had noticed a quick smile reverse into a frown. He knew who she was, of that she was certain. Was he waiting for her to initiate the introduction? Was he holding back because he didn't think she knew who he was?

As coffee was served, Jinx rose and circulated among the rest of her guests. As she came to Sylvia Ross's table, she lingered, listening to her expound on the virtues of charity work. The woman was attractive, nicely dressed, and seemed bright enough, but not in the same league as Kate. There was no spark to Sylvia Ross, no passion. In fact, as far as Jinx could see, there was no comparison whatsoever.

That thought depressed Jinx, reaffirming her sense of guilt, her belief that she had been the cause of her own abandonment.

"How're you doing?"

Jinx hadn't noticed Kip until his arm went around her waist and he gently, but firmly led her away from Sylvia's table.

"I'm not sure," she said. "I've been observing my stepmother."

"What's the verdict?"

"It's really unfair to say, since I haven't spoken more than ten words to her."

"What about Ben?"

"He hasn't spoken more than ten words to me!" she said with an exasperated, nervous laugh.

"He will. As soon as coffee is over and everyone begins to gather in the conservatory again for after-dinner drinks, invite him to join you in the library."

"What if he says no?"

Kip smiled and kissed her.

"Come get me," he said.

In less than half an hour, Kip was leading Sylvia Ross and several others on a guided tour of the house. Many of the women had gone to the powder room, many of the men had retired to the conservatory for a brandy and a cigar. Jinx caught Ben just as he was heading out the dining room door. Her hand touched his arm and his back stiffened.

"Mr. Ross. I wonder if you'd mind coming to the library with me." Jinx counted the seconds before he answered.

"I'd be delighted," he said, smiling quickly, trying to cover a rising sense of panic.

Jinx led the way down the hall, behind the living room to the small family library. She ushered Ben inside, offered him a seat, and closed the door.

"Would you like a brandy?" she said, ever the gracious hostess.

"That would be lovely," he said, ever the polite guest. "Thank you."

Slowly, she poured drinks for the two of them, using the time to compose herself. When she could stall no longer, she walked across the room, taking deep breaths and small steps. She had rehearsed this scene a thousand times, but suddenly severe stage fright gripped her.

Twice she started to speak, and twice her lips moved, but no sound came out.

He noticed her hesitation. Put her off, he warned himself.

"I don't mean to be discourteous, Mrs. Kipling, but is there some specific reason you brought me in here?"

"I understand you spent time in Berlin after the war," she said, ignoring his impatience.

Ben took a sip of his drink, emitted a bored sigh, and looked at his watch. He was being deliberately rude, but Jinx was determined to continue.

"My mother was a nurse in the army hospital in Berlin. Her name was Kate Freedman." She expected a slightly perceptible gasp, a quick twitch of the lip, a subtle lift of an eyebrow. But there was no response at all to the mention of Kate's name.

No response that she could see. Ben's stomach lurched as an ancient guilt filled his core with an acidic bile. He knew what was coming. Urgent questions flooded his brain. Should I admit who I am? Who she is? Should I tell her how sorry I am? Should I beg her to keep my secret?

"Earlier in the evening, I noticed you looking at her picture," Jinx persisted.

"I don't recall a picture of a nurse," he said flatly. But he did recall how much he had loved that nurse, how exciting their time together had been, how bland his life had been without her.

"On the piano. In the conservatory." Jinx was getting angry. "And she wasn't in a nurse's uniform. She was wearing a white gown."

"The blonde? Yes," he said, flashing a brief, patronizing smile, hoping she couldn't see the nervous twitch in his eye. "Very attractive. You look just like her."

Jinx's heart was pounding and there was a lump in her throat that threatened to cut off her air.

"No, Mr. Ross," she said, leaning forward so that her face was closer to his. "I look exactly like you."

"I take that as a compliment," Ben said, frightened that she might see the sweat that was building up around his collar. "You're a lovely young woman."

"I look like you," Jinx said, keeping her eyes locked on his, "because you are my father."

This time, she got a response.

"Mrs. Kipling, if this is your idea of a joke, I'm terribly sorry, but I don't get it."

His tone was harsh, his stare cold and unfeeling, but inside, his heart was breaking. *Tell her!* his brain shouted. Take her in your arms and hold her. Forget about what Sylvia would say or what Becca would say. Right the terrible wrong you committed. Claim this beautiful woman as your child!

"I would hardly call this a joke," she said, flustered by his seeming lack of interest in her revelation. "When I was fifteen years old, I discovered that Hank Elliot, the man who had raised me, was not my natural father. He had adopted me after you walked out on my mother and me. For years, I believed you were dead. Recently, I found out that you were very much alive." She smiled, hoping to elicit even a single ray of warmth. "I invited you here tonight because I wanted to meet you. I wanted to try to make up for all the lost years, to get to know you and have you know me."

She thought she noticed a softening around his eyes, but when he spoke, she realized she was mistaken.

"Mrs. Kipling, that's an extremely touching story, but believe me, it's pure fiction." *God, forgive me for being so weak.* "I never knew anyone named Kate Freedman, nor did I ever have a child other than the one daughter I have now."

"And that daughter's name is Frances Rebecca," she insisted, "the same as mine. We were both named after your mother, Franyu Bekah, who died when she was only forty years old."

She would have loved you, he thought to himself, thoroughly ashamed, but unable to budge from the stance he had taken.

"What's more, there are three other Frances Rebeccas," Jinx continued, determined to penetrate his stony exterior, unaware of how deep her probes had actually gone. "Cissie Gold, who is your sister Tessa's child, Frankie Travis, who is the daughter of your youngest sister, Lillie, and another Frances Rebecca who died when she was eight years old. They're my cousins! And whether you want to admit it or not, you're my father!"

I do want to admit it, he screamed silently. But I can't. I need time. Time to think. Time to figure out what to say, what to do about the others.

Jinx stared at him. He remained impassive, unreadable. She knew she sounded desperate, but she felt him slipping further and further away from her. As if to confirm her feelings, Ben rose from the couch and started for the door.

"Mrs. Kipling. Perhaps if I called one of the waiters and had him bring you a cup of coffee, you'd feel better."

Jinx grabbed his arm. She nearly shouted at him in frustration.

"I am not drunk! I am not sick and I'm not crazy! You and my mother were married in Berlin! I saw your marriage certificate!" She held on to him, pulling him closer until they were standing eye to eye.

"I read your letters! They were filled with passion and emotion and longing and I don't care what you say now, you loved her! The only question I have is, why did you leave her? Why did you leave me?"

Tears welled up in her eyes. His obstinance pierced her gut like a bull's horn, ripping at her insides. He had abandoned her as an infant and though that knowledge had hurt her deeply, it was a minor scratch compared to the pain she felt now listening to him reject her face to face.

"I never knew a Kate Freedman," he repeated like an automaton spitting out a prerecorded message. "And frankly, I'm beginning to resent these baseless accusations." He turned away, swallowing bitter tears that had begun to sting his eyes.

Jinx went over to the desk and took her frayed photograph out of the drawer.

"That's you," she said, pointing to the small figure in the snapshot. "And the woman you're holding in your arms is the woman you claim you never met. That woman is my mother!"

Ben shook his head. Jinx tried to hand him the picture, but he refused even to look at it. He couldn't look at it.

"Even if I did know her, one fuzzy snapshot is hardly a sound argument for proving paternity."

"How about a birth certificate that lists Benjamin Rostov as my father?"

"Mrs. Kipling, I'm going to end this discussion once and for all. It's obvious that your mother lied to you. Most army nurses I knew were pretty free with their favors. Maybe she didn't know who your father was."

Ben heard his words and was repulsed by them. How could he defame Kate that way? For a mad moment, he felt as if he were possessed by some horrid monster. His body quaked and he tried to control himself by grabbing the back of a chair.

"That's disgusting," Jinx said, furious with him, furious with herself for wanting him to love her. "You're the one who's lying."

"Am I?" His mind was racing, trying to find a way of extricating himself from his self-woven web of deceit. Maybe after I think out all the consequences, all the side effects of a confession, it'll be easier.

"Yes, I was in Berlin," he said instead. "Yes, my name was Benjamin Rostov. But obviously, I'm not dead. Your mother lied to you about that. Why wouldn't she lie to you about anything else?"

"What about my name?"

"Frances is hardly unique," he said, remembering how touched he had been when he learned what Kate had done. "Neither is

Rebecca. The fact that you share the same two names as my daughter and my nieces is pure coincidence."

He listened to what he was saying and didn't know whether to laugh or cry. He was older now, presumably wiser, but one fact was painfully apparent—he was just as incapable of owning up to his mistakes today as he had been twenty-seven years before.

Just then, they were interrupted by a soft knock. Jinx opened the door, knowing who was waiting on the other side. Ben's head jerked toward the sound, fearful that an already excruciating situation was about to get worse. He was right. Halona had brought Joy downstairs. Jinx had planned this as the celebratory cap for a successful reunion. She never dreamed that Joy's appearance would be a last resort.

She took her baby from Halona and closed the door, pressing the sleeping infant against her. She walked toward Ben, who had retrieved his drink and was gulping it down. His face looked suddenly drawn, less handsome, more lined.

"This is your granddaughter," she said, holding Joy so that he could see her.

Joy squiggled around in her mother's arms, opened her lavender eyes, crinkled her dimpled nose, and smiled. Ben's head reeled. Suddenly, he was back in Berlin, standing outside the army hospital nursery, looking through the glass at his newborn daughter, seeing the face that had haunted his dreams night after night.

"Her name is Joy," Jinx said proudly. "Would you like to hold her?"

Ben stared at the baby for what seemed like an eternity. Of course he wanted to hold her. This was his flesh, his blood, his immortality. He wanted to hug her and nuzzle the soft flesh under her chin. He wanted to squeeze her and make her giggle. But like an animal caught in a snare, he couldn't free himself from the trap he had set. He walked past Jinx and opened the door. He had to get away. He had to get out.

"Grandstand plays don't suit you, Mrs. Kipling," he said in a husky voice that masked the intense pain he was feeling. "Thank you so much for dinner. Good evening."

He turned and began to walk down the hall. Instantly, Jinx handed Joy to Halona and grabbed his arm.

"Oh, no, you don't!" she screamed, years of pent-up anger surging to the surface with volcanic heat. "You walked out on me once. Then, I was too small to do anything about it, but you're going to own up to the truth now or you're going to pay dearly for your lies!"

Ben wrenched free of her grasp and, without so much as a look back, strode away. Jinx never saw his tears nor heard the anguished groan that escaped from his lips as the paroxysms shook his body. All she saw was the empty space where just minutes ago the man whom she knew to be her father had stood.

She felt riveted to the floor, paralyzed by rejection, immobilized by a rage so huge that it threatened to overwhelm her. Joy began to whimper. Jinx took her in her arms and for several minutes, mother and daughter held each other.

Soon, Kip appeared. Wordlessly, he took the baby from Jinx, motioning to Halona to take Joy upstairs. He tried to coax Jinx over to the couch, but she refused to move. Her eyes were glued to the open door.

"Now I know how my mother felt," she whispered. "He was cold and heartless."

Kip put his arm around her shoulders. Her body was rigid.

"Come with me," he said. "Talk to me."

She turned and looked at him.

"My mother let him go," she said, somewhat confused, her feelings about Kate still unresolved.

"Maybe she did the right thing."

"Maybe she did what was right for her, but it doesn't feel right for me. Benjamin Ross is my father," she said. "I know it, he knows it, and one of these days, he's going to acknowledge me and acknowledge my daughter. He owes me that much."

"Some people never make good on their debts," Kip said, taken aback by Jinx's fury.

"Maybe not." Jinx's jaw was tight with resolve, her eyes aflame with retaliation. "But, believe me, Benjamin Rostov Ross is going to pay. One way or the other."

BOOK THREE

16
Frances Rebecca Gold
Cissie

February 1975

"I DON'T KNOW WHETHER TO LAUGH OR CRY." Cissie stared at the woman who until an hour ago had been her best friend, a woman whom she now had to think of as a cousin. "It's so bizarre."

Jinx lifted the corner of her mouth in a half smile.

"I know, but it's true." The smile faded. "I don't care what he says."

Cissie's mind was clicking trying to recall facts, remember stories.

"I don't doubt you," she said. "Though I can't believe I never saw it before, there is no question, you are a total Rostov. Hair, skin, nose. You're the only one who has my grandmother's dimple." She laughed. "*Our* grandmother's dimple."

"How could he look me squarely in the eye and deny that he's my father? If the resemblance is so obvious to you, how come it was so invisible to him?"

"Because I have no guilt," Cissie said, taking Jinx's hand and patting it soothingly. "Because I have no complications. Because accepting you as a cousin has no negatives about it. Only positives."

Jinx nodded. She had been over this ground again and again.

With Kip. With herself. But never with Cissie. And never with her mother.

"I understand it might be difficult explaining me to his wife and to his other daughter, but really! I wasn't asking to move in with him. All I wanted was an acknowledgment. A nod. A sigh. A word that said, 'yes, you exist. Yes, I had something to do with your existence.'"

Each time she spoke of Ben's rejection, she responded just as she did now, with a trembling sense of offense and outrage. Somehow, she had expected that in spite of his cruel behavior the night of the party, given time, he would think better of the situation and call her. Days passed. No call. As days turned into weeks and Jinx's frustration mounted, Ben became the main topic of discussion in the Kipling household. Jinx was not about to drop the matter. Nor was she about to let Benjamin Rostov off without some consequence. She wanted justice. She wanted him to see that he could not trifle with her feelings. She wanted revenge.

When she first raised the idea of pulling the entire $35,000,000 Kipling Worldwide account out of Ben's agency, Kip balked, but Jinx persisted, challenging her husband, demanding to know how he could put money in the pocket of a man who had blatantly and heartlessly denied his paternity. A man like that deserved to be punished, Jinx argued, not rewarded. Kip couldn't, and wouldn't, disagree. The move was notable enough to garner banner headlines in *The Wall Street Journal*, the business section of *The New York Times* as well as every trade publication. The move was serious enough to cripple Ben's business. Still, no call.

"The one I can't understand is my mother," Cissie said. "She knew all along, yet she didn't say anything."

"I thought about that also," Jinx said with criticism in her voice.

"In her defense," Cissie said, "I must say that Mother is one of the world's most loyal people. She knows more stories about more people than Rona Barrett. But she doesn't kiss and tell."

"This is hardly casual gossip," Jinx said, impatient with what she thought was Cissie's cavalier attitude. "This is major, don't you think?"

Quickly, Cissie realized there had been a breakdown in communications.

"Of course it's major," she said, noting the bitter tone in Jinx's voice. "And I'm not taking it lightly. Honest. This is a little bit of a shock. I'm just trying to sort it all out."

Jinx nodded and became preoccupied with her coffee and her own private thoughts. For several minutes, neither woman spoke.

"Sylvia knows about Kate," Cissie said suddenly. "I'm sure of it."

"What do you mean?"

"I remember once, when I was little, Uncle Ben and Aunt Sylvia were at the house. My father had gone to the den to take a long-distance call and Sylvia had gone into another room to fuss over Becca, leaving Ben alone with my mother. Every once in a while, I used to hide in the hall and listen to the grown-ups. I think I was playing spy or something dumb like that. Anyway, I remember hearing my mother say that she had gotten a letter from someone named Kate. My uncle got all upset. He tried to shush her. I couldn't hear everything, but I did hear Tessa ask if he had ever told Sylvia. He mumbled something, but in the midst of the mumbling, I think I heard a 'yes.'"

"Told her what? Did they say anything about me?"

"They talked for a few minutes more, but in whispers. Knowing what we know now, of course my guess would be that he told Sylvia he had been married, but neglected to mention that he had had a child."

"I think he's neglected a lot of things."

Cissie nodded. She had tried to defend her mother, but she had no defense for her uncle.

"What's she like?" Jinx asked, shifting gears.

"Who?"

"Becca."

Cissie laughed.

"Let's put it this way. If there was ever a reason for claiming paternity to a long-lost child, she's it."

Jinx hated herself, but she couldn't help but feel glad that Cissie hadn't raved about Ben's other daughter.

"Kip thinks I should let this whole thing drop," she said. "I don't think I can do that. Could you?"

"You're asking Crusader Rabbit a question like that? Absolutely not!"

"Then what do you suggest I do now?"

"Honestly? I don't know. Have you spoken to your mother?"

"No. I may never speak to her again."

"That's a little drastic, isn't it?" Cissie said, surprised by the utter coldness in Jinx's voice.

"She lied to me," Jinx said gruffly.

"Ben lied to you too," Cissie said, wishing she could find the words to ease her friend's pain. "Kate raised you and loved you and, probably, protected you. I think you owe it to her to hear her side of the story before you march her off to the guillotine."

"She owed me the truth!"

"Now you have the truth," Cissie said gently. "And as with most truths, it comes with two sides to it. The good and the bad. You have to weigh them against each other."

Jinx leaned across the couch where they were sitting and hugged Cissie.

"You're the good," she said, clinging to Cissie. "I love you."

"Of course, you do," Cissie responded. "We're cousins!"

"No matter what, Ben comes out of this looking like a real stinker."

"That he does," Cissie said, bundling up next to Noah as they strolled the streets around Tompkins Square.

"I'm not so sure you mother isn't without a slight scent of her own."

"I know that, too, but she's the original Girl Scout and if he made her swear pinkies-up-to-God not to say anything, you know she'd die before betraying a confidence."

Noah held his wife closer, fixing her scarf so the harsh February winds didn't bite her ears.

"I'd go along with all that," he said, "except for the fact that she worked with Jinx and allowed them to become so close. There's something not right about it."

"There's something not right about how cold I am," Cissie said, shivering. "I know how important these weekly walks through the district are, but isn't there a cozy *patisserie* around where a poor, frozen waif could buy a cup of hot chocolate and a croissant?"

"This area is not known for its cuisine," Noah said, feeling guilty about selfishly dragging his pregnant wife out on such a bitter night.

"I tell you what," he said, patting his gloves against her cheeks. "Let's stop in at the Hidalgos'. We're right here. They'll fix us a quick cup of coffee and while we're warming up, I'll get to find out why Luis hasn't been to the factory lately. The guy is usually one hundred percent reliable. Something is not kosher."

They took the steps slowly, but by the time they reached the Hidalgos' fourth-floor apartment, both of them were winded and both of them were uneasy. Buildings like this were always smelly and noisy. Since Noah's election to the State Senate, and his reelection the previous year, they had spent enough time in this neighborhood and others like it, so that they were used to the jumble of aromas and sounds. Tonight, however, there was only one smell which neither Noah nor Cissie could place immediately. And there was only one noise, the plaintive mewling of small children.

Rosa Hidalgo looked oddly embarrassed as she opened the door and peeked her head out.

"Señor Gold. Señora Cissie. What are you doing here?" she said, standing in such a way that prevented anyone seeing past the door.

"We were out walking," Noah said, trying to peek behind her, "and Cissie got very cold. We thought we could trouble you for a hot cup of tea or coffee."

"Rosa," Cissie said, pushing in front of Noah and putting her hand on the door. "Why are you wearing gloves?"

"I was about to go out," she said, still keeping the door open only a crack.

"Bull!" Cissie sniffed the air nervously. "It's gas we smell," she said to Noah. "Open this door," she said to Rosa.

As Noah and Cissie entered the small apartment, Cissie's stomach lurched. Luis was lying on a mattress in a corner, covered with every blanket the Hidalgos could spare, his face pink with fever, his eyes glassy and vague. Two of the three children were huddled in a corner, dressed in every piece of clothing they possessed, including coats, hats, and gloves But it was the old people who grabbed Cissie the hardest. They, too, were dressed for subzero temperatures, but their pride refused to let them huddle. They sat at the table, obviously faint from the cold, their backs straight, their expressions grim.

On the top of the stove, two burners were covered with big pots of boiling water. The other two burners were blue with a flickering gas flame. From the look of the ceiling, the pipes had burst some time ago. Cissie went to tend to Luis. Noah began checking out the apartment.

"How long have you been living like this?" he asked, appalled by the horrible conditions.

"Since the winter began," Rosa said as if that's how it was supposed to be. "At first, we had a little heat, a little hot water. But then the real cold came and everything went."

"Have you called your landlord?"

Rosa nodded her head.

"Everyone. We all call. We all write to him. No answer."

Noah's forehead furrowed. His eyes grew black.

"But you all paid your rent on time, didn't you?"

"Otherwise, he'd throw us out," she said, as if Noah should have known that.

"Living in the streets couldn't be much worse than this! Would you come with me so I can talk to some of your neighbors?"

"*Sí*, but—"

"I'll stay with Luis," Cissie said. "Where's Tonio?"

"He went to get soup. He should be back soon."

Cissie nodded, taking off her coat and wrapping it around the sick man's chest. He needed hospitalization, medication at the very least. She had to get to a phone, but she could see that someone with a clear head had to stay.

"Gabi," she said, directing her question to the second eldest. "If I give you a number to call and some money, will you run down to the phone and call a doctor?"

"No phone, Señora Cissie. It broke about a month ago and no one came to fix."

No wonder Luis hadn't called in, Cissie thought as she pressed her wrist against Luis's forehead. His head was burning. Placing her lips on his febrile skin, she gauged his fever to be close to one hundred and three. Having had pneumonia, she thought her diagnosis was close to correct.

It was almost forty minutes before Noah and Rosa returned from their tour, she looking very sad and downtrodden, he angry and intense.

"They all say they've called this creep and written him and he just refuses to answer."

"We must get Luis to a hospital," Cissie said calmly, not wanting to frighten anyone, wondering whether or not Rosa's parents were also suffering from exposure.

"We'll take care of that right now," Noah said. "I think I'm going to have a few doctors come in to check out the other tenants. The ones I saw didn't exactly look like they were in tiptop shape either."

"Please, Señor Gold," Rosa said, speaking softly so as not to upset the others. "Call this man. Make him turn on the heat. Most of us in this building have no place else to go."

"Rosa," Noah said gently, "you and Luis have good jobs. Why haven't you moved somewhere with more rooms and better services?"

"We save. Tonio's doing well in school. We want him to go to college. Be someone."

"I don't know how," Noah said, "but I'm going to get to this landlord!"

"I know how," Cissie said in a tone Noah had come to recognize as the voice of determination. "We're going to move in here."

"What?" Both Noah and Rosa sounded incredulous.

"If Luis and Rosa Hidalgo get a little chilly, and a few Spanish-speaking children get a case of the sniffles, the landlord looks aside. Who cares? he tells himself. Well, I'll bet this creep wouldn't let anything happen to State Senator and Mrs. Gold," she said with a smug smile.

Noah took off his coat, put it around Cissie's shoulders, and pulled her to him, kissing her softly.

"You are brilliant," he said. "A bit on the foxy side, but definitely brilliant."

"I know." Cissie returned his grin. She was always so happy when she was able to help him. "Now. Rosa, start packing. Noah and I are going to go back to our house and get it ready for you and your family. We're going to call a doctor and have him come here with an ambulance for Luis and some help for your neighbors. And as soon as I can arrange for someone to take care of our daughter, Noah and I are moving in!"

"How long have you been here?" Tessa was frantic. It had taken her two days to locate Cissie. Once she had, she was even more concerned than when she had been unable to find her.

"Two weeks." Though Cissie was feeling quite awful, she refused to let her mother see it. Chipper and cheerful was the role of the day.

"Darling, I understand your commitment to these people, but wasn't there any other way to make your point?"

"No."

"How much longer do you think it'll be before this Mr. Frey makes the necessary repairs?"

"He still hasn't answered our calls. Every time someone at Noah's office calls over there, Mr. Frey is out of town or unavailable. Of course, we've allowed only Ramon Fuentes to call." Cissie smiled. There was nothing she found more fun than setting a trap for a scoundrel.

"When is Senator Gold going to call?" Tessa asked, respectful of the scheme, but nonetheless very worried about her daughter.

Cissie had experienced a difficult first trimester and though she insisted that she was fine, Tessa could see how chilled to the bone and uncomfortable she was.

"Who's taking care of Alexis?" she asked.

"I am." Suddenly, Jinx exited the bathroom and stood facing Tessa.

"I didn't know you were here," Tessa said, a nervous smile flickering on her lips. "How are you, dear?"

"I'm well," Jinx said with obvious formality. "And you?"

"I'm very well, thank you."

Cissie looked from Jinx to her mother. They stood on either side of her, squared off at opposite ends of the room, silently assessing each other. Though she hadn't planned this confrontation, now that it was here, she was kind of glad. She hated putting Tessa on the spot, but maybe having to face Jinx in person would loosen her mother's tongue.

"It's very nice of you to take care of Alexis," Tessa said, looking for a place to sit. Jinx never moved.

"I thought it would be nice for Alexis to stay with relatives," Cissie said, sounding the gong.

"Jinx is a dear friend," Tessa said, knowing Cissie too well to think that her comment had been an inadvertent slip, "but she's not a relative and I would think that with an infant of her own and a busy career, taking care of another child is somewhat of an imposition. Perhaps you should have called Aunt Molly."

"Or Uncle Ben?"

"Yes, why not?" Tessa tried to sound casual, but she moved over to one of the kitchen chairs, distancing herself from both of them. "He and Aunt Sylvia would have been delighted."

Cissie sat back and stared at her mother. She knew how uncomfortable Tessa was. She could feel how angry Jinx was.

"As delighted as he was to hear that the child he walked out on lo those many years ago was here in town?" Jinx asked, tired of fencing.

Despite the heatless apartment, Tessa felt herself begin to perspire.

"I don't know what you're talking about," she said.

"Ben Rostov. Kate Elliot. Frances Rebecca Rostov Elliot Kipling." Jinx heard the hostility in her own voice. She saw the cornered look on Tessa's face and the hurt in Tessa's eyes, but she had been hurt, too, and she wasn't about to back off.

Cissie waited, wishing her mother would divulge what she knew and confess her part in keeping her brother's secret. She waited, but inside, she knew Tessa would never break a promise to Ben, even for her daughter.

"I confronted him," Jinx continued, choosing to ignore Tessa's silence. "And he rejected me. He denied that he was my father. He denied that he ever knew Kate Freedman, let alone that he was married to her. But you knew Kate Freedman, didn't you?"

Tessa stood.

"I'm very tired, Jinx darling, and I don't know what you're trying to prove, but I resent this inquisition."

"And I resent your phony innocence!"

"You know what a wonderful person Jinx is," Cissie said, jumping in, feeling the need to mediate. "You know how sensitive she is, you can see how hurt she is."

"You posed as my friend, when all the time you knew you were my aunt!"

"What exactly is it you want from me?"

"For starters," Jinx said, her voice strained, but her tone softening a bit, "I'd like you to admit that you're my aunt and tell me you're glad to be so. Then I want you to tell your brother to admit that he's my father."

"Jinx doesn't want him to make a public declaration. She doesn't want to embarrass him in front of his family. She just wants to hear him admit the truth. You can understand that, can't you, Mom?"

Cissie's teeth were chattering from the cold and her fingerless gloves exposed dry white fingers, but her voice was strong, her eyes begging her mother to do the right thing.

"I will do none of those things," Tessa said.

"Why? Because you promised him you'd keep his bloody secret till death do you part?" The softness had gone from Jinx's voice. The sound of betrayal had returned.

"My reasons are my own."

Cissie looked at Tessa as the older woman walked to the door of the tenement. Though she had anticipated this outcome, being right felt totally wrong.

"I'm disappointed in you, Mother. I thought you had more compassion than this."

"Compassion has many sides."

With that, Tessa closed the door behind her, leaving Cissie and Jinx in a freezing, ramshackle, fourth-floor walkup. For a long time, neither of them spoke. It was as if the sound of the door slamming had signaled a period of silence and reflection.

"I'm so sorry," Jinx said. "I didn't mean to cause a rift between you and your mother. I just couldn't contain myself." Her voice cracked and her eyes moistened. "I was always so fond of her. I thought she was fond of me."

"She is," Cissie insisted, pained by the look on Jinx's face, recalling that the same look had lined Tessa's face just before she left.

"Maybe, but when push came to shove, Ben won and I lost. He's her brother and I guess I can't fault her for being so loyal." Jinx put on her coat, leaned down and hugged Cissie. "I love you for what you tried to do," she said, forcing a smile. "I'd wait for Noah, but I think I have to go home now."

"Noah's in Albany," Cissie said woodenly.

"Will you be all right?"

Cissie nodded. "Will you?"

"I'll be fine."

After Jinx left, for a long time Cissie stared at the peeling metal door, her mind racing in a thousand directions. The apartment wasn't hers. The battle with the landlord wasn't hers. The problem with Jinx and Ben wasn't hers. She was cold, sick, weary, lonely for her daughter, upset at having estranged herself from her mother, and a little uncomfortable at pitting herself so squarely against her uncle. Most people would have walked away from it all. But Cissie Gold wasn't most people.

The motel room was cold, heated only by an old radiator that pushed out sporadic bursts of warmth accompanied by a clatter of creaky pipes and rusty equipment. Outside, the snow was falling in thick clumps. Noah pulled his blanket up under his chin and listened to the wind assert itself as it built huge drifts under the window.

He was chilled, but he knew that even in this drafty room, he was probably warmer than Cissie was in the Hidalgos' apartment. He shivered, but this time it was not from the cold. His dark eyes turned to the side, looking next to him on the bed where a young woman slept, her naked body wrapped in the sheet, her blond hair tousled on the pillow.

He had never cheated on Cissie before. He had never even thought about it before. Actually, Noah said to himself, feeling compelled to justify his actions, he hadn't thought about it tonight. It had just happened. He had flown up to Albany early that morning to take care of some Senate business. The snow had started falling early in the afternoon. Somehow, time had gotten away from him and when he was ready to leave, his secretary told him that the airport had been closed.

At first, he was upset, but, having no choice, he decided to take advantage of the opportunity to continue the research he was doing on a bill he was going to propose during the next session of the legislature. The young blonde was a paralegal who had recently joined his staff and had been helping him with the research. She was about twenty-two, with a body that explained her preference for tight clothes, a slightly starry-eyed attitude about working with the new, hotshot State Senator from New York City, and was extremely eager to be of assistance.

At about nine-thirty, Noah suggested they call it a day and get something to eat. Since most of the places around the Capitol operated on a businessman's schedule, every restaurant they tried was closed. Rita (he couldn't remember her last name) recalled that the motel where she was staying until she could find a suitable apartment, had a coffee shop open until midnight. They piled into her Volkswagen and slowly made their way to the motel. It was only after they had wolfed down fried chicken in a basket and were lingering over a second cup of coffee that Noah realized he had no place to sleep. Since he hadn't planned on staying overnight, he hadn't booked a room in his usual hotel. When he asked at the desk, the motel owner told him that because of the snow, he was completely sold out. That's when Rita mentioned that her room had two beds in it and suggested he bunk in with her.

It sounded innocent enough, and that's how it started out. Once inside Rita's room, however, they both became awkward and self-conscious. Rita went to her dresser, took out a bottle of scotch, and offered Noah a drink. He accepted. Then he accepted another. Midway through the third, Rita, feeling as relaxed and mellow as her companion, changed into her nightgown. When she emerged from the tiny bathroom, she had changed from a diligent researcher to a sensuous young temptress. Noah didn't think about consequences. In fact, he didn't think at all. He merely responded. He followed her to her bed, made love to her, and enjoyed himself thoroughly.

Now, however, between flashes of guilt, he was considering his alibi. Cissie knew he was in Albany. She wasn't near a phone so he couldn't have called her and she couldn't have called him. There *was* a snowstorm. The airport had been closed. Even if he told her he had stayed in a motel, she would never check up on him and she would never suspect he had done something improper. Cissie was too trusting for that.

Rita turned over and rewrapped the sheet around her body, scrunching her nose and making small snoring noises. Noah looked at her large breasts pressing against the cheap muslin. He looked at her long legs curled up under her chin. He knew he'd never sleep with her again. This had been a lapse. It had been a mistake. But, he admitted with a contented smile, it had been fun. And it had been easy.

Jinx put her foot on the brake and slowed her car as she approached her parents' home. She was not looking forward to this meeting. She had put it off and put it off, but once Cissie had agreed to allow Alexis to spend some time in Palm Beach with Noah's parents, relieving Jinx of that obligation, and Kip had announced that he had to go to the Orient, Jinx had taken the private jet to Phoenix.

As she pulled into the driveway, she thought of Cissie and Noah and the stale atmosphere of the Hidalgo apartment. The newspapers had finally picked up the story and soon, if all went according to plan, the Golds would have their victory and could return to their normal lives.

A clean victory, Jinx thought, simple and clear cut. There had been a wrong, the wrong would be righted and the matter would be closed.

Her struggle, unfortunately, was not quite as simple, not quite as definable. The problem had too many tentacles that threatened to reach out and strangle all those involved. Right now, she was the one who was choking, choking on an anger that refused to soften.

As she opened the door to the Elliot home and walked into the foyer, her back stiffened. Never would she have believed that this place would seem alien to her. Never would she have believed that the people in it would seem like enemies. But that night, when Kip had revealed the truth about Ben's existence, everything had changed. She had changed.

Kate had heard the door open and came running to greet her eldest daughter. She went to put her arms around her. Jinx moved her head to the side, rebuffing her mother's embrace.

"Did you have a nice trip, dear?" Kate asked, ignoring the slight.

"It was fine," Jinx said, walking past Kate into the living room.

Hank put down his newspaper and started to rise, but Jinx stepped back, putting him off with a cold stare.

"How about some coffee?" Kate asked, eyeing Jinx carefully.

"I didn't come for breakfast," she said ominously. "I came to talk."

"About what?" Hank asked, a bit annoyed at her brusqueness.

"About the life and death of Benjamin Rostov." As she looked from one parent to another, she could see that they had been expecting this.

"You've discovered that Ben's still alive, haven't you?" Kate said it calmly, without emotion.

"Did you think I wouldn't?"

"I think we were hoping you wouldn't," Hank said.

"Why didn't you tell me?" Jinx tried to keep her voice from turning shrill.

Kate moved from the doorway to a chair, buying a few seconds in which she tried to compose herself and organize her thoughts. She knew the time for deception had passed, yet part of her still couldn't bear to expose the entire truth.

"At first," she said, "I think it was because *I* didn't want to deal with the hurt. Later, it was because I didn't want *you* to be hurt."

"I'm hurt now," Jinx said.

Kate laughed, but it was not a happy sound.

"You should be hurt," she said with a bitterness that vibrated throughout the room. "He walked out on you and me and never even stopped to look back."

"He denies he ever knew you," Jinx said, watching her words fly across the room like arrows, piercing Kate's ego and causing her to flinch from their sharpness. "He claims that he never married you and that he never fathered me."

Kate lowered her eyes. When she spoke, her voice was barely above a whisper.

"He did marry me and he did father you. At one time, he even claimed he loved me."

Part of Jinx responded to the wistful sadness in her mother's voice, but her compassion was quickly shoved aside by a growing rancor that refused to be stifled or silenced.

"And at one time you claimed you loved me!"

Kate's head snapped up.

"I do," she insisted. "I always have and I always will, no matter what you say or do."

"Love implies honesty and trust. You were never honest with me and you obviously didn't trust me to do the right thing. You don't know what love means!"

"How dare you speak to your mother like that?" Hank walked over to Kate's chair and stood behind her, protective, loving. "She doesn't deserve this."

"How can you defend her? More to the point, how could you have let her do this to me?" Jinx shouted. "I wasted years fantasizing about a myth. I made a fool of myself, and both of you allowed it. Worse, by lying, you encouraged it! You call that love? I call that cruel."

"I do love you," Kate said, "And, I did love him," she added, responding to the verbal slap. "I loved him very much."

"And what about the man you kept insisting was my father? Do you love him? Or have you lied to him all these years just as you lied to me!"

Slowly, Kate turned to face Hank. Her eyes were moist, but her voice was steady.

"I love Hank very much. One thing has nothing to do with the other. They say there are many forms of love, and I believe it," she said, feeling the atmosphere in the room grow colder.

"What about the love of a mother for a daughter," Jinx said. "Does that take different forms also? Do you love Heather differently from the way you love me?"

"You're different people," Kate said, eyeing Jinx carefully.

"Right!" Suddenly, Jinx was pacing. "Heather grew up with her natural mother and her natural father. I grew up with a man who loved me, but wasn't my real father, and a mother who claimed to love me but, lied to me over and over again!"

"I thought I was doing the right thing," Kate said, trying to stem the tide of Jinx's rage. "Hank loves you. I love you. Why tell you about a man who discarded both of us?"

"Because I had a right to know." Jinx's teeth were clenched, her lips tight in a frustrated line. "Even after I discovered the truth about my paternity, you continued to lie. You continued to perpetrate the myth of Benjamin Rostov and his widowed bride."

"I did it to protect you," Kate insisted.

"You did it to protect yourself!" Jinx circled the room with long, hard strides, her hands jammed into the pockets of her slacks.

Hank wanted to interrupt, to say something that would halt the chasm he saw being created. He felt as if he were standing on a fault, feeling the earth rumble beneath him, waiting to see it crack, waiting for it to pull apart and destroy everyone and everything in its wake. But this argument had started long ago, perhaps even the day Jinx was born and he, not Ben, stood at Kate's bedside.

"Why didn't you tell me the truth when I moved to New York?" Jinx asked, directing her question to both her parents. "I told you I was going to look for his family. Did you think I'd look for a week or two and then forget about it?"

Kate's eyes clouded, but within their deep blue, Jinx could see small orange flecks that seemed to grow like flames.

"I knew you wouldn't stop, but I had wanted *him* to tell you who he was," Kate said, her voice fraught with anguish.

"*You* should have told me who he was! Or you," Jinx said, pointing her finger at Hank.

"I called him when you moved to New York," Kate said. "I begged him to find you, but I guess he couldn't own up to responsibility before and he can't own up to it now."

"Then the two of you make a perfect pair, because the way I see it, you're not so great at owning up to responsibility either!"

"All right," Kate said, the snap in her voice signaling a change in attitude. She had defended herself long enough. "I lied to you! I admit it. What do you want me to do? Throw myself at your feet and beg for mercy? What do you want me to say, that if I had to do it all over again, I would do it differently? Maybe I would, but that wouldn't change the basic issue. Ben Rostov was and is a selfish, selfish man. He hurt me, and whether you want to believe it or not, I did what I did to prevent him from hurting you. It seems he's hurt you anyway, and now, since you can't take it out on him, you're determined to punish us."

"He never claimed to love me and you did," Jinx said, her emotions racing out of control like a runaway train. "He denied my existence, and for that he's going to pay. But you denied me the truth, and for that you're going to pay. I never want to see or speak to either of you again."

Kate stared at her daughter in utter shock. She moved forward, but Jinx turned, shrinking away from her as if her fingers were made of barbed wire.

"You don't mean that," Hank said.

"I mean every word." Jinx turned, and without looking back, slammed the door behind her

Hank started after her, but Kate grabbed his arm.

"Don't," she said quietly. "Let it be."

Kate sat in her chair shaken, confused, battered, and remorseful, but not really believing that Jinx would hold to her word. She needed time, Kate told herself. A week. A month perhaps. Two months at the outside. But then everything would be all right. They'd talk again and resolve their differences. After all, she and Jinx and Hank and Heather were a family. No matter what, they belonged together.

"You don't belong here!"

"Why not?" Noah said.

"Because you live in a town house in the Village."

Brian Frey was practically screaming. Only the presence of the press prevented him from taking a swing at Noah. All the city newspapers as well as the local television stations had sent representatives to cover the story. It was the standard New York winter landlord-tenant scuffle with a twist—the tenants were a State Senator and his pregnant wife.

"Maybe I don't belong here because I'm white and English-speaking and capable of standing up for my rights?" Noah said.

"That's not true! You're grandstanding!"

"Mr. Frey," interrupted one of the television reporters, sticking a microphone under the flustered man's nose. "Why did it take you almost a month to answer Senator Gold's phone calls?"

"I was out of town."

"You were out of town when Ramon Fuentes called," Cissie said pointedly. "Then, we left the message that Noah Gold had called. Suddenly, you were *in* town."

"Coincidence."

"Try as I might, I don't believe you," Cissie said, snuggling into the corner of the Hidalgos' battered couch, wrapping her coat around her for emphasis.

"Believe what you like, little lady," Frey said, his face growing more florid by the minute, "but I've tried to get repairmen into these apartments. There's never anybody here."

"That's odd," Cissie said, adjusting her pregnant abdomen for the cameramen. "I've been sitting in this apartment for one solid month. Friends have brought in food and have come to visit so that there was not one minute, day or night, that I was not here to let in a repairman or answer a concerned knock on the door. The only people who came to this door were neighbors, tenants of this building bringing sick children, or ailing senior citizens who needed food or warmth or medication."

"Mr. Frey." One of the TV reporters had moved alongside Cissie, right in front of Brian Frey. "May we assume from your presence here today that you are prepared to do right by these tenants? Or have you decided to take your chances in court? I'm sure you're aware that you could be facing some very stiff fines. Even a stint in jail."

Microphones and cameras were recording every syllable, every look, every nuance. Noah and Cissie had pushed this man into a corner, and unless he said the magic word, he wasn't getting out.

"I was always prepared to do right by my tenants," Frey said with just the proper indignation. Noah shot him a warning glance. "In fact, as a way of making amends, I'm not going to collect any rent this month." Noah nodded his approval. "I challenge other landlords in this city to do the same thing."

"A star is born," Cissie mumbled to the amusement of the press crews.

"When will you be moving back into your own apartment, Senator?"

"Not until the repairs are completed," Noah said, washing the self-satisfied smile off Frey's face.

"Why wait? I know how eager you must be to be back in your lovely home with your little daughter."

"The question is, how eager are you?" Noah said. "You have one week to fix this dilapidated excuse for a building, or we're going to have another press conference. Only next time, it's going to be inside a jail cell!"

Frey beat a hasty retreat, followed by reporters, cameramen, and tagalongs. Cissie laughed for at least ten minutes.

"He'll be back. And those repairs will be made. Soon," she said.

"I don't care when he comes back," Noah said, "but you're going home tonight. This gig is up, Frances Rebecca."

"Are you staying?"

"Yes."

"Then I'm staying."

"You're cold."

"So are you."

"But you're pregnant."

"If you're so concerned, come here and warm me up," she said, opening her coat invitingly.

"I am concerned. I'm sending you home," Noah said, sitting down next to her.

"Not before you kiss me good-bye."

She pulled at his lapels, lowering his head until his lips met hers. As they kissed, her arms wrapped around his neck. She slid down onto the couch and pulled him with her, taking him into her cave of blankets.

Passionately, feverishly, they stroked each other, finding all the secret places. They were so good together. They knew how to support each other, how to help each other, how to compliment each other. But most of all, they knew how to arouse each other.

For Cissie, each time they made love was the best time, the sexiest time, the most fulfilling time. Her entire being involved itself in the escalating, exhilarating ride to orgasm. And her soul rejoiced when sensibilities rejoiced in the culmination of the act of love.

"I don't care how soft and delicious you are," Noah said afterward, nuzzling his nose under her neck. "I'm sending you home."

The cold night air passed a freezing finger over her naked skin. Her eyes flew open and were immediately assaulted by the sight of exposed pipes, rusted and black with grease. Her leg brushed against the ragged edge of the Hidalgos' makeshift coffee table. In the afterglow of passion, she had almost forgotten where they were, but these surroundings provided a quick and harsh reminder.

"You're not sending me anywhere," she said, as she reached up again for Noah's lips, seeking and finding her own safe harbor. "I am home."

"That was quite a victory you and Noah won. Everyone's talking about it."

Cissie smiled politely, but it wasn't her stay in the Hidalgo apartment that had brought her to Ben Ross's office.

"It worked out very well," she said. "The building is now almost a model tenement. The Hidalgos have returned to their own home. And the Golds have returned to theirs."

Ben sat behind his desk, fidgeting with a wooden maze a client had given him as a gift. He knew Cissie wasn't here to pass the time of day, but something told him not to rush her.

"One thing's for sure," he said, surprised at his own nervousness, "all this publicity should be a big help to Noah's career."

"It can't hurt."

"Cissie, I don't mean to be rude, but I'm very busy, and though I'm always happy to visit with you, this is not really a good time."

"How thoughtless of me. Of course you must be busy," she said, "running around pitching new clients, trying to make up for the loss of the Kipling account. What a shocker that was! How come they left?"

"Accounts often change hands," Ben said, dropping the puzzle pieces onto his desk in a display of impatience. "It's nothing out of the ordinary."

"Boy, you are cool," Cissie whistled. "If I lost thirty-five million dollars, I don't think I'd be this casual."

"Cissie, I have the feeling you have a specific reason for being here. Why don't you get to the point?"

"Okay," she said with the same ease as if he had asked her about the weather. "Why won't you admit that you're Jinx Kipling's father?"

Ben was out of his chair instantly, his forehead wrinkled in anger. "What are you talking about?"

"Look," she said, "I'm going to save us both some fencing time with a simple recitation of the facts. When you were in Berlin, you met, fell in love with, and married a terrific lady named Kate Freedman. The two of you had a baby. Something went wrong and you split. The only ones who knew anything about your 'mistake' were my parents, but you've obviously sworn them to secrecy. When you met Sylvia, you had a flash of conscience and told her about Kate, but you forgot to mention the child. Sylvia got pregnant, gave birth to a baby girl, the family got on your case to name her after Grandma, you did and *voilà!* Two Frances Rebeccas born to the same man."

Cissie had guessed at much of her monologue. Judging by the rage in Ben's eyes, she had guessed correctly.

"I don't know where you got your information or who put you up to this, but I refuse to discuss it."

"Just as you refused to discuss it with Jinx that night at her house?"

"How do you know about that?"

"Through some wonderful stroke of fate, Jinx Kipling is my dearest friend as well as my blood cousin."

"The girl is deluded." Ben walked over to the window and stared out over Third Avenue. His office was high above the city, encased in an all-glass tower. Right now, it felt like a prison.

"I understand how difficult it would be to explain this all to Aunt Sylvia or to Becca," Cissie said, softening her approach. "I'm not asking that you go through all that. I just want you to admit to Jinx that you're her father. It would mean the world to her. And to me."

Ben turned and faced his niece. His eyes were as slick and impenetrable as the thick glass behind him.

"I don't know who this Jinx is," he said with a touch of menace in his voice, "but her adolescent accusations are becoming increasingly annoying. If she is your friend, then I suggest you tell her to back off."

"Or what?" Cissie was not intimidated in the least. "Or you'll take her to court? I'd like nothing better. Then it would all come out and what would you do then?"

"It's time for you to leave," he said, walking to the door and opening it.

Cissie stood in front of him and for a few seconds, refused to move, refused to speak. When she did, her voice was sad, filled with regret.

"I used to think that next to my father, you were the nicest, handsomest, most wonderful man in the world. I used to think that basically you were fair and just and if you made a mistake, you would own up to it. That you were filled with qualities like kindness and compassion and understanding. I used to think I loved you," she said as she walked past him into the hall. "I guess I thought wrong."

When Cissie set her mind to accomplishing something, she usually succeeded, which is why she found this situation with Jinx so frustrating. All she wanted was for someone to accept Jinx as a member of the family. Andrew was out of town on business or she would have snared him. She was hesitant to approach Molly and Herb or any of their children because of Tessa. She knew better than to discuss anything sensitive with Lillie, and Ben's own family was out of the question. Frankie was her only hope.

". . . And I'm about to leave for London to start my next picture. You'll never guess who the director is?"

"Tell me," Cissie said, shooing Alexis into the other room so she and Frankie could be alone.

"Jose Banta. Remember him? Well, he's directing his first major picture and he's picked me to be his star! Isn't that outstanding?"

Frankie's excitement was so infectious, Cissie managed to shelve her mission long enough to share in her cousin's good fortune.

"I'm happy for you, Frankie," she said, genuinely pleased. "Things seem to be going really well for you."

"It's Luke Maddox," she said with almost religious fervor. "He's turned my whole life around. He told me he'd find out who was blacklisting me and he did. He told me he'd twist it around to where I got work and he did. He told me that by taking a few supporting roles I'd finally land a biggie and I did. This is it! I can feel it. Stardom!"

Cissie tried to match Frankie's enthusiasm for Maddox's cleverness, but it was difficult for her. She had never believed in idol worship of the kind her cousin displayed for Luke Maddox. Frankie's zealous devotion to him made Cissie edgy.

"You and Jose always worked so well together," she said, trying to shift the focus. "This should be a wonderful experience for you."

"Luke says that if this picture goes, I'll be a real, bona fide box office star."

"I hope so, Frankie. I know how much it means to you."

Frankie nodded and curled her legs up underneath her. While Cissie poured fresh coffee, Frankie checked her appearance in her compact mirror. Cissie had never seen her cousin do that sort of thing. Frankie had always been quite blasé about her looks; it had been part of her charm. In fact, though she hadn't noticed it until now, Frankie was awfully done up for Wednesday morning coffee with a toddler and a very pregnant woman.

"Frankie," Cissie said, finally deciding the time had come to state her case. "I have a favor I'd like to ask."

"Name it! I'd do anything for you. I thought you knew that."

Frankie's sincerity touched Cissie, but she had learned through two bitter experiences that this particular situation was so volatile that it diluted loyalty and shifted allegiances with an almost chemical quickness.

"I have a story to tell you first."

She related the saga of Jinx's paternity, coloring it only a bit, believing that Frankie of all people would respond by opening her arms. After all, Cissie had reasoned, Frankie had lived without her natural father for years. Frankie had been lied to and, in a sense, denied access to her own blood. Only lately had Frankie and Sterling established a true father-daughter relationship. What if Sterling had been as obstinate as Ben?

"What do you want me to do?" Frankie asked in a tone Cissie couldn't read.

"I'd like to have Jinx over here with you and Andrew and Noah. I'd like to make her feel as if she belongs."

"She doesn't."

Cissie almost reeled from the shock.

"I can't believe I'm hearing this from you."

"If Uncle Ben says she's not his daughter, I'm not going to pretend that she is."

"But she is, Frankie."

Frankie rose from the couch, fluffed her hair, and checked her lipstick in a nearby mirror.

"I won't go against Ben," she said firmly.

"Why?" Cissie asked, suddenly knowing the answer. "What's in it for you?"

Frankie turned, a sheepish look washing over her face. For a minute, Cissie thought the old Frankie was back. She was wrong.

"When I canceled out of Becca's wedding at the last minute, she was furious. In fact, she hasn't spoken to me since. Ben wasn't too thrilled with me either, and for a while, I was on his verboten list. But when he heard about this movie I'm doing, *The Duchess of Portobello Road,* he went to the trouble of arranging for a major cosmetic company to produce a Duchess of Portobello Road line of makeup timed to launch when the picture opens. I'm doing the modeling for it and getting a nice fat royalty."

"And you're afraid that if you come to my house for a dinner with a daughter he refuses to accept, he'll cancel the whole deal. Is that right?"

"That's right!" Frankie hiked up her shoulders, lifted her chin, and turned her eyes away from Cissie's. "Besides, why should I do anything for someone I don't even know?"

"Because I'm asking you to," Cissie said.

"Don't you lay a guilt trip on me," Frankie snapped. "What you're doing is asking me to risk my entire career for some stray who turned up on your doorstep and fed you a pathetic tale of woe."

"She's not a stray," Cissie insisted, growing desperate. "She's Ben's daughter. She's *our* cousin."

"Look," Frankie said, still avoiding eye contact with Cissie, still speaking to an invisible audience. "My career is very important to me. I don't have a family business to support me or a fancy husband with a big bankroll and a statusy job to rely on. All I've got is me and I'm not going to blow my chance at wealth and stardom for one of your causes!"

For a long time after Frankie had marched to the door and slammed it behind her, Cissie tried to understand what had gone wrong. She had expected questions and some initial resistance, but honestly, she had believed that in the end, Frankie would acquiesce and accede to Cissie's wishes. Instead, self-interest had taken precedence over all else, including loyalty. It was a side of Frankie that Cissie had never seen before. It was a side she hoped she'd never see again.

17
Frances Rebecca Hillman
Becca

April 1975

JONATHAN'S BODY FELT LIKE DEAD WEIGHT. His skin, moist from the sweat of his own passion, stuck to hers, making her feel like a damp piece of half-dried laundry. His face nestled in the soft folds of her neck and despite her deliberate and obvious lack of enthusiasm, he insisted upon adorning her with gentle, affectionate kisses. Her teeth ground together and her jaw tightened with disgust.

"Get off me," she said, trying to wriggle out from under him.

"I like it here," he said, continuing to snuggle. "It's warm and soft."

Her patience, limited to begin with, was completely spent. Heaving him aside, she slid off the bed and slipped into her robe. Jonathan turned onto his back, lifted himself up onto his elbows, and looked at his bride of almost two years.

"Better hurry," he said sarcastically. "Better get under that shower before my filthy animal smell clings to your temple-pure body. After all, if someone sneaks up behind you and sniffs, they're going to know you fuck! Worse, they're going to think you like it!"

"Don't be foul," Becca said in her most imperious tone. "I told you before I had a headache, but you forced yourself on me anyway."

"You always have a headache," Jonathan said. "If I didn't force myself on you, I'd be the number one candidate for celibate of the century. And if I had a dollar for every time you didn't feel well with one bullshit disease or another, I'd be a wealthy man."

"The way things are going, that might be the only way you'll be a wealthy man," Becca replied.

Jonathan sat up against the bed and folded his arms behind his head.

"Uh-oh. Let me guess. You had lunch with Daddy Max and over dessert he threatened to fire me if I wasn't a good boy? Is that right?" he asked, a sardonic smile curling his lip. "Did you promise, cross your heart and hope to die, that you'd whip me into shape?"

"Go ahead and laugh. One of these days he will fire you," Becca said, "and then where will you be?"

"Up shit's creek, I suppose," he said with a cavalier tilt of his head. "But I'd probably be a whole lot happier than I am now."

"Honestly, Jonathan! One of these days, you're going to come to terms with the fact that only children play. Adults work."

"Owner's children don't work in shipping rooms. They work in offices. If the old man gave me something important to do, I might feel important and I just might like it better."

"Your problem is you're a spoiled brat and you want everything your way."

"Nope, not everything," he said, shaking his head, "but, as long as we're talking about wants . . ." His voice deepened. "Once, just once, I want to hear you pant and moan and roll your ass around in bed like a real woman. Once, I want you to fuck like you mean it!"

Becca stared at him as if he were an audacious serf demanding room and board in the castle.

"Feeling the need to flex your manhood again?"

"I always feel the need, my dear wife. It's you who doesn't feel."

He climbed out from under the covers and crawled to the end of the bed. Before she knew what was happening, he reached up and grabbed her hand.

"Maybe this time we ought to try it with you flexing my manhood for me. Who knows, it just might make both of us hot."

"You're boorish," Becca said, snatching her hand away from him, throwing her head back with a haughty snap and walking toward the bathroom.

"And you, my all mighty, all holy, vestal virgin, are bor-ing!"

Quickly, Becca closed the door behind her, locked it, turned on the shower, and escaped into its biting, stinging heat. With a loofah, she attacked her skin, soaping it, scrubbing it, rubbing it clean. She shampooed her hair twice, rinsing it again and again, until it was impossible for even a single bubble to remain. She stood in the shower for a long, long time, letting the hot water run over her until her skin was pink and puckered.

During their engagement, although she had felt compelled to allow Jonathan to pet and fondle her, Becca had managed to restrict their sexual encounters to occasional gropings in the front seat of his car or fast and frustrating makeout sessions on her parents' couch. Rarely, did she permit them to be alone for any length of time. When they were, she blushed and protested and cried until he backed off, fearful of hurting or offending her. Naturally, she had assumed that after they were married, though they would move their activities onto a bed, she would nonetheless continue to control the frequency and intensity of their sex life.

She was mistaken. Jonathan's carnal appetite bordered on the insatiable. He loved to make love and only by conjuring up one of her headaches, or various other invented illnesses, or by collapsing on the bed in an exhausted sleep, was she able to limit their coupling to three times a week, at best.

For Becca, the whole situation had evolved into a jousting match. As in most contests she entered, she was winning, but only slightly and only because she had hit upon the most lethal weapon in the battle of the bedroom—indifference. Jonathan wanted desperately to make her happy and to him, sex was the optimum fulfillment. Even if by some chance she found herself enjoying their lovemaking, which on occasion she did, she absolutely refused to give him the satisfaction of witnessing that enjoyment. If he satisfied her, she reasoned, he might think he controlled her, and she'd never let anyone do that.

She stepped out of the shower, wrapped herself in a huge towel, and stood at the sink, staring at herself in the mirror. Her face was flushed and her hair hung limp over her ears. As she blew her hair dry, she studied herself, examining each of her features with a critical eye. She turned her face to the side and sucked in her cheeks, trying to see how she would look with deeper hollows. She tilted her chin up and pinched the tip of her nose, wondering if perhaps a minor bit of rhinoplasty would be worthwhile. She pursed her lips, then pouted, then rubbed her tongue on her teeth, trying to make her mouth look fuller. When her hair was done, she brushed it furiously, punishing it for being fine and straight instead of thick and wavy.

Finally, she slipped into a long silk nightgown.

By the time she reentered the bedroom, Jonathan was, as she had known he would be, asleep. She tiptoed to the bed and slid beneath the covers, careful not to wake him. The last thing she wanted was to get involved in another discussion of what he termed her "middle-class puritanism."

For a brief moment, as she lay next to him, listening to his steady, rhythmic breathing, Becca wondered why she was so antagonistic toward Jonathan. In spite of his occasional barbs, she knew he truly adored her, and in her own way, she supposed she loved him too. Yet she scolded him almost as much as his father did, and manipulated him via guilt almost as often as his mother. She criticized him as a provider, a lover, a man, a friend, a thinker, a doer, an escort, even as a dinner companion.

The only peaceful oasis in their marriage, the only place where both of them stood on the same side, was in the area of his art. Jonathan was truly talented and Becca encouraged him to vent those talents. She signed him up for classes. She sought and found a cheap nearby studio. She continued to hawk his finished pieces to reputable galleries. And she displayed several of his sculptures in their home, pointing them out to visitors with sincere pride, her enthusiasm fueled by three very basic facts. When a piece was sold, she pocketed the money. Sculpting also kept him busy enough to give her sporadic relief from having to play cat-and-mouse under the sheets. And most important, it kept him from following through on his frequent threats to leave not only Hillman Cookware, but also New York.

Several of Jonathan's friends had moved to Los Angeles, and whenever they called, they painted an edenic picture—great weather, great cars, great people, great times. It was an old, hackneyed spiel, but an effective one, especially since everyone knew how much Jonathan hated Max, and everyone knew how much Jonathan loved to party. A few more bad days at the factory, combined with a few more glowing reports from the Coast, and Becca was afraid Jonathan would convert a mild case of wanderlust into two plane tickets west.

Just that afternoon she had tried to convince Max to ease up, warning him that if he continued to push as hard as he had been, Jonathan was going to do something drastic.

"He's so unhappy." She had tried subtlety. Now she would deal with the matter head-on. "Can't you move him out of the shipping room?"

"I started him at the bottom because working your way up builds character," Max had responded, remaining true to his stubborn, tunnel-visioned nature. "I'll move him up when *I* think he's ready, not when *he* thinks he's ready."

"What if he gets so frustrated he leaves?"

"He's not going anywhere because he doesn't have anyplace to go," Max had said, completely self-confident.

Becca had debated about telling him that thanks to a corps of boyhood chums who had gone Hollywood and loved it, Jonathan practically had their bags packed, but Max would dismiss her fears just as he dismissed everything else. How was she going to make him understand that Jonathan didn't want to be at Hillman Cookware in the first place and didn't have the patience or the tenacity to ladder-climb?

"Instead of sitting here and telling me how to run my business," Max had continued, disregarding her silent brooding, "I suggest you go home and get yourself pregnant. It'll give you something to do with your time and it'll give Jonathan a reason to work harder."

Suddenly, Jonathan snorted and shifted around in the bed. Becca looked at his handsome face resting on the pillow and, for a moment, softened.

Maybe her father-in-law's suggestion wasn't as foolish as she had thought. Certainly, if there were an heir to the Hillman dynasty, Max would be more amenable to increasing Jonathan's salary. He'd probably be amenable to other things, too, like trust funds and stocks and bonds and reserve banking accounts. Having a baby would certainly please Jonathan—he often mentioned how much he wanted to have a family. A child would tie Jonathan tighter into the marriage, binding him to her by obligation and responsibility, if nothing else.

Sylvia would be equally thrilled. Though she grumbled about how silly she'd feel being called Grandma, she was an insecure woman who became completely unhinged if she thought she was being excluded from the latest club. Since most of her friends already had or were expecting grandchildren, Becca's guess was she'd throw aside her vanity in favor of belonging.

As for Ben, Becca wasn't quite cetain how he'd feel. Several times since her wedding, she had tentatively raised the subject, but his response had always been the same: "Children are a big responsibility. If you and Jonathan feel ready, fine, but if you don't, wait."

"Don't you want to be a grandfather?" she had asked.

"Of course, but you don't have a baby to please anyone but yourself. If you do, you'll regret it."

For a while, she dismissed the subject entirely, convinced that just then, Ben truly didn't care, Jonathan didn't care, and certainly, she didn't care. It was only after she had read the announcement of the birth of Joy Kipling, that she once again toyed with the idea of getting pregnant.

The idea took on even greater importance when, shortly after she had read about Jinx's child, Sylvia had told her about the dinner party at the Kipling estate. Suddenly, that ever-present, oddly unbalanced sibling rivalry she had lived with for so long had reared its head. For days, Becca was confined to bed with one continuous migraine and one continuous waking nightmare in which she envisioned Jinx, her face gleaming, holding in her arms a cherubic infant wrapped in a downy pink blanket, presenting Ben with his first grandchild.

Then, only a few days after the party, her mother called and said that for some strange reason, Harrison Kipling had yanked his account out of Ben's agency. Sylvia was perplexed, but Becca was elated. She knew exactly what had happened. Jinx had confronted Ben. Ben had disowned Jinx. Kipling had punished Ben. And Becca had won.

For a while, she had felt secure and relieved of the pressure to have a child. Now her safety was being threatened from another front and once again, a baby seemed to be the solution.

"Tomorrow," she whispered to her sleeping husband, "I'm going to pant and moan and roll my ass around this bed like a real woman. I'm going to give you one night of what you want," she said, gently tucking the blankets under his chin and smiling. "And in return, you're going to give me everything I want."

Jonathan stood on the loading dock and stared at the dilapidated buildings that surrounded the Hillman warehouse. Vacant lots and abandoned tenements rimmed the four-story structure, creating a stark and lonely landscape. Often, during a lull, Jonathan would look around, searching for activity, but even the cars parked helter-skelter were deserted heaps, stripped clean and left to rot in the elements. It all made Jonathan feel as if he were isolated on a savage, concrete island, waiting to be rescued by the civilized world.

The South Bronx, according to some, was about to experience a renaissance, but from Jonathan's perspective, all it was experiencing was a slow death. Every morning, as he drove up from Manhattan, it seemed as if he noticed another building with its roof caved in or its apartments abandoned or its bricks blackened by fire. Once the Bronx had been a thriving part of New York City, but in recent years, it had become a skeleton, its flesh picked away from the bone, leaving little substance for those who lived there.

The area—a neighborhood plagued by gang wars and populated by the desperately poor—both depressed and frightened him. This morning, though it was early April, spring was dragging its heels and the day was still damp and cold. It was a little after nine and the dock was quiet. Most of the trucks had been loaded and sent on their way over an hour before. Only three long-distance vans sat waiting for the remains of their cargo and the okay to roll. Jonathan clapped his gloved hands together and stomped his feet to keep his circulation going. He readjusted his ski cap and chuckled to himself.

What would his nighttime friends think if they could see him in his denim overalls and plaid flannel shirt?

From across the way, he heard a familiar voice shout, "*Eh, amigo. Qué pasa?* " and waved at his daytime buddy, an old Puerto Rican wino who lived on the top floor of an abandoned apartment house. Every day, they followed the same routine. They'd wave to each other and shout greetings. Later, the old man would come around, Jonathan would slip him a couple of dollars, he'd hit the streets for an hour or two of begging, buy a bottle of Thunderbird, and a hoagie from a nearby bodega, and then disappear into the bowels of the freezing, rat-infested building he called home.

Today, when he came by, Jonathan was going to try to take his picture. A few weeks ago, he had started a bust of his indigent friend. It was the first time he had ever attempted anything representational, but the man's face, cragged and lined from an overexposure to hardship, had touched him and inspired him to try to capture it in clay.

"Hey, Junior! You gonna stand there all day admiring the scenery, or you gonna get me outta here?"

"I'd rather look at a broken-down building than at your ugly puss," Jonathan said, hating when the truckers called him Junior. "As soon as the last crates are sealed, I'll be happy to load you up and ship you out!"

"I love you too, Junior."

"Hey, you think hanging around out here is the highlight of my day? Hell no! Once I get you guys checked out, I get to hang around inside."

"Okay, okay. I didn't mean to ruffle your feathers. Tell you what. All this waitin's made me hungry, so I'm going to the diner for coffee and a doughnut. I'll bring something for you. How's that sound?" Jonathan nodded and flashed a grateful smile. "Be back in a few minutes."

The trucker took off and Jonathan checked his watch. His wino pal should have been down by now. He glanced up at the window, but there was no sign of him. Suddenly, his eye caught two suspicious-looking young men running out of the building. Jonathan was certain one of them was wearing his friend's coat. Without stopping to tell anyone where he was going, he took off across the vacant lot that separated the warehouse from the building. He ran up all six flights of stairs as fast as he could, fighting a terrible cramp in his side and a stabbing pain in his lungs. When he reached the top floor, he found the old man in a heap, badly beaten, barely breathing.

"Amigo. Wake up. Talk to me." Jonathan felt his pulse and poked at his ribs. The man was fading in and out.

Gently, he lifted him onto his shoulders and began the long descent to the street, trying to hurry without jostling his passenger. The old man's breathing was shallow. His only chance was to get to a hospital and quickly. Fortunately, City General was only four or five blocks away.

By the time Jonathan reached the emergency room, his legs and his back were in such pain that he was hardly able to think. Orderlies took the old man from him and carried him into an examining room, leaving Jonathan free to collapse in the nearest chair, every muscle in his body throbbing. His nose still contained the stench of stale liquor, musty clothes, dried urine, and old age. His hands were blue from the cold and the strain of holding on to the man on his back. His shoulders were stooped and the young doctor had to tap him several times before he responded.

"Are you a relative?" he asked, knowing full well that Jonathan was no kin to the man behind the curtains.

"No," Jonathan said, standing. "I'm a friend."

"Well, I'm afraid that your friend is dead."

Jonathan simply stared at the man.

"Was it my fault?" he asked after several minutes' thought. "Should I have left him there and come to get you?"

"No. He was actually dead when you brought him in. My guess is he died shortly after you picked him up. He had been worked over by some real thugs and his health was not too terrific to begin with. He just couldn't fight the internal bleeding. I'm sorry. I know you did everything you could."

"Can I go in and see him?"

"Certainly."

The doctor pulled aside the curtains, letting Jonathan pass so he could stand at the side of the gurney on which the old man lay. For a long time, Jonathan stared at the man's face, patting his friend's lifeless arm, not bothering to wipe the tears that fell freely from his eyes. Then, as if he had been struck by a flash of inspiration, Jonathan wiped his eyes, took out a camera from his coat pocket, and in front of a stunned and bewildered doctor, shot an entire role of film.

By the time he returned to the loading dock, the three long-distance vans were gone and the dock was empty except for the hulking, enraged form of his father.

"Where've you been?" Max shouted as if he had been holding the anger in for hours.

"An old man got hurt. I brought him to the hospital." Jonathan didn't bother with details. Max wasn't listening anyway, so why waste his breath?

"Three trucks were delayed almost an hour while everyone searched for you. And I had to come down here personally to check the manifests and sign them out." Max glowered at Jonathan, waiting for his son to defend himself. "It's a good thing I was here to cover your ass. Otherwise, those trucks would have left without their full loads and we might've lost some very good customers on the other end."

Now Jonathan wasn't listening. This was the first time he had ever been close to death, and seeing that poor old man lying on that stiff table had done something to him. It wasn't the actual cessation of life that had affected him so much, but rather, the realization that for his amigo, life had ended a long time ago.

"Don't you have anything to say for yourself?" Max's face flamed red and his voice reverberated with anger.

Jonathan looked at his father, at the dirty, dingy warehouse where they stood and then at his bloodstained hands.

"Yeah, I have something to say," he said, knowing that he'd never be able to reverse what he was about to do. "I quit! I'm leaving Hillman Cookware. I'm leaving you. And I'm leaving New York."

He turned, hesitating for just a second. But his father had turned his back.

"Good morning!" Becca entered her father's office with a deliberately buoyant gait. She trotted over to his desk and kissed him hello, noticing that all he offered was an impersonal cheek.

She had been in bed reading the paper and drinking her second cup of coffee when Ben's secretary had called and requested that Becca come to the office. When Becca had asked why, the young woman on the other end of the phone had been annoyingly vague. On the way over, Becca had tried to figure out why she had been summoned. It wasn't her birthday. It wasn't her father's birthday or her parents' anniversary. It wasn't the annual stockholders' meeting. Maybe something had happened to one of their relatives. Or maybe, she decided, it was simply that Ben wanted to have breakfast with his daughter. A quick look around produced no evidence of a planned breakfast, no surprise presents.

"It's such a beautiful day," she enthused, still waiting for Ben to warm up. "Soon it'll be golf weather and the two of us can sneak off for a quickie round."

Like the flaps on a ship's signal lamp, Ben's lips rose and fell in a brief, almost imperceptible smile.

"Coffee?" he asked, pouring himself a cup from a stainless steel thermos. Becca nodded and he reached across his desk to fill a cup for her.

"Daddy, it's extremely early and you look extremely serious. Has something happened to Mother?"

Ever since Kipling Worldwide had withdrawn its business from Ross Advertising, Sylvia had remained sequestered in her bedroom, the victim of one illness after another. Each time Becca spoke to her and was treated to a dissertation on Sylvia's symptoms, she felt compelled to contemplate the notion that hypochondria was an inherited trait. The only person with more imagined ailments than she, was her mother.

"No," Ben said. "I'm sorry if I've frightened you by calling you in, but I do have something unpleasant to tell you."

Becca sipped her coffee apprehensively. At her father's words, the deductive part of her mind had shut down immediately, preventing her from guessing or surmising, while her face froze in a sweet, bland expression. Whatever it was Ben had to say, she would never reveal how she truly felt about it.

"I have to cut off your salary," he said without preamble. "One of my most important art directors left to set up his own agency, taking with him several key staff members and many key accounts."

Becca was stunned. For years, even when she was in school, she had received a check from Ross Advertising, a rather sizeable check that had always covered her indulgences. Since her marriage, she had come to rely even more upon her weekly stipend, using it for those small necessities of life Jonathan's salary couldn't cover.

"Surely one art director can't do a whole lot of damage," she said, mentally doing some quick accounting.

"Two hundred and fifty million dollars is a lot of damage. I'm hurting, Becca, and until I can rebuild, your salary has got to go."

Ben's face was gray. Had she looked, she would have noticed that the lines around his eyes had deepened.

"But you're not out of business," she insisted, reluctant to give up what she considered rightfully hers. "This is just a little setback. Why can't you just reduce the amount of my check until things improve. You know how I depend on it."

"I can't justify it to my staff or to my stockholders. Besides," he said, his annoyance beginning to show, "you have a husband supporting you."

Becca examined her manicure.

"If you call that measly allowance Max gives him support. We're barely getting by, I tell you."

Ben folded his hands together, sat back, and stared at his daughter. Rarely, did she allow her selfishness to surface so blatantly, and its unfettered appearance shocked Ben.

"Then get a job, Becca. You're young and bright and talented and perfectly capable of earning a decent living."

"But Jonathan and I were trying to have a child. In fact," she lied, "I may be pregnant right now."

"That would be lovely, sweetheart, but it wouldn't alter my decision."

Becca was fuming. What would she do for clothes? Furniture? Jewelry? How would she pay for her beauty parlor bills, her manicures, pedicures, facials, and massages? How would she keep up with all her new society friends? Why was this happening to her?

"What made this art director go out on his own?" she asked, uncomfortable with a thought that had begun to poke at her.

Ben swiveled his chair around and faced the window, shielding his face from Becca.

"I don't know for sure," he said, his voice soft and controlled, "but I think Harrison Kipling funded the entire move."

"I knew it!" Becca hissed.

Ben spun around and stared at her.

"How did you know?"

Becca snapped to attention.

"I—I didn't know," she stammered, trying to gather her thoughts and regroup. "I just meant that it doesn't surprise me. He pulled his account away. Obviously, he's a vengeful, hateful man. I mean, really! What could you possibly have done that would be so awful? Run a bad ad? Miss a luncheon date?" *Reject his wife in favor of me?*

Again, Ben sought refuge in the cityscape outside his window.

"I'm sure he has his reasons, Becca."

"Have you asked him face to face? I would demand an explanation. I would insist on knowing why!"

She waited. She wanted desperately to see Ben get angry, to be infuriated by the injustice done to him, to denounce Kipling as nothing but a petty despot, better yet, to denounce Jinx for putting her husband up to such corporate treachery. But no. He sat in his big leather chair, looking out his window, resigned to his loss, accepting his defeat.

"It doesn't matter why," he said, finally turning around. His tone had grown impatient. "What matters is that Ross Advertising is experiencing a severe depression. *That* is what's uppermost on my mind, not who or why or even, my darling daughter, what you're going to do without your mad money."

He rose from his chair, came over to her, took her by the hand, and led her to the door. As he opened the door, he leaned over and kissed her cheek.

"With anyone else I might worry, but knowing you," he said with a slight smile parting his lips, "you'll do just fine."

When the door had closed behind her, Becca's anger began a rapid ascent, bubbling up from deep inside her gut as she exited the building.

"Jinx," she mumbled over and over, oblivious to the stares of passersby. "Ever since I first read about you in that letter, you've systematically ruined my life. You've stolen my name. You've tried to steal my father. You've tried to steal my relatives. And now you've succeeded in stealing my money. I don't know how and I don't know when, but one of these days, you're going to pay for what you've done!"

For the rest of the day, into the evening, Becca seethed. She barely noticed that Jonathan hadn't come home on time and hadn't called, but in a way, it was just as well. She couldn't vent her wrath about Jinx since no one knew who Jinx was. She couldn't air her anger or plot her revenge because she never shared those kind of plans with anyone.

For a while, she contemplated all sorts of action—confronting Harrison Kipling, confronting Jinx, confronting her father—but quickly, her more immediate needs took precedence. She had to make up that loss of income. But how? It seemed clear that Max Hillman was the only answer, but it was equally clear that Jonathan was not going to become a model mogul overnight. No, it was not Jonathan who was the key to loosening Max's extremely tight purse strings. It was Max's immortality.

Having hit upon a plan, Becca felt much better. Pleased with herself, she set about preparing for Jonathan's arrival home. First, she ordered all Jonathan's favorite foods as well as several bottles of wine. Then she set the table in the dining room with their finest china and silver. After, she bathed in perfumed water, lavished her body with expensive cream, brushed her blond hair until it glistened and hung softly around her face, and dressed herself in a slinky black negligee she had received at her bridal shower but had never worn. Now all she needed was Jonathan.

By the time he opened the front door, the dinner was cold, the candles had burned out, and Becca's temper was close to the edge. She was about to give vent to her anger, but the odd look on his face held her back.

With a dramatic sweep of her peignoir, Becca rose from the couch and greeted her husband. He was still in his overalls—curious, since Jonathan hated wearing anything but the most modish clothes and usually had his work duds halfway off before he was through the door.

She held her breath as she planted her lips on his, hoping to avoid whatever factory smells had come home with him. His response was less than she had expected. He kissed her as one would kiss a maiden aunt, went over to the table, and, ignoring its opulent setting, placed a clay head wrapped in a damp towel on the edge.

"Where've you been? I've been waiting for you."

"Sorry. I got hung up." She was the second person that day to say the same thing to him.

He hadn't looked at her once. His eyes remained on the crude bust of an old man.

"What is that?" Becca asked, both stymied and increasingly concerned.

"A tribute to a friend," Jonathan said, touching the still damp clay.

Something about his attitude and his tone chilled Becca. She examined the piece carefully, studying it from all angles, using the towel it had been wrapped in to turn it.

"It's wonderful! I really think it marks a growth point in your work." She turned it again, truly impressed. "I can't wait to show this to my friend at the gallery. Once it's bronzed, it should net us a small fortune."

"This one's not for sale," Jonathan said, quietly but definitely.

"Fine," she said, helping him off with his coat. She would delve into this at another time. "Hungry?"

"Thanks, but I'm worn out. I think I'd rather just go to bed."

"Funny. Those were my thoughts exactly," she said, taking him by the hand and leading him down the hall.

She had perfumed the bedroom and placed candles here and there for atmosphere. As they entered, she willed herself to get caught up in the romance of the moment. Jonathan appeared not to notice what she had done to the room or to herself, but she took it as a sign of anticipation rather than as a lack of interest.

With an unusual softness, she turned and kissed him, sliding her arms around his neck and pressing her body to his. Then, she began to undress him, unbuttoning his shirt with seductive slowness, baring his chest. She kissed him again, more deeply this time, slipping his shirt-sleeves over his arms and off. When she looked up, she thought she saw a touch of amusement flickering in his eyes. Without removing her gaze from his, she reached down, unzipped his fly, put her hand inside, and clarified her intentions.

Within seconds, Jonathan's interest had heightened. While he finished undressing, he watched in complete fascination as Becca stripped herself of the black silk and lace negligee. With uncommon sensuousness, she slithered out of the filmy garment, letting it drop to the floor in a luxurious heap. She did the same with the nightgown, and soon, stood naked before him. Becca had never allowed him to see her this way, always preferring the anonymity of darkness and blanket cover. Yet there she was, her nude body bathed by the candlelight, her porcelain skin looking like the finest ivory, her blond hair like spun gold.

He felt more excited than he ever had, stimulated by her sudden eagerness, her blatant willingness. He lifted her onto the bed and was once again surprised when, instead of lying there passively, Becca manipulated him onto his back and proceeded to stroke and caress him, following her fingers with her lips and tongue. She touched him in places she had never touched him before, pressing, probing, moving tentatively but steadily, testing his responses, perhaps testing her own.

He heard her breathing change and gently began to return her favors, running his hands over her, exploring her, ravishing her, indulging her. What titillated him was Becca's passion, her uninhibited movement, her unashamed pleasure in what they were doing. Jonathan didn't know what had brought about this transformation in his wife, but at that moment he didn't care. Miraculously, she had become a lusty, voluptuous woman without shame or restraint, without vanity or pretense.

Suddenly, her hands brought him to her, her legs locked on his, and her hips moved with the insistence and rhythm of a maestro's baton. It was all he could do to control himself, unaccustomed as he was to having an active partner, but he did. He stayed with her, rising, falling, thrashing about, remaining sensitive to the pitch and roll of her needs. When at last they united in a tumultuous finale, Jonathan felt a surge of intense joy. Never had he felt so close to Becca, never had he felt such love. For the first time in two years, he felt truly married.

Afterward, they sat quietly, sipping red wine, not wishing to disturb the afterglow with meaningless talk. After the second glass of wine, however, Jonathan felt bound to explain what had happened at the warehouse.

"Becca," he said, leaning over and softly bussing her lips. "I have something to tell you."

Becca snuggled next to him, no longer playing a role, still basking in the unexpected delight of honest lovemaking.

"Before you tell me anything," she cooed, covering his lips with tiny kisses, "let me tell you that I love you."

Having said that, she expected him to shower her with adoring phrases and promises of undying devotion. Instead, he turned serious.

"I hope you continue to love me after I tell you what I did today."

A chill ran through her. She pulled the blankets up to her chin, anticipating that his announcement deserved modesty, not nudity.

"I quit my job."

"You did what!"

"I watched an old wino die today," he said, unable to shake the image of his amigo's bruised face and withered form. "It got me thinking. Obviously, he had been marking time for years, just letting the clock tick until death was ready to take him. I realized that's what I've been doing, Becca. Just letting the clock tick. Well, I don't want to do that anymore. I don't want simply to mark time. I want to live my life."

"You do, do you? And what do you expect us to do now? Dress in tatters and pick out a street corner for begging?" Her voice was shrill, full of panic. "My father cut me off this morning because of some momentary cash flow problem, and then, because some hobo drops dead in front of you, you quit your job. Swell! From riches to rags in under twelve hours. Call Guinness. I'm sure we've set some kind of perverse record."

"We'll be all right," he said, trying to console her. "We've got some savings and a pretty hefty stock portfolio. I'll cash in what we need until we get settled." He reached over and started to take her in his arms, but she pushed him away.

"Don't touch me," she said. "You're a child with no sense of responsibility. You disgust me."

Jonathan watched as she ripped the blankets off the bed, keeping them around her as she stormed off to the bathroom.

"Welcome back, Frances Rebecca Hillman," he said, swallowing the last of his wine and pouring a refill. As he heard the shower go on, he raised his glass and toasted the familiar sounds of absolution. "So long, sexy lady. It was great while it lasted."

For almost a week Becca refused to speak to, eat with, look at, or even acknowledge Jonathan. She slept late enough so he was gone when she awoke and retired early enough so she was groggy from a sleeping pill when he returned home. In a fit of pique, she had fired their maid, and then ignored all necessary chores. She wouldn't cook, clean, launder, or even attempt to tidy the apartment. She didn't shop, make phone calls or receive them, nor did she have visitors or go out. She simply stayed home in her bathrobe and sulked.

Jonathan tried talking to her, tried explaining his position and presenting his defense, but to no avail. It was as if the sound of his voice activated her legs. Within seconds after uttering his first sentence, she was walking out of whatever room he was in. It didn't take long for him to recognize that he was going to have to do what he had to do and worry about Becca when it was done.

Then, late one afternoon, he returned home and, without bothering to call out to Becca, whom he assumed was moping in the bedroom, he fixed himself a drink and walked over to the big picture window, feasting his eyes on a beautiful Manhattan twilight. When his wife burst through the door, her face lit by a satisfied smile, Jonathan was a touch unnerved. She was becoming too much of a chameleon. He was having a hard time keeping up.

"Hello, darling," she said, sweeping across the room and giving him a peck on the lips. Without stopping for his answer, she hung her coat in the closet and poured herself a glass of sherry.

"Becca," he said, unsure as to whether or not he should risk shattering this mood. "We're moving to Los Angeles."

Instead of pulling a tantrum, she nodded casually, as if he had said, "It's Monday afternoon."

"I thought that's what you'd want to do," she said with a surprising calm.

"I've got a job already," he said proudly, waiting for her to tell him what a good boy he was.

"Doing what?"

Her smile was forced and her tone bordered on patronizing, but she wasn't shrieking, so Jonathan continued.

"I'm going to work for your Uncle Herb, sculpting mannequins."

"Ah-hah!" Becca said, straining to keep her smile intact.

"I spoke to him the other day, and he called out to the Coast to speak to Mark. It turns out they were one sculptor short and about to put an ad in the paper."

"What luck."

"I'm very happy about this, Becca. It's a chance to start over doing something I love. And out there, who knows what this could lead to."

"Who knows."

Jonathan thought he understood her lack of enthusiasm. He was uprooting her, taking her away from family and friends. Given time, he was certain that she would come to appreciate their new circumstances.

"And where were you all day?" he asked, eager to switch the emphasis of their discussion. "I'm glad to see you up and about."

"I was making it possible for us to carry out your plans."

"What do you mean?"

"I figured you were going to want to leave New York, so I rounded up enough cash to finance the move."

"You sold our stocks?"

"Never!" she said firmly. "I sold as much of your sculpture as I could find. My friend took every last piece, and paid me well for them, I might add. You see, even here in New York you're able to make a living as an artist."

Jonathan was delighted. He hugged his wife, momentarily warmed by her support and encouragement. Reflexively, he looked around the apartment and noticed that she had removed even their private pieces. He thought about complaining, but decided it was petty. He had quit his job. He had decided to move out west. The least he could do was pay for it.

"Surprisingly, the piece that fetched the biggest price—five figures mind you—was the bronze of that Puerto Rican hobo."

Jonathan's mood shifted. His voice turned harsh.

"I told you that one was not for sale."

Becca returned his scowl.

"And how did you expect us to travel cross-country? In a covered wagon?"

"You could have sold the stocks."

"Absolutely not! Those stocks are very important to me. Thanks to your sudden burst of independence, they're all we've got."

"That bust was important to me."

"Then make another one!" she snapped. "You were the one who wanted to go to California, weren't you? Well, we're going, so, stop complaining!"

In the six months since Becca's move to Los Angeles, Ben's life had skipped further and further off track. Sylvia was lonely without her daughter, and though he tried to understand her desolation, her constant whining had become intolerable. More and more often, he sought refuge in the arms of other women. Though he had cheated on Sylvia almost from the start, he had limited his liaisons to discreet and infrequent one-night stands—on location, away from home. Lately—

whether because he had been so involved in new business pitches, or because he hadn't quite recovered from his confrontation with Jinx—he had been traveling more and philandering more.

This trip, hc and a core of creative people supplemented by two account executives had flown to Miami to try to sell an airline on Ross Advertising. He had been away for nearly a week, and for the entire time he had availed himself of the company of a stewardess he had bedded before and who had been more than willing to get herself assigned to his flight and then call in sick and remove herself from the roster for the duration of his stay.

She was twenty and blond with big brown eyes and a body that could be described only as irresistible. Ben's paramours were always twenty and blond with big brown eyes and irresistible bodies. Shelly had rated an encore because she had an effervescent laugh Ben recalled hearing from only two other people.

Each night after returning to the hotel from his meetings, he left his compatriots and escaped to a beachfront room, where he ordered dinner for himself and Shelly, drank several martinis, more wine than he should have, and then made love until he literally passed out. But no matter how hard he tried, no matter how tired he got, no matter how much he drank, his nights were torture.

Sharp images intruded on his dreams—clear, knife-edged images that insinuated themselves behind his tightly shut eyes and then wrapped themselves around his soul. He turned and twisted and tried to dislodge them with body movements, but they remained.

"Ben. Ben. Wake up."

His eyes flew open and for a few minutes, he felt lost. Sweat poured off his body and he grabbed onto the sheets to try to stop his hands from trembling.

"Ben, are you all right?"

Shelly's voice finally penetrated the thick fog of his half-dreaming state. He nodded and sat up against the pillows, still shaking. She handed him a brandy, and for a while, neither of them spoke.

"I know I'm not important in your life," Shelly said at last, wiping his brow with a hankie, "but it looks like you nced someone to talk to and I have a feeling whatever's bothering you would be better told to a stranger than to a friend."

"Did you ever make a mistake?" he said, needing to talk, grateful for the sympathetic ear.

Shelly laughed. "What would you call this?"

Ben smiled and patted her hand. She was nice. Also, she was right. Getting involved with him was a mistake.

"Do you have regrets?"

"About you? No. About having a quick affair with a married man? Maybe, but it's not going to give me nightmares." She refilled both their glasses and sat back, giving him whatever space he needed.

"Once upon a time," he began with a fleeting, yet sardonic smile, "I fell in love with a wonderful woman. We were both very young, but I was younger, very immature, very self-centered, and very stupid. We married. She got pregnant and I, like the fly-boy hero I thought I was, walked out. I left her and our baby, a beautiful little girl. Recently, that little girl found me and begged me to acknowledge her as my daughter. I couldn't do it. She even brought her daughter, my grandchild, in for me to see." Ben wiped his eyes and took a few seconds to rid himself of the lump in his throat. "The baby looked exactly the way I remembered her mother. A tiny dimple in her nose. Big, hypnotic blue eyes. Rich black hair. Pale, pale skin. I wanted to take the baby and hold her and pet her and love her, but . . ." He began to choke on his own words, so he fell silent, letting the tears fall.

"But you didn't take the baby and you didn't admit to being the baby's grandfather." Ben shook his head. "Why not?"

"Guilt. Fear. Shame."

"Add a dash of false pride and a smattering of ego," Shelly said, her voice softer than her words.

"You don't approve and I don't blame you."

"Why don't you just go to her, admit that you're her father, and then talk it out. She deserves that much."

"But how do I explain her to my wife, to my daughter, Becca?"

"You might not have to. I'm sure she'd be reasonable."

"I wouldn't know where to begin or what to say."

"Have you ever thought of telling the truth?"

Ben looked at her, knowing that he would never see her again, knowing that now, it was her decision, not his.

"Sure, I've thought of it," he said, remembering Jinx's face when he'd told her he had never known Kate Freedman and had never fathered any child other than Becca. "I just don't have the guts to go through with it."

"Here, Monsieur Rochelle has captured all the elegance and drama of the leading lady in this creation of black satin and lace. It's a veritable symphony of seduction with its fluid lines and luscious fabrics."

A tall, willowy brunette, her hair slicked back into a lacquered chignon netted with a rhinestone-studded snood, and carrying a fan of black ostrich feathers in a lace-gloved hand, took her place at the head of the runway. She paused, listened to the music, and then strode down the long, narrow pathway, in and among the ladies of the Los Angeles branch of the Friends of the American Cancer Society. Loud applause greeted her as she reached the end, made several graceful turns, and then made her way back to the screened entrance.

"For the woman who likes to make eloquent statements without ever speaking a single word, Rochelle sees red. Bright, sensuous, silky red wrapped and tied around the body, falling into an asymmetrical hemline that allows a glimmer and a glimpse of a well-proportioned leg."

A reed-slim blonde, her body encased in a fiery tube of vermilion silk, began her sultry march down the runway, her face drawn into a haughty, aristocratic pout, her hands hidden behind a red ostrich-feather fan.

"That's simply to die," oozed one of the women at the front table. "How much is that?"

"Three thousand," Becca answered, quoting the price of each dress from memory.

"Not bad. I must have it. It would be absolutely perfect for the December dinner-dance, don't you think?"

Becca smiled, fluttered her eyelashes, and fanned herself with her program.

"It would be perfect," she said. "That's why I bought it for myself."

"You devil."

"It's one of the advantages of knowing the designer personally," Becca said smugly, certain that no one would find out that she had met Rochelle only two days before when he had flown into town for the show.

Truly, her getting the dress was one of the advantages of having Cissie Gold as a cousin and having the good sense to negotiate a small token of Rochelle's thanks for exposing his collection to an audience of moneyed, acquisitive women with a penchant for French designer labels. When she had volunteered to chair the annual fall fashion show, she'd had no idea how she was going to pull it off. Then, in a moment of brilliance, she recalled Cissie's friendship with Rochelle and coerced her cousin into arranging his cooperation. At first, Cissie was hesitant. Paul didn't like club showings. He preferred showing to the trade, but Becca had practically assured him of a sellout, dropping as many names and bank account balances as she thought necessary.

". . . The essence of the seventies, the quintessential bride."

The lights dimmed, leaving only a rose-tinted spotlight to illuminate the slow, small-footed steps of the final model. Her hair was so blond it was almost white, fluffed into a thousand springy curls and capped by a satin disk rimmed with pearls and flounced with wings of tulle that framed her face in an angelic pouf. The gown was a simple drape of creamy white satin, with a tight-fitting, pearl-encrusted bodice, and a pearl and rhinestone cummerbund, flowing down from the waist to the floor with a gored tulip skirt. Leg-o'-mutton sleeves added to the Edwardian aura, buttoned with pearls from the elbow down to the tight, small wrist. Instead of a bouquet, the bride carried a fan of plush white ostrich feathers tied together with long white satin ribbons. As she reached the end of the runway, she stopped. One by one, the other models joined her, signaling the end of the show and inviting the customary ovation.

As the ladies rose to greet the designer, Paul Rochelle walked down the aisle, looking terribly French in his tight black pants and unstructured jacket, his white silk shirt open almost to his waist, and his collar-grazing hair flying behind him. He took his place next to the bride, blew kisses to all his models, and bowed elegantly in response to the audience's appreciation. Then, as planned, he reached down and helped Becca up onto the runway alongside him, encouraging the applause to be directed to her.

Becca had practiced this moment for weeks, preparing herself for triumph. A small smile flickered across her lips in a please-don't-embarrass-me-with-accolades sort of way as she lowered her eyes and counted how many seconds passed before there was silence. When it was over, she draped her arm through Rochelle's and tugged at him.

"Let me introduce you to some of the women," she said, the glow of victory still flushing her face.

"I don't like to do that," he said with a note of apology. "I must go backstage and take care of the dresses."

"You must come with me," she insisted, still smiling. "It's part of the deal."

Rochelle gently, but firmly removed her hand from his arm.

"The red dress was part of the deal. I thank you, but making nice to your women friends makes me uncomfortable."

"Would you be more comfortable making nice to my men friends?"

Rochelle stared at her, remembering Cissie's warning: "She looks like a kitten, but underneath, she has the teeth of a tiger."

"It's been a pleasure meeting you, Madame Hillman. You can pick up your dress when you are ready to leave. Good day."

Without any further conversation, he turned and walked backstage, leaving Becca alone on the vacant runway.

"Darling, where is Monsieur Rochelle going? I thought you said he would have a drink with us?"

Several board members had gathered around, waiting for the chance to rub up against one of Paris's luminaries. Becca climbed down from the runway and shrugged her shoulders.

"I tried," she said, "but he's having an attack of artistic temperament. You know how it is."

"What a shame. I was so looking forward to meeting him."

"Some other time," Becca said, eager to drop the subject of Paul Rochelle. "Right now, though, I think we ought to check on how sales are going. This was, after all, a fund-raiser."

"And a very successful one at that. You did a wonderful job, Becca," the president of the organization said. "So wonderful that I think I speak for the rest of us when I say that next month, when we elect our new board of directors, your name will surely be on the ballot."

Becca was warmed by the chorus of support from the other women. She had worked hard for her acceptance into this group, just as she was working hard to get herself accepted into other socially prominent groups. Now, if only she could get Jonathan to leave that stupid job of his, she'd be content.

"I didn't think sleeping with the sculptor was part of the job."

"How else do you expect me to re-create the contours of your body?" Jonathan straddled the young woman's body, staring down at her and watching her respond to his fondling. "How else will I be able to translate the softness of these breasts or the curves of this waist?"

As his hands stroked and kneaded her skin, probing down and around her body, she simply lay there, undulating, twisting, sliding beneath him, up against him, moaning with delight each time his body brushed up against her. As for Jonathan, her excitement was all the stimulus he needed. She hadn't even touched him and he was having trouble controlling himself.

Still sitting, he entered her, watching her writhe with pleasure, finding his own pleasure as both participant and voyeur.

"Are you happy?" he asked, searching her large brown eyes for approval, feeling her legs tense and her hips quiver.

"Yes!" she cried. "Oh, God, yes."

It was early evening by the time she left Jonathan's studio, but he didn't leave with her. He remained behind, drinking in the dark, sprawled out on the couch where he had been doing his anatomical research. He hardly noticed his boss, Becca's cousin Mark, until he was standing over him.

"Another late night, Jonathan?" Mark asked, grabbing a glass and pouring himself some of Jonathan's wine.

"I'm feeding my muse," he answered, snapping on a low light.

"And your libido, I take it."

"You wouldn't want a poor innocent libido to starve to death, would you?"

"Of course not," Mark said. "Who was it tonight? The redhead?"

"No. The blonde. The same one it's been for over a month." Jonathan gulped his wine and looked at his friend with a sheepish grin. "I think I'm in love with her."

"Give me a break! The only thing you're in love with is having a good time."

"Nothing wrong with that, is there?"

"Not according to me, but I'm hardly the one to ask. In certain circles, I believe I'm known as Mr. Swinging Single, a man to be avoided."

"You're referring to my sainted wife."

"I'm not high on her list of favorites, Jonathan old boy."

"Neither am I. Maybe that's why we're such good friends."

"Maybe, but if she catches you fucking around, she'll kill the two of us."

Jonathan meant to laugh, but only a sad grunt came out.

"I think I've been dying a slow death ever since I married her."

"Listen, she'll come around," Mark said, trying to cheer his friend, feeling compelled to put in a good word for his cousin, whether he felt she deserved it or not. "I think that tubular pregnancy made her skittish. She was pretty sick."

"I know, but that was months ago, and if the truth be known, she wasn't a big fan of sex before that. Now, instead of once or twice a week, it's once a month and only if the moon is in its tenth house."

"Has she noticed that you're less than amorous with her lately?"

"Don't be ridiculous. The only thing she notices is that I'm not a millionaire."

"Anytime you want to leave, Jonathan, I'd understand."

"Thanks, but this job is my salvation. I love it. I love working with my hands and creating faces and forms."

"And the fringe benefits aren't bad either," Mark said with a lusty chuckle.

"No, they're not. But hey, what are you doing hanging out here so late?"

"Actually, I was hoping you'd join me in a little partying, but you look wiped out."

"I'm never too wiped out to party with you, my friend. What did you have in mind?"

"A few of my friends over at Olympus Studios are tossing a wrap party and we've been invited. Interested?"

"Is John Denver from Colorado? Is Archie Bunker's son-in-law a meathead? Of course I'm interested. Let's party!"

It wasn't until December that Becca allowed herself to notice the change in Jonathan. Before then, his late nights hadn't bothered her because she was grateful for the privacy. His fatigue hadn't bothered her because she was relieved at not having to perform any sexual gymnastics. Even his zealous devotion to his work hadn't bothered her, because until she could figure out what she wanted him to do, she was happy to have him doing something.

It was the night of the Friends' Holiday Dinner-Dance when whatever vague suspicions had been lurking in the back of her mind took on substance and reality. She had told Jonathan that he had to be home early to dress and get over to the L.A. Kipling by six. She was on the committee and, as a new board member, she and her husband were expected at a pre-festivities cocktail party.

She was dressed and ready to go, but still, Jonathan was nowhere to be found. It was a Saturday, so the switchboard at Acropolis Mannequins was closed. She had called the private line in his studio, but there had been no answer. She had tried Mark's apartment, but no one was there either. By ten of six, she didn't know whether she was worried or angry, but when he strolled through the door without apology or explanation, she was furious.

"Where have you been?" she demanded, her arms akimbo, her face almost as red as her dress.

"Working. We've got a new spring line to get ready. I thought I'd get a jump on it." He started for the bar, but stopped, looked at Becca, and whistled. "You look great!"

"Thank you."

"Why are you all dolled up?"

"Because I thought we'd go to a movie," she said sarcastically.

Jonathan poured himself a vodka, took a swig, and without missing a beat, answered her.

"You're a tad overdone for the local cinema."

"But not for the Friends' Holiday Dinner-Dance."

Jonathan's eyes popped open. He put the drink down and immediately began to strip out of his clothes.

"I honestly forgot, Becca. I'm sorry. Really. It'll take me only a few minutes."

"I don't have time to wait. You'll have to meet me there."

"Whatever you say. Shit! I'm sorry." He ran off toward the bathroom, leaving his shirt and pants in a lump.

By instinct, Becca picked them up and was about to drop them into the laundry when she felt a piece of paper in his shirt pocket. She took it out, unfolded it, and found a phone number scrawled in pencil. She went to the phone and dialed the number.

"Mulholland Motel."

Becca's head started to pinch.

"Jonathan Hillman, please."

"Sorry. No one here by that name."

"Oh," she said, her mind racing. "But I was just there with him. Tall, black hair, blue eyes, wearing jeans and a red and green plaid cotton shirt."

"And you're the tall blonde with the tan?"

"That's me."

"Sorry, honey, he left right after you did."

"Thanks. I guess I'll have to catch him at home."

Becca hung up the phone, put the paper back into his pocket and put his clothes back on the floor. Though she wanted to know exactly who this bronze goddess was, how long the affair had been going on, and whether or not it was worth concerning herself about, she would have to take care of this matter later. Right now, she had a charity ball to attend. First things first.

The City of Los Angeles was dressed in its Christmas finery, its streets lit with twinkling lights, its store windows full of holiday merchandise. Along Rodeo Drive, each tony boutique had tried to outdo the others with decorous displays and opulent trimmings. There were gold trees with gold lights and crystal ornaments at Giorgio's; a fake pine tree with antique French ornaments, white velvet ribbons, and small wax candles at LaTessa; a neon triangle symbolizing a tree at Bijan; and by far, the most startling, the Cartier tree, made of crystal twigs that during the day, dripped with lavish diamond bracelets, earrings, necklaces, and rings made of rubies, sapphires, and emeralds, topped off with a tiara that belonged to the Empress of Iran.

At the L.A. Kipling, each of the palm trees that stood guard along the winding, circular entrance had a huge red ribbon wrapped around its trunk and small, flickering white lights glistening throughout its foliage. Poised at the border of Bel Air and Beverly Hills, the hotel's gates were shrouded with thick shrubbery, helping to add an atmosphere of exclusivity to a neighborhood that reeked of privilege.

By the time Jonathan arrived, cocktail hour was almost over. Had he looked less handsome, Becca might have told him to go home, inasmuch as she had already excused his absence any number of times using the "genius at work" ploy, but, as usual, every woman in the room turned to look at Jonathan and then to look at Becca, envy in her eyes.

"Sorry I'm late, darling," he said, kissing Becca's cheek, affecting the sophisticated tone and manner he knew would please her. "Apologies all around," he continued, flashing a dazzling smile at Becca's already bedazzled co-committeewomen.

"You're not late, Jonathan," one of them said. "You're just in time to escort your wife into the ballroom."

"And may I escort you also?" He bowed from the waist, winking at Becca as the older woman practically pasted herself to his side, leaving her husband to wonder what he was supposed to do.

Once inside the ballroom, the woman's husband claimed her, leaving Becca alone with Jonathan.

"I don't know why you didn't want them to hold this shindig here," he said, looking around the huge but sumptuous space. "They did a beautiful job."

"I just don't like Kipling hotels," she snapped.

"Because they pulled their account away from your father, and then your father pulled your allowance away from you," Jonathan recited. "I forgot."

"You seem to be forgetting a lot of things lately."

"I haven't forgotten how to dance," he said, ignoring the innuendo. "Care to join me?"

Becca nodded and followed him through the maze of tables onto the dance floor. Five hundred people were in the ballroom, all in their finest jewels and most elegant gowns. Becca felt quite regal in her Rochelle red, but as she looked around, her mood withered. Although Jonathan had bought her diamond stud earrings for her birthday, they weren't large enough to suit Becca. Neither was the gold and diamond choker he had bought her when she'd lost their baby grand enough. She hadn't worn either piece tonight, but rather, had scoured the stores until she had found some excellent costume jewelry that looked astonishingly like the real thing. She'd hate to be the only woman there without important jewelry.

After their dance, Becca and Jonathan took their places at the dais. Becca turned to the gentleman on her left, who was commenting on the decorations. It was a fairyland of red and white. All around the room, huge pots of red poinsettias hung from the ceiling in staggered lengths, adding bright splashes of color to the flocked white-on-white walls. Ficus trees in huge stone pots, studded with small white Christmas lights, flanked each of the entrances. The candles of the room's ten chandeliers, as well as the candles in the wall sconces, were tied with fat red ribbons and further decorated with occasional sprigs of mistletoe. Each table was covered with a white velvet cloth that looked like freshly packed snow. Round circles of glass acted as place mats, holding the exquisite red rose-patterned Limoges china that the Kipling saved for special functions. In the center, on an even larger glass circle, was a big bowl of lush red roses surrounded at its base by fresh pine boughs and clear crystal ornaments donated by Orrefors as favors for the guests.

Since Becca had had a hand in all these decorations, she was happy to hear praise, and for a while, neglected to notice that Jonathan seemed preoccupied. It wasn't until she heard his chair move that she turned her attention back to him.

"Where are you going, dear," she asked, hoping he caught the edge of disapproval in her voice.

"A business associate of mine just walked in. I thought I'd go say hello."

Without waiting for her approval, he left the dais. The gentleman to whom Becca had been speaking continued his monologue on the connection between beautiful surroundings and bountiful contributions. Becca, however, was distracted. She was trying to follow Jonathan's form through the mass of people on the dance floor, but it was difficult. Dinner hadn't been served and so, most of the guests were milling around their tables. She was about to excuse herself and actually go onto the dance floor herself, when she spotted them. Jonathan's business associate was just whom Becca had suspected it was—a tall blonde with a golden tan.

For an odd moment, Becca was overcome with jealousy. Jonathan was holding this woman as tightly as he used to hold her. His arm encircled her waist and even from a distance, Becca could see that there was little or no space between their bodies. The blonde's hair was long, hanging past her shoulders onto a lightly tanned, bare back. Becca's hair used to be long. Jonathan had loved it long, but then she'd cut it into what she considered a more socially acceptable just-below-the-chin-length bob.

The blonde's dress was a simple, long white sheath of silk, softly draping in the front over a braless, but firm chest, swooping all the way down to just below the waist in the back. It wasn't nearly as expensive as Becca's, but Becca's trained eye recognized immediately that it was far from cheap. Becca wanted to dismiss the woman, with her lush figure and pretty face, as an inconsequential slut, but there was an aura of fineness about this suntanned intruder. Jonathan was obviously very taken with her, and Becca was never one to dismiss her competition.

After the dance, Jonathan escorted his partner to one of the front tables. Now Becca's curiosity was truly peaked. She had thought that the girl might have been part of someone's office staff, given a ticket to the ball as part of her Christmas bonus. Obviously not. When Jonathan returned to his seat, Becca wasted no time.

"Is she one of your models?" Becca asked, forcing her voice to remain even.

Jonathan nodded and motioned to the waiter for another vodka.

"I don't recognize the face," she said. "Do you use her for hands? Feet?"

Jonathan sipped his vodka and then stared into his wife's eyes. He caught the slur. He saw the put down.

"I use her for breasts and legs," he said loudly.

"Jonathan! Don't embarrass me."

"Then don't ask stupid questions. She's a model. She does print work, TV commercials, has done an occasional bit part in the movies, and sometimes models for Acropolis Mannequins. If you'd like her rank and serial number, you'll have to ask her yourself."

"Maybe I will," Becca said, hoping no one had overheard any of this.

"Suit yourself."

Jonathan's mood had turned black. It was clear that Becca would have to find another source for her answers. Naturally, she looked in the closest spot, the seat two chairs away from her.

"Mrs. Grayson," she said, leaning back and behind Mr. Grayson, "whose table is number three, that one facing the center of the dance floor?"

Edna Grayson took her spectacles from her beaded purse and peered out over the crowd.

"The one next to the one next to the bandstand?"

"That's the one," Becca said.

"That's the Kipling table."

"I beg your pardon?"

"We always give the hotel a table as our way of saying thanks for being so generous in helping us throw such a huge party."

Becca's head began to throb. She took her fingertips and began to massage her temples.

"Is anything wrong, my dear?"

"No. It's just a little headache." Becca forced a smile and then continued her questioning of Edna Grayson. "Do you know who's at that table? I mean, is it office staff?"

"Oh, no. Usually, there's at least one member of the Kipling family here and the rest are executives in the parent organization. Our membership is very well-to-do and Mr. Kipling appreciates our business, not just here, but in all his hotels."

"I'm sure he's a wonderful man. Who is here tonight?"

"Mr. and Mrs. Kipling were supposed to come, but they're skiing in St. Moritz, so a Mr. Jeffrey Dodge, one of their executive vice-presidents, is here, as are Mr. and Mrs. Peter Billings, close personal friends of the Kiplings. Then, of course there's Ralph Sworkin, the general manager of the L.A. Kipling, and several of his associates."

Becca was getting impatient. Also, her headache was becoming more intense.

"Who is the young blonde woman in the white dress?"

"That's Heather Elliot, Mrs. Kipling's sister. Such a lovely girl. She's modeled in our show several times before. Always so willing to help. So cooperative . . ."

"I'm going home." Becca pushed back her chair, almost pushing it over in her haste to get away.

Jonathan stood and stared after her.

"Are you all right? Can I do anything?"

"No. I'm not all right and no, you can't do anything."

He could tell by the tight grimace on her face that she was having another one of her migraines. A long time ago, he had concluded that something very specific precipitated these headaches. They didn't just appear. They had an antecedent cause, but he could never figure out exactly what that antecedent was. Perhaps if he did, he often mused, he'd know just what made Frances Rebecca Hillman tick.

It took Becca less than four hours to locate and track down Heather Elliot. Not only did she have her home address, a studio apartment in Century City, but also her work schedule for the next three days. According to her agent, Heather should have been home no later than five o'clock. When Heather didn't arrive until well past nine, Becca knew where she had been and with whom.

Becca had been waiting outside Heather's apartment since four, trying to keep her mind off why she was there by reading *Town &*

Country, *Architectural Digest*, and *Vogue*. By the time Heather unlocked her door, Becca had memorized all three magazines, and had been lulled into a semi-trance, but the minute she heard the jangle of keys, she snapped to attention.

"Miss Elliot?" she said, rounding the corner and confronting Heather.

"Yes. What can I do for you?"

Becca smiled sweetly.

"You can invite me in, offer me a cup of hot coffee, and then you can tell me why you've been fucking my husband!"

Without another word, Heather held the door open for her uninvited guest. When they were both inside, Heather dropped her keys on a table, right next to a picture of her and Jonathan, pluncked her lanky body down in a big easy chair, and invited Becca to sit opposite her.

"Now," she said, "what was it you wanted to know?"

"I wanted to know why you've been sleeping with my husband."

Becca had seen the photograph on the table as well as several others Heather had around the apartment. She and Jonathan made a handsome couple, and that made Becca wild.

"I've been sleeping with him because you don't." Heather flipped off her shoes and threw her legs over the side of the chair.

Either Heather had been prepared for this meeting, or she was one of the smoothest women Becca had ever met. One thing was certain—she wasn't the pushover Becca had expected.

"I want this affair stopped," she said, as if she were speaking to a recalcitrant child.

"Listen, your ladyship. It just so happens that I've fallen in love with your husband. When he says stop, we'll stop. Not a minute before."

Becca could hardly keep a rein on her temper. She knew that Heather had left Jonathan's arms to come home, that his scent was still fresh on her body, his touch still warm and comforting. No, Heather was secure in Jonathan's love. Becca was the one who had been left alone in a cold hallway. Becca was the one who would be left alone in a cold bed if this affair continued.

"You're breaking up a happy home," Becca said, her ears cringing both from the shrill sound of the cliché as well as from the hollow echo of the lie.

"If your home had been happy, I wouldn't have had anything to break up." Heather took a cigarette from a box on the coffee table and lit it, dragging deeply. Then she leaned forward and looked directly into Becca's eyes. "Look, Mrs. Hillman, I'm sorry about this, really I am. I know I'm coming off real brash and kind of cocky, but truly, I never had any intention of getting involved with a married man. When I met Jonathan, I knew nothing about him except that he was devastatingly handsome, and desperately unhappy."

"And I suppose you think you've changed all that."

"He seems happy when he's with me."

"Jonathan's always happy when he's getting laid," Becca said snidely. "Jonathan's a child whose only interest is in his own gratification. I could tell you about all the other women in his life, but I don't want to bore you."

"I don't believe you, Mrs. Hillman."

"That's your problem, Miss Elliot." Becca stood, certain that she had gained control. "I'll tell you what else is your problem. You're going to break up with Jonathan. You're going to tell him you never want to see him again. And you're going to do this as soon as possible."

Heather heard the menace in Becca's voice. She understood why Jonathan had sought refuge with her. She understood why he was so afraid to leave his wife. She understood that Becca was probably lying about the other women in order to hurt Heather, but more than anything else, Heather understood that she must never underestimate Becca Hillman.

"What if I say no?" she asked, anticipating some kind of threat.

"I have some very damaging information about your sister, Jinx Kipling, information that would not only completely ruin her reputation, but also ruin her marriage."

"What information? How do you know my sister?"

"That's unimportant right now. What is important is that you do what I want. If you don't, if you insist on destroying my marriage, I'll destroy your sister."

Becca turned and left Heather standing in the middle of her apartment, frightened and confused. The Jinx Heather knew and loved was, for all intents and purposes, a girl scout, upright and honorable, decent and relatively pure. What could Becca Hillman possibly know about Jinx that could be considered damaging? Heather didn't have a clue. All she knew was that as much as she loved Jonathan, and she did, she loved Jinx too. If she believed Becca and broke off with Jonathan, she'd lose him, but she'd spare Jinx. If she didn't believe Becca and continued seeing Jonathan, she might lose both of them.

For hours, she tried to solve the conundrum, to piece together some sort of solution, yet no matter how she rearranged the facts, the bottom line was still the same—until she could find out otherwise, she would do exactly what Becca asked. Not because she wholeheartedly believed her and not because it was the easy way out, but because Heather didn't want to take chances with Jonathan's life, Jinx's life, or even her own. Their meeting may have been short, but when it was over, one thing was clear—if pushed, Becca Hillman wouldn't think twice about destroying anyone she considered an enemy.

18
Frances Rebecca Travis
Frankie

January 1976

PORTOBELLO ROAD WAS USUALLY QUIET on Tuesday mornings, but for months, from sunup to sundown, the streets surrounding the famous market had been jammed with curious onlookers. The cause of the hubbub was the filming of a new movie, *The Duchess of Portobello Road,* starring American super-beauty, Frankie Travis and English heart-throb, Colin Mattheson.

Certainly, this was not the first movie ever filmed in the area, nor would it be the last, but for some reason, this story, at this time, in this place had engendered a great deal of interest. In fact, though British law required that most of the crew and a good portion of the cast be English—which usually cut down on the number of sightseers—there were as many Londoners hovering about the outdoor set as there were tourists. To the locals, movies meant Hollywood, Hollywood meant glitz and glitter. During a harsh winter marked by bad weather and even worse economic conditions, glitz and glitter were two items in very short supply.

During breaks in the action, many of the tourists ambled into the tiny shops that dotted the thoroughfare that had once been a cart track through the fields of Notting Hill. They made their way from one shop table or stall to another, finding it special to be shopping there on Tuesday instead of the more usual Saturday morning. They bartered for a piece of Victoriana, a bit of Irish lace, a hand-wrought silver frame, a rare stamp, or a piece of furniture with a history all its own. They leafed through leather-bound, stiff-paged antique books. They took swings with hand-carved wooden ginties and steel-soled mashies pedigreed enough to have played at the Royal and Ancient Golf Club of St. Andrews. They held their noses as they wandered down through the vegetable markets, trying to avoid the smell of rotting garbage, electing instead to look inside at the fresh produce displayed in huge wooden bins. And, more than anything else, they eyed the people, always the major attraction on Portobello Road.

Zach Hamlin hiked the collar of his coat and rewrapped his Burberry scarf as he walked from the Notting Hill Gate Station along Pembridge Road to Portobello. He had returned to London from Lebanon less than a week before, yet instead of world affairs, all the talk he had heard around his office was about The Movie. The British press, always hungry for something light to balance the ever-present news of unemployment, union strikes, and IRA uprisings, had been spicing up its columns with stories of a rift between the two beautiful stars of *The Duchess of Portobello Road*.

Apparently, there was plenty to write about. According to Zach's friends at the World Press Service, rumors were flooding the tabloids. One story had Colin and Frankie madly in love, trying desperately to keep their romance secret. Another had them fighting over everything from whose name would appear first in the credits to how many closeups each of them had. A third version—the only one that made any sense to Zach—painted Frankie as a naive modern-day Trilby, deftly manipulated and completely controlled by her agent, the Svengali-like Luke Maddox.

Actually, Luke Maddox's name had crossed Zach's mind before his catch-up session with the boys at the WPS. Though he had left several messages at Frankie's hotel, not once had she returned his call. A man trained in the art of unearthing facts, he had searched beyond the more obvious explanation—that she was out of town on location—and tried to come up with several other reasons for her silence. Short of death, disease, or total disappearance, the way Zach figured it, either Luke had confiscated the messages before she saw them, or she was still angry with him from the last time they had seen each other in Los Angeles.

He had called her from Saigon the minute he and his photographer had made their way out of Laos back to American headquarters. She had told him about Sunny Samuels, the blacklisting, and her news conference, but his reporter's instincts had made him suspect that she had left out several salient facts. When he had returned to the States for some between-assignments R&R, and had gone home to visit his parents, Sheila Hamlin told him that Sunny Samuels had become a virtual recluse and that there were those in Hollywood who thought that Frankie had gone too far.

For the first week of their reunion, the subject was not raised by either of them. Frankie was delighted that Zach was alive and well and functioning and back home. Zach was content simply to drown himself in the lushness of Frankie's body and the rejuvenative powers of her presence. He moved into her apartment and, except for a few days when she went off on modeling assignments, they spent most of their time locked in each other's arms.

It was only when Luke Maddox opened the door to Frankie's apartment with his own key and demanded that she get out of bed and come with him for a go-see that Zach focused again on the Sunny Samuels incident. Like a robot, Frankie had complied with each and every one of Luke's orders, tossing aside her wishes, as well as Zach's in favor of doing what Luke wanted her to do. She was gone for most of the day and much of the evening. When she returned, exhausted and depressed because she had been turned down, Zach had made the mistake of suggesting that perhaps Luke Maddox was not the greatest thing to hit Hollywood since coconut-enriched suntan oil.

"If not for him," she had protested, "where would I be?"

"In bed with me, for one," Zach had said, hoping to make her smile.

"Don't be jealous," she said, pleased, yet still defensive. "I owe Luke. He did for me what no one else did. He gave me a chance."

"Others tried," Zach said, disliking the hero-worship he heard in her voice. "Maybe Luke's timing was just better than everyone else's."

"Maybe. But whatever you want to call it, when the crisis came to a head, my father and Karen were away. Cissie was away. You were lost in some Asian jungle. I was alone. I had no one except Luke to turn to. He found the source of the problem and offered a solution. I took it and now I've been signed to do guest shots on some of the biggest TV shows and I'm reading for supporting roles in some major films. I even have a screen test for a possible lead! My career is on the rise and I have Luke Maddox to thank for it!"

Zach had backed off slightly, but not far enough to please Frankie.

"The results are great," he had said. "No doubt about that. It's the method I question. Doing it his way created an unnecessary enemy. Perhaps if you had spoken to this Samuels woman privately you could have straightened it out. After all, it wasn't you who screwed around with old Hershel, it was Lillie."

"You weren't there," Frankie had insisted. "You didn't see or hear how crazy she was, how vicious!"

"No, I wasn't there, but not because I didn't want to be."

"I'm not sure about that," she said, tired of explaining herself, wanting to give him something to explain.

"What's that supposed to mean? Are you trying to say that you think I deliberately got lost in Laos so I could avoid giving you advice on what to do about your career? Get serious, Frankie."

"I am serious. It's easy to pass long-distance judgments that don't affect your day-to-day life, or to pontificate about things that've already happened." She was building herself up to a full-blown fit of indignation. "But where are you when it counts? Are you going to ask for a job somewhere in California so you can be with me and help me? No! The instant your leave is over, you'll be off to some obscure pest hole, putting your life on the line just so you can file that one story that'll propel you up the journalistic ladder and into a TV anchorman's chair. Meantime, while you're out there looking out for yourself, Luke Maddox will be here, looking out for me!"

"You're right," he said, his manner properly contrite. What she had said was true. He was waiting for his next assignment. He was hoping it was a plum. He was climbing. "There is one major difference, however. Luke Maddox doesn't love you, and I do."

He went to hold her, but she shook off his embrace.

"He cares about my future and in the big picture of things, maybe that's more important than love."

"You make it sound as if your career is more important than anything or anyone else." Zach was stunned. And he was hurt.

"I don't have anything else," Frankie insisted. "I don't have a family. I don't have a husband. I don't have a child. I don't have anything that's mine. I don't have anything that tells me where I belong."

"I thought we belonged to each other."

"Those are words, Zach, just words. I need something concrete, something I can hold on to. If you're not ready or able to commit yourself to me, fine, but don't criticize Luke Maddox for doing something you can't, or won't do!"

Now, as Zach turned the corner and picked his way through the throngs on Portobello, he remembered how strained their relationship had been after that, how glad they had both been when his assignment had come through and he had left to cover the civil war in Lebanon.

He wondered if perhaps time had smoothed over the rough spots, leaving the door open for a resumption of their romance.

He expected to see technicians and actors hard at work, but instead, the cameras were still and everyone was standing about flapping his arms to ward off the cold.

Zach spotted Jose Banta leaning against a building, no hat, no gloves, his jacket wide open, his face solemn and hangdog. When he had first met Frankie, she had been doing a lot of work for Jose. He and Zach had gotten along immediately; they'd had two things in common—they both loved Frankie and despised Lillie.

"If you don't zip up, you're going to catch pneumonia."

Jose looked up at Zach and, as if he had just seen him two days before said, "Anything would be better than this."

"That bad, eh?"

"Worse."

"Let's jump into someplace warm and you can fill me in."

Jose led him two doors down into one of the butcher shops.

"Lloyd's my buddy," he said. "He'll give us some hot tea and some of his wife's biscuits." He smiled at the florid-faced man who stood behind the counter in a bloodstained white apron. "No matter how this flick turns out, we're nominating Emma's biscuits for an Academy Award, right, Lloyd?"

Emma brought out two cups of tea and a few cakes while Lloyd fetched them some orange crates to sit on. Zach took his place next to Jose, sipped his tea, tasted his sweet, and was generally content, until he looked up into the carcass of a freshly killed rabbit.

"Cute," he said, staring at a row of furry-skinned long-eared white-tailed rabbits with fat metal hooks poking through their bellies. "Sort of like 'Thumper Meets the Marquis de Sade.'"

"Maybe I'll try that for my next film," Jose said. "If there is a next film."

"What's going on?"

"Not much and that's the problem. Frankie's not herself. She isn't responding to direction. She's flat most of the time."

"Is it the part?" Zach asked, anticipating Banta's reply.

"It's her agent. He's taken it upon himself to give her acting lessons. Right now, he's got her in the trailer, going over lines and giving her his helpful hints on how to improve her performance. Obviously, the guy thinks he's Swifty Lazar, Lee Strasberg, and George Cukor all rolled into one."

"Tough having two directors on the set, I bet," Zach said, controlling his dislike of Luke Maddox.

"Especially when the leading lady is so totally insecure that she's come round to a 'what've-you-done-for-me-lately' attitude in determining whom to trust. Obviously, old Maddox has done more for her than I have."

Jose, whose eyes had remained locked on the window throughout their conversation, suddenly bounded to his feet.

"If you'd like to see for yourself, let's go. The star has emerged and we're about to roll," he said as he strode off.

For the next three hours, Zach made himself scarce, deciding that now was not the time to announce his presence. The last thing he wanted to do was to add to the problem. Also, it gave him a chance to observe Frankie, Jose, and his nemesis, Luke Maddox.

From what he could gather, the movie centered around a young American woman who had come to London to claim her mother's estate, which she had thought was substantial but instead, had turned out to be nothing more than space in one of Portobello Road's shops and an unimpressive collection of antique jewelry. Her father had taken her to the United States as a baby, had died shortly thereafter, and she had been raised by his relatives. All along, her mother had written her, painting herself as a duchess living a grand life among the swells of English society. When her mother died, the young woman thought she'd inherited a title as well as the trappings that accompanied such a position. What she discovered was that her mother was known as the Duchess of Portobello Road, because throughout her life, though she carried herself like royalty, wearing used, but fancy clothes and much of her jewelry, she never forgot her friends, sharing most of her money with her fellow shopkeepers and doling out her profits to those who had not fared as well as she.

The heroine, feeling an obligation to the mother she'd never known, tried to take over, but found a suspicious, wary community unwilling to accept her. During the day, she tried to win everyone's approval, putting up with whispered insults and cold shoulders, while at night, she led another, more glamorous life, as the love interest for a handsome Englishman who had first noticed her in the tea room of her hotel. He courted her lavishly, believing her to be a well-to-do model, while hiding from her his real identity, the fact that he was a duke.

The scene they were filming today was one in which, purely by chance, he comes to Portobello Road and finds her hawking her goods from a rickety sidewalk pushcart.

Zach watched from inside Lloyd's butcher shop, fascinated at how the instant the A.D. called for quiet on the set, everyone froze, waiting for his next command, "Action!" Suddenly, everyone started moving. Extras roamed in and out of the shops, stopping, talking to the vendors, creating a street scene. At Jose's command, Colin Mattheson and two supporting actors strolled down the Lane, pausing at one booth or another, rarely paying attention to the person doing the selling.

When he reached Frankie's stand, he absentmindedly picked up a necklace just as Frankie went for the same necklace to show to another customer. Their hands touched. Their eyes met. Colin's shock was immediate and believable. Frankie was dressed in a ratty old fur coat, a crinkled taffeta dress, a woolen cap, and fingerless gloves to keep her hands from freezing. He questioned her, asking if this was a modeling job. She was supposed to hem and haw, at first embarrassed that he had found her out. Then, when he appeared to look down his nose at what she was doing, she was supposed to defend herself and all of those who worked the street. Colin was supposed to stalk off in a huff, leaving Frankie to carry on bravely, but sadly, finally taking the first step in winning the respect of fellow shopkeepers.

Over and over, they repeated the scene. Colin took her hand. They looked at each other. Colin was shocked. He was betrayed. He was wonderful. Frankie hemmed and hawed all right. She appeared properly embarrassed, but when it was time to react to Colin's accusations, instead of delivering a passionate speech, her words came off sounding wooden and insincere. There was no emotion, no feeling. There was no drama, nothing that would move a suspicious coworker, let alone a paying audience. Jose spoke to her a number of times, always privately, always quietly, but then, when the cameras began to roll, Zach noticed that Frankie would look over at Luke, who would wink and gesture as if signaling her to do it the way *they* had rehearsed it, not the way Banta wanted it.

They were just about to set up for take number forty-six, when Zach noticed someone hand Luke a message. He read it, nodded to Frankie, and left. As soon as Zach saw Luke get into a taxi, he came out of Lloyd's and, as unobtrusively as possible, approached Jose. The scene was in progress—again.

At first, Frankie didn't see Zach. She was so tired she was barely able to keep her eyes open, let alone concentrate on her lines. She could feel the agitation of everyone around her. It had been like this from the start, but she didn't really understand why. She was working hard. She was doing the best she could. No matter how often she asked, Luke gave her the same answers—Jose was being amateurish, Colin was jealous and competitive, and everyone else was just plain petty. Since Luke was the only one she saw off the set, she never got a chance to ask for a second opinion, nor did it ever dawn on her that a second opinion was necessary.

Colin approached her table. They touched the necklace. He looked at her. She looked at him. And behind him, she saw Zach, who had inched his way into the foreground so that he was next to Jose, directly in Frankie's line of vision. Immediately, a pink flush washed her face. She lowered her eyes and bit her lip, looking ashamed and uneasy.

Banta held his breath. This was the best take of the day. He signaled the camera to keep rolling, no matter what.

Frankie looked at Colin and recited her lines, but all she could see was the person of Zach Hamlin, all she could feel was the aching void that had been with her since he left. Why did she miss him so? Why did he have such a powerful hold on her?

Colin accused her of lying to him, of covering up who and what she really was. Frankie looked at Zach. Instead of hearing her cues, she recalled their last argument, his insistence that she be true to herself and not let Luke Maddox make a puppet out of her.

"This is what I am," she said, her voice trembling with pride. "This is what I do. If you don't like it, you can leave."

"But you've lied to me," Colin said, taking her arm.

Frankie broke free of his grasp and scowled at him, her eyes beginning to brim with tears.

"I never lied," she said softly. "I just kept to myself those things I didn't think you'd want to hear. I didn't think you'd accept a raggedy shopgirl who spent her days bartering on Portobello, so I never showed you that shopgirl. Now I see how right I was. It's clear that this," she said, pointing to herself and her outfit, "is not what you want."

Colin was confused, uncertain. Frankie looked at him hopefully, letting everyone there know that all she wanted was for the man she loved to take her in his arms and tell her that he wanted her any way he could have her. But Colin hesitated too long.

"This is all there is, mate," she said, deliberately switching to a harsh street voice. "You don't like it? Move on to another stall. Plenty more where you came from."

She turned back to her original customer, turned her back on Colin, and continued with her sales pitch about the necklace, sniffling quietly, quickly wiping a tear from her eye with the back of her gloved hand. She looked over her shoulder only once, and only for a painful, emotional second.

Jose and the other members of his crew were spellbound. This was the Frankie Travis they had seen in rare spurts. This was the Frankie Travis they had wanted for the role of the duchess—the Frankie Travis who had a chance of being a real star.

"Cut!"

Jose, the A.D., Colin, and several members of the cast rushed over to Frankie, hugging her, congratulating her, thanking her for making the scene so wonderful. Zach hung back, catching her eye, letting her know he'd still be there when she was finished, adding his approval by holding his fingers up in an "okay" circle.

While she went to her trailer to change into street clothes, Banta came over to Zach.

"I don't care what you've got on tap, old man, but you're not leaving until this film is wrapped."

"She was great," Zach said, still touched by her performance, wondering how much of Frankie's speech had been meant for him.

"It was like magic," Jose enthused. "That jerk Maddox leaves, she spots you, and *voilà*, my girl comes to life."

"It might've just been the moment," Zach said with no small amount of regret in his voice. "I'm not so sure that I have any influence on Frankie."

Jose reached up and patted his tall friend on the back.

"I'm not so sure that you don't," he said.

By the time Frankie came out of her trailer, the crew had dispersed, leaving only Zach to greet her.

"Hi," he said shyly as she walked down the wooden steps. "You were terrific!"

"Thanks." She felt awkward. She didn't know whether to kiss him or shake his hand. Zach took the decision away from her by planting a gentle kiss on her cheek. "I didn't know you were in town."

"I left a bunch of messages for you," he said, careful to leave all accusation out of his voice.

"I never got them," she said, honestly confused.

"No problem."

He felt as awkward as she did. For a few seconds, they simply stood there, each wondering what to do next.

"You look wonderful," he said, his eye catching sight of her hands. To him, her nails were a true barometer of her happiness. When they were bitten down to the skin, as they were now, it was a sure sign that she was tense and under pressure. "How're things going?" He also noted the dark circles under her eyes and the way the harsh red lipstick she was wearing glared against the pure white of her skin.

"How were things in Lebanon?" Frankie said, answering his question with a question of her own.

"Rough," he said, catching the analogy. "No one there can agree on anything."

"Likewise. Luke says I'm doing a fabulous job. Jose says I'm uptight. Colin thinks I'm a greenhorn. And the newspapers think I'm a prima donna. What do you think?"

"I think I'd like it very much if you'd have dinner with me." She looked at him and then looked away. He wasn't sure how he'd handle it if she said no.

"I'd love to," she said, fighting with herself. "But I'm really tired."

"For old time's sake?" he said, seeing the fatigue, sensing the conflict, unwilling to give up.

A brief smile wobbled on her lips. His green eyes were hypnotizing her, pulling her away from England and all the problems she was having, back to New York when they had first met; back to Thailand, when their love had exploded into something warm and nourishing; back to those first few weeks in Los Angeles, when she had felt more connected to him than she had ever felt to anyone or anything.

"Okay," she said, allowing herself to revel in the good memories, forbidding herself to dwell on the bad. "For old time's sake."

When Zach walked into the lobby of Claridge's, he half expected to see Luke Maddox standing there. He had gone over in his mind what he might have said or done had he been confronted with Frankie's guardian, but fortunately, luck was with him. There was no Luke. There was only Frankie, dressed in a beguilingly simple black sheath that silhouetted her firm young body and stopped just short of her knees, revealing long, shapely, dark-stockinged legs. Quickly, fearful that at any moment Maddox might appear and prevent them from leaving, Zach helped her on with her coat and spirited her outside to a waiting taxicab.

"Where are we going?"

"To the only place in London where you can get Napoleons with fresh whipped cream."

Her small giggle delighted him. He had spent the afternoon arranging their evening, selecting the restaurant, the table, the menu, anything and everything he could think of to make their reunion go smoothly. As they entered Ciccone's and followed the maître d' to a small table by the front window, he was distressed to see her frown.

"What's the matter? Don't you like the table?"

"It's so bright in here." She looked scared. "People will see me. They'll come over and interrupt us. They'll spoil everything."

"No, they won't," he said, gently helping her into her chair, wondering if it was really the prospect of autograph-seekers that disturbed her. "You sit with your back to the room. That way, all anyone will see will be me." He forced a laugh. "Certainly, no one's making a special trip over here to see me. We'll probably be lucky if we get a waiter."

She smiled. Why did he always feel so rewarded when he made her smile?

Actually, since he had already arranged their dinner, they never even spoke to a waiter. The captain brought their wine as well as each of their courses. In spite of the maître d's efforts, Zach had rejected each of the house specialties and instead, had ordered all of Frankie's favorites: clams oreganata, Caesar salad, spaedini, and veal parmigiana with ziti. Though Zach picked at his meal, Frankie polished off every last morsel, eating with a gusto that pleased even the skeptical maître d'. It was when they rolled the dessert table over, however, that Frankie squealed with little-girl glee.

It wasn't the usual Napoleon. First of all, it was round and high and not as crispy as the traditional *mille feuillette,* but it was light and airy and filled with the most sensuous mounds of whipped cream. She protested at first, but mildly, needing only a go-ahead as encouragement to finish each and every morsel.

By the time the waiter had refilled their coffee cups, Zach could see that Frankie's mood had mellowed. She seemed calmer, more relaxed, more like herself.

"Having a good time?" he asked, reaching across the table and touching the back of her hand. She didn't pull away, and so lightly, he caressed her skin, keeping his eyes locked on her face.

"It's been wonderful," she said, feeling a familiar wooziness creep over her that had nothing to do with food or wine or Napoleons with real whipped cream.

"I have something to say," Zach began.

"Don't." She didn't want anything to interfere with her present euphoria.

"I have to." He grasped her hand now with both of his own. "I have to tell you three things. One, I love you. I know ours has been a rather unconventional courtship, but distance has never distilled my feelings. I fell in love with you that first day in your apartment when you gobbled down every last one of Tildy's chocolate chip cookies and I love you now after you've gobbled down every last bit of your Napoleon except for the whipped cream still stuck to your lips."

Frankie didn't know whether to laugh or cry. Zach reached over and delicately dabbed at the corners of her mouth with his napkin, letting his fingers linger on her lips.

"I'm sorry for what happened in L.A." he went on. "You were right and I was wrong. I had no business taking off on you, or Luke, for that matter. I had no business passing judgment. I was treating you like a child, when in every other way, I was treating you like thc grown woman you are. You do have a career, just as I have a career, and it's not fair of me to expect less for you than I want for myself. You have a lot of talent, Frankie, and I'd have to be some kind of jerk to tell you not to make the most of it. Forgive me."

He lifted her hand to his lips and kissed her fingertips. Then, he wiped a tear that had fallen onto her cheek.

"I had promised myself I wouldn't get emotional," she said, biting her lip to keep it from trembling. Then, she took a deep breath. "I can't do this."

"Can't do what?"

"I can't let myself get involved with you now."

"Why not? I thought we were already involved." Zach's temper was beginning to bubble.

"I have to finish this film within the next two weeks. Then I have to fly to California to do two other movies. I've signed contracts. I can't renege on them."

"I'm not asking you to."

"I know, but you're asking me to let all those feelings I had packed away after you left come to the surface again. You're asking me to let myself love you and then you're going to leave and I'll have to put all that love on hold. It takes too much out of me. It affects my work and I have to concentrate. I can't be distracted."

Zach had seen her eyes glaze over. He had heard her voice shift from spontaneous sincerity to a tone that seemed rehearsed, coached.

"I'm a distraction. Is that what you're telling me?"

"That's exactly what she's telling you!" Luke Maddox had come up behind Frankie and was now standing next to the table, between her and Zach. "Worse, you're a detriment to her future."

"And you're a detriment to my digestion," Zach said. "You know, I'm not a nice guy when my tummy's upset, so why don't you just crawl back out of here and leave us alone."

"Frankie has an early call. I'm not leaving without her."

"I'll have the waiter pack up ten percent of her meal. Will you go then?" Zach's temper had reached the boiling point.

"Listen, Clark Kent, you've done enough damage for one night. Let's not cause a scene."

Frankie sank down in her seat. She wanted to run away from both of them, but she didn't know where to go.

"Exactly what damage have I done?" Zach demanded. "I took the lady to dinner. Isn't she allowed dinner?"

"Not a pigout like this!" Luke said, sneering at Frankie's dessert plate as if there were maggots on it. "You know she's in the middle of a major motion picture! How many calories did you force her to eat?"

"Ten, twenty thousand. Whatever I could shove down her throat," Zach said, wishing he could control himself for Frankie's sake, not caring a whit about Maddox.

"Very funny." Luke grabbed Frankie and pulled her to her feet. "She can't afford to gain any more weight. And she can't afford to lose any more sleep. Let's go, Frankie. It's way past your bedtime."

"You know," Zach said, "you're beginning to sound just like her mother."

"If Frankie doesn't know enough to stay away from the likes of you, maybe Lillie was right! Maybe she does need a keeper!"

Zach saw the humiliation in her eyes, he felt her hurt. He expected her to respond, to rail out at Maddox, if for no other reason than that he had claimed Lillie was right. Yet, when Luke began to walk out, she followed. She turned back as they reached the door and looked at him, her huge brown eyes begging him to understand.

"I never got to tell you the main thing," Zach said, lifting his wineglass and toasting her departure, knowing she couldn't hear him, wondering what she'd say if she could.

"I wasn't going to leave you again. I've asked for a bureau position in the States," he said to the empty chair across from him. "You see, I thought we'd get married and maybe have a family. I thought we'd spend the rest of our lives together, but," he said, finishing the last of the wine and shrugging his shoulders at his imaginary companion, "I can see that for now, your dance card is full."

Seven months later, Frankie sat in Luke's office, shaking her head and wringing her hands.

"You've got to get them before they get you!" Luke insisted, wondering how many more times he was going to have to repeat the same phrase. Even he was getting bored.

"Jose is an old friend of mine. I can't hurt him like this."

"Look." Luke had had enough. They had been at this for more than an hour. He walked over to Frankie's chair, rudely chucked her under her chin, and demanded that she look at him. "The word on the street is that *Duchess* is a stinker. The producer needs a scapegoat and my sources tell me they've picked your name out of the hat! Now, either you call a press conference and do what I tell you, or your career is going to be blown into so many pieces, even Forest Lawn won't accept you."

"What'll happen to Jose?" Frankie shifted to the side, trying to get out from under the harsh glare of Luke's anger.

"Who cares?" he bellowed.

"I do," she said meekly.

Luke threw up his arms in disgust, paced around his office a few times, and then leaned up against his desk. He folded his arms across his chest and looked at her with forced patience.

"I'm going to spell this out for you one more time," he said in a tone that made Frankie feel like the village idiot. "Someone is going to take the fall for this movie and whoever it is, is going to be labeled a real box office loser. If I remember correctly, you've got a few bombs in your column already. I don't think you can afford another one, do you?"

Frankie shook her head, recalling the bad press her old movies had garnered, the embarrassment she had felt at the time, the weeks of isolation that had followed, the months of trying to regain her public footing.

"The way I see it," Luke said, sensing her discomfort, knowing that he had broken through her resistance, "it's your ass or Banta's. What's it going to be?"

Zach was in Los Angeles visiting his parents, having earned a month's holiday—and a job with ABC-TV as a European correspondent—by doing an excellent job reporting on the Israeli rescue at Entebbe. He hadn't seen or spoken to Frankie since their abortive dinner in London. Now, she was on television, hosting a press conference.

"Miss Travis," a reporter said, still waving his hand in the air. "To put it bluntly, the reviews of your movie, *The Duchess of Portobello Road*, call it a bomb. According to most of the critics, your performance was, and I quote, 'uneven at best, nonexistent most of the time.' Do you wish to comment?"

Frankie and Luke Maddox were seated by the pool at the Brentwood home Frankie had rented. She was dressed in a demure white cotton gauze shirt and pants, her hair pulled back into a fluffy ponytail, her right arm jangling with bangle bracelets. Immediately, Zach noticed that her makeup was too thick and her nails too short. An alarm system went off inside his gut.

"It was a difficult movie to make," Frankie said in a tone that intimated a deeper, darker story.

"Why? Was it the script? The director? Your costar, Colin Mattheson?"

"All of the above." Her smile was perfectly keyed to the snap of the cameras.

"I thought Jose Banta was an old friend of yours," a young woman asked.

"A very dear friend," Frankie said in that faux-intimate voice so indigenous to Hollywood. "But when I used to work with him, it was for print stills and commercials. *There,* he was a genius. *This* was a major motion picture."

"Are you saying that Banta wasn't up to the task?"

"I think the critics have already answered that question." Quickly, Frankie turned to another reporter, leaving little doubt as to where she stood on the issue of whether or not Banta had done a creditable job.

Zach squirmed in his seat. If he was feeling knifed and betrayed, what must Jose be feeling?

"During the filming," an older, more seasoned reporter began, stepping on the toes of a younger colleague, "there were rumors about a romance between you and Mattheson. When I viewed the film, you two didn't look like lovebirds to me, even when you were supposed to be. In fact, I thought the love scenes were the worst ones in the movie. Wasn't he your type?"

"Quite the contrary," Frankie said, a hint of gossip lurking in her undertones. "I, like millions of other women, thought Colin Mattheson was the most stunning man this side of Robert Redford. You can imagine how disappointed and shocked I was to find out that . . . well . . . let's just say I wasn't his type."

"Spit it out, Frankie," the older man said, following up on an obvious come-on. "Who was his type?"

Frankie bit down on her lip and furrowed her eyebrows, as if she were about to make a difficult and painful statement.

"I can't say."

"Is all of this hemming and hawing about Banta and Mattheson just a coverup for your lousy acting job?"

The young woman reporter appeared to catch Frankie off guard, but something about Luke's manner told Zach that this was just the question they had been waiting for. Frankie spun around to face her inquisitor.

"If Colin and Jose had paid more attention to making *The Duchess of Portobello Road* and less attention to making each other, we might have had a good romantic movie instead of just another gay romance!"

"Oh, my God!"

Gabe and Sheila Hamlin reacted to Frankie's outburst with astonishment. Everyone knew that many of filmdom's leading figures were gay, but such facts were, by tacit agreement in the film community, never ever spoken of. No matter how angry one got at a costar or a fellow worker, *that* was left unmentioned, especially in public. Certainly, the existence of homosexuality was accepted and admitted privately by everyone, but specific names were always left to the hazier world of innuendo and insinuation. Frankie had stepped over a line, and in doing so, had probably ruined the careers of two very talented men.

"What a nasty thing to do," Sheila said.

"So much for dear old friend Jose Banta," Gabe interjected, his eyebrows still raised.

"First she destroys that Sunny Samuels. Now she sabotages the careers of Mattheson and Banta. I don't understand what's happening to her." From his mother's tone, Zach couldn't tell whether she was sympathetic or totally disapproving.

"She doesn't mean it," Zach muttered defensively.

"Maybe not," Gabe said, "but she's making quite a few enemies for herself and one of these days, someone's going to look to repay her, in spades!"

Zach was too numb even to respond. As he watched Frankie blithely humiliate two innocent people, he couldn't help thinking that this kind of damn-the-torpedoes-full-steam-ahead type of showmanship just reeked of Maddox. Clearly, he had orchestrated the entire show, from the cutesy-pie rubberband around Frankie's ponytail to the last ragged cuticle on her fingernails. In a way, Zach had to congratulate Luke on a masterful plan. Most likely, he had saved the movie from total financial disaster by creating a scandal so sensational that it would bring people running to the box office out of curiosity, if nothing else. And what was the price? Frankie's integrity? Her friendship with Banta? Her self-respect? To someone like Maddox, it probably seemed a small price to pay. But what about Frankie?

Why did she do it? Why did she let him talk her into this? Had he preyed hard upon her fears of failure and rejection? Had he painted grim, horrible pictures of loneliness and rejection? Zach's lips tightened against his mouth. His hands clenched in angry fists. Maddox must have manipulated her every which way he could to get her to do something like this to Jose Banta.

Zach's first instinct was to call her, to see her, to offer his help.

But what could he do? Criticize Maddox's modus operandi? Zach wasn't about to try that again. He was still smarting from the first time he had second-guessed Frankie's mentor. And what if Frankie didn't think she needed any help? What would Zach do then? Insist that she did? Preach to her by quoting the old Hollywood adage, "Kick them on the way up, and they'll kick you twice as hard on the way down." Frankie wouldn't hear a word he said. Those on the way up were usually deaf to everything except compliments and portents of good times. They only heard rumblings of bad times when they were on their way down. And, Zach realized with frustration and fear, by then, it was usually too late.

19
Frances Rebecca Kipling
Jinx

January 1978

OFTEN, DAYS ARE REMEMBERED more for how they begin than how they end. This day, January 20, 1978, started out perfectly, as the sun rose over Mexico, spreading its xanthic brilliance over a slumbering earth like golden wings. The Pacific Ocean glistened with the sparkling reflections of daylight. The darker teal waters of Acapulco Bay shimmered with touches of bright yellow. Close to the shoreline, tiny whitecaps bubbled and foamed as soft waves floated in to kiss the sandy beaches that rimmed the coves tucked beneath rocky cliffs.

The landscape was brushed in broad, confident Van Gogh strokes. Luxurious tropical blooms splashed the scenery with hot pinks, deep purples, and flaming oranges, while birds plumed with variegated feathers flitted among them, their cries arousing a sleepy world. But it was the sky that gave the scene its grandeur and its splendor; the sky, which that morning was an extraordinary blue—not an everyday blue, but a pure, pale, clear blue unmarred by clouds or shadows or hints of anything other than paradisiacal perfection.

It was only seven o'clock, but already Halona had set out all the ingredients of a feast. In addition to muffins and fragrant coffee, four dozen eggs sat in a metal basket next to a rasher of bacon, and small bowls of cheese or salmon or onions or peppers waited to be used as fillings in lavish omelets. An enormous fruit salad in a large crystal bowl competed with a platter of freshly cut grapefruit halves, orange sections, and pineapple wedges. There were baskets of bread, bagels, and sweet rolls, glasses of orange juice, tomato juice, and a bottle of iced champagne for mimosas, as well as small boxes of dried cereal and pitchers of milk for the children.

As she readied the patio for breakfast, setting out buffet plates and serving pieces, Halona remarked on the weather, noting how deliciously warm and dry it was. They had been in Mexico for ten days, and for most of that time, a steamy blanket of humidity had hovered over Acapulco, making the atmosphere clammy and claustrophobic. Even the night of Jinx Kipling's thirtieth birthday party had bordered on unbearable. Originally, they had planned to have the celebration at home, out on the lawn of the hacienda, but after five days of sweltering, uncomfortable heat, Kip had exercised the privilege of ownership and taken over the disco at his nearby resort, El Cielo.

It had been a wonderful party in spite of the weather, and in spite of the rift between Jinx and her parents. Heather was there, so were Claire and Peter Billings, the Golds, who, with their children, had been staying at the hacienda, as well as a hundred other friends from all over the country, flown in especially for the occasion.

The disco, El Cielo Azul, had been decorated in accordance with its "blue heaven" name, with flowers, table linen, crystal, and china all in various shades of blue. The women had donned their most spectacular dance dresses and accessorized themselves with their most wonderful jewels, looking, as Noah had put it, "as if the invitation had read, something gold, something new, something expensive, something blue." Even Kip's gift to Jinx was in keeping with the decor—the fabulous Kashmir sapphire, a hundred carat, cerulean-colored stone, set in a halo of pear-shaped diamonds.

The only blight on the Kipling vacation had been the constant bickering between Kip and Jeffrey Dodge. Superficially, the issue was Jinx's suggestion that they create a central travel agency through which they would coordinate all their conventions and group packages. Instead of using individual agents, one would merely have to call Kipling Travel and everything, including air and ground transportation, hotel accommodations, convention facilities, and guest speakers, would be taken care of by a single Kipling tour operator. Jinx felt it would encourage more off-season use of their major resorts. Dodge claimed it was another of her naive attempts to bring the Kipling dynasty down to the masses instead of elevating it for the elite. Even the out-and-out success of the spa program had not convinced him that Jinx's ideas were not a dilettante's pufferies. In reality, Dodge felt threatened by Jinx's increasingly important position in Kipling Worldwide and had begun to take every opportunity to impugn her integrity or question her judgment or challenge her authority. Kip understood that, but his patience was wearing thin.

As usual, the first at the breakfast table were the children, Alexis Gold, now six, and Joy Kipling and Nicole Gold, both four. Halona helped each of the little girls pick out her favorite cereal and some fruit, poured three glasses of milk, and settled them at a small, umbrellaed table set up especially for them.

By the time Heather had joined the Golds and the Kiplings on the patio, the children had gulped down their breakfasts and headed for the small beach behind the hacienda for some castle-building. The adults were on their second cups of coffee when Halona interrupted to tell Kip that he had a call from New York.

"I knew it was impossible for us to get through two whole weeks without a crisis," Jinx said, watching her husband disappear inside the house.

"Maybe it's something that can be handled over the phone," Heather said as she took her coffee and moved over to a lounge chair, stretched out, closed her eyes, and let the sun beat down on her oiled body. "I have to leave for Los Angeles this afternoon and it would be a shame to ruin this glorious morning with dreary business talk!"

"I agree," Cissie said, pushing her plate away. "And since Noah and I also have to fly back home this afternoon, I'm taking the children on an early boat ride around Acapulco Bay. Anyone care to join us?"

"I don't trust any body of water that doesn't have a soapdish attached to it," Heather said, turning her lips down. The others seemed to agree.

"Suit yourselves," Cissie said, undaunted.

"Kip and I are playing golf over at the Pierre Marquese." Noah was up and out of his seat, checking his watch, obviously eager to get going. "Once I humble him with my devastating putter and he cries 'uncle,' we'll join you for a quick lunch."

Kip reappeared. Jinx put her hands over her ears, squinted, and gritted her teeth.

"Don't tell me. New York City has come to a screeching halt and Ed Koch just called to beg you to come home and start the wheels of commerce rolling again."

Kip leaned over and kissed her pursed lips.

"I really should spank you," he said. "You could use a little discipline."

"Kip," Noah interrupted. "The golf course is waiting."

"He's not going anywhere until I know what that was all about." Jinx sat in her chair, holding on to her husband with exaggerated ferocity.

"Possessive wench, isn't she?" Kip squeezed her hand. "It was nothing urgent. Just some quack phone calls from a dissatisfied customer. Now," he said, turning to his golf partner. "How much are we playing for today?"

Noah grinned. "Instead of money, let's play Monopoly. If I win, I get Park Place and Boardwalk, complete with hotels, of course."

"And if I win?"

"You get to take my place at all fund-raising dinners, if and when I decide to go for the big time and run for Congress."

Kip laughed. "First of all, I can't stand chicken, so I'll pass on the free meals. And second, you know you want to run. What the hell are you waiting for?"

"A sign," Noah said, grabbing his friend's arm and leading Kip off the patio toward the car. "If I get a hole in one today, I'll announce my candidacy tomorrow. How's that!"

"Sounds good to me," Kip said, waving good-bye.

Cissie waited for Noah to wave, but as usual, he was too involved in his own conversation to bother.

After everyone had gone, Jinx pulled a lounge next to Heather's, smeared suntan lotion over her body, and lay down facing the sun.

"I'm glad we have some time alone," she said. "I haven't really had a chance to find out what's been happening in your life."

Heather reached beneath her chair, poked around for her towel, and dabbed at the sweat on her abdomen and her cheeks.

"I'm still looking for Mr. Right," she said, almost flippantly. "The problem is that since you bagged the only single, certifiable multimillionaire in the world, there's nothing much I can do except hang out and hope for second best."

"That show might play to a strange audience," Jinx said. "But I'm your sister and I know better. Now, what's really happening?"

Heather paused. When she spoke, though her tone was even, almost light, there was an underlying echo of pain.

"I'm in love with a married man. Though I'm not proud of it, I've been having an affair with him, off and on for a while. Mostly off."

"He won't leave his wife?"

"I wouldn't ask him to. The woman is a major bitch. She came to my apartment once and threatened me if I didn't stop seeing him."

Jinx was up on her elbows, staring at her sister.

"What did she threaten you with?"

Heather's eyes remained closed.

"Truly, I think it was all idle nothings, but she scared me anyway. I broke it off with him, but he keeps coming back. I've tried to turn him away, but I can't. I love him and I can't stand to sit by and see him destroy himself."

"What do you mean?"

"When I won't see him, he drinks too much and parties too much, and God knows what else."

Jinx nodded thoughtfully.

"Who is he?" she asked.

"No one you'd know," Heather said, turning onto her stomach so her face was hidden from Jinx. "He's a sculptor in Los Angeles, and a good one at that."

"I know a lot of California artists. Maybe I've heard of him." Jinx was probing, but Heather wasn't giving.

"Uh-uh. He doesn't show in fancy galleries and he doesn't travel in your exalted social circles."

"Does he love you?" Jinx asked.

"So he says."

"Do they have any children?"

"It's hard to conceive a child if you don't sleep together."

"Maybe they're not sleeping together because of you."

Heather laughed, a bitter, helpless laugh.

"No," she said. "He and I are sleeping together because of her! She won't be a wife to him and yet she won't let him go so I can be a wife to him. Nice, huh?"

Jinx shook her head. She didn't have to see Heather's face to know that she was crying.

"I wish I could help." Jinx put her hand on her sister's back and stroked her gently. "I love you and I hate to see you so unhappy."

"I wish you could help too," Heather said, "but you can't. Besides, I'm not totally miserable." Heather had had some big modeling jobs and even a few bit parts in movies. "I'm doing what I want professionally, and if right now my personal life is less than ideal, so be it. As that great philosopher Kate Elliot would say, 'This too shall pass.'" She waited to see Jinx's response at the mention of their mother's name. There was none, so Heather decided to pursue the issue one more time. "Speaking of Kate Elliot, don't you think it's time to forgive and forget? It's been three years now."

"She lied to me for more than twenty years." Jinx's voice was steely, her expression hard.

"She did it for your good," Heather insisted, knowing her lines perfectly, having spoken them so many times before.

"She did it for *her* good."

"Why don't you just forget *why* she did it," Heather said, shaking Jinx's arm, forcing her to look at her. "She loves you. So does Daddy. And this estrangement is killing them."

"You just don't understand," Jinx said, her voice filled with frustration and defiance.

"You're damn right," Heather retaliated, "I don't understand! How could *you,* who seem so bent out of shape at being rejected by some man you never knew before, reject the two people who brought you up and loved you all those years."

"They lied to me!" Jinx shot back. "They betrayed me!"

"They were protecting you because they love you!"

"I don't need their protection." Jinx turned away from her sister. "And I don't need their kind of love."

"One of these days," Heather said, unable to argue any further, "you're going to realize what you've done. You're going to find yourself alone, in need of their love and their support. I only hope, for your sake, it's not too late to ask for it."

Heather lay down on her lounge and squeezed her eyes shut. For now, at least, the subject was closed. As Jinx, too, lay back down on her lounge chair, she looked up. She was about to close her eyes, when she noticed something unsettling—that pure, pale, clear, perfect blue sky that only moments before had surrounded her with an aura of peace and tranquility had suddenly gained a cloud.

Four men stood on the tee and watched Noah's golf ball plunk into the water before the seventeenth green. As the man-made pond rippled in response, Kip, Noah, and their two playing companions took off their hats and placed them respectfully over their hearts.

"That was it," Noah said with mock gravity. "My last chance at a hole in one."

"May it rest in peace," Kip said, stifling a laugh. "Would you like to tee up again or will you do the gentlemanly thing and concede the match?"

"I may not have been given a heavenly go-ahead for a congressional race, but that doesn't mean I'm ready to fold altogether."

He took another golf ball out of his bag, teed it up, and hit it over the water onto the green, well past the flag.

"Maybe surgery would help," Kip said. "We've got two able-bodied surgeons here who would be happy to help you out."

As was the custom at resort golf courses, Noah and Kip had been paired with two other men to make a foursome. Partners based in Los Angeles, they were both neurosurgeons visiting Acapulco for a teaching symposium. The older man, Sam Lawson, was a crusty, experience-hardened physician with a no-nonsense manner, an excellent reputation, and a dry sense of humor. The younger man, Matthew Grant, was the more intense of the two, touted for his outstanding diagnostic and surgical skills, as well as for his tenacious optimism, unusual in a field that lost more patients than it saved.

"Matthew is the expert on lost causes," Lawson said, ruefully watching his own tee shot disappear into the water. "That's why I insisted he take up golf. It seemed like a perfect sport for someone who specializes in humility."

The object of Lawson's gibe awaited his turn quietly, taking the friendly abuse in stride. He was an extremely tall, extremely handsome man, with pale blue eyes that always seemed to be probing and deep dimples that appeared only on those rare occasions when he smiled. A thick, brown moustache covered his upper lip and drew attention to a full mouth and a strong, square jaw that echoed the line of his well-built shoulders and athletic form.

Lawson hit onto the green and with a self-satisfied smile, turned to Grant.

"You're up," he said. "Let's see if you can do any better than the rest of us mortals."

Without a word, Matthew reached into his golf bag, took out a handful of golf balls, and walked to the front of the tee. With great ceremony, he reared back like a baseball pitcher and hurled the balls into the center of the pond.

"I hate wasted motion," he said to the surprised threesome. "Why not do in one toss what might otherwise take several exhausting swings. Onward."

He climbed into his cart, waited for Lawson, and proceeded on the path around the pond to the green with Kip and Noah following. They played the last hole and then, all of them unwilling to end the pleasant morning, decided to have a cup of coffee in the clubhouse. The discussion centered around the work Grant and his senior partner were doing in Mexico.

"Without the latest techniques, a hospital runs the risk of doing more harm than good," Matthew was saying. "Every so often, Sam and I come down here to show our fellow neurosurgeons some new instruments or methods of treatment."

"Why don't they come to you?" Kip asked, obviously impressed with the young surgeon.

"Because it doesn't help to learn on machines they simply can't afford to have. We teach them to do the best with what they've got. Then, we try to talk the government into funding new equipment."

"Does the government respond?" Noah asked.

"Does our government respond?" There was an unmistakable hint of disapproval in Grant's voice.

"We try." Noah immediately rose to the defense of himself and others in that collective body known as "government."

"With all due respect," Matthew said, "you should try harder."

"There's just so much money to go around," Noah parried.

"If I were in a position to allot funds, I might take some away from road construction and refurbishing old buildings and give it to medical research or education. I'd rather save lives than fill potholes."

"You'll have to forgive my friend," Lawson said, trying to gauge the reactions of both Kip and Noah. "He gets a little worked up about this particular subject."

"With good reason," Kip said, honestly interested. "What about private donations? Don't they help?"

Matthew frowned. "To a degree. But even generosity like yours, and I am familiar with your largesse, doesn't solve the problem because public awareness, no matter how well meaning, is sporadic. What we need is longevity. We need people in government to fund a project and then make certain that that project continues even if the administration does not. If you've been looking for a reason to run for Congress, Senator Gold, maybe this is it."

"What do you mean?" Noah was suddenly all ears.

"Okay. Right now, this is how it works. A research program starts up. People are hired. Preliminary work is done and then bang, we have an election, our new president prefers making a name for himself somewhere else, the project folds, and everything's lost."

"How could one congressman make a difference?" Noah asked, almost as if he were writing a campaign speech. "From what you say, it seems to be endemic to the system."

Matthew leaned forward on the table, sincerity shining in his eyes. He paused, as if weighing his words, making certain that this time he would be understood.

"You get elected to the House. You get yourself assigned to a committee and you preach to them with the fervor and commitment of an evangelist until every man and woman there is as dedicated to medical research as you are. That way, even if, by some chance, you're not reelected, some of them are and they'll continue to fight for the cause."

"Matthew's right!" Kip said, slapping his friend on the back. "You were looking for a sign? This is it! Obviously, we weren't teamed up with Matthew and Sam just to take their money, although," he said, flashing a grin at thc two medical men, "that was extremely pleasant. This was a fated meeting, arranged so that this man could tell you how much you're needed in Washington."

"He's told me. Now what?" Noah wasn't playing coy. He needed more assurance, more encouragement.

"Run! Get yourself elected. Then bring this young crusader before your House committee. Let him plead his case. If he's half as eloquent there as he's been here, maybe something'll get accomplished that we can all be proud of."

Noah smiled at Kip and then reached across the table and shook Grant's hand.

"Maybe my friend was right. Maybe this was a fortuitous meeting," he said, his thoughts already focused on his next campaign.

It was in fact an extremely fortuitous meeting, but at the time, none of them realized just how much so.

"Is everything all right between you and Noah?"

The children were napping, Heather was showering, and only Cissie and Jinx remained on the patio.

"Compared to what?" Cissie said with a half laugh.

"Compared to the Cissie and Noah I know and love." All week, Jinx had noticed a strain between the usually devoted couple.

Cissie ran her fingers through her hair and lifted her feet up onto a small table, as if preparing for a long conversation.

"Let's just say that the road to paradise has a few bumps."

"Would you mind telling me just what breed of bump we're talking about?"

"Ego. Ambition. Libido. Just to name a few."

Jinx heard the offhanded tone in her friend's voice, but knew it was only a shield.

"Should I hazard a guess at the crux of this problem?" Though Cissie didn't answer, she didn't turn away, so Jinx went on.

"Is Noah's career becoming so consuming that it seems more like a mistress than a job?"

"I always knew you were clever," Cissie said, playfully pinching Jinx's cheek and then turning somber. "He is devoted to helping mankind. Unfortunately, there are several little nymphets on his staff who are a bit too devoted to him."

"And you think he's fooling around."

"No, I think he takes his one-night stands very seriously."

Cissie's eyes had turned from green to gray as she voiced her private thoughts.

"Do you know any of this for sure or are you guessing?"

"Let's say my guesses are educated ones."

"Maybe it's a stage," Jinx said, quickly adding, "not that that's any excuse for infidelity."

"I keep telling myself that it is a stage, that he's feeling at sixes and sevens about his relative importance and his ability to make things happen. I've also been blaming it on the fact that he's been in such a quandary about whether or not to take that extra step and run for Congress. But even if it is insecurity that's causing his pants to drop at the bat of a young, adoring eyelash, the last thing I want is for this kind of thank-you to become a habit."

"Cissie, Noah loves you. You have to know that."

"I do know that. I also know that he has a fragile ego that requires enormous doses of reassurance. Maybe I'm not giving enough."

"You give more than any woman I know."

Cissie smiled at her cousin.

"What you don't see, dear Jinx, is that no matter how much a woman gives, some men take more than others. Kip is successful and content with that success. What's more, he's deliriously happy with you and Joy. He's a secure man with all his priorities in order. Noah's different. He's rarely content with any status quo. Probably, because no matter how hard the girls and I try, he's rarely content with himself. For some reason, he's always searching."

"For what?"

"Peace, I suppose." Cissie had neglected to mention Noah's nightmares, his fear of dark places and strangers. "Maybe power. Whatever it is, believe me, I've tried everything except Bloomingdale's customer service. If I knew exactly what he was searching for, I'd buy a case of it."

"He's a lucky man," Jinx said, trying to understand, but privately annoyed that Noah would be unfaithful to someone as fine as Cissie.

Cissie felt the concern and the love and she was grateful.

"I'll tell you what," she said, hoping to lighten the mood. "Tell him over lunch how lucky he is. You know, nothing obvious. Something subtle like, please pass the avocado, and by the way, do you know how absolutely sensational your wife is?"

"Great idea," Jinx laughed. "He'll never know we planned it."

Their giggling was interrupted by the arrival of Jeffrey Dodge, his three-piece suit buttoned up in spite of the weather, his attaché case glued to his hand, his usual dour expression in place.

"Excuse me. Halona told me to come out here and wait for Kip."

"You're welcome to wait here, or," she said, deliberately eyeing his vest and his tie, "if you'd be more comfortable inside with the air-conditioning, you could wait there."

"This will be fine," he said stoically.

"Whatever you say. Cissie and I are going inside to change. I'll have Halona bring you an iced tea."

"Thank you very much."

By the time Cissie and Jinx returned, showered, changed, and fully refreshed, Kip, Noah, and the sweltering Jeffrey Dodge were seated at a poolside table, arguing.

"It's economically unsound and totally unnecessary!" Dodge said. He was nearly shouting. "There are thousands of travel agents in this country who are doing a fine job without us."

"And we would be hiring many of those competent agents to work *for* us," Kip countered with more than a smidgeon of impatience. "I've told you this before, Jeffrey, I'm looking for ways to make Kipling Worldwide more efficient, and one of the ways to do that is to make it more centralized."

"I think it's nothing but busy work!"

Noah spotted Jinx and Cissie and quickly took his leave from the table. The three of them headed for the opposite end of the pool, trying to remain as unobtrusive as possible, yet unable to avoid overhearing the not-so-private meeting.

"Sometimes I think you expend more energy working against me than you do working for me!" Kip was on his feet, his anger in full bloom.

"Then your vision has been fogged over by an excess of hot air!" Dodge countered.

Halona motioned to Kip from the doorway that there was a telephone call for him. With an exasperated gesture he left Dodge sitting there alone while he went inside to the phone. Within minutes, he had returned, his face more lined with distress than before.

"There's trouble in New York. We're going back first thing tomorrow morning. Meet me at the plane no later than five A.M."

"If there's trouble, why aren't we going back tonight?"

"Because I want to spend the evening with my family. Is that answer satisfactory?" Kip said, indignant that Dodge would dare to question his decision.

"Whatever you say," Jeffrey answered through gritted teeth, his own indignation bordering on rage. "After all, you're still the boss, aren't you?"

"You bet I am! See you tomorrow morning, Jeffrey." Kip dismissed him, glaring at him as he strode away.

Jinx made her way to Kip slowly, allowing him time to cool down. Cissie and Noah discreetly disappeared into the house.

"What's wrong?" Jinx said.

"There've been a series of bomb threats at the New York Kipling, and obviously the press has gotten wind of them. Our security men have gone over the hotel with a fine-tooth comb and found nothing, but our people there seem to think that I have to put in an appearance so the press will get off the story."

For some reason, Jinx's heart began to pound furiously inside her chest. Recently, the newspapers had been filled with stories about wealthy men being kidnapped and held for ransom or assassinated to prove some leftist point.

"What if it's a setup?"

Kip took her in his arms and held her firmly.

"That's why I'm going tomorrow morning and not tonight. If it is a setup, he or they would be expecting me sooner rather than later. Also, just as a little insurance measure, I've instructed Healy to file a flight plan for late tonight which I intend to change at the last minute."

"Do you think it's a plot?"

"No. I think it's nothing," he said. "You and I both know this kind of thing happens every day. We've used dogs and radar devices and the hotel is clean. I've even had them do an extra search on the penthouse and the house in Westchester. They're clean too. It's an obvious hoax, but since this crackpot keeps addressing his threats to me personally, it's not going to look good if I ignore the safety of my patrons. Agreed?"

Jinx didn't agree at all. She felt selfish and protective and she wanted to lock him in their room and bar him from going, but instead, she nodded.

"I'll go with you."

"No, you will not," Kip said, leaning over and kissing her. "You and Joy will stay here for the rest of the vacation."

"It's only three more days. We'll leave now."

"No, you won't. It's no big deal. By the time you come home, this will all be history." He put his arm around her and hugged her, trying to coax a smile.

"First, we have to see Noah and Cissie off. Then we have to put Heather on a plane. And then, Mrs. Kipling, you and I are going to have a very intimate evening *à deux*."

Jinx linked her arm through his and fluttered her eyelashes.

"Why Harrison P.," she said in her best *Gone with the Wind* drawl. "I thought you'd never ask."

* * *

Joy Kipling snuggled against her father's chest, burrowing beneath his arm and positioning herself so she could gain a full view of their favorite storybook. Her pitch-black curls frothed around her tiny face, contrasting with the delicate pink of her cheeks, the deep lavender of her eyes, and the soft white of her cotton nightgown. As Kip read to her in a singsong voice, his tone rising and falling with each change of character, Joy kept a hammerlock on her Betsy-Wetsy doll and sucked on her right thumb with delight, stopping every now and then to giggle at her father's silliness.

". . . And so, Prince Herman of Yonkers carried the beautiful young princess off into the sunset, where they both got really bad sunburns."

Joy looked up at Kip.

"His name is Prince Charming," she said with great exasperation. "And he didn't come from Yonkers."

"No?" Kip sounded surprised.

Joy shook her head, causing her curls to bounce against her shoulders.

"And they didn't get sunburns," she said, continuing to correct him. "They lived happily ever after."

"They couldn't have," he said, his face turning very serious.

"Why not?" Joy asked, guessing what was coming.

"Because they didn't have you as a daughter!" Kip said, grabbing her and tickling her until little girl's squeals filled the room.

"Okay, you two." Jinx, who had been standing outside the door, came in to interrupt their playing and tuck her daughter in. "It's Joy's bedtime and Mommy's feeding time."

Kip and Joy continued to wrestle, their arms intertwined, their faces red with laughter.

"I'm going to count to three," Jinx began with mock menace.

"Uh-oh." Kip sat up quickly, smoothed his linen shirt, and folded his hands in front of him like an obedient schoolboy. "Better do what Mommy says or else."

"Or else what?" Joy whispered, knowing this was all part of the game.

"Or else Mommy will give Halona two weeks off and she'll do the cooking." He turned his back to Jinx, held his stomach, and stuck his tongue out as if any second he was going to be ill.

Instantly, Joy jumped under the covers, grabbed Betsy-Wetsy, closed her eyes, and made tiny snoring sounds. Jinx strolled over to the bed, gave Kip a playful poke, and leaned over to kiss Joy good night.

"Night-night," Joy said, hugging Jinx and then throwing her arms around Kip. "I love you."

"I love you too, baby. Sweet dreams."

"I will," she mumbled, sticking her thumb into her mouth.

"If I listen to your silly story about Prince Herman from Yonkers, will you tuck me in too?" Jinx whispered as they closed their daughter's door and walked down the hall.

"For you, my dear, I have an entirely different story," Kip said as they walked out to the car. "For you, I shall relate the tale of heroic King Salvatore Sulcovini, well-known lover and fearless ruler of ancient Secaucus, and his queen, the lovely Ethel of Idaho."

As they headed toward El Cielo, Jinx leaned her head back on the seat of the convertible and looked up at the sky, smiling at the full moon above her.

"I can hardly wait," she said, with Joy-like enthusiasm. "Just tell me. Do they live happily ever after?"

Gently, Kip caressed her knee.

"Doesn't everybody?"

Jinx chuckled. Again, she looked up. The stars that had seemed so bright only seconds ago had disappeared. The moon was shrouded by thick ominous clouds. Her smile faded. Her laughter stilled. Suddenly, she couldn't wait to get inside.

"I don't believe what time it is!" Jinx looked at the small clock on her night table. "It's after one. We have to be up in less than two and a half hours."

Kip reached across her and turned off the lamp.

"I have a better idea," he said, planting soft kisses on her neck. "Let's not go to sleep at all."

"Don't you know that at your age you need your rest," she said, sliding her arms around his neck, inviting him to come closer. "You had a lot of wine with dinner, you danced like a Latin fool, and you have a long flight."

"I'll sleep on the plane," he said, as his lips found hers and momentarily ended all discussion.

"Are you sure you don't want me to join you?" she asked, catching her breath.

"Now? Yes, I want you to join me," he said, running his hands through her hair for emphasis. "On the flight back to New York? No."

"Keep 'em in the bedroom and out of the boardroom. Is that it?" she teased.

"Everything in its place." Kip's face loomed above hers as he brushed some hair off her forehead and kissed the tip of her nose. "Right now, I've got you exactly where I want you."

Then, with the ease and familiarity of two married people who had made love hundreds of times, Kip and Jinx kissed and touched, slipping out of their bedclothes, sliding next to each other and finding that one comfortable position where their bodies just naturally fit together. Knowing they had the rest of the night, they took their time arousing each other, singing the mating song softly and slowly.

As Kip's hands moved leisurely across her skin, Jinx felt a contented warmth envelop her. It began inside, deep down, where she felt safe and secure. It moved up and around and out, until it reached a feverish heat wherever his fingers probed and his lips pressed. Her body stretched against his, expressing its pleasure in long sinuous movements. Her arms threaded underneath his, pulling him closer, nearer, bringing his mouth back to hers, where she greeted it hungrily.

As the warmth flamed into passion, each of them delighted the other. There was no need to be tentative, no need to guess or assay the next move. They knew each other's weaknesses. They knew exactly where to kiss, to fondle, to stroke; when to stop, when to start. With great ardor, they romanced each other in an interlude of ecstasy.

"Is this how King Salvatore treats Queen Ethel?" Jinx asked, kissing away the sweat on Kip's chest.

"I doubt it," Kip said, still breathing heavily. "I heard Queen Ethel was a real dog."

"I thought love was blind."

"In his case, probably." Kip shifted so he could look at his wife's face. "In my case, I don't have to make any excuses." He kissed her nose and then gently brushed her lips. "My lady fair is perfect in every way."

Jinx smiled, but her eyelids were beginning to droop.

"You won't say that at four o'clock this morning when I have deep black circles under my eyes and a nice green tinge to my complexion."

Kip tucked the blanket under Jinx's chin and rubbed her back lightly.

"You sleep. I'll call you when I get to New York."

Jinx's eyes remained closed and her voice was drowsy but resolute.

"Uh-uh. I've never missed waving good-bye to you before, and no matter how inconsiderate you've been in scheduling this flight, I'm going to wave good-bye to you this time too!"

Kip leaned over, kissed his wife's cheek, and slid down next to her, a contented smile on his lips.

"Whatever you say," he mumbled as he, too, fell asleep.

It was still dark when Kip and Jinx arrived at Acapulco Airport. They drove around to the small terminal that serviced the private planes, and Jinx let Kip off so he could find Healy, his pilot, then went to park the car. The air was dank and clammy again, thick with humidity, thanks to a mass of clouds gathering overhead like a puffy canopy, holding the moist air down.

It was quiet, almost eerily so. Jinx slammed the car door and jumped at the sound. As she turned toward the terminal, she looked around. It was the darkness that was making her anxious, she told herself. It was being alone in that empty parking lot surrounded by those hulking metal hangars that was unnerving her.

"Over here!" Kip yelled, waving her inside and over to a small counter, where he had a cup of coffee and a doughnut waiting.

"When are you taking off?" she asked, still slightly unsettled.

"In less than an hour. Right after the sun comes up."

"Did Healy forget how to fly by instrument?" she asked, forcing herself to smile.

"I want to be able to see you waving good-bye." He kissed her quickly and then licked the frosted sugar from her doughnut off his lips.

"Better get on board, Mr. Kipling. Preflight check and all."

Kip saluted the flight manager of the private terminal and then turned to Jinx.

"Finish your breakfast and then take a walk out to the field. There's no rush."

Jinx put her arms around him and held him tightly.

"Do you have any idea how much I love you?" she asked.

Kip kissed her and then took both her hands in his.

"Yes, I do," he said softly, seriously. "Almost as much as I love you."

He kissed her again, grabbed his briefcase, and with a big smile walked outside, heading for the plane.

Usually, Jinx followed. She liked listening to the banter of the mechanics and technicians who worked on the plane. She enjoyed the bawdy Irish humor of Glen Healy and Cormac O'Donnell. Though they always treated her with great respect, every so often there was a little tease, a little display of the leprechaun spirit to make her feel relaxed and at ease.

This morning, probably because she had had so little sleep, Jinx lingered inside the terminal, sipping her coffee slowly, waiting for the caffeine to jolt her into total wakefulness. By the time she walked out onto the airfield, the sky was brightening, the plane was on the runway, and she had nothing to do except wait for the takeoff.

Kip strapped himself into the copilot's seat and proceeded with a preflight instrument check. Meanwhile, Healy contacted the control tower, reaffirmed their flight plan, and requested runway space, weather forecasts, and departure time. Mac O'Donnell, their usual copilot, was down with the flu, but he was taking medication and felt certain that he would be ready to assist when Healy returned to ferry Jinx, Halona, and Joy home to New York. In a way, Kip was delighted. He loved to fly and often, especially when Jinx wasn't with him, he spent the entire flight in the cockpit.

"We've got thick cloud cover here and a slight storm brewing over Texas," Healy said, "but we've been given clearance to fly above it all. After that, it's clean as a whistle."

"Any delays?" Kip asked.

"Other than the usual circle dance at Kennedy, we should arrive right on schedule."

"Terrific. When do we take off?"

"In about five minutes."

"Then what are we waiting for? Start her up and let's roll."

The twin-engine Lear jet taxied from its hangar down to where the smaller planes took off, out of the way of the jumbo commercial jets and cargo planes. As they glided along, Kip took the time, as he always did, to admire the craftsmanship that went into building an aircraft such as this. The instrument panel gleamed with dials and levers kept polished and spit-shine clean. The seats were leather, smooth and pliant, grasping one's body and holding it like a protective glove. The cabin behind the cockpit, designed for ten passengers, was luxurious, with thick pile carpeting, a completely stocked kitchen, tufted couches, two bathrooms, and seats that reclined and turned into beds for long trips. There was even a small criblike contrivance, especially built for Joy, whose name was scripted on the plane's belly in big red letters.

Kip smiled, recalling the day he had brought Jinx and Joy down to the airport for a family christening ceremony. Joy had been three months old and Halona had held her while Jinx had smashed a bottle of champagne against the fuselage. Naturally, Joy had been oblivious to the proceedings, but somehow she had managed to smile at just the right moment, warming her father's heart.

"Flight number twelve cleared for takeoff on runway six."

The voice of the air controller snapped Kip back to the present, and his hands automatically clasped the control wheel. Healy turned onto the head of the runway, paused, and looked out the window at the clear blue water in front of them.

"Full power," he said, pushing the throttle forward. "Elevator neutral. Lower flaps."

Kip followed his pilot's instructions, both of them working in perfect synch, each doing a job he had done many times before.

"Nose up."

The plane speeded down the runway. The wind rushed around the wings, building up lift. Healy increased the angle of attack, adjusting the flaps and elevator. As the plane lifted off the ground and began to climb, both Healy and Kip smiled and whistled, "Airborne!"

Suddenly, everything went haywire. The rate of climb indicator dropped to zero. The altimeter spiraled downward.

"We're stalling."

Healy's eyes covered each of the instruments in a split-second. He pressed down on the rudder and turned the yoke, banking the plane left, desperately trying to shift the direction of the air currents flowing over the wings. Kip radioed the control tower.

"Mayday! Mayday!"

"What the hell's happening here?" Healy shouted as he tipped the nose of the plane in a last-ditch effort to recover lift.

Frantically, they worked the rudders and control wheels, trying to pull the plane straight, trying to avoid a crash, but it was hopeless. The last thing Kip saw before the jet slammed into the runway was a snapshot of Jinx and Joy taped to the window for good luck.

Jinx had moved closer to the terminal when the plane had tested its engines so as to avoid being buffeted by the violent wind the jets stirred up. She had covered her ears and closed her eyes as the plane taxied away. But then, when the *Joy* had stood poised on the runway, she had opened her eyes and waved, not knowing whether or not Kip could see her. She smiled as they picked up speed, but then her smile froze on her lips. She heard the sputter. She saw the wings shift and bank. She saw her husband's plane crash to the ground.

For a second, she was immobilized, paralyzed by fear and the ugly, terrifying thoughts assaulting her brain. But then, she was screaming and crying and running and frantically making her way to the plane. She got there just as the airport crash truck and the rescue truck pulled up. Four men in fire-resistant suits ran past her, shoving her aside, spraying foam all over the fuselage. Another group of men attacked the cockpit windows, jimmying them open with crowbars and using oxyacetylene torches to cut through the metal and carve an opening big enough to remove whoever was inside.

"My husband's in there," she shrieked, trying to move closer to the wreck. "Let me through!"

Someone grabbed her and held her tightly. He spoke to her in Spanish, which she didn't understand. She tried to shake free of his grasp, but no matter how much she kicked, he wouldn't let go.

The ambulance pulled up and Jinx's heart felt as if it were exploding inside her chest. It thumped and pounded with an intensity that almost knocked her down, but she forced herself to keep a clear head.

"A doctor," she mumbled. "I need a doctor." Her mind raced. Who was that man Kip had mentioned? The one Noah and he had met at the golf course. He was American. Brilliant, Kip had said. "What was his name?" she wailed, knowing that no one there except Kip could answer her. "Grant. That's it. Something Grant. Michael Grant. No. Mitchell Grant." Her eyes remained glued to the cockpit window, where the workers were trying to extricate the passengers. "Matthew Grant! That's it. Matthew Grant. I've got to call him. I've got to have him meet us at the hospital."

She ripped free of the man's grip and ran to the head of the ambulance corps.

"Matthew Grant," she said, making him look at her. "Please. Have someone call El Cielo and get Dr. Matthew Grant."

The young man looked confused.

"My husband is in that plane. Call Dr. Grant at El Cielo!" She was shouting at him, poking at him, gesturing wildly, but he could see by the look in her eyes that she wasn't angry, she was desperate.

"*Sí, señora.* I call. El Cielo. Dr. Matthew Grant."

"*Gracias!*" she said, nodding, biting her lip so she wouldn't cry. "*Gracias.*"

He went inside the ambulance to use the radio, and Jinx turned her attention back to the wreckage. The men were pulling someone out.

"Kip!" She ran toward the plane, oblivious to the fact that one sandal had fallen off her foot and that her shirt had caught on something and had torn. "Kip! Oh, God! Please let him be all right!"

Two men kept her back while the rescue team lowered Kip down from the cockpit onto a stretcher. There was blood all over his face, all over his clothes. She gagged, but only for a moment.

Stay in control, she warned herself. He needs you. You can't go to pieces now.

She dried her eyes and forced herself to watch the evacuation without hysteria. She tried so hard to be calm, but something about the way the medics were holding Kip pierced her gut like a poisonous spear, filling her body with pain and terror. She watched as they strapped him to the stretcher and carefully lifted him into the ambulance.

"I'm going with him," she said in a tone that everyone understood, no matter what language he spoke.

She climbed in after Kip, knelt down beside him, and took her eyes off him only once the entire way to the hospital—when she saw them lower someone else onto a stretcher and pull a sheet over his face.

Jinx paced back and forth in the dimly lit emergency room, a blanket wrapped around her shoulders, a pair of borrowed socks covering her feet. Her body trembled from shock. She was sweating and her breathing was uneven. Her vision was blurred from fatigue and tears, but still, she kept her eyes focused down the hall, into the labyrinth of examining rooms, one of which held her husband.

She wasn't sure how long she had been waiting. Time suddenly had no definition except as it related to Kip. It was as if an enormous stopwatch had clicked on the instant the plane had crashed—ticking, ticking, ticking with infuriating regularity, eating up precious minutes. Jinx wanted to smash that watch! She wanted to stop time, to halt the inexorable progress of this event until somehow she could assure herself of a favorable conclusion.

"Mrs. Kipling."

Jinx looked up into the strong, sympathetic face of Matthew Grant. At first, she didn't know who he was. Because of his height, he loomed over her like a giant and she had focused only on his bright red polo shirt. It took a second before she noticed the white lab coat.

"My husband." Instantly, her voice elevated with panic. "What's happened to my husband? Is he dead?"

"No."

Matthew wasn't certain whether she smiled briefly or her mouth twitched. He could see she was in shock and in need of care, but something told him she wouldn't accept it.

"Do you know what happened to the other passengers?" she asked hesitantly.

"As far as I know, there was only one other person on the plane. I assume he was the pilot."

"Healy." Again, there was that half-twitch, half-smile. She was trying so hard to be brave. "How's Healy?"

"I'm sorry, Mrs. Kipling, he didn't make it."

She lowered her head and cried into her hand. "I think I knew that," she said, wiping her eyes. "And my husband?"

"He's in critical condition."

"How critical?"

Matthew took Jinx's hand, led her over to a chair, and gently lowered her into the seat. He squatted down and kept his eyes locked on hers, forbidding her concentration to drift.

"His neck is broken," he said matter-of-factly.

"Oh, my God!" Jinx swooned, but his hands maintained a firm grip on her.

"I've put him in traction and if you feel up to it, you may go see him."

"Of course I'm up to it!"

Matthew helped her to her feet. "He's unconscious, Mrs. Kipling, and the sight of him is going to be upsetting. Would you like to wait for another family member to go with you?"

She turned and looked at him, vaguely understanding that he was trying to prepare her for something awful.

"There is no other family member here," she said. "I'd like to see him now."

"Whatever you wish." He took her elbow and guided her down the hall to an elevator. At the third floor, he started to exit and felt her stiffen. "I'll go in with you," he said, sensitive to her fear.

She nodded and followed him to the intensive care unit. It was a small hospital, ill-equipped, understaffed, and in desperate need of repair. Though all her mental energies were concentrated on Kip, her peripheral consciousness took notice of her surroundings. Her immediate thought was to call Healy and arrange to transfer Kip to Houston or Denver or any other top-notch medical facility within a reasonable distance. Then she remembered. Healy was dead. She shuddered uncontrollably.

"Are you all right?" Matthew stopped short of the ICU. "Would you like a sedative?" She shook her head. "Are Senator Gold and his wife still at your house?"

"No. They left. Everyone left. Is it that bad?"

Her face was shockingly pale and her lips quivered when she spoke, but he noticed a determined set to her chin, a fighting spirit in her eyes. She wanted the truth.

"It's that bad."

He pulled aside a gray curtain and moved back so Jinx could step inside, but he stayed close enough to hear her gasp and catch her as she began to faint. Kip was strapped to a bed, his body sprouting tubes and wires that hooked up to hanging bottles and noisy machines that blipped and hummed and measured every single human function in wavy lines and decimal points. There were scratches on Kip's face and arms, bandages on both legs. Jinx might have handled all that, but when she walked nearer and saw two metal screws sticking out of Kip's forehead and the metal brace running down from the back of his head and around his chest, tears that had been so well-behaved up to now, burst forth in an undisciplined stream.

A nurse brought in a chair and helped Jinx sit. Matthew checked Kip's chart, looking from the machines to the clipboard, changing numbers, altering dials. Jinx reached up and touched Kip's hand. She would have held it, but she was afraid that any pressure might cause him pain, or worse, that any movement might kill him. One by one, she ran her fingers over his, lightly, delicately, hoping he knew she was there loving him, caring for him, willing him to live. Then, his eyelids fluttered. Her breath caught in her throat.

"Kip. I'm here, sweetheart. Wake up! Talk to me! Look at me!" She was on her feet, standing over him, trying to cheerlead him into consciousness. "Come on. You can do it. Open your eyes."

No response. No movement.

"Come on. Do it for me. Do it for Joy."

As she spoke her daughter's name, the tears started again. "Oh, God," she cried, looking frantically at Matthew. "Help me!"

Then, in the same naive tone a child might use asking, "Why is the sky blue?" she whispered, "When is he going to wake up?"

"I don't know."

Jinx's eyes widened and before she spoke, she bit her lip, as if that would give her courage.

"Will he ever wake up?"

"I think so."

She wanted to feel relieved, but she had heard the unpronounced "but" that followed the statement.

"Go on. I want to know the worst."

Matthew saw how hard she was straining to be strong. He couldn't help but admire her grit.

"If he wakes up, there's a possibility that he'll be paralyzed from the neck down."

Jinx's horror registered immediately. Her eyes darted from the metal brace holding Kip's neck in place to Matthew's face, which remained expressionless. If not for his eyes, she would have thought him cold and clinical, but in those pale blue orbs she saw his own sadness, his own regret at being unable to reverse the irreversible.

"You're supposed to be brilliant," she said, despair and frustration turning into anger. "Kip spoke about you in glowing terms. Noah sang your praises. You're supposed to perform miracles. Well, Dr. Grant, dig deep into your bag of tricks. Wave your magic wand. Say abracadabra. Do whatever you have to do, but please, I beg you, don't leave him like this. Don't let him die!"

"I promise you," Matthew said with more compassion than conviction, "everything that can be done will be done."

"Fine," she said, feigning control. "But will it work?"

Matthew looked at Jinx. Her hyacinth eyes were drowning in a pool of dashed hopes and shattered dreams. He looked at Kip. He wished it were different. He always wished it were different.

"We have no choice," he said grimly, "but to wait and see."

For most of the day, Jinx refused to leave Kip's bedside. When Halona had come, she had sent her home, insisting that she stay with Joy, that she wanted to be alone with Kip, explaining that she had no reserve energy for anyone but him. Yet she wasn't alone. Matthew Grant never left her side.

Throughout the long hours, he responded to her needs as well as those of his patient. When she wanted to talk, he listened. When she wanted to be silent, he, too, remained silent. Later, she would recall his kindness and his uncommon devotion, but then, she merely accepted it as if it were part of a package, as if it all came under the heading of "intensive care."

By four o'clock in the afternoon, Matthew insisted that she take a break. He offered to stay with Kip, but since Sam Lawson had also arrived ready to help, Jinx asked if Sam could monitor Kip while Matthew came with her.

As she walked into the grubby waiting area strewn with litter and sand-filled ashtrays overflowing with cigarette butts and empty coffee cups, she was surprised to see Jeffrey Dodge. He came forward immediately.

"I had car trouble," he muttered, eager to explain. "My cab broke down. I couldn't get there in time." He stammered and started. "I was supposed to be with him," he mumbled. "I was supposed to be on that plane."

"Be grateful that you weren't." Jinx meant to sound kind, but in her voice she heard an undertone of animosity that startled her.

"Listen, I know we've never been close," Dodge said, also taken aback, "but now's the time to put all that aside and pull together. Anything I can do to help you or Kip, or your family, just let me know. If there are any arrangements to be made, I'll take care of them."

He sounded sincere. He even looked sincere. But still, Jinx couldn't control her hostility.

"He's not dead yet," Jinx snapped, wondering why she was so agitated by Dodge's presence. Perhaps it was because he and Kip had done nothing but argue for the past week. Or because he had made Kip so angry on the day of the accident. Or because he should have been on that plane and wasn't.

"She's very distraught," Matthew said. "Perhaps you should come back a little later, Mr. Dodge."

Jeffrey nodded, a little embarrassed at being asked to leave, yet oddly grateful at not having to stay.

As if she had been waiting for a private moment, the instant Dodge left, Jinx collapsed, weeping, clinging to Matthew, and sobbing uncontrollably. He stroked her back, murmuring comforting words into her ear, knowing that there were no words to erase what Jinx was feeling.

"He's going to die," Jinx said. "And my daughter is going to be without a father. Oh, God, how will I ever tell her?"

"He's hanging on," Matthew said, "and you have to do the same."

"I'm trying," she said, unable to control herself, "but it's so hard."

It's only going to get harder, Matthew thought. *Much harder.*

". . . And Heather said Joy told her the entire Prince Herman story over breakfast. She did it just like you did. Changing voices and everything."

A wobbly smile flickered on Jinx's lips and the lightness in her voice was forced, but nonetheless, she continued to talk to her husband. She had been at it for hours, singing silly songs, repeating snippets of gossip, talking to him as if he were completely awake, completely aware.

"Didn't she look adorable in that sweet little blue dress the night of my birthday party?"

Jinx held a snapshot up in front of Kip's closed eyes.

"She tried so hard to stay up late, but really, I think that when Halona took her home, she was secretly relieved."

She looked at the picture herself and then showed it to her unconscious husband once again.

"She's getting to look more like you every day, don't you think?"

A lump stuck in her throat, and her voice began to sound hoarse.

"God, you've got to wake up! Joy needs you," she moaned. "I need you. I can't live without you. You're my friend and my husband and my lover and my confidant and my teacher and my protector. You're everything to me, don't you see that?"

She lifted her shoulder to catch the tears falling down her cheek. She refused to let go of the photograph. She refused to let go of Kip's hand. She refused to let go, period.

"Come on," she said, jumping to her feet, suddenly rejuvenated. "Hey! King Salvatore Sulcovini! Wake up! It's me, Queen Ethel! I came all the way from Idaho just to see you. Come on! Open your eyes. *You told me you'd love me forever. It's not forever yet! Open your eyes!*"

Exhausted again, she plopped back into her chair, lowering her head onto the side of the bed, hypnotized by the steady blips of the machinery and the steady thumping of her heart against her chest.

Matthew stood in a corner, studying Kip's chart, eyeing the machines, watching Jinx. It was three-thirty in the morning. He was used to going long stretches without sleep, but how she was managing was beyond him. Will, he supposed. And hope.

Quietly, he walked over to Kip's bed and touched his toes, feeling to be sure they were still warm. He had moved around to the side to check Kip's pulse, when suddenly, he saw Kip's eyelids flutter. He waited. They fluttered again, opening just a touch.

"Jinx," Matthew whispered, not wanting to startle her. "I think he's waking up."

Jinx's eyes flew open. She stared at Kip, trying not to shout at him, trying not to shake him.

"Kip! It's me. I'm here. I love you. Please. Wake up. Look at me! That's good. Open your eyes a little more. Great. His eyes are open," she said to Matthew. "Isn't that exciting?"

Matthew smiled and nodded, but he knew better than to get excited.

A sound came from Kip's mouth. It wasn't a word. It wasn't even a recognizable syllable. It was merely a sound, but to Jinx it was a symphony. Then, Kip's mouth trembled. His eyes darted from Jinx to Matthew and then back to Jinx. His mouth trembled again.

"I think he's smiling at you," Matthew said, backing away enough to give them a feeling of privacy, but remaining in attendance.

"I think so too," Jinx said, visibly relieved. "Are you smiling at me, Harrison P.?"

Kip blinked, and Jinx almost collapsed with pleasure. Gently, carefully, she bent down and kissed his lips.

"I . . . I . . ." He tried to talk, but his voice was not ready. He tried to move his head. The pain was excruciating.

"We've got you pinned down," Matthew said, quick to explain and reassure, quick to check the brace and the position of Kip's neck. "In case you don't like the accommodations, we don't want you going AWOL on us."

As if he understood, Kip moved his eyes toward Jinx.

"What happened?" His voice was weak. Jinx had to strain to hear him. "Where's Healy?"

"Down the hall," she said as calmly as she could. "In another fabulously elegant suite, just like this one."

"You've made me very happy," Kip said, his voice barely audible. "You and Joy. I'm so lucky to have you."

Large, doleful tears fell from Jinx's eyes.

"You've made my life worth living," Kip continued, his breathing labored, his throat scratchy. "I never loved anyone the way I loved you. Remember that."

"Don't you say good-bye to me," she said. "Don't you dare leave me!"

"When she's old enough to understand, tell Joy. Tell her why I named her what I did. Tell her how much I loved her. How much I loved her mother."

"Please," Jinx pleaded, "please don't!"

His eyes closed. Jinx listened. The machines were still blipping. He was still alive. But Matthew had called for a nurse. He was pressing his stethoscope against Kip's chest. Suddenly Sam Lawson and two more nurses were surrounding Kip's bed.

"You're going to get well," Jinx said, raising her voice, determined that Kip hear her over the ruckus. "Everything's going to be fine. You'll see. Dr. Grant will take care of you. Remember Matthew Grant? You played golf with him? I called him for you. He's brilliant, remember? Dr. Lawson's here too. They're the best. You said so. They're going to make you well. And then, after you're all better, you and I and Joy, we're going to go home."

Her voice was growing more and more strangled, her eyes more tearful. One of the nurses put her arm around Jinx and moved her out of the way, holding her gently but firmly. Jinx strained to see Kip, but there were too many people surrounding him, too many people working on him, so she focused instead on the one machine she could still see, the machine that registered Kip's heartbeat. The blue line had become jagged, jerking up and down, making frightening squiggles that filled the small, ominous screen. The blips, which had been so regular, so metronomish all through the day and into the night, were suddenly shrill and uneven.

"We're going to live happily ever after," Jinx shouted, desperately, angrily, glaring at the machine as if it were to blame for what was happening. "Everyone lives happily ever after. You said so just the other night. Remember? You said so. You . . ."

The blue zigzag had become a single dot that moved across the screen in a flat straight line and the shrieking blip had become a single, mournful sound—the plaintive wail of a widow's keen.

January 22, 1978. Physicians attending Harrison Phineas Kipling certified that death occurred at 4:06 A.M. This autopsy was performed in preparation for shipment of the body to the United States. The patient is a white Caucasian male, fifty-one years of age. Our examination indicates that at the time of the airplane crash that caused the deceased's injuries, the mesentery tissue connecting the aorta to the spine was sheared away from its usual location in the abdomen, thereby weakening the aortic wall. At approximately 4:00 A.M., the aorta erupted, flooding the body with ten pints of blood. The patient could not be saved.

January 24, 1978, dawned somberly under a gray sky. A cold rain had begun to fall on New York the night before, icing the roads with a slick, dangerous patina, yet every seat in the chapel was filled, with people spilling out into the hallway and onto the stairs. Though Jinx could not have—and would not have—restricted attendance at this service, she was permitting only close relatives, long-time friends, and business associates at the gravesite. She had been granted police assistance to keep the press at bay, and she had requested a very brief eulogy, preferring to let everyone say good-bye to Kip privately, in his own words and in his own way.

She had barely heard the numerous expressions of condolence that had been presented to her before the service, barely recognized the faces of half the people who came to pay their respects and offer their sympathies. Then, as now, sitting in the front pew staring at the coffin before her, her only concern was Joy. Just as she had been benumbed by the events of the past few days, so was her daughter emotionally anesthetized by the shock of the accident and its aftermath.

It had been two days since she had told Joy about Kip's death, but she could see by the glazed look in the child's eyes that the truth had not yet grabbed hold. Quietly, as if watching a television show, Joy listened to the service. She shed no tears. She uttered no cries. It was all too abstract, all too removed. She was four years old. She knew only that Mommy had said Daddy was in that big box. That he was sleeping a special sleep you never wake up from. That she'd never be able to see him again, or speak to him again, except in her prayers. That he'd never kiss her good night again, but that he'd always, always love her.

As the service ended and Jinx carried Joy up the long aisle, she stared straight ahead, unaware of individual faces, aware only of the comforting, continuous presence of Matthew Grant. He had insisted upon escorting her home from the hospital after the autopsy. He had prescribed a sedative and then stayed with her while she slept. He had made the arrangements to ship Kip's body home. He had contacted family members. And then, when the time had come for her to leave, he had insisted upon accompanying her back to New York.

Throughout the flight, he had tried his best to soothe both her and Joy. Now, he followed her down the stairs and into the waiting limousine. As the other cars queued up behind them, Jinx settled Joy in her lap, encouraging her to take a brief nap. The child fell asleep almost immediately, her thumb in her mouth, her other hand clutching her mother's coat.

"You've been very kind," Jinx said, turning to Matthew, her face drawn and haggard. "I don't know what I would have done without you these past few days."

Matthew appeared embarrassed.

"If we had been in another hospital, if we had had better equipment," he said, feeling a need to apologize, "we might have found it before it was too late."

Jinx touched his cheek with her hand.

"Don't blame yourself," she said softly. "I know you did everything you could."

"I just wish I could have done more."

"So do I," she said, smoothing a few wisps off her daughter's forehead. "So do I."

For the remainder of the ride, Jinx and Matthew sat in silence, each lost in his own thoughts. When they reached the cemetery, Jinx kissed Joy's cheek and awakened her gently.

"Come, darling," she whispered. "We have to say good-bye to Daddy now."

With Matthew's help, she lifted Joy onto her shoulder and eased out of the car. Slowly, she made her way toward the coffin, taking her place alongside Kip's two sisters, their husbands, and their children. Behind her, she felt Cissie and Noah pat her shoulder and offer their support. She heard Claire and Peter Billings speak to her. But when she stood Joy next to her, all else faded into a muddled blur except the three headstones surrounding Kip's grave, the three marble squares that marked the resting places of Kip's first family—Elizabeth Dodge Kipling, Philip Kipling, and Delilah Kipling.

Big, sad tears flooded Jinx's violet eyes and cascaded down her face. Her chin dropped, and a plaintive moan caught in her throat. The irony of it all! Kip had spent so much time and energy protecting her, protecting Joy. Yet ultimately, he was the one who had needed the protection. He was the one who had met with an accident. He was the one who had fulfilled his own prophecy of doom.

Just then, Jeffrey and Alicia Dodge moved in front of her. As Jeffrey lingered in front of his sister's grave, Jinx heard him tell his wife, "Kip's home now. He's where he wanted to be. He's where he belongs."

For an instant, Jinx was plagued by a bizarre thought. Was Jeffrey right? Had Kip subconsciously willed this? Had he wanted to be reunited with Elizabeth and his other children? Had he dared God and the Fates to repeat their tragic history with his obsessiveness?

She heard prayers being murmured. She saw people weeping. She noticed heads were bowed. But she couldn't concentrate. She was too absorbed in the notion that perhaps Kip's life with her had been only an interlude, a way of biding time until he could rejoin Elizabeth; that she and Joy had been little more than a minor chapter in his biography, unimportant and with no great impact.

Without doubt, Jeffrey and Alicia had never accepted her. As for Kip's sisters, Jinx suspected that they, too, had never really come to terms with her as Kip's wife. Even now, they were huddled together, only steps away from her physically, yet miles away from her emotionally. In the anteroom at the mortuary, they had expressed their sympathies, but with the same distance and detachment as had many of Kip's business associates. Not once had either of his sisters offered her the benefit of her assistance, or the comfort of an embrace, or the promise of her support. Not once had either of them expressed concern for Joy.

As Jinx looked at them and then at the huge mahogany box that held the body of her husband, she wondered what had caused this alienation. Was it just their nature or was it the age difference between them? Had she pushed them away—the way she had pushed her own family away—or was it that she had never made the effort to draw them in? One way or another, it appeared as if she had caused her own isolation, created her own void.

Just a few days before, although now it seemed like an eternity, Heather had warned her about perpetuating the distance between herself and her parents; she had said that one day Jinx might need their love and their support. Certainly, this could qualify as such a day. Today, she could have used *her* family around her, *her* mother to comfort her, *her* father to hold her, *her* sister to support her. But none of them was there. Heather, not knowing about Kip's accident, had gone to Hawaii on a shoot and couldn't be reached. Kate and Hank had read about the accident in the papers, but when they had called, Jinx had refused to speak to them. Had she been so wrong? Should she have forgiven them? Should she have used this terrible occasion to mend the rift?

Before she could answer, the wind shifted direction and an icy rain attacked her face. For a moment she closed her eyes and let the cold water splash against her. Was God giving her absolution? Was this water washing away her sins? Just then, she heard the sound of dirt being thrown on top of a wooden box. She shivered, her body chilled from more than the dankness of the day. It was over. It was truly, horribly, irreversibly over. Kip was gone. She had no husband. Her daughter had no father.

Suddenly, as if reading her mother's thoughts, Joy broke free from Jinx's grasp and ran over to look down into the grave. Everyone stopped, watching the child peer into the open earth. For a short while, she just stood there, looking, as if trying to comprehend the fullness of this horrible event. Then, her tiny little girl voice interrupted the mournful silence.

"Good-bye, Daddy," she whimpered, her large lavender eyes wide with disbelief and wet with tears. "I'll miss you. And I'll always, always love you."

Quietly, tenderly, Halona lifted Joy into her arms, carrying her back to the car, holding her close, letting her cry. Slowly, the crowd dispersed. Jinx remained. She blinked her eyes and swallowed hard, but she couldn't erase the sound of the grief in her child's voice, or the sight of her tear-stained face. For a few moments, she too wept, her head bowed, standing unsheltered in the rain, oblivious to the harsh elements surrounding her.

"Maybe Jeffrey's right," she whispered. "Maybe you are where you belong. Maybe this is the way it was meant to be."

Her voice caught in her throat.

"You're back with Elizabeth and the children. I hope they help you rest in peace. God knows, you deserve it!"

She stared at the gravesite and suddenly, her sobs increased. She had noticed how neat it all was, how complete—one large monument, four marked graves, with no room for anyone else.

"What about Joy? What about me?" she cried, imploring the dark, muddied earth to answer. "There are no spaces here for us. Where do we belong? Whom do we belong to?" Her voice was shrill, slightly panicked, slightly angry.

She moved to grab on to someone, to lean on someone, to extract solace from someone and in that single instant, the enormity of what had happened finally struck her. No one was there. Kip was dead. Joy was being taken care of by others. Kip's family had gone to observe the mourning period without her. All the rest had gone home to change clothes and get on with their lives.

She stood alone. Frances Rebecca Elliot Kipling—a woman without family, without ties; a woman without connection, without moorings; a woman without a husband, without love. She stared at Kip's rainsoaked grave, feeling separated from everything and everyone she had ever known, feeling as if her life, too, had stopped. She knew it hadn't. She knew that she was alive and breathing and would survive this day, but as she turned to leave, a frightening voice rose up from the depths of her soul and asked the one question for which she had no answer.

Where are you going?

BOOK FOUR

20
Frances Rebecca Travis
Frankie

February 1978

AFTER THE *DUCHESS OF PORTOBELLO ROAD* fiasco and the ill-advised press conference that had followed, Frankie Travis's status plummeted from superstar to persona non grata. Within days of the telecast, she was exiled—erased from the social scene, kept at arm's length by her coworkers, put off by producers, and worst of all, offered very few scripts. If not for the two films she had contracted for before *The Duchess*, she was certain she'd never work again.

Though Frankie was having a hard time handling the numerous snubs and slights she encountered, Luke appeared unperturbed by the negative aura surrounding his client. As an adherent of the "as long as you spell the name right" school of public relations, all that was important to Luke was that Frankie Travis was in every newspaper and on everybody's lips.

"Badmouthing is nothing but talk!" he told her whenever she complained. "Besides, half this town is standing on the unemployment line. As long as you're working, who cares what they say?"

Usually, Frankie agreed and backed down. She couldn't afford to arouse Luke's anger or encourage his disapproval. Without him, she had no one. Over the years, Luke had not only taken over her career, but had become more and more insistent about taking over her life. He had begun to dictate where she should go, what she should eat, what she should wear, whom she should date and even, with whom she should sleep.

He orchestrated publicity scams and she went along, sometimes aware of the painful consequences to others, sometimes not. He demanded that she follow his sideline advice over that of her directors and she agreed, though it was clear that only sometimes was his advice valid. Most times it was not. He had even convinced her that since they were "in this together," he was the only man with whom she should share her bed.

She might have remained shackled to Luke Maddox for years, except for two things: her talent and his treachery.

The first film she did after *The Duchess of Portobello Road* had garnered good reviews, but had not fared well at the box office. The second had rewarded her with an Academy Award nomination, and though she had failed to come away with the Oscar, she had come away with something far more important, far more lasting—credibility as an actress. Suddenly, she was offered better roles, treated with greater respect.

She refused to give Luke full credit for her success, reminding him that her exile was not over and that, thanks to him, she was still looked upon as something of a social pariah. It was then that he overstepped his wide boundaries for the last time.

Sterling and Karen Travis had arranged a party for Frankie's twenty-sixth birthday, inviting more than two hundred guests for a black-tie dinner, so that Frankie could come out of the shell in which Maddox had encased her and reinstate herself on a personal level with the powers-that-be in the Hollywood community. The day of the party, Luke shanghaied Frankie, scheduling a screen test for late that afternoon. He made sure it lasted well into the evening. By the time she arrived at her father's home, the party was over, and so was her relationship with Luke Maddox.

"We're finished," she said, making her way through the empty tables and deflated balloons cluttering the patio. "You knew how important this party was to me, and yet you deliberately kept me from it."

"Work comes first," Luke said in a self-righteous tone.

Frankie turned and glared at him.

"No," she said. "After all this time, it's finally dawned on me. It's never been work and it's never been me. *You've* always come first. *Your* wants. *Your* needs. That's all that ever counted. You never cared about me. You used me. I was just another meal ticket."

Though her fists were clenched and her body was shaking with rage, her voice was low and controlled.

"The agent I had before you made the mistake of treating me like a percentage rather than like a person. I fired her and now I'm firing you."

Luke never flinched. Instead, he smiled and clapped his hands.

"Bravo!" he shouted. "I should have filmed that little scene. You would have won an Oscar this time, for sure."

"I mean it, Luke." Frankie held firm, refusing to take the bait. "Get out!"

He started toward her, but Sterling had summoned two security guards out to the patio. They stood off to the side, but their eyes were trained on Luke, their hands poised over their holsters. Luke retreated, but not without a threat.

"You're going to regret this."

"Not half as much as I regret all the things you made me do." Frankie looked at her father and shook her head. "Not half as much as I regret not being here tonight."

Luke stormed off the patio and out of the house, but as she watched him go, Frankie knew he wasn't out of her life.

Two months before, Frankie had come to Paris to star in *The Mannequin*, a film written especially for her. After her break with Luke, she had hired a top man at Artists Unlimited, third arm with William Morris and ICM in the powerful triumvirate of show business representatives. After months of fence mending and apple polishing, he finally managed to get a property that would showcase Frankie's talent. Based on a true story, the movie re-created the life of a beautiful orphan who had risen up from a background of poverty and abuse to become the premiere model of her time. Though the clothes were to be elegant recollections of the Chanel era, all of them designed by Paul Rochelle, and the backgrounds were to be lush and romantic, *The Mannequin* was not only a love story, but a study of chauvinism and a tribute to the inner strength of one particular woman. It promised to be Frankie's greatest triumph.

Knowing what was at stake, Frankie was extremely nervous about her performance. In essence, her reputation was riding on this film. She had to prove to everyone, particularly herself, that she was capable of standing on her own. Before coming to Paris, she had steeped herself in research, reading books about the twenties and thirties, viewing films made during that time, spending hours in the library poring over microfilm, trying to absorb the mood and the history that had contributed to her character's problems. Once the shooting had begun, she had thrown herself into the film, working by day, studying at night, allowing herself no leisure, no company other than her script.

Because she had sequestered herself in her rented apartment, giving no one but the director, her agent, and her father the number, when the telephone rang, it frightened her.

"Is this the famous Frankie Travis, international star of stage and screen?"

"Who is this?" she asked, looking at the clock, wondering who would be calling her at seven o'clock in the evening and why.

"How quickly they forget. It's Zach Hamlin."

"Zach! I didn't recognize your voice." Her heart was pounding with both relief and excitement. "Where are you?"

"I'm here, in Paris. I just found out you were here too. If you're not busy, I thought perhaps you might like to have dinner with an old friend."

Had she been less unnerved by his call, she might have heard the twinge of insecurity in his voice, the slight tremor that came from the fear of rejection. He had known she had been in Paris since the day she had arrived, but it had taken him this long to work up the courage to call.

"I'd love to!" she said, glancing in a nearby mirror. "But I'm a wreck. How soon will you be here?"

"In about thirty-seven seconds," he said. "I'm in a phone booth around the corner."

The minute Frankie opened the door, she began to laugh. Zach was hiding behind two huge bundles overflowing with groceries. French bread and leeks stuck out of one bag, while fluffy green carrot tops and a bottle of red wine peeked out of the other. Frankie stepped aside and watched with great amusement as, without so much as a proper hello, Zach walked past her and found his way to the kitchen. He put his bundles down, took off his coat, dropped it over a stepstool, and then began rummaging around the pantry, pulling out pots, knives, bowls, baking tins, and a cutting board. When he had located everything he had been looking for, he turned to Frankie, his face solemn and slightly disapproving.

"If Mademoiselle would be so kind as to stop gawking and start chopping, we might be able to get dinner on the table before midnight."

"It's good to see you too," she said, clicking her heels and saluting.

Frankie could not wipe the smile from her face. Within minutes, Zach had completely taken over the small kitchen, emptying his packages, organizing utensils, putting vegetables to one side, beef to another, bread behind him on a countertop, butter in the refrigerator, pastries in the oven. As she joined him in front of the sink, Frankie started to say something, but instead of letting her speak, he handed her a knife, a cutting board, and three types of lettuce.

"You're in charge of the salad," he said, with all the pomposity of a three-star master chef. "*Moi* shall handle *le boeuf bourguignon.*"

"Your speciality, I presume?"

He offered her a half-nod, as if to lower his head any more would have dislodged his toque blanche, and then turned his attention to the beef. With great panache, Zach proceeded to cut the meat into thick cubes, tossing them into a large pot sizzling with oil. Rather than risk another scowl, Frankie began to wash the salad greens.

"Don't bruise the bibb," he growled, as she pulled the small fanlike leaves from their stem. "If you do, they'll get angry and wilt."

"Listen, Chef Hamlin," she said, feigning annoyance. "You stick to the *boeuf.* I'll watch the bibb."

"Fair enough." He winked, smiled, and went back to his stew.

For a while, they went about their tasks without indulging in anything but the most basic conversation. Once the meat and onions were browning in a coquotte of sizzling oil, and the vegetables were sliced and ready, Zach opened the bottle of wine, poured them each a glass, and leaned against the counter. With one eye still on the pot, he asked Frankie what had been happening in her life since they'd last seen each other.

She told him about her movie and how hard she had been working, surprised at how quickly she moved from banalities to the depth of her concern about her success. She found herself confiding in Zach as if he were her long-lost best friend, and as he sympathized and encouraged her, she began to wonder if perhaps that was exactly who he was.

When she asked about him, he told her about his switch from the wire service to television. He tried to sound casual, but she could see the pride in his eyes. He was now a senior correspondent, in charge of all stories filed from the Continent, and clearly on his way to a top U.S. anchor position. As always, though he described his responsibilities with great modesty, he exuded an air of supreme self-confidence. He spoke of carrying out dangerous assignments and pulling off delicate interviews easily, as if it were everyday and ordinary. In someone else, this lackadaisical listing of accomplishments might have been mistaken for a case of overblown ego, but in Zach, it was simply a sense of complete self-knowledge, of knowing who he was and what he was capable of doing. As Frankie put down her wineglass and returned to chopping up scallions, she wished she had one tenth of his stability, one tenth of his conviction.

"Would it spoil your rhythm if I asked you about your split with Luke Maddox?" he asked suddenly, wondering why, even after all this time, she was still the only woman he cared about.

She hesitated, looking away as she tried to decide how much to tell him.

"Let's just say, you were right," she said at last, as she scraped bits of green onion into a large salad bowl. "He did not have my best interests at heart."

Zach reached over and took her hand.

"It's not important what I thought or who was right. What's important is how you feel about yourself."

Frankie looked directly into his eyes, those warm green eyes that had always given her such strength.

"Why is it that you're the only one who's ever been interested in how I feel?"

"Probably because I'm a really smart fellow who thinks you're pretty special." He smiled, catching himself before he added that he loved her, always had, always would.

Frankie blushed and looked away, pouring measured amounts of oil and vinegar into a cruet with a level of concentration she usually lavished on more serious projects. Zach continued to watch her, wondering whether the blush and her obvious discomfort had been born of embarrassment or pleasure.

"I had heard that for a while, there was another woman you thought was pretty special," she said, trying to sound casual, but watching him out of the corner of her eye.

Zach's smile widened. How delightful to know that she had kept track of him, just as he had of her.

"And I thought we had been so discreet," he said, fanning himself with a dishtowel like a Victorian lady having an attack of the vapors. "So much for dark alleys and cheap hotel rooms."

Frankie laughed.

"'Twas nothing, really," he said, pouring water and then wine into the pot, alert for her reaction.

"That's not what I heard."

"Okay," he said, holding up his hands and shrugging as if it had all been beyond his control. "So it was a hot and passionate affair. Happens at least once in every young pup's life."

"Are you still seeing her?" Frankie asked, a bit annoyed that *she* was not the once-in-a-lifetime-hot-and-passionate affair.

"No." Zach thought he heard a twinge of jealousy in her voice.

He thought he saw a wistful look in her eyes. "It was over a long time ago."

"Were you in love with her?"

"Would it matter to you if I were?"

Frankie was embarrassed.

"Yes," she said honestly.

"No. I didn't love her." She smiled and Zach had that familiar sensation of being rewarded. "Now that we've unearthed all the nasty details of my carnal indulgences, am I entitled to ask if there is or ever was anyone of major importance in your life?"

"No one other than you," she said shyly, surprising even herself with her forthright response.

Zach stood back and stared at her. In the years since he had first met her, her beauty had matured and she had attained a look of sophistication, but her face still exuded youth above all else. She was wearing jeans and a sweatshirt. Her hair was pulled back into a ponytail, her skin was clean of cosmetics.

"I have a question," he said, his manner light but his voice serious. "Since it's obvious that we're meant to be, how come we're not?"

Frankie sipped her wine, determining that he wanted an answer, not a snappy comeback.

"Circumstance, I guess." Her face grew thoughtful. "And the fact that inside of each of us is a career tapeworm, a self-consuming desire to succeed that seems to take precedence over everything else."

Zach nodded. He wished he could disagree with her. He wished he could deny his ambitions and erase hers.

"You've gotten very wise," he said instead.

"It comes with age," she answered, offering him a brief smile.

Zach lifted her hand to his lips and kissed her gently.

"Well, I for one intend to gather my rosebuds while I may," he said. "As long as you're here and I'm here, if it's okay with you, I'm going to muzzle my tapeworm and see you every chance I get."

Frankie looked into his eyes. Suddenly, the weight of her loneliness began to slip away like a ship unloosed from its moorings.

"I need you," she said, feeling safe for the first time in years.

"Not more than I need you." This time, he leaned forward and kissed her mouth, reveling in its softness.

"Your *boeuf* is boiling," she whispered, her lips barely away from his.

"That makes two of us." He kissed her again, lingering, sliding his arms around her waist.

"What about dinner?" Frankie asked.

"What about it," he said, pulling her toward him and kissing her deeply.

"How long does this special *bourguignon* have to cook?"

"Three days," he said, nibbling on her neck.

"By then, we might have built up quite an appetite," Frankie said, unafraid to show her eagerness.

"Let's take care of one appetite at a time." His voice had grown gruff.

Frankie giggled. "Zachary Hamlin! I do believe you've turned into a dirty old man!"

"Not quite," he said, taking her by the hand, leading her out of the kitchen and hurrying her toward the bedroom. "But I'm working on it."

Over the next few months, the bitterness and anger Frankie had brought with her to Paris was replaced by an overwhelming sense of happiness and contentment. Every aspect of her life was going well. Every aspect of her life was giving her pleasure. On the set, her acting flourished. Those connected with the film raved about her portrayal of Giselle, citing the maturity of her characterization and the depth of her emotional reserve, promising an Oscar nomination at the very least. Off the set, her romance with Zach was deeper and more fulfilling than it had ever been. They ate together, shopped together, slept together, talked together, and laughed together, and the result was that for the first time in their relationship, they were a couple, rather than just a couple of lovers.

Though neither one said anything, subconsciously, each of them had begun to mark time on an invisible calendar. Was this merely another interlude? Or was this something more? Would it be over soon? Or would it last beyond the next role, the next assignment? The days, weeks, and months they were together became part of an unwritten test, a trial run to see if for them, the interlude could be extended and expanded into a marriage.

Each in his own way was trying to fix the outcome by bending over backward to accommodate the other. Since the major stumbling block between them had always been their careers, each took a decided interest in the other's work.

Their days were hectic and exhausting, so most of their evenings were spent quietly in Frankie's apartment, sharing home-cooked meals or take-out dinners. While Frankie studied her lines, Zach read or did research on a piece he was preparing. Weekends, if Zach wasn't on assignment and Frankie wasn't needed on the set, they drove to the country, hunting for antiques or touring châteaux, staying in small hotels and tiny inns. Because they didn't go out with friends often, when they did, they chose their companions from a small, select circle—people from Zach's office or members of the film crew. Though it appeared as if they were passing their self-imposed test with flying colors, intuitively, both knew congratulations were premature. Every test had its easy parts and its tough parts. So far, this test had been easy. Almost too easy.

One night, a few friends called to ask if Frankie and Zach wanted to go dancing at Le Coo-Koo, the hot new disco on the rue de Ponthieu, just down the block from Régines. Zach had the next day off. Frankie was free for the next week. And they hadn't been dancing in ages. In honor of the occasion, Zach donned his tuxedo while Frankie dressed up in one of the Rochelles she had borrowed from wardrobe for her personal use. It was a white crepe dinner dress with a deep décolletage, a softly pleated hip sash, and broad, padded shoulders encrusted with a leaf design of ebony bugle beads that was repeated in miniature on the narrow, wrist-hugging cuffs. A small, white satin, black-feathered cocktail hat peeked down onto her forehead and gave definition to the wild pouf of hair that flew about her face. In deference to Zach, who had loudly and frequently decried her use of excessive makeup, Frankie had merely tinted her lips and cheeks with a soft tinge of red, and deployed only a light dusting of taupe shadow and mascara on her eyes.

"I can see that I'm not going to be able to have one drink tonight," Zach said when he saw her.

"Why not?" She blushed from the intensity of his stare.

"I don't know if you're aware that Tuesday night is beauty night at Le Coo-Koo." He draped her fur over her shoulders, kissed the back of her neck, took her arm, and led her to the elevator.

"What does that have to do with you drinking?"

"When they declare you to be the most exquisite creature in the entire universe, and a horde of raving, jealous male animals attacks me, I want to be able to defend myself and you, if need be."

Frankie stepped into the cab and smiled at Zach.

"I love you," she said with a small giggle in her voice.

"Of course you do." He climbed in alongside her and planted tiny kisses up and down her bare neck. "Where else would you find someone this tall and this adorable who'd rather play with you than with a basketball?"

"You have a point," she said, shivering from the touch of his lips on her skin. "But I think you'd better call a time out, Stretch. We have a ten-minute ride, and if our driver keeps staring at us in the rearview mirror, we're never going to make it."

Zach looked at the driver and then at Frankie. With an exaggerated scowl, he moved to the other side of the seat and folded his hands on his lap.

"If I promise to behave myself now, will you promise to misbehave later?" he asked, leering at her.

Frankie crossed her heart and then held up two fingers. "Scout's honor," she said.

Le Coo-Koo was the latest of Paris's private clubs. Open less than a year, it had already become the new "in" place for the glitterati. The same crowd which buzzed around such famous hives as Maxim's, Régines, Le Privé, and the Elysées Matignon, also fluttered around the bar at Le Coo-Koo. Decorated in rich purple and gold, the main room was nearly gaudy, with its velvet upholstered walls, gold lamé ceiling drapes, paisley printed chairs, polished brass tables, and the extravagantly stuffed birds that gave the club its name. Yet its patrons were elegant, its staff attentive and its excellent kitchen boasted a two-star rating. Dining in the front room of Le Coo-Koo and then dancing in the back 'til early morning had become the favorite pastime of Paris's elite.

When Frankie and Zach entered the bar, they were ushered over to a corner and immediately greeted by the three couples they had come to meet—Zach's assistant Gary Browning, and his wife, an embassy translator; the assistant director on Frankie's film and his love of the moment, the young woman in charge of continuity; and a duo Frankie and Zach had fixed up two months ago, one of Zach's reporters and one of the production assistants on the set. Though the maître d' told them it would be a few minutes before their table was ready, everyone accepted that as part of the game. No one wanted to leave the bar until he had seen and been seen and everyone knew management was more than happy to oblige. Liquor was more profitable than food.

Though she was having a wonderful time, after about an hour and a half, Frankie's stomach began to grumble. Just as she turned to look for the maître d', she spotted Lillie walking through the door on the arm of Danton Rochelle, surrounded by an entourage, one of whom looked very familiar.

Frankie had neither seen nor spoken to Lillie since Thailand. She had, however, kept track of her mother's whereabouts via newspaper clippings, assorted informants, and well-meaning relatives, like Cissie, who continued to press for a reconciliation. From what she had gathered, shortly after the Thai debacle, Lillie had moved to France with Rochelle, where she was living the life of the *haute monde.* In Paris, where beauty and style often made up for a lack of substance, Lillie had been welcomed as a celebrity on the party circuit, with her picture constantly dotting the social pages of *Le Monde* and *Paris-Match.* To add to her cachet, she had appeared in several French films and recently, rumors had been circulating that she had hired a new agent who was bent on arranging her American comeback. The instant Frankie recognized his face in the crowd, she knew that Lillie's new agent was none other than Luke Maddox.

Quickly, she turned away, pretending to drop something on the floor, waiting until she could see the group pass before standing up.

"Zach," she whispered. "We have to go. She's here."

Zach's eyes searched the bar area for someone he knew.

"Who's here?" he asked, finding no one.

"Lillie. She's inside with Danton and a whole group of swells." Frankie was breathless with anxiety. "Luke Maddox is with them."

Zach's eyes narrowed. There were only two people in the world who had effectively separated him from Frankie. Now, both of them were in the next room.

"Take me home," Frankie pleaded. "If we stay, something terrible is going to happen."

Zach leaned over and kissed the tip of her nose.

"Nothing's going to happen," he assured her, wishing his own alarm system would stop sounding. "We were here first. We're here with friends. And we're here together."

"I'm scared, Zach."

"There's nothing to be afraid of, and besides, you had to see both of them again sooner or later. Why not get that first confrontation over with?"

"For the same reason people didn't turn themselves in to the Gestapo," Frankie said, trying to reason with him. "Because it's suicidal!"

"Hey, you two. Save the kitchikoo for later. Our table's ready."

The others slid off their barstools and started for the dining room.

"Coming?" Gary's wife asked.

Zach turned to Frankie. When she hesitated, he held her by the shoulders, looked her squarely in the eye, and spoke to her softly, but firmly.

"Just remember," he said. "No one can put you down or make you look bad except yourself. The way I see it, you can either go in there with your head held high and show them all what you're made of, or you can run. It's up to you, but if you run now, you may as well keep right on going."

Frankie closed her eyes and took a deep breath.

I'm a star, she told herself. I'm here to do a major motion picture. I'm a celebrity. I'm with a man who adores me. I'm young and I'm beautiful. She's an aging has-been. She's here in Paris hiding out with my hand-me-down agent and a recycled lover because back home she's a nothing with no one.

"I'm ready," she said, though she did not feel ready at all.

"Smile for the camera," Zach said, offering her a steady arm.

Frankie took another breath, fluffed her hair, put on her best movie-star smile and walked right past Lillie and her companions to the table where her friends were waiting. Fortunately, the seats they had left for her and Zach faced the dance floor, allowing Frankie to sit with her back to the rest of the room.

Dinner was excruciating. Frankie tried to keep up with the conversation, but her attention kept drifting. She'd hear Lillie laugh and her back stiffened. She'd watch Lillie brush past her on her way to the dance floor and she lowered her head like a child who knew she had done something naughty and was waiting to be punished. Several times, Luke escorted Lillie to the back room and Frankie could have sworn she heard him growl as he passed. The only decent one was Danton, who came over to Frankie's table to say hello while the other two danced.

"It's good to see you," he said, leaning over to kiss her cheek in a kind, paternal way. "You look lovely."

Frankie looked up at him, afraid to speak.

"Monsieur." Rochelle shook Zach's hand, giving Frankie time to compose herself. "It's a pleasure to meet you. Are you enjoying your meal?"

Zach returned the older man's greeting and introduced himself as well as the others at the table, signaling Frankie.

"How've you been, Dr. Rochelle," she said at last, willing herself to smile.

"Very well, thank you." He took her hand and held it, as if to tell her that whatever had passed between her and her mother, or whatever would pass, he was her friend. The gesture was not lost on Frankie, or on Zach. "I heard you are here making a film. How is it going?"

"They tell me it's going well," she said, looking back at her assistant director for confirmation.

"She's incredible," the A.D. said, with just the enthusiasm Frankie had hoped he'd have. "A shoe-in for best actress!"

"I'm sure," Danton said, smiling at Frankie. "She's a very talented young woman."

His gaze drifted over to Lillie, who was still twirling around with Luke, stopping every so often to play kiss-kiss with the likes of Princess Caroline, Hélène Rochas, and Marisa Berenson.

Unable to restrain herself, Frankie followed his gaze, noting with grudging admiration how stunning Lillie looked. Her black hair was swept back off her face in a sleek chignon dotted with small diamond hairpins that glistened in the spotlights. A slender strand of single-set diamonds adorned her neck, their large round-shaped stones matching the diamond studs that sparkled in her earlobes. Her dress, one Frankie recognized as an Ungaro, was a short, strapless, patterned silk that hugged the body, revealing a youthful, well-toned figure that belied Lillie's forty-nine years. Her face, still pale and luminous, was blushed with rouge and tinted with eye makeup, yet the cosmetics were so perfectly blended that they appeared to be nothing more than another adornment, another accessory.

As Frankie watched her mother dance, she felt a familiar surge of envy and discomfort. It wasn't Lillie's beauty that unnerved her. She accepted that. In a way, she was proud of it. Rather, it was Lillie's façade of utter confidence that put Frankie on the defensive. Lillie, small and delicate and feminine, oozed sophistication and refinement, while Frankie felt like a gawky giraffe.

Why did Lillie always make her feel so inadequate? How did she always manage to make her feel so worthless?

"We're here tonight to celebrate our engagement," Danton Rochelle said without preamble. "Your mother and I are going to be married. I thought you should know."

He waited for a comment, a word of congratulations, an acknowledgment, but Frankie's lips never moved. She simply stared at him in a manner that made him somewhat uneasy.

With gentlemanly aplomb and an avuncular look of understanding, he ignored her silence, kissed her hand, and turned to go. "I must return to my guests," he said softly. "*Adieu, ma chérie.*"

Frankie nodded, watching him, admiring his poise, wondering how Lillie had managed to entrap such a nice man.

Didn't he know how awful she was? Didn't he know how cruel she could be?

"Was that the Rochelle of Rochelle Pharmaceuticals?" Gary Browning asked.

"The very same. Why?"

"A while ago, before you came," he said to Zach, "we were doing some human interest profiles on French captains of industry. I remember that Rochelle's name came up. He seemed like a natural for the series. Local guy, medic during the war, struggling doctor who changed gears in mid-career and came out smelling like a perfumed, solid-gold rose."

"What happened?" Zach's reporter's instinct had begun to itch.

"The story was killed. I don't recall the details, but evidently, he was involved in some kind of scandal the network chief decided not to dredge up."

"It was a messy divorce," Frankie interjected somewhat impatiently. It wasn't Danton's past she wanted to talk about. It was Danton's future with her mother that was dominating her thoughts.

"That doesn't make sense," Zach said. "Especially here in France, the land of *toujours l'amour.* I can't believe that a divorce, no matter how scurrilous, was so scandalous that even after all these years, someone wants to keep it under wraps."

If Frankie heard him, she didn't respond. Instead, she kept her eyes fixed on the dance floor, chewing on her fingernails, trying to swallow the acrid bile that had risen in her throat.

"Here comes the bride," she mumbled, as Lillie and Maddox paraded past them. "She doesn't deserve a man like Danton Rochelle. The only thing that woman deserves is Luke Maddox."

Though Zach would have liked to disagree, his own enmity toward Frankie's mother overrode whatever politesse he otherwise might have summoned.

Sensing a sudden strain, the three other couples decided to "try out their dancing shoes," leaving Zach and Frankie alone.

"My fish was delicious," he said when they had gone. "How about your nails?"

Zach took Frankie's hands and held them out, turning them over and shaking his head. Gone were the long tapered nails that had grown during their months together. Gone were the brightly enameled symbols of Frankie's contentment. In their place, Zach saw ragged edges and bleeding cuticles. When he looked up, Frankie looked so forlorn, he didn't have the heart to chastise her. Instead, he leaned over and kissed her.

"I hate her," Frankie said, as if that explained her nail-biting.

"I love you," Zach said, standing, bringing her to her feet also. "And right now, I feel the need to get you out on the dance floor so that I can press up against your luscious, nubile body."

Without waiting for a reply, he led her into the back and into the center of the gyrating crowd. As if the disc jockey had been awaiting their arrival, the music shifted to something slower. Zach took Frankie in his arms, and for a few moments, they lost themselves in each other and in the music, swaying to the slow, steady, lightly rocking beat. Zach could feel the tension in Frankie's body, the rigid way she held herself, the stiff-legged movements, the tightly clenched jaw resting against his cheek. He knew how insecure she felt, how awkward and unpolished. He wished she could look around with clear, unbiased eyes and see the admiring glances she was attracting. He wished she could listen with unprejudiced ears to the envious comments she engendered. But none of that was possible with Lillie in the same room. Once again, Lillie had reduced Frankie to a frightened child who couldn't do anything except cling to him.

"Forget about it," he whispered. "If she were going to do or say anything, she would've done it by now. Certainly, she's had ample opportunity. My guess is, she's going to let it pass."

"You're wrong," Frankie whispered in return. "She'd never let a chance to humiliate me pass. She's just waiting for the right moment."

The right moment came an hour later, when two men approached Frankie's table just as Lillie, Danton, Luke, and an unidentified female passed by on their way back from the dance floor. One of the men had a camera. Before either Zach or Frankie knew what was happening, the camera was snapping, flashbulbs were popping, and the other man, a reporter, was busy firing questions about plans for the upcoming nuptials, Lillie's plans to return to films, and what was happening at Rochelle Pharmaceuticals. Though Zach thought the reporter's manner was abrasive and somewhat contrived, Frankie was too shaken to notice anything except that the man had not said a word to her. He had not even bothered to acknowledge her presence.

"I heard a rumor that you're about to launch a new perfume. True?" he asked Danton, lifting a notepad and poising his pencil above the blue-lined paper as if he were about to receive the antidote for nuclear devastation.

Danton nodded and then, with a slightly embarrassed smile, introduced Luke, turning the interview over to him. Lillie continued to gaze into the camera, smiling, posing, never once looking over at her daughter.

"In honor of their upcoming marriage, Monsieur Rochelle has created a new fragrance. Naturally, he's named it 'Lillie,' as a loving tribute to his bride-to-be. In less than six weeks it will launch here in Paris and then it will be shipped to stores all across the United States, backed by a multi-million-dollar, multi-media advertising campaign."

The reporter, as if going down a prearranged checklist, went on to his next question.

"And what about the recurring stories of Mademoiselle Rostov's return to the American cinema?"

"We've read several excellent scripts and recently entered into negotiations with a major studio for a grand scale film, one that surely will reacquaint the world with the superior talent and extraordinary beauty of Lillie Rostov."

"And you, sir. What is your role?"

"I am Mademoiselle Rostov's manager."

"Is it not true that at one time, you represented Mademoiselle Rostov's daughter, Frankie Travis?"

Suddenly, Frankie's heart began thumping so violently, she was certain that everyone in the room could see it pounding against her chest. From experience, she knew that so far, this entire performance had been staged for her benefit, but with a clarity that enraged her, she began to see that it was more than that. It was one of Luke Maddox's cruel, tasteless, self-aggrandizing jokes, and she was to be the punch line.

"I took her on at the request of a friend," Luke said with a demeaning, offhanded attitude. "I tried to help her as best I could, but, well, you know how it is."

He snickered as if he and the rest of the crowd were sharing a private joke. Then, with a rehearsed move and an exaggerated look of shock on his face, as if he had just that minute noticed her, he turned to Frankie and then back to the not-so-surprised reporter.

"Can you believe it? What a small world," he said. "Look who's here. Frankie Travis."

Suddenly, the photographer poked his lens into her face and blinded her with a series of flashes. When he backed off, she was left blinking and rubbing her eyes.

"Mademoiselle Travis!" the reporter gushed. "What incredible good fortune having both you and your mother here. What do you think about her marrying Monsieur Rochelle?"

Frankie felt the curious stares of her friends on her back. Out of the corner of her eye, she noticed the amused glances of the many strangers who had gathered. Then, she felt Zach's hand on her arm. She knew what he was trying to tell her. *Don't sink to Lillie's level. Don't let Luke goad you into making a fool out of yourself.*

Frankie smiled at the reporter.

"I wish them all the luck in the world," she said sweetly.

"And what do you think about the new fragrance?"

"I wouldn't know," Frankie replied, grateful that she was still sitting. Had she stood up, she was certain her legs would have given out from nervousness. "I haven't had the pleasure of trying it."

"Here," Luke said, shoving a small glass bottle into her hand.

"With our compliments." His mouth was twisted into a self-satisfied sneer.

"What are the chances of you and your mother starring in a film together?" the reporter persisted.

Before Frankie could answer, Zach was on his feet.

"Thank you very much, gentlemen. This interview is over."

Zach motioned to their friends, all of whom rose immediately and started out of the room. Zach took Frankie's arm and steered her past the photographer, who continued to snap his shutter. They had just reached the bar, when Luke moved in front of them.

"You should be grateful," he said, glaring into Frankie's eyes. "You need all the publicity you can get."

"This isn't publicity," Frankie retorted, unable to control herself any longer. "I doubt if either of those clowns has ever read a newspaper, let alone worked for one. This is just another one of your sleazy setups designed to make me look bad and you look good."

"I don't have to make you look bad, baby, you're doing a great job of that all by yourself." He flicked his fingers beneath Frankie's chin and glowered at Zach, daring him to make a scene. "You're a real no-talent, and if you think that some big-time agent's going to make the difference, you're way off base. You can only work with what you've got and you ain't got shit!"

Just then, Lillie and Danton came to Luke's side.

"Come, darling," Lillie said in a tone befitting a duchess. "Don't bother yourself. She's hardly worth it."

"You know, Mother," Frankie said, her throat so constricted from anger that she could barely speak. "I have to hand it to you. I know how long you've been searching for someone to resurrect your dead career, and look who you found. Hollywood's self-proclaimed Lazarus, Luke Maddox. I wish you luck. You'll need it."

She started to move, but Lillie spun around and stopped directly in front of Frankie. Her eyes were blazing and when she spoke, it was with a menacing hiss.

"I don't need your advice or your wishes," she said. "And don't ever again refer to me or address me as 'Mother.' I am not your mother. In case you've forgotten, my daughter died years ago. In Thailand."

With a haughty snap of her head, she turned and strode through the bar, out the door, followed by an uncomfortable fiancé and a triumphant manager.

Frankie couldn't stop shaking. Zach said their good-byes and hustled her into a cab, taking her home as quickly as he could. Once in the apartment, he made her tea, offered her brandy, tried to massage her shoulders, anything to calm her down, but Frankie was hypnotized by her own rage. She refused to speak to him. She refused to look at him. All she did was pace up and down, back and forth, working off the energy that comes with virulent fury. After an hour, however, she began to come out of her trance.

She looked around the room, seeing it for the first time that evening, squinting as if waking from a long, semi-conscious sleep. She looked at Zach, blinking, staring, assuring herself that she knew him. Then, suddenly, she looked down. In her hand, she still held the bottle of "Lillie" that Luke had thrust upon her. Like a curious infant, she held it up, examining its curved glass bottle and its frosted Lalique-like, calla-lily-shaped stopper. She twisted the stopper, not opening the bottle, but turning it just enough to catch a fleeting whiff of the scent. It was a lush floral with just enough spice to make it sensuous and mysterious. She sniffed it again. She looked at the bottle again. And then she threw it into the fireplace, watching it smash against the bricks and shatter into a thousand tiny pieces.

"What did I ever do to make her hate me so?" she shouted, venting the hostility and the hurt that had been seething within her all evening. "I tried to be a good girl! I did whatever she wanted. I sacrificed my father for her. I sacrificed my childhood for her. I sacrificed every friend I ever had for her." She paused to catch her breath, crossing her arms and hugging herself as if that might squeeze away the pain. "The only time I stopped being the obedient child was when she went too far and asked too much. She wanted me to sacrifice you," Frankie said, finally looking at Zach. "I couldn't do that. I needed someone to love. And I needed someone to love me in return. I couldn't take the loneliness anymore."

Zach went to her and held her, stroking her back, caressing her hair.

"You don't ever have to be lonely again," he said. "I love you. You know that. But also, there are others who love you. Family. Friends."

Frankie broke away from him, her wrath not completely cooled.

"Family? That's a laugh! Other than Sterling and Karen, there's not one who gives a damn about me!"

"How can you say that?" Zach said, shocked by the depth of her animosity. "What about Cissie? Bert and Tessa Kahn? Your other aunts and uncles? Your cousins?"

"Cissie is so busy being best friends with that Jinx person that she doesn't have time for me anymore. She's miffed because I wouldn't welcome her new pal into the family with open arms."

Frankie began to pace again, harumphing around the apartment.

"The joke's on me though," she said, staring out the window and soliloquizing. "I wouldn't help Jinx because I was going to remain loyal to my uncle, the kind and generous Benjamin Ross. He was going to give my career a major boost by promoting a cosmetic line named after *The Duchess of Portobello Road.* Did he do it? No! He claimed that the account left his agency to follow some art director who had opened his own shop. Well, I don't believe him. What's more, I'd bet every last cent I have that it's his agency that's going to be pushing that perfume."

"So what?" Zach said, trying to inject some reason into the conversation.

"So why is he willing to do something for her that he wouldn't do for me?"

"You're being irrational, Frankie. It's not a matter of being willing. It's business. Rochelle is probably putting a fortune behind this venture. Why shouldn't your uncle get part of it?"

"It's one of Luke's schemes. I can smell it. They're not negotiating for any film. They don't even have a nibble. That's why Luke came up with this perfume idea. He'll plaster her name and her face all over the place. Sooner or later, some Hollywood jerk will jump onto the Lillie Rostov bandwagon. And *voilà,* comeback city!"

Zach watched her. Her face was flushed. Her hands were shaking. He wasn't even certain she knew he was there.

"Why do you feel so threatened?" he asked, understanding that in her mind, Luke and Lillie had teamed up against her, understanding that Frankie's competitiveness with her mother was more a Pavlovian response than a conscious reaction. "Even if Lillie staged a comeback and even if it were a whopping success, what does that have to do with you? They're not going to take roles away from you and give them to her. You're you and that's the only person you have to care about. Except for me."

Frankie heard his voice soften. She turned and, as if he had pressed some magic button, stopped pacing and flew into his arms, taking refuge in his love and his compassion. For a while, they sat together—he in a big, overstuffed chair, she on his lap—and communed with each other, without words, without sound. She cried and he soothed her. When finally Zach thought she was sufficiently calmed, he fixed her a brandy and took her to bed. As he had expected, however, neither of them slept.

All night, Zach tried to console her. He tried to restore her flagging self-confidence by assuring her that no matter what Lillie did, and no matter what schemes Luke concocted, she was in control of her own life. Their relationship would not change. Her career would continue to progress. And, with a small amount of circumspection, she could insulate herself from whatever stumbling blocks they tried to throw in her path.

All night, he begged her to forget what had happened, but he should have saved his breath and spared himself the wakefulness. Frankie had not heard one word he had said.

A week later, when Zach announced that he had to go to Italy to cover the Red Brigade's kidnapping of Aldo Moro, Frankie was extremely upset. Though she hadn't told Zach or her producer, she had received two anonymous notes, both threatening to stop production of *The Mannequin*. Frankie was certain that the author of these notes was none other than Luke Maddox acting in concert with her mother. At first, she thought about going to the police, but then decided against it. An investigation would expose the film—and her—to a barrage of negative publicity, which was exactly what they wanted. Both of them were determined to ruin her, she knew that, but she refused to help them do it.

A few days after Zach left, the telephone rang. It was late. Frankie was expecting a call from Italy, but when she picked up the receiver and held it to her ear, all she heard was a villainous laugh. She slammed down the phone and tried to slough it off, but she was scared. Both Lillie and Luke were vengeful personalities. There was no telling how far they would go.

The next night and every night after that for two weeks, Frankie received the same threatening call. Despite her efforts to tough it out, her nerves were rattled, she wasn't sleeping well, and she was having a difficult time concentrating on her work. Then, one night, something inside her snapped. The phone rang. She didn't know if it was the anonymous caller or Zach, but she sat frozen in her chair. She couldn't move. She couldn't do anything except sit like a frightened child and stare at the noisome object. When the ringing stopped, she cried with relief. It was then that she knew they were getting their way. It was then that she decided to get back at them.

The next day, Frankie called Zach's assistant, Gary, and asked if he could stop by her apartment after work. After they had chitchatted for what Frankie thought was an interminable time, she decided to come to the point.

"Do you remember that night when we all went dancing at Le Coo-Koo?" she asked, an innocent smile frozen on her mouth.

"Sure. It was fun," Gary answered, politely leaving unsaid ". . . until you and your mother made a scene."

"For a while it was," Frankie said, blushing appropriately.

"Anyway, something you said that night has really bothered Zach and me, and I wondered if you could do a little quiet research."

"On what?"

"Well, Danton Rochelle's past. When you mentioned that your supervisor squelched a story about him, it must have set off a bell inside Dick Tracy's fertile brain."

"With good reason," Gary said. "It seemed a bit odd at the time."

"Zach talked about it all night," Frankie continued, leaning forward and whispering in a conspiratorial tone. "He just couldn't believe that a divorce was at the center of *le grand scandale*. I kept insisting that that was all there was to it, but you know Zach. He's got more than a bit of the bloodhound in him and obviously, you peaked his curiosity."

"Now that you mention it," Gary said, his own bloodhound instincts blinding him to the gentle hands that were manipulating him. "Zach is right. How smutty could Rochelle's divorce have been?"

"This man," Frankie said, her eyes wide, "is about to marry my mother. As combative as our relationship might seem, she's still my mother, and I don't want anything to happen to her."

"I understand," he said. "What if the guy is an ex-Nazi or something?"

Frankie nodded, knotting her forehead, feigning filial concern.

"Zach was going to take care of this himself," she said, "but as you know, he had places to go and terrorists to see and probably a million miles before he'll ever get to it. I thought that maybe, if you had the time, you could do it for him."

"Sure. No problem. What is it you want to know?"

Frankie allowed herself to smile, but not to sound gleeful. It was possible that Gary wouldn't be able to turn up anything she could use, but it was worth a try. If Luke Maddox had taught her anything, it was that if you dig deep enough, chances were you'd hit pay dirt.

"Whatever it was that your supervisor didn't want the world to know," she said, "I want to know."

Gary Browning might have been young and somewhat naive, but he was thorough. Four days after their tête-à-tête, he brought Frankie a complete dossier on Danton Rochelle. As she had suspected, the divorce was a mere bagatelle compared to everything else Gary had unearthed.

During Danton Rochelle's younger days, he was, as he had always claimed, a fine, upstanding citizen. He had come from a good family, attended college, and had just become a doctor when World War II broke out. Before the Occupation he had served in the French Army; he had fought as a soldier and later had used his medical training to become somewhat of a savior for the French Underground during the Resistance. He had been brave and valorous and had earned for himself a medal of commendation and the heady title, "hero."

It was in those readjustive years after the war that his story differed from the facts. In his public statements, he had romanticized his postwar years, stating that he and Claudine and their young son, Paul, had lived in a small flat near Pigalle because that was the only place where he could afford both an apartment and an office. His practice, he said, was almost completely limited to treating the indigent, leaving him dependent upon eking out a meager living from the few patients who were able to pay some sort of fee.

The truth was that Danton Rochelle had performed abortions and had made a great deal of money doing it. His main clientele consisted of the prostitutes who worked the Pigalle area. He cured their venereal diseases, kept a check on their general health, and aborted their pregnancies whenever necessary. Since he never could remember any local pimps' names or addresses when the police came to call, he charged very hefty fees and was paid without argument or discussion—in cash.

Those fees were what he and his family lived on, and they lived quite nicely, but the big money, the money he was hiding in a secret bank account, came from the other segment of his practice, the wealthier, more respectable side of the Parisian coin. Although his name was not bandied about, nor was his presence requested at cocktail parties, whenever any of society's doyennes or debutantes found themselves in an unwanted family way, Danton Rochelle was the man to call. Not only was he handsome and charming and sympathetic and understanding, but he had respect for their station in life. He never appeared to degrade or disapprove.

In fact, he went to great lengths to put these women at ease. He had a separate treatment room decorated in a far more comfortable fashion than the one used by the prostitutes. He spoke to them in a personal way, using first names, taking the time to make certain they were relaxed. He provided silk johnny coats instead of the usual muslin, played classical music on his phonograph, and fed them croissants, café au lait, and marmalade on silver trays before they were escorted home in a private cab. Naturally, since these women had more, Danton asked more, extracting enormous fees in return for his services, and his silence.

"How did he get caught?" Frankie asked Gary, interested, but still searching.

"The wife of a city official went to him to take care of the residue from an affair. The husband was having her followed and, of course, decided to take out all his anger on Rochelle. Politics is politics and I guess he figured that a scandal against a butcher of babies was worth more politically than a divorce."

"Did he go to jail?"

"For a year," Gary said, rifling through his papers. "Smacks of a deal."

Frankie considered that thought for a moment.

"Makes sense," she said. "He lets this guy save face by dragging his name through the mud and, in exchange, serves only a year. What then? Is that when his wife left him?"

"No. As a matter of fact, most people are of the opinion that Claudine Rochelle knew nothing about the real nature of her husband's practice. You have to give her credit, though. She stuck by him."

"What happened when he got out of jail?"

"The government had lifted his license so he couldn't practice medicine again. Fortunately for Dr. Rochelle, a Resistance buddy who needed some financing for his pharmaceutical company, decided to let Rochelle buy in."

"Was it a cover for a drug ring or something? Was that when his wife left him?" Frankie asked, still hopeful. This story was dreadful, but not dreadful enough for what she wanted.

"No," Gary said, "she left him when he got involved with some American woman. Evidently, the guy went bananas for this lady. He moved out on his wife and son and followed this woman around all over Paris. I gather Madame Rochelle was pretty humiliated by the whole thing."

"Who was the other woman?" Frankie asked, an expectant look in her eyes.

"I don't know, but," he said quickly, seeing her disappointment, "I did find his old nurse."

"What good's that going to do me?" she asked.

"I'll bet she knows who his lover was."

"What makes you say that?"

"It's obvious that she and Rochelle were close. Not only did they remain good friends over all these years, but my research shows that she gets a check from him once a month."

"What's her name?"

"Monique Patois."

"Do you have an address?"

"Right here," he said smugly.

"Good," Frankie said, feeling the gritty touch of pay dirt at her feet. "Because first, I'm going to pay Monique Patois a visit. Then I'm going to call on Danton Rochelle."

Rochelle Pharmaceuticals was headquartered in the Les Halles/ Beaubourg District, just up from the Pompidou Museum, on the rue Saint-Martin. Frankie had called Danton and asked him to meet her by the Nikki de Saint Phalle fountain in the plaza outside the museum.

The Pompidou plaza was a busy place, with organ grinders and mimes and steel drum musicians and tarot card readers all vying for the attention and the dollars of the tourists who came to visit the wildly innovative museum of modern art that had opened the year before. Large crowds gathered there every day to ogle the novel industrial visage of the building. In the midst of a city so determined to retain its architectural past, the Centre National d'Art et de Culture Georges Pompidou stood out like an Andy Warhol in the Palace of Versailles.

Blue and green piping lined the outer shell, while larger chunks of crayon-red steel covered escalator shafts and stairwells. Steel girders formed a crisscross net over the entire structure, making it appear as if the skin had been ripped away from its body, leaving its innards exposed.

Off to the side was the de Saint Phalle fountain, a rectangular structure inhabited by whimsical papier-mâché creatures and metal symbols. A huge multi-colored bird with a golden crown stood guard over a metal treble clef, a bright blue derby, a green turtle, a plump heart, a ribbon-painted curlicue serpent, and a pair of big red, luscious-looking lips that all spun around in irregular circles and spouted water into the man-made pond.

Frankie was so preoccupied watching a group of schoolchildren ooh and aah at the fountain that she never saw Danton approach. He placed his hand on her shoulder and spoke softly, so as not to startle her.

"Frankie, my dear. I'm so glad you called."

She kissed both his cheeks and smiled benignly.

"Danton. Thank you so much for meeting me." For a fleeting instant, she had an attack of conscience, but as quickly as it surfaced, she repressed it.

"How about getting out of the cold and sharing a pot of tea?" he asked, watching a gust of wind ripple across the fountain.

She agreed and followed him to a small café at the back end of the plaza. They indulged in several minutes of small talk while the waiter took their order and brought them their tea and pastries. When he had gone, Danton's face grew serious.

"Would I be presumptuous to assume that you called me about your mother?"

"In a way," Frankie said, curious to hear what he had to say.

"I know that she was difficult that night at the disco, but deep down, I believe she would welcome a reconciliation."

"Would she?" Again, Frankie wondered how a man like this, who seemed so kind, could be so devoted to a viper like Lillie. "You could have fooled me."

"Sometimes she says and does things she doesn't mean," he said apologetically. "She hasn't been well."

Frankie sipped her tea, listening, refusing to comment.

"Her bouts of depression have gotten more frequent. When they're very bad, she stays at my country home in the care of a nurse."

He waited for a sympathetic nod, a sign, an expression of concern. Instead, Frankie pushed her teacup away and looked him squarely in the eye, her expression cold and unforgiving.

"I didn't call you about a reconciliation," she said. "And I'm not interested in my mother's mental health. That's her problem and yours. I called you because I want you to dump the entire fragrance project."

"What?" Danton was visibly shocked.

"I want you to cancel 'Lillie' perfume."

"I can't do that," he said.

"Can't? Or won't?"

"Both, I suppose." Small beads of sweat had begun to dot Danton's brow.

"I'll tell you what. I'll give you an incentive." Frankie waited for a moment, just long enough for him to understand that she was not playing games. "If you don't do what I ask, I'm going to splash your seedy background across the front page of every newspaper and magazine in the English-speaking world. Think what that would do to your reputation, and Lillie's, to say nothing of your son, Paul's. Women might not want to buy clothes designed by a man whose father performed abortions on prostitutes. Nor will they be interested in a new perfume by an ex-con. Prison is just not chic."

Danton sipped his tea, taking time to digest what she had said and plan his defense. He was not a man easily cowed.

"It all happened a very long time ago," he said, his manner distant and hard-edged. "I think you will look like more of a fool than I."

"You know," she said, leaning back and giving him a cock-sure smile. "I thought about that and you're probably right. One's present success has a way of smoothing out an awful lot of rough edges from the past. But certain things are so ragged and so jarring that they can never be smoothed over."

"Like what?" His tone had turned surly.

"Like aborting your own child."

Danton's face blanched. His eyes went blank, and for a minute she thought he was going to faint.

"What are you talking about?" He tried to sound nonchalant, but Frankie heard the panic.

"I had the most delightful chat with Monique Patois. You remember her, don't you? She's the woman who assisted you with all those abortions. She's the nurse you ship to the country when my mother is in one of her cracker states."

"Get on with it," he said.

"The minute she saw me, she noticed the resemblance between me and my dear mama. Well, one thing led to another and we got to talking about that time, so many years ago, in 1959, when you first met Lillie. She was in Paris recovering from her second divorce, staying with my aunt and uncle, who were here on an extended buying trip. Naturally, I was left in New York with Cissie, Andrew, and a housekeeper. I used to hate it when I was left behind, but after hearing Monique's story, I'm glad that this time I was." Frankie paused, forcing Rochelle to wait. "Monique told me that she didn't approve of Lillie then, and she doesn't approve of her now. She doesn't like the way Lillie treats you. She feels that right from the start, Lillie bewitched you so that you lost your senses. When I asked her to explain, she got very upset." Frankie frowned in a mock show of concern. "It took me quite a while to calm her down, but when I did, she told me about the day when you asked her to assist with one last abortion."

She placed her elbows on the small table and leaned forward, speaking in a raspy whisper.

"You remember that day, don't you, Danton? You didn't have a license anymore and you didn't have an office, so you did it in the kitchen of Monique's apartment. She said you cried through the whole operation."

Frankie paused, giving Danton time to reflect on what she had said, and to prepare for what she was going to say. For her, it was an odd moment of triumph. For him, it was a cruel reminder of the nadir of his life. In front of his eyes, images from the past darted by as clear and as potent as when they had happened.

He recalled the first night he had ever seen Lillie at the apartment the Kahns had taken on the Right Bank. She was startlingly beautiful. His response had been uncontrollable and even now he regretted how badly he had treated Claudine. He had practically thrown himself at Lillie, moving into a hotel with her, following her around like a trained poodle, holding her hand while she had her hair done, carrying her coat while she strolled along the Seine.

When Lillie had found out she was pregnant, she demanded that Danton perform an abortion. She had insisted on remaining awake so she could watch. His hands shook and he had wept throughout the entire process. It had been his child he was scraping from her womb, his heart that was breaking, but Lillie had appeared impervious. She had left Monique's apartment that afternoon and he hadn't seen her again until 1968, when he'd come to New York. Nevertheless, she had remained in his thoughts. Monique was right. Lillie had bewitched him. Just the sound of her name had always aroused a passion in him. No matter what she had done, or what she would ever do, he loved her.

"Why are you doing this?" he asked, his voice filled with pain.

"My reasons should be obvious," Frankie answered flatly.

"Your mother has her heart set on this perfume and her comeback. I have millions already invested in this project. Your Uncle Ben would also stand to lose a fortune."

"I'm sorry for you, Danton," she said. "You're basically a nice man, but I'm sure you know that I couldn't care less about that slime, Luke Maddox, or my mother. As for my uncle, he pulled the rug out from under me, so his agency's bottom line is not one of my priorities."

"I never thought of you as being vengeful," he said.

"What you think of me is unimportant. You just do what I want. Drop that fragrance line. If you don't, you'll regret it for the rest of your life."

Danton hesitated, but only briefly. She was serious, he could see that, and she was right. Certain remnants of the past could never be smoothed over, certain mistakes would always be regretted.

He threw some francs on the table, pushed his chair back, and walked out of the café. Five minutes after he had left, Frankie could still feel the heat of his rage, but instead of frightening her, it filled her with a sense of satisfaction. Though Danton Rochelle had not said a word, she knew she had finally bested those who had tried to hurt her. Finally, she had won.

"Thank you, Lillie Rostov and Luke Maddox," she muttered, still congratulating herself as she walked out of the café into the plaza. "You taught me well."

By the time Zach came home, a week later, she had received word that the Lillie fragrance line had been scrapped, just as she had demanded. Danton's call had been understandably terse, and for a while after she had spoken to him, she had felt shaky and physically upset. Though she knew he wouldn't believe her, she honestly regretted the fact that she had used him to get to the others. He had always been quite decent and considerate of her feelings, but, as she had rationalized it to herself, sometimes not only did one have to be judged by the company he kept, but also to pay the consequences for his associations.

She didn't regret what she had done to Luke Maddox. He deserved to be squashed like an insect, and in her own way, she had done exactly that. He had put all his eggs in Lillie Rostov's basket and now all the king's horses and all the king's men wouldn't be able to put Luke's career together again. He had made public promises and private commitments, none of which would be honored. He would have to renege on contracts and explain himself to the press. His credibility—an agent's most valuable asset—would be severely damaged, if not completely destroyed.

However, knowing Luke as well as she did, the day after her initial meeting with Danton, Frankie had told her producer about the notes and the strange phone calls. She also said she thought she was being followed. Immediately, a bodyguard had been assigned to her. As expected, only two nights later Luke had appeared outside her apartment, seething with anger. He had charged at her like a bull pricked by a picador's lance. He pulled her hair, hurled expletives and frightening threats at her, calling her all sorts of ugly names. Despite the size and strength of her protector, it took ten minutes to dispose of Maddox, but even as he limped away, he insisted that one day, he would have his revenge.

"I never heard from Lillie," Frankie said, having related the entire saga to Zach. "Not that I expected to, of course. I'm sure that when she heard her perfume was being flushed down the toilet, she went bonkers. She's probably locked away in Danton's country home now, in one of those cute little jackets with the arms that tie around the back."

Throughout her recitation, she had been so busy patting herself on the back, she hadn't noticed Zach's sullen look. She hadn't noticed that Zach had neither laughed nor smiled nor nodded approval. It was when Frankie got up from her chair and went to sit on his lap and he shooed her away that she realized how chillingly quiet he was.

"Tired from your flight?" she asked, paying attention for the first time to the downward slant of his eyes and the tight line of his lips.

"A little," he said, walking past her to fix himself a drink.

Frankie watched with a growing sense of unrest. Zach was not a drinking man. He rarely drank anything other than wine or an occasional after-dinner brandy. For him to have scotch and water in something other than a social setting was unusual, to say the least. For him to swig it down and pour a refill was truly alarming.

"You think I went too far, don't you?" she said meekly.

Zach turned and looked at her. His green eyes were clouded and distant.

"Why ask when it's obvious that you don't care what I think?"

Frankie was stunned.

"Of course I care what you think," she replied, confused. "I love you."

"Then why did you use me?"

"I didn't."

"When you suckered Gary Browning into doing your dirty work for you, whose name did you use?"

Frankie was beginning to feel as if a huge compactor were coming at her from both sides, inching closer and closer, until suddenly, she would be irrevocably crushed.

"I'm sorry," she said, stammering slightly. "I didn't think of it that way."

"It appears as if you didn't think of anything other than what you wanted, which was to destroy the lives of several people."

Frankie stared at him in disbelief. She had expected him to compliment her on her thoroughness, to applaud her success. Criticism for her and compassion for Lillie and Luke were the last things she expected.

"They started this, and besides, since when do you care what happens to my mother and Luke Maddox?" she demanded. "You've always disliked them. Why have you decided to become their champion? Why have you turned against me?"

She marched directly in front of Zach, looking him straight in the eye, waiting for him to respond. When he said nothing, her manner softened.

"I didn't hurt anyone really," she said. "Danton and my Uncle Ben lost some money, but the loss isn't going to break either of them.

Luke Maddox had one of his carefully plotted schemes thwarted. Big deal! And as for my beloved mother, she got what she deserved. She's tried more than once to ruin my life, and even if I did mangle her chances at a comeback, the truth is she hasn't had anything even resembling a career for years, so there was nothing for me to ruin."

Zach leaned against the windowsill in the large living room and tried to sort out his feelings. This was hardly the reunion he had planned. In his pocket was a ring with which he had intended to propose. He slid his hand into his pants as if to remind himself how much he loved this woman, but as his fingers gripped the small velvet box, they froze.

"I haven't become their champion," he said. "And you're right. In a sense, you didn't destroy anyone, but something about this whole maneuver turns me off."

"Why?" Frankie shouted, becoming frantic as she saw him slowly slipping away from her. "What did I do that was so despicable?"

"It's not so much what you did," he said, trying to explain it to himself as well as to her, "it's the joy you got in doing it that disturbs me. It's the total lack of guilt and the fact that you're developing a history of shooting first and asking questions later, of justifying yourself and your acts of vengeance without any second thoughts."

"You make me sound horrible," Frankie said, sulking in the corner, gnawing on her nails.

"Frankie, you're hurting people," Zach said. "Don't you see that? You're making needless enemies. Sunny Samuels. Colin Mattheson. Jose Banta. Danton Rochelle. And God knows who else!"

Large tears dribbled down Frankie's face. Her lower lip quivered as she listened to Zach chastise her.

"But they scared me," she sniveled. "Really. Those notes. Those phone calls. I felt trapped and I reacted."

"You don't know for sure that it was them, and even if it was, what in God's name makes you think that what you've done is right?" Zach insisted, his voice ringing with anger and frustration.

Frankie looked at him, her face damp, her eyes sad.

"Sterling once told me not to run away from my problems. He told me to face them head-on and solve them. He told me that the best way was to tell the truth. Well, that's what I did. I didn't make up the story about Danton doing abortions! I didn't invent the tale about him aborting his own child! It's the truth!"

Zach's fingers uncurled around the ring box in his pocket.

"There's a difference between telling the truth and manipulating the truth, Frankie, a big difference."

Suddenly, before Frankie knew what was happening, Zach picked up his suitcase and went toward the door.

"Are you leaving me?" she cried, running to him and throwing her arms around his neck.

He felt her body heave against his and felt her tears dampen his neck.

"If I stay," he said, his voice filled with pain, "I might be next."

"I'd never hurt you," she sobbed. "I need you. I need you to forgive me and to love me."

She looked and sounded so pathetic that he almost relented.

"It's not up to me to forgive you."

She looked at him, her eyes wide and pleading.

"If you forgive me, the others don't matter," she said.

Zach turned and walked out. How could he explain to her just how naive that statement was. The others mattered. They mattered a great deal. Zach had seen too much of the warring side of humanity not to know that Frankie's enemies would never forgive or forget. One day, when she was least expecting it, the time bomb she had ignited would go off. One of them would demand payment in full. Who and when, Zach didn't know. What he did know was that, minute by minute, that bomb was ticking away, that no matter how much he loved her, no matter how much he wanted to, he couldn't stop the clock.

For hours after Zach had gone, Frankie sat in the darkened apartment, drinking brandy, rationalizing her behavior and trying to salve her wounds. Conflicting thoughts crowded her brain. If she hadn't gone after Luke and Lillie, they might have carried through on their threats and destroyed her. But if she hadn't gone after them, Zach would have stayed with her. Why hadn't it worked out the way she had wanted? Why wasn't Zach here with her, telling her it was all right, that they had deserved the comeuppance she had visited upon them? Why did it always seem as if everything she did backfired? Was her judgment so distorted? Were her instincts so inaccurate? Were her actions so misconceived?

"Why am I always alone?" she cried into the dim interior. "Why doesn't anyone ever stay with me?"

She waited, as if somewhere in the air an answer were floating. She gulped her brandy and eventually, fell into an uneasy sleep, a sleep bothered by an inner voice that told her over and over again how unworthy she was.

Frankie tossed and turned, trying to block out the voice, but the voice kept shouting into her ear. And the clock kept ticking.

21
Frances Rebecca Kipling
Jinx

April 1978

FOR MORE THAN TWO MONTHS, Jinx hibernated, refusing to go to the office, refusing to leave her home. She refused all calls, all visitors, spending her days with Joy, lavishing the child with as much love and attention as was within her power to give. At night, after Joy had gone to sleep, Jinx mourned, sometimes with tears, sometimes with silence, always with the determination to maintain a solitary retreat until she could work out the many demons that had plagued her since Kip's death.

As the days passed, she became convinced that if she could resolve some of her confusions and alleviate some of the pain that was immobilizing her, she might be able to function, she might be able to move on. One by one, she confronted her devils—loneliness, guilt, insecurity, jealousy, anger, fear—attempting to look at them honestly. But it was too soon to exorcise her ghosts completely, too soon to eliminate her grief. Still, she persevered with the doleful task of stripping away the black crepe of her widow's weeds.

She forced herself to recall happy moments without crying at their memory. She forced herself to put them into perspective, to put them into the past. She forced herself to remember sad times without dwelling on them and arguments without drowning herself in "what-ifs" and "should-haves." And finally, when she felt strong enough, she forced herself into Kip's study, where she intended to complete the ritual of burial by rummaging through the pictorial remnants of their marriage.

She remained closeted in the study for hours, rifling through cartons of memorabilia. She found their wedding album, a scrapbook Jinx had made with momentos from their honeymoon, an album filled with pictures of Joy's firsts—first smile, first tooth, first step, first birthday—as well as dozens of loose photographs Jinx had meant to catalogue but had somehow never found the time to arrange. She pored over them, studying them, memorizing them, as if they were all part of some liturgical ceremony. And then, she returned them to their boxes, putting them away, once and for all.

Slowly, she began to mend. Once the guilt so inherent in grief began to ebb, she was able to view her marriage realistically, to understand its essence, and to accept its validity. Kip had loved her. She had been, in every sense of the word, his wife. She had not been, as she had thought standing by his grave, merely an interlude between his life with Elizabeth and his death. She had been his helpmate, working alongside him, sharing his ambitions and his dreams. She had given him a child. She had given him love. She had made him a home. And, she concluded, she had made him happy.

One afternoon in the middle of April, as she reflected on their life together and contemplated her life without him, feelings of obligation began to surface. Just as the landscape outside her window had begun to rejuvenate beneath the nourishing warmth of spring, so too, did her spirit begin to experience a rebirth. She began to remember that she had a child to care for and a business to attend to. What's more, she began to want to go out, to end her isolation, to reenter the world.

Almost immediately after Kip's funeral, his will had been read. To no one's surprise, but to the dismay of some, Jinx had been left all Kip's personal wealth and real estate, as well as thirty-five percent of Kipling Worldwide. Each of his sisters had been left ten percent of the company, Jeffrey Dodge five. As controlling stockholder, Jinx was chief executive officer and chairman of the board, yet for weeks she had been consciously neglecting her duties, deliberately avoiding phone calls from Kip's attorney, Milton Fox. Though he had always been a friend to her and she knew his blandishments were well-motivated, until now she had remained unmoved. So what if she was supposed to take over the reins of Kipling Worldwide! So what if there was a possibility that, in her absence, others might try to wrench those reins from her grasp! Without Kip, none of it had seemed to matter.

Why on this particular Friday, at this particular time, it suddenly did matter, Jinx would never know, but, with a sense of purpose she had been lacking for many weeks, she called Milton Fox. First, she asked if he could arrange a board meeting for Monday morning. When he said that he could, she asked if he would mind coming out to the house over the weekend to brief her on what had been happening during her self-imposed exile. He said he could do that too.

Then, just before he hung up, he added, "Aside from you and Joy, Kipling Worldwide was the most important thing in Kip's life. Don't let it die with him."

Jinx was shocked.

"I would never let that happen, Milton. My name is still Kipling and so is my daughter's."

"True," he said, his voice a mix of sympathy and warning. "But you and I both know that there are those who refuse to acknowledge your right to bear that name. Those who will never accept who you are."

Jinx laughed. To Milton it seemed an incongruous response. To Jinx, it was just more of the same.

"They don't have to accept me," she said, recalling other rejections, other denials, "but, I promise you this. They *will* have to deal with me."

The boardroom at Kipling Worldwide was a spacious, magnificently appointed octagon that gave testimony to the wealth and power of the Kipling empire. A Nile green carpet covered the floor of the windowless room, its solid mass broken by a circular inset—a specially designed, hand-woven replica of the Kipling crest. Overhead, a mock skylight set into the domed ceiling cast a soft light on the corporate arena. On four of the walls, frescoes painted by the renowned Florentine, Alberto di Crespi, provided pictorial representation of the four corners of the earth served by Kipling hostelries. The other four walls were painted burnt ocher, washed with white, striated, and scraped, creating a finish reminiscent of ancient buildings and symbolizing historical permanence. At the front and back of the room, two marble-topped sideboards faced each other, their function, to display two highly prized antiquities—a stone bust of the Roman god, Jupiter, and a Corinthian pediment from a ruin in Corfu—and several of the clocks collected over the years by Kip's father, each one set for a different time zone, all in perfect running order.

In the center, was the focal point of Kipling Worldwide's puissance, a large, highly polished oak table rimmed in brass and surrounded by twelve throne-like chairs covered in a rich rust-and-green tweed. That the table was round, with no defined "head," was the fact that distinguished this boardroom from most others. It was also the symbol that most clearly illustrated the nature of Kip's successful and popular stewardship. It was Kip's belief that a leader was a leader no matter which chair he sat in and that if he couldn't make his authority felt by dint of his personality, mere table placement wouldn't help.

This morning, as at every board meeting, each place was set with an individual carafe of hot coffee, a cup and saucer from the Kipling Limoges china collection, and a leather portfolio complete with fresh notepads and pencils. By nine forty-five, fifteen minutes earlier than the schedule called for, all ten regular board members, as well as the traditional guest—this time, Antoinette Troy, Kip's secretary—were in their places, awaiting the entrance of the eleventh and newest member, Jinx Kipling.

Though there was an air of curiosity and anticipation, it was difficult to read the faces of those who had gathered. Most were people with tremendous influence in their own spheres, accustomed to playing corporate cat-and-mouse and far better at the art of artifice than the woman who had invited them here. Along with Jeffrey Dodge, Milton Fox, and Charles Miep, Kip's chief financial officer, there was Claire Billings; Senator Kenneth Soames, Kipling Worldwide's eyes, ears, and mouth in Washington; Warren Pritchard, an executive officer of Kipling Worldwide's primary bank; Lord Melville, a prominent Englishman who represented the European interests of the mighty chain; Yukio Nishizaka, a Japanese business-machine tycoon and substantial backer of Kipling's Oriental expansion; and Kip's two sisters, Judith and Cynthia.

When Jinx entered, at precisely ten o'clock, wearing a dark tailored suit, her hair pulled back into a modest chignon, she was greeted by a suspicious silence that spoke of private caucusing and prior personal discussions, a silence that teetered between antagonism and anticipation. Without looking to either side, she strode into the room, heading for the one empty seat. She had been the guest at enough meetings to notice at once that Jeffrey Dodge had taken Kip's usual chair. Though it unnerved her to see him sitting there, she took her place without comment. Fortunately, Claire Billings was seated to her left. As she sat down, she felt Claire give her hand an encouraging squeeze.

"Good morning, everyone," she said, praying that she would not betray her nervousness. "I thank you all for coming, especially since I realize that this meeting was arranged on rather short notice."

She smiled and looked around the table. As she did, she attempted a quick identification of friend or foe, but this was a group of practiced politicians who knew how to keep their faces void of expression.

"I also want to thank you for your kind offerings of sympathy and condolence on my husband's death. It was untimely and tragic, but I'm sure everyone here knows that Kip would not have wanted us to mourn forever. Kipling Worldwide stands as his living legacy, and it's up to all of us to see that his hopes for its future are realized."

Again, she lookcd around the table for some kind of response. There were a few nods and a few commiserating smiles. She took a deep breath and tried to remember everything she and Milton had discussed.

They had spent the entire weekend reviewing dossiers and corporate ledgers, analyzing personality traits as well as financial projections, setting an agenda and plotting an approach. This morning, just before she had left the penthouse to come downstairs, she had gone over her notes again, trying to understand whom she was dealing with.

Milton was a friend. As long as she didn't do anything illegal, immoral, or inconsistent with Kip's basic corporate vision, he would be a source of support. The same was true of Charles Miep. Claire Billings was a proven ally. Dodge was a proven enemy.

Kenneth Soames, a former Senator from Connecticut, was a shrewd judge of character and an adept manipulator of facts, two qualities Kip had always admired in his longtime friend. He knew when to push and whom to push. He was an excellent speaker and an even better listener. This, combined with his political connections, had made him an effective lobbyist for matters relating to Kipling Worldwide and a valued member of the board. Though Jinx had always had a warm social relationship with him, her role had changed and therefore, she assumed, so would the relationship. While Kip was at the helm, loyalty had always influenced Soames's votes. Now Kip was dead; he had no loyalty to Jinx.

Lord Patrick Melville, another old acquaintance of Kip's, was a soft-spoken gentleman known to consider every side of a matter six times before making a decision. A traditionalist, he was a brilliant man who, oddly enough, almost resented the fact that he didn't need to work. He enjoyed the intellectual stimulation of commerce and the satisfaction that came with success. Though his main function was to oversee the vast properties of his family's estate and to monitor their holdings in the stock market, when Kip had approached him about helping to develop the European division, he had been delighted. Jinx's problem was that Jeffrey Dodge had begun his career with Kipling Worldwide by training in London under Melville's tutelage. Over the years, they had become friends and, Jinx suspected, close allies.

Warren Pritchard was a man of dollars and sense. Nothing was as important as the bottom line. He had little patience for frivolity or indulgence. To Jinx, his saving grace was that he was the consummate investor, willing to bankroll a proposal as long as he could see a balance between current risk and future profit.

The two unknowns were Judith Wharton and Cynthia Sherwood, nées Kipling. Though she knew them to be bright, able women, whenever Jinx had sat in on a board meeting, they had appeared to rubber-stamp their brother's suggestions. Obviously, as long as Kip continued to maintain their financial interests, they had gone along with whatever he wanted. Jinx was another matter. She knew they had disapproved of the marriage and, though they never did or said anything to substantiate her suspicions, Jinx believed that they also had disapproved of her elevated status on the corporate roster. Until she could prove herself, Jinx counted them both as opposition.

"Although my positions as Chairman of the Board and Chief Executive Officer are new to me, I am not new to Kipling Worldwide. While I was studying at the Cornell School of Hotel Administration, I spent every summer working for the Oasis in Phoenix. After graduation, I went to work there full-time, completing the Executive Management Program and eventually rising to the post of assistant manager. I held that job for two years. Then I was made manager of the Oasis, a position I held for nine months."

Start out by listing your credentials, Milton had told her. *Pretend that this is a job interview, because in a way, that's just what it is.*

"When I came to New York," Jinx continued, looking over at Milton every once in a while for encouragement, "I was fortunate enough to receive my corporate training from the estimable Jeffrey Dodge in his Development department." *Compliment Dodge, even if you choke on it.* "There, I was able to see one of my ideas reach fruition. The Kipresort town house projects, started in 1971, have, over the past seven years, proven to be extremely successful. They are now part of more than twelve established resorts here in the United States, with four more scheduled for construction. In the islands, we have two completed, in Puerto Rico and the Bahamas, with another scheduled to open on St. Martin early this fall. An experimental European town house program, approved by this board last October, is slated to begin construction in the South of France next month under the extremely able direction of Lord Melville. Already, three quarters of the town houses have been sold."

Jinx had expected a smile, a nod—something—but instead, Patrick Melville looked at her with a blank expression, as if he were sleeping with his eyes open. Warren Pritchard smiled, but Jinx should have expected that. Nothing warmed his heart more than pre-sold real estate.

"Another project, the Kipresort spas and boutiques, headed by Claire Billings, has also proved immensely successful. In the past six years, not only have they been directly responsible for a rise in off-season business, but also their profits have increased at a steady rate of six and a half percent each year."

As Jinx continued to rattle off a number of other projects in which she had been involved, Jeffrey Dodge tried to contain his antagonism, but, even with his excessive breeding, he was having difficulty maintaining a cool façade. He couldn't stop thinking that he should have been addressing this board. He should have been named Chief Executive Officer. He should have been given control of Kipling Worldwide. It was his due. Instead, this modern-day Lorelei had wormed her way into Kip's bed, beguiling him with her youth and her seductive willingness to please, distracting him so that he forgot what was right and proper, who was family and who was not.

Dodge listened to Jinx with half an ear, but the little he heard annoyed him. Not only was she speaking extremely well, but it perturbed him to note that she had, in fact, accrued such a long list of successes in so short a time. It didn't matter, he told himself. Today was perfunctory, ceremonial. Today, she would be given the benefit of the doubt. But tomorrow and the next day and the day after that, there would be no courtesies extended. She would be expected to perform. If she didn't, she was subject to removal. Yes, she was clever. Yes, it might take some time, but he was willing to wait. Sooner or later, he was certain she would make that one mistake that he could use against her.

". . . a central agency within Kipling Worldwide to help coordinate convention and group packages."

"Excuse me, Madame Chairman," Dodge said, his voice heavy with sarcasm. "Is that matter a fait accompli or is it still in the discussion stage?"

"Of course, it's still open to discussion, Mr. Dodge, but I have every intention of establishing a travel advisory here at Kipling Worldwide. Miss Troy has already been given a list of the city's top agents, some of whom I hope to persuade to leave their current jobs and come to work for us."

"I told Kip over and over again that this idea is a waste of time and money." He turned to Judith and snickered, as if Jinx's skirt had just blown up in her face and she was standing there in only a slip. "I think it's totally ill-advised."

If he challenges you, don't let the challenge go unanswered.

"You're entitled to your opinion, Mr. Dodge, but if you don't mind, this is a board meeting, not a Development department work session, so you will kindly keep your opinions on irrelevant issues to yourself."

Dodge blanched. Milton Fox's eyebrows rose. Claire put her hand over her mouth to hide a smile. And for a second, Jinx thought she noticed a flicker of respect in Judith Wharton's eyes.

"The main purpose of today's meeting," Jinx said, buoyed by her minor triumph, "is to pledge ourselves to fulfilling Kip's vision for Kipling Worldwide. He wanted to expand the company, both in its holdings and in its responsibilities to the communities it serves. More and more, we'll be looking for opportunities to make civic contributions. In Chicago, Kip committed to a pocket park adjacent to our downtown hotel. In Los Angeles, he donated the hotel grounds for preliminary trials for the Special Olympics. In Denver, he offered as many personnel as might be needed to help out at the Carousel Ball, a fund-raiser for the Diabetes Foundation. He wanted Kipling Worldwide to be more than an international conglomerate. He wanted it to be part of people's everyday lives. I want it to be what he wanted it to be."

She sat down, and for several eternal seconds, there was nothing but silence. Then she heard Claire begin to clap. Antoinette Troy joined in. So did several others and, for the first time that morning, Jinx noted a few friendly smiles. Then Milton Fox rose.

"At this time, I would like to move that this board of directors grant a vote of confidence for our new chairwoman, Jinx Kipling."

"Second," chimed Claire Billings.

"All those in favor."

Nervously, Jinx watched as one by one the hands went up. Most went up easily. Judith and Cynthia struggled a bit, but then they, too, assented. Still, one hand remained by its owner's side. Still, one person refused to give Jinx even this small victory.

As the meeting broke up and everyone began to leave, Dodge attempted to breeze by Jinx, but she wouldn't let him. She interrupted a pleasant good-bye with Cynthia to step in front of Dodge, blocking his exit.

"Can't we be friends?" she asked.

"I offered you my friendship at the hospital in Acapulco," he said. "Not only did you turn it down, but you practically threw me out. Whether you like it or not, Kip was my brother-in-law."

"I know, Jeffrey, and if I insulted you, I'm truly sorry."

She extended her hand, but he refused to take it.

"Can't we mend our fences? After all, we've worked together for such a long time," she continued, swallowing her dislike, forcing herself to sound conciliatory and apologetic. "And in a way, aren't we family?"

Dodge looked appalled at the thought.

"No matter how far you stretch the branches of your ancestral tree," he said, "I assure you, we are not in any manner of speaking, related."

"As you like," Jinx said, aping his upper-crust elocution. "However, we are both members of the Kipling Worldwide family, and as such, I expect a certain amount of loyalty, if not fealty."

"Do you?" Dodge lowered his voice, and when he spoke, it sounded like a hiss. "I find it fascinating that someone so deficient when it comes to loyalty feels compelled to demand it from others."

"What are you talking about?" Jinx demanded.

"I noticed that none of your family was at Kip's funeral. Your parents were also conspicuously absent from your birthday party in Mexico. Obviously, you are estranged. If I might quote your quaint prairie cliché, perhaps you should mend your own fences."

"That's none of your business," she answered, unnerved by the intrusion of her personal problems into this conversation.

"Maybe not, but it certainly points out the two major differences between you and me."

"And what are they?" Jinx asked, gritting her teeth.

"Class and honor," Dodge said.

"Two things you have and I don't?"

Dodge's mouth twisted in a satisfied smirk. He could tell by the shrill overtones that he had bested her.

"Consider the facts," he said in a soft, patronizing way. "You have allowed something, or someone, to alienate you from your family. I, on the other hand, had many business disagreements with Kip, but I always managed to maintain a close relationship with him. I would never have let anything, including you, come between us. And do you know why? Because he was my sister's husband and when you are well bred, my dear, family is family, no matter what!"

Then he turned and strode out of the boardroom, emphasizing his point by linking arms with Judith and Cynthia, leaving Jinx reeling from the impact of his words. She wished she had defended herself more eloquently. She wished she had been quick enough to answer his accusations, to insist upon her innocence, her right to be angry. Instead, she had remained mute. Why? Because she didn't feel the boardroom was the place to discuss something so personal? Because she would never allow him to be privy to her private thoughts? Or was it because he was right and she had been so, so wrong?

Jinx urged her horse into a gallop, letting the wind whip through her hair as she rode the foothills behind the Casa. The early morning landscape was more beautiful than she had remembered, all beige and pink, brushed by turquoise reflections and sunlit slashes of gold. For the first time in months, she felt revitalized, as if the Valley of the Sun contained medicinal powers to cleanse the blood of vexing biles and suffuse her with a temporary sense of calm.

Faster and faster she drove herself and her horse, needing to feel the rush that came from speed, needing to brave the danger that came from a rapid gait on such rugged ground. More important, she needed to find herself again, to contact that part of her essence that belonged to the Southwest; that part of her soul that came alive on the back of a horse, alone in the desert, just before dawn.

Suddenly, she pulled up on the reins. Without thinking, she had retraced her steps, arriving at the spot where ten years before, she had met Harrison P. Kipling. As she looked around, she smiled. With unbelievable clarity, she recalled every word of their first conversation, every nuance, every look, every moment of that first day. She remembered how handsome he had been, how worldly he had seemed, yet how gentle and appreciative of her help. Too, she remembered how sad it had been watching him try to find comfort in a house he had built for his family, to which he had come back alone.

Odd, Jinx thought. Now she was the one who had come back to the Casa alone, also in search of comfort. Kip had returned hoping to find peace after losing his family. She had returned hoping to find peace by reconciling with her family.

For several weeks after her contretemps with Jeffrey Dodge, she had spent her after-work hours engaged in a great deal of soul-searching. The result was that she had to admit that in some ways, Dodge had been right. She had been the one to allow Ben Rostov to drive a wedge between herself and her family. She had been the one to engineer the schism and she had been the one to perpetuate it.

How many times over the years had Kip begged her to make

amends? More than she could count. Over and over again, he had pleaded with her to rid herself of her obsession with Ben Rostov and to mend the rift with her parents. "Are you a bookkeeper who looks at life as a system of checks and balances?" he had asked. "If you are and if you consider Kate and Hank's betrayal a debit, at least be fair enough to credit their account with all the happy years you spent in their care, all the love they gave you."

As Jinx eased into a slow trot and headed for home, she was surprised at how nervous she was. Though she had never consciously thought about it, deep down she supposed she had always assumed that if, or when, she decided to reconcile with her parents, they would welcome her with open arms. Now, as she tried to compose herself for this morning's meeting, she wondered.

She had walked out and slammed the door. She only hoped they hadn't locked it behind her.

When the door opened and Jinx looked into Hank's eyes, she felt overwhelmed with regret. In that instant, when they both struggled with whether or not they should kiss or embrace, she realized how remarkably unfair this whole situation had been to him. He had done the decent, loving thing. He had adopted her and loved her and treated her as his own. In return, she had permitted a selfish compulsion to rule her. She had rejected him with the same indignant insistence on being in the right as Ben Ross had used when he rejected her. Like father, like daughter? The thought repulsed her.

She leaned forward and kissed Hank's cheek.

"Hi, Daddy," she said, feeling like a small child, in a way, wishing that she were; wishing that she had never found out about a pilot named Benjamin Rostov; that none of this had ever happened; that things could go back to being simple and uncomplicated.

"Hello, Jinx." Hank smiled warmly, but she noticed that he didn't rush to take her into his arms.

"Is Mom here?" She felt strange and that very strangeness tore at her heart. She was in her parents' home, the home in which she had grown up, talking to her father and yet, she didn't know what to say.

Hank nodded and led her into the living room. Kate was sitting in a chair by the fireplace. She watched Jinx walk in, but never got up. Jinx started to move toward her, but, quickly sensing Kate's arm's-length attitude, decided against it.

"Hello, Mother." She smiled as best she could and waited for someone to offer her a seat. When they didn't, she sat on the couch across from Kate. Hank stood behind his wife.

"Jinx." Kate acknowledged her daughter's presence with an impersonal nod. There was no smile, no hint of welcome.

"You both look well," Jinx said, trying to fill the awkward silence, quietly analyzing the changes she noticed. Hank's hair was almost completely gray and his hairline had receded. He had a slight paunch. His knuckles showed signs of arthritis. Kate had lines around her eyes. Her neck had softened. Her hands were not as smooth as they had been. Small changes, not dramatic ones, but Jinx found them upsetting. Her parents had aged and Jinx had not been witness to that aging; she had not been part of that period of their lives.

"Why have you come here?" Kate demanded, eliminating any further small talk.

"To apologize." There it was—simple, easy, forthright. Why had it taken almost four years to say?

"Why now?" Kate's voice sounded harsh, but behind it, Jinx recognized the sound of her mother's pain. Jinx had meant to hurt her, that she admitted, but hearing it was another matter, seeing it was something else.

"Because death has a way of making one feel very vulnerable," Jinx said.

"We were very sorry to read about Kip." Hank was decent enough not to stress the fact that they had read about it in a newspaper instead of hearing about it from her. "He was a fine man."

"He thought the same of you," Jinx said, biting back a few tears. "Both of you." She waited for Kate to say something but she remained quiet. "He never approved of this."

"Of what?" Obviously, Kate was not going to make it easy.

"Of this distance, this rift. He didn't want it this way."

"But you did."

Jinx couldn't tell whether her mother was going to lash out at her or cry. Her mouth was tight and her voice sounded as if her throat were constricted.

"At the time, yes, I guess I did. I was angry," Jinx said. "I felt betrayed, lied to, cheated. I wanted revenge."

"Revenge for what?" Hank asked. His voice was gentle; suddenly he seemed more like the father she remembered. "For our keeping the truth from you? For Ben's denying the truth? Or for the fact that he had abandoned you in the first place?"

"All three, I think."

"Have you called him to task?" Jinx thought she detected a slight touch of bitterness in Hank's voice.

"In my own way, yes, I have." She paused, looking at them, looking at herself, trying to find the key to unlock the door behind which all of them were hiding their love. "I know it's no compensation for the pain I've caused you, but I've suffered too. I lost my parents. I never gained a relationship with my natural father. My daughter lost her grandparents. And eventually, I buried my husband alone, with no one from my family to bid him good-bye."

"We would have been there," Kate said, softening. "All you had to do was ask."

"I'm asking you now, Mom. I'm asking you to find it in your heart to forgive me for being so cruel and so heartless. I'm asking you to let me be a part of your life again and to be a part of mine and my daughter's."

"Joy doesn't even know us," Kate said sadly.

"I gave her the presents you sent for each of her birthdays and for the various holidays. I told her who they were from."

"Didn't she ever ask why she never saw us?"

"No," Jinx said, surprised, as if she had just realized it. "I guess children are better at accepting things on face value than adults."

"Seems that way," Hank said, making certain that Jinx caught the meaning in her own words.

"I'd like things to be the way they were," Jinx said.

"That's impossible. Too much has happened. Too much was said. And too many years passed in between." Jinx would have responded angrily if she hadn't heard the resignation in Kate's voice.

"You may be right. It may be impossible for us to recapture the innocence of the past," Jinx said, moving off the couch, walking over to her mother and taking her hand. "But it's not impossible for us to determine our future. We can find a way to love each other again! We can find a way to be a family again! I know we can. We just have to want it badly enough. And I do."

Kate hesitated, but only for a moment. Her eyes teared and her mouth quivered, but when she spoke, her voice was strong.

"I do, too," she said, allowing her daughter to embrace her. "I do, too."

22
Frances Rebecca Gold
Cissie

April 1980

WASHINGTON, D.C., was in its glory. Cherry blossoms dressed the city in delicate shades of springtime pink. Winter's retreat had left every building and monument bright and sparkling, as if the rains of early April had been arranged by some cosmic cleaning service. Though the temperature was still a bit cool, the sun was shining.

Cissie and Noah strolled along the great lawn between the Capitol and the Washington Monument. Noah was animated, his pace fast. Cissie kept dragging behind, clutching her coat and trying to avoid the puddles left by a morning shower.

"In a few more months, if all goes well, I'm going to be elected to Congress." Noah's eyes were shining. "Not that I really care about that. The House is nickel-dime, but Jeremy says that this campaign is really the kickoff in my bid for the Senate. We're going to put the voters on notice that Noah Gold is a public servant of merit. Once this election's over, I'll be well on my way to taking my seat in the Senate chamber and taking my place in this country's seat of power."

Cissie linked her arm through his, wishing she were less tired, more enthusiastic. They had been spending every waking minute planning Noah's campaign, meeting in New York with his campaign committee, meeting in Washington with other advisers eager for Noah's election. The experience should have been exciting, but for some reason, Cissie felt drained, and that worried her. Usually, she was exhilarated by pressure, spurred on by stress, yet now, when her commitment should have been the strongest, she felt weak and bogged-down.

"All I need is an attention-getting cause, something to rally the voters around me and create a landslide."

"I told you what I think you should do," she said, wondering how many times she had repeated herself. "You're a veteran. A certified hero. Use it to your advantage. People are sensitive to the cold reception Vietnam vets were given after the war. I think you ought to spearhead a belated, yet well-deserved welcome. Raise the voters' consciousness about the needs of the soldiers. Make them aware of the sacrifices they've made. Organize a memorial, a parade. Americans love to wave flags. Give their patriotism a kick. Give them something to wave about."

Noah's pace slowed. His face darkened.

"I've told you a hundred times, drop it! It's not the right time. It's not the right issue. And I'm not the right man for that particular job."

Cissie grabbed his arm and made him face her.

"It is the right issue. It is the right time. And I can't think of anyone better qualified for the job."

"No one cares," Noah said. "Least of all, me."

"That's not true. You do care. You know how you've suffered all these years. You've tried living with the nightmares and the memories. You know how hard it is so you know what your fellow vets are going through."

"That's exactly why I won't do it. They want to forget that stinking war ever happened. The American public wants to forget it and so do I! Why can't you get that through your head?"

Noah threw Cissie's hand off his and marched away, leaving her several steps behind. As she followed him, she knew that she couldn't drop the issue. It was important for the country and for her husband. Especially for her husband.

More often than she cared to remember, she had tried to get Noah to resume professional treatment so that he might confront the agony he kept buried inside of him. For years, not a week had gone by without at least one tortured night when he tossed and turned and cried out in his sleep, waking up in a heavy sweat. Yet no matter how she pleaded with him, he consistently rejected her claim that he had wounds that could be healed only by facing his past.

As time went by, it was true that the nightmares had become less frequent. It was also true that he didn't seem to be suffering from the same violent aftershocks he had experienced in the beginning, but Cissie never believed that his wounds had actually healed. Rather, she believed that he had simply found a way to dress those wounds with an antiseptic powerful enough to relieve the sting. Noah hadn't confronted the issue. As far as she was concerned, though more than ten years had passed, he hadn't truly dealt with it. Instead, where once he had vehemently protested against the sobriquet of hero, lately she noticed that he wore his invisible medals all the time, using his military record as a way of separating him from others, of elevating himself over those who hadn't served. It was as if he felt that what he had done *there* entitled him to rewards *here*—he had served his country and now his country owed him. There was something ugly and dishonest about it, but, with the same bulldog resistance Noah displayed toward facing the past, Cissie resisted facing the more negative side of her husband's personality.

She might have pressed him further, but she was afraid. Recently, she had felt the tension between them increasing. At first, she had blamed it on the campaign and his eagerness to win, but even when they were home and relaxed she sensed a distance. He was sharp with the children, sharp with her. He rebuffed her suggestions as well as her affection. The only people he seemed to pay attention to were her brother, Andrew, and the rest of his staff, particularly the women.

Long ago, Cissie had forced herself to look away from Noah's occasional dalliances. She had convinced herself that he had succumbed only when his ego had been debilitated and his defenses had been neutralized by some outside challenge. Those times were rare, she told herself, and therefore didn't affect their marriage, didn't lessen their love for each other. Yet each time she became aware of one of his indiscretions, the doubt and the hurt nibbled away at the core of her commitment.

Usually, she recognized the signs of an involvement—quick anger, inappropriate criticism, inexcusable absences, and fatigue. For the past month, Noah had been exhibiting many of those signs. She felt certain that if he were not having an affair at the moment, her pushing this Vietnam issue, combined with the pressure of his opponent's rising ratings in the polls, would surely push him into another woman's bed. For that reason, and that reason alone, she decided to back off.

"I'm sorry," she said, finally catching up to him. "You're a far better judge of voter response than I am. We'll just have to come up with something else."

"Andrew and Jeremy are working on it," he said, sloughing her off. "In fact, I have a whole team of highly qualified advisers plotting my moves. Why don't you grab the next shuttle and go back to New York? I'm sure you're needed there."

Without so much as a good-bye, he was off in the direction of the Capitol. Cissie stood and watched him go. She felt as if he had just punched her, completely knocking the wind out of her. For years, she had stood by his side, absorbing his tension and his anxieties. For years, she had put her own desires on hold, devoting herself to him and his desires. She had changed jobs when he had asked her to. During his last State Senate campaign, she had even quit her job altogether when he had asked her to. All because she had felt he needed her. Now he was dismissing her like some common volunteer.

"One of these days, Noah Gold," she hissed at his back, still trying to make excuses for his behavior, still trying to keep a tight rein on her own anger, "if you're not careful, I might forget how much I love you."

"I won't grow up. I don't want to wear a tie. And a serious expression, in the middle of July."

Cissie sat in the front row of the school auditorium watching her daughter Alexis play Peter Pan. On one side of her, Tessa sat humming along with her granddaughter, while on the other side, Bert Kahn mouthed the words to Alexis's song, as if he were in charge of cueing the star. It had been a full week since her contretemps with Noah and still, he hadn't returned home. Last night she had called again, reminding him about the school play and how important it was to Alexis that he be in attendance. Noah had apologized profusely, but despite Cissie's urging, had remained in Washington.

"'Cause growing up is awfuller than all the awful things that ever were. I'll never grow up, never grow up, never grow up, not I!"

As the curtain fell for intermission, Cissie beamed at the sound of the applause. Alexis was outstanding and Cissie's pride puffed her cheeks into a broad smile.

"What do you think?" she asked her parents.

"Foolish question," Tessa said. "She's so adorable in that little green pixie costume, you could just eat her up!"

"The child is nothing short of fantastic!" Bert enthused. "In fact, I've got a call in to David Merrick. I think he should sign her for Broadway immediately!"

"I feel terrible that Nicky's chicken pox kept her home. For weeks, she's been helping Alexis rehearse. When I left the house, the child was positively devastated."

"I'm sure Alexis understands about Nicky. I'm not so sure she understands why her father isn't here." Bert rarely indulged in criticism, but when something affected one of his grandchildren, no one was sacred, not even his son-in-law.

"He's in the middle of a campaign," Cissie said automatically.

"He's always in the middle of a campaign." Bert's sarcasm made Cissie's defense of Noah sound even more hollow.

Tessa elbowed Bert and patted Cissie's hand.

"I'm sure Noah had a good reason," she said sympathetically.

Cissie laughed, not because she found her mother's remark funny, but because she needed to relieve the strain of her own pretense. "Noah always comes up with a good reason for doing what he wants to do instead of what he's supposed to do. He's a politician, remember."

Bert eyed her carefully. Tessa flashed him a mind-your-own-business warning, but he ignored it.

"Okay," he said. "What gives? Your mother and I are neither deaf, dumb, nor blind and that's what we'd have to be not to notice that there's a definite distance between you and Noah."

"He's mapping out his election campaign and has to spend a lot of time in Washington." Cissie offered him her best wife-of-the-candidate smile, knowing that she hadn't answered his question, knowing that he was not going to let the matter drop.

"This distance has nothing to do with shuttle flights or campaign strategies," Bert said, reminding himself that he had to keep an open mind even though Cissie was his daughter. "It has to do with two people drifting apart. Now, it seems to me that you've been down in the dumps for a long time. I'd like to know what's wrong, and then I'd like to know what we can do to help."

Cissie debated her answer. Would it be disloyal to Noah? Would she sound like a child, crying on her parents' shoulders because her pride had been bruised? Or was she doing what anyone else who was hurt and confused might do? Reaching out to those one knew would offer love and support.

"My blue mood is no one's fault but my own," she said a bit too easily, as if blaming herself had become an ingrained habit. "I suppose I've been indulging myself, nursing a battered ego."

"Why is your ego battered?" Bert demanded, softening when he saw Cissie blush.

"I'm having a hard time swallowing the notion that I'm not indispensable," she said meekly.

"What do you mean, dear?" Tessa asked.

"Remember a few months ago, when Paul opened his Madison Avenue boutique? At the time, he asked me to continue handling his PR, just as I'd always done, but then, last month, he told me he had hired a New York advertising agency. Now that he was marketing his line in the United States, he thought it was too much for just one person to handle. He was sweet and grateful for all the help I'd given him, but in essence, he told me he didn't need my services anymore. I've been replaced by a team of creative experts. Uncle Ben's creative experts at that!"

Cissie bit her lip, pausing, still sorting out her reactions.

"Then, last week, my husband told me he didn't need my services either. I had been replaced by a team of political experts and his campaign was moving along just fine without me."

Tessa patted Cissie's hand while Bert looked on in frustration.

"The coup de grâce was that Alexis wouldn't even let me make her costume. Our housekeeper did it. Talk about feeling useless!" Cissie was fighting hard to hold back her tears. The last thing she wanted to do was embarrass herself and Alexis by crying in front of the entire elementary school.

"It sounds to me as if you have too much time on your hands, little girl," Bert said. "I don't know about the others, but LaTessa still needs you. We haven't had a good manager in the New York store since you left, and I'm sure Jinx has told you that the Kipling-LaTessa boutiques aren't the same without you. How about coming back to work?"

"Noah wouldn't like it."

Again, the reflexive answer, the conditioned response. It was as if somewhere, someplace, sometime when Tessa and Bert hadn't been watching, Cissie had been brainwashed and all of her independent thinking and independent spirit had been drained out of her.

"From what I gather," Bert said, "Noah probably wouldn't even notice."

Tessa grimaced. Attacking Noah was not the way to soothe Cissie. "You know," she said, "we spoke about Paul's needs and Noah's needs and even our needs. I think the basic problem here is that no one, including you, is considering your needs." She paused, letting her words sink in. "Your father is right. We could use you at the store. You're a talented woman, Cissie, and there'll always be a need for that kind of talent, but I don't want you to use the business as a place to hide or as an excuse for not facing your real problems, whatever they are. You have to get in touch with yourself. Ask yourself what you want. What will make you happy. What will give you peace."

The lights dimmed, signaling the start of Act Two. Cissie smiled at her parents and took their hands.

"I don't know if I'm ready to ask myself those questions right now," she whispered. "All I know is that I need to feel productive and useful, and no matter what Noah says, if you're willing to take me back, I'm willing to start work bright and early Monday morning."

"You're on!" Bert said, turning his attention to the stage and the seven-year-old pixie with the bright-red hair and pale-green eyes.

Cissie watched as Alexis enacted the tale of Peter Pan and his mythical home, Never Land, singing and dancing with an innocence that was completely appropriate to the role. Cissie wasn't nearly as innocent as her daughter, yet sitting there, she wondered if perhaps she, too, was acting out a role, living in an imaginary world, where people refused to grow up.

Certainly Noah was consumed more by his boyhood dreams than by the day-to-day reality of his adult existence. Everything he did, everything he said was a preface to his run for the United States Senate. Often, Cissie speculated on what was going to happen if and when he ran. Whether he won or lost (God forbid), the race would no longer be a dream. It would have become reality and Cissie was not certain as to how he would deal with that. If he won, she supposed that the glory inherent in that victory would be heady enough to carry him along for a while. Then, knowing Noah, he would probably conjure up another dream, a dream of higher office, greater glory.

If he lost, he would be inconsolable. If he won, he would be uncontrollable. Either way, Cissie thought, what would her position be? Perhaps her parents were right. Perhaps it was time to get in touch with her own needs.

As she watched Wendy, Michael, John, and Nana try to lure Peter Pan back to the real world, she realized that someday, she, too, would have to leave Never Land behind; she, too, would have to grow up and face some truths she'd been avoiding for a very long tim Truths about herself. And truths about Noah.

23
Frances Rebecca Hillman
Becca

October 1980

THE GRAND BALLROOM of the Beverly Plaza Hotel was dark. Six hundred of Los Angeles's most beautiful people waited expectantly. Suddenly, there was music. A huge screen in the front of the room lit up and John Forsythe's voice boomed out from four huge loudspeakers.

"The first mannequins were made of wax. They were big-busted, sentimental Victorian ladies with glass eyes and only enough oomph to move a single foot one step forward or to turn their heads one inch to the side."

Click. A turn-of-the-century mannequin complete with bustle, feathered hat, and parasol.

"Unfortunately, wax was susceptible to changes in the weather. It was not unusual, in the early 1900s, to stroll past a store window on a hot summer's day and find a mannequin's head drooping or its body slumped over from the heat.

"In 1925, Irving Eldridge of Macy's visited the Exposition of Modern Art in Paris, where he spotted a mannequin crafted from a new composition—papier-mâché. Papier-mâché didn't melt, but neither did it keep its form. As it dried, it shrank or shifted and produced distorted body sizes."

Becca stood near the back, listening, watching as a slide of Irving Eldridge filled one screen and a picture of a papier-mâché mannequin filled another. She didn't care what was being said, only how her show was being received. Recently, she had affiliated herself with yet another charity, the Women's Guild of the Sunset Memorial Medical Center. Becca was in charge of its annual dinner-dance and was determined to have an unqualified triumph. Recalling her success with the Paul Rochelle show, she had suggested a gala men's and women's fashion extravaganza using show business personalities as well as several of the guild's most influential couples as models. To add to the glamorous atmosphere (and her own prestige) she had suggested augmenting the fashions with a sound and light show recounting the history of mannequins.

"After the war, plastics technology gave new hope to the industry. At last, mannequins had dimensional stability, little or no shrinkage, and no distortion. There was, however, one small problem. The new plastics turned green."

Click. Click. Click.

Three screens keyed to Forsythe's voice flashed with new slides.

"It wasn't until the advent of polyester resins, latex, and fiber glass that mannequin production appeared to be, for the first time in history, problem free."

Click. Click.

The audience looked from one screen to the other, pointing, mumbling to one another, obviously enjoying the show. Becca was delighted. She had attended to every detail herself, starting with the location of the dinner-dance. Although Edna Grayson, her colleague from the Friends of the American Cancer Society group, had suggested using the Kipling, Becca had talked Edna and the rest of the committee into moving over to the Beverly Plaza. The last thing she wanted to do was to add to Jinx Kipling's bank account.

According to the newspapers, Jinx had been left a business worth in excess of $700 million, at least half of which was solely in her name. She had been elevated to chairwoman of the board of Kipling Worldwide and, according to inside financial reports, had surprised everyone by doing an excellent job of running the massive conglomerate.

Becca had followed the story of Kip's death and Jinx's subsequent rise to power with great interest. Actually, it would have been almost impossible not to follow it. Jinx was the darling of the press and it was making Becca sick. Everywhere she looked, there was a picture of the beautiful and brilliant young widow or an article chronicling how the brave Mrs. Kipling was carrying on despite the loss of her dear, departed husband, running a business and raising a child all by herself. Though she loathed the attention Jinx was getting, she took perverse pleasure out of seeing her half sister looking so morose and unhappy.

"Today's mannequins, just like their predecessors, still start with the sculptor."

Click. Jonathan at work in his Acropolis studio.

"He's the man with the vision, the man who creates not only the face and the form, but also the attitude and personality of the mannequin."

Click. The skeleton of every mannequin, the armature.

"All mannequins are cast in fiber glass. Then, they move on to the finishers, who sand down mold seams and sand away any unsightly bubbles before sending it off for a prime coat of lacquer, another sanding and then finally, paint, makeup, and wigs."

Click. Big molds and huge ovens.

Click. Ragged edges being sanded away by strange-looking people in masks and head scarves.

Click. Arms, legs, torsos, all hanging in the drying room.

Click. Naked heads perched on long shelves staring out at the audience with glass eyes.

The music swelled. Spotlights flashed on thirty mannequins, breathtakingly arrayed in splendid costumes and poised on top of bases strategically placed around the large ballroom. The lights flashed on one, then another, then another. The six screens also began to flash, encoring the slides from the show. Slowly, the mechanical bases on which the mannequins stood began to turn, rotating the elegantly clothed life-size dolls for everyone to see. The applause was uproarious.

The spotlights moved from the mannequins onto the stage, where the woman who would be commentator for the fashion show stood. The music grew louder and livelier. Large curtains opened and the first of many celebrity couples marched out onto the runway, preening and smiling in their designer originals.

". . . The vibrant colors of Missoni's liquid knits become even more vivacious, even more pulsating when they're worn by the ever-stunning, ever-married Rosemary and Bob Stack!"

Becca's palms were moist with excitement and anticipation. One by one, the couples paraded down the long runway, each a feather in her social cap. Instinctively, she checked her own dress, a lavishly beaded, one-shoulder de la Renta chiffon in a burnished caramel. It was long and fluid, in a color that flattered her pale complexion and played up her soft blond look, giving her an aura of delicate femininity. The gown came with its own glitter and therefore required little or no jewelry (one of the main reasons she had bought it), so all she wore were small diamond cluster earrings and a gold and diamond bracelet she had wormed out of Sylvia the last time she had gone home to New York.

Once she had assured herself of her own correctness, her eyes went to the front table, where Jonathan was sitting. He may have been a disappointment in many ways, but even Becca couldn't deny that he was devastatingly handsome. Every woman on her dinner-dance committee had positively swooned when he walked in. His pitch-black hair and steely-blue eyes seemed even more dashing in a tuxedo, and she had had to do a lot of talking to explain why she hadn't allowed him to be one of the evening's models. As she studied his face and recalled her friends' envy, she actually felt small stirrings, down deep inside, in that private part of her she usually kept locked.

Maybe tonight, she thought, *maybe tonight, I won't say no.*

The last segment of the show, the evening clothes, had just begun. Becca turned her attention back to the runway, but something caught her eye. Edna Grayson was leading two people to some empty seats at the table next to Jonathan's. Like a cat responding to an internal alarm, the hairs on Becca's arm stood up. The only reason she looked was to confirm what she already knew. It was Jinx Kipling and that doctor, Matthew Grant, the one who had been with her husband in Mexico.

What is she doing here? Becca wanted to corner Edna Grayson and find out why Jinx had come, who had invited her and why she hadn't known about it, but she noticed Brigitte and Sly Stallone making their turn at the end of the runway. The show was nearly over. It was time for her to return to her seat.

I'm not going to let her ruin this for me, she grumbled to herself as she snaked in between tables, finally sliding into the chair next to Jonathan. This is my night, not hers.

Her nerves were so jangled that she almost forgot to check on Jonathan. He had promised not to drink, but she had been away from the table for an awfully long time and she knew better than simply to take him at his word. Quickly, she looked at him—he was sitting up straight, his eyes focused on the commentator, his hands minus any telltale tremble—and at his glass—completely dry and still resting on the cocktail napkin she had left as a way of detecting whether or not the glass had been used. Only his water glass was empty, but he couldn't make a fool of himself, or her, on just water, so she allowed herself to relax and enjoy the finale of the show.

After the applause had died down and Edna Grayson had thanked at length the long list of people who had contributed to the show, she began to introduce Becca.

". . . responsible for putting together this glorious evening. Her efforts on behalf of the Sunset Memorial Medical Center are no less than heroic. Without her, we never could have achieved this high level of success."

The band gave Edna a drum roll. Becca had to bite the insides of her cheeks so as not to smile.

"Thanks to Becca Hillman," Edna continued, "the other hard-working women on the dinner-dance committee and, of course, all of you, the Women's Guild of Sunset Memorial is delighted to announce that we have raised more than three hundred and fifty thousand dollars for our favorite cause."

She waited for the thunderous applause to subside.

"Let us all show our appreciation to our charming hostess and her equally charming husband, Mr. and Mrs. Jonathan Hillman!"

Jonathan helped Becca out of her seat and up onto the stage, a journey that she extended as long as she could. Having arrived in the spotlight, she permitted Edna to peck at her cheek and rewarded her audience with a brief, but humble smile. She lowered her eyes when Edna rambled on about her contributions to noble causes and her unflagging willingness to help those less fortunate than she. She appeared to blush at the excessive compliments, but she wasn't even listening. She was rehearsing what she wanted to say, preparing herself for that moment when she alone stood in the spotlight. Suddenly, Edna turned away from her.

"We are privileged to have another young woman here this evening who is also vitally concerned about the welfare of the sick. Unfortunately, she knows firsthand about the tragic effects of ill-equipped and understaffed medical facilities. Because of her experience, she has vowed to use her vast store of energy and her resources to right that wrong wherever it exists. Because she cares and because she shares, I'd like you to give a warm welcome to Mrs. Jinx Kipling and Sunset's own Dr. Matthew Grant."

Matthew and Jinx made their way onto the stage to enthusiastic applause. To the casual observer, they were a stunning twosome, both tall and good-looking, poised and polished. No one noticed the wobble in Jinx's legs as she made her way toward the stage, or the way her hands were shaking at the thought of looking into the eyes of Ben Ross's other daughter. Until that very moment, Jinx had had no idea that Becca would be present. Until that very moment, Jinx had had no idea what Becca looked like.

"I cannot tell you how excited I am!" Edna Grayson gushed as she placed Jinx and Matthew on her left, looked at Becca and Jonathan on her right, and then returned her attention to the audience. "Tonight, I have been given the privilege of announcing a most astounding donation. Mrs. Kipling has brought with her a check made out to the Sunset Memorial Medical Center for three million dollars!"

An audible gasp came from the floor. Becca wanted to scream.

"To perpetuate her husband's memory, and to save others from unnecessary death, Mrs. Kipling has generously offered to gift Sunset Memorial with enough funds to build the Harrison P. Kipling Neurological Wing. She has also promised to equip and staff this new facility with the finest in medical machinery and personnel, starting with her personal choice for the head of the Kipling Center, Dr. Matthew Grant."

When the audience had had time to digest and respond to her news, Mrs. Grayson turned to Becca, a broad smile on her face. "Because of your dedication to the hospital and your unceasing efforts on behalf of the infirm, the Women's Guild felt that you should have the honor of receiving this very special check."

Jinx reached across Edna Grayson and held out a white envelope to Becca.

How odd, she thought. *Both of us on the same stage. Was it a sign?*

Briefly, she wondered if Becca knew about her. Had Ben ever mentioned her? Had Becca ever found any hidden papers the way she had those many years ago? Then, she looked into Becca's eyes. The hatred pulsating from those eyes was so intense, so powerful, that it ran through Jinx's body like a lightning bolt, singeing, burning, destroying nerves and feelings.

Becca, meanwhile, was riveted to the floor. She ignored Jonathan's poking. She ignored Edna's through-gritted-teeth prompting about making a thank-you speech. She ignored the audience's impatient shuffling. She couldn't move. She couldn't get past the fact that Jinx had once again usurped her glory, had once again made her feel small and insignificant and second-choice. She wanted to destroy Jinx's check, but more than that, she wanted to destroy Jinx.

Somehow, someday, she threatened silently, I'll do it. I'll destroy you just as methodically and just as mercilessly as you've tried to destroy me.

Jinx shuddered as Becca snatched the check from her hand. Sometimes as a child, she had had nightmares about grotesque figures who stalked her throughout the hours of sleep. She'd tremble and quake in her bed, often waking up in a cold sweat. She never saw the faces of her nocturnal tormentors, but surely, no face could be more frightening than the one staring at her right this second—the face of her half sister, Frances Rebecca Hillman.

"I've never felt such hatred!"

It had taken Jinx more than an hour to fill Matthew in on herself and Ben and Becca. She might not have said anything, but after the presentation, she had been so rattled, Matthew had insisted on an explanation. Jinx decided she could trust him with the truth.

"Since my adoring father seems so determined to deny my existence, I've always assumed that his wife and his daughter knew nothing. Judging from her reaction, I assumed wrong."

They had returned to her suite at the Los Angeles Kipling, where they were relaxing over a brandy. Jinx had changed out of her gown into sweat pants and a T-shirt, insisting that Matthew make himself comfortable as well. He removed his jacket and bow tie, opened his collar button, seated himself across from Jinx, and propped up his feet on a nearby ottoman.

"You're reading too much into this," he said. "It could be that she was just ticked off that you jumped into the middle of her spotlight. Between your Kashmir sapphire and your three-million-dollar check, you did kind of steal her thunder."

Jinx laughed.

"I suppose," she said, willing to give in on that point, but unwilling to drop the subject. "But you saw her. Honestly, was that the look of a disgruntled ingenue?"

Matthew smiled sheepishly.

"Okay," he said, holding both hands up in the air in a gesture of surrender. "So it was a look more reminiscent of Lucretia Borgia than Debbie Reynolds. So, she knows who you are. Maybe she found out the same way you did," he said, noticing how the sharp smell of his brandy contrasted with the feminine sweetness of her perfume. "Maybe Ben also had photos and letters tucked away in the attic."

Jinx shook her head.

"Though I only met my dear father once, I don't think he's the memento type. My guess is that he threw everything away when he threw my mother and me away."

"You said that he was upset that evening you had him to your home. Maybe she overheard him talking with his wife afterward."

Again, Jinx shook her head. Her eyes clouded as she remembered that awful meeting.

"I don't think he's ever discussed that night with anyone, especially his wife."

Matthew had been witness to Jinx's suffering at Kip's bedside. He had watched her grieve at the funeral in New York. And he had spent time with her since, seeing her often over the past two years. Each time Jinx had come to Los Angeles, she had called, without awkwardness, without hesitation. Matthew had responded the same way. It was as if Kip's death had forged a bond between them, a link that had somehow removed the usual social preliminaries and made it easy for them to be with each other, to talk with each other.

The pain she was feeling tonight, however, was new to Matthew. It was different. He could hear it in her voice. He could see it in her attitude. It wasn't as draining or as debilitating as Kip's death, neither was it as fresh, but obviously, it was just as devastating in its own way.

"It hurts you, doesn't it?" he asked, noting how frail and vulnerable she looked in her T-shirt, recalling how regal and unapproachable she had seemed in her gown.

Jinx leaned back on the couch and stared at the ceiling, her profile illuminated by an overhead light. Her pale skin shimmered in the reflected glow and for a minute, Matthew had to remind himself that he was there as a friend.

"It does hurt," she said, "and that makes me feel guilty. After all, my father, Hank, is a wonderful, warm, loving man. Getting Ben Ross to acknowledge me is nothing more than an indulgence. I mean, what will it gain? I'm not a small child without any father at all, like my Joy is." Her lip quivered and it took a few seconds before she continued. "I'm being selfish. I should be grateful for what I have and forget about what I think I have coming."

"Wrong!" Matthew said, sitting up for emphasis. "You are not being selfish, you're being human! You know me well enough by now to know that I never dismiss facts. This man abandoned you, and that hurts. One of these days, you might come to understand what he did. You might even forgive what he did, but I doubt if you'll ever forget it. No one forgets that kind of rejection!"

Matthew's voice rang with an anger Jinx had never heard before. For the first time since she had known him, he had dropped his clinical detachment enough to allow a strong personal emotion to surface, an outrage that had nothing to do with her and nothing to do with Ben Ross. She wanted to ask him about it, but he had gone to refill his brandy snifter and she could tell by the rigid line of his shoulders that the curtain had once again been drawn.

While he walked around the suite, calming himself, Jinx also tried to relax. She sipped her brandy. She shifted position. She ran her fingers through her long hair, pulling at the curls, letting the long coal-black locks drape over the back of the couch, but still, she couldn't erase the image of Becca's face.

"If she does know about me, and I have to assume that she does, perhaps she has a right to hate me."

"How do you figure that?" Matthew asked, standing behind the couch looking down at Jinx.

"I have two fathers, even if only one owns up to it. She has one. If I take him away from her, she has nothing. That's not fair."

For a few minutes, they were silent, she thoughtful, he, unable to keep his eyes off her. Then, she sat up, pulled her knees up under her chin, and wrapped her arms around her legs. She looked shy and distant and he knew that she had been thinking about Kip.

"This is going to sound really strange," she said with an embarrassed smile, "but sometimes I think Kip's death was a way of punishing me for being so greedy."

"What do you mean?"

"For years, I had a fetish about dating older men. My mother always felt it was my way of searching for my real father. When I married Kip, she even asked me if I was in love with Harrison Kipling, the man, or whether I was in love with the man I thought Benjamin Rostov would have become had he lived."

"I never saw you with Kip except when he was in the hospital," Matthew said, "but I'd say you were very much in love with Harrison Kipling, the man."

Jinx nodded.

"I know I was," she said. "But I must have done something, because he abandoned me, too, didn't he?"

"No, Jinx," Matthew said, his tone once again soft and compassionate. "He died and certainly, not by choice."

"Isn't death a form of abandonment?"

Matthew eyed her carefully. She wasn't the kind of woman who scratched for sympathy or begged for compliments. She was trying to work something out and she was asking for his help.

"It's the ultimate form of abandonment," he said, "but that still doesn't equate the two incidents. Death is not premeditated and not voluntary. Ben meant to leave you. Kip didn't."

"I know he didn't mean to," she said, her voice wavering, "but he did. Maybe I tried so hard to get Ben, that I lost Kip. Maybe God took him away from me to teach me a lesson."

As he had expected, small sad tears welled up in Jinx's eyes and began to run down her cheeks. He moved next to her, took her in his arms, and let her cry, stroking her hair and her back. Each time they had been together, this had happened, and each time, Matthew had comforted her. This time, however, he found himself wanting to hold her for his sake, as well as for hers.

"Of all people!" Becca threw her shoe across the room and continued to storm around the apartment. "Why her! Why tonight?"

The rage had started inside the Beverly Plaza, the instant Becca had heard Jinx's name. It had intensified to such proportions that it had even overshadowed the excruciating migraine that was presently pounding against the inside of her head. Usually, Becca tended to her headaches immediately, spoiling herself with medicine and quiet and solitude. Tonight, she almost welcomed the pain, viewing it as an appropriate accompaniment to what, in her mind, had been a public humiliation.

"Did you see her? Did you see her with that obscene jewel hanging around her throat? The nerve of her to upstage me like that!"

Jonathan had stripped down to his undershorts and was sprawled on the couch, a healthy glass of vodka making steady trips to his mouth.

"She didn't rent that bauble just to piss you off," he said, enjoying Becca's discomfort. It was so rare to find her out of control, it bordered on exciting. "Besides, I don't see why you're so upset. That Kipling lady made you a heroine. You were in charge of raising money and she gave you plenty of it. If I were you, I'd get off her case and get on the phone to thank her."

Becca almost threw her other shoe at Jonathan's head.

"Well, you're not me and the last thing I'd ever do is thank Jinx Kipling after all she's done to me!"

Jonathan swigged his vodka and studied his wife. She was on a tear, and though temper tantrums were not unusual in the Hillman household, they were usually directed toward him. His head was swirling in an alcoholic fog, but a thought surfaced, a thought that aroused his curiosity.

"I never even knew you knew Mrs. Kipling," Jonathan said. "What exactly is it she's done to you?"

Becca stopped and stared at him. How could she have let herself get so sloppy? How could she have let herself slip?

"I know her via the charity circuit," she said with enough impatience, she hoped, to make it appear as if her answer were blatantly obvious. "And each time I've been up for some sort of accolade or honor for the hard work I've done, she's bullied her way in front of me with garish displays of wealth."

Jonathan laughed so hard he spilled some of his vodka on his chest.

"You're full of shit! First of all, since when do you think displays of wealth are garish? All I've ever heard since the day I married you was how embarrassing it was to be middle class."

Becca started to leave the room, but Jonathan got up from the couch and followed her, grabbing her arm.

"Moreover," he continued, forcing her to look at him, "Jinx Kipling doesn't live in Los Angeles, and from what I've read, she's too busy running a multi-million-dollar company to bother with a penny-ante broad like you." He pulled her so close to him that when he spoke, his lips almost touched her cheek. "Come on, Becca. What's the real story? Is she some high school rival who made good? Some girl you put down a long time ago who can now buy and sell you a thousand times over?"

Becca pulled free of him and ran for the bedroom. She tried to slam the door, but Jonathan pushed his way inside. She had seen him in this mood before and it frightened her. He must have been popping pills at the show. Now, with the vodka, he was getting nasty.

"Get away from me," she snarled, moving backward into the room.

"I know why you hate her," Jonathan said, his eyes burning into hers, his mouth spread in a lewd smile. "Because she's a wealthy widow and that's just what you'd like to be." He began stalking her, boxing her into a corner. "Well, you'd better get it together, baby, and learn to like your life just as it is. You won't divorce me, and I have no immediate plans of checking out." He laughed, a nasty, spiteful laugh. "Besides, even if I dropped dead tomorrow, you wouldn't get a thing because not one plug nickel of Daddy's fortune is in my name!"

"I'd find someone else," Becca snarled, waiting for an opportunity to run from the room. "It should be easy. Anything's better than you!"

"Really? Well, I've got a hot flash for you, Frances Rebecca. Out here in la-la land, guys want one of three things from a woman. Power, money, or a good fuck! You don't provide any one of those."

"You're repulsive!"

"No," he said, rubbing against her. "I'm horny and you're going to take care of that particular situation. Right now!"

Becca's mouth turned down in disgust.

"I'm not going to do anything of the sort."

"Oh, yes, you are."

Jonathan lunged at her, grabbing her arms and pushing her down on the bed. With one violent slash, he ripped off her slip and then tore away her hose. His mouth covered hers as his body pinned her under him. His kisses were furious, his groping combative, but in spite of his drugged state, and in spite of his aggressive movements, Jonathan knew exactly where and how to touch her.

Becca jerked her head to the side, pulling away from him, thrashing at him, hitting him, but not hard enough to dissuade him.

"Why are you doing this to me?" she screamed. "You don't want me. You've said so over and over again."

Jonathan kept his knee on her thigh and his elbow on her arm as he lifted himself up to look at her.

"I'm doing this to you," he said, smiling at the excitement he felt, "because you won't let me do it to anybody else."

His body descended on hers. His arms wrapped around her and crushed her to him. His lips dominated her mouth, attacking her, chafing her, mastering her. Without wanting to, she moved beneath him, pretending to fight him, appearing wounded, feeling more passionate than she ever had, because suddenly Jonathan was more overwhelming than she'd ever thought he could be. Small paroxysms of pleasure jolted her insides as Jonathan fulfilled his needs, and unknowingly, fulfilled hers. Her eyes closed as she reveled in the continuous waves of exquisite delight, but as her body squirmed beneath her husband's, an incongruous vision insinuated itself on her darkened eyelids—the face of Matthew Grant.

She was beginning to enjoy the vision, when the sound of the telephone intruded. Jonathan, having spent all his energies, simply fell off her, leaving her free to reach over him and grab the phone. The conversation was brief. When it was over, Becca sat up and poked at Jonathan until he woke up enough to hear her.

"Your father's had a heart attack," she said calmly. "We have to go to New York."

Jonathan never even took his head off the pillow.

"Is he dead?" he asked.

"No."

"Then go by yourself!" he said, turning away from her, turning away from his father.

Becca stared at his back. Each time there had been an opportunity for Jonathan to reinstate himself in the Hillman fold, he had refused to take advantage of it. He was happy being a sculptor. He was happy with what he had. He was happy being anonymous. She wasn't.

"I think I will go by myself," she said to no one in particular.

"After all, one of us should be there in case something terrible happens to Max."

Ruth Hillman's tic had gotten worse. The corner of her eye blinked incessantly as she talked, making it difficult for Becca to concentrate on what the woman was saying.

". . . and they may have to put in a pacemaker. They think there's massive muscle damage."

Becca patted Ruth's hand and nodded sympathetically as they left the Cardiac Intensive Care Unit and walked slowly down the hall to the lounge. On the plane coming east and for the three days she had been here, Becca had thought long and hard about what she wanted to accomplish on this mission of mercy. While she certainly wouldn't cry at Max's funeral, until she got what she wanted, she needed Max alive. Not well. Just alive.

"I'm sure he's going to pull through this," she said, her voice soft and reassuring. "We're all praying for him."

Ruth began to snivel.

"I don't understand why Jonathan hasn't come," she said, seating herself and pulling Becca down onto the couch with her.

Becca lowered her eyes and shook her head.

"I didn't want to add to your burdens by telling you this, but he's sick, Mother. Very sick."

Ruth gasped.

"Oh, God! What's wrong?"

Becca opened and closed her eyes several times to make them watery. When she felt they were moist enough to simulate tears, she lifted her head and looked at her mother-in-law.

"He's physically weak and very prone to depression. Sometimes, he sits alone in the dark without saying a word. Sometimes, he doesn't even come home. He roams the streets and hangs out in strange bars. He refuses to go to a doctor, but frankly, I think it's psychosomatic."

"Why? What could be causing such a horrible reaction?"

Becca counted to three, appearing to have difficulty getting the words out.

"Lack of confidence. Feelings of estrangement and abandonment."

"Abandonment? By whom?"

Becca looked at Ruth and then looked away. She fidgeted with her fingers and then looked at her mother-in-law again, this time with big, sad eyes.

"By you and Max," she said.

Ruth clutched at her heart, her eye ticking madly.

"He thinks you've rejected him," Becca said quietly.

"That's not true!"

"I know that," Becca continued, moving in for the kill. "But in a way, I can understand why he feels that way. Every young man wants to try to fly on his own, for a little while, anyway. When you and Max cut off his allowance and took back his stock in Hillman Cookware, it was as if you slammed the door on him and never opened it up for him to come back in. You left him no choice but to find work wherever he could. Thank goodness my aunt and uncle were willing to give him something to do at their factory."

Ruth dabbed at her eyes with a hanky.

"I didn't know he worked in a factory," she said, sniffling. "I thought he had a studio. I thought he liked what he was doing."

"He hates it," Becca said, biting her lip, making it quiver ever so slightly. "He'd never tell you that, but I live with him. I love him. I know how he feels. I know when he hurts."

"I had no idea," Ruth muttered. To Becca's watchful eye, she seemed almost to collapse in upon herself, as if her shoulders had stooped from the weight of the guilt.

"He feels like a failure as a husband. I mean, he brings in so little. If not for the money my father sends us each month, I don't know how we'd make it."

Becca neglected to mention that Jonathan knew nothing about her reinstated allowance. She also neglected to mention that Mark had increased Jonathan's salary to a rather substantial level and had recently offered him a limited partnership. Jonathan wanted to accept Mark's offer. Becca had argued against it. She didn't want a small piece of the Schwartz business. She wanted all of the Hillman business, every last pot and pan, every last dime.

"I even went to my cousin Mark and asked him to give Jonathan a raise. He promised he'd speak to my Aunt Molly about it, but I can't wait until he gets around to it. As long as I'm here, I'm going to speak to her myself."

"You shouldn't have to go begging for my son," Ruth said, properly indignant. "Jonathan doesn't need anyone else's largesse. He has a company of his own."

"Does he?" Becca said, adding a slight sadness to her voice.

"Of course he does. Don't you worry about a thing. Max is going to need Jonathan's help and I'm going to make sure that Max helps Jonathan."

Becca hugged Ruth.

"I'm so lucky to have you as a mother-in-law," she whispered. "I knew you'd understand. I knew you wouldn't let Jonathan suffer any longer."

Ruth wiped the tears away from Becca's eyes and smiled at the sincere-looking young woman in front of her.

"My son is lucky to have you as a wife," she said.

"I'm glad you think so," Becca said.

"You have to do it." Becca kept a rein on her temper. "For your mother's sake, if nothing else."

"I hatc pots and pans. I hatc production lincs. And most of all, I hate my father. Why can't you understand that?"

"I do understand." She refilled his drink, knowing from his dilated pupils that he had already taken a few pills. "But things have changed. Max has changed. He's very sick. He can't run the business by himself anymore. He needs you and to prove it, he's promised to give you a whopping six-figure salary and he's signed over forty percent of the stock in Hillman Cookware."

"Goody, goody," he said sarcastically.

"Jonathan, you've waited your entire life for your father to come to you. You've finally won. He's come with hat in hand, offering you forty percent of a company that's worth one hundred million dollars. That's forty million dollars. You can't tell me you hate that, can you?"

Jonathan sat down on a chair and put his head in his hands.

"I don't hate money, Becca. I just hate the strings that come with it. With my father pulling them from one end and you tugging at them from the other, I'm sure to die of strangulation."

"There are no strings," she said, her impatience growing. "You'll head up the manufacturing plant and the distribution center out here. Max is even willing to allow you to oversee a few salesmen for this region. Naturally, the bulk of the business will still be in New York under his supervision."

"And he and I never have to see each other, right?" Jonathan's mouth spread in a suspicious grin.

"Only once a month," Becca said, walking to the window and turning around to avoid his accusatory stare. "You'll fly to New York once a month just to coordinate things."

"I knew there had to be a pound of flesh included in this deal." He shook his head and gulped his drink.

"Don't be so negative," she said, sitting next to him and trying to infuse him with some enthusiasm. "I'll go to New York with you and we can visit my parents and old friends and take in some shows. And we can even reestablish our relationship with some of the gallery owners who used to sell your work."

"Why bother?" Jonathan said, his words beginning to slur. "From now on, if you and my old man have your way, the only thing I'll be creating is frying pans."

"Wrong!" Becca took his hand and placed a pen in it. "From now on, you'll have time to devote to your art. You've been wasting your talent on those stupid mannequins."

"It's true, I haven't done much sculpting outside of Acropolis," he said, knowing that he had been defeated before he uttered the first bit of argument. "But I liked working there. I liked the people."

Especially the women, Becca wanted to say.

"You'll like this too," she continued, putting the agreement Max's attorney had worked out next to Jonathan on the table. "You'll finally take your place as head of a major corporation. You'll finally be somebody."

"Funny," he said meekly, as her hand guided his to the line where he was to affix his signature. "I always thought I was somebody. It's you and my father who keep telling me I'm nobody."

Becca never heard the pathos in his voice. She never heard the resignation or the surrender, the sound of a crumbling soul and a disintegrating sense of self. She never heard any of it, because she wasn't listening.

The next six months were the happiest of Becca's life. She bought and began decorating an old estate in Hancock Park. She shopped until she had more clothes than occasions to wear them. She became a regular at Fred Joaillier and the newest member of the Beverly Hills Country Club. She drove a Mercedes sports car and insisted that Jonathan give up his Jeep in favor of a Jaguar. There wasn't a Saturday night that they weren't at one social function or another. There wasn't a Thursday night that she didn't host an intimate dinner party at home for those whom she considered Los Angeles's upper crust. There wasn't a Monday, Wednesday, or Friday morning that she didn't have a private yoga instructor come to the house to lead her in a meditation/exercise session. And there wasn't a Thursday afternoon that she didn't spend at least three hours in the toniest beauty salon on Rodeo Drive. Frances Rebecca Hillman had arrived.

Jonathan Hillman, on the other hand, was slowly, but very surely, falling apart. Something inside him had snapped the night he had signed his soul over to his father. Instantly, he became an automaton, a robot who walked, talked, worked, played, ate, and slept at the command of someone other than himself. He hated all the people Becca wanted to socialize with. He hated all the places Becca wanted to socialize in. He hated all the things Becca wanted to do. But he went and he did. Of course, his drinking increased. His drugs increased. And his sense of desperation increased. It seemed as if his only saving grace was his friendship with Mark Schwartz.

Even after he left Acropolis, he and Mark remained buddies, palling around whenever Jonathan could get away from Becca, whom he now referred to as his "keeper." They went to lunch at least once a week, spoke on the phone every day, and when it could be managed, sneaked in a few parties for old time's sake. Frequently, Jonathan swapped his Jaguar for Mark's motorcycle. Mark also continued to let Jonathan use the studio for after-hours sculpting, a bit of occasional extra-marital recreation, or simply as a place to be by himself. Mark understood his friend's frustrations. He thought he appreciated his needs, and though he knew Becca would not approve, his loyalty remained with Jonathan, not with his cousin.

One night, Jonathan was alone in the studio, sitting in the dark, the only light coming in from the skylight overhead. It was past nine and though he had been drinking, he was surprisingly sober. He had come to the studio to work out some of his tension, but tonight his hands felt sterile, unable to sculpt, unable to create life from clay. He tried several times to manipulate the cold, malleable substance into a pleasing form, but no matter how hard he tried, it came out as an ugly, grotesque blob.

It scared him and so he left it alone. Back in that black, irrational part of his mind, Jonathan was convinced that Becca had taken possession of his clay, just as she had taken possession of his soul. She had stripped him of his talent, just as she had stripped him of his manhood and had willed that he be as impotent in his art as she had made him in their bed.

It was as if he had stepped back in time, standing on a loading dock counting cartons as they were heaved onto trucks. At first, he tried to be a part of the company, he tried to be innovative. He investigated new machinery and new, more efficient ways to increase production. He presented facts and figures to his father during each of their monthly meetings and each time he was received with the same disdain, the same disrespect. "What do you know about manufacturing?" he was asked. "What do you know about anything? You're still a kid with a lot to learn. Just do your job and leave the innovations to me."

When Heather first walked in, he didn't see her. His eyes were cast upward at the skylight, his vision blocked by a dense fog of discontentment. A sliver of moonlight glinted on Heather's blonde hair. Jonathan jumped. He thought Becca had invaded his sanctuary.

"I didn't mean to frighten you," she said softly. "I ran into Mark earlier and he told me you were here."

Jonathan tried to laugh, but his breath was coming in short puffs. "Did he ask you to rescue me before I drowned in a bottle of vodka?"

"He did mention that he thought you seemed a bit low."

She walked over to the small couch where Jonathan was and sat down beside him. Gently, she stroked his brow, sponging off beads of cold sweat with the back of her hand. Before she knew what was happening, Jonathan's head was on her shoulder and he was crying.

"I need you," he sobbed. "I need to be with you, to talk to you."

"I'm here," she whispered, running her fingers through his hair, holding him to her as a mother would a child. "I'm not going anywhere."

She felt his head move against her chest, as if he were nodding. She held him closer.

Heather hadn't seen Jonathan in almost two years. When she heard that he had gone back to his father's business, she had known immediately that Becca had strengthened her grip. For a long while, after Becca had threatened Heather, no matter how futile the reality had appeared, she had harbored a secret hope that someday Becca would tire of Jonathan or that she would find someone better able to satiate her greed, more eager to jump through her emotional hoops. But no. Instead, Becca had manipulated Jonathan's parents. She had locked Jonathan up financially, chaining him to an employment contract negotiated by, and for the ultimate benefit of, his wife. In California, a community property state, that kind of prison often proved more difficult to escape from than Alcatraz.

"Would you like to leave here?" Heather asked, genuinely concerned about him. "How about going back to my place?"

"Can't," he mumbled. "She'd find us. She can't get us in here. The doors are locked and she doesn't have a key."

"I got in without a key," Heather said, suddenly worried. "Mark called the night watchman. Couldn't Becca convince him to call for her?"

Jonathan shook his head.

"Mark knows that this place is my retreat, the only place I'm safe. He'd never let her violate that."

"I hope not," Heather said, forcing herself to smile. "She gives me the willies."

"Me too," Jonathan said, chuckling for a second and then becoming serious. "I didn't know you two had ever met."

"We haven't and frankly, from everything you've told me, I don't think I ever want the pleasure," Heather said, trying to recover from her blunder.

"She'd hurt you." Jonathan's features were grim. "It would kill me if she hurt you." He took her face in his hands and kissed her, softly, without demand. "I love you," he whispered, kissing her again.

Heather felt a rush of contentment as she drifted into his arms.

"I love you too," she said, feeling her body stir with pent-up desire. Becca Hillman be damned. She had missed him. She wanted Jonathan and right now, this minute, this night, she was going to have him, all to herself.

She went to the cabinet where all the supplies were kept and rummaged around in the bottom drawer until she found the model's blanket. Quickly, she slipped out of her clothes, wrapped herself in the musty worn-out covering, and rejoined Jonathan on the couch, *their* couch. Her lips sought his. Her hands helped him undress. Then she lay back, opened the blanket, and brought him to her, shivering the first time she felt his skin on hers. She waited. Jonathan, who had always been such a marvelous lover, both sensitive and aggressive, was oddly sluggish, strangely slow to visit her favorite erotic haunts.

It's the vodka, she told herself, and the pills.

Instead of questioning or backing away, she took the initiative, caressing him, stroking him, trying to overwhelm him with her eagerness and her willingness to please. She was moving too fast and she knew it, but she was propelled by an urgency she didn't quite understand. It was as if this were their last chance to be together; that any minute, Becca might rush into the room and do something horrid. She touched him, she fondled him, she kissed him, she did everything she could, but Jonathan remained flaccid.

"I can't," he mumbled, as he burrowed his face into her shoulder.

"It's okay. I love you and I'm happy just being here with you," she said, meaning every word.

Heather thought she heard him begin to cry. Suddenly he gave forth with a sad, choking laugh.

"She beat us," he said, his tears catching on his uneven smile. "She took away my job. She took away my freedom. She took away my art. And even if she didn't take you away, it looks as if she took away my manhood."

"She didn't take me away," Heather said, knowing she was lying, knowing that telling him the truth was worse. "And she didn't take your manhood. It's late and you've had a little too much to drink."

"Still," he said, obviously embarrassed and frightened.

"We're together and that's all that matters," she said, trying to reassure him.

"We're together tonight," Jonathan said ominously. "But there's going to come a night when you won't be with me. There's going to come a night when nothing will matter. Then what do I do?"

Heather stared at him. She took his face in her hands and looked directly into his eyes.

"You call me," she said, suddenly very chilled. "And you wait for me to come to you."

"I will," he said, his eyes vacant. "If I can."

24
Frances Rebecca Kipling
Jinx

October 1981

THROUGHOUT THE LONG FLIGHT to Japan, Jinx tried to occupy herself. She tried to work, but her concentration was nil. Then she tried to sleep, but her mind was restless, buffeting back and forth between memories of Kip and dreams of Matthew Grant. Whether or not she wanted consciously to admit to any feelings for him, there was no denying that their relationship had tiptoed beyond friendship. They spoke on the phone frequently, and when they were together, which was about once every two months, they talked easily and openly about many of their private thoughts and feelings.

If not for Matthew, Jinx was certain that she might never have been able to cope with the agonizing guilt she had about Kip's death, the feeling that she should have insisted upon going with him, that she should have done more to protect him. If not for Matthew, she might have surrendered to the overwhelming sense of loneliness that had possessed her and forceably isolated her from almost everyone and everything. If not for Matthew, she might have reveled in her own misery, but somehow, despite the miles between them, Matthew Grant had been there whenever she had needed a soft shoulder or a compassionate ear. Gently, he had coaxed her out of her widow's weeds and guided her back into the mainstream of life, motivating her return to work, encouraging her to have a social life. Yet, like a sapling with only one side exposed to the sun, where their relationship had grown to a certain intimacy, it had never blossomed into anything more physical than an occasional adolescent-like good-night kiss.

Recently, though, Jinx had begun to notice subtle changes in Matthew's behavior as well as her own. They were nervous around each other—both speaking at the same time; each acutely aware of the other's attractiveness; each taking great pains not to bump, touch, or nudge the other; incessantly muttering "excuse me"; blushing whenever there was a long, awkward silence. There was a definite tension building born of unreleased passion that clung to each of them like a summer cold.

Jinx clamped her eyes shut and fidgeted in her seat, trying to find a comfortable spot so she could fall asleep and rid herself of the nagging thoughts that she had brought along on this trip like so much carry-on luggage. She tried to soothe herself by conjuring up images of Kip, strong, clear, distinct images of the man who had been her first love, her husband, the father of her child. Instead, his face was vague, his features faint, his visage somewhat lost in the vastness of passing time.

She tried to keep Kip's image in front of her, mentally tuning it like a television screen, feeling guilty when, despite her efforts, the picture dissolved into a field of gray, and another image superimposed itself on her psychic screen. Matthew Grant's face loomed in front of her. Handsome. Virile. Youthful. Exhibiting an almost magnetic sensuality.

But how could she? Wouldn't that be a betrayal of Kip? Wouldn't that dishonor his memory? Wouldn't that discredit her marital vows?

Her eyes flew open. She focused on the somber blackness outside her window, willing herself to recall the brilliant whiteness of her wedding day—the snow, the mountains, the flowers, her gown. Tears welled in her eyes as she saw him waiting for her at the altar, waiting for her to walk down the aisle and join him. She had stood before God and vowed to love him "'til death do us part." She had loved Kip until the very second that death had parted them. She would probably continue to love him until death reunited them. But Kip would never want her to mourn forever. He would never want her to dedicate her life to perpetuating his memory. Still, even after all this time, Jinx was finding it very hard to let go, very hard to say good-bye.

She had hesitated about joining Matthew on this trip, and now she was feeling edgy and unnerved. Though they had been alone together many times, she had always felt safe because it had always been in her hotel suite, a protected environment filled with Kip's memorabilia. Now, however, they were going to a place Jinx had never visited with Kip, a place unsheltered by familiarity, a place unassociated with the past.

Would they take one room or two?

What would she say?

How would she feel?

The seat belt sign flashed above her head and over the loudspeaker, a flight attendant announced their landing. In a few minutes, she would be in Osaka. Matthew would be waiting, and perhaps whatever questions she had would be answered.

The first two days of their trip, there were no answers. They spent their time conferring with medical salesmen, watching demonstrations of equipment, negotiating prices, and arranging shipment. At night, they ate dinner with their Japanese hosts and then retired to separate rooms at the Osaka Kipling, as reserved by a well-meaning desk clerk who obviously was not privy to the secret yearnings of his two visitors.

On the third day, after they had concluded their business, Matthew suggested they take a side trip to the ancient capital of Kyoto. When they pulled up at the Kyoto Kipling in the heart of the antiques and art-shop district on Shinmonzen Street, Jinx started to get out of the car.

"Stay," Matthew said. He motioned to the driver to unload the luggage and then waved to a second man to get into the front seat.

"I was just going to see our rooms," Jinx said, curious as to what Matthew was up to and who their passenger was.

"No need. I've taken care of it." Matthew tipped the bellboy, as Jinx settled back into the seat, and climbed in alongside her. "We have only a few days here and I don't want to waste a second with mundane details. We are here in the Land of the Rising Sun and for the rest of this afternoon at least, with the help of Mr. Nishamura, our guide, we are going to be common everyday tourists."

Matthew's enthusiasm was infectious and so, despite her fatigue, Jinx smiled in agreement.

Their first stop was Nijo Castle, residence of the first Tokugawa shogun. An extraordinary group of five buildings surrounded by exquisitely landscaped gardens, Nijo Castle was a treasure trove of elaborate woodcarving, Kano School paintings, and richly ornamented metal gates. Grand hallways led from one room to another, each distinguished by doorways framed with painted screens. In several of the main rooms, mannequins garbed in traditional dress had been artfully posed to give visitors a sense of what life had been like during the shogunate.

In one room, a replica of the shogun sat in regal attire, facing a host of kneeling figures, all identical in clothing and stance. At the shogun's side, Mr. Nishamura noted, was a sliding door kept slightly ajar.

"At the first sign of trouble," he told them, "the shogun's bodyguards were able to rush in and protect their leader."

In another room, the shogun was seen with his court ladies, or concubines.

"Custom said that a feudal lord had to leave his wife behind as a hostage when he traveled," Mr. Nishamura explained. "Naturally, company was provided for him at each stop on his journey."

"Naturally," Matthew said, nodding his approval, fending off the piercing jabs of Jinx's elbow.

Aside from an occasional exchange, Matthew and Jinx followed their guide in respectful silence, entranced by his recitation of historical tidbits. One by one, he translated the symbolism painted on the various screens, inviting them to keep watch for the tiger, which represented the shogun, and the dragons, which represented the *daimyos*, or feudal lords. He pointed out how the subject matter of the screens shifted from scenes of battle to more bucolic pictures of flowers and birds as they neared the castle's domestic quarters.

All of a sudden, he stopped and put his finger to his lips.

"We are now standing in the hallway approaching the shogun's bedchamber," he whispered. "Walk softly and listen carefully."

Like small children, Matthew and Jinx tiptoed down the hall, noticed that their footsteps, light as they were, created a high-pitched squeak.

"These are the 'Nightingale Floors,'" Mr. Nishamura exclaimed proudly. "When the castle was built, although it was planned for many guards to stand watch over the shogun, extra protection was needed. A space was left between the top floor board and its subfloor. Thousands of nails were hammered through the subfloor, their pointed tips grazing the underside of the top board. If someone tried to sneak in, the instant he stepped on the floor, the nails scraped the top, making a screeching sound which helped warn the guards of an intruder and possible assassin."

"You ought to install something like that in your hotels," Matthew remarked to Jinx. "You could save a fortune on security."

"Maybe I should," she said, amused.

Matthew took Jinx's hand, following Mr. Nishamura into the garden and out to the car. "It's a perfect October day. The chrysanthemums are in full bloom. All our business is finished and we've got nothing to do but have a wonderful time enjoying Japan and each other."

Jinx smiled, but she was too conscious of the feel of Matthew's hand over hers to comment. A heightened sense of excitation had overtaken her. To make matters worse, he had been unusually physical, holding her hand while they drove, wrapping his arm around her waist while they walked, sitting closer to her than necessary. Each time he touched her or winked at her or smiled at her, pleasure rippled throughout her body in tiny waves, making her feel slightly giddy. Feeding her delight was the obvious fact that on the one or two occasions when she relaxed enough to notice, Matthew was much more playful and boyish than she had ever seen him—gaier, looser, less formal, less serious. In fact, his manner was uncommonly flirtatious, prompting her thoughts to drift in directions she wasn't certain she wanted to follow.

Because it was getting late and because Mr. Nishamura thought the afternoon shadows would enhance the beauty of the Golden Pavilion, they drove across the city to the Kinkakuji Temple. There, they were bombarded by young Japanese schoolchildren who flocked around them, trying not to gawk at their height. They smiled excitedly, bowed, and then begged Matthew and Jinx to sign their autograph books. When Jinx looked perplexed, Mr. Nishamura explained that studying American signatures helped the youngsters learn their Roman alphabet.

"Gee, and I thought it was because they mistook me for Tom Selleck," Matthew said with mock disappointment.

Jinx squinted at him like a dimestore artist, holding up her thumb and shifting her head from side to side.

"Nope," she said, shaking her head. "His dimples are deeper."

Matthew took her arm and pulled her aside, drawing her to him so that they stood within an inch of each other.

"Listen, lady," he said in his best John Wayne voice, "these are world class dimples and don't you forget it."

Then he leaned forward and kissed Jinx full on the lips. It was soft and gentle and very, very brief, yet everyone there responded to it. Mr. Nishamura looked away, wishing to be discreet. The schoolchildren stared, wishing for more. And Jinx looked at Matthew, wishing they were alone.

"I take it back," she whispered, unable to find her normal voice. "Your dimples are deeper."

"I knew you'd come to your senses," he said, reluctantly releasing her.

He took her arm and the two of them waved good-bye to the

children as they walked through the entrance onto a small wooden bridge from which they could view the famous gold-painted pavilion.

"I feel as if I'm looking at a giant postcard," Jinx said, having seen the same scene so many times before on bank calendars and airline posters. "It's almost unreal."

"It is very real," Mr. Nishamura said, pointing across the reflecting pond at the temple which appeared to shimmer in the late-day sun, "but it's not original. Even though it dates back to the fourteenth century, in 1950, it was deliberately burned down by a young priest who was supposedly so enamored of the temple's beauty that he wanted to possess it. It took five years to rebuild."

A conscientious guide, he allowed them ample time to look at the scenery and absorb the ambience, but then, after glancing at his watch as well as at the darkening sky, he delicately inquired about their evening plans.

"Would you like me to recommend some restaurants or some entertainment?" he asked.

"No, thank you," Matthew said quickly. "If you don't mind, you can drop us off at the hotel and we'll see you and the driver again tomorrow. I've already made arrangements for tonight."

Mr. Nishamura bowed politely and smiled. He was not a betting man, but if he were, he would surely wager that the doctor's plans did not include dinner.

Once at the hotel, Matthew ushered Jinx around the side, past the pool to the back garden which led to the *ryokan* annex. Many hotels in Japan, including the Kipling, which catered to American and European travelers, offered their guests the option of staying in the glamorous, yet typical Western-style complex or in a more subdued, more traditional *ryokan* wing, which simulated the atmosphere of an authentic Japanese inn.

"Would it be presumptuous of me to ask where you're taking me?" Jinx said, secretly stirred by his suitor-like behavior.

"Since I've ordered room service for dinner," Matthew said, walking as he talked, "I think we should get to the room before the food does."

The room. Not *your* room or *my* room or *our* room. Matthew was being courtly, but cautious, almost coy. Jinx smiled to herself. Maybe he was as nervous and unsure about taking the next step as she was.

At the back of the garden, dwarfed by the proximity of the main hotel, stood a two-story wooden building with sloping roof lines and a series of paneled doors. Waiting outside one of them was a *banto-san*, or houseboy, in a blue *happi* coat, who greeted them with a smile and a respectful bow. Keeping with tradition, Jinx and Matthew immediately removed their shoes, placing them on the entrance steps. The *banto* pushed aside the outer doors and invited them into a small, skylighted vestibule defined by another set of shoji, which opened into the main room.

The upper level, where they were standing, was actually another hallway with wide, slatted wood paneling, a mirrored dressing table umbrellaed by a large skylight, and two closed doors, one leading to the lavatory, the other to the sumptuous wooden bath. Down two steps was an airy, beautifully appointed space. A long, low, gleaming black lacquer table occupied the center, surrounded by fluffy *zabuton*, cushions, in a shiny black cotton fabric. On one wall, set a few inches above the floor, was the *tokonoma*, an ornamental alcove which housed a delicately painted scroll and an asymmetrical floral arrangement in the spare *ikebana* style. Off to the side, on the opposite wall, two large tatami lay next to each other, awaiting quilted sleeping mattresses, *futon*. At the far end, another set of sliding doors led to a small lanai overlooking a private walled-in garden landscaped with carefully placed rocks, a few pines, chrysanthemum bushes, and several lanterns.

"It's lovely," Jinx said, drinking in the elegant simplicity of the suite.

"I'm glad you like it," Matthew said, grinning. "If you didn't, I'd complain like hell to the management."

Just then, a kimonoed maid entered the room carrying a tray of hot tea and cakes which she arranged on the garden table. Then, she and the *banto* bowed and exited, leaving Matthew and Jinx alone.

"May I invite you to sip tea and view the sunset?"

Matthew bowed, offered Jinx his hand and led her outside, where there was a small table and two chairs. Before she could sit, he turned, slid his arms around her waist, and drew her to him. His lips brushed hers softly at first, gingerly, as if waiting for a response. Jinx's arms draped around his neck, encouraging him to kiss her deeply and to hold her until their bodies pressed together.

"I've wanted to do that all day," he sighed, releasing her slightly.

"Me too," she whispered, overcome by the rush of her own emotions. She felt shy, but his mouth curled upward immediately and many of her misgivings evaporated in the honest warmth of his smile.

"I booked only one room," he said, giving her an opportunity to object.

Jinx looked at him. Their eyes locked, and for a moment, the intensity of his stare unnerved her. Quickly, she thought about the past three years, how wonderful and caring he had been. Too, she thought about those few occasions when she had asked about his past and he had shut her out, making her feel like an unwelcome stranger. She thought about the distance between them. The differences between them. And yes, she thought about Kip. But here, now, with Matthew's arms tight around her, she felt unbelievably secure, undeniably aroused.

"We need only one room," she answered.

The next few hours played like a Beethoven sonata, with each lyrical motif building upon itself, drifting, varying, yet progressing and blending into a rich, lush, romantic melody. Matthew and Jinx had silently agreed not to rush their evening. Instead, they reveled in the luxuriousness of time, allowing their emotions to swell, permitting their crescendo to evolve.

After tea, the maid had brought them freshly laundered cotton kimonos called *yukata*s. Matthew had slipped his over his shirt and slacks, but when Jinx had gone to don hers, he surprised her with one of magnificently embroidered silk.

"You're much too beautiful for anything plain or ordinary," he said, handing her the folded robe.

Embarrassed, unsure of what to say or do, Jinx retired to the lavatory.

Should I have changed in front of him? she wondered. *Should I take off all my clothes? Should I leave them on? Why do I feel so modest, so virginal?*

By the time she reappeared, wearing the floor-length kimono over her slip, their dinner had arrived. Two maids cooked and served with great ceremony, preparing sukiyaki at the table, filling small lacquered cups with warm sake over and over again, and offering them slices of cucumber on a chrysanthemum leaf, cold crab, steaming rice, and tiny portions of sashimi with a mustard sauce.

At first, Jinx cringed at the idea of eating raw fish, preferring to devote herself to the other delicacies. Matthew, however, went to great lengths to assure her she would find the strange-looking morsels delicious, eliciting the giggling support of the two maids, prodding and teasing until finally, she tasted a pink chunk of raw tuna. She didn't hate it. She didn't love it, but sitting across the table from Matthew, watching him manipulate the chopsticks with a surgeon's ease, noting the zeal with which he ate and the obvious pleasure he derived from the experience, he probably could have suggested live eels and she would have complied.

Jinx could feel herself falling in love. It was an odd sensation, but one that was hauntingly familiar. Long ago—in another lifetime, it seemed—she had experienced similar sensations. She had blushed whenever Kip had caught her eye. Her insides had rollercoastered when, by chance, Kip's hand had touched hers. She had stuttered and stammered and swallowed each time they had been alone and she had tried to speak. It was the same, yet it was different.

With Kip, she had been aggressive, determined to win his affections, almost brazen about consummating their relationship. With Matthew, she felt modest, passive, anxious about how he would interpret her sleeping with him, nervous about whether or not she would please him. With Kip, she had felt comfortable from the start. With Matthew, though she had known him for several years now, she still felt a newness between them. With Kip, she had known everything about him within days. Matthew's past continued to remain his private province. Kip had been cerebral, glib, outgoing. Matthew was less talkative, less gregarious, more insular, more reclusive. Physically, Kip had been handsome and extremely fit; Matthew was taller and broader. He was youthful. He exuded vitality. He exuded maleness.

Am I really falling in love with him? she asked herself. Or is it because I haven't been with any man other than Kip? Do I feel this way because I'm lonely? Or is it because Matthew Grant excites me in a way no one has ever excited me before?

Jinx's head was swimming with questions, reeling a bit too, from the effects of the sake. She tried to concentrate on her meal, but in truth, her mind was elsewhere. When at last dinner was over and the two maids had gone, inside, Jinx began to tremble. She felt like a virgin on her wedding night, eager, yet frightened. Suddenly, she and Matthew were alone and everything seemed changed.

While the maids had been there, the room had appeared bright and lively, full of color and activity. Now it was dim, shadowy, lit only by a few candles Jinx couldn't remember anyone lighting, and whatever snatches of moonlight had sneaked in through the uncovered windows. A reed of incense burned in the corner, filling the air with a seductive sandalwood scent. The table had been cleared and once again, there was a stark solemnity to their surroundings.

Matthew rose and walked around the table to where she sat. He took her hand, helped her to her feet, and then, without a word, put his hands on her face, bringing her lips to his, kissing her sweetly, gently. Slowly, his fingers slithered through her hair. Their lips parted and his mouth curved in a small smile. He led her to the tatami, now quilted and fluffy, but still they remained standing. His hands slid onto her shoulders, dropping the silken kimono down to her waist. His mouth grazed her lips, then her neck, then her chest. Shivers ran through her body as he untied the robe's sash and removed the kimono, letting it fall to the floor.

Jinx moved to undo her slip, but Matthew stopped her, reserving that pleasure for himself. Seconds later, she stood naked before him. She wanted to cover up, to lie down, to do something other than simply stand there, but Matthew continued to stroke her skin, exploring her form. There was something courtly and worshipful about his touch. She felt flushed with a strange sense of pride. She had worried that he might not find her attractive, that he might not want her as much as she wanted him, but Matthew's admiration was obvious.

Soon, he stepped away, removing his clothes without ever taking his eyes off her. He beckoned, and she joined him on the mattresses, lying next to him, waiting for him to touch her again. When finally his hands began to caress her, she felt herself quake with joy. His movements were sensuous and commanding, awakening in her a desire so strong that it threatened to overwhelm her. She pressed against him, matching his passion with a fervor of her own. Her arms wrapped around him. Her lips sought his and expressed her eagerness in full, fiery kisses. Her body began to yearn for fulfillment, but she conceded control, allowing him to explore her, allowing herself to explore him.

Each moment brought another voluptuous embrace. Each touch effected a volcanic response. Every part of her came alive, tingling, throbbing, elevating her senses to a pitch that felt almost unbearable. Her hips twisted and turned, responding to his demands, making demands of her own. She was burning, glowing, filled with an electricity that made her feel as if there were nothing inside her but a consuming heat.

When at last they came together, she felt overpowered by his strength, overcome by her own sense of need and impatience. They clung to each other and finally, with a burst of breathless ardor, completed each other. For a long time, they lay wrapped in each other's arms, their bodies still, their lips silent, unwilling to separate, unwilling to disturb the fantasy.

"You're magnificent," Matthew whispered. "Truly, the most incredible woman I've ever known."

He kissed her and brushed a stray strand of hair off her face.

"You've made me very happy," he said, anticipating a response.

Jinx wanted to tell him she loved him. She wanted him to tell her he loved her. She wanted to believe that this night went beyond sexual satisfaction, that their relationship went beyond this room, this bed. But now that her body had calmed, her mind had become active, again asking questions, searching for answers.

I haven't slept with anyone since Kip died, she reminded herself. Maybe this was nothing more than pent-up frustration. Maybe this is nothing more than a vacation fling.

"I didn't make you happy," Matthew said, his voice intruding on her thoughts.

"You did," she said, snapping to attention, smiling at the understatement. "Really you did."

Matthew lifted himself up onto one elbow and stared down at her, his expression serious.

"Are you thinking about Kip?"

Jinx felt a surge of guilt. She hadn't really thought about Kip at all, until now.

"Was it strange making love to another man?"

"Yes," she answered honestly, unconsciously twisting her wedding band around on her finger.

"I didn't mean to rush you."

She could see how concerned he was, and it made him only more appealing.

"Matthew. It was wonderful. It's been an absolutely magical night. I'm very content."

"I'm glad," he said. "I would never want to do anything to make you unhappy. I care too deeply."

He leaned down and kissed her. His lips pressed against her, and once again she felt her body stir. Tentatively, she returned his kiss.

What was it about him that excited her so? What was it that made her want to love him again and again?

She stared up at him and saw that he, too, was feeling revitalized. With an assertiveness she had stifled the first time, she reached up and brought him back down to her, kissing him in a way that eliminated all thought of talk or sleep.

"I want you, Matthew Grant," she said in a husky voice.

He stretched out beside her, taking her in his arms and holding her close.

"Then you shall have me, Frances Rebecca Kipling," he said. "Because God knows, I want you too."

Mr. Nishamura arrived at ten the next morning, right on schedule, and was handed an envelope with a check and a polite note that said, in essence, "don't call us, we'll call you."

Jinx and Matthew never left their room. In fact, they hardly left their bed. Twice they rang for tea to be left in the vestibule and once, late in the afternoon, rang for a maid to draw their bath.

"This is an ancient Japanese ritual," Matthew said as he opened the door to the wood-paneled shower room. "It's intended to relax you at the end of a long, tiring day."

Jinx laughed.

"If I were any more relaxed," she said, "I'd be unconscious!"

Matthew closed the door and lightly pinned Jinx up against it.

"I beg you. Don't go unconscious. I wouldn't want to have to take advantage of you."

He smothered her in small, wet kisses, tickling her until she giggled and pushed him away.

"Come on," Jinx urged, slipping out of her robe, tying up her hair and turning on the shower. "I don't want the tub water to get cool. It looks delicious!"

"So do you," Matthew said with a deliberate leer.

"You are a dirty young man," she said, closing her eyes and letting the warm water sluice over her.

"Dirty is a state of mind," he retorted, standing beneath another shower head, soaping himself with a washcloth. "And my mind is pure as the driven snow."

"Right. And I'm Joan of Arc." Jinx laughed again, splashing him with water.

"Just to show you that I don't hold a grudge," Matthew said, advancing toward her with a raised washcloth. "I'm going to be a nice guy and scrub your back and your front and anything else I can get my hands on."

Gently, he rubbed the sudsy terry cloth on her forehead, her cheeks, her nose, her neck. He wiped her arms, turned her around and soaped her back. Turning her around again, he traced a line from her neck to her abdomen, massaging her chest, encircling her breasts. As he did, he moved next to her under the shower, slid his other arm around her, and kissed her.

"I can't get enough of you," he said, gurgling a little from the falling water.

Jinx threw her arms around his neck and hugged him, relishing the feel of his wet, naked body against hers.

"Nor I of you," she said, grinning. "But now I think it's time to soak."

"The voice of a practical woman. The next thing I know, you'll want me to take you out to dinner."

Jinx shook her head as she turned off the shower and stepped into a sunken, high-sided wooden tub filled with steaming hot water, seating herself on a small stool.

"We'll order in," she said.

"Good idea," Matthew said, climbing in beside her. "I knew I was right to be crazy about you."

Jinx lay back and rested her head against the floor, closing her eyes, allowing her exhaustion to melt away in the soothing heat. As she felt her muscles relax, she also felt Matthew's eyes on her.

"I want to tell you I love you," Matthew said suddenly. "But it implies a commitment I don't think I'm ready to make."

Jinx lifted her head and looked at him. There was something in his eyes, something she had seen before but couldn't quite interpret.

"I didn't ask you for a commitment," she said softly. "Truthfully, I'm not ready for that either."

Matthew stared into the water, making ripples with his fingers. Jinx gave him time, sensing that he had more to say, hoping it wasn't something she didn't want to hear.

"I was married," he said, still looking down.

"Was?"

"I'm divorced."

He looked up and just then, Jinx knew what it was she had seen in his eyes—extreme pain.

"Do you want to talk about it?" she asked. "Can you talk about it?"

"No," he said. "I don't think so. Not even to you."

Jinx saw a black shadow descend over his face, turning his skin ashen, his blue eyes a lifeless gray. Intuitively, she knew that pain like that had been caused by more than just two people who didn't get along. Something else, something horrible had happened.

"I love you, Matthew."

For a moment, she wasn't certain he had heard her. He seemed lost in some past darkness, some consuming hurt that clung to him like a spider's web.

"I thought you didn't want to make a commitment," he said after a while.

"It's not a commitment." Jinx reached across and touched his cheek with her hand. A moist droplet touched her fingertip, a droplet that had come from his eye, not from the bath. "It's how I feel. Right now, this minute."

He looked at her, disbelieving at first. Then he leaned over and kissed her.

"Right now, I love you too," he said.

Jinx remembered how she had thought she would have Kip

forever. She remembered how short forever had turned out to be. She smiled and returned Matthew's kiss.

"Right now is all that counts," she said.

It was still early morning when they heard an insistent knock on their door.

"It must be Mr. Nishamura," Matthew said, awake but groggy. "I thought we'd go to the Ryoanji garden today and steep ourselves in the serenity of Zen Buddhism."

"Sounds good." Jinx was laughing as she put on her silk kimono and combed her hair with her fingers. "I think we both could use a bit of fresh air. I'll ask him to wait."

When she came back into the main room, her face was chalky.

"I have to go home."

In her hand, she held a telegram.

"What happened?" Matthew asked, suddenly very alert. "Is Joy all right?"

Jinx nodded.

"My nemesis, Jeffrey Dodge, has taken advantage of my absence and committed us to a new hotel."

"Is that bad?" Matthew could see that mixed with her concern was a seething anger.

"I had turned this offer down because it involves demolishing several Single Rooms Only hotels and tossing a few hundred poor, elderly people out on the street. Kip would never have done something like this, and Dodge knows it."

Jinx had told Matthew all about her cold war with Dodge. Often, she had told him that she felt honor-bound to pilot the company according to Kip's wishes. She had discussed her uneasy feeling that given the opportunity, not only would Dodge look to unseat her as head of Kipling Worldwide, but would extract some measure of revenge for usurping his position. Each time, Matthew had dismissed it, claiming it was nothing more than sound and fury, reasoning that Dodge needed to assert himself every now and then just to keep his ego intact. Now, looking at Jinx's face, he began to take her fears seriously.

"I'll go with you," Matthew said.

Jinx crushed the telegram in the palm of her hand, tossing the crumpled paper ball onto the floor.

"No," she said, her mouth set, her eyes full of rage. "This is something I have to do by myself."

* * *

When Jeffrey Dodge entered Jinx's office, he found Milton Fox, the Kipling attorney, and Jinx waiting for him.

"Milton, how are you?" he said, shaking the man's hand and taking a seat across from Jinx's desk. "How was Japan?" he asked Jinx.

"Very successful," she said calmly. "The Kipling Neurological Wing is now fully equipped and functional. But we're not here to discuss my business dealings. We're here to discuss yours."

Dodge looked from one to the other.

"What are you talking about?"

"While I was in Japan," Jinx said, refusing to take her eyes off him, "you committed us to an opulent new hotel complex in the theater district."

"Yes, I did," he said, reverting to his normal haughty attitude. "I was only carrying out your wishes. You do remember that you promised to help the city in their efforts to clean up the Times Square area, don't you?"

"I remember that my plans were to build on a stretch of land that had nothing but parking lots and vacant warehouses on it. Your proposed site requires that we tear down four SRO hotels and toss old people out on the street. Not only is this little scheme ill-advised, as you're so fond of saying, it's irresponsible."

If Dodge had expected to be dealing with an hysterical female, he was surprised. Jinx's voice was strong and controlled, her manner confident and sure.

"You know that we can't back out of this without looking bad to the city officials. You also know that evicting poor, helpless people is going to generate a great deal of adverse publicity for Kipling Hotels. Naturally, I assume that you intended for me to play the role of the villain."

Dodge squirmed in his seat. He looked over at Milton Fox for support, but Milton kept his eyes on Jinx.

"If it disturbs you that much, I suppose we can arrange for alternate housing," Dodge said, suddenly feeling the need to cover himself.

"There's no supposing about it," Jinx said. "You'll find suitable places for every single one of those people. You will also be the one to meet the press and explain why you, as a Kipling executive, decided to take on such a controversial project."

Dodge continued to look from one to the other, his discomfort mounting.

"And if I refuse?"

"Then I will have to consider you deliberately disrespectful, derelict in your duties, mindless of your responsibilities as a member of the Kipling board, and a divisive force. I will have to fire you."

Dodge stared at her in disbelief.

"You can't be serious," he said.

"Oh, but I am," she answered, leaning forward and glaring at him.

"You can't do this," he protested, turning to Milton Fox. "Tell her she can't fire me. I have a binding contract that's good for three more years."

As if on cue, Fox pulled a sheaf of papers out of his briefcase.

"Four years ago, when Mr. Dodge was made senior executive vice-president of Kipling Worldwide, he and Kip drew up a seven-year employment agreement which states that Mr. Dodge can be dismissed only for cause." The Kipling attorney read the paragraph in a dispassionate, uninvolved voice.

"You have to honor that contract," Dodge said, sounding like a cornered animal.

"What does the law consider 'cause'?" Jinx asked, ignoring Jeffrey.

Fox peered through his bifocals at the contract.

"In this instance," he said, "cause is determined to mean 'gross negligence, gross misconduct, or the commission of a felonious act in the discharge of his employment responsibilities.' Unless you can prove one of those things, Jeffrey could take you to court and demand payment for the balance of his contract, which, as you know, is substantial."

"And if I can prove cause?" Jinx asked.

"Then you don't have to pay him a thing."

"Thank you, Milton," she said, smiling politely. "If you don't mind, I'd like to be alone with Jeffrey."

"Certainly." Fox rose and shook Dodge's hand. "Good to see you," he said, as he left Jinx's office.

"What is this all about?" Dodge demanded, jumping up from his seat, his voice almost a shriek.

"This is about honor and obligation and honesty and trust. You once told me that you were a person steeped in loyalty and that you would never have let anything come between you and Kip. I am Kip's widow. I am also chairman of the board. You will either be loyal to this company or you're going to be out on your rump! You try another trick like this and I'll twist whatever it is until it sounds like any one of those things Milton listed as cause. Believe me, Jeffrey, you're messing with the wrong person."

"You and I have always had an uneasy relationship," Dodge said, suddenly turning on the charm. "And I admit I gave you a rough time in the beginning, but I've come to respect you. I've even grown quite fond of you. You have to know that."

"I don't know any such thing," she snapped. "I know only that you're trying to ruin Kipling Worldwide and I'm not going to let you get away with it."

Dodge glowered at her, fury etched on his face.

"You're the one who's ruining this company, Mrs. Kipling," he said, practically shouting.

"Maybe so," she said, her voice flat. "But it's my company, not yours."

Dodge turned and stormed out of her office, leaving waves of hostility reverberating in his wake.

Jinx stared at the door and breathed a sigh of relief. Round one was over. All things considered, she thought she had come out the victor. But Jeffrey Dodge was a heavyweight. The fight had just begun.

25
Frances Rebecca Hillman
Becca

December 1981

"I'VE HAD THESE HEADACHES since I was a little girl," Becca said, sitting across from Matthew Grant. "Lately, they've been getting worse and I thought perhaps I should have someone examine me. Since we've been working so closely on the upcoming dinner-dance, and since I know your reputation is the finest, I thought I'd come to you."

She smiled and crossed her legs, hiking her skirt ever so delicately above her knees. Becca was not a sensuous woman. She was not a woman with sexual wants or needs, yet in the middle of the night, some secret part of her had begun to make demands.

Of late, she had been having strange dreams. She saw herself making love with Matthew Grant. She saw him courting her and caressing her and professing his love for her during moments of intense passion. Each time, she asked if there was someone else in his life, and each time, he told her that she was the only woman for him, the only woman who could make him happy. Armed with a self-assurance that came from her elevated income and newly acquired status as president of the Women's Guild, she decided to make her dreams come true.

"Can you describe these headaches?" he asked.

His voice was deep, resonant. His eyes were kind and soft. Becca found him incredibly sexy, and for two months had invented every conceivable excuse to see him. She had brought him along to help select the site of the guild's latest gala. She had spent hours with him going over lists of potential contributors. She had convinced him that he should help her elicit support by guiding small groups of wealthy women through the new Neurological Wing. And she even coerced him into attending several of her Thursday-night soirees.

Everything about Matthew Grant intrigued her. He was a bachelor, which she might have found suspect for a man in his late thirties if he were not so blatantly masculine. It intrigued her that he appeared impervious to flirtation. Not only had Becca once or twice tiptoed beyond the bounds of subtlety and intimated that she would be available for private meetings if he so desired, but also, she had discovered by listening carefully to lunchtime gossip that he had thwarted the efforts of most women—and there had been many—who were eager for a casual fling with the handsome medico. Certainly, not the least of her considerations was the fact that she had initially seen him arm-in-arm with Jinx Kipling. She had searched the newspapers for pictures of them together or snippets about them in the social columns, but she had found nothing. Either there had been a moratorium on the press's fascination with the life of Jinx Kipling, or their relationship had started and ended with the Harrison P. Kipling Neurological Wing—or they were having an affair but being extremely discreet.

In any event, Becca was infatuated. Something about Matthew Grant had touched her in a place no one had ever ventured before. She was bored and he seemed exciting. Jonathan had been growing further and further away from her, and she needed the attentions of a man, any man. She viewed him as a challenge.

"They're very painful," she said, noticing that there were no pictures on his desk or anywhere in his office, no framed reminders of a wife and child. "They usually start on the side." She held her hands to her temples and made small, slow circles. "And then they seem to fill my brain. They throb until I'm practically blind."

As she spoke, he took notes on a yellow pad.

"Sometimes, even codeine doesn't help." She pouted, looking fragile and helpless. "I can't even tolerate the slightest bit of light. I'm forced to lie in total darkness until the pain subsides, which often takes hours, sometimes days."

"Do you ever experience nausea or vomiting?"

"Sometimes," she said, as if this were all new to her.

"Have you ever seen a doctor about these headaches?" he asked.

"Only my family physician and only when I was a child. Over the years, I've just learned to live with them."

He nodded in that noncommittal way doctors have.

"Do these headaches occur at times of stress?"

Becca tried to appear shy, as if tension were an unladylike trait, something to be embarrassed about, like flatulence or body odor.

"I guess."

"Is there a pattern to their occurrence? By that I mean, is there one specific time that they appear or one repetitive cause?"

Any time I hear the name Jinx Kipling, she wanted to say.

"Not that I can pinpoint."

"Are they premenstrual?"

She forced herself to blush, but he was too busy writing to notice.

"Not necessarily."

"Do you have a history of sinus problems or allergies?"

She was beginning to tire of all his questions. She wanted him to get up from his desk, walk over to her and massage her temples, or stroke her forehead—something, anything. When he put down his pencil and looked into her eyes, an anticipatory thrill rippled through her body.

"It appears, Mrs. Hillman, as if you suffer from chronic migraines. Often, I suggest that my patients try practicing biofeedback to decrease the blood flow to the scalp and thereby diminish the throbbing of the arteries in the head. Also, I would stay away from chocolate and nuts and any other foods you might notice trigger these episodes."

Becca nodded glumly, dissatisfied.

"Naturally, I could prescribe some medication to ease your discomfort, but, I regret to say, there is little else I can do."

"I'm disappointed," she said, looking anguished. "I guess I expected that you would give me a magic pill that would make all that nasty pain go away."

He stood, and for the first time that afternoon, smiled.

"I wish I could," he said, walking around his desk and escorting her to the door. "But I'm a doctor, not a magician."

Becca was about to flatter him and try to interest him in meeting her later for a drink, when his telephone rang. He excused himself, left her standing by the open door, and answered the call. The message was brief. Matthew hung up the phone, returned to where Becca was standing, and took her arm.

"Mrs. Hillman, I'd like you to come with me."

His face was blank, but his manner was too rushed, his eyes too sympathetic to suit Becca. Something had happened.

"Why?" she asked, her heart pumping.

"Your husband has just been brought into emergency. He's been in a motorcycle accident."

Becca's knees buckled. Her eyes blinked and her mouth dropped in sincere shock.

"When did this happen? Where?" Her head began to throb. Her hands began to shake.

"A few blocks from here, not more than ten minutes ago," Matthew said, urging her along.

"Is he all right?'

"I can't tell you that until I've examined him," Matthew said, thinking: *but if they've called me, it can't be good.*

Becca stood outside the emergency room for over an hour, pacing up and down, waiting for some word on Jonathan's condition. Matthew's secretary had brought her coffee and two pills to help relieve her headache, and had generously offered to notify both sets of parents. Just minutes ago, she had returned to report that the Hillmans and Sylvia Ross would be in Los Angeles that evening. Ben, who had been in L.A. supervising a commercial shoot, was on his way to the hospital.

Just as Ben arrived, Matthew came out of the emergency room. After a brief introduction, Matthew ushered them both into a small lounge across the hall.

"What's happened to my son-in-law?" Ben asked, his arm draped protectively around his daughter's shoulder.

"Jonathan has been in a very serious accident," Matthew said, trying to prepare them for what he had to say. "His right arm and leg are broken, and he has suffered a number of abrasions, but the main problem is that it appears he was riding his motorcycle without a helmet. The force of his fall fractured his skull and caused some internal damage. He's unconscious and I assure you, he's not in any pain. We've given him large doses of pentobarbital in order to relieve the intracranial swelling. Once the swelling goes down, we'll know how to proceed."

"Translate that into English," Ben snapped, impatient with what he always termed "doctor gobbledy-gook."

Ben's churlish manner washed right over Matthew. He had had these discussions hundreds of times before. Denial and anger were typical first reactions, and Matthew never expected anyone to be an exception to that particular rule, even the man he knew to be Jinx's father.

"We've done an EEG, Mrs. Hillman," Matthew said gently, directing himself to Becca and Becca alone. "Right now, it's flat, which means that there is no electrical energy in the brain."

Becca's own head was banging inside her skull. She couldn't speak. She could only stare at Matthew through half-opened eyes.

"It's not uncommon for pentobarbital to result in a flat EEG," he said in a quiet, but noncommittal tone, "especially considering the heavy dosage. Once the drug leaves his body, we'll run another EEG. For now, we've put him on a respirator and we're giving him a blood transfusion. As soon as he's ready, we'll transfer him to intensive care."

"Why don't you operate?" Ben demanded, horrified at what he was hearing, even more horrified by what he imagined Matthew wasn't saying.

"We also did a CAT scan, Mr. Ross. There are several conditions that would precipitate our going into the brain. One, if we found a floating piece of bone or tissue. Two, if there were evidence of embolism or damaged arteries. And three, if there were a discernible foreign object that would obviously necessitate removal. Jonathan meets none of these conditions. An operation would not help him and, more to the point, it would probably hurt him."

Matthew's tone was deliberately matter-of-fact. The last thing he wanted to do was give off false signals. He rose and patted Becca's shoulder.

"I'm going back to Jonathan now," he said. "When he's settled in ICU, I'll come and get you."

Becca watched him leave, wishing she had the nerve to ask him to stay with her. He looked so strong, so reassuring in his white coat.

"He's going to make it, baby," Ben said, not believing a word he was saying, but trying to comfort Becca, who had begun to weep. "You'll see. Jonathan's going to come through this like a champ."

Becca's entire emotional system was in a turmoil. Inside, she was frightened and angry and frustrated, but how could she explain any of her feelings to Ben? He'd never understand, and more important, he'd never approve of her ranting about the stupidity of Jonathan riding a motorcycle without a helmet. How many times had she warned him about that bike? How many times had she berated him about his juvenile, self-destructive lust for speed? How many times had she yelled at Mark for lending Jonathan the bike in the first place?

"What if he dies," she sobbed, resting her head on her father's chest. "What'll I do? I'm not strong enough to survive by myself."

Part of her meant what she said. Another part of her was cold-bloodedly calculating the effect of all this on her life. She and Jonathan had little or no savings. She spent everything he earned, and as far as she knew, there was no insurance to fall back on. Also, she had produced no heir for Max Hillman to worry about. How long could she depend on an income from him? How long could she maintain herself without that income?

"I'm always here for you, Becca," Ben said, stroking her hair, mistaking her silence for grief. "And you're stronger than you think. You'll make it through this, no matter what."

"He could wind up a vegetable," she said, that realization scaring her more than the notion of his death.

"Dr. Grant never indicated anything like that," Ben said, secretly fearing the same prognosis. "Let's just remain calm and let the doctors take care of Jonathan."

Becca nodded, but inside, her head was screaming, "Who's going to take care of me?"

Max Hillman was so distraught at the sight of his son that Matthew had him checked by a cardiologist. Ruth Hillman was in a state of severe shock, her twitch more noticeable than ever. Sylvia Ross could do nothing more than shake her head and cry.

Jonathan was in an ICU cubicle, hooked up to a respirator that pumped air into his lungs through a tube in his mouth. Small bags hung down off the side of the bed, collecting waste. Glucose dripped into his arm from a glass jar suspended from a metal pole. His thick black hair had been shaved back where the doctors had examined him. His eyes were taped shut. Off to the side, machines measured his blood pressure, his body temperature, and his heartbeat, each of them clicking and blipping, blending with the raspy, rhythmic sound of the respirator in a macabre symphony of impending doom.

Throughout the first night and the next day, the Hillmans, the Rosses, and Becca sat outside Jonathan's room, maintaining a bedside vigil, each of them lost in his own thoughts, his own memories, his own prayers. By the afternoon of the second day, friends began to come, offering sympathy, assistance, anything they could to make it easier on the family. As a group, they gathered in the hall outside intensive care or sat in the main lounge or in the basement cafeteria, all of them horrified at the sight of a young man battling death, and hiding the same secret sentiment, "There but for the grace of God, go I."

Max was inconsolable. At one point, Becca strolled down the hall with him, leading him to one of the smaller lounges, where they could be alone. She disliked her father-in-law, but even she was touched by his grief.

"I never told him I loved him," Max sobbed, releasing his pent-up agony. "It seems so unfair. Especially now, when I was going to make everything right between us."

"What do you mean?" Becca asked, her curiosity peaked.

Max looked at her through watery eyes. His skin tone was ashen and for a moment, she thought he would die before ever explaining himself.

"I'm a sick man," he said. "Since my heart attack, it's gotten harder and harder for me to put in a full workday. A couple of months ago, a big conglomerate made me a generous offer for the business. In the past, whenever someone wanted to buy me out, I turned them down. My ego wouldn't let me sell. No one else could run it the way I could, I told myself. Not even my son." His words were strangled by his tears, and for several minutes, he simply cried.

"It wasn't easy, but I had to face the fact that I couldn't handle the hustle and bustle anymore. I thought about retiring to Florida and handing the whole business over to Jonathan, but in my heart, I knew how much he hated dealing with pots and pans and production lines and manufacturing. So, two weeks ago, I sold Hillman Cookware."

He paused, wiping his eyes, shaking his head from side to side, trying to clear his throat.

"Just this week, Ruth and I had bought tickets and made plans to come out here to surprise Jonathan. I was going to tell him that if he wanted to be an artist, then that's what I wanted him to be. I just wanted him to be happy."

Becca was so astounded by his news that at first, she didn't know how to react. She wanted to laugh with relief, but she knew she didn't dare. Instead, she draped her arm around Max's shoulder. She wanted to soothe him. She wanted to remind him what a sweet daughter-in-law she was.

"Is the sale final?" she asked, praying that it was. If it weren't, and Jonathan died, Max might change his mind and then where would she be?

"Yes," Max mumbled, his entire body shaking. "I signed the papers a few days ago. In fact, by tomorrow, your share of the first installment, eight million dollars, should be in your bank account. The day I received my check, I instructed the bank to transfer Jonathan's share out here."

"You're a wonderful man," Becca said with honest warmth, trying to stifle her excitement.

"A wonderful man would have done this long ago," Max said, his voice cracking.

"Don't say that." Becca patted his hand and swabbed his eyes. "Jonathan's going to come out of this. You'll see. He's going to be good as new."

Max shook his head.

"For years, my son begged for help and I turned a deaf ear. I looked away. I did nothing." Max gulped, his voice getting lower and lower. "Finally, I did something to make life easier for him as well as for his mother and me, but I did it too late."

The way I see it, Becca thought with no small amount of relief, *it may be too late for Jonathan, but it's just in time for me.*

The first night, Becca never left the hospital. She and the Hillmans and the Rosses remained in Jonathan's room, Becca in a chair by her husband's bed, the others roaming in and out as their emotions dictated. It was difficult sitting there hour after hour, watching for some sign, some miniscule movement that might indicate improvement. Every once in a while, Ruth or Sylvia became convinced that she noticed a finger twitch or a toe jerk, but in truth, neither had seen anything more than a hallucination brought about by grief and fatigue.

Becca, too, had maintained the hope that Jonathan was merely unconscious, that any minute Matthew Grant would walk in, snap his fingers, and bring Jonathan out of it, that soon this nightmare they were living would be ended. Each time Matthew or the nurse took Jonathan's pulse or checked the numbers on the machines monitoring his vital signs, everyone waited to hear good news, any news, but the report was always the same—no change. Then, near morning, the nurse checked the respirator and for Becca, at least, everything changed.

The others were having coffee in the lounge. Matthew had gone to check on another patient, and Becca was alone, half asleep. She heard the nurse unhook the large, vacuum-cleaner-type hose from Jonathan's mouthpiece. Through bleary eyes she watched the young woman shake out whatever droplets of water had accumulated in the thick tube. Seeing the confusion on Becca's face, the nurse explained that the lungs required moisture as well as air to function properly. Becca nodded and watched the procedure with distracted interest.

For no particular reason, her attention shifted to Jonathan's chest. When the tube was connected to the mouthpiece, his chest moved up and down as he breathed. From the second the tube was removed to the second it was replaced, however, his chest remained completely flat. It never moved. It never budged. With shaky hands, Becca touched Jonathan's arm. His skin was warm. His color was pink. He felt alive. He even looked alive, but as the nurse reattached the hose to Jonathan's mouthpiece and his chest once again began its rhythmic rise and fall, a small voice whispered to Becca that Jonathan was, for all intents and purposes, already dead.

Her eyes filled with tears as she lay her head on the bed, her hand still holding Jonathan's arm.

"I never meant for it to be this way," she muttered, refusing to believe what she now knew was true. "I know you don't think so, but I do love you and when you recover, things are going to be different. Your father has taken care of everything. We're rich! You don't have to work in a factory anymore. You can set up a studio and sculpt to your heart's content. I've always said you were a major talent. Now you'll be able to prove it. But you have to fight, Jonathan. Do you hear me?" she cried, her words garbling in her throat. "For once in your life, damn it, you're going to have to stop thinking of yourself as a prince and you're going to have to stop waiting for others to take care of you. For once in your life, *you* are going to have to fight for yourself!"

She lifted her head, as if waiting for a response, as if expecting an argument. There was no response. There was no argument. Jonathan simply lay there, motionless, expressionless, lifeless.

Though Jonathan showed no visible sign of improvement, as one day turned into two, the number of concerned well-wishers increased. Many of Becca's charity ladies stopped by, but most of those who came were friends Jonathan had made during his years with Acropolis as well as his years on the party circuit. Many were from the movie industry. Many were from the fashion world. Some were mere hangers-on. But all represented massive evidence of Jonathan's secret life, a life that was completely foreign to Becca.

They gathered in the main lounge, the hallway outside the intensive care unit, or in the basement cafeteria, some simply offering sympathy and kind wishes, others determined to bring Jonathan back by whatever means they could: there were those who came to "lay on hands," those who prayed over Jonathan's unresponsive body with sincere passion, and those who maintained a silent vigil in the hallways.

Ruth and Max were oblivious to everything except the minute-to-minute progress of their son. Ben took the entire mélange of characters in his stride, but Sylvia was overwhelmed. Once an hour, she asked Matthew Grant to remove them all from the premises, claiming that they were doing more harm than good. Becca was too numb to care what went on in the halls or in the lounge, but when asked, she allowed it, because no matter what anyone else thought, she knew Jonathan would have loved it.

Jinx had been in Los Angeles for almost a week when Jonathan's accident occurred. As always, when she visited him, she and Matthew spent every available minute together, so when Matthew hadn't shown up at her suite for dinner that particular evening, and when he never even bothered to call the next day, she had grown quite concerned. She waited until early evening before calling the hospital and getting a floor nurse to track him down. When finally he came to the phone, she was as alarmed by his abruptness as by what he told her.

"Jonathan Hillman is critical. I can't leave," was all he would say.

Instantly, Jinx decided to go to the hospital, but as she started to leave the hotel, she stopped herself. Why was she going? Was it because Matthew had sounded so uncharacteristically rattled? Was it because of some warped sense of family? She didn't know Jonathan and certainly, Becca would find no comfort in her presence. Was it because she thought, or hoped, she might run into Ben? He had made it quite clear the last time she had seen him that he didn't want anything to do with her.

Besides, she chided herself, his son-in-law is dying. Now is not the time to make selfish demands on his emotions.

Jinx waited downstairs in Matthew's office until well after midnight, when she was certain that Jonathan's family and friends had gone home. Quietly, she made her way through the maze of hallways and tunnels that led from the main section of Sunset Memorial to the Neurological Wing. When the elevator door opened on the third floor, she hesitated. Seeing no one, she proceeded through the lounge, down the hall to Intensive Care.

As she went to push the thick door open, she spotted Matthew standing outside a corner room with his arm around a blonde woman. Jinx's hand fell from the door. The last thing she wanted to do was to intrude upon Becca. She turned to leave, but something stopped her. She looked again. Becca was short and extremely pale. This blonde was tall, tanned, and very familiar. It was Heather.

Jinx almost lost her balance from the shock. She held on to the nearest wall to steady herself as everything began to fall into place. The talk they had in Mexico. The secret lover. The hateful wife. Jonathan Hillman was Heather's married man! Becca was the woman who had threatened Heather!

Threatened her with what? Jinx wondered. Something about me? Something about Kate?

Jinx shook her head and shelved all extraneous thought, pushing the door to ICU open and rushing to her sister's side. Matthew relinquished his place next to Heather and backed away. Jinx saw the torment on Heather's face. She heard the unconsolable sorrow in her sobs. She slipped her arm around her sister's waist, and as she felt Heather's body quake, she forced herself to look inside.

She had seen Jonathan Hillman only once, but his striking good looks had made an indelible impression on her. To see him this way was devastating, even for a stranger. Jinx trembled as she realized how horrible it was for those who really knew him; she remembered how horrible it had been for her when the man in the bed had been her husband.

"It's all my fault," Heather muttered, her voice faint. "I let her bully me. I let her scare me into not seeing Jonathan." She looked at Matthew and Jinx through bitter tears. "He needed me," she whimpered. "He loved me and I let him down."

"No, you didn't," Jinx said, trying to comfort her. "He was married. You did the right thing."

Heather stared at Jonathan.

"Is this right?" she asked.

"No, but it's not your fault," Jinx insisted, knowing she wasn't getting through.

"I should have stopped him. I should have known this would happen. He's been heading toward this for a long time."

"What do you mean?" Matthew asked.

"Jonathan's a wonderful man, but he's weak. He needs people to take care of him, to love him. His father didn't. His wife didn't. And I'm sure he thought I didn't. Right after we split, he started drinking. Then, he started popping pills. God knows what he was into lately."

Jinx thought she noticed a slight change in Matthew's expression.

"Once in a while, I'd see him and we'd talk." Heather had walked into the room and around to Jonathan's bedside. Her fingers trembled as her hand touched his cheek. "He was so unhappy." She tried to be brave, but as her lips moved to speak, she began to weep. "He had been such a wonderful lover, but thanks to his wife and his pills and his booze, he had become impotent." Her hand rested on his chest. "I didn't care. I just wanted to be with him." Softly, she caressed him. "I loved him. I worried about him. I worried that one day, things would get so bad that he would do something foolish, something like this."

Matthew walked over to where Heather was standing.

"This was an accident, Heather," he said gently.

"Was it?" she cried, her voice ringing with hysteria. "He was riding a borrowed bike, a machine he barely knew anything about! Was he wearing a helmet? No! He didn't even have a helmet with him! Did he try to help himself? There's not a cut or scrape on the palms of his hands, which means he never tried to break his fall. And even if you've chosen not to tell his wife or his family, I'll bet he had drugs in him. This may not be a classic cut-and-dried case, but believe me, you are looking at a suicide."

"It was an accident," Matthew insisted. "I have the police report. He didn't have time to help himself. It happened too quickly. He hit a wet spot and skidded head-on into a telephone pole. My guess is he went unconscious seconds after he hit, which is why there are no scrapes on his hands."

Heather buried her head in his chest and sobbed uncontrollably. When finally she had calmed, she wiped her eyes, looked at Jonathan, and then at Matthew and Jinx.

"I don't care what you say or what the police say or what his wife wants you to say. If there was one second where he had a choice of whether to live or die, I'm telling you, Jonathan chose to die."

It was almost morning by the time Jinx had taken Heather home and waited for her to fall asleep. Instead of going back to her suite or to her office, she returned to the hospital. When she didn't find Matthew in his office, she headed for the Neurological Wing. The third floor was quiet, the stillness pierced only by the sounds of the various machines pumping life into the critically ill.

Jinx pushed open the thick door to the ICU and looked into the corner where Jonathan's room was. Suddenly, she heard a tortured voice screaming into the night.

"Fight, damn you! Don't you dare just lie there and die! I'm doing everything I can, but you have to do something. You can't give up! You're young. You've got your whole life ahead of you. Don't let go! Help me! I need you. I can't do it alone. Help me! Please, I don't want you to die, J.J."

Jinx's heart raced. It was Matthew's voice and it sounded as if it were coming from Jonathan's room. Had Jonathan rallied? Who was

J.J.? Had they moved Jonathan to another room? Was this J.J. a new patient? Had Jonathan died?

Suddenly, she saw Matthew's shadow in the doorway. Something about the bent line of his body warned her to leave him alone. She moved to the other side of the nurse's desk, turned her back and waited until he left the ICU. After a quick check to be certain that Jonathan was still in the corner room, she made her way to Matthew's office, taking her time, giving him time.

Though the outer door was closed, it wasn't locked. Jinx turned the knob carefully, fearful of making even the slightest noise. She tiptoed into the reception area, closing the door behind her. The door to Matthew's office was open. He was at his desk, his back toward her, something shiny in his hand. From the way his shoulders were heaving, Jinx was certain he was crying.

Instinct cautioned her that if she walked through the door, she might be invading Matthew's private place, that dark hermitage where no one else was welcome. In the past year, their relationship had deepened and strengthened. She knew that she loved him. She believed that he loved her. Yet even with their growing closeness, she had to admit, she still felt an estrangement, a separateness that prompted an ever-present fear that one day, without warning, something or someone from his past would take him away from her and that their affair would be ended, with no explanations, no apologies.

Maybe this J.J. was that someone from his past. Maybe Matthew would resent her presence and view it as an interference. Jinx decided to risk it. She walked into his office, quietly went to his side, and looked over his shoulder. The shiny object in his hand was a picture frame and the photograph in the frame was of a younger, unmoustached Matthew with a boy of about ten. They were both wearing baseball caps turned backward and they were both grinning. The eyes were the same. The dimples were the same. The smile was the same. Jinx's breath caught in her throat. That boy was, without doubt, Matthew's son.

"He's beautiful," she said softly, placing a gentle hand on his shoulder. "He looks exactly like his father."

She half expected him to swirl around and glower at her, but instead, he turned and buried his head against her, loosing a torrent of heart-wrenching sobs. She embraced him, holding him as one would a child, stroking his back, encouraging his release. When finally his tears were spent, he spoke, without preamble, without pretense.

"His name was Jonathan Jay Grant and he was the light of my

life. He died of leukemia when he was ten years old and there hasn't been a day since then that I haven't missed him."

Matthew stared at the picture.

"This was taken just before he got sick. He was on a Little League team and whenever I had a free hour, I used to help coach." He looked at Jinx, but his eyes were focused on memories of another time. "He was good too. Great batter. Great shortstop." A smile flickered across his lips. He tried to keep it in place, but it kept wobbling, slipping back into a mournful grimace. "We were pals. We played together and talked together and laughed together. J.J. was fun. He had a great sense of humor. When he was little, I'd tell him a good-night story and then he'd tell one to me. Somehow, his were always better."

Matthew placed the picture on his desk and dragged himself to the window, where the first light of day was beginning to shine through the slatted blinds.

"We used to talk about everything. Sports, school, his favorite TV shows, his dreams, his ambitions." Matthew buried his face in his hands and shook from side to side, as if he still did not believe what had happened. "He wanted to be a doctor when he grew up. 'I want to be just like you,' he used to say. Just like me. What a joke! When he needed me the most, I couldn't help him."

He turned to face Jinx and leaned up against the window. She watched him carefully, seeing him in greater dimension. Matthew had always appeared so impenetrable, so controlled, almost computerized. True, she had witnessed his warmth and certainly, she had felt his love. She knew that he was capable of enormous compassion, but she never dreamed that he could hurt this way, that he could bleed so profusely, and feel such intense pain.

"I was doing my residency at Mass General," he said quietly, "one of the finest hospitals in the country, and yet, there was nothing anyone could do to save him. We gave him blood transfusions and radiation and chemotherapy and for a month or two, we thought we had cured him, but it was only a brief remission. Suddenly, before I knew it, before I could stop it, my son was dead and I was alone."

Jinx joined him by the window. His eyes were so tortured, his color so wan. She wanted to help him, but she thought about how she would feel if something ever happened to Joy, and she knew there were no words that could alleviate his pain.

"Where was your wife?" Jinx asked, somehow needing to know how the boy's mother had dealt with the tragedy.

Matthew turned and stared at her. His lips pursed into a rigid knot and his eyes turned cold.

"My wife walked out on J.J. and me a month after J.J.'s illness was diagnosed."

Jinx wanted to bite her tongue for ever raising the subject, but now that she had, Matthew seemed determined to vent years of pent-up rage.

"She couldn't take it," he said with obvious sarcasm and disapproval. "She couldn't bear to watch J.J. die. As if I could! As if it were easy for me to see him without any hair, losing weight, blown up and distorted from the drugs. As if it were easy for me to hold him in my arms and feel the last breath of life leave his body." Matthew paused and brought his hand to his mouth, pushing back the tears. "She said she'd never be able to bury her own child, so she left and I buried our child, alone."

Jinx just moaned and shook her head at the pitiful cruelty of it all.

"She was young, very pretty, spoiled, and very sheltered. She was an only child and I guess her parents had wanted to shield her from life's annoyances." Matthew's voice was calm, as if the worst part were over and this were nothing more than a simple recitation of the facts. "We were married while I was in med school. J.J. was born less than a year later. Both parents helped as much as they could, but when I was an intern, I made next to nothing. She had thought that doctors had wads of money delivered to their doors daily. When reality hit, it was tough for her. She resented scraping. She resented the long hours I spent at the hospital. And, I suppose, she resented me."

"How was she with J.J.?" Jinx asked, aching for Matthew.

"All things considered, she was a good mother. She devoted herself to him, until it became unpleasant." His voice rang with disgust. "When she knew that J.J. was dying, she ran. I didn't hear from her again until right before we went to Japan, when my lawyer told me she had forwarded divorce papers for me to sign. I still don't know where she is," Matthew said.

"Do you care?" Jinx asked, hoping she didn't sound selfish.

"No, not in the way you think," Matthew answered as if reading her thoughts. "The only thing I want from her is for her to visit her son's grave. I want her to give him what she owes him—her last respects."

"J.J.'s lucky he had you," Jinx said softly.

"I was the lucky one." Matthew went to his desk, opened a drawer, and took out an envelope. In it was a letter which he handed to Jinx. "I found this after he died."

Carefully, Jinx opened the crinkled pages. Part of her wanted to run, to avoid confronting the horror of a dying child, just as Matthew's wife had done, but another part of her, the part that loved Matthew, urged her to read the words of his son.

Dear Dad,

The lady doctor who comes to talk to me said that maybe I would feel better if I wrote down some of my thoughts. I tried to tell her that I feel okay, but she said to do it anyway. I know she's trying to help me because I'm dying, but if I'm really dying, how can a letter help me? Gosh, that's hard to say. Dying. Like dead. Like gone. I can't imagine that, Dad. I can't imagine never playing baseball again or never watching TV. Most of all, I can't imagine being without you or you being without me. It seems so unfair. Mommy left and now I'm going to leave. I don't mean to die. I love you and I know how bad you're going to feel. I won't feel anything. I'll be dead. You know what? I'm scared, Dad. I don't want to die. I wish you could make me better, but I know you wish that, too, so if you can't do it, I guess no one can.

Tear stains had blurred some of the ink. Jinx wondered whose tears they were—J.J.'s, Matthew's, or her own.

I just want you to know how much I love you. No boy has ever had a better dad. Really. All my friends think you're the greatest! I just wish I had been a better kid. Maybe then Mom wouldn't have gone away. I don't understand any of this, especially why God's making me die. I guess He wants me to be with Him more than He wants me to be with you. I just wish God had asked me what I wanted. I'd rather be with you.

Jinx's hands were shaking and she couldn't speak.

"I'm sorry," Matthew said. "I shouldn't have burdened you."

Jinx took his face in her hands and kissed him softly.

"I'm glad you decided to trust me enough to let me inside your heart. You were right. You were lucky. J.J. was special."

Matthew put his arms around her and for a while, they just held each other.

"I can't stand to see you suffer like this," Jinx whispered, feeling his body quiver. "I wish I knew what to say or what to do to make this awful pain go away."

"You help," he said, "by just being here, by listening to me, by understanding me and loving me. I need you."

"Good," Jinx said, wiping his eyes and smiling. "I need you to need me."

Matthew kissed her and then broke away.

"I have a patient in ICU who needs me too."

"How do you do it?" Jinx asked, as she watched Matthew slip on his lab coat. "Why do you do it? You're surrounded by death or the prospect of death all the time."

"After J.J. died, I thought very seriously about giving up medicine. I was angry for a long time, but then I thought about other fathers who might lose their sons. I thought about all the doctors who tried to save mine. If I can save one life, it makes up for the five I can't," he said.

"Is Jonathan the one?"

Matthew turned and she saw he had slipped into his medical persona as well as his coat.

"Jonathan Hillman has been clinically dead almost from the moment he was brought in. Unfortunately, he's one of the five."

For two more days, the horror continued. The pentobarbital was taking longer than usual to exit Jonathan's body, leaving everyone in limbo. Visitors continued to flock to Intensive Care, crowding the lounge and the hallways. The family continued its vigil, still clinging to the hope that a miracle would occur.

Ruth Hillman was so exhausted and so bereft that Matthew had prescribed a mild tranquilizer to keep her nerves in check. Sylvia Ross, unable to comprehend what was happening to Jonathan, concentrated on comforting her daughter, filtering out everything but tending to Becca's well-being. Max Hillman's own health was in danger of deteriorating, prompting regular visits from one of the staff cardiologists. Though Becca appeared to be handling everything with dignity and calm, she knew that at any minute, she might be asked to make a decision. The magnitude of that decision, combined with the torturous, unending waiting, had pushed her beyond any rational thought. That left Ben to attend to the gruesome details.

Late on the fourth day, he made an appointment to meet with Matthew in private. When he walked into Matthew's office, instead of finding Matthew there, he found Jinx. His immediate reaction was anger. His nerves were jagged to begin with, but seeing her pushed his emotions into an uncontrollable turmoil. For days, he had been listening to Max Hillman expound on his paternal guilt, ranting on and on about his mistakes and a father's responsibility to his children. The last thing Ben wanted to confront was his own guilt, his own mistakes.

"What are you doing here?" he demanded. Sylvia and Becca were in the hospital. What if they saw her?

"I was w-waiting to see Dr. Grant," Jinx stammered, as shocked to see him as he was to see her.

"We have an appointment," Ben said tersely. "And it's private."

Jinx rose from her chair, unsure about what to say or what to do, unnerved by the ferocity of his manner.

"I'm very sorry about your son-in-law," she said.

Briefly, Ben wondered if he shouldn't offer her his sympathy about the death of her husband, but he couldn't bring himself to do it. Harrison Kipling had tried to destroy Ben's business. It had taken him years to rebuild his agency, years to recover from Kipling's destructive maneuver. For all Ben knew, Jinx had been behind that betrayal. He wasn't offering her anything.

"Thank you for your concern, Mrs. Kipling, but if you don't mind, I'd like you to leave. This is not a conversation for strangers."

His voice was filled with such hostility and such coldness that Jinx began to shake. She started for the door, stumbling, knocking into Matthew, who had just entered his office. Matthew looked from one to the other, easily surmising what had just taken place.

"Mrs. Kipling is leaving," Ben said with a cruel sense of triumph. "This meeting concerns my family, and since she is not part of my family, I don't feel she should be privy to our discussion. In short, she doesn't belong."

Matthew went to grab Jinx's arm, to see if she was all right, but she pushed past him, out through the reception area and into the labyrinth of hallways leading away from Matthew's office, away from Ben.

She ran all the way to the parking lot, hot tears blinding her eyes. As she reached her car, she ran into Heather, who also appeared quite upset. Jinx's first thought was that Jonathan had died. She swallowed her own problems to tend to her sister.

"What happened?" she asked, wiping her eyes, trying to concentrate.

"I did something stupid." Heather looked frightened. "I went to the third floor, hoping to see Jonathan. I waited until the nurse told me the family had gone downstairs for dinner. I walked into his room and she was there."

"Becca?"

Heather nodded.

"She attacked me! She called me a slut and a whore and told me to get out. She told me I was to blame for Jonathan's condition, that if not for me, none of this would have happened. She told me I was a troublemaker, just like you."

Already upset, Jinx lost control. "How could you have been so heartless?" she screamed, her emotions raging. "That's her husband lying in that bed, not yours!"

Heather's whole expression changed. She had been rattled by her run-in with Becca, but now she was completely unnerved.

"Wait a minute," she said, staring at Jinx. "Why are you yelling at me? I'm your sister. She's nothing but a stranger."

"No wonder," Jinx said, speaking more to herself than to Heather. "He must have heard. He must have seen how upset you made Becca."

"He?" Heather demanded, agitated by Jinx's reaction. "Who's *he*? What are you talking about?"

Jinx stopped, turned, and without thinking, shouted at Heather.

"*He* is Ben Ross and he's my real father! Becca is my half sister!"

"What? Ben Ross? Becca?" Heather reeled backward, stunned. "I thought his name . . ."

Her eyes glazed over as she recalled Becca's hostility that afternoon in her apartment, the hatred Becca had displayed toward Jinx, the threats. None of it had made sense then, but it all made sense now, all of it except Jinx.

"Why didn't you tell me?" Heather said, still putting pieces together.

"I didn't think of it!" Jinx said, her tone hostile and defensive. "It didn't concern you."

As if someone had snapped his fingers to wake Heather from a trance, her entire manner changed. Suddenly, she was furious.

"It didn't concern me?" she screamed. "How dare you! For years, all I ever heard about was Benjamin Rostov. I grew up with your stupid obsession. I spent hours listening to you prattle on about him and his family and finding them and what it meant to you, and do you know what? I thought it was disgusting! I thought you should have been grateful for the father you had, instead of pining away for a father you never knew."

"I am grateful," Jinx protested, feeling cornered. "I know how wonderful Daddy is."

"Bully for you!" Heather couldn't cap her rage. It was as if she had bottled up every childhood grievance she ever had about Jinx and was using this moment to release them. "Is your real daddy wonderful too? Is that why you're jumping all over me?"

Jinx shook her head.

"Ben Ross rejected me. He flat out denied me, said he never knew Mom and never knew me. A few minutes ago, he threw me out of Matthew's office. He told me I didn't belong there. I wasn't part of his family."

"And instead of spitting in his face, you came out here and

defended him and his bitch of a daughter against me!" Heather knew Jinx wanted sympathy, but she just couldn't give it to her. "You say she's your sister? Well, I'm your sister too! But I'm the sister you grew up with, the sister who's been by your side your entire life. I'm the sister who loves you. That woman in there hates you! And from what you just told me, her father isn't much better."

Heather glared at Jinx, wondering if anything she was saying was sinking in.

"Ben Ross is never going to acknowledge you as his daughter," she continued, "and frankly, I don't see why you care. The man abandoned you. He abandoned our mother. He treated her like dirt, treated you like dirt and yet, after all these years, you still chase after him like he's some kind of god. Obviously, when you went to Phoenix and told Mom and Dad you had your priorities in order, you were lying!"

"I wasn't lying," Jinx protested. "I meant everything I said to them. We're a family again. Everything's fine between us."

"Sure, but two seconds around Ben Ross and you're telling me to consider his feelings and Becca's, instead of you considering mine. It's time you made a choice, sister dear. Which family do you want to be part of? The one that's loved you and accepted you or the one that's rejected you, over and over again!"

Heather's words hit Jinx like arrows, piercing her soul with stinging pain. She stood rooted to the ground, watching Heather turn on her heel and head for her car. Her body felt as heavy as her heart, but she forced herself to run after Heather, stopping her just before she got behind the wheel.

"Forgive me," she cried, grabbing Heather's hand. "Please, I didn't mean what I said. I love you. I didn't mean to hurt you."

She hugged Heather, holding her close, needing to comfort her, needing to be comforted by her. The two sisters held each other until both had calmed, until both felt secure enough to speak.

"You're right. It's time I stopped playing Don Quixote and dueling windmills," Jinx said, fighting the unsettling image of Ben's face, the unnerving echo of his words. "I'm an Elliot, not a Rostov. I love you and Mom and Dad and believe me, I do know where I belong."

I belong where I'm wanted, she thought as she watched Heather drive away. *And clearly, Benjamin Ross, I'm not wanted by you.*

On the fifth day, Matthew Grant called a meeting of the Hillman family in a small office inside the ICU. Sam Lawson and the private nurse who had been with Jonathan from the beginning were also in attendance.

"Late this morning, a test of Jonathan's blood level indicated that all toxins had left his system. An hour ago, we ran another EEG."

Ruth Hillman began to weep. Sylvia moved closer and put her arm around Ruth. Ben moved next to Becca. Sam Lawson kept a careful watch on Max.

"The EEG was flat."

There was complete silence. It was as if they had all stopped breathing. Becca looked at Matthew. She had thought she was prepared for this, but his words and the reality of their consequences seemed to siphon her last bit of strength. Her head felt light and she swooned.

The nurse, who had positioned herself behind Becca, caught her immediately, snapping a vial of ammonia and waving it in front of Becca's nose. She mopped Becca's brow with a damp cloth and stayed by her side until she regained her equilibrium.

"Are you all right?" Matthew asked.

Becca nodded. She was exhausted and sick to her stomach, but she knew what was coming and she wanted to get it over with as quickly as possible.

"What you're telling us is that Jonathan's dead." Her voice was shaky, but her directness assured Matthew that she was, indeed, in control.

"Yes. There is no electrical energy coming from his brain at all, which means that technically and legally, he's dead."

"But he's still breathing," Ruth cried, grasping at anything that would prolong the inevitable.

"Only because of the respirator," Matthew said, his tone gentle and understanding.

"What happens when you remove him from the respirator?" Ben asked.

"Within half an hour his heart would stop beating."

Max Hillman almost collapsed on the table.

"This should be me," he moaned. "I'm old. I'm sick. He's young, with everything to live for. Isn't there anything you can do to save him?"

Matthew hated this part of his job. He hated visiting grief and agony on others. He hated having to say, "We've done all we could." It made him feel so inadequate, so helpless, so pitiless.

"There have been cases where coma victims have been removed from respirators and lived," Ben said, directing his statement to Matthew's partner, Sam Lawson.

"That's true, but Jonathan is not in a coma," Lawson said, in crisp, clinical terms. "His brain stem is dead, which means that his brain is not sending the proper messages to the rest of his body. If the respirator is removed, the brain is unable to direct the lungs to breathe and take in oxygen. Without oxygen, his body would quickly fail."

"What happens if you don't remove him from the respirator?" Ben asked Lawson, deliberately avoiding Matthew, as if it were he who had pronounced the death sentence for Jonathan.

"Because he is young and because his heart is strong," Lawson continued, "if left on the respirator, he could remain the way he is for an indefinite period of time, but, please, do not delude yourself into thinking he would ever regain consciousness."

"Arc you saying Jonathan would be a vegetable?" Becca's voice was sharp, almost demanding.

"Yes," Sam Lawson said, meeting her gaze directly. "That's exactly what I'm saying."

Becca turned to Matthew.

"I want him taken off the respirator," she said in a tone that negated any further discussion. "If Jonathan's dead, I think we should all let him rest in peace. My only request is that I have a few minutes alone with him."

"Of course."

As she rose from her chair, Matthew helped steady her on her feet. They were at the door when Ruth Hillman cried out after Becca.

"How can you do this?" she wailed. "You're about to kill my son."

Becca turned around to look at her mother-in-law. She wanted to shout back that she wasn't doing anything that didn't have to be done, that Jonathan had killed himself, but she didn't. She simply walked out.

Matthew closed the door behind him, leaving Becca alone with Jonathan. For a long while, she stared at him, remembering him as he was when they had first met—handsome, devilish, worshipful, playful. She tried to forget what he had become—angry, bitter, distant. She stroked the side of his head, running her fingers through his ebony hair. She wished she could remove the bandages from his eyes so she could recall with exactitude just how blue they really were.

Gently, she perched herself on the side of the bed. She took his left hand in hers, suddenly realizing that no one had ever set his right arm or leg. Obviously, no one had ever expected him to come out of this. They had waited, just as she had waited.

"We're a lot like Romeo and Juliet," she whispered, feeling closer to Jonathan at that moment than she had felt in years. "We're kind of star-crossed. I never meant to make you unhappy and I know you never meant to make me unhappy, but the truth is, we made each other miserable. I'm sorry for that, Jonathan, sorry for both of us."

Tears gathered in her eyes, but she held them back. There would be plenty of time for tears later.

"This is hard for me to admit, but really, it was more my fault than yours. You were always such an open, trusting soul. I trust no one. I'm afraid, afraid that if I show anyone how I feel, they'll reject me. Maybe that's why I fought you—because though I did love you as much as I think I can love anyone, I couldn't bring myself to trust you with that love."

Her throat felt tight, as if her words and thoughts had massed into a huge ball, making it impossible for her to swallow.

"I know if you could speak, you'd tell me that I should have had more faith in you," she said in a rare burst of insight, "but long ago, I learned that I couldn't count on my father's love forever and ever the way a child wants to. I learned that I couldn't trust him, that his love was unreliable and conditional. After that, how could I trust anyone else?"

With tentative fingers, she moved the mouthpiece off to the side, leaned down, and kissed his lips. Then she returned the mouthpiece to its original position, slid off the bed, and started for the door. At the foot of the bed she stopped for one last look at her husband.

"You once said that the one thing I wanted to be was a wealthy widow. I told you then you were wrong, but since it turns out that I am going to be a widow, I guess you were right. I'll handle it a lot better being rich than I would if I were poor. Good-bye, Jonathan. Rest in peace."

26
Frances Rebecca Travis
Frankie

July 1982

NORMALLY, FRANKIE APPLAUDED ANYTHING that gave a production an air of authenticity, but at this particular moment, she would have traded a vital organ for a single breath of fresh air, her very soul for an air-conditioned set on a Hollywood backlot. The heat in Houston had hit a summertime high. For days, hundred-degree temperatures had suffocated the city, boxing it in beneath a sticky cloud that choked the atmosphere and made it difficult to breathe. To make matters worse, the focus of the season premiere of *Texas Gold*, one of TV's most successful nighttime soap operas, was a real, down-home barbecue.

Frankie, who was joining the cast this year as Toni Swift, visiting villainess, was being introduced on this episode. She was signed for six segments. If public response to her was favorable, her contract would be renewed for the rest of the season. Then she, like every other small-screen performer, would be at the mercy of television's mercurial ratings system and the whims of network executives.

They had been at it since seven in the morning, trying to get in all three scenes that took place around the fiery pit of the Tatums, the central family of *Texas Gold*. As the day wore on, the heat from the barbecue, combined with the blistering high temperatures, made it almost unbearable. Frankie was certain that not only her makeup, but her skin had melted and that most of her features were about to slide off her face. She was suffering, too, from an additional heat—embarrassment.

Though she had worked on television before—variety shows, talk shows, and an occasional guest appearance—this was her first series and she wasn't accustomed to the on-set procedures. In the movies, each scene was composed of a number of different takes—close-ups on each of the major characters, full-length shots, scenics, and voiceovers. Retakes were common practice. Weekly television shows, however, weren't afforded the same luxury. Whereas an entire day of shooting on a film was expected to yield only two and half minutes of screen time, the cast of *Texas Gold* was expected to produce an hour's show—taped, edited, and ready for telecast—within six days. When the cameras rolled, they recorded several different angles simultaneously.

Frankie was confused. She didn't know where to look, which camera to play to, which boom was doing the recording. She began to flub her lines and miss her marks. She had made more than her share of mistakes. Each time the director yelled "cut" and she spotted one of her costars give out with an aggravated sigh or raise a disapproving eyebrow, her nervousness increased and so did the frequency of her faux pas. She was beginning to wonder, just as she was certain they were wondering, if she was ever going to get it right.

Finally, at about six o'clock, after nineteen takes for two short pages of dialogue, the director ended the torturous session, dismissing both cast and crew. It didn't escape Frankie's notice that no one except Vera Knowles even bothered to speak to her before they piled into a trailer bus and headed back into Houston.

Vera had been on the show since its debut three years before and was now one of its resident stars. She played Georgia Tatum, the plain, beleaguered wife of Arch Tatum—handsome, wealthy oil tycoon, blustering cowboy, and all-around bad guy. One of the reasons Frankie had jumped at the chance to play on *Texas Gold* was to be able to work with her old friend. Though *The Mannequin* had done well at the box office, recently, her agent had encountered resistance from some Hollywood producers to hire her. *Texas Gold* was an established hit. As her agent had put it, "If this soaper can make stars out of unknowns, it could easily make a superstar out of you!" Frankie agreed. If she could make a go of it, this could prove to be her big break. If she failed, it might be her last chance.

"On the way into town, do you think we could stop at a veterinarian?" Frankie said as she and Vera walked toward the trailer bus. "Either I have rabies or fleas, but whatever it is, I'd like to get rid of it so that maybe someone around here other than you would talk to me."

Vera smiled, but continued walking. Frankie took note of her silence and added it to a pile of disappointments and disillusionments that had been building since the first day she had arrived on the set. For weeks, she had looked forward to seeing Vera again. She had called her the minute she arrived in Houston, expecting to have a tearful and loving reunion with her college buddy. Vera had been courteous and sociable, but not overly friendly. She had asked all the right questions and had made all the proper introductions, but she had not moved past the appropriate. She had not come to Frankie's room to havc an all-night hen session, nor had she invited Frankie to her quarters. She had volunteered no amusing gossip, no lowdown on the other people involved in the show. She had not shown the slightest inclination to giggle and reminisce about old times. In fact, in the two weeks Frankie had been in Houston, except for time spent on the set, she didn't think she and Vera had spent more than an hour together.

Initially, Frankie chalked it up to the fact that over the years, they had not corresponded. Had Vera felt it was Frankie's responsibility to have kept in touch? Or had she assumed, since she'd never heard from Frankie, that Frankie had dumped her? Then, too, Frankie knew that Vera was involved with the producer of *Texas Gold*. They had been an item even before their collaboration on the show, but had yet to marry. If their romance was in trouble, Vera was probably too busy tending to her future to worry about someone from the past. Maybe Vera had grown touchy about her looks and was nervous about bringing Frankie together with Earl Byron. Whatever the reason, Frankie was upset by the distance between them. Though it had been a long time ago, Frankie remembered Vera as a wonderful confidante, blessed with an ability to dish out instant wisdom. Right now, Frankie needed some wisdom. Right now, Frankie needed a friend.

Throughout the ride back into town, Vera's silence continued. Frankie had tried to make small talk, but Vera's answers had been blunt, almost curt, discouraging further conversation. Eventually, worn down by the heat and her friend's inexplicable coldness, Frankie gave up. She stared out the window and tried to understand why Vera was being so uncharacteristically reticent. When the bus pulled in to the Houston Kipling, Frankie still had no answers, but she was more determined than ever to try again.

"Listen," she said, catching Vera's arm before the other woman could escape into the elevator. "I know Earl's in L.A. for a few days. Please. Can't I buy you a drink? Can't we talk?"

Vera looked at Frankie and softened. There was no way to miss the desperation pouring out of those big brown eyes.

"Sure," she said in a tone Frankie read as resignation. "Let's shower and change. I'll meet you in the bar in an hour."

"Great!" Frankie smiled and nodded. As she watched Vera check for messages at the front desk, she convinced herself that everything was going to be okay. Whatever the problem was, it would soon be hashed out, disposed of, and forgotten.

An hour later, feeling refreshed and revitalized, Frankie sat in the bar waiting for Vera. As she watched Vera walk in and stop at a few other tables to chat with some of the cast, she felt an odd twinge of envy. In the years since college, she had followed Vera's career with a sense of pride. Vera had risen slowly, but surely through the ranks. She had performed in off-Broadway plays for a while, suddenly hitting it big when one of those plays moved uptown and critics finally took notice of her talent. Soon afterward, she began to star in quality theatrical productions, each time, receiving rave reviews. Once, Frankie had gone to see her. She had been brilliant, moving Frankie to tears in the role of a young woman dying of cancer. Frankie had wanted to go backstage, but she had been with Luke Maddox and he had refused to let her go. He had arranged a late-night dinner with some producer or other and he didn't want to waste the time. Maybe she should have insisted. Maybe Vera had seen her in the audience.

Before landing the role of Georgia Tatum, Vera had made two films and two made-for-TV movies, all major successes. As Vera approached the table, Frankie remembered that when Vera had been signed for *Texas Gold*, it had been announced in the papers as a coup. Frankie's own appearances on the show had rated only moderate fanfare. Funny, Frankie thought, how things work out. When they had been in college, they had always joked about Frankie being the glamorous, sought-after leading-lady type and Vera, the I-know-I've-seen-her-somewhere-but-I-don't-remember-her-name character actress. On this show, Vera was the star. Frankie was the "also."

When Vera sat down, they ordered drinks, went through several minutes of banal banter about the weather and the day's shooting. Then came what Frankie had feared most—awkward silence.

"Why are you angry with me?" Frankie blurted out, unable to stand it any longer. "I was so excited about seeing you again, about working with you and being with you. Yet, ever since I arrived, you've been avoiding me. Why?"

Vera played with her plastic swizzle stick, bending it back and forth between two fingers. Apparently, the answer was not an easy one.

"Whatever it is, tell me," Frankie demanded. "We used to be so close. We used to be able to talk about anything."

"It's been years." Vera still refused to look at Frankie directly. "Things change. People change."

Frankie began to squirm in her seat. There was an undertone to Vera's comment that portended criticism.

"Somehow, I get the feeling that what you're trying to say is that *I*'ve changed."

Vera looked at her and nodded, a sad smile tilting her lips.

"Yes, I guess that is what I'm trying to say."

"How've I changed? What have I done to put you off this way?" Unless it was Vera who had changed—and Frankie doubted that she had—Frankie was about to be hit with some hard truths.

"I'm afraid to be your friend," Vera said bluntly. "Anyone who gets close to you risks a public hanging. I've worked hard to get where I am, and no matter how I used to feel about you, I'm not about to let you destroy what I've built."

There it was. The truth, in all its naked harshness. Frankie blanched.

"I would never hurt you," she sputtered. "How could you even think that?"

Vera laughed, but it was obvious she saw nothing funny in what Frankie had said.

"Look what you did to Jose Banta and Colin Mattheson. Look what you did to Sunny Samuels. And from what I've heard, they're not the only ones. There have been others who have fallen victim to Frankie Travis's ambition." Vera paused, considering whether or not to continue. Frankie didn't say a word. She looked numb, almost surprised. "I know that your contract has a proviso written into it. I know that if your character doesn't get public approval, you're off the show. Quite honestly, Frankie, if that were to happen, I don't want to wake up one morning and read in the papers that it was my fault."

Frankie began to play with her cocktail napkin, rolling it into a skinny spiral, unrolling it, and crushing it in the palm of her hand. When she looked at Vera, it was with a shaky, embarrassed smile.

"I guess I deserved that," she said.

"I'm sorry, but you asked."

"Those things weren't my fault, you know." Frankie's words came in a rush, as if she were afraid that any minute Vera would get up and leave her there without hearing the full story. "I had this agent, Luke Maddox, and he was a bad, bad man. He made me do those things. I didn't want to. Really, I didn't. I know it looked awful. I know I looked like some sort of predator, but I was a victim, just like they were. Maybe even more so. He kept telling me that those people were going to ruin it for me, that if I didn't get them, they would get me. I shouldn't have listened, but I didn't know what else to do."

Vera saw the turmoil churning inside of Frankie. She saw the anguish and the guilt on her face. Frankie's eyes filled with tears.

"It wasn't the way it seemed. It wasn't my fault."

"You could have said no." Vera's voice was gentle, but there was no absolution in her words. "Instead, you went along with whatever he said and because you did, it was your fault. You made yourself the victim, not him."

"But I didn't mean to hurt anyone," Frankie said, still protesting.

"That's a child's excuse, Frankie. You're a grown-up woman now, dealing with grown-up situations and grown-up lives. Adults don't have the same understanding children have. They don't forgive as easily and they certainly don't forget."

Zach had told her the same thing. That horrible night when he'd walked out on her in Paris, he had told her that she couldn't continue to wreak havoc on people's lives without some sort of consequence. Was this her comeuppance? Was this her penance? An old, dear friend backing away from her as if she had the plague? Or was this only the beginning?

Suddenly, Frankie felt overcome with fear. It was a feeling that had been building ever since Paris, ever since Zach had left, throwing her into a tailspin she hadn't yet recovered from. There had been no men in her life since then; in fact, few people at all. If involvement and betrayal went hand in hand, then to take part in one assured the other. Among the myriad reasons she wanted this job to work out was the idea of continuance, the idea of being part of a group, part of a family. Now, once again, someone she had looked to for companionship and comfort was admonishing her. A familiar feeling of worthlessness stung Frankie's throat like regurgitated bile.

"Don't run away from me," she pleaded, grabbing Vera's hand. "Help me! Please. I need you. I would never hurt you. I can't bear the fact that you would even think that I would. You're the only real friend I ever had."

"I'll do what I can," Vera said, moved by Frankie's honesty, yet still determined to maintain a reasonable amount of distance. "And I won't run away. But I want you to understand that if I do leave, it will be for one simple reason. It will be because you pushed me."

Owen Phillips was a calculating man. He had taken the role of Arch Tatum for two reasons: his career had hit a lull and his bankroll had hit bottom. When he had signed on to do *Texas Gold,* it was not a project he was enthusiastic about. Despite the success of *Dallas,* Phillips clung to the opinion that soap operas were the province of daytime. Prime-time audiences wouldn't tolerate plots that continued. After a while, they would resent having to be loyal to a time slot. They wouldn't want to feel they had to tune in to keep up. *Texas Gold* would run thirteen weeks and then be canceled.

Much to his surprise, the show was a hit. And Owen Phillips had become TV's quintessential anti-hero, the man people loved to hate. In his three years as Arch Tatum, he had become as much a celebrity as Larry Hagman. He was recognized wherever he went. He was besieged with requests to do commercials. He gave commencement speeches at Ivy League colleges. He had even been granted an honorary degree from his alma mater, a midwestern school he had graduated from with no particular distinction. He should have been a happy man, but Owen Phillips was not unlike the character he portrayed. No matter how much he had, it was not nearly enough. He wanted it all.

The day Frankie Travis arrived in Houston, he decided that he wanted her. She was, without a doubt, one of the most exquisite creatures he had ever seen. Her tall, lithe, youthful body was the stuff dreams were made of, and he had determined that his dreams were going to come true. All he had to do was be patient. When the time came, she wouldn't refuse him. They never refused him.

Like the hunter that he was, Owen began to stalk his prey. He made it a point to be polite to her, but not overly so. When they had scenes together, he was helpful, but not obvious. Since that disastrous first shoot, she had been quite good, if he did say so himself. In fact, she had been outstanding. She was playing the vixen to a farethee-well, adding an exciting touch to the show as well as a new dimension to his own character.

The irony of it amused Owen. Frankie's role was that of the young seductress who had come to town expressly to put a wedge between Arch Tatum and his steadfastly loyal wife. What a pleasure to be working opposite someone worth looking at. Vera Knowles was an excellent actress, he would grant her that, but she was a beast. A frump, even in the expensive clothes provided for her by wardrobe. Although he knew that it was just that contrast—handsome, dashing, man-about-town married to humble hausfrau—that had intrigued viewers all across the country, he found it tedious to play love scenes with her. Fortunately, most of the scripts called for him to bed-hop with every available skirt in Houston, so those scenes were limited to maybe two a season. He would have preferred that they be eliminated altogether, that Vera Knowles be eliminated altogether.

The day of the season premiere, Owen and Frankie were scheduled to enact their first love scene. Four episodes had already been filmed. This was the fifth. He knew from the producer, Earl Byron, that Frankie was scheduled to appear in only one more after this. Then they would wait for the responses to her performance.

The lead-in scenes had gone without a hitch; still Owen sensed that Frankie was far from calm. As she walked from her dressing room onto the set, he watched her gnaw on her nails, anxious about having to climb into bed with him in front of forty people. The dresser took her robe and left Frankie standing there in a flesh-toned bathing suit.

"Okay! Hit the sack!" Marty Weber, the director, smiled at her encouragingly. He was an understanding man. He knew that while some actresses loved bedroom scenes, others loathed them.

Owen walked over to Frankie and bowed.

"'Come into my parlor,' said the spider to the fly." He smiled and took her hand.

Frankie climbed under the blanket and watched as Owen slipped out of his velvet dressing gown. He, too, was wearing a bathing suit and she noted how different he looked with his clothes off. Swaggering around the set in his padded-shoulder suits and cowboy hat, he appeared young, roguish, and quite handsome. Now, with his body exposed, his fifty-odd years became more obvious. He was of medium height, with a hairy chest, broad shoulders, and a slight paunch. His flesh was spongy, and she watched in quiet amusement as he sucked in his stomach before joining her under the covers.

They sat there awkwardly while technicians swarmed around them, setting microphones, arranging lights, checking wires. Frankie continued to bite her nails.

"There's nothing to be nervous about," Owen whispered. "You'll be fine."

Frankie smiled, grateful for the encouragement.

"Okay, let's run through it."

For an hour, they rehearsed, going over their lines and setting up their positions. Every once in a while, Marty checked camera angles and realigned an arm or a shoulder. Throughout, Owen was the perfect gentleman. Then they began to shoot.

The first time his hand grazed her breast, she thought it was an accident. Then it happened a second time, and then a third. Occasionally, she felt his foot stroking her leg. At one point, his lips met hers and his arms slid around her back holding her closer than was comfortable. Instead of just "sucking face" or "dry-kissing," as onscreen romancing was called, she suddenly felt his tongue darting around in her mouth. Despite all the love scenes she had played, this had never happened before. Frankie was shocked, to say the least, but she continued to play the scene until Marty yelled, "Cut."

When he did, Owen planted an affectionate peck on her cheek.

"You can put your slippers under my bed anytime," he said casually. "You were great!"

Frankie felt foolish. Here, she had interpreted his actions as a subversive pass, a cheap feel. Now, he was congratulating her on a fine performance. She smiled back at him, but inside she was embarrassed. He had been simply doing his job, behaving like the true professional that he was, making certain that the scene played well. As she watched him head toward his dressing room, she shook her head, chiding herself for being so amateurish. Clearly, she had a lot to learn.

That night, the season premiere aired. Most of the cast watched the show in the hotel lounge. Frankie stayed in her room, too nervous to judge her own performance, too nervous even to watch. Instead, she tried to read a book. When that didn't work, she tried to read a newspaper. That didn't work either. Her powers of concentration were nil. All she could think about was her contract. Would it be renewed? Would the viewers like her? Would they approve of her? What if they didn't? How would she handle it? What would the press say? Finally, a little after midnight, she took a sleeping pill and went to bed.

The next morning, she awoke to the sound of someone pounding on her door. It took her a few minutes to orient herself, but the pounding continued. She roused herself, slipped on a robe, went to the door, and looked through the peephole.

"It's Vera and Earl. Did we wake you?" Vera said. "If we did, we don't care!"

"No. I was up," she lied. "Come on in."

"Congratulations," Earl said, kissing her cheek and grinning. "You were a smash! Toni Swift is here to stay!"

"You were an absolute sensation," Vera chimed in, hugging Frankie. "They loved you!"

"How do you know?" Frankie was still groggy. "Didn't the show air just last night?"

"It aired in New York first and then moved across the time zones," Earl said, obviously excited. "As it did, switchboards in every region lit up with people applauding the introduction of a female counterpart to Arch Tatum. I think they're hoping you're going to stick it to him."

"The overnights were outrageous! This calls for a celebration!" From behind her back, Vera produced a bottle of champagne and a carafe of orange juice.

Earl did the honors, popping the cork, pouring the bubbly into hotel-issue water glasses, and then making a toast.

"Here's to a long and glorious run on *Texas Gold.*"

The three of them clinked glasses and gulped the foaming champagne. To Frankie, it could have been beer out of a paper cup, it still would have tasted sweet. She was surrounded by friendship and success, and for the first time in years, she honestly believed that maybe, just maybe, things were beginning to go her way.

Shortly after lunch the next day, Owen found Frankie out by the pool, studying her lines for the next day's shoot. For a long while, he stood at the far end of the patio, taking her in. Like a bracing drink on a summer's day, the sight of her caused his senses to explode in a rush of anticipation. Garbed in the skimpiest of bikinis—just two white swatches of fabric clinging to her delicately tanned skin—her body glistened from suntan oil and she looked like some vestal virgin about to be offered as a human sacrifice. Slowly, he approached her, conscious of the fact that he was extremely conspicuous in his jeans and his cowboy boots. He didn't care if people gawked. He was a star. As he told anyone who asked, he had an image to maintain. It was beneath him to trot around in a state of semi-undress. The truth was that he wore lifts in his shoes and never, ever appeared in public without them.

"I heard you were a complete success," he said, sitting down on a lounge chair next to her.

"So they say," Frankie lifted her hand to shield her eyes from the sun. "All I know is they're picking up my contract. I am now a regular."

"I'm delighted," he said, noticing how white her teeth were, how broad her smile. "But why aren't you out celebrating?"

"No time. I have a lot of lines to learn for the next episode."

"Would you like me to cue you?" he asked.

"That would be great. If you can spare me a few minutes, I'd really appreciate it."

"I've got all afternoon," he said benignly.

For half an hour, they ran through their lines. Frankie was so engrossed in what they were doing, so honored that he would put himself out this way for her, she never noticed that his eyes remained fixed on her body.

Owen was not gregarious. Rarely did she see him having a drink with anyone, except for an occasional nightcap with Earl or Marty. He kept his distance from all the other cast members and, most definitely, from the crew. Vera had told her that a lot of people disliked him, but kept quiet because he was Arch Tatum and Arch Tatum was the main reason *Texas Gold* was number one.

"Frankie, would you mind if I asked a favor of you?" he said, mopping his brow with a linen handkerchief, an item totally incongruous with his jeans and plaid shirt.

"Sure. What can I do?"

"It's so hot out here. Would you mind if we continued this in my room?"

"If you'd rather stop—" she began, afraid to appear as if she were taking advantage of his generosity.

"No, dear. I don't want to stop. The next few scenes are vital. It's just we'd be so much more comfortable inside."

Without thinking anything of it, Frankie agreed. She wiped some of the suntan oil off her body, slipped into a filmy white robe and thongs, and followed him into the hotel. His suite was on the main level, overlooking a small man-made lake. Inside, the air-conditioning was on full blast, causing goose bumps to burst out all over Frankie's flesh.

"Here," he said, grabbing her arms and rubbing them. "Let me warm you up."

Something in his eyes set off an alarm in Frankie's brain. She broke free of his grasp.

"It's okay," she said quickly, not wishing to seem rude. "I'm fine."

"You're more than fine, Frankie. You're luscious. I've been meaning to tell you that for a long time."

There was no misinterpreting his signals now. He hadn't brought her here to rehearse. He had brought her here for one reason and one reason only, to get her into his bed. Frankie wondered if he would let her leave. He was not a tall man, nor a particularly muscular one, but she knew from Luke Maddox that some men possessed a strength that they called on only when they wanted to subdue resistant women.

"You know," she said casually, "I forgot. I have an appointment in wardrobe. I'm sorry, but I'm going to have to leave."

He blocked the door.

"I'm sorry, but you are going to have to stay."

"You make that sound like a threat, Owen." She stood in one spot, waiting for him to move, waiting to make her break.

"I wouldn't call it that," he said, backing up, reaching behind him and locking the door. "I'd call it an invitation."

"I have to decline." She was beginning to panic.

"That's not a real good idea."

"Why not?" *Please, move to the side so I can get out of here!*

"Because you said you'd do me a favor and now you're reneging. This is a business of favors, honeybunch, you do something for me and I do something for you."

"Thanks, but I don't need anything from you." She stepped to the right. He followed her.

"Ah, but you do. You think that if the public likes you, you're in. In the real world, it's more complicated than that. They can like you all they want. If I don't like you, you're going to be out on your sweet little ass."

"What are you talking about?" She leaned left. He put his arm on the wall, creating a barrier.

"I'd hate to do it, really I would, but if we're not going to get along, I just might have to speak to Earl and my friends at the network and convince them to bring about the early demise of Toni Swift."

"You wouldn't."

"Oh, but I would," he said, leering at her. "You see, we're supposed to be lovers. I'm a method actor. I thrive on realism."

Frankie recalled their love scene the other day. Her instincts had been correct. His gropings had been no accident.

"Acting is pretending, Owen. You know that. Besides, we're going back to Los Angeles next week. Your wife will be waiting for you."

"That's next week. This is now."

With that, he lunged for her, tearing the sleeve off her robe. Frankie tried to get away from him, but he had backed her into a corner near the window. He came after her, his eyes glazed with lust. He pushed her up against the wall, seized her wrists, and held them over her head. With his free hand, he ripped the flimsy bra from her body, exposing her white breasts. Her teeth clenched the instant she felt his hot breath wash against her skin. She tried to wriggle free, but his hand pressed her arms up against the wall while his knee held one of her thighs tight. He was hurting her.

With a sudden lurching movement that took her off balance, he dragged her over to the bed and threw her on it. Quickly, as if he had done the same thing many, many times, he took her robe and used it to tie her hands to the bedpost. Keeping one knee pressed against her groin, he ripped off his own shirt and dropped his pants. Then, using both hands to hold her down, he kicked off his boots, slid off his pants, and straddled her, penning her in like a trapped animal.

"Please," she pleaded, "don't do this to me! I beg of you! Don't!"

"But I want you," he said, staring down at her. "Give yourself to me. Come on. Say yes. I won't hurt you. I just want to touch you."

With that he slipped a finger inside her bikini bottom, rubbing it against her, his eyes never leaving her face.

"Nice," he said, flicking his finger back and forth beneath the slender band of fabric. "Feels nice." From way down in his throat, he moaned.

"Say yes," he barked, his voice suddenly turning harsh. "Say you want me. Say it!"

Though Luke Maddox had been a rough and demanding lover, somehow she had known he would never seriously injure her. This was different. Owen Phillips was half-crazed. If she didn't agree, he would surely rape her.

"Okay," she said, her voice trembling with fear. "I want you."

He grinned. His tongue swept across his lips. His face contorted with desire. Frankie had never seen anything so ugly in her life.

"Take off your pants."

"I can't," she whimpered. "My hands are tied."

He wedged her body in between his legs while he untied her. The instant her hands were free, she tried to bolt out from under him, but he pinned her down, pressing against her with such force that she knew she'd be black and blue for a week. Her eyes filled with tears, but her hands slid the tiny panties down onto her thighs. As if that had been a signal, he thrust himself inside her and pounded away at her body, ravaging her, violating her, humiliating her.

Frankie tried to block out what was happening. She wanted to faint, to go unconscious and escape her horrifying reality, but she remained fully awake, fully aware. She suffered his abuse in tearful silence, swallowing her outrage. He grabbed at her breasts, squeezing them, biting them until she thought she'd shriek from the pain. His body thundered into her again and again with unbelievable force, but all the while, she remained mute. She wouldn't give him the satisfaction of screaming.

Finally, he had exhausted himself. The torture had ended, but not the abasement.

Instead of rolling off her, he resumed his straddle, his breathing coming in labored puffs.

"You loved it, didn't you?"

Frankie refused to respond.

"Tell me you loved it." Again he pinned her arms behind her head, leaning over her malevolently.

She couldn't bring the words to her lips, she just couldn't. Spent, beaten, unable to muster any further resistance, she turned her face to the side, waiting for him to slap her. Instead, he merely laughed, a cruel, heartless laugh.

"You don't have to say it. In fact, I don't really give a shit whether you loved it or not. I did, and that's all that counts."

He threw down her hands, moved off her, leaned back against the headboard, and stared at her. Quickly, terrified that at any minute he would attack her again, Frankie slid off the bed, grabbing at her torn robe, covering her nakedness. She tried to walk, but her body ached and her legs were weak. All she could do was clutch at the night table and glare at him.

"You're disgusting," she said, practically spitting out the words.

"And you're young and exciting. Do you think we can do this again soon?"

His audacity astounded her.

"Never!" she shouted.

"Never say never." He shook his finger at her, his mouth spread in a confident smirk. "You're not in any position to say no. I know how much you want to keep this job. Now you know how much I want you."

"You make one move toward me and I'll ruin you! I'll tell the world you raped me."

"No you won't," he said, laughing as she floundered around trying to find something to put on, finally grabbing his shirt and pulling it on as fast as she could.

"You won't say anything because no one will listen to you anymore. You've got a real bad history of lying to the press, little girl."

"I won't go to the press," she said, dragging herself to the door, trying to stop herself from quaking. "I'll go to Earl Byron."

Phillips hooted.

"Go ahead. Tell Earl. I'm making that man a fucking fortune. Who do you think he'll believe? The star of the hottest show on television? Or a sometime ingenue who needs this show more than it needs her? Just make sure you're on the set tomorrow, sweetcakes. We have another love scene to do, and I know you wouldn't want to miss that."

Frankie ran from the room, taking the back stairs up to her floor. As she forced herself to climb the three flights, she felt a wet warmth trickling down her leg and knew without looking that it was blood. Good God, what had that bastard done to her?

She opened the door to her room and slammed it behind her, ripping his shirt off her body and throwing it on the floor. She stumbled toward the bathroom and turned on the shower, anxious to wash the stench of his barbarism off her skin, eager to scrub away every memory of the heinous assault. Just before she stepped into the shower, she looked in the mirror. Purple bruises tattooed her body, branding her flesh with his signature. She sobbed. She wanted to do something, to call someone, but she was afraid, afraid to call the police, afraid to call a doctor, afraid to so much as move.

Later, as she sat on her bed wrapped in a robe and nursing her emotional wounds, the question that continued to plague her was, what had her role been in all of this? Had she, once again, allowed herself to become a victim? Had she encouraged him? Had she invited this attack? No! she told herself emphatically. That was ancient propaganda. Men who raped women were violent people. It was an act of savagery, not an act of passion.

If she wasn't going to call the police, what were her options? She couldn't quit without giving a reason. She couldn't refuse to do scenes with him, even love scenes. And she couldn't go to Earl Byron and tell him that she had been raped by the biggest star in nighttime television.

Should she confide this to Vera? Should she show her her bruises? Should she ask her advice? They had grown closer since that night in the bar, but still Frankie didn't feel completely secure. She felt some resistance, as if Vera were testing her. Frankie had been tested before. Sadly, she admitted that she had failed more often than she had passed. No. She wouldn't say anything to Vera. She would keep this to herself. She would act like an adult.

Suddenly, she heard Vera's voice outside her room. She jumped off the bed and ran to the door, looking through the peephole, just to be certain that Phillips wasn't lurking in the hallway. She opened the door and let Vera in, wondering if it had been providence that had brought her here.

"You bitch!" Vera's face was flushed with rage. "You did it again!"

Frankie couldn't believe her ears.

"What did I do? What are you talking about?" Her heart began to pound.

"Owen Phillips just had a little chat with Earl. Do you know what he said?"

Frankie shook her head, wishing that Vera would stop pacing and stop fuming.

"He said that he thought the show would be much better if Arch Tatum had more scenes with Toni Swift and less with dear old

Georgia. He even suggested that Arch divorce Georgia and marry Toni. Consider the possibilities, he said to Earl, of having two such wicked people playing off each other. Consider the possibilities, indeed!"

"Why are you blaming me?" Frankie cried, frantic and distraught. "He's the one who said those things. Not me."

"And you would be the one to benefit from the changes, wouldn't you?" Vera was seething. "You put him up to this, I know you did."

"Why would I do that?"

"For the same reason you've knifed everyone else you ever worked with—to better yourself."

"You've got it all wrong, Vera." Frankie moved toward her. She tried to take her hand, but Vera slapped it away. "You're better than he is. That's why he wants to lessen your importance on the show. You're real competition for him. I'm not."

"Sounds good," Vera said. "But it won't wash. Owen and I got along very well before you got here. Why now is he suddenly so down on Georgia Tatum? Is it because you promised him something? Your voluptuous body, perhaps?"

Frankie couldn't contain herself any longer. Her eyes filled with tears and she began to shake.

"Don't say that," she cried. "Don't ever say that."

"Why not? Does it embarrass you to hear the truth?"

"The truth is that he raped me."

Vera threw up her hands and gave out with a loud, exasperated grunt.

"Give it up, Frankie. You slept with him. You got him to do your dirty work for you. And you got caught. Own up to it!"

"He raped me." Frankie was whimpering, mewling like an injured kitten. "Here, I'll show you." She began to untie her robe, but Vera gave her a disgusted sneer and started for the door.

"You claimed you wanted to be my friend. You don't know the meaning of the word!"

"Look!" Frankie ripped open her pajama top, exposing her battered chest.

Vera never even turned around. She walked out the door and slammed it behind her.

Frankie crumpled to the floor. For a long time, she just lay there sobbing, feeling sorry for herself. Somehow, she had to prove to Vera that Owen had done this on his own. Somehow, she had to prove that she had not participated in or engineered any sort of betrayal.

Suddenly, a strange, hollow, bitter laugh pushed its way out of Frankie's mouth. This time she was completely innocent, honestly victimized, truly the one who was suffering. Yet, in Vera's eyes, and probably in the eyes of others, she was deemed to have been too guilty too many times ever to be presumed innocent again.

Owen Phillips was a despicable man, but he was right. She could protest all she wanted. Who would believe her? She had cried wolf once too often.

27
Frances Rebecca Hillman
Becca

December 1982

"I'M AS DISAPPOINTED AS YOU ARE," Jinx said, "but it can't be helped."

"What is it now?" Matthew tried to keep his voice even, but this was not the first time Jinx had canceled a trip to Los Angeles.

"An emergency board meeting has been called for Monday morning." Jinx had heard the sarcasm in Matthew's voice, but chose to ignore it. "Dodge has raised questions about the Kipling Foundation. Even though I've financed the foundation with my own funds, Dodge claims that since these moneys had been part of Kip's estate, accrued through profits from Kipling hotels, the board of directors is entitled to some say as to how these funds are distributed. Can you believe the nerve of that guy?"

Once he had heard her explanation, it was difficult for Matthew to argue. Jinx had established the Kipling Foundation primarily to fund the Neurological Wing at the Sunset Medical Center. Matthew headed the Neurological Wing and without Jinx's financial support, he knew he would have a hard time maintaining it.

"What does Milton Fox have to say about all this?" he asked.

"Milton's assured me that Dodge's claim is baseless, but since

Dodge has raised the issue, I have to answer it." She paused. "Please say you understand?"

Matthew was trying to do just that. He was trying to understand Jinx's compulsive loyalty to her late husband's company. He was trying to understand her obsession with keeping Jeffrey Dodge at bay. And he was trying to understand that part of this was her own attempt to prove herself worthy of the mantle of leadership, worthy of the name Kipling. Still, he felt lonely and rejected, certain that Kipling Worldwide was beginning to replace him in Jinx's affections.

"Since I've already cleared my schedule," he said, "how about if I fly to New York."

"I'd love that," Jinx said with honest enthusiasm, "but I have to spend the entire weekend going over legalities with Milton in preparation for the meeting." She wanted him to wish her luck or to say something encouraging, or just to tell her how much he missed her. What she got was silence. "As soon as this is taken care of," she said hurriedly, "we'll reschedule our weekend. I promise."

"Fine. Let me know when you're free."

Matthew hung up the phone with a heavy hand. In the time he had known Jinx, especially since Japan and in the year since Jonathan Hillman's death, he had found himself growing more and more dependent on her emotionally. He had found himself counting the days and weeks between visits. He had found himself thinking about her at odd moments during the day, at odd hours of the night. He had fallen in love with her. He knew that and he knew that he ought to have been thinking about making their arrangement more permanent, but two things stood in his way: his own hesitancy at committing himself to a marriage, and his private fear that she was more committed to perpetuating Kip's legacy than she was to the prospect of making a future with him. Today's phone call certainly seemed to substantiate that fear.

His phone rang again. He picked up the receiver hoping it was Jinx telling him she had changed her mind and wanted him to come to New York. Instead, he found himself talking to Becca Hillman.

"I hope I didn't disturb you," she said. "I know you're busy, but I have a favor I'd like to ask."

Since Jonathan's death, Becca had kept in touch with Matthew, calling him, inviting him to small dinner parties at her home, never taking no for an answer. Occasionally, he felt a twinge of guilt about having any sort of relationship with Jinx's half sister, wondering whether Jinx would view his involvement, no matter how impersonal, as disloyal. However Jinx perceived Becca, to Matthew she was always extremely pleasant and thoughtful, making any sort of refusal appear rude and ingracious. Besides, whenever he went to one of her soirees, her guests were always people who were, in some way or another, connected to the financial well-being of the hospital. Therefore, his attendance could easily be excused as fund-raising.

"Don't tell me it's another charity dinner," he said, disappointed that it wasn't Jinx, but grateful for the diversion. "I hate to tell you this, but I think I've depleted my powers of persuasion."

Becca laughed, a benign, ladylike sound of amusement.

"It's nothing quite so dreary, I assure you, but it does involve charity."

"Somehow I knew that," Matthew said, feeling surprisingly relaxed. "Do you ever do anything that doesn't involve good works?"

"Didn't your mother ever tell you it's better to give than to receive?" she said coquettishly. "This weekend there's a charity golf tournament in Palm Springs to benefit a new drug rehabilitation center there. I've promised to play in it, but just yesterday, I discovered I need a partner. I know you play golf. I also know you've been working like a mule. How about taking a break? Tomorrow's Friday. The tournament is Saturday. We could fly down early tomorrow evening after you've finished your rounds and we'll be back Sunday night. Interested?"

Matthew didn't have to consult his schedule. He had cleared the weekend in anticipation of Jinx's visit. She wasn't coming and he had nothing to do.

"It sounds great," he said. "And you're right, a change of scene might be just what the doctor needs."

"Wonderful!" Becca said, her voice ringing with honest delight. "All you have to do is pack a bag, drag out your golf clubs, and be ready to leave by four o'clock. I'll take care of everything else."

For months, Becca had draped herself in one expensive black outfit after the other, powdering her face so she looked paler and more fragile than usual. She had trained herself to look wistful at will, to get a tragic look in her eye and shed a tear at the mere mention of her late husband's name. When, on those occasions she attended a charity function—feeling morally obligated to do so and, therefore, free to break her mourning—she bit her lip and bore up stoically when the band played "Memories" and "When I Fall in Love" and certain other "meaningful" songs. Though she had been turning in an award-winning performance of late, the part had grown tiresome. Enough was enough. Becca wanted to get back into the social swirl. She wanted to spend the enormous fortune she had inherited. She wanted to be wined and dined. She wanted Matthew Grant.

Becca was not a woman who could ever fall so madly in love as to leave herself vulnerable to Cupid's dart. Her scale of emotions did not have that kind of range. She was much too self-involved, too self-protective to allow herself to commit to another person. In her mind, that was tantamount to allowing someone else to control her and she would never let that happen.

She was not, however, opposed to the idea of an affair. It wasn't the physical act that interested her, but the challenge inherent in the mating game as well as the flattery that went along with it. She liked having someone tell her she was beautiful and desirable. Kisses, caresses, displays of passion—they didn't excite her nearly as much as the idolatry and excessive compliments that lovers traditionally lavished on each other.

When she had first met Matthew Grant, she had decided that he was a courtly man, a man who would not shy away from expressing his admiration for the woman of his heart. She had also decided that he probably was an adept lover, considerate, not demanding and abusive as Jonathan had often been. To have him in her bed would be quite a coup. Many women had tried and many women had failed. The only woman who seemed to have succeeded in charming Matthew Grant had been her half sister, Jinx Kipling. That fact alone was worth the effort.

But Becca never left things to chance and never, if she could avoid it, left herself open to rejection. Once she had set her cap for Matthew, she embarked on her own small investigation of his emotional life, befriending his nurse, bringing her little tokens of appreciation when the young woman squeezed her into Matthew's busy schedule, casually drawing her into conversation. So Becca knew when Matthew had taken a weekend off to spend with a "special lady." Becca needed no names. She knew exactly who that lady was. She knew that lately Matthew had been pushing himself harder than ever, that he had grown sullen and short-tempered. She also knew that he had not had a weekend off in almost four months.

The time had come to make her move.

And so far, everything had gone according to plan. They had had a pleasant flight and a quiet dinner at Gaston's. Becca had been concerned that Matthew might become suspicious of her true motives when she told him that they were staying at a house she had rented as a retreat after Jonathan died rather than at a hotel, but he appeared to take it as a matter of course.

Saturday, they teed off early. The day was glorious, with cloudless turquoise skies. From the start, Becca was determined that she and Matthew would win, and they did. Though Matthew's game was sporadic, Becca played brilliantly, encouraged by Matthew's obvious admiration of her skill.

Throughout the presentation of the trophies and the cocktail party that followed, Becca kept a continuous watch on Matthew. She was afraid he might become bored with all the golf talk, but his mood was buoyant. He mingled with everyone there, praising his partner, giving Becca all the credit for the win. Several times, she thought she detected small signs of a nascent attraction—a wink, an arm draped over her shoulder, a toast, a lingering smile.

They returned to the house, changed, and went out for a late dinner. Her choice, Melvyn's, a dark country-flavored French restaurant attached to the legendary Ingleside Inn, was dimly lit and very chic. A perfect setting.

Midway through dinner, when Matthew complimented her once again on her prowess on the course, she lowered her eyes and played with her wineglass.

"It's all so meaningless," she whispered.

"What do you mean?" Matthew asked, somewhat surprised at the sudden change in mood.

"Don't get me wrong," she said, offering him a wobbly smile. "I had a wonderful day. You were terrific out there and I'm thrilled that we won, but it's only going to make it worse for me when I get home."

"Worse? How?"

"My life is empty now," she said. "I rarely see anyone. I spend most of my days and nights alone. I don't seem to have anything to hold on to."

"You have lots of friends," he said, trying to bolster her spirits. "Surely, they ask you out."

Becca laughed, a pathetic, sorrowful spurt of sound.

"In the beginning, they did. But Los Angeles is a terrible town for a widow. If I go places by myself, people stare at me as if I'm some kind of freak. If I go with another couple, I'm looked upon as a third wheel. So, I stay home."

Matthew reached across the table and took her hand. His eyes were sympathetic, his voice gentle.

"You're a beautiful woman, Becca. You've suffered a tragic loss, but things have a way of reversing themselves. What seems insurmountable today could be history tomorrow. You've just got to wait it out."

"I'm trying," she said, looking brave, sounding meek.

"If I can do anything to help, just let me know."

"Thank you," Becca said, smiling to herself. "I will."

It was late, well past midnight, but Becca knew Matthew was still awake. They had said their good-nights less than half an hour before, going to their separate rooms, but she had deliberately left the door to her bedroom ajar so she could see whether or not he had turned off his lights. Then, Becca started on her evening toilette—showering, perfuming her body, slipping into a filmy white negligee. She had left a decanter of Matthew's favorite brandy by his bed, and by now she assumed he was relaxed and mellow and ripe.

She covered herself with a peignoir and, without knocking, opened the door to his room. He was sitting in bed reading, his chest bare, the lower half of his torso covered by a sheet. Next to him, on the nightstand, Becca noticed that some of the brandy was gone.

The better to seduce you with, my dear, she thought as she moved toward him.

Matthew had been so absorbed in his book, he hadn't heard her come in. When she sat down next to him on the bed, his face registered surprise.

"You said that if I needed something, I could come to you." Her voice was breathy and shy, just the way she had rehearsed it. "I need to be loved," she said. "I need for a man to make me feel like a woman again. I need you. Now."

Without waiting for a response, she removed her peignoir, dropping it on the floor alongside the bed. Then, with trembling fingers, she reached out and took Matthew's face in her hands, bringing his lips to hers, sighing the instant they met. She had anticipated a certain indecision and hesitancy. He returned her kiss, but it felt more like a polite gesture, a guest's compliance with his hostess's wishes. Quickly, she made her own kisses more ardent, accompanied by delicate swipes of her hands across his chest. Soon, she felt him respond. She shut off the light and then, bathed in the soft glow of a desert moon, shed her silken covering and slithered into the bed next to him.

Fortunately, her years with Jonathan had taught Becca several things. She knew what responses were expected of her and she knew how to arouse her partner. She touched and fondled and stroked until she knew there would be no rejection, no second thoughts, no loyalty to someone else.

Matthew reacted to the moment, subconsciously finding her body an oasis where he could escape the loneliness that had recently become such a constant in his life. Her skin felt smooth and inviting, but more than her caresses or her whimpering sounds of excitation, his own frustration accelerated his passion. She was not the woman he loved. She was not the person he wanted to be with, but that person was in New York and he was here. That woman had opted to devote herself to business. This woman, for tonight anyway, had opted to devote herself to him. That woman didn't seem to need him. This woman did.

Gradually, he acceded to the more carnal side of his nature. He submitted to Becca's seduction, blocking out all thoughts of consequence, all thoughts of "after." Now this man of science, this man who normally viewed every situation as having cause and effect, was simply a man, allowing himself to revel in the pure, unadulterated physical joy of sex.

Naturally, Becca interpreted Matthew's pleasure as a tribute to her sensuality. She assumed that since she had wanted to sleep with him—and had—that if she wanted a relationship with him, she could have that too. Though she rarely fantasized, Becca indulged in visions of an affair with the estimable Matthew Grant. She saw them sharing intimate dinners and even more intimate moments afterward. She saw him escorting her to the various balls and galas she liked to attend. She even saw him eventually proposing to her.

When she had married Jonathan, it had been primarily for a way out of her house, a way to increase her personal wealth and elevate her social stature. Things were different now. She was an independent being, financially secure and socially prominent. Now she needed a companion, yes, even a lover, someone to erase the embarrassing stigma of single womanhood. Matthew fit the bill. He was everything she wanted in a man—he was stunning, successful, famous in his own right, and a charmer besides. The fact that he was kind and gentle and deliciously erotic, she counted as a bonus.

After their return from Palm Springs, Becca waited. One week went by. Then two. Then three. She was beginning to worry. What had gone wrong? They had made love. Clearly, he had enjoyed himself. They had not been awkward the next morning. He had promised to call. By asking around, she found out that he had been extremely busy lately, but that didn't soothe her growing suspicions or make her feel any better. Something had upset her plans. Something or someone.

Finally, he called. When she heard his voice on the phone, her own reaction startled her. Normally, she would have expected to feel triumphant or even a bit self-righteous, but in truth, her response could be defined only as excited. As they exchanged pleasantries, her insides fluttered, she felt schoolgirlish and shy, and her mind immediately set to anticipating their next meeting.

"I wanted you to be the first to know," he was saying.

Becca had been so lost in her own thoughts, she had not heard a word he had said.

"Excuse me?"

"I said I had great news. I was offered an incredible position at New York General Hospital as head of Neurological Services. Quite honestly, I've been looking to leave Los Angeles for some time," he said, "but I never dreamed something like this would come through."

"How wonderful for you," she said, feeling flutters of anxiety. "How did it come about?"

Why was she so certain she already knew the answer?

"A while ago, a friend of mine submitted my name to the hospital board and they accepted me. They notified me of the appointment just after we got back from Palm Springs. I've been meaning to call you, but I've spent the last few weeks taking care of dissolving my partnership and seeing to a mass of pesky details. At last, I think I'm coming out from under. If nothing catastrophic happens, I'm moving to New York next week."

Becca said nothing. Again, Jinx Kipling had interfered in her life. Her anger was so instant and so acute that she was struck speechless.

"I'll miss you," Matthew said, filling the silence.

"That's nice to hear." Becca's voice was low, crisp, deliberate. Then, suddenly, her tone changed, becoming more upbeat. "But you won't have to miss me for very long, because I'm moving to New York also."

"What a coincidence," Matthew said, slightly taken aback by her announcement.

"Isn't it."

"What made you decide that?"

"You know how unhappy I've been here. Well, a few weeks ago, my parents called, pleading with me to come home. Ever since Jonathan died, they've been extremely concerned about my well-being. I've decided that they're right. Without Jonathan, Los Angeles is a city of strangers. I need to be around people who care about me, really care about me."

"That sounds like a good idea," Matthew said. "I'm happy for you, Becca. When you get there, give me a call."

"You can count on it," Becca said, trying to disguise her raging emotions.

They said their good-byes and Becca hung up the phone. For a long time, she simply stared at it, feeling the ire inside of her build. How dare he? How dare he use her and then dismiss her? She was not some common harlot. She did not dispense her favors indiscriminately. She had allowed him the privilege of intimacy. She had offered herself to him and he had accepted. According to Becca's rules of order, that meant he owed her. But he had opted to welch on his debt in favor of Jinx Kipling. He had made a choice, and as far as Becca was concerned, whether he did it consciously or unconsciously, purposely or not, he had made a fool out of her.

"You've made a big mistake, Matthew Grant," she said to herself, "a mistake you're going to live to regret."

28

Frances Rebecca Gold

Cissie

June 1984

OUTSIDE THE NEW YORK KIPLING, limousines jammed the circular drive in front of the main entrance. Crowds of celebrity-watchers pushed and shoved against the barricades, eager to see who had come to participate in *Gold Stars,* a fund-raiser to kick off Congressman Noah Gold's campaign for the United States Senate. Huge klieg lights streaked the sky. A golden carpet marked the path from the entrance into the lobby. Photographers and reporters from every major network and newspaper elbowed each other, all vying to interview the glitterati who had accepted Cissie Gold's invitation.

Cissie had pulled out all the stops, inviting not only the entire New York political community, but also the entire haute monde. Artists and writers, Wall Street barons and university professors, the top names of every glamour industry—fashion, advertising, magazines, book publishing, television—the upper crust of New York society, they were all there. Hollywood was well represented, as were Broadway and the couturiers of Paris, with a large contingent headed by Paul Rochelle.

Though the primary had only recently confirmed Noah as the Democratic candidate, she had been working on this gala for months.

Usually political fund-raisers were steeped in numbing sameness—a bland dinner, more speeches than anyone could bear to listen to, a plea for money, and lots of promises that few believed. Cissie's goal was to generate excitement, to surround Noah with an aura of difference that would create a swell of enthusiasm that went beyond issues and platforms. For good or ill, politics had become a show and, she reasoned, if it was a show the voters wanted, a show they were going to get.

Inside the Grand Ballroom, hundreds of gold foil stars hung from the ceiling. The tables were draped in gold mylar cloths, with huge glittering stars rising above centerpieces of fresh white flowers. At one end, an enormous bandstand had been set up in front of a huge photograph of Noah. There would be no long-winded speeches, no boring harangues. Instead, Cissie had organized a parade of stars who, by their very presence, would validate Noah's cause.

Cissie herself was radiant in a gown of gold lamé. Her red hair seemed to glint with coppery highlights, and her eyes sparkled with a brilliance matched only by the diamonds that encircled her neck. This night was her gift to Noah, her way of expressing her faith and her love. Although ostensibly, she had organized this ball to raise money and catapult Noah into the public consciousness, Cissie's private hope was that it would help bridge the terrible distance between her and her husband.

For some time, they had been moving on separate tracks, he following the scent of power, she trying to keep up, trying to reclaim her place by his side. Little by little, he had edged her out of his inner circle of advisers. Where they used to discuss policy and strategy, now she was privy to nothing more than generalities. Someone else arranged Noah's speaking engagements. Someone else wrote and edited his speeches. Someone else helped plot the course of his campaigns. Instead of being his true helpmate, she had been reduced to a mere figurehead—the candidate's wife. She was told where to appear, handed a speech, given a good-luck peck on the cheek, and sent out to do her job. Rarely did they occupy the same podium. Rarely did they attend the same functions. Almost never did they spend any time alone. Once, they had shared a common dream. Now they shared very little except a marriage that had clearly lost its glow. This party was Cissie's way of trying to regain the luster she missed so much.

But after the receiving line had broken and the music had started, Noah left her to work the room, glad-handing his way through a crush of influential well-wishers, smiling and beaming, flushed with his own importance. Cissie, fighting a feeling of uselessness, sought out the company of those who would soothe her ego and bolster her spirits. She had invited her entire family and all had shown up except Becca. From her, she had received a terse phone call from some social secretary who informed her that Mrs. Hillman had to decline due to a previous engagement. Truthfully, since Jinx and Matthew were coming, Cissie had greeted Becca's regrets with a sigh of relief.

It didn't take Cissie long to spot Frankie. She was standing just inside the entrance to the ballroom, surrounded by a gaggle of Toni Swift fans. Cissie watched her younger cousin play to the crowd and smiled. She was happy for Frankie. This part had done for her what no previous role had been able to do—it had made her a bona fide star. Since her first appearance on *Texas Gold*, her character had captured the imagination of the viewing public. She was the quintessential bitch-goddess—beautiful, conniving, clever, most often heartless, yet every once in a while exhibiting a flash of vulnerability that told her audience she wasn't all bad.

Not unlike Frankie herself, Cissie thought, as she made her way through the crowd.

"May I have your autograph?" she said, hugging Frankie.

"I thought tonight you were asking for pledges." Frankie was speaking more to her fans than to her, but Cissie took no offense. It was to be expected. It was part of the act.

"If you autograph a check, I can kill two birds with the same pen," she said.

Frankie signed a few cocktail napkins and then turned to Cissie, permitting the faithful to move on.

"What a fabulous night!" Her smile was radiant.

"I'm so glad you could come," Cissie said, meaning it. "How is the show going?"

"It's great! You do watch it, I hope?"

"I wouldn't miss it," Cissie said, surprised that Frankie still needed her approval. "There are so many plot lines and so many juicy secrets. You *are* going to tell me how it all works out, aren't you?"

"I would if I could, but I don't know myself," Frankie said, relishing the mystery. "Each week we get a script and that's it. No one ever knows what's going to happen next. All I know is I've signed a two-year contract."

"That's great!" Cissie said, wondering why Frankie didn't sound more excited. "They should give you a ten-year contract. Your character is so deliciously nasty."

"As Toni Swift I can have any man I want," Frankie said with a quick, unsure smile. "At last count, I was responsible for breaking up at least three happy homes and I'm presently working on number four."

"Just don't take this role to heart," Cissie said with mock seriousness.

"It's a part." Frankie's answer was defensive, as if Cissie's comment had been a criticism. "In real life, it appears I'm quite resistible."

Frankie's mood had shifted quickly, too quickly, Cissie thought, but she had no way of knowing that Frankie dreaded the start of next season's taping. Frankie dreaded the idea of facing the hostility she felt on the set and dealing with the alienation she felt off the set. Though she had tried several times to make amends, Vera spoke to her only when necessary, treating her as if she were a convicted felon. Earl Byron, out of loyalty to Vera, also treated her like a pariah, participating only in conversations that pertained to the show's production. Unfortunately, Owen Phillips spoke to her often, but his comments were confined to lewd whispers and nasty threats. When it became apparent that she hadn't told anyone about their violent contretemps, he took it as a sign of his triumph and her weakness. At times, it was almost more than Frankie could bear, but she forced herself to put up with it. She had no choice. Her career was riding on the success of this show.

What made things worse, was that Frankie had nothing outside of *Texas Gold*. She had no dates, no friends, no relief from the antagonism that surrounded her. Whenever she could, she spent time with Sterling and Karen, but she was too embarrassed to tell them about what had happened between her and Owen and too defensive to explain all the reasons behind Vera's enmity. The only other person she could talk to was her agent, but, having learned from Luke Maddox that intimacy was an unwise ingredient in an agent-client relationship, she confined their discussions to business.

What she wanted was a role in a movie. She needed to immerse herself in something, to lose herself in a project. Oddly enough, her success on *Texas Gold* had limited her options. She was bound to a schedule and, in the minds of some producers, tied to a character type. They doubted that audiences would believe Frankie in the part of an innocent ingenue or a beleaguered heroine. For better or worse, she was Toni Swift.

"You mean to tell me there aren't at least a hundred panting swains knocking down your door?" Cissie was saying.

"How about not even one." Frankie hadn't intended to say that, but when she did, she looked embarrassed.

"Do you ever hear from Zach Hamlin?"

"No."

Cissie could tell from her voice that she still thought about him. Probably, she was still in love with him.

"He's in New York, you know. A few months ago, he was transferred from Europe. He's the anchorman on a nightly news show."

Frankie nodded. Obviously, she had known exactly where Zach was and what he was doing.

"Why don't you give him a call?" Cissie said it casually. Frankie took the suggestion seriously. Sadly, she shook her head.

"The last time I saw him, he made it clear that he never wanted to see me again."

"They say time heals a lot of wounds. Whatever happened is in the past. I'll bet he'd be thrilled to hear from you."

"I couldn't," Frankie said in a way that indicated she had thought about this often. "I couldn't stand it if he rejected me again. Besides," she said, forcing herself to brighten, "my schedule's too grueling. I don't really have the time for a hot-blooded romance."

"You can't try and fit love into an appointment book," Cissie said, speaking from experience. "You have to go after it."

"Maybe, but I want someone who will love me no matter what. Someone who will accept me, warts and all. Someone like Noah. You know," she said, "I've always envied you. He's handsome and brilliant, about to become a Senator, and with it all, I'll bet he's just as devoted to you as he's always been."

Cissie lowered her eyes and played with her bracelet.

That's not a good bet, she thought sadly, trying to forget, for now, at least, the nights Noah wasn't where he had said he'd be, the extra work weekends in Washington.

"If it isn't my favorite daughter and my favorite niece." Sterling Travis kissed each of their cheeks. "What an incredible party!"

"I'm so glad you could come," Cissie said, trying to talk above the music. It had been years since she had spoken to Sterling, and when she had called to invite him to the gala, she had expected him to beg off. Instead, he had accepted immediately. "You look wonderful."

"I feel wonderful. Mainly because I finally got a chance to work with my daughter. Did she tell you we just finished shooting an episode of *Texas Gold*?"

"She never mentioned it," Cissie said, finding the omission odd.

Sterling put his arm around Frankie, who looked uncomfortable.

"She was outstanding. What a fine actress she's become."

His pride was evident. Cissie looked at Frankie, expecting to find her face dusted with satisfaction; instead, it was clouded.

"Let's not make it sound as if it was *Kramer vs. Kramer.* It was a television soap."

"So what. It was an acting job, you performed beautifully, and I loved working with you."

Frankie sighed with obvious disbelief.

"Maybe one of these days you won't have to lower yourself to be on something as mundane as *Texas Gold*. Maybe one of these days I'll be good enough to be in one of your movies or in a Broadway play."

"Vera Knowles is a well-known Broadway actress," Sterling said, trying to make Frankie feel better about her work. "She doesn't seem to mind being in a smash TV show."

"Don't compare me with her or anyone else," Frankie said, suddenly huffy. "Everyone's always comparing me with other people, as if I'm not worth anything being just me."

"I wasn't doing that," Sterling said, alarmed at her response. "I love you as you are. I always have and you know it."

"Sometimes I wonder," Frankie said acidly.

Cissie was about to say something, but Frankie had turned on her heel and stormed away from them.

"What was that all about?"

Sterling shook his head. His face was lined with concern.

"I guess she's spent so many years running after approval that even when she gets it, she doesn't believe it."

"I'm worried about her," Cissie said.

"I am too. While I was guesting on the show, I sensed a distance between her and some of the cast. More to the point, I got the feeling that Frankie is floating, looking for some kind of harbor. She's very lost, Cissie. Very, very lost, and I don't know what to do to help her."

"I think she needs to find someone to love."

"Yes," Sterling said, nodding his head in agreement, "but I'm afraid that in her present state of mind, she has no sense of discrimination. She's so desperate for attention and affection that all someone's going to have to do is show her a little kindness and give her a few pats on the back and she'll become a willing slave."

"All we can do is hope," Cissie said, linking her arm through Sterling's and walking toward the dance floor, "that luck will be on Frankie's side and that soon she'll meet her Mr. Right."

Because neither Sterling nor Cissie had considered Frankie's past or the current state of Frankie's need, neither of them ever considered the fact that perhaps at this point in her life, Frankie didn't know the difference between right and wrong.

Noah was in his glory. There was nothing he liked better than being surrounded by power and celebrity, and tonight, there was plenty of both for him to feast upon. The Governor was there. The

Mayor. The incumbent Senator who had declined to run again due to bad health. Major policymakers from Albany and Washington had flown in to honor him. And thanks to Cissie, there were more stars in this room than at a Broadway opening.

To Noah, this night symbolized the start of his reign. Though he wouldn't be crowned until November, he truly felt as if the scepter had already been placed in his hand. Without realizing he'd done it, he made a fist. He had waited a long time for this. He had dreamed of it. He had worked for it and he was more determined than ever that nothing would take it away from him.

Perhaps that was why, despite the upbeat atmosphere of the evening, there was a subtle edge to his mood. His opponent was a capable man and Noah was savvy enough to know that once the lights in this ballroom had gone out, it would be back to the ordinary day-to-day of campaigning. Though his campaign was moving along nicely, he still needed something substantial to sway the undecided votes to his side. So far, his researchers had come up with nothing.

He looked for Jeremy King and his brother-in-law, Andrew. They were supposed to be romancing the major politicos, using purposeful chitchat to unearth whatever they could, in the hope that in the course of cocktail chatter, a liquored tongue might loosen some heretofore unknown information about the Republican contender that could, if necessary, be used against him. Naturally, Noah himself had to steer clear of such maneuvering.

Meanwhile, his hands were sweating. He needed a diversion. Someone to talk to. Someone to dance with. He looked for Cissie, but she was on the other end of the ballroom. One of his newest assistants, a sultry brunette with a bachelor of arts degree in political science, was nearby, but before Noah approached her, he thought better of it. Control was not her best attribute.

"Frankie," he said, grateful to see a familiar face. "How wonderful to see you." He kissed her cheek and hugged her to him. Then he held her at arm's length and whistled appreciatively. "Whew! You are more gorgeous than ever."

She did look exceptionally beautiful. Her long mane of black hair was pulled up on the sides, cascading down her bare back. A bright red gown which hung from two slender strands glistened with elaborate silver beading, adding a sheen to her pale, luminescent skin.

"You're looking pretty stunning yourself," she said, smiling back at him. "What a party!"

"Up to now, it's been a lot of handshaking and how-de-dos. How about joining me on the dance floor and taking advantage of the music?"

He led her onto the dance floor, followed by several photographers eager to record the future Senator's terpsichorean talents for the morning papers.

"How's the campaign going?" Frankie asked when finally the music slowed and she thought Noah might actually be able to hear her.

"Not too badly, but it's a long, long way until November."

"I'd like to help."

Noah rewarded her offer with a broad grin.

"That's great!" he said. "You're kind of like my good-luck charm. You helped me win my first election and I could sure use your magical powers of persuasion for this outing."

"This is very important to you, isn't it, Noah?"

"It sure is," he said. "But you're important to me also, and I'm very grateful you want to join my team."

Frankie was warmed by his enthusiasm and flattered by his compliments.

"What can I do?" she said, suddenly eager to jump into the fray.

"Right now, you can just smile into the cameras and look like the star that you are. After that, we'll see."

It was late by the time Jinx arrived. Cissie had been watching the door, waiting for her.

"I was beginning to think you weren't going to make it," she said, greeting Jinx with a kiss on the cheek.

"I was held up in Boston and then I waited for Matthew. He was called in on an emergency and by the time his nurse got to me, it was after nine. I'm sorry."

"I'm just glad you're here. There are so many people I want you to meet."

"Lead away," Jinx said, following Cissie to a nearby table.

For an hour, Cissie led her around, introducing her to various associates and friends. Though she brought her over to meet Andrew, her Aunt Molly and Uncle Herb, they had agreed that "Jinx Kipling, friend" would suffice. No further explanations were necessary. When they came to Tessa and Bert's table, Bert was charming, almost effusive. Tessa was guarded, as was Jinx, but this was Noah's night and whatever disaccord existed between them was muted.

As far as Cissie was concerned, the important meeting was the one she had planned for Jinx and Frankie. As soon as they left the other family members, she dragged Jinx to where Frankie was giving a quick statement to a reporter from *People.* Cissie made the introductions and gave a silent prayer that she hadn't made a terrible mistake.

"I've wanted to meet you for such a long time," Jinx said, smiling at Frankie. "Aside from the obvious, I'm a big Frankie Travis fan. I saw *The Duchess of Portobello Road* three times, I thought you were brilliant in *The Mannequin,* and I think you're a real lowlife on *Texas Gold.*"

For the moment, Frankie relaxed and returned Jinx's smile.

"That's nice to hear," she said brightly, bolstered by the compliments. "Thank you."

Suddenly, a man from the *Times* recognized Jinx and besieged her with questions about the progress of the Times Square theater/hotel complex. As Jinx went into an explanation of how the Kipling organization had relocated all the tenants of the SRO hotels and were just about finished with the foundation of the massive structure, Frankie retreated, studying this woman who was supposed to be her cousin.

Cissie insisted that they looked alike. Maybe they did have the same color hair and the same pale skin, but, Frankie told herself, she was taller and her eyes were prettier—dark and sexy, not that light, wishy-washy lavender of Jinx's. From what she could see through Jinx's long, loose, black charmeuse gown, Frankie decided her own figure was better, much shapelier, much firmer, even though, in all fairness, she knew Jinx was older and had borne a child.

Though she didn't completely understand why, deep down, Frankie wanted to disclaim the relationship. There was no logical reason she could think of. Certainly not loyalty to Ben Ross. That had died when he had killed her cosmetic deal. Nor did she feel any loyalty to Becca. Becca hadn't spoken to her in years. Even when Frankie had paid a condolence call to her cousin after Jonathan's death, Becca had been her usual icy self. Was it because she was jealous of Cissie's closeness to this woman? Or just because she was feeling so terribly insecure and unsure about herself these days? Somehow, Frankie felt that once again, she was being compared to someone, this time to Jinx Kipling.

"I'm sorry. I don't mean to bore you both with my business problems," Jinx said, finishing with the reporter and interrupting Frankie's silent analysis. "We're here to celebrate Noah's candidacy and to get to know each other."

"Cissie tells me you're Ben Ross's daughter."

Frankie's tone was abrupt, almost rude. Cissie shot her a warning look, but Frankie paid no attention.

"In name only, I'm afraid." If Jinx had heard the gruffness, she chose to ignore it. "The only one who's been willing to accept me as a member of the family is Cissie." She smiled affectionately at the stunning redhead to her right. "That's why I'm so grateful to you for agreeing to meet me. It makes me feel a little less like a life-threatening disease."

Jinx was making it difficult for Frankie to dislike her. She was treating Frankie with great respect, something Frankie craved and seldom received. The more Frankie looked, the more she noticed the striking resemblance between Jinx and the picture that used to sit on Lillie's dresser of their mutual grandmother, Franyu. There was no disputing the physical relationship between them. Whether she wanted to own up to it or not, Frankie had to admit she did feel a certain kinship with Jinx's struggle for recognition by the Rostov clan. In her mind, she had been fighting for the same thing for most of her thirty-three years.

"Cissie told me you're a widow," Frankie said. "I never met your husband, but from everything I read, Harrison Kipling was quite a man. You must be quite a woman to have snagged someone like him."

Cissie thought she noticed a softening in Frankie's attitude. Maybe this wasn't going to be so bad after all.

"He was extraordinary," Jinx said. "I feel very lucky to have been part of his life."

"How's your daughter? Joy, isn't it?"

"She's fine," Jinx answered, not unaware of the cloud that had passed before Frankie's eyes.

"Do you spend a lot of time with her? Do you let her have friends over? Do you tell her bedtime stories and kiss her good night?" Frankie had gotten lost in the past, momentarily reliving her own childhood, reviving her own pain. "I know firsthand how awful it is to grow up without a father," she said wistfully. "I just hope you're not neglecting her."

"Take my word for it, both the Kipling girls are doing fine," Cissie interjected, wanting to keep the conversation light. "Joy is the darling of elementary school and Jinx has a new beau, a devastatingly handsome surgeon who is utterly gaga over her."

Frankie's forehead creased. She knew Cissie didn't mean it that way, but once again, a familiar feeling of inferiority swept over her. Why did it seem as if all the women she knew had men devoted to them except her? Why did it feel as if Lillie's prediction that she'd always be a little girl and never a real woman was coming true?

"I'm so glad he decided to move to New York," Cissie continued, unaware of Frankie's reaction.

"New York General had been trying to get Matthew on staff for years," Jinx explained. "When finally they made him an offer, he accepted."

"Of course the fact that you were in New York had nothing to do with it," Cissie said with a knowing giggle.

"Maybe just a little." Jinx blushed.

"How good are Noah's chances?" Frankie asked, eager to get off the subject of swooning swains.

"Quite good actually," Cissie answered. "The early polls indicate that he has a strong lead. Naturally, we're worried about Reagan's influence and the recent surge in the economy, but we're in there fighting. Thanks to people like Jinx, I think we just might pull it off."

Frankie looked from Cissie to Jinx.

"Jinx has been a major contributor to Noah's campaign chest. Not only that, but in addition to donating the New York Kipling for tonight's festivities, we also get a free ride for our election night party. Plus, she's coerced her ad agency into handling all our promotional work gratis."

Frankie nodded, a weak smile on her lips. There it was again: Cissie had nothing but praise for Jinx. She wanted to scream, "What about *me*?"

"That's very nice, but Noah needs more than money and banquet halls," she said with sudden crispness. "Today, politicians need the power of celebrity endorsement. I've volunteered to do TV spots for Noah and, since I have the time, I thought I might stump for him again. I was effective before and I'd be happy to lend my presence to his campaign now."

"That's great," Cissie said with cautious enthusiasm. Though she was grateful for the offer, she suspected that Frankie was fulfilling her own needs more than Noah's. "The Golds welcome any and all assistance, especially from tried and true campaigners," she said brightly. "And now that we've taken care of my husband's future, can we take care of my thirst?"

Cissie motioned for a waiter to bring the three of them champagne, desperately seeking relief from the strain of trying to make two strangers instant friends. She had thought that this party would make things easier, but it hadn't. Something had triggered Frankie's defense mechanisms. Whatever Jinx said or whatever was said about Jinx, Frankie countered with a plug for herself. The entire conversation had turned into a nonsensical game of one-upmanship.

Though Cissie felt concerned about the obvious frailty of Frankie's ego, she was annoyed. No matter how altruistic Cissie's basic nature was, lately she had become aware of her own frailties, her own needs. She was physically and emotionally exhausted—managing the house in New York, the house in Georgetown, her children's lives, her husband's life (when he would let her), her job at LaTessa, the Kipresort boutiques. It was becoming harder and harder to deal with it all, and for the first time in her life, Cissie was finding it difficult to cope.

She had wanted this meeting to go well. She had wanted to unite Jinx with another member of the Rostov family. She had wanted to infuse Frankie with a sense of relevance by making her that link. She had wanted to enjoy herself, but it just wasn't working out as she had planned.

"In a few weeks, I'm hosting a fund-raising brunch for Noah at my home in Westchester," Jinx said, speaking to Frankie but aware of the fatigue lines on Cissie's face. "I'd be delighted if you would come. I'd love for you to meet Joy and I know she'd be in heaven meeting you. Do you think you can make it?"

Frankie chewed on a cuticle, watching a look she couldn't read pass between Jinx and Cissie. She was too self-absorbed to see how upset Cissie was, too full of self-pity to see how disturbed Jinx was. The entire time they had been standing here, she had witnessed the deep friendship between those two women. Throughout that time, she had felt like the outsider.

"I promised Cissie I'd meet you," she said, ripping off a piece of dead skin. "I didn't say I would adopt you. If I'm not busy, maybe I'll stop in."

"I'd love to have you," Jinx said, ignoring Frankie's lack of grace. "But believe me, there's no obligation. Cissie, I see some people I must say hello to. Will you excuse me?"

After Jinx left, Cissie turned to Frankie.

"How dare you," she said, enraged. "How dare you be so rude?"

Frankie continued to gnaw at her fingers, covering her anxiety with a look of indignation.

"I wasn't rude," she retorted, "and besides, how would you know? You had your nose so buried in her face, you wouldn't have known if I had turned green!"

"You sound like a two-year-old," Cissie snapped. "I wanted you to meet Jinx because she is a warm, caring woman and I thought you might be able to use another friend. Obviously, you'd rather be alone."

With that, she turned and headed for the powder room. Frankie watched her go, still hearing her own angry words echoing in her ears. Why had she acted that way? She wouldn't rather be alone. She could use a friend. Why had she pushed Jinx away? And Cissie, of all people? Instinct. That's what it was, she told herself. Gut instinct.

Her responses had not been based on reason or intellectual judgment. Instead, she had done what she always did. She had leaped before she looked. She had fought off what she had perceived as a threat. She could run after Cissie and explain her behavior, but she suspected that her explanation might sound selfish and indulgent. People had a short supply of sympathy for those they considered fortunate. She could apologize, but experience had taught her that "I didn't mean it" never sounded good enough. So instead, as she had done too many times before, she let it go.

As she left the Grand Ballroom, not bothering to say good-bye, she sighed. It had not been a good night. Earlier, she had been snippish with her father. Throughout the evening, she had been impatient with most of her relatives. And then she had alienated Jinx Kipling and Cissie. As she hailed a cab and headed uptown, she realized that the only bright spot had been Noah. If not for him, the entire night would have been an unqualified disaster.

By the middle of July, the campaign was beginning to take its toll. Cissie's fatigue had increased and, at the insistence of Jinx and her brother, she consented to a physical. She made an appointment with her doctor, protesting throughout his examination that there was nothing wrong with her.

After she had dressed, she met Dr. Arthur in his office. As he looked over her file, she took out a compact and powdered her nose, trying to avoid the tight-lipped expression on the doctor's face.

"Cissie, I detected a lump in your left breast. I'd like you to check into the hospital so we can perform a biopsy."

"I'm cystic," she said quickly, as if that were something he didn't know, something that would change his mind about his diagnosis.

"I'm aware of that," he answered patiently, "but still, I'd like to have it checked."

"After the election."

"No. Now."

"I don't have time," she said, standing, suddenly afraid.

Dr. Arthur stood, too, walking around to her side of the desk.

"I know how frightening this seems, Cissie," he said, "but you have to make the time. It's important."

Cissie's mouth began to quiver.

"Noah's campaign is important too," she said. "He needs me."

"He needs you well and healthy," the doctor insisted. "This will only take a day or two."

Cissie felt weak. Her knees felt rubbery, and for a moment she thought she might faint.

"I can't," she stammered, feeling wet tears on her cheeks. "You don't understand. Noah and I, well, things haven't been so great between us. This campaign means everything to him, and if I'm not there to support him, it could be the end of our marriage."

Dr. Arthur watched as she dabbed her eyes with a tissue.

"Cissie, I don't mean to upset you, but this is not something you can put off. I'm sure Noah would want you to have this lump checked."

"Don't you tell him," she said, suddenly anxious and overwrought. "I don't want him to know anything about this."

Dr. Arthur shook his head, his frustration showing on his face. "Then, please, do what's necessary."

"I will. After. After it's all over I'll let you do your biopsy."

"Cissie, I've never known you to be so irresponsible. The election is four months away. This lump might be malignant."

"Then again," she said, practically running from his office, "it might not."

"Why take a chance?" he called after her.

"Because I have to," she answered as she slammed the door behind her. *Because I have to be there for Noah.*

The race for the New York Senate seat heated up today with Noah Gold's announcement that Jack Chandler, his Republican opponent, had spent several years in a mental institution and had, as recently as last year, been undergoing regular therapy. Congressman Gold said he regretted making news of this nature public, but felt that the voters had a right to know the truth. Chandler, a longtime, well-respected State Senator from Buffalo, could not be reached for comment.

Cissie was in shock. She saw Zach Hamlin on the television, she heard his voice, but she couldn't believe what he was saying. She also couldn't believe the glee on her husband's face.

"What was that?" she said, watching Noah bound out of his chair.

"That, my darling, is the beginning."

"The beginning of what?"

"I told you I needed a headline-grabber. Well, there it is. You want to put doubt in the minds of the voters about a candidate's mental ability? *Cherchez le* shrink!"

Cissie tried to make sense out of his rambling, but all she could focus on was the fact that until Zach Hamlin's newscast, she had known nothing about this.

"You realize you've probably ruined that man's career, don't you?"

"All's fair in love and politics, Cissie. You know that."

His cavalier attitude was infuriating. Almost as infuriating as his behind-her-back maneuvering.

"I know nothing of the kind. I only know that since your first dabble in the political arena, you've painted yourself as a man above this sort of dirty dealing. How could you do it?"

Noah stopped and looked at Cissie, unable to hide his excitement.

"In case you've been away from it too long to remember, the purpose of campaigning is to show the voters which man is the best one for the job. That's all I'm doing. I didn't commit Chandler to that institution and I'm not the one who recommended he spend three hours a week on a couch. I'm just stating the facts."

Cissie was getting angrier by the minute.

"Who suggested this?"

"One of my advisers," Noah said, looking away. "And everyone on the committee jumped on it. Including your brother."

"Well, I'm not jumping on this particular bandwagon. I will not ridicule Jack Chandler, nor will I participate in this public harassment. On this issue, you're on your own."

"Fine," Noah said gruffly. "Just because this isn't a wheelchair parade of disabled veterans it's no good? I should have known that you wouldn't approve of anything you didn't initiate."

"That's not true and you know it!" Cissie retorted, hurt by his insinuation. "I couldn't care less who came up with the idea as long as the idea has some merit and I don't think this one does."

"It was the lead story on the news, wasn't it?" Noah said, his voice raised. "Obviously Zach Hamlin and the network honchos think the issue has merit. My opponent is scurrying around the city trying to counter this move. Obviously, even he thinks it has merit."

"Then I guess I stand alone," Cissie said, feeling a terrible sadness, a terrible alienation.

"I guess you do!" Noah said, as he stormed out of the room.

For a long while, Cissie stared at the empty doorway. Was she reacting to news about Jack Chandler or was she reacting to the fact that she had known nothing about it— that once again, Noah had excluded her. Maybe it was a solid issue. Maybe it would have come out sooner or later, and why not allow Noah to be the one to capitalize on it. Maybe she should relent and back Noah, no matter what. No. She couldn't do that. She knew it was wrong. She even believed that deep down Noah knew it was wrong. What she had to do now was to find out who had convinced him it was right.

In the following weeks, the news media was glutted with stories about State Senator Chandler's mental health. Cissie could hardly bear to pick up a newspaper or turn on the television for fear of seeing another picture of the humiliated man or hearing him defend his past weaknesses with documented reports of his current stability. Each time Noah made a speech, he described the job of United States Senator as one that needed a man who was "clearheaded," "sensible," "cool in the heat of pressure," "decisive," "sound-minded." According to the polls, Noah's not-so-subtle attacks had had an effect on the public. His ratings had risen sharply, but instead of leaving it alone, he challenged Chandler to a television debate. He was counting on the fact that by then, Chandler would be so unnerved by the situation that he would make enough faux pas and nervous slips to convince the public of his unsuitability for office.

For Cissie, this issue had ballooned into something that went beyond politics. Throughout most of their marriage, she and Noah had rarely been divided, but now she felt a chasm between them, a chasm that continued to widen with each passing day. As the debate drew nearer, the tension between them mounted and her nerves became more jangled, a situation that was worsened by the weekly phone calls from Dr. Arthur.

The debate was set for the last week in August. Three days before, Cissie went to see her brother. She had to have some answers. She had to know where this idea had originated.

"I don't know who made the original suggestion," Andrew said, staring at his sister over a plate of fettuccine. "But Noah is bound and determined to see it through. He's going into this debate armed with enough ammunition to make that poor bastard look like a menace to society."

Cissie pushed her plate away.

"Why is he doing this?"

Andrew put down his fork and looked at her.

"This is his moment, Cissie. This is what Noah's always wanted. The Senate. I know he's gone a bit whacko and I have to assume that life with him has not been easy of late, but ride it out. He's fighting for his dream and if he's gotten a little lost, give him time. Noah's egotistical and a bit too power-hungry, but basically, he's a good man. He'll find himself again. Have faith."

"I'm trying," she said. "But faith goes only so far."

Cissie had just turned the corner from the restaurant and was about to cross the street when suddenly, she saw Noah going into the Oxford, a small hotel just off Madison Avenue. This morning, Noah had told her he was going to Buffalo to meet with a group of district leaders up there. He was supposed to be gone for three days. Had the meeting been canceled? Had they decided to come to New York instead? She started to call out to him, but something made her stop. Quickly, she followed him into the lobby. Noah was getting into an elevator. From what she could see, he was the only passenger. She watched. The elevator stopped at the fourth floor. Cissie jumped into another elevator and pushed number four. The door opened and she peeked out. Down the hall, she saw a light coming from inside a room. She heard a door slam. Every instinct she had told her to get back into that elevator, to go home, to go shopping, to go anywhere but down that hall.

She stood outside the door to the room, hesitating, debating with herself, fighting with herself, telling herself there was nothing in that room but a bunch of politicians and a lot of cigar smoke. Her hand touched the doorknob, but instead of turning it or knocking, she walked away, then found herself running back to the elevator. She pressed the lobby button, telling herself as she descended to listen to Andrew, to have faith, to trust her husband. But when the elevator door opened, instead of leaving the building she went to the front desk. She had to know.

Casually, she asked the desk clerk for the key to room 422. Then, she went upstairs. Her hand shook and her heart pounded inside her chest as she turned the key in the lock. The room was dim but small. She could see the bed clearly. Noah was there, but that's not what caused her to froth with anger. It was the woman who was lying naked beneath him, writhing about, moaning with pleasure.

They were too absorbed in each other to notice Cissie approach the bed. For a few seconds that seemed like an eternity, Cissie stood and watched her husband make love to her cousin. She watched him fondle Frankie's breasts, his tongue darting in and out of her mouth. She watched Frankie's legs wrap around her husband's back. She watched their hips sway and push against each other. Suddenly, Noah turned and saw her. His face paled. He moved off Frankie, grabbing at the blankets, trying to cover himself.

"Don't bother," Cissie said with loathing. "I was just indulging my curiosity." She stood over them, her face contorted. "For weeks, I've been trying to find out where the notion of publicizing Jack Chandler's mental history came from. I should have known," she said, glaring at Frankie. "This whole thing just reeks of you. You've crucified that man! You've ruined him! Are you happy now?" Her eyes looked from Frankie to Noah. "What a foolish question. Obviously, you're both ecstatic!"

"Cissie," Noah said, reaching for her. "Let me explain."

"Each time I heard the name of the doctor on the news, Paul Shaeffer, I kept thinking I had heard it before," she said as if Noah hadn't spoken. "It just came to me. He was Lillie's doctor. Years ago. How stupid of me not to put it together."

She turned and started for the door. Frankie threw on a robe and went after her.

"I'm sorry," she cried.

"Don't! I don't want to hear it," Cissie said, recoiling from the touch of Frankie's hand on her arm.

"I'm sorry," Frankie repeated, her face twisted with embarrassment and regret and the realization that she had destroyed the only person who had ever been her true friend.

"Don't touch me and don't ever speak to me again," Cissie said, opening the door, refusing to look at Noah, commanding herself to maintain some shred of dignity.

She slammed the door and ran down the hall, taking the stairway so that no one could follow her. As she ran down the four flights of steps, blinded by tears of humiliation and rage, all of her composure faded, all of her calm disappeared. When finally she reached the lobby, she ran into the ladies' room. She locked herself in one of the stalls, leaned over the toilet, and threw up, wretching and gagging until there was nothing left inside her except a gnawing black void.

Noah sat in his bedroom staring at the walls, an open bottle of brandy by his side. He was exhausted, both emotionally and physically. The minute Cissie had left that hotel room, he had thrown on his clothes and raced out trying to find her. He had searched the lobby, stopping every bellboy and page he could, asking if they had seen her. He had walked the streets near the hotel, looking in every coffee shop, every store, every alleyway. He had called Jinx's office.

He had called his headquarters. He had called Andrew. No one had seen or heard from her.

When he had arrived home, he searched for messages, notes, something, anything that might give him a clue as to her whereabouts and the whereabouts of the children, but there was nothing. His house was empty.

For hours, he sat in the darkened bedroom, trying to figure out where she might have gone, trying to figure out where he had gone. How could he have been so cruel, so heartless, so stupid? How could he have lost sight of the one thing that was really important to him, the one person who really mattered in his life?

The answer was painfully simple. He had lost sight of himself. Somewhere, somehow, sometime along the way, achievement had taken precedence over all else, and in the quest for that achievement, he had allowed himself to become selfish, bloated with ego, totally obsessed with fulfilling his own needs.

At first, he tried to excuse himself, likening his ambition to someone starved from lack of food. He too had a hunger, a nagging, insatiable hunger that had blinded him to everything except the one thing he believed would quell the rumblings inside him, the one thing he believed would make him feel satisfied and content—power. What a seductive word, power. But was he powerful? Was it an exercise in power to go to bed with his wife's cousin? Or to base his campaign on something he knew in his heart was a trumped-up issue?

He had wanted the Senate seat desperately. And Cissie had wanted it for him. But, he realized now, rubbing his eyes with his hands, Cissie confronted issues. He manipulated them. She faced problems head-on. He circumvented them.

For years, Cissie had begged him to deal with his nightmares and his fears, and for years, he had resisted. It was when she'd begun hounding him about Vietnam memorials and Vietnam veterans that he had begun to pull away from her. She was too much his conscience, the symbol of his failure to cope with his wartime guilt and his peacetime resentment. Maybe on some deep unconscious level he had wanted to hurt Cissie, to punish her for insisting that he confront himself.

And what about Frankie? She had thought she was helping him. When she remembered that she had seen Chandler in Shaeffer's office, it had been an innocent recollection. She hadn't made it a campaign issue, he had. She hadn't invited him to that hotel room. It had been his idea. What had possessed him? He knew how vulnerable Frankie was, how susceptible she was. Cissie's little cousin, for God's sake! The thought of it made him feel sick now.

He was supposed to be an astute politician, a practiced tactician, a man alert to the mistakes of history and the future consequences of folly. Now his wife was gone and his children were gone and with them had gone all meaning, all purpose. Noah felt drained, as if his blood had been siphoned from his body, leaving nothing but a hollow core. He had spent his life lusting for power, jockeying for position, but now, as he looked at their empty bed, he knew that Cissie had always been the source of his power and the only position that mattered was being her husband.

"I'll make it up to you," he shouted into the dark silence. "I'll do whatever you want, whatever you say, but I'm going to win you back!"

First, though, he had to find her.

Everything was hazy, blurred from the residue of her anesthesia. Cissie felt cold, but it hurt to shiver. All around her, strange, loud, hollow noises echoed in her ears, making her feel as if she were imprisoned inside a giant tuba. Slowly, Cissie opened her eyes. The ceiling was green. There were bottles hanging from metal hooks and skinny white curtains on either side of her bed. Across the room were more bottles and more curtains. It took time for her mind to focus on where she was and why. She was in the recovery room of New York General Hospital. She had come in last night. This morning, she had been scheduled for a biopsy.

Gingerly, she tried to move, but as she did, she was struck by a flash of excruciating pain. Suddenly, she became aware of a strange binding across her chest, a tight mass of adhesive strapping her left arm against her. Her right hand trembled as she reached across and touched the bandages. It was then that she knew. The lump had been malignant. Tears welled up in her eyes and she rested her hand where her left breast had been.

She lay there, crying quietly, mourning the loss of a part of her body. Her eyes blinked. She might have wiped them, but she couldn't lift her right hand. She couldn't bring herself to remove it from the bandages. It was as if she wanted to protect herself from further harm, from further mutilation.

A nurse came to check on her. She heard the woman speak to her. She even felt her head nod in response, but she had little awareness of anything that had been said. She had little awareness of anything except her unalterable grief, her unremitting pain. The nurse returned to her side and jabbed a needle into her arm. Slowly, the pain disappeared as she drifted into a medicated fog.

When she awoke again, she was in another room and someone was holding her hand. She turned her head to the side and looked into her father's eyes. They were red and watery. His face was white and lined.

"Thank God," he muttered, allowing a smile to grace his lips. "Thank God you're all right."

Cissie was too weak to speak. All she could do was look at him and then at her mother, who was standing at Bert's side.

Bert's eyes locked on the massive bandage covering her chest. "Why did you wait all these months?" he said with a sharpness born of concern.

Cissie tried to speak, but her mouth was too dry. Tessa reached over to the small table by the bed and held a glass of water to her lips, lifting her head, bending the straw so she could drink. Water dribbled down her chin. Gently, her mother wiped her mouth and laid her head back on the pillows.

"You could have died," Bert continued, horrified at the possibility. "Why did you wait?"

Cissie's eyes went from his face to her chest. She studied her mutilation and then she recalled why she had waited, and the moment when she'd decided she need not wait any longer.

"I thought Noah needed me," she said, her voice sad at first, but then gaining strength. "He doesn't need me anymore. And I don't need him."

"Cissie, darling, what happened?" Tessa mopped her daughter's brow. Her hand was shaking. She remembered the cold anger in Cissie's voice when she had called and asked Tessa to pick up the children. She remembered the stony silence that had greeted the same inquiry before.

"I don't want to talk about it," Cissie said, her voice trembling with insistence. "Just make sure the nurses follow my orders. He is not to be allowed in this room."

"He's in the hallway," Tessa said quietly. "He's desperate to see you."

"Keep him out of here!"

The force of her rage shook the room. She tried to lift herself off the bed, but she was thrown back on the pillows by a rush of pain. Her eyes closed and she screamed as huge waves of grinding, aching agony swept over her. Immediately, Tessa rang for the nurse who rushed in, checked the bandages, and then administered another needle.

As Tessa waited for Cissie to drift into a medicated sleep, she tried to fathom what Noah had done to inspire such fury. Though her imagination could never stretch far enough to divine the truth, the sight of her daughter's pain and the sound of her anger told her that whatever it was, it was unforgivable.

Throughout that night and most of the next day, Cissie drifted in and out of a Demerol sleep, coming to, fading out, never really certain which state she was in. By ten o'clock the second night, she began to feel slightly better. She was able to keep her eyes open for more than five minutes at a time, and able to bear the throbbing ache that seemed to have claimed territorial rights on her chest.

As her head cleared, she turned to the side. The chairs next to her bed were empty. Her parents must have gone home. Even through her drug-induced fog, she knew that they had been there throughout the night and most of the day. The nurses had probably convinced them to leave, assuring them she would sleep through the night. As she looked around the room, Cissie felt huge tears fill her eyes. At first she fought them, but then she allowed herself to weep, her tears seasoned with an uncharacteristic self-pity. Almost unconsciously, her right hand went to her left breast.

I'm not a woman anymore, she cried to herself, feeling freakish and deformed. But then again, I wasn't woman enough for my husband when I was whole.

Inside, Cissie hurt with a pain Demerol couldn't numb. The humiliation she had suffered was a far greater torment than the agony brought on by her mastectomy. She had never loved anyone the way she loved Noah. Perhaps she never would, but one thing was certain, she was going to have to try. He had hurt her for the last time.

Suddenly, she couldn't bear the silence of her room. It seemed loud and mocking, demanding that she confront what had happened to her, demanding that she accept what had happened to her. Cissie didn't want to confront anything. She didn't want to think. She didn't want to dwell on the emptiness of this room or the emptiness of her life. She clicked on the television, desperately needing the noise and the distraction.

A commercial ended and suddenly, Zach Hamlin's green eyes stared at her.

He was right to leave her, she thought, her rage beginning to bubble to the surface again. *He knew when to get out. Why didn't I?*

"The big story this evening is Noah Gold's announcement that he's pulling his hat out of the Senatorial ring."

Cissie blinked. Had she heard Zach correctly? Was her mind playing tricks on her? Instantly, she raised the sound.

"At a news conference held earlier this evening, Congressman Gold retracted his candidacy, effective immediately. Here is the congressman's statement."

The picture switched to a shot of Noah's campaign headquarters. Immediately, Cissie recognized several of Noah's political advisers. Their faces were solemn and ashen. The camera panned the large room, stopping at a podium set up directly in front of a huge NEW YORK NEEDS GOLD banner. Noah stood behind the podium, his own face grave and unsmiling. Andrew Kahn stood on one side of him, Jeremy King, his mentor, on the other.

Cissie's heart was pounding.

"Ladies and gentlemen. As most of you know, I've been a politician most of my adult life. I love serving the people of New York State and I had sincerely hoped that after November, I would be serving them from the United States Senate." Noah paused. Cissie could hear the lump in his throat. "Being in the Senate has been my lifelong dream. I had always thought that nothing could make me happier than taking my seat in that august chamber. But life has a way of testing you, a way of challenging you, a way of forcing you to examine your priorities and make appropriate choices. Today, I've made such a choice. I am taking myself out of the race for the United States Senate."

Noah put his note cards down on the podium and looked straight into the camera, his dark, hooded eyes filled with an intense sincerity.

"My wife is, and has always been, the single most important person in my life," he said. "Yesterday, she underwent major surgery. Due to the nature of that surgery, she will require a long recuperation and I intend to be by her side every single minute of it. Throughout my career, Cissie has been my greatest supporter, one of the hardest workers on my staff and probably, my greatest asset." A quick smile flashed across his lips. "More important than any of that, she's been my soul and my conscience. She's been my helpmate and my partner. She's been my source of energy and my source of strength."

He paused again, taking a deep breath. Cissie knew he was fighting back tears. Her own eyes were dry and wide open.

"For the first time in our marriage, it's my wife who needs strength, my wife who needs someone to lean on. Typical of her, she's not asking for help and it will take some convincing to get her to accept it, but I'm going to give it, just the same."

Noah took another breath and then looked at Andrew, Jeremy, and the rest of his staff.

"To those of you who've been such a major part of this campaign, and a major part of my life, I regret what might now seem to be wasted hours and effort, but I hope you'll understand and accept my decision. For me, there was no choice."

The picture switched back to Zach Hamlin, who went on to report the reactions of the Democratic Committee as well as many of the major political figures in and around the state.

Cissie sat mesmerized, stunned, incapable of any immediate response. She switched channels, thinking that perhaps she had imagined the whole thing. But no. Three times, on three stations, she watched Noah publicly declare his love for her and relinquish his dream.

"Nice try, Noah," she said, clicking off the television. "But it's too little, too late."

She must have fallen asleep again, but at three o'clock in the morning, she awoke and found Noah sitting by her bed.

"How did you get in here?" she snapped.

"I played upon the sympathy of the nurses." He forced himself to smile, trying to take her hand.

She shrank back, pulling away from him as if he were a typhoid-carrier.

"I don't want you here!"

"Please," he said, his voice choking with guilt. "I love you. I need you. I never stopped needing you, no matter how it looks."

A strange sound came from Cissie's mouth, a garbled, croaking laugh filled with bitterness and weary disbelief.

"I don't know what possessed me," he continued, his words coming in a frantic rush. "I don't know how I could have betrayed you like that. I have no excuse. I don't even have any explanation that makes sense. I just know that I love you and I can't bear the thought that you went through something like this alone."

"I gave birth to both our children alone," she said, her voice weak, but ringing with an accumulation of hurts. "I left that hotel room alone. Why shouldn't I do this alone?"

"Because you're my wife and you're the only woman I've ever loved," Noah said, panicked because he could feel her slipping away from him. "You should have come to me. I would have been here. You have to know that."

"I'll tell you what I know. I know how many nights and weekends you weren't home because you were bedding down with someone else. I know how often I looked aside while you encouraged some young nymphet to massage your ego. This time you went too far. This time I stood and watched you make love to my cousin. I watched you!" she cried with all the strength she could muster. "You couldn't have been here with me. You were too busy screwing her!"

"Don't shut me out," Noah pleaded, taking Cissie's hand to his lips and kissing it. "Please. Give me another chance. I don't know what happened to me, but I swear to you, it'll never happen again. I need you, Cissie."

Cissie's eyes were glassy, and already her lids were drooping, but as she turned to Noah, her stare was steady and direct.

"That's too bad," she said, "because I don't care about your needs. For years, I allowed you to get away with cheating on me. For years, I allowed you to be the center of my life. I believed in you. I sacrificed everything on the altar of your career. Everything, including my pride! You bled me dry and now you have the nerve to ask for my forgiveness? Never!"

"You're upset now and you have every right to be." He was stammering. "But we'll make it work. You'll see. We'll put the pieces back together again. Didn't you watch the news? Didn't you see what I did? I gave up the Senate. I did it for you. I did it to prove how much I love you."

Cissie's hands tightened into fists.

"Do you think I'm some sort of naif?" she said through clenched teeth. "It was an empty gesture. You know as well as I do that it's too late to drop out of the race. The party can't possibly come up with another candidate now. No. This was another ploy. You figured you'd wait it out, you'd nurse your poor dear wife for a while and then allow yourself to be convinced to continue with your glorious quest. Very clever, Noah. I'm sure your adoring public lapped up every heart-wrenching word of that bullshit, but I don't buy it."

"I meant it," he protested. "I love you. I don't want to lose you." He tried to take her hand again. She growled at him. "Please, you've been through a trauma. You need to rest. You need time to recover."

"I will rest," she said, suddenly calm. "And I will recover. Cancer destroyed a part of my body, but your perfidy destroyed a part of my soul."

Noah's eyes filled with tears and his voice shook.

"I'll make it up to you. I'll do anything you want. I know you still love me. I know you still need me."

"That's where you're wrong," she said, feeling a resurgence of an inner strength that had been dormant for too long. "I have my children. I have my family. I have my friends. And I have my work. The only thing I need right now is to get back what you took away from me—my self-respect. Now, get out of my room."

Confused and crestfallen, Noah rose from the chair. He turned and then looked back at Cissie. He wanted to continue to plead his case, but her steely gaze told him it was futile. As he left, Cissie knew he thought that eventually she would change her mind and take him back. The night of his gala, she had told Frankie that time heals most wounds. Maybe it does, she thought now, but there are some wounds that never heal. As Noah closed the door to her room, she closed her heart. She would never open it to him again.

29
Frances Rebecca Kipling
Jinx

September 1984

JINX SHIELDED HER EYES from the sun, looked up from her newspaper, and grinned at the happy sound of Joy's laughter. Joy stood in the shallow end of the pool outside Jinx's Westchester home, her dark hair hanging down her back in wet squiggles, her huge blue eyes wide with amusement as she watched Matthew swim toward her, gasping, slapping the water, doing the most grotesque butterfly stroke she had ever seen.

"Did I win?" he asked, looking around, deliberately avoiding Joy.

"No," Joy said, giggling and climbing out of the pool.

"No?" He flipped onto his back, leaned against the edge and threw his arms out at his sides in a show of exhaustion. Then, he turned and faced Jinx. "Did she say no? Did I actually lose to a ten-year-old?"

"Looks that way," Jinx said.

"I'm humiliated. Utterly humiliated." He hung his head, a vision of dejection and defeat.

"I'll give you another chance," Joy said, sprawling on the ground and greasing herself with suntan lotion. "If you want, I'll even let you try two out of three."

"I think you're hustling me," Matthew said, climbing out of the pool and drying himself with a towel. "What's more, I don't think you're ten years old. I think you're a leftover from the 1976 Summer Olympics masquerading as a little kid."

Joy giggled again.

"Then how come I'm so short?" she asked.

"You've been in the water so much, you've shrunk!" he said, deliberately sitting in front of her, casting a huge shadow over her small body.

"Matthew! Get out of my sun. I want a tan." Playfully, Joy pushed him out of the way.

Matthew rolled over to the side and watched as his young companion spread out her towel and lay back, arms stiff at her sides, legs straight, eyes closed, nose pointed up toward the sun, the small dimple at the tip glistening.

"Who's the cool dude you're trying to impress?" he asked, sounding like an injured suitor. "I thought you said I was the only guy for you. I'm really crushed."

Joy opened her eyes and sat up. Usually, she knew when Matthew was teasing her. Right now, she wasn't sure, so she answered him very seriously.

"You're still the only guy for me," she said, "and if Mom doesn't marry you, when I grow up, I will."

"What if by then I'm old and feeble and I walk with a cane and take my teeth out before I go to sleep?"

Joy stifled a laugh. "Oh, Matthew!"

Jinx watched as the two of them stretched out next to each other and talked while they sunbathed. Matthew had come up for the Labor Day weekend, and for most of that time, Jinx had had to compete with her ten-year-old daughter for his attentions, but it was one competition she didn't mind. This current closeness had not developed easily.

Though they had met before, their introduction had been brought about by Kip's death, hardly an auspicious beginning. Joy had been only four years old and didn't remember Matthew or his kindness. When Matthew had moved to New York, he and Joy had been hesitant with each other, guarded. Selfishly, Jinx had wanted them to take to each other immediately, yet when they didn't, she more than understood. He had lost a child. Joy had lost a father. And neither was prepared to risk that kind of hurt again.

Finally, more than a year after Matthew moved to New York, Jinx's patience paid off.

Jinx had volunteered her estate for an art exhibit to benefit the children's wing of New York General. It was July and Matthew had cleared his schedule so he could drive up early Friday evening and perhaps get in a game or two of tennis before dinner. When he arrived, Halona told him Jinx had been delayed in Chicago, she wouldn't be flying home until late that night or early the next morning, dinner would be at seven-thirty, and he should make himself comfortable.

Even though he knew he would have only the ball machine to play against, Matthew decided to work off some of the week's weariness with some concentrated forehand practice. He changed into his tennis clothes and headed down to the courts. When he got there, he was surprised to find Joy sitting propped against the fence, her knees tucked under her chin, her arms folded, her head bowed.

"Hi," he said softly, not wanting to startle her.

When she looked up, he saw that her eyes were damp and red.

"Mommy's not here. She's going to be late," she said, as if apologizing for not being Jinx.

"I know. It looks like you and I are going to have to fend for ourselves," he said, wondering whether it was her mother's absence, his presence, or something else entirely that had caused her tears. "How about a game of tennis while we wait?"

Joy shrugged her shoulders. "I stink. You wouldn't have a good time."

"I've been looking forward to playing tennis all week. And let me tell you, you'd be a lot more fun than that silly green machine. That thing just stands there and spits balls at you," he said, smiling, trying to brighten her mood. "Please?"

"Okay," she said listlessly, picking up her racquet and following him onto the court.

For an hour, they volleyed back and forth, not speaking, not scoring, just playing. After the first few minutes, Matthew watched Joy's natural athletic ability overwhelm her dispirited mood. She was tall for her age and lithe and obviously well coordinated. Though her strokes were not terribly strong, they were surprisingly sure, her movements remarkably quick and graceful.

"You're very good," Matthew said, as he led her out to a small table on the lawn where Halona had set out some lemonade. "I'll bet you give your schoolmates some stiff competition."

She shook her head and he noticed that her despondency had returned. She gulped her lemonade and then turned away. Matthew suspected that she was crying again. He rose from his chair and walked in front of her, kneeling down and lifting her chin so he could look in her eyes.

"Why don't you tell me what's wrong?" he asked. "I'd like to help if I could."

"My school's having a field day tomorrow and everybody's going except me," she blurted out, her lower lip trembling.

"Would you like me to talk to your mom?" he said, thinking that perhaps Jinx had wanted her to stay home for the exhibit.

"It's not Mommy's fault," she sniffled. "It's father-child day and I don't have a father so I can't go."

Matthew felt his heart lurch as her small, sad voice broke into a piteous whimper. She sounded so helpless, so deprived, like an amputee who constantly senses a missing limb, gropes, and finds nothing. Suddenly, Matthew felt engulfed by a surge of protectiveness. Better than most, he knew how Joy felt.

He recalled the many afternoons he had wandered along the beaches at Cape Cod after J.J. had died. He had wanted to escape his reality, to lose himself in the anonymity of a public place. Instead, he found himself confronted with the sight of fathers and sons playing ball or building sand castles or riding waves or sharing sandwiches. He went to parks, strolled city streets, drove country roads, but wherever he went, he seemed to be the odd one, the one who was alone, the one who didn't fit.

He identified with Joy's helplessness. He understood her anger. He shared her pain. Unwittingly, she had touched him. She had reached deep into the darkness of his lingering grief. For the first time since he had lost his son, Matthew felt a rush of paternal emotion.

"Who's in charge of this field day?" he asked, wiping her tears with his shirttails.

"Mrs. Gleason," Joy answered, her blue eyes staring up at him. "But she's a real fuddy-duddy about rules and things."

"You know, I think we're in luck!" Matthew said, grabbing Joy's hand and bounding off in the direction of the main house. "I never told you this before, but fuddy-duddies just happen to be my specialty!"

Jinx looked up, astonished, to see Matthew wearing shorts and a T-shirt that were caked with dust and dirt, barging through clusters of elegantly dressed men and women, Joy bouncing around on his shoulders, hanging on to his shirt collar with one hand, clutching the winner's trophy with the other.

That day, a very special bonding had taken place, a bonding that had changed their lives, and Jinx's, because as with most changes, this one came packaged with complications. Suddenly, they were a threesome, a foregone conclusion. Though this was what she had wanted, now that she had it, Jinx felt crowded, pressured. She loved Matthew, but even after so many years of widowhood, she was tentative about making a commitment, hesitant to trust someone else with her feelings and Joy's future. Despite Matthew's declarations of love, experience had made Jinx suspicious of most male allegiances. Not only did she fear abandonment, but in a subconscious way, she had come to expect it.

Though she had never actually verbalized these fears, she had assumed that Matthew understood them. After all, he, too, had been abandoned. He, too, had suffered the agony of loss and constructed a protective wall around his heart. But Matthew was softening, changing, and Jinx knew that sooner or later, he would demand an answer.

Now, as she watched Matthew and Joy race toward the pool again, she turned back to her newspaper, flipping to the business section. As she scanned the stock market report, she began to experience palpitations. Kipling Worldwide had taken another nosedive. Each day, it seemed the stock dropped a little more. Suddenly wondering why she had never put two and two together before, she began to ask herself if perhaps these price fluctuations had something to do with the recent spate of mishaps that were plaguing Kipling hotels. Within the past five months, there had been four fires. New York. Chicago. Honolulu. San Juan. There had been an episode of food poisoning in Miami, an electrical short in the whirlpool at Marbella, and a power failure in Houston that had jammed all the elevators for more than two hours.

Several newspapers had linked the stories together, questioning the quality control of Kipling Worldwide, questioning the safety of their hotels. Jinx had dismissed the incidents as horrible coincidences, investigating them thoroughly, but singularly, refusing to see them as part of a pattern. Now, as she looked at the diminishing value of the Kipling stock, she had a sinking feeling in the pit of her stomach. Something was going on, something potentially disastrous for Kipling Worldwide. She didn't know what it was, or who was behind it, but she was determined to find out.

That night, after Joy had drifted off into a contented sleep, Matthew and Jinx retired to the terrace.

"This has been a wonderful weekend," Matthew said, pouring a brandy for himself and Jinx.

"It has been fun," she said, settling herself in a lounge chair. "Joy was so exhausted, I didn't think she'd make it through dinner."

"I have news for you," he laughed, sitting down next to her. "Neither did I."

"She's crazy about you."

Matthew smiled and then leaned over to kiss Jinx.

"Like mother, like daughter, I hope."

Jinx returned his smile and patted his cheek.

"Yes, I'm crazy about you too," she said.

She expected him to kiss her again, she wanted him to kiss her again, but instead, Matthew lowered his eyes and swirled his brandy around in the snifter, all his attention focused on the amber waves he was making. When he looked up, his face was serious.

"I know it wasn't this way for you," he began, his voice soft, his eyes locked on hers, "but to be honest, I think I fell in love with you the first time I saw you in that hospital in Acapulco. I thought you were the most strikingly beautiful woman I'd ever seen." A quick, embarrassed smile lifted his lip. "I know that I haven't been the easiest guy to live with. I know that for a long time I kept you at arm's length because of my own stubborn need to go it alone, but you waited it out. You loved me. You helped me. And recently, you've shared your life and your child with me . . . like a family. It's been the happiest year of my life."

He took Jinx's hand in his and stared deeply into her eyes.

"I love you and I love Joy and I'd like us to be a real family. Will you marry me?"

So often, Jinx had imagined this moment—what he would say, what she would say. But as she listened to her response, her words sounded strange, as if at the last minute someone had switched scripts.

"I can't," she said, aware of the shock and then the disappointment that showed on his face. "Not right now. So much is happening. Today, Kipling Worldwide stock dropped ten points. As you know, there have been a lot of unexplained accidents at our hotels. I never looked beyond them, but now I think I should have. In the past few weeks, there's been a steady devaluation of the stock. I'm beginning to believe that it's not a coincidence, but rather a symptom of something bigger, something I don't know about." She took his hands in hers and stared into his eyes. "Matthew, I love you, but right now it looks as if I have a battle on my hands."

For a few minutes, Matthew didn't speak. When he did, there was an edge to his voice.

"We've been together for a long time," he said. "And in all that time, I have played second fiddle to Kipling Worldwide more than once."

"I love you," she insisted, angry with herself for hurting him, but unable to say what he wanted her to say. "It's just—"

"I know," he said, cutting her off, rising from the chair and walking to the door. "This is Kip's legacy and you are honor bound to protect it."

As she watched him leave, she felt a lonely chill wash over her body. She wanted to run after him, to apologize, to hold him in her arms and promise to be his wife, but instead, she sat frozen in her seat.

That night, Jinx and Matthew slept in separate bedrooms. The next morning, when she went to look for him, she discovered that he had gone without even saying good-bye.

For the next two weeks, Jinx worked feverishly, holding secret meetings with her lawyer and her accountant, speaking to her stockbroker almost daily, trying to find out what was really going on. She spent hours sifting through the various reports she had requested from those people she knew were loyal to her. Now that she had all the information in front of her, she had to decipher it. Then, she had to decide what to do.

Suddenly, she had a thought. What if this were the beginning of a takeover attempt? What if Jeffrey Dodge were manipulating the stock as a way of unseating her as the head of Kipling Worldwide? Could he have been behind those so-called accidents? Could he be buying the stock himself? She had no proof. She wasn't even sure it was possible, but certainly, it was worth checking out.

Just as she went to grab the phone to call Milton Fox, it rang. Jinx jumped.

"It's Dr. Grant," her secretary said.

Jinx took the phone and tried to keep her hand steady as she held it to her ear.

"Jinx, it's Matthew."

"It's nice to hear from you," she said with a nervous laugh.

"I have some bad news for you."

"What is it?" Jinx's first thought was that something had happened to Joy.

"Ben Ross suffered a stroke yesterday. He's asked to see you. Can you come to the hospital?"

Jinx didn't answer. It was Thursday. Jinx was scheduled to leave that afternoon for Phoenix to celebrate Hank's sixtieth birthday. Kate was making him a big party on Saturday night, but Friday was just to be for family. Family! Benjamin Rostov had told her she was not part of his family. Why, after all these years, was he suddenly asking for her? And why, she asked herself, should she go?

"Jinx. Are you all right?"

"Tell Ben I'm very sorry," she said quietly, "but it's my father's sixtieth birthday and I won't miss it."

Matthew did not miss the subtlety in her statement. She could have said, "I can't miss it," but she hadn't. He might have been upset with her about other things, but just then he felt proud. And hopeful. Maybe she was trying to sort things out.

"I'll tell him," Matthew said. "I'm sure he'll understand."

"I hope so," Jinx replied, "but if he doesn't, it doesn't matter."

Sunday morning, Jinx slept late. She and Joy were huddled together in Jinx's old bed, the two of them wrapped in the same comforter. The party had lasted until almost two o'clock and by the time they had cleaned up, it was well past three. Though right now Jinx felt as if a truck had rolled over her body, she had had a wonderful time. There were relatives she hadn't seen in years; cousins she didn't recognize; and neighbors who had been at her wedding.

Heather had flown in from Los Angeles with Peter Hampton, a handsome young producer she had met through Mark Schwartz. It didn't take long to see that they were quite serious about each other, so it came as no surprise when Friday night, after the dinner dishes had been cleared and she felt certain of unanimous approval, Heather announced that she was getting married.

Jinx was thrilled for her sister, but in a strange way, Heather's happiness seemed to underscore her own loneliness. When she and Heather grabbed a few private moments Saturday afternoon, and she listened to Heather talk about how complete she felt knowing that she had Peter's love, how secure and protected she felt beneath the umbrella of that love, Jinx found herself close to tears. She could have that completeness. She could have that sense of security and protection. It had been offered to her, but instead of understanding how precious and rare that kind of love was, what had she done? She had shoved Matthew aside, asked him to wait while she worried about a huge, impersonal corporation. Yes, Kipling Worldwide was important to her. Yes, she would fight for its survival. But what was it going to cost her?

The party on Saturday had been spirited and truly joyous. Jinx couldn't remember when she had seen Hank so happy. For her, the best part was when she and Hank got the chance to share a moment of privacy. Jinx had gone to her parents' bedroom to fetch her grandmother's shawl. Hank arrived seconds later on the same mission. When he saw Jinx holding the crocheted square, he laughed.

"Grandma's memory isn't what it used to be," he said.

"The fact that at her age she has any memory at all is quite remarkable." Jinx smiled, thinking about the frail, ninety-year-old woman who was currently holding court in the living room.

"Having you and Joy here has made her very happy." Hank's tone turned serious. "It's also made me very happy."

"We wouldn't have missed it for the world," Jinx said, putting her arms around him and hugging him warmly.

They separated and suddenly, they both felt awkward.

"I'm very excited for Heather," Jinx said, not knowing what else to say. "Peter seems terrific, don't you think?"

Hank nodded. "As long as he's good to my daughter, I'll think he's terrific."

Then, he sat down on the bed, holding his hand out for Jinx to join him.

"Speaking of what's good for my daughter, I know how much you loved Kip and I know how much you miss him," he said, "but, if you don't mind my butting in, Joy needs a father and you need someone to love."

Jinx blushed.

"I have someone." She felt shy, just the way she had felt when she was eleven years old, telling Hank about her first crush. "His name is Matthew Grant. He's a doctor. He's tall, dark, and very handsome. Joy is crazy about him and, to be honest, so am I."

Hank's mouth spread into a broad smile.

"That's wonderful! Have you two discussed marriage?"

"He's asked me."

"And?"

"I haven't given him my answer yet."

"Any particular reason?"

"I have some business problems I have to take care of."

Hank thought he detected an edge to her voice.

"Is that just a stalling device?" he asked, coming to his own conclusions as to why she was hesitating. "If you're not sure he'll make you happy, then turn him down. There are plenty of men out there who would give their right arms for a chance to marry you. You just wait for the right one."

"He is the right one." Jinx smiled, leaned forward, and kissed Hank's cheek. "And do you know how I know? Because he reminds me of you. He's kind, compassionate, brilliant, patient, and very understanding. He'll be a wonderful husband for me, just like you've always been for Mom. And he'll be a wonderful father for Joy—just like you've always been for me."

Hank's smile wobbled and his voice broke. He never even attempted to wipe the tears that dampened his eyes.

"That's the best birthday present I could've received," he said.

It was then that Jinx felt she was part of the Elliot clan once again, that she and her parents and her sister had finally put those years of separation and hostility behind them—not forgotten, but forgiven.

Now, as her daughter turned over and snored slightly before settling back down into a deep sleep, Jinx smiled. She wasn't a baby anymore. Last night in her bright red party dress, she had looked very grown-up, but when she slept, her pale skin still tinted pink the way it had when she was an infant. Her long black hair lay strewn on the pillow in a mass of springy spirals and her hand clutched the blanket under her chin. Often, Jinx wished Joy looked more like Kip, but the older the child got, the more apparent her resemblance to Ben Ross became. She was tall for her age, she had the Rostov coloring, the Rostov hair, the violet eyes, even the oval-shaped face Jinx and her natural father shared.

This morning, it was impossible to look at Joy without thinking about Ben. For years after his bitter rejection of her, she had thrust him from her mind. But now, finally, he had asked for her. She was tempted to harden her heart to what seemed so clearly to be the guilty gesture of a frightened, possibly dying man, but the bitterness stuck in her throat.

Suddenly, the phone rang. When she picked it up and heard Matthew's voice, her breath caught in her throat. She expected him to tell her that Ben had died.

"He'll make it, but he's not rallying the way he should be," Matthew said. "I called because he's still asking for you."

Jinx trembled slightly.

"What does he want?"

"To see you."

"I'm trying to put him out of my life," she said, more to herself than to Matthew.

"I know. Maybe seeing him will help."

"Maybe." She thought for a second or two, her eyes fixed on her daughter's face. "Or maybe it will just reopen old wounds."

"Think about it," Matthew said gently. "You know where to reach me."

Jinx hung up the phone, her heart flooded with emotions. She didn't know what to do. She wanted to see him, yet she was afraid to. Each time they had confronted each other in the past, it had been catastrophic. Why not leave well enough alone?

She got out of bed and slipped into a robe, too awake to sleep again, too groggy not to need coffee to think clearly. Kate was sitting in the kitchen. Her face had an odd look about it.

"Morning," Jinx said, pouring herself a cup of coffee and taking a seat at the table. "That was some party you threw," she said, suddenly aware that her mother had not said a word since she'd walked in. "Is Dad still sleeping?"

"I didn't mean to," Kate said finally, "but I listened in on your call. I picked up the phone when you did and I heard you ask if Ben had died, I couldn't help eavesdropping. I'm sorry."

"That's okay," Jinx said.

"You have to go see him," she said. "You have to hear whatever it is he wants to say."

Jinx turned away from her mother's gaze. "I don't know if I want to see him."

"You'll regret it if you don't."

Jinx sipped her coffee, trying to avoid Kate's penetrating stare. When she realized she couldn't, she looked up.

"For years, you hid his very existence from me. You hated him for what he had done to you and then, for what he had done to us. Why do you care whether I see him or not?"

Kate sighed. "Because I love you," she said. "And because once, I loved him."

Jinx got up from her chair, went to her mother, and put her arms around her. For a long time, they just held each other, each lost in her own private thoughts about Benjamin Ross.

By the time Jinx flew back to New York and settled Halona and Joy in the penthouse, it was late Monday night. When she arrived at New York General, one of the floor nurses directed her to room 1242, where Ben Ross was, she said, resting comfortably. Jinx walked down the dark hallway slowly, wondering if Ben's wife would be there, if Becca Hillman would be there, how she would explain her presence to them if they were. She also wondered what she would say to Matthew. This was hardly the time to discuss their relationship, yet she felt compelled to say something. Should she apologize? Should she say yes? No? She still needed time. The closer she got, the more she wanted to run.

When she reached 1242, she peeked in. The room was dark and Ben was sleeping, but the sight of him was shocking. On the occasions they had met before, he had been tanned and robust, as handsome a man as Jinx had imagined her natural father to be. Now his skin was chalky, his frame frail and weak-looking beneath his hospital gown.

Her eyes moved to the side of the bed and there they stopped as they spied Matthew with his arms wrapped around Becca Hillman. Becca was nestled against his chest, enveloped in his protection. The sight made Jinx feel very lonely and very vulnerable.

She chided herself for being petty and unreasonable. She told herself that Matthew was merely comforting Becca; that his embrace held no further significance; that he had told her about Becca's advances toward him (although not about the weekend in Palm Springs); that she was feeling guilty about putting Matthew off and was probably overreacting. Nonetheless, she felt jealous as hell.

She turned and walked up the hall, searching for a lounge where she could wait until Becca went home and she could speak to Matthew alone. Midway to the nurses' station, she felt someone grab her arm. Her body stiffened.

"I wasn't sure you were coming," Matthew said, his voice soft, almost relieved.

"I had some things to attend to. Is it too late to see him?"

Matthew had anticipated a certain amount of nervousness between them, but Jinx appeared distracted. "Are you all right?" he asked.

"Yes. No," she said, stammering. "I'm a little nervous, but I'll handle it."

"I'm sure you will."

They stood there awkwardly, neither one knowing what to say.

"Have you found out anything more about Kipling Worldwide stock?" Matthew asked.

"More than I want to." She hesitated, knowing how hard it had been for him to ask. "It appears as if Jeffrey Dodge has spearheaded a campaign to unseat me as head of Kipling Worldwide. He's already spoken to most of the board members, trying to convince them to sell him their stock, or at least vote with him at the annual stockholders' meeting when he proposes an opposition slate of officers."

Matthew might not have liked her total involvement in her late husband's company, but now she faced having it wrested from her. He did not want to win her by virtue of her defeat. Carefully, he said, "You have Claire and Charles and Milton in your corner."

"True, but they're only three people and their percentages are small. What's more, someone else is buying up big blocks of stock. I don't know yet whether it's Dodge, another unknown person, or several people. I don't know anything for sure!"

"What are you doing about it?"

She shook her head. "I'm going to fight it if I can. But, oh, it's ugly, Matthew. I think Dodge has been up to some malicious mischief. I don't have any proof, but in my gut, I'm sure he's the one behind all the fires and the mishaps at some of the hotels."

"Can I do anything?"

"I don't think so," Jinx said, a sense of futility underscoring her words.

Matthew's eyes grew dark.

"If you're in trouble, I'd like to help."

Jinx heard the disappointment in his voice.

"You have a thousand other things on your mind," she said quickly, suddenly understanding that what he wanted was to be part of her life. "You havc pcople whose lives depend on you. I can't ask you to play detective in your off hours. It wouldn't be fair."

"I love you," Matthew said with gruff insistence. "Don't you understand that nothing is more important to me than you and Joy?"

Jinx nodded, but before she could say anything, Matthew spoke, his tone elevated from frustration.

"Don't you trust me?"

"Trust?" Jinx looked at him and laughed, a bitter, almost harsh sound that took them both by surprise. When she spoke, her voice shook. "Jeffrey Dodge was Kip's righthand man, Mr. Reliable, Mr. Loyal, the number two honcho at Kipling Worldwide. And now he and Kip's two sisters are trying to stab me in the back and take Kip's daughter's inheritance away from her. I'm not sure I have much trust left."

"What about love?" Matthew asked, softening, seeing how upset she was. "Do you have any of that left?"

Jinx's eyes brimmed with tears. The last thing she had wanted to do was to hurt him. He loved her. She loved him. They should be clinging to each other, helping each other, supporting each other, but circumstances had caught her in a tangled mess, and right now love was not the emotion that motivated her. Determination was.

She had to explain her feelings to Matthew. She had to assure him of her love, but also, she had to make him understand that she could make no commitment until each and every loose end in her life was knotted and tied. Just as she was about to speak, Becca Hillman's voice echoed down the hall.

"What are you doing here?" Her tone commanded Jinx to turn around and face her.

Jinx obeyed, cautioning herself to remain calm.

"I'm here to see your father," she said quietly, wondering how long Becca had been standing there and how much she had heard.

"What nerve you have!" Becca's face was contorted with anger. "He doesn't want you in his life. Can't you get that through your head?"

"He asked to see me," Jinx said evenly.

"You're lying!"

"No, Becca, I am not lying. More important, no matter what you think, I can assure you, I am not here to steal your father. I have a father, a warm, loving, caring man named Hank Elliot. I don't need Benjamin Ross."

Jinx was tired and worn. She had little patience for Becca's wrath.

"Then why have you been chasing after him all these years, hounding him, holding some stupid adolescent mistake over his head as if it were the Original Sin?"

"That's enough, Becca," Matthew said, interrupting her tirade, taking Jinx's arm and leading her down the hall. "Ben's probably awake by now. Come with me."

"I don't want her in there," Becca screamed, losing her composure at the sight of Jinx entering Ben's room. "If she goes in there, he'll die. I know it! He'll die and it'll be her fault!"

Matthew left Jinx just inside the door, walked over to Becca, took hold of her arms, and shook her.

"Be quiet," he demanded. "Your father is not going to die, and she is not going to hurt him. Now, control yourself!"

Embarrassed, Becca retreated to the hallway just outside the room. She watched as Jinx walked to Ben's side, recoiling as once again, she noted the striking resemblance between her father and his other daughter. Panic swept over her in a wave of heat. Instantly, she became convinced that if Ben saw Jinx, even for a brief moment, all memory of her would be erased; that if she stood next to Jinx and demanded that he make a choice, he would choose the one who looked like him, the first one, the child of the woman Becca knew Ben had never stopped loving. She wanted to rush into that room and throw Jinx out before Ben opened his eyes, but Matthew's cold stare kept her frozen outside the door.

"Is he going to be all right?" Jinx whispered to Matthew, trying to ignore Becca's hatred.

"He's suffered what we call a cerebral thrombosis, which in his case, was caused by a narrowing of the internal carotid artery. We performed surgery on him, removed the blockage and as of now, his prognosis is excellent. I must warn you though, his speech is temporarily slurred and he's extremely weak."

Jinx nodded, somewhat afraid. For several minutes, she stood looking at Ben, trying to prepare herself for whatever was to come.

Suddenly, his eyes began to flutter. They opened, closed, opened again, but she could tell he was confused. Finally, he focused and noticed her. A small, quivering smile wobbled on his lips. Then, his eyes sought Matthew's. He blinked and looked toward the night table. Matthew seemed to know exactly what he wanted. He picked up a notepad and a pencil and handed them to Ben who, with every ounce of strength he had, scribbled something on a piece of paper and held it out to Jinx.

She read it, amazed at how one small word could create such a huge lump in her throat—*Sorry.*

"Ba-ba," he grunted, his tongue curled around in his mouth, his jaw twisting as he tried desperately to speak.

"I don't understand," Jinx said, feeling helpless.

"Ba-ba," he repeated, trying to make himself understood.

Jinx shook her head, wishing she could help him, wishing she knew what it was he wanted to say.

"Bay-be," he insisted, his face red and contorted from the tremendous effort it had taken to utter those two garbled syllables.

"I think he's saying *baby*," Matthew interpreted, watching as Ben blinked his eyes in affirmation. "I think he's admitting that he's your father."

Jinx looked at Ben. His eyes blinked twice. His mouth lifted into a misshapen smile.

"Bay-be," he said again, as he struggled to raise his arm off the bed. Matthew moved closer to the bed, lifting Ben up so that his hand could touch Jinx's cheek. "My bay-be."

Jinx's eyes welled up with tears. The man who had sired her had finally acknowledged her existence. He had finally apologized for his abandonment and his rejection. He had finally accepted her. Gently, she took his hand, leaned over, and kissed his face, feeling her tears mingle with his.

After a moment or two, she stood and wiped her eyes, while Ben scribbled another note.

Love you.

Jinx couldn't speak. She simply nodded, biting her lip, trying to dam a rush of emotion. For so many years, she had wanted him to hold her and cradle her and comfort her. Yet now, it was he who needed the cradling and the comfort. Though he had never granted her even a single shred of affection, though she had spent hundreds of anguished hours fighting the hurt and insecurity his rejection had caused, Jinx knew what it must have taken for him to ask her here, so she held him and comforted him until finally, he fell back to sleep.

When she lay him down on his pillows and looked around, she noticed that Becca had gone. Matthew was leaning against a wall in the corner of the room.

"I guess if you wait long enough," he said quietly, "dreams do come true."

Jinx rose from Ben's bed and headed straight for Matthew's arms. The instant she felt his body next to hers, she granted herself a moment of release. When at last she had exhausted herself, she stared deeply into Matthew's blue eyes.

"I love you," she said, her voice filled with promise and conviction, "but right now I'm asking you to be patient. I'm asking you to understand what I have to do and to stand by me. A little while ago, you asked me about trust. When Kip died, he entrusted me with his life's work. He believed I was worthy of that trust. At first, I thought I had inherited a job and security for me and my daughter. It seems as if I inherited a battle. I have to see this through and I have to win. It's not just Kip's legacy that's at stake. It's my self-respect."

Matthew held her close to him and whispered into her ear.

"I will be patient," he said, "and I will stand by you. Take all the time you need."

Jinx nodded, but inside, she knew that time was running out.

30
Frances Rebecca Travis
Frankie

October 1984

> *HICKORY DICKORY DOCK. The mouse ran up the clock. The clock struck one. The mouse was dead.*

Frankie's hand trembled as she read the crayoned note. The paper fluttered to the floor where it fell face up, staring at her, mocking her. She wanted to rip it up, to tear it into tiny little shreds, but her body refused to bend, her hand refused to touch the heinous letter.

Since she had joined the cast of *Texas Gold*, her character, Toni Swift, had received many death threats. When she had first accepted the role, the producers of the show had warned her that often viewers took television dramas seriously, transforming the characters portrayed onscreen into real-life personages. It was not unusual, they told her, for a TV vixen to receive hate mail; in fact, viewer hostility was a sign of a role well played. But the producers weren't the ones whose lives were being threatened. Frankie was.

In the beginning, she had told herself the notes were a perverse compliment, with no real intent behind them no matter how disconcerted they made her feel. She told herself that she was not

Toni Swift and therefore had nothing to worry about. She even saved them and presented them to her agent as a bargaining tool for her contract negotiations. But just in case, she had installed elaborate security devices in both her Los Angeles and her New York apartments.

In a strange way, she had almost become used to the letters. But then, four months ago, she had received the first of these mysterious, macabre nursery rhymes.

Jack and Jill went up the hill to fetch a pail of water.
Jack came down and broke his crown.
Jill never came down at all.

Just like the five that followed, it had been printed on notebook paper in kindergarten crayon, mailed in a standard office envelope, and postmarked New York City. None of the other death threats followed a pattern. These did. Most of the others had made some reference to something she had done on the show. These didn't. Many were signed and even had return addresses on the envelope. These didn't. A tiny voice from deep inside her conscience warned her that this pen pal wasn't writing to Toni Swift. These threats were meant for Frankie Travis.

It was late, well after midnight, but Frankie ran to the phone. She needed to hear a friendly voice. She needed assurance that she was safe. Most of all, she had come to the conclusion that she needed help. But whom could she call? Sterling and Karen were on location in Spain. Her agent was in California. She had no close friends. Even though she had finally convinced Vera that Owen Phillips had tried to squeeze Vera out of the show for his own purposes, she would hardly call their relationship close. And though she had called her at least a thousand times, Cissie hadn't spoken to her since that day, months before, when she had barged in on her and Noah.

She stared at the letter, a feeling of desperation growing inside her. She couldn't ignore these threats any longer. She needed help. She debated with herself. Could she? Couldn't she? Would he reject her? Would he laugh at her? This was no time for false pride.

Slowly, her fingers dialed Zach Hamlin's number. As she listened to the phone ring, she prayed that he was home, and that he wouldn't hang up when he heard her voice.

When first he had left her, Frankie had countered his offense with her own defense, pretending that she didn't love him anymore either, that she didn't care where he went or what he did, that her own life was so full that she no longer needed him. None of it was true. She would always love Zach. She would always want him. Yet when she thought about it—and for a while she had thought of little else—she realized that she had pushed him away, she had forced him to leave, just as since then, she had forced others to abandon her. She didn't know where those destructive urges came from. She was beginning to think she was some kind of puppet whose strings were being manipulated by a malevolent cosmic force determined to destroy any chance she might have at happiness and fulfillment.

"Hello." Zach's voice was groggy, as if she had awakened him from a deep sleep.

"It's Frankie Travis," she said, wondering if there was anyone in the bed with him. "I'm in trouble. I need to see you."

"Can it wait until morning?" he asked, obviously still half asleep.

"I guess so," she said, wishing his response had been more immediate, more concerned. Still, she was grateful that he hadn't slammed down the phone. "You won't forget about me, will you?"

"No. I'll be there first thing."

Frankie put down the phone, but she could not sleep. By seven A.M. she was dressed and pacing the apartment. By nine, when she opened the door to Zach, she was half mad with fear.

"I thought you might not come," she said, hustling him inside and bolting the door behind him. "I had to call you. I don't know what to do! I don't know where else to turn!"

"Calm down," he said, realizing that this was not, as he had first thought, one of her trumped-up ploys for attention. "Just give me a little coffee and then tell me what this is all about."

He followed her into the living room, where she had set out a pot of coffee and a plate of his favorite cinnamon-nut coffee cake.

"I ran to the bakery," she said, pleased that he had smiled when he had noticed the platter.

As Zach sipped his coffee, Frankie chewed on her nails impatiently. She had to admit that just having him in the same room with her was reassuring. She also had to admit that he looked incredibly handsome.

Obviously, success agreed with him. His clothes were expensive and well tailored. His thick caramel-colored hair had been styled and razor-cut to tame the curl. Even his nails were manicured, looking far better than hers. But it wasn't his accoutrements that impressed her, it was the aura surrounding him. He appeared so sure of himself, so confident, so relaxed with who he was and what he had become. For a moment, she felt a flush of envy.

"Okay," he said at last, putting down his coffee cup and leaning back on the couch. "I've had my caffeine jolt for the morning. I can feel the old brain cells pumping away. What kind of trouble are you in and what can I do to help?"

The way he was sitting—one leg crossed over his knee, his arm over the back of the couch—reminded Frankie of the first time he had interviewed her. So many years ago. So many wasted years. They should have been married by now. They should be in their own apartment. They should have children. *Should!* She tossed her head as if the motion would chase away the thought. Why was she always using that word? Why hadn't she ever learned that "should" is meaningless, that "will" and "can" are the only things that make a difference?

"I've been getting death threats," she said. "I dismissed most of them because they were related to the character I play on *Texas Gold*, but I can't dismiss these."

She showed him the latest letter and described the others.

"Do you have any idea who might be sending them?" Zach asked, his forehead scored with lines of concern.

Frankie fidgeted with a throw cushion.

"As you well know," she said, looking at him squarely, "I've made a lot of mistakes in my life and those mistakes have earned me a long list of enemies. Sunny Samuels. Luke Maddox. Jose Banta. Colin Mattheson. Danton Rochelle. Paul Rochelle. Lillie." Her voice stuck in her throat, an embarrassed smile flickered across her lips. She hadn't even mentioned Owen Phillips, Vera, or Cissie. "The list appears to be endless."

Zach studied the letter and then Frankie's face. He knew how difficult it was for her to enumerate her failings in front of him. He had never been an I-told-you-so type of man, but even if he were, the abject terror in her eyes and the sight of her curled into the corner of the couch, cowering like a frightened child, would have kept him silent.

"All those things happened a long time ago," he said. "Why would anyone want to come at you now?"

"I don't know," she said, shrugging her shoulders. "I haven't seen or spoken to any of them in years."

Zach thought for a moment, turning the latest letter around in his fingers.

"I'll tell you what," he said, as he stood. "I'll look into everyone's present whereabouts. Maybe that'll tell us something."

"How long will that take?" she asked, upset that he was leaving so soon.

"It depends on who they are and where they are," he said, walking toward the door. "Don't worry, Frankie. You'll be all right."

She nodded her head, but he could see that she wasn't convinced.

"Call me if you get another letter, okay?"

She nodded again.

He was about to leave, but when he looked at her face, he saw a dark shadow over her eyes, a sad, lonely cloud. That little girl lost tugged at him, pulling on strings he thought he had untied years ago.

"I'm also available for long friendly chats, spur-of-the-moment house calls, and, if you haven't outgrown your taste for such things, I happen to know a terrific hamburger joint," he said, recalling their first date.

Frankie smiled.

"I'll never outgrow my taste for Bernie's Burgers," she said, letting him know that she, too, remembered. "Thanks for coming over. . . . And thanks for the offer," she said shyly.

It took Zach two weeks to run a check on Frankie's enemies. Most were not hard to find. Sunny Samuels had reestablished herself as one of Hollywood's major power brokers and was currently riding high with two movies in production and a new lover. Paul Rochelle was in Paris, getting ready to preview his spring/summer collection. Danton Rochelle was also in Paris, overseeing a government contract on pain relievers. Jose Banta had returned to fashion photography and was on a shoot in Morocco. Colin Mattheson had bounced back bigger than ever and was appearing in a London production of *Hamlet*. Zach had accounted for everyone except Luke Maddox and Lillie. Though he assumed that Lillie was sequestered at Rochelle's country estate in France, he knew better than to make any assumptions about Maddox. He had made dozens of phone calls and checked every source he had. Maddox was nowhere to be found.

"I knew it!" Frankie said, her voice showing signs of panic. "He's never forgiven me for what happened in Paris. Now, he's out for revenge!"

Zach wanted to reassure her, but he couldn't argue with her hypothesis. Maddox didn't like being made to look like a fool, and Frankie had done just that. Also, his history marked him as someone maniacal enough to have concocted this serialized form of terror.

"I've still got people looking for him, so for the moment, let's forget about Maddox and focus on the possibility that the author of these letters is someone we haven't even considered."

"I gave you my list," Frankie said with an impatient scowl. "How many more enemies do you want me to have?"

"I know it's painful," he said, refusing to be put off by the harshness of her tone, "but think. Those were all people from the past. Has anything happened recently that might have made someone angry enough to do something like this?"

Frankie lowered her eyes and began to gnaw on her fingers. She had thought about it. The letters had started to come just after her abortive rendezvous with Noah at The Oxford. Although she couldn't imagine Cissie sending her death threats, she also knew that Cissie could never have imagined finding Frankie in bed with her husband.

"Who?" Zach grabbed Frankie's hand, more certain than ever that as he had suspected, Frankie had neglected to give him a complete list. "You don't have to tell me why, just who!"

How could she tell him? Things were going so well between them. What would he think of her? Certainly, no more than she thought of herself.

Suddenly, the phone rang. Frankie jumped. Her eyes widened. The telephone was right next to her, but she made no attempt to answer it. Zach reached over her to pick it up.

"It's Bert Kahn," he said.

Frankie's heart began to pound inside her chest. Why was he calling? Had Cissie told him? Bert was like a second father. Was he going to banish her from his life just as Cissie had? Her hand shook as she brought the phone to her ear.

Though the conversation was brief, Zach was fascinated by the different emotions that washed over Frankie's face—relief, regret, tension, fear. For a few moments after she hung up the phone, she simply stared at it, not speaking, not moving.

"My Uncle Ben died," she said quietly.

"I'm sorry." That explained the regret and perhaps the tension, but what had caused the relief and the fear? "Was it sudden?"

Frankie's eyes began to fill with tears. She turned to Zach, but he could tell she was looking past him.

"A month ago, he had a stroke. I went to see him. It was bad, but they said he was getting better. Sometime this morning, he had another stroke. This one killed him."

"When is the funeral?"

"Tomorrow."

"Would you like me to go with you?"

Frankie wiped her eyes, and as she did, her mood changed.

"I'm not going." Her voice was crisp, definite.

"Why not?"

"I can't." She rose from the couch and walked to the window, deliberately keeping her back to Zach, her body language making it clear that she didn't want to debate the issue.

"Did Bert say your mother was going to be there?"

Frankie turned and looked at him. Zach always did have a knack for knowing what was on her mind. This time, however, he was only half right. True, she was terrified at the thought of seeing Lillie, but the idea of confronting Cissie unnerved her even more.

"Oddly enough, he asked me if I knew where she was. So far, no one has been able to reach her."

"Then there's no reason not to go, is there?"

"What if she shows up?" Frankie said, voicing only one of her concerns. What if Noah shows up? What if Cissie gets angry and blurts out the whole ugly story in front of Zach or the rest of the family? Frankie couldn't risk the humiliation, or the shame. More than that, she couldn't risk losing Zach again, which is exactly what would happen if he knew the truth.

"So what if she does?" Zach said, wondering when, if ever, Frankie would resolve her relationship with her mother. "You're a big girl now. She can't hurt you."

Maybe she can't, Frankie thought, *but there are others who can.*

The small anteroom on the second floor of the Riverside Memorial Chapel overflowed with mourners. More than two hundred people had come to pay their last respects to Ben Ross. Aside from friends of the family, there were colleagues from work, club members, neighbors, people who had worked with Ben on fund-raisers, several young men and women who had benefited from the scholarships he had established, as well as a few of the city kids he had helped find jobs. For all his faults, Ben Ross had not been an uncharitable man.

Inside, four women sat on a black leather couch. Though they were all dressed in black, all wearing the same benumbed look of unexpected loss, even a stranger would have had no trouble identifying Sylvia as the widow. Her eyes were glazed. Her skin was pasty and pinched, void of color and expression. Her body, which had always been slim, appeared spindly. As one person after another filed in to offer sympathy, Sylvia tried her best to respond in an appropriate manner, but she had been given a sedative and her gestures were wooden, her words garbled.

Becca was seated next to her mother, her eyes narrowed from pain. From the moment she had been told about Ben's death, Becca had been engulfed in a torturous migraine. Though she had responded immediately to Sylvia's call—racing to the hospital, caring for her mother, visiting the funeral home, making the arrangements—she had not had one moment of relief. Yet she had refused to take any medication. Her father had died and to Becca, it was right for his daughter to suffer.

Ben's sisters were suffering also, each in her own way. Molly had postponed her grieving for another place and another time. Instead of venting her feelings publicly, she donned her matriarchal robe and, on behalf of the family, accepted most of the condolences offered by those who had come to honor her brother.

Ben's closest sibling, Tessa, was having a difficult time accepting what had happened. Though the Rostovs had already lost Jacob before his time, Tessa still thought of death as having some kind of order. Ben was the fourth child. He was not supposed to die before her or Molly. What made it worse was that when she had visited him the night before he died, he had seemed so improved. He had joked about his mangled speech, claiming that the reason she was having trouble understanding him was that she had never learned Polish. They had talked about when he was going to come home and what rehabilitation he might need. Then, the next morning, Sylvia had called.

Other members of the family were scattered about the small room, surrounded by their own constituencies. Herb Schwartz stood on one side of the couch, Bert Kahn and the Hillmans on the other. Herb and Molly's children stood just inside the door. Cissie and Andrew occupied the far corner. Despite the thickness of the crowd, the instant Noah walked in, Cissie was aware of his presence.

Since that day when she had banished him from her hospital room, he had tried every way he knew to win her back, but she had remained firm in her resolve to have nothing more to do with him. He had called and stopped at the house and pleaded with Tessa and Bert to intercede on his behalf, but Cissie had refused to see him. When, a few weeks before, the party had pleaded with him to reenter the race, he had coerced Andrew into explaining his decision to Cissie. He had changed his campaign tactics, laying off Jack Chandler and resurrecting his Vietnam background as a way of rallying people around him. He spearheaded a committee to erect a permanent memorial to victims of the Vietnam war. He turned the storefront office he still maintained on Houston Street over to Vietnam veterans as a counseling center and a shelter for those in need. He had thought Cissie would be pleased and view his efforts as a sign of repentance. He had thought wrong.

After Noah paid his respects to Sylvia, Becca, and Molly, he spent time speaking to Tessa and Bert. Cissie watched.

"It took a lot of courage for him to come here today," Andrew said, aware of the separation, but unaware of the cause. "He's going to come over here, you know. What will you do?"

"I won't make a scene, if that's what you're worried about." Cissie tried not to sound impatient. She understood that Andrew felt pushed and pulled, loyal to her as a brother, committed to Noah as a friend and coworker. She also understood that unless he knew the real reason behind the dissolution of her marriage, he would continue to press for a reconciliation, just as he was doing now.

"Look, I know that the night of your operation he said he was quitting the race for the Senate so that he could spend time taking care of you, but headquarters couldn't get anyone to run in his place. Without Noah, the election would have been a one-sided sham. He had to do what he had to do."

"And I did what I had to do," she said quietly, but pointedly.

"Cissie, I know you must have your reasons, but—"

Suddenly, she turned and glared at him, feeling a surge of anger rising up from within.

"Listen, Andrew. He's the father of my children. You can be sure I didn't throw him out over something stupid or inconsequential. I know you don't understand all this, but do me a favor and drop it!"

"Hello, Andrew, Cissie. I'm very sorry about your uncle."

This was the first time they had met face to face since August. She had wanted to be prepared for this moment, but because Andrew had distracted her, she hadn't seen Noah approach. As he shook Andrew's hand, Cissie took a deep breath, hoping to calm her nerves. When he moved to kiss her cheek, she recoiled, pulling away and stepping back. She saw the embarrassment on his face. She even thought she saw him wince, but she had steeled herself against feeling sorry for him.

"Andrew, would you excuse us for a moment, please?"

Cissie wanted to grab Andrew's hand and hold him there, but her brother walked away and left her alone with Noah.

"I'm glad to see you looking so well," he said, smiling as if they were standing on a street corner in Paris instead of in a funeral chapel.

Cissie shifted her weight and looked down at her feet. Just that past week, she had been fitted for a prosthesis. She was wearing it in her bra now, and though she knew a casual observer would never know the difference, it felt strange against her body. She was certain it looked strange to Noah, who had once known that body so well.

"Andrew says you're completely recovered." Noah hadn't meant to include a double entendre in his comment, but he couldn't miss the double entendre in Cissie's response.

"If he means that there are no lingering signs of cancer, he's right."

"You had a lot to recover from, Cissie, but if you'd only give me a chance, I'd like to help."

"I don't want your help, nor do I need your help. I thought I made that very clear."

"You're upset that I reentered the race. You think I didn't mean what I said to you that night, but I did. I meant every word. It's just that . . ."

"Don't bother. I've been around politics too long not to know what chaos a void on a ballot would create. I also know what a tremendous void you would feel sitting it out."

Noah felt hopeful for the first time in months. She had sounded almost understanding, almost sympathetic.

"The only void in my life is the one you created when you left. Please, Cissie. I miss my daughters. I miss you."

Just then, Frankie walked through the door. Before she started for the couch, her eyes panned the room. She didn't want to find Cissie, but she did, and for the longest moment, the two women stared at each other. Frankie looked away, grabbed Zach's arm, and walked toward Sylvia.

Cissie looked from Frankie to Noah. Pictures that had insinuated themselves on her dreams flashed before her eyes. Questions that had plagued her for months begged to be answered. Had he enjoyed making love to Frankie? More than with her? How many times had they been together before that horrible day? Were they still lovers? Inside, she felt a familiar aching sensation. She thought the pain had gone. Now she knew it had merely subsided.

"Cissie, please. I love you. Can't you find it in your heart to forgive me?" He went to take her hand, but again, she pulled back.

"I found you with my cousin and from what I could see, there was no room in that bed for anything, especially forgiveness."

Keeping her head high, she walked away from him, past Frankie, and out the door. Noah knew better than to follow her.

"Just give her time," Andrew said, appearing at Noah's side.

Noah shook his head. "I betrayed her, Andrew, and if you know your sister at all, you know what a high priority she places on loyalty."

Without thinking, Noah glanced over at Frankie. The instant she saw him looking at her, she turned away, but not before Noah saw the guilt in her eyes, the sadness and the regret. How well he understood her feelings. Because of their own treachery, they had lost someone they both loved very dearly. Right now, Noah wasn't sure either of them would ever get her back.

Though Zach was a man attuned to details, it didn't take a trained observer to notice that there was a serious rift between Frankie and her cousin, Cissie. Preceding the chapel service, when Frankie had gone to pay her condolences to Ben's widow, the two women had blatantly ignored each other. When everyone went to be seated, Frankie had insisted upon sitting in the back instead of in the front pews where the family had gathered. At first, he thought that Frankie's discomfort was connected to her breach with Lillie. It seemed logical. Most of Frankie's insecurities evolved from her relationship with her mother. Perhaps she felt responsible for Lillie's failure to appear at her brother's funeral. Perhaps she felt the family blamed her for the separation, viewing her as a naughty, ungrateful child. Perhaps Cissie had taken Lillie's side. But then, when the service ended and everyone began filing out of the funeral home, something strange occurred, something that supported Zach's theory that Frankie's list of suspects was incomplete. He didn't know what Frankie had done, when she had done it, or why, but clearly, she had made another enemy—Cissie Gold.

Three limousines were parked on West 76th Street to take the family to the cemetery. Becca and her mother got into the first car, Molly and her family, the second. Just as Zach and Frankie came outside, Tessa and Andrew Kahn were climbing into the back of the last limousine. Bert Kahn was seated in front, next to the driver. Just as Cissie was getting in next to her brother, Bert called out to Frankie and asked her to join them.

Frankie stiffened.

"Go ahead," Zach said. "I'll grab a cab and meet you at your apartment later."

Still, she hesitated, but when Bert called her again, she took a step forward. The minute she did, Cissie slammed the door to the limousine and locked it. Though her eyes filled with tears of humiliation and her face flushed red, Frankie didn't move. She didn't speak. She just stood there and watched as three long black cars filled with her aunts and uncles and cousins pulled away from the curb without her.

* * *

It was a long, slow ride from the chapel in New York City to the small cemetery on Yulsman Avenue in Newark, made even slower by the many people who had elected to follow Ben Ross to his final resting place. Once the coffin was removed from the hearse and positioned above the freshly dug grave, most of the mourners left their cars and followed Becca and Sylvia to the Rostov plot.

Cissie and Tessa were about to enter the gates of the cemetery, when Cissie felt someone touch her arm.

"I had to come."

Cissie heard the uncertainty in Jinx's voice, saw the insecurity in her eyes, and immediately hugged her friend.

"I knew you would," she said. "And I'm glad." Then she looked at Matthew, who had accompanied Jinx. "I'm glad you're here too. Uncle Ben thought a lot of you."

"Thank you," he said, leaning over to kiss Cissie's cheek. "That's good to hear." He turned to offer his condolences to Tessa, but her attention was fully focused on Jinx.

"I'm very sorry about your brother," Jinx said quickly, trying to fill the awkward silence. "I hope you don't mind that I'm here."

Tessa's eyes watered and she bit her lip to keep it from quivering.

"You have every right to be here," she said. "You're Ben's firstborn child. He would have wanted it this way."

Jinx was shocked. This was the first time Tessa had ever acknowledged the fact of Jinx's birth.

"He told me about your reconciliation," Tessa continued. "He told me about the night you visited him in the hospital and how happy he was to have finally made his peace with you. He told me that you came to see him several times after that and showed him pictures of your daughter, his grandchild, Joy." Tessa paused and for a moment looked embarrassed. "You didn't have to do that," she said. "You didn't have to go out of your way for him, but I appreciate the fact that you did. He wasn't very nice to you. I wasn't very nice to you. I know you forgave him. Now I'd like to ask you to forgive me."

Shyly, she looked at Jinx and held open her arms. Without hesitating, Jinx embraced her aunt. As Tessa's arms wrapped around her, Jinx felt the warmth of acceptance enfold her. When they parted, both women wiped their eyes and offered each other shaky smiles.

"I knew all along who you were and what the truth was," Tessa said. "I wanted to say something or do something that would make things easier for you, but my loyalty had to be to my brother. I know it's difficult to understand, but sometimes blood ties can be very tight and very inflexible."

Jinx nodded and pretended to understand, but once again, she felt like an outsider. Here she was, Ben's daughter, a blood relative. Though Tessa claimed to acknowledge that fact, the only blood tie she recognized was the one she had grown up with, the one she was accustomed to. Just as Jinx felt an old anger begin to surface, she thought about Hank. He wasn't her natural father, but he was the only father she had ever really known, the only father she had ever really loved. Maybe Tessa wasn't wrong. Maybe the essence of belonging and acceptance had little to do with blood and everything to do with ties.

"Come," Cissie said, taking Jinx's arm. "We have to go."

Jinx pulled back and quickly looked from Cissie to Tessa. "Is my presence going to cause a problem? I mean, there might be questions and . . ."

"Everyone knows you're my friend," Cissie said, "and everyone knows Matthew was Uncle Ben's doctor, so it's perfectly logical for both of you to be here. Believe me, no one's going to think twice about it."

That wasn't quite true. Becca had been thinking about Jinx all morning. She knew Matthew would have told her Ben died. What she didn't know was whether or not Jinx would have the nerve to show up at the funeral. She looked for Jinx at the chapel before the service and after the service, when they were outside getting into the cars, and just before, when everyone had gotten out of their cars. Just when she had convinced herself that Jinx was going to do the right thing and stay away, she turned around and saw Tessa hugging Jinx. If Bert Kahn hadn't caught her, surely, she would have fallen.

From that moment on, Becca's attention was divided. Though she tried to submerge all extraneous emotions beneath a pool of sorrowful tears, her hatred for Jinx Kipling insisted on bobbing to the surface. *Think about the way things were,* she instructed herself in an effort to call up past images of her father. *Think about the happy times.* Instead, all she saw was the way Ben had looked at Jinx that night in the hospital, the way he had struggled to force a smile onto his lips, the way he had fought to push a single word out of his mouth—"baby." The memory of it caused Becca to shudder.

The mourners had assembled. The service was about to begin. Herb and Molly moved in next to Becca. Tessa and Cissie stood alongside Sylvia. Becca tried to face front. She tried to concentrate, but her eyes were drawn to the back, where Jinx and Matthew stood arm in arm. It took every bit of strength she had to fight the urge to march over to Jinx, declare her a fraud, and demand that she leave. Only the fear of shifting attention from herself to Jinx and the sound of Sylvia's weeping kept Becca where she was.

Throughout the graveside ceremony, Sylvia's body quaked from the intensity of her grief. Though she tried to control herself, every now and then, her plaintive cries rose above the sounds of the service, beseeching her husband to return to her, railing against the injustice done her. Sylvia needed help. She was confused and angry and drained. For six weeks, she had maintained an almost constant vigil by her husband's side, reading to him, caring for him, encouraging him, pouring love and strength into him, leaving his side only when Matthew insisted. Everyone had assured her that Ben was getting better and that soon, he would be able to go home.

"You don't belong here," she wailed, shaking her head from side to side. "You belong home, with me."

Becca wrapped her arm around her mother's shoulders and held her close. She wanted to say something or do something to soothe Sylvia, but having buried her own husband, Becca knew there was nothing that would make this day, or the days to come, less painful. Though her affection for Jonathan didn't compare to Sylvia's devotion to Ben, Becca knew that death's bottom line was the same—when the sedatives wore off and the mourning period ended, the true agony of widowhood would begin. Suddenly, isolation would become a habit. Loneliness would become constant. Memories would become companions. And darkness would become a haven for fantasies.

Becca was still lost in her own thoughts, when the sound of small rocks hitting the top of her father's coffin jolted her back to the present. The prayers had ended, the coffin had been lowered, and now Bert, Herb, Andrew, Jack, and Mark Schwartz were completing the final ritual of burial. With small metal shovels they were returning the earth to the grave. Next to her, Sylvia swooned. With the help of her Aunt Molly, Becca held on to her mother as best as she could.

"Get Matthew Grant," she said, quickly turning to Tessa. "I need him."

As Matthew ran to Sylvia Ross, the crowd began to disperse, leaving little place for Jinx to hide. She thought about leaving, but before Matthew had gone off, he had asked her to wait for him. She could have waited by the car, but something kept her there. Defiance? The belief that Ben's acknowledgment entitled her to stay? Curiosity? Once before, she had visited this cemetery. Then, she had been looking for her roots. Then, she had been seeking a connection to her natural father, a link with her heritage. Today, except for Lillie Rostov and her daughter, Frankie, the entire Rostov clan was together in one place. She was in the same place and still, she felt like an intruder.

Though Jinx had never seen any of them other than the Kahns

and Cissie's cousin Frankie, the one who fascinated her most was the eldest Rostov. Molly wasn't as beautiful as Lillie appeared to be in her pictures, nor was she as stylish as Tessa, but she had a presence that immediately attracted Jinx's attention, a bearing that made Jinx wonder if perhaps Molly was the one most like Franyu, the woman for whom Jinx had been named.

Once she was certain that Sylvia was in good hands, Molly searched around until she found several small rocks. One by one, she placed them on top of her parents' headstones, her brother Jacob's and finally, the stone marking the grave of the first Frances Rebecca, her daughter, Frannie. After a few moments of quiet reflection, she returned to Sylvia, gently took the bereaved woman's face in her hands, whispered something, kissed her, and started to go. Whatever Molly said seemed to infuse Sylvia with renewed strength. She shook off Becca and Matthew, told the Kahns they should go also, and asked to be left alone with Ben.

Matthew stood off to the side in case Sylvia grew faint. Becca confronted Jinx.

"How dare you show your face here today?" Becca spoke in a harsh whisper, her voice shaking with rage. "You killed him! You and your selfish insistence that he's your father. I told you that night in the hospital to leave him alone. I told you you would kill him. I begged you, but you wouldn't listen. No. You had to have it your way. You had to push yourself on him when he was weak and vulnerable. I hope you're proud of yourself. If not for you, *my* father would be alive!"

Anger contorted Becca's face. She started to reach for Jinx, but then remembered that both Matthew and her mother were only steps away. She pulled her hand back and retreated, but just slightly.

"Becca, please," Jinx said softly, understanding that this conversation had to remain private. "I know how upset you are. I'm sorry, really. I wanted to pay my respects. Believe me, I didn't come here to cause you pain."

"Then why did you come? So you could continue to spread your insidious lies about who you think you are? So you could make my mother's life as miserable as you made my father's and mine?"

Becca longed to strike out at Jinx, to assault her, to hurt her, to vent a lifetime of pent-up fury, but she knew she couldn't do anything here, now. No matter how much she wanted to satisfy her own thirst for revenge, she didn't want to add to her mother's grief. Why should Sylvia deal with Jinx Kipling, now or ever? Why should she even be aware of Jinx's existence? Why should she be haunted by Ben's past? Ben was dead and so was the issue of Jinx's paternity.

"It's time for your mother to go," Matthew said to Becca. Judging by the shaken look on Jinx's face and the intensity of Becca's stare, he knew his interruption had been well timed. "She needs to rest and so do you."

He sounded concerned, and for a moment, Becca's hostility calmed. Though it had been two years since their weekend in Palm Springs, she had not abandoned the idea of a romance with Matthew Grant. After each had moved to New York, they had been out several times, but only when she had initiated the invitation. Their dates had been public parties and not private rendezvous. Also, she knew he was still involved with Jinx, but, she reasoned with renewed interest, she had not really given this her full attention.

"The family is gathering at Mother's house," she said, looking over at Sylvia, who was sitting on the stone bench across from Ben's grave and crying. "I'm very worried about her. She's so weak and so lost." Becca lowered her eyes, dabbing at them with a gloved hand. "She likes you, Matthew, and she trusts you. Do you think you might come with us? It would mean a great deal to Mother . . . and to me."

Matthew glanced over at Jinx, who quickly signaled that he should go and not worry about her.

"Of course." Though he hated to leave Jinx, Sylvia had risen from the bench. She was trying to stand, but her legs wobbled and she looked as if she were going to fall. Matthew ran to her side, steadied her, and escorted her to the car. Becca hadn't moved. Neither had Jinx.

"You have no right to be here." With Sylvia and Matthew gone, Becca felt no need to disguise her hatred. She glared at Jinx with threatening ferocity, but Jinx didn't back away.

"I know you're hurting," Jinx said, trying to maintain her composure despite her resentment of Becca's charges, "but whether you like it or not, I have every right to be here."

Had Jinx sounded frightened or apologetic or defensive or anything other than totally certain of her place in Ben's life, Becca might have harnessed her rage and walked away without another word. Instead, she lunged for Jinx, her arms flailing, her tongue sharp and tipped with venom.

"You're not going to get away with this!" she hissed. "You are responsible for my father's death, and someday you're going to have to answer for what you've done."

With an expertise that took Becca by surprise, Jinx parried, catching Becca's wrists and pushing her away before a blow could be struck.

"I am not responsible for anything," Jinx said through gritted teeth, her voice ringing with conviction. "And I don't have to answer to anyone, particularly you."

Becca's first impulse was to go for Jinx's face, to scratch and claw until that pale Rostov skin was striped with blood. But then intelligence overruled instinct, and she decided to wait for another time, another place. Without saying another word, she spun on her heel and walked toward the road where her limousine was parked. She never even stopped to say a last good-bye to her father.

Jinx hung back, shaking, barely breathing. Only after she saw the car pull away did she relax enough to cry.

"Look what you've done," she said standing over Ben's grave. "Look at the pain you've caused. She's hurting. I'm hurting. And all because of you!" Hot tears fell down Jinx's cheeks as she wrestled with her feelings. Words tumbled out of her mouth in an irrepressible flow. "When I was young and I thought you were dead, I loved you. Not because you had been a part of my life, but because you had given me life. Now that you are dead, I'd like to be able to grieve, to say that I love you and I'll miss you, but I can't. I never knew you. You never let me know you. You pushed me away. You rejected me at every turn. You were mean and cruel. Only when you thought you were dying did you try to make amends." Her voice quaked and her shoulders shook, but she made no attempt to swallow her emotions. "Maybe if you had lived we could have become friends. Those last few days you tried, I'll give you that, but now neither of us will ever know." Slowly, she calmed. As she wiped her eyes, she looked at the broken earth. In a few months, there would be another headstone, this one marking the grave of Benjamin Ross. "I have to believe that this wasn't easy for you either," she said, her voice softer now. "I have to believe that somewhere, deep in your heart, you cared, because if I don't, all those years I spent thinking about you and dreaming about you and looking for you will be wasted." She bent down, picked up a handful of dirt, and threw it into the unfilled chasm. "No matter how it was between us, you are my father and I wish you peace."

As she wiped her eyes and made her way out of the cemetery to her car, she tried to find her own sense of serenity and resolution, but part of her was still smarting from the sting of Becca's wrath. Had she been wrong in coming out here? Was there something she should have said or done? Would anything have made a difference? Jinx doubted it.

Can't she understand that I don't want anything from her? Jinx thought. *Ben's dead. Can't this ever be over?*

Somehow, Jinx doubted that too. She and Becca barely knew each other. Yet, Jinx knew enough about her half sister to know one thing for sure—she hadn't heard the last of Becca Ross.

"What happened?" Zach asked for the fifth time. "What happened to make Cissie slam a door in your face?"

Frankie had been too stunned on the ride back to her apartment to speak, but as the shock wore off and Zach's interrogation began, she felt herself trembling from fear of exposure.

Zach was growing impatient. He had too many questions for him to be satisfied with Frankie's silence. He wanted to know why Cissie was angry with Frankie. Why Frankie had also avoided Noah. Why Noah had not gone to the cemetery. As a candidate for public office, especially one who had made news by aborting his candidacy, Noah's separation from his wife was widely known among newspeople. What wasn't known, was why the Golds had separated, why Congressman Gold had taken his name off the ballot, and why he had agreed to reenter the race. Zach didn't know if Frankie had the answers to any of those questions, but he suspected that she might.

"Frankie, we're getting nowhere and I'm getting annoyed. You asked me to help you find the person who's been sending you death threats. You gave me a list of people you thought might want to hurt you. Cissie Gold's name was not on that list and yet, from what I could see, you're not high on her top ten these days. Now, what gives?"

"Okay," she said, holding her hands up in a gesture of surrender. "I'll tell you. Just before these notes started coming, I did something terrible to Cissie. Really terrible. I hurt her and though I've tried to apologize, she still hasn't forgiven me. I'm not sure she ever will and I'm not sure I blame her."

Zach hated clichés, but he remembered that when his office had first picked up on the story of the Golds' split, someone had said, "*Cherchez la femme.*" Was Frankie the third party his staffer was referring to? Normally, his reporter's mind tended to go after endings for hanging sentences, but this was one sentence he decided to leave dangling, at least for now.

"If you think she has cause, let's go speak to her directly," he said.

"She would never send notes like that." Frankie turned away, but her agitation showed in her voice. "Besides, she won't talk to me."

"Then let's speak to Noah."

"No!"

The mention of Noah's name caused Frankie to shiver and back away even farther. Over and over again, she had berated herself for allowing herself to fall prey to his flattery. He had wooed her with approval. He had seduced her with acceptance. But none of that qualified as an excuse for betraying Cissie. He hadn't raped her. He hadn't dragged her to that room. He hadn't ripped off her clothing. She had gone willingly. She had done what Vera once had accused her of doing—making herself the victim, saying yes when she knew in her heart the answer was no.

What was it about her that caused her to do such things? Was it some seed of self-destructiveness that had grown into an ungainly, untameable weed? Was it some need to prove herself a failure, to validate her mother's claim that she was unworthy? She should have been past that. She should have risen above that. Again, "should have."

"If you refuse to go see Noah, we're going to see Cissie." Zach got up out of his seat and took her by the hand.

"I can't face her!"

"You have to. Even if she's not the author of these charming little ditties, I have the feeling that it would be better if you confronted this head-on. Now, get your coat and let's go!"

When Cissie opened the door and saw Frankie standing behind Zach, he had to plead with her to let them in.

"What is she doing here?" Cissie asked, her anger instantly coming to the surface.

"Frankie's been receiving death threats," Zach said, coming straight to the point. "She told me that several months ago, she did something to you that could easily have provoked a malicious response."

Cissie glowered at Frankie, but where Frankie had expected her to blurt out the extent of Frankie's sins, Cissie offered no such explanation.

"Are you accusing me of threatening you?" Cissie demanded.

"I'm not accusing you of anything," Zach said, trying to act as mediator, "but Frankie's life has been threatened several times. She thinks you had cause to send the letters she's been getting. I thought it best to ask you directly."

"Maybe Frankie sent those letters to herself," Cissie said.

"What?" Frankie's face turned chalk-white.

"Why not?" Cissie said, staring at her younger cousin. "You've pulled stunts like this before. You've drummed up other schemes to gain attention and sympathy. Why not this? Did you think that if you came over here and told me your life was threatened, I would forgive you? Not a chance! If you're getting hate letters, you probably did something to deserve it."

Frankie was reeling from the impact of Cissie's words. She looked at Cissie and then at Zach, afraid that Cissie might substantiate her claim by revealing Frankie's sins against her.

"I didn't write those notes," she said tearfully. "I swear it."

Cissie looked at Frankie and for the moment, she didn't see the woman who had cuckolded her. Instead, she saw Frankie, the shy five-year-old decked out in a hat and white gloves having lunch at the Plaza with Cissie and Bert; the frightened teenager taking her role as Cissie's maid of honor very seriously; the young woman trying to be her natural childbirth coach the night Alexis was born.

"I wouldn't believe you if you swore on a stack of Bibles," Cissie said, not with hatred, but with sadness and regret. "And now, since I've answered your questions, I'd like you both to leave."

Frankie couldn't stop crying. All the way home tears flowed unchecked down her cheeks. Zach tried to comfort her, but it was hopeless. Over and over again, she insisted that she had never and would never do anything even close to what Cissie had suggested. When Zach finally asked what might have prompted such an uncharacteristic attack, Frankie sidestepped the issue, leading Zach to believe that it was better left alone.

When they reached Frankie's apartment, he fixed her a brandy and settled her on her couch. Once her nerves had calmed slightly, she put down her glass, wiped her eyes, and looked at Zach.

"She's right, you know. I probably do deserve these threats."

Zach didn't bother to respond. He sensed Frankie's need to talk, so he listened as objectively as he could.

"These notes, her anger, my loneliness. I deserve it all." She sighed and her lower lip trembled. "I never meant to hurt anyone, you know. Those things I did? I did them when I felt pushed up against a wall, when I felt alone and cornered. At the time, I thought what I was doing was right, I suppose. But I wasn't right. I made enemies, lots of them, and I lost the love and respect of the only people who ever cared about me, you included."

Unable to stop himself, Zach moved toward her, all his protective instincts activated, all his old emotions regenerated. Over the years, since Paris, he had tried to cleanse himself of his love for Frankie, telling himself that if it hadn't worked up to then, it never would. But while one voice shouted warnings, another voice whispered reminders of how he had felt when he was with her and how he had felt when he wasn't.

What had always concerned him in the past, was Frankie's

incurable view of herself as a victim. In each instance when Frankie had lashed out, it had been because she claimed she had been victimized, that she had been an innocent and was completely within her rights to seek retaliation. What concerned him now was the possibility that these notes and Cissie's accusation might confirm Frankie's image of herself, that they might convince her that the role she had been playing all these years was not a role, but reality.

"I don't think Cissie seriously believes you would make something like this up," he said gently. "I know I don't."

"Would you hold me?" she asked, feeling the need for physical affirmation.

Zach moved over to her, took her in his arms and hugged her, pulling her toward him, hoping to make her feel safe and secure, at least for the moment.

"I love you," she said, moving back and looking at him. "The biggest mistake I made was to let you get away from me, and if it takes forever, I'm going to prove myself worthy of you."

"You don't have to prove yourself worthy, Frankie," he said, understanding, as he always had, what it was that had motivated her actions over the years. "You are worthy. The problem is not in getting others to believe it. The problem is getting you to believe it."

Frankie allowed a wobbly smile to dart across her mouth.

"Thanks for the vote of confidence," she said, "but obviously, there are many, many people who don't agree with you. One of them has decided that not only am I worthless, but my life is worthless."

Had she merely looked frightened, Zach would have been concerned, but not alarmed. Instead, she looked resigned, as if her fate were already sealed.

"Are you just going to lie down and wait for someone to close the box? Where's your fighting spirit?"

"I don't know whom to fight," Frankie said, her voice ringing with frustration. "I have a list of enemies as long as my arm."

"Whoever it is, we'll find him. I promise."

Frankie nodded, but she remained unconvinced.

"Did you check your mail yesterday?" Zach asked, hating to ask the question, but needing the information.

"It's not my favorite pastime," she said, reaching over to the end table, grabbing a few envelopes, and handing them to him. "Here. You do the honors."

She watched him carefully as he opened each letter, reading it without any change in expression, without so much as raising an eyebrow.

"So?" she asked.

"Nothing," he said, sticking one into his pocket while she looked away, returning the others to the end table. "But I'll tell you what. I'll bunk on the couch tonight just so you feel safe."

She wanted to tell him he could bunk in with her, but she was too exhausted to chance a rejection.

"Okay, Lochinvar. Thanks."

"Get a good night's sleep," he said, as she went down the hall to her bedroom.

"I will," she said.

Frankie slept as if she had been drugged. Zach never closed his eyes. Over and over again, he studied the latest note.

Little Miss Muffet sat on her tuffet, eating her curds and whey.
Along came a spider, which sat down beside her
And frightened Miss Muffet to death.

31
Frances Rebecca Gold
Cissie

November 1984

THE STORM AT KIPLING WORLDWIDE had calmed. There had been no further mishaps. Trading on Kipling stock had slowed. For a while, Jinx thought the crisis had passed. Then, in the last two weeks, her optimism faded. Trading on Kipling stock suddenly became very active again, with large blocks of shares being sold to a single corporation. The annual stockholders' meeting was just five weeks away, and though her people were trying to find the owner of that company, so far, they had come up with nothing.

It was late and most of the office had gone home. Jinx was still at her desk, leafing through Kip's old files, going over financial spreadsheets, looking for something, anything that might help salvage the situation. As she usually did when she felt frustrated, she called Milton Fox.

"Any news?" she asked, when she heard his voice.

"Some, but it's not good." Milton was overseeing the investigation team Jinx had organized. It was a small, select group of allies who had come together to protect the integrity of Kipling Worldwide. "One thing's becoming clear. This Zenith Investors is a front. We can't seem to find an owner or a corporate tax registration number."

"Nothing that would link this to Dodge?"

"No. Nothing direct."

"Zenith is still buying?"

"They've been quiet for about a week, but now they've started picking up chunks of stock again."

"Just in time for the stockholders' meeting."

"Looks that way," Milton said, annoyed at his own failure to come up with some concrete information.

"Just don't forget to bring the basket."

"Basket? Why?"

"When they chop off my head, I don't want to mess the carpet," she said sarcastically.

"They're not going to get you," Milton said reassuringly. "We've still got a month, and you still have the controlling shares."

"For how long? So far this dummy corporation has eaten up almost eight percent of the Kipling stock. I didn't think Dodge had that kind of money."

"I don't think he does."

"Then where is he getting it and why is he getting it?" Jinx asked. "What about Pritchard? He's a banker. Could he be financing this whole thing?"

"No. He would be compromising the bank's position with a move like that. Besides, from what I can gather, he's not unhappy with you. You've been giving him a pretty terrific bottom line since you took over. That would be cutting off his nose to spite his face, and Warren Pritchard doesn't do that sort of thing."

"How about Lord Melville? He's a Dodge supporter."

"True, but he's also the type who makes the buffalo dance before parting with a nickel of his personal wealth."

"Kenneth Soames?"

"Long on influence, usually short on cash."

"Nishizaka?"

"Pardon the stereotype, but the man is inscrutable. In addition to that, lately he's been unreachable. According to his New York office, he's in the Ryukyu Islands overseeing the construction of a new factory. We won't be able to get to him before the meeting."

"By then it might be too late," Jinx said, a slightly defeated edge creeping into her voice.

"There are two other board members we should consider," Milton said. "I know it upsets you to think that Judith and Cynthia would conspire to pull the rug out from under you, but to them, Kipling Worldwide is a family business."

"And I'm not part of the family," Jinx said, still loathe to admit that Kip's sisters had never really accepted her.

"This is no time for sentimental blindness," Milton said. "We have to look at this objectively. Cynthia, Judith, and Dodge are old allies. It's entirely possible that they've joined forces and are aiming at a complete takeover."

"I hate the thought of it, but you're right," Jinx said with a sigh of resignation. "If they are the ones behind that dummy corporation, perhaps we could find a way to work out a compromise. If they're not, then we have to find a way to short-circuit the intended coup. Either way, we've got to know who Zenith Investors is, and we've got to know soon."

"I've called an old friend at the Securities and Exchange Commission and asked him to do some poking around. I expect to hear from him any day now."

"Let me know when you do."

Jinx hung up the phone and rubbed her eyes. She hadn't had a decent night's sleep in weeks. Again and again, she pored over Kip's old diaries, corporate records, and financial sheets, rereading them until they became little more than a blur. Tonight was no different. She leaned back in her chair, put her feet up on her desk, and propped a stack of annual stockholders' reports against her legs. Maybe she would find something of interest hidden in there. Why not? She had tried everything else.

Hours went by. Fatigue had dulled most of her senses. She was about to admit defeat, when she noticed something. For the past few years, at the end of each financial statement listed on the annual report, there was a small notation about an outstanding acquisition debt owed to Lassman Hotels. The name stuck in her mind. She knew she had seen it before. But where? She pulled out Kip's diaries, rifling through pages until she found what she was looking for. Then, despite the fact that it was almost one o'clock in the morning, she called Milton Fox.

"Milton, wake up," she said, hearing a groggy voice on the other end of the phone. "I have good news and bad news. The good news is I think I found it!"

"Found what?"

"The way to defeat Dodge at his own game."

"What's the bad news?"

"If I'm right, we have to leave for Seattle first thing in the morning."

* * *

From the moment she opened her eyes, Cissie knew that this was going to be a difficult day. She felt a pulling sensation in her chest and her left arm felt stiff. Outside, it was raw and rainy, with a gray, depressing sky that seemed to match her mood. On the radio, the main focus of every newscast was the election of a new United States Senator from New York State. She switched off the radio and pulled her blankets around her. Today would be a perfect day to hide, to stay locked in her room, safe in her bed, away from the world, away from news about Noah. But much as she wanted to, she knew she couldn't do that. Schools were closed, the girls were home, and she had promised to take them to lunch and a movie.

By the time she finished showering and dressing, it was nearly ten o'clock. When she went downstairs, the last person she expected to see in her living room was Noah Gold, but there he was, giggling and laughing with Nicky and Alexis.

"Guess what," Nicky said, her face spread in a broad smile. "Daddy's going to take us to vote. We're going to help him press the button next to his name."

Cissie looked at Noah and then at her children.

"Would you girls mind leaving your father and me alone for a little bit?"

"Go ahead," Noah said. "You're not allowed to wear pajamas in the voting booth."

Once the girls were gone, Cissie turned to Noah.

"I don't want my daughters used for publicity purposes," she said coldly.

Noah rose from the couch.

"That's not what I'm doing," he said. "They're my daughters too, and win or lose, this is an important day for me. I'd like them to be part of it." He paused for a moment, measuring his words. "I'd like you to be part of it too." Cissie opened her mouth to object, but Noah held up his hands. "Please, let me finish. If I win, if I am elected to the Senate, I'd really like you to stand by my side when I make my acceptance speech. Not for the press and not for the reasons you might think, but because you have a right to stand on that platform, you deserve to share in this victory."

"Not everyone gets what they deserve," she said acidly.

Noah shook his head and bit his lip. When he spoke, his voice was edged with frustration. "I can't undo what's happened between us. I know that. I also know that I can never really make up to you for the pain I've caused, but dear God, all I'm asking is that you give me a chance." He took a step toward her. She stiffened. "I don't know how to make you believe me, but I don't care what happens today. I don't care if I lose. I care only what happens with you. I love you. I love my girls. I want us to be a family again. I want you to love me again."

His voice broke. At first, Cissie thought it was an act, a ploy to get her to participate in his victory celebration, but then she looked deep into his eyes. Yes, there was pain, and yes, his remorse was real, but her pain was greater.

"I don't know if I can ever love you again," she said calmly, honestly. "Right now, I don't know if I even want to try. You hurt me, Noah. You took my heart and twisted it until it broke. But worse than that, you betrayed my trust, and for that, I don't think I can ever forgive you."

"Maybe in time I can rebuild that trust," he said, walking over to her and gently taking her hand. "Maybe in time we can recapture what we had."

"That's the point," she said sadly, pulling her hand away. "What we had didn't work."

"It did work," he protested, his voice shaking. "We had love and passion! We had children together. We had a life together! Doesn't any of that count?"

Cissie felt tears rising in her throat, tears filled with memories of the good times she and Noah had shared.

"It did count, once," she said, swallowing hard.

"Let's go!"

Alexis and Nicky had burst into the room dressed in slickers and rain boots. They ran to Noah and began pulling on his coat.

"Come on, Daddy. It's time to go."

Noah looked at Cissie. "I guess it is," he said.

Cissie walked them to the door, fighting a sense of familiarity that threatened to overwhelm her and weaken her resolve. As the girls ran down the steps to the car, Noah turned and looked at Cissie.

"Good luck," she said. "I hope you win."

Noah nodded and continued down the steps. Cissie closed the door and leaned against it. It was right to turn him away, she told herself. It was right to put him out of my life. But as soon as she heard the car pull away, she cried. Because it wasn't right that she was alone.

* * *

A few weeks after their unsettling visit to Cissie's, Frankie had flown to Houston to shoot the outdoor scenes for several *Texas Gold* episodes, leaving Zach the chore of checking her mail. There had been no nursery rhymes and no scathing denouncements of Toni Swift, yet every gut instinct he had told Zach that Frankie's ordeal was not over.

The day before Frankie was due home, Zach left his office early and headed downtown to visit Tim Brody, a friend in the forensic lab of the New York Police Department. He had sent him the one note Frankie had saved, as well as the one he had hidden away, and asked Tim to analyze them. He was hoping for just one slip-up, a single mistake that might lead him to Frankie's tormentor.

"I'd like to help you out, Zach old buddy, but these babies are clean as a whistle," Tim said.

"There were no fingerprints?" Zach said.

Brody smiled at his friend's naivete. "Sure, there were prints—but all smudged. And they could be anyone's—the doorman's, postal clerks'."

"How about the paper, the ink, the envelopes?"

"Zippo. Standard office supply stuff. You could spend the rest of your life trying to find out where they came from."

"I don't have the rest of my life," Zach said, trying to smother his impatience. "What about the typewriter that typed the address? What about the crayons?"

"The crayons are your basic Crayolas. The typewriter is an old IBM Selectric. Roman type face. Carbon ribbon. There are only about ten thousand of them floating around New York."

"I don't have ten thousand suspects. Didn't you find anything for me to go on?"

"Well," Tim said, "there was one thing."

"What? Don't play hard to get with me, Brody."

"There was a slight scent, perfume probably, but I can't tell for sure unless I run some more tests on it. Sorry, I couldn't come up with anything better."

"It's okay," Zach said, taking the letters and heading for the door. "I came in here with nothing and I'm leaving with one very faint clue."

"Good luck, old buddy," Tim said as Zach left.

"Thanks," he shouted back, "I'm going to need it."

The next night, Zach was waiting at the airport when Frankie flew in from Houston. At first, she was delighted to see him, but then she noticed the grim look on his face, the tight line of his jaw.

"There was another note, wasn't there?" she asked.

"Yes."

"Let me see it."

"Why don't we wait until we get to your place?" he said, trying to coax her toward the parking lot.

"Let me see it," she repeated, pulling back, holding her ground.

Quietly, Zach handed her the latest threat.

There was an old woman who lived in a shoe.
She had so many children, she didn't know what to do.
So she killed them.

Frankie was too terrified to speak, too horrified even to cry. For a few seconds, she just stared at the note, but then, as her mind began to clear, she looked up at Zach.

"It's Lillie, isn't it?"

"I'm not sure."

"But you think so, don't you?"

"Even though the perfume on those notes is very faint, I have a sneaking suspicion that it's the perfume Rochelle concocted for your mother."

"Of course," Frankie said, frightened, disgusted, depressed, but more than anything else, surprised that she hadn't thought of it sooner. "She's here, isn't she? Right here in the city. Take me there, Zach."

"Now? You've had a long flight and you're obviously upset."

"Take me there," she said with steel in her voice. "I think it's time Lillie and I had a mother-daughter chat."

For ten minutes, Zach leaned on the doorbell to Lillie's apartment, punctuating his impatience with heavy knocks on the door. Frankie stood next to him, bracing herself. Finally, Zach heard the peephole snap open.

"Who is it?" Lillie asked.

"It's me, Frankie."

The door opened and Lillie stood there facing her daughter, her hands on her hips in an attitude of maternal exasperation.

"Well," she said. "It's about time!"

"Obviously, you were expecting me."

Frankie didn't wait for an answer. She walked past Lillie, into the apartment she had once called home. Although time had faded some of the colors and worn some of the fabrics, everything looked much as it had when she had lived there. The living room was still large and gracious, despite the musty scent in the air and the thin layer of dust on the tabletops. As she looked around, she noticed that there was still an aura of elegance pervading this space, but it was like the elegance of an antique, representative of another time, another era.

After their debacle in Thailand, Frankie had been banished from this apartment. Lillie had refused to let her in for any reason. She hadn't even been allowed to collect her belongings. Only after Frankie's lawyers had issued several warnings had Lillie shipped Frankie's clothes to Sterling's house in California. Certain other items, like Frankie's furniture, her scrapbooks, and her doll collection, Lillie had claimed as her own, insisting that Frankie had forfeited her right to them when she had left home.

Without asking permission, Frankie proceeded to tour the apartment. Zach quickly followed, leaving Lillie behind. As they walked down the hall toward the bedrooms, they noticed that the door to Lillie's room was ajar. Zach pushed it open and looked in. The curtains were drawn, but with the light from the hallway, they could see that the bed was still covered with Franyu Rostov's old shawl. The bureau was still cluttered with lace doilies and family portraits. And though the wallpaper was faded, the tiny floral print still looked lively and springlike.

Across the hall, the door to Frankie's room was closed. Zach felt Frankie stiffen as he turned the doorknob. When they looked inside, they found all Frankie's old dolls heaped in the center of the floor. They had been mutilated—cut up or ripped apart. Porcelain heads were cracked open. Tiny pieces of clothing were strewn about, practically shredded. Torsos lay with their stuffing coming out of holes where arms and legs had been. Glass eyes dotted the carpet, eerily staring back at Frankie and Zach. Strands of wool that had once made up a doll's hair were sprinkled on top of the pile, looking like bits of fluffy confetti.

As Frankie entered, feelings she thought had died surged through her with surprising force. She recalled the many lonely nights she had spent in this room, sharing her unhappiness with these sympathetic, albeit inanimate friends. They had listened to her when no one else would. They had comforted her when no one else would. They had loved her when no one else would. And now, Lillie had destroyed them, just as she had tried to destroy Frankie.

Gently, she picked up pieces of old companions. She held them for a moment, respectfully, mournfully. Then she dropped them back onto the heap, letting go of the past. Zach watched for tears or signs of anger, but Frankie showed little emotion. She simply stared at the rubble, her eyes glossy, her attitude numb.

Without a word, she closed the door behind her and returned to the living room, where Lillie was waiting.

"Who's your friend?" Lillie asked, as if Frankie were fourteen and had just sneaked in after curfew.

Frankie didn't answer. Instead, she continued to walk around the living room examining bibelots and curios. Piece by piece, she reacquainted herself with what she had left behind and gathered strength for what lay ahead. In the meanwhile, Zach turned to Lillie.

"I'm Zach Hamlin," he said, extending his hand, wondering whether Lillie's memory lapse was real or deliberate. "We've met once or twice before."

"Really? I don't remember you," Lillie sniffed, intimating that she viewed Zach as quite forgettable.

"The last time I saw you was in Paris," he continued, wishing Frankie would finish her sight-seeing tour and rescue him. "We were at a really terrific disco called Le Coo-Koo."

"That dreary place?" Lillie threw her head back like a haughty diva and laughed. "I must have been dragged there against my will."

Though Zach would never admit it, he was slightly mesmerized by Lillie Rostov's performance. In her fifties, she was still a sensuous, striking woman, especially tonight, with her black hair flying loosely around her face, her black eyes shifting between hostility and mirth, her filmy peignoir fluttering against her rounded figure. He knew she was vindictive. He knew she was completely self-absorbed. He knew she was malevolent. But watching her slither about her lair, he found himself entranced.

"Why did you send me those awful nursery rhymes?" Frankie demanded suddenly. The shrillness of her voice brought Zach to attention. Lillie's head jerked in Frankie's direction.

"Why? Because you're a terrible daughter and you deserve to be punished," Lillie said matter-of-factly, as she posed regally on the back of the divan.

"Were you just trying to scare me or did you really intend to kill me?"

Lillie thought for a moment, examining her manicure nail by nail.

"I suppose I just wanted to attract your attention," she said, as if the answer were obvious.

Frankie leaned against a wall, crossed her arms in front of her chest, and looked at Lillie.

"Now that you've got my attention," she said, feeling oddly detached, "what do you want?"

Lillie fluffed her hair about her shoulders, straightened the hem of her nightgown, and licked her lips, every bit the star prepping for the next camera angle.

"I'm alone now and I need someone to support me. You're my daughter. It's your obligation," she said calmly. "Besides, it's time you started paying me back for all I did for you."

Frankie stared at her, astounded at the audacity of her demand, even more astonished at the rationale behind it.

"I couldn't begin to pay you back for what you've done to me," she said, noting that only Zach caught the meaning in her words.

"Whatever happened to Danton Rochelle?" he asked, thinking that if Frankie needed time to compose herself, he would help provide it.

"He became tedious," Lillie said, looking away, dismissing the question. "I got bored, so I left him."

"And what happened to your flourishing career?" Frankie's voice was mocking.

Lillie rose from the couch and ambled over to the window. She pulled aside the old drape, fingering the fabric. Suddenly, she turned, and both Zach and Frankie could see that her mood had changed dramatically.

"It's all your fault," she shouted, pointing her finger at Frankie. "Everything that's gone wrong in my life is your fault!"

"Really," Frankie said with a sneer. "And how do you figure that?"

"Because of you, Danton Rochelle lost hundreds of millions of dollars. He was furious and he took it out on me."

Lillie left the window and marched in front of Frankie, confronting her, expecting her to cower in a corner. Instead, Frankie met her gaze head-on. Lillie looked slightly surprised, but she continued nonetheless.

"With my talent, Luke Maddox could have gotten me plenty of roles, but every door he knocked on was slammed in his face by someone who remembered he used to represent you!" She walked to the center of the room and threw her hands in the air. "When I think of all the years I wasted! I could have been a major star, but no, instead I made you a star. The way I see it, you owe me, Frankie Travis. You owe me plenty!"

"I owe you nothing," Frankie said, keeping her voice level. "If Danton Rochelle walked out on you, and I'll bet that's the way it happened, it was probably because he couldn't put up with your selfish antics anymore. If Luke Maddox couldn't dig up a movie for you, it's probably because no producer would have you." Frankie fixed her eyes on Lillie's. "And if you think you wasted your best years on me, just imagine how I feel. You always knew you had a daughter. I was never certain I had a mother."

Lillie clenched her fists by her sides. All along her neck, blue veins pushed against her flesh.

"I sacrificed everything for you," she seethed. "My career, my marriages, my reputation, my lovers."

"Bullshit! You sacrificed nothing," Frankie said, her voice rising. "But if you'd like to talk about sacrifices, let me tell you about mine. Thanks to you, I sacrificed my father, my friends, my childhood, my cousins, my integrity, my honor and," she said, looking at Zach, "I even sacrificed the only man I ever loved, the only man who ever really loved me. And why? Because I've spent my whole life trying to get you to love me! Because I've spent my whole life trying to prove myself worthy of you. It's taken a long time, but guess what I've discovered? I'm more than worthy!"

Without a tear or a gulp or a hesitation or a fanfare, Frankie Travis had finally declared her independence.

"If I'm a star, and I am," she continued, unwilling to give Lillie so much as an inch, "it's because I have talent and perseverance and I'm willing to work like a dog. Every dime I have, I earned by the sweat of my own brow, and I did it without you, without anyone. You certainly weren't there for me. You made sure my father wasn't there for me. And, I guess, through my own fumbling insecurity, I made sure that others who counted in my life weren't there for me." She paused, regrouping, thinking.

Zach stood off to the side, feeling like an intruder. Often, he had witnessed scenes between Frankie and her mother. Usually Lillie was able to reduce Frankie to a quivering mass of blind obedience, but not this time. This time, Frankie stood her ground, showing no signs of impending retreat, parrying her mother's barbs with grace and skill.

"I'm glad I sent you those letters," Lillie said suddenly. "I hope they scared the daylights out of you."

"They did scare me," Frankie said, "mainly because they forced me to see how many enemies I had made throughout my life. I wrote that list of suspects with my own hand, but now that I've discovered who was actually behind those letters, I feel as if I've exorcised all my ghosts. I feel free and I feel safe. With all your talk and all your threats and all your bravura, you would never kill your golden goose."

"Then you are going to take care of me," Lillie said, as if she hadn't heard another word.

Frankie walked toward the door, motioning for Zach to follow. As she stood beneath the portal to her mother's home, she stared back at Lillie.

"I don't know what movie this script is from, but you are far from penniless. You stole most of my money from me years ago and invested it in your name. I also know that Danton Rochelle gave you a great deal of money and shares in his company's stock. Financially, you're well fixed. You don't need anything from me."

"I need companionship," Lillie whined. "I don't like being alone."

Frankie started to leave, but before she did, she turned for one last look at the woman who had given her life, the same woman who had recently threatened to take that life away.

"I've been alone since the day I was born," she said. "I didn't like it, but I survived. And so will you!"

Zach Hamlin's early morning visit was quite unexpected. He didn't stay very long and what he had to say was rather unsettling, but when he left, Cissie had a new perspective on many things, including herself. Zach felt that since he had accused her unjustly of writing Frankie's twisted nursery rhymes, he owed it to her to tell her the name of the person responsible. Cissie listened to the story with a mixture of nostalgia, disbelief, and disgust. Even hours after Zach had gone, she found it difficult to absorb the truth.

She had always thought of her Aunt Lillie as a bit odd, but growing up, that oddness had appeared exotic, maybe even glamorous. Lillie had been everyone's "Auntie Mame," with her numerous husbands, her on-again-off-again movie career, her penchant for grand entrances and explosive exits. Had she been less theatrical, Cissie thought, less spectacular, perhaps those around her would have noticed the darker side of her nature; perhaps people would have paid closer attention to her treatment of Frankie; perhaps this irrevocable schism between mother and daughter could have been avoided; perhaps Frankie would have been different.

What unnerved Cissie most, was the realization that when Frankie and Zach had confronted her about these letters, Cissie had dismissed them as just another prank. Cissie had accused Frankie of grandstanding, of trying to use supposed death threats as a means of gaining sympathy and forgiveness. Obviously, the notes had been very real. After eliminating Cissie from her list of possibilities, had Frankie considered Lillie? No. That was impossible. No one could ever deal with the thought that a mother could do something so horrid to her own child. Yet, this mother had and that child had to deal with it.

Cissie shuddered at the thought, but, at the same time, felt a great surge of compassion for Frankie. She knew what it was to try to believe the unbelievable, to try to accept the unacceptable. Wasn't that what she had been doing for months? Suddenly, she found herself sympathizing with what Frankie must be going through, applauding Frankie for having the courage to face her mother, hoping that Frankie's confrontation with Lillie had given her some measure of satisfaction.

She knew from her own experience how painful confrontations could be. Yet she had a family to fall back on, children, parents, a brother, friends, relatives. What did Frankie have? Whom did she have to turn to? Was she suddenly searching for reasons to forgive Frankie? Was she seeking excuses? Why not? She had certainly spent more than enough hours looking for explanations.

In the months following Cissie's multiple traumas, her anger had abated slowly, but finally, enough time had passed for her to separate the parties involved in her betrayal, judging them and their actions individually. Even before Zach's visit, Cissie had come around to viewing Frankie as the more passive participant. She had acknowledged Frankie's tremendous vulnerability, just as she had acknowledged Noah's tremendous powers of persuasion. She had accepted the notion of Frankie's emotional frailty, just as she had been forced to accept the notion of Noah's insatiable ego. More than once, she had thought about Sterling's prophetic words when on the night of the gala he had talked about how lost Frankie was, how susceptible she would be to anyone offering her a kind word and a gentle smile. Cissie had agreed, never dreaming that her husband would be the one.

Late that afternoon, her doorbell rang again. This time, the woman who had been occupying most of Cissie's thoughts was occupying her front step.

"I need to speak to you. May I come in?" Frankie's words were rushed, as if she were afraid that any second the door was going to slam in her face.

"Yes. Sure."

Cissie led her into the living room, took her cousin's coat, offered her a seat, and then seated herself on another couch. Frankie looked terribly drawn. Her hair was pulled back into a simple ponytail and her skin was shockingly pale, void of all makeup. When she spoke, there was an urgent echo in her voice that Cissie couldn't ignore.

"All I want you to do is hear me out," Frankie said. "If, after I'm through, you want to throw me out and never see me again, okay, but one way or the other, we have to settle things between us."

Though she wouldn't say so, Cissie was impressed. Usually, Frankie shied away from her responsibilities, yet now, she was confronting the matter and attempting to deal with it head-on. It must have taken a great deal of courage for Frankie to come here today. Cissie had been abusive the night Frankie and Zach had approached her about those death threats. On the day of Ben's funeral she had been cruel. On both occasions, Frankie had borne Cissie's insults with admirable restraint. Today, she seemed prepared to do more of the same.

"Zach was here," Cissie said. "I want you to know how terrible I feel about all this. I'm sad for her and sad for you."

"That's nice of you to say," Frankie said, surprise mixing with gratitude.

"I'm sorry I accused you of writing those notes yourself," Cissie said, filling the awkward silence.

"Cissie, please. Don't apologize. I'm the one who should apologize. I'm the one who should be down on my knees begging your forgiveness." Frankie expected Cissie to rail out at her about her disloyalty, her perfidy, her lack of morality. Instead, Cissie listened. "There's no excuse for what I did. If there were any way I could undo it, I would, but I can't. I can't erase the suffering I've caused and I can't take away the pain. All I can do is tell you that I love you. I never meant to hurt you."

Cissie's first instinct was to reach for Frankie's hand, but she couldn't. Not yet. Despite the sincerity of Frankie's apology, there was still more separating them than a single apology could erase.

"To be honest," Cissie said, "I don't know if I can ever completely forgive you, nor do I think I can ever forget what you did. But there's a part of me that still loves you, a part of me that won't let me cut you out of my life. I'm willing to begin again if you are."

Frankie practically swooned with relief. Her eyes filled with tears and for a few moments, she just stared at Cissie, weepy and speechless.

"I wish I could begin my entire life over again," she said softly. "There are so many things I'd do differently."

Cissie nodded. How well she understood the desire to bury the past. How well she understood the difficulty in starting over.

"Since all of this happened," she said, "I've become a philosopher of sorts. I've come to see that life is a series of truths and consequences. If we're going to seek the former, we have to accept the latter. We've both had to face some pretty ugly truths in the past few months, and we're both going to have to live with the consequences of our actions. Let's hope we do better this time around."

"God knows, I'm going to try," Frankie said, a wobbly smile punctuating her words. "It's taken me a long time to grow up, too long maybe, but I think I'm finally on my way. Lillie's out of my life, Zach's back in my life, and today you've said I can be part of your life again." Frankie dabbed at her eyes and breathed deeply. "All I ever wanted was to be happy, but somehow every time I came close, I messed things up. But I have a second chance now, and you'd better believe I'm not going to blow it."

"If I were you," Cissie said, "I'd put Zach Hamlin high on my list of priorities. It's clear that he's very much in love with you."

Frankie blushed, first because she believed that what Cissie had said was true, and then, because she believed that if not for her, the next question would never have to be asked.

"Will you and Noah ever get back together?"

This time, Cissie bridged the distance and took Frankie's hand.

"You were not the first of Noah's infidelities, and if I hadn't barged into that hotel room, I'm not sure you would have been the last." Cissie smiled at Frankie, a half-smile that reflected a myriad of dashed hopes and unfulfilled promises. "When lawyers talk about the break-up of a partnership or a marriage, they use a strange word. They say that it's 'dissolved.' That's really what happened between Noah and me. Our marriage dissolved. Little by little, the force that had held us together broke apart. You were, if you'll pardon the expression, the final straw."

Frankie nodded, still feeling guilty about her role in Cissie's problems, but full of admiration for her cousin's strength.

"How do you feel about Noah's winning the election?"

"He worked very hard to be in the Senate. I hope it makes him happy," Cissie said.

"Will you be all right?"

"I'll be fine." Cissie's smile was getting broader, her voice stronger. "He has his life. And I have mine."

Suddenly, Cissie was on her feet. She went over to a cabinet, took out an open bottle of wine, poured two glasses, and handed one to Frankie.

"To new beginnings," she said, raising her glass.

Hope underlined Cissie's words, but uncertainty lurked in her eyes. As Frankie touched her glass to her cousin's, she felt many of her own anxieties pushing toward the surface. Then she remembered the picture of Franyu Rostov that sat on Lillie's dresser. She remembered the stories her grandfather used to tell about Franyu's unbendable spirit and her consummate faith in her own resources. She remembered that she and Cissie bore Franyu's name as well as her genes. No matter what the future brought, they would survive.

32
Frances Rebecca Kipling
Jinx

December 1984

JINX CROSSED OUT ANOTHER SQUARE on her calendar. She was now one square closer to the red circle marking the date of Kipling Worldwide's annual stockholders' meeting. Two more days and it would all be over. At a moment like this, when she could summon barely enough energy for the walk to her penthouse elevator, she told herself she didn't care how it all worked out as long as she was freed from this horrible purgatory.

Though she had tried to balance the demands of her personal and professional life and maintain some sort of emotional equilibrium, the strain of the past five weeks was beginning to take its toll. Between her job as head of Kipling Worldwide, the special pressure this takeover bid had added, and her sense of obligation to friends and family, Jinx had been pushed and pulled to a point where she felt as if she were teetering on the brink of complete nervous exhaustion. She was snapping at her staff, neglecting her daughter, being inattentive to her friends, and inconsiderate of her lover. Though she felt burdened by guilt and wished it could be different, right now, her top priority was Kipling Worldwide, and that was how it would remain until Wednesday afternoon.

Slowly, she rose from her chair, turned out the lights, and walked out of her office, hesitating, wondering if she should check in with Milton Fox before she left for the evening. Why bother, she asked herself as she locked the door and headed for the elevator. She had nothing new to tell him and if he had anything to tell her, he knew where she would be.

A month ago, she, Milton, and Charles Miep had set a plan into motion that could stymie all attempts at a takeover. So far, everything was proceeding exactly on schedule. There was, however, one hitch. They still didn't know who was behind Zenith Investors, and without that information, they couldn't be certain their plan would work. Without knowing who was backing Dodge, no one could be certain about anything.

Throughout the short ride to the penthouse, Jinx found herself ruminating about how recent events had completely polarized her life. Suddenly, whatever she did, wherever she looked, she found two sides in direct opposition to each other. Every plus had a minus, every up, a down. This takeover attempt was a totally negative experience, yet the counteroffensive had given Jinx a chance to cement relationships with many of her colleagues—Milton, Charles, Claire, Antoinette Troy, and others who had declared themselves Kipling loyalists.

Matthew's attitude had been another negative. For a long time, he had viewed Jinx's preoccupation with Kipling Worldwide as a threat to their future. Yet the thing he had thought would break them apart, actually worked to pull them together. The more involved he became with Jinx's struggle, the more respect he had for her ability as a businesswoman and the more he wanted what she wanted—for her to regain control and get rid of Jeffrey Dodge once and for all.

Positive and negative. Black and white. Good and bad. It had been that way for months. Even her plans for tonight symbolized the extremes that marked her current existence. Ben's death had come on the heels of his acknowledgment of her birthright. She had had no time to adjust to his acceptance, no time to find out where she belonged in his life. Becca had had even less time. Their graveside scuffle had been emotional and harsh, leaving Jinx angry, bewildered, and firmly convinced that the day her newfound father had died, a new enemy had been born.

Then, two weeks ago, Becca had called to apologize for her appalling behavior and to invite both Jinx and Matthew to a peacemaking dinner. She said that she had been overwrought the day of her father's funeral, that she had used Jinx as a release for the grief she felt at Ben's sudden passing, that she felt horrible about what she had said and what she had done, that she would be satisfied with nothing less than a full armistice.

"You must let me make amends," she said. "Not only for our father's sake, but because I don't think either of us wants to leave things the way we left them that day."

At first, Jinx was cautious, even suspicious. Becca seemed to understand and accept the hesitation, taking full responsibility for Jinx's negative response. Still, she continued to press. She reminded Jinx of their half-sister relationship and told her how many times during Ben's last days he had talked about bringing them together. She talked about Jinx's closeness with Matthew and reminded Jinx of Matthew's long-standing ties to Becca's family—his role as doctor to both her husband and her father. She said, in fact, that she had already persuaded Matthew to accept her invitation and that they had come up with December 6 as an acceptable date. Finally, Jinx said yes. Becca sounded so delighted and so relieved, Jinx felt guilty about giving her such a hard time.

A few days later, Becca had called again to tell Jinx that she had moved into the Royal Suite of the New York Kipling and that dinner would be at seven o'clock.

"My mother's house is simply too big for her to live in alone," Becca explained. "So, I bought the apartment next to mine and started renovating the entire floor. While all the heavy construction is going on, I've taken refuge at the Kipling."

This time, Jinx was softer, more conciliatory. The minute she hung up, she ordered flowers, champagne, and caviar sent to Becca's suite. Becca's thank-you note was prompt and sincere. They were small, tentative gestures, but Jinx viewed them as steps in the right direction.

After that, with the annual stockholders' meeting closing in on her, Jinx had little time to contemplate the strange metamorphosis that had transformed Becca from potential enemy into budding comrade, but now, drying off after her shower and laying out her clothes, she found that her mood was hopeful, almost buoyant. The idea of getting to know Becca and of establishing some sort of relationship with her had definite appeal. Besides, she told herself as she slipped into her dress, with Matthew there, how terrible could it be?

"I'm so glad you're here," Becca said, inviting Jinx in. "I know how busy you and Matthew are, but I'm glad you both decided to come."

Jinx followed Becca inside, looking around and taking pride in the beauty of the Royal Suite. It was really more an apartment than a hotel suite, meant for dignitaries visiting New York for extended stays. It sprawled over half a floor, with huge rooms decorated in traditional French style, and modern sliding glass doors leading to a wraparound terrace lush with greenery. There was a living room, dining room, kitchenette, two large master bedrooms, two and a half baths, and additional quarters for equerries and maids.

Over the couch in the living room was a magnificent fifteenth-century tapestry flanked by brass wall sconces that cast a soft glow on the antique needlework. Two Aubusson rugs defined the major seating areas, their pale, muted tones providing the perfect backdrop for authentic Louis XVI chairs and several Biedermeier tables.

The dining room was an explosion of color, with bright yellow fabricked walls and a tented ceiling drawing attention to a gleaming crystal chandelier. The table was a huge round of polished marble, surrounded by six white Empire chairs upholstered in a floral print. One entire wall consisted of small-paned French doors swagged on either side by tied-back drapes. On the opposite wall was an enormous painting done by Osborn Jaffy.

The first few minutes were rather awkward, with each of them sputtering banalities about the weather and the decor of Becca's suite. Becca offered Jinx a seat on the couch, poured them both a glass of white wine, and then buzzed for her maid, who brought out a beautifully arranged platter of canapés.

"Matthew called just before you arrived," Becca said, sitting in a chair opposite Jinx. "He said that his usual Monday afternoon staff meeting was running a bit late and that he'd be here shortly." She looked at her watch. "I have dinner planned for seven-thirty. I do hope he's not detained too long."

Jinx smiled and nodded politely, wishing that Matthew were here, suddenly wishing that she weren't.

"Were you in the city or did you drive in from your estate?" Becca asked, emphasizing the word "estate," then sipping her wine delicately.

"I was in town," Jinx said. "I have Kipling Worldwide's annual stockholders' meeting on Wednesday and I had to prepare for it."

"I do so admire you," Becca gushed. "I can't imagine running a corporation the size of Kipling Worldwide. Actually, now that I think of it, I can't imagine working."

She laughed. It wasn't an open, mirthful sound, but rather a chuckle that seemed ever so slightly underlined with sarcasm.

"I enjoy it," Jinx said, wondering why she felt compelled to defend herself.

"I'm sure you do. I myself derive great satisfaction from charity work. There's nothing I like better than raising money for worthy causes and knowing that my efforts have helped those in need."

"Charity work is quite noble," Jinx said, recognizing Becca's need for kudos. "It's truly something to be proud of."

Becca nodded and then, once again, looked at her watch. "You must be starving. I hate to do this, but room service brought everything up a while ago. Perhaps we should move inside and start the first course. Matthew can catch up when he arrives."

"I don't mind waiting," Jinx said, wondering why Becca seemed so rushed.

"I don't want everything to be ruined."

Becca stood and without asking, took Jinx's glass from her. She led the way into the dining room and seated Jinx in a chair next to hers. Matthew's place was set on Becca's other side. Once they were settled, she buzzed and again, her maid appeared, this time with two plates of asparagus vinaigrette. She poured two more glasses of wine and then disappeared into the kitchen. Jinx waited for her hostess to pick up her fork and start eating, but instead, Becca drank some of her wine and sat back in her chair, eyeing Jinx.

"My mother doesn't know anything about you. I'd like to keep it that way," she said bluntly.

"That's fine with me."

"I've insulted you, haven't I?"

Jinx laughed.

"You do have a habit of making me feel like a leper."

"I'm sorry. I guess I always felt as if we were competing for my father's affections. The situation made me uncomfortable," Becca said, surprising them both with her honesty.

"I can understand that," Jinx said. "I felt a bit uneasy about it myself."

Becca sipped her wine, studying the tall, raven-haired woman next to her. The light from the overhead chandelier spotlighted Jinx, heightening her beauty and making Becca feel somewhat plain and insignificant.

"When I was a little girl," she said suddenly, "I found a letter from your mother telling my father that you had discovered he was alive."

"That must have been very painful for you," Jinx said, recalling her own anguish, startled to learn that Becca had known of her existence for so long.

"I think I was afraid that you were going to take him away from me."

"I never wanted to do that," Jinx said, feeling oddly sorry for Becca. "I only wanted him to accept me as his daughter."

Becca nodded, a smile curling her lips.

"Funny," she said, more to herself than to Jinx. "That's all I ever wanted him to do."

"He loved you very much."

"I suppose, but he was an extremely demanding man, with high standards and lofty expectations. I always tried very hard to please him." Becca stared at Jinx, a sardonic smile tilting her lips. "With you, it was different. You just walked in and *voilà,* the Good Housekeeping Seal of Approval was stamped on your forehead."

"That was hardly the way it happened, Becca. I think you know that." Jinx's voice was tinged with bitterness. She might have forgiven Ben, but she hadn't forgotten.

Becca shook her head, trying to ward off the migraine she felt coming on.

"Oh, he fought it, but deep down, I think you always had his love and his approval." She paused. Jinx was about to say something, but then Becca continued. "I think it was because he never stopped loving your mother. What's she like?"

Jinx noticed a pinched look on Becca's face. Her eyes had narrowed and she kept rubbing her temples.

"We've had our problems, but Kate's terrific," she said, wondering what was wrong with Becca. "She's beautiful inside and out. Very warm and loving. Very caring and considerate."

"You're lucky. My mother tries, but she gets hung up on status and phony images. She's spent her life surrounding herself with props, thinking that if everything looked okay, everything was okay. She closes her eyes to reality, waiting for it to go away."

"Some people can't handle reality," Jinx said, wondering whether Becca had described Sylvia or herself.

"You can't close your eyes to things." Becca's voice was edged with insistence. "You have to see things as they are. If you don't like what you see, you have to change it."

"There are some things you can't change." Jinx was getting concerned about the ashen color of Becca's face.

"You can change anything! You just have to be willing to fight for what you want. Life is a competition and every competition has its winners and its losers. My mother isn't a fighter and that makes her a loser."

"Are you a fighter?" Jinx asked, knowing the answer.

"I'm a winner," Becca said. Her eyes narrowed almost to slits.

Just then, the doorbell rang. The maid greeted Matthew and

escorted him into the dining room. When he reached the doorway, he appeared surprised that Becca and Jinx hadn't waited for him.

"I'm sorry I'm so late," he said, wondering why the ever-correct Becca hadn't risen to welcome him properly. Instead, she remained in her seat, her eyes fixed on her watch.

"It's all right," she said, brightening, appearing to rally. "Come on. Join us. While we were waiting, Jinx and I have been having a lovely time, haven't we, Jinx?"

Matthew looked at Jinx skeptically.

"Yes," Jinx said quickly. "We've been getting to know each other."

"How nice." He accepted a glass of wine from the silent, but efficient maid, toasted the two women, and took a swallow of the fruity liquid. When he put his glass down, he noticed that Becca's shoulders were hunched and her color was chalk-white.

"Becca, are you all right?"

Becca's hands clutched the sides of her head. Her eyes clamped shut and her mouth pursed in pain.

"I—I . . . it's a migraine," she said, clearly suffering. "My head is throbbing."

"It's very hot in here," Matthew said. "Maybe if we open a window."

"Maybe," she said. "Forgive me, Jinx, but it's typical New York hotel heat. Once they turn it on, it goes on full blast, no matter what the outside temperature is."

Matthew opened one of the dining room windows and accepted Becca's suggestion that he remove his jacket. He returned to his seat, expecting the fresh air to rejuvenate her, but Becca's condition appeared to be worsening.

"Can I get you anything?" Jinx asked.

Again, Becca checked her watch.

"Yes. In the desk. Pills. I can take them now."

"I'll get them," Matthew said, rising.

"No!" Becca lifted her head, her eyes suddenly wide. "You stay with me. I need you here. I need you to take care of me. Let Jinx go."

"Sure," Jinx said, on her feet, starting for the living room.

"Don't be silly." Matthew patted Jinx's arm and moved past her. "I know which pills she needs. You get her a glass of water."

Matthew walked into the living room, straight for the écritoire that sat directly in front of a large expanse of sliding glass doors leading out to the terrace. He opened the top drawer and began to rummage around inside, searching for Becca's medicine.

Suddenly, there was a thunderous noise. Matthew turned toward the sound just as the doors exploded. Huge shards of glass flew every which way, piercing Matthew's skin, slashing through his shirt, cutting his neck, his head, his chest, the side of his face. Blood spurted out all over him, drenching his clothes. He screamed for help, shrieking from pain. Then, a piece of the metal door frame crashed down on him and he fainted, falling to the floor on top of the shattered glass. By the time Jinx got to him, he was unconscious.

It took a team of plastic surgeons four hours to remove the glass from Matthew's body, and even then, they weren't certain they had removed it all. After two hours in the recovery room, he was placed in Intensive Care. He had been transfused to try to make up for all the blood he lost before he reached the hospital and was now listed as critical. A team of doctors were watching him carefully for signs of infection.

Early the next morning, Matthew's temperature peaked at one hundred five and one of his lungs collapsed. Immediately, he was placed in an oxygen tent and his medication was increased. Jinx never left his side. She held his hand, she mopped his brow, she spoke to him, she begged him to get well, but Matthew remained in a deep, drug-induced sleep.

By early afternoon, Matthew's condition remained unchanged and Jinx had convinced herself that whoever had engineered the attempted takeover of Kipling Worldwide, also had engineered this explosion. Though the police had been at Becca's suite most of the night combing the wreckage for clues and had promised to notify her the instant they found anything, Jinx had called Milton Fox and instructed him to get over to the hotel. Now more than ever, they had to know who was behind Zenith Investors. Manipulating stock was one thing. Planting explosives was another.

"I'll do that, Mrs. Kipling," the nurse said, trying to take the washcloth Jinx was using to swab Matthew's forehead from her.

"Thanks." She gave the nurse an appreciative smile. "But it's okay. I don't mind. In fact, why don't you take a break? It's been a long day. I'll watch him."

Though the nurse was hesitant to leave her post, she agreed, recognizing Jinx's need to be alone with Matthew. Quietly, she left, closing the door behind her.

Jinx stood by Matthew's side, stroking his hair, wiping the sweat from his brow. The left side of Matthew's face and neck was covered with bandages. His arms and legs were striped with broad swathes of

Mercurochrome, marking each spot where the glass had etched its mark on his skin. When he had fainted, he had done the most damage. Several large chunks of glass had cut through him, piercing a lung and creating openings where infection had festered. His body had been placed on its side and bolstered by soft pillows in order to relieve any undue pressure on his back. His eyes were closed, but his sleep was uneasy. He kept turning his head from one side to the other, mumbling, moaning, obviously reliving the accident.

Jinx ached just looking at him. She felt his pain as acutely as if it had been her own. Tenderly, she took his hand and stroked it.

Just then, his eyelids fluttered and opened. He looked up at her and with great effort, presented her with a tenuous smile.

Jinx sat down, making it easier for him to see her. She leaned closer, so he could speak to her.

"You're going to be all right," she said, kissing his hand, trying to sound enthusiastic.

He appeared dazed. She wasn't even certain he had heard her.

"Loud noise," he mumbled, half conscious. "Glass flying. Hurt me."

"I know, darling. I know. But they've removed all the glass. You're going to pull through this. You're going to be fine."

"You. How are you?"

"I'm okay," Jinx said, trying to reassure him.

Tears formed in the corners of Jinx's eyes. She tried to hold them back, but she couldn't.

"Don't cry," he said. "Please. Love you."

The tears began to drip onto her face and her mouth quivered.

"It's all my fault," she said, her voice cracking. "You're hurt because of me."

Even through his medicated fog, Matthew saw how frightened she looked, how guilty. He wanted to convince her of her innocence. He wanted to convince her of his love. But he was too weak to speak, too weak to do anything more than grunt.

"Not your fault," he insisted. "Accident."

"This was not an accident," she said mournfully. "It's all part of that stupid plot to take over Kipling Worldwide. Because of me, they almost killed you."

Matthew tried to protest, but his eyes closed and once again, he fell into a tortured sleep.

At six that evening, Jinx was told she had a visitor in the small lounge across from Intensive Care. Had the police found something?

Had Milton come up with any names? Had there been another incident of malicious mischief, another so-called accident at another hotel? Jinx couldn't get to the lounge fast enough. When she opened the door, instead of finding a police officer or Milton Fox, she found Becca Hillman.

"I couldn't get here any sooner," she said. Becca's face was pinched with pain, her eyes were covered with dark glasses. "Between the hotel staff moving me to another suite and the police interrogation, my head feels like there's a war going on inside."

"It's so kind of you to come, but really, you didn't have to," Jinx said, completely taken aback.

"I couldn't stay away." Becca took off her glasses and squinted from the glare of the overhead lights. "Besides, what's a headache compared to what Matthew is going through. How is he doing?"

"He's holding his own." Jinx looked as if she were going to cry.

"He'll beat this, you'll see." Becca patted Jinx's arm in a gesture of consolation. "The doctors here are wonderful. They'll take good care of him. But what about you? Who's taking care of you?"

Confused, Jinx stared at the small pale blonde.

"I know how close you are with Matthew," Becca continued. "I also know that your family lives far away. Waiting can be a very difficult thing, especially when you're alone. I thought you could use some company."

Jinx's mouth began to quiver.

"I could use a friend," she said.

"How about a friend with two containers of coffee?" Suddenly, from inside the tote bag she was carrying, Becca produced a brown paper bag filled with coffee, doughnuts, packets of sugar, and plastic containers of half-and-half. "I didn't know how you like it, so I brought all the fixings."

Becca emptied the contents of the bag onto the small table and encouraged Jinx to sit down. Jinx was too bewildered to object. Becca offered her some sugar, but Jinx shook her head.

"I take it black."

"Me too," Becca said, as if their coffee preferences were a sign of their genetic similarities.

Jinx sipped her coffee silently. Every so often, her eyes drifted to the window that looked out onto the hall.

"Are you expecting someone?" Becca asked.

"If Matthew's condition changes or the police come up with any answers as to who planted that bomb, I've asked the nurses to come get me."

"Don't hold your breath. When I left the hotel, the police hadn't found a thing."

"They will," Jinx said, defending against the criticism she heard in Becca's voice. "And when they do—"

"That's unimportant now," Becca said, cutting Jinx off. "Forget about bombs and policemen and hotels and whatever else you've got on your mind and concentrate on Matthew's recovery."

Jinx nodded, but her face was lined with frustration and stress.

"Easier said than done," she said, speaking more to herself than to Becca. "I have a stockholders' meeting tomorrow. Before last night, that had been the most crucial event on my calendar. Funny, how things change."

"Are you going to cancel it?"

Jinx shook her head.

"I can't."

"That's too bad. Then you'll have to leave Matthew."

"I can't do that either."

"Then what will you do?"

"I don't know," Jinx said, feeling as if the jaws of a huge vise were pushing against her.

"Mrs. Kipling." One of the nurses peeked into the lounge. "There's a phone call for you at the desk."

At first, Jinx looked at her as if she didn't understand. Then, quickly, her head cleared.

"I have to go," she said to Becca. "It may be the police."

Becca started to speak, but Jinx wasn't listening. She bounded toward the rear door and raced down the hall as if her life depended on this call. In a way, it did.

Jinx was shocked to hear Jeffrey Dodge's voice on the phone asking if he could come up and see her. As she waited for him in Matthew's office, her body shed its fatigue and replaced it with a slow, burning anger.

"What a vulture you are," she said the instant he walked in. "Did you come to check on whether I was planning to attend the stockholders' meeting tomorrow? Or did you come to see for yourself the results of your latest accident?"

Dodge had expected to be greeted by rage. All day, he had been preparing for this.

"I heard about the explosion. I came here to find out how Matthew was," he said, his voice just above a whisper. "And to hand in my resignation."

"And why would you do that? I thought your grand scheme was to demand my resignation at high noon. I thought your plan was to publicly humiliate me and then take what you considered to be your rightful place at the head of Kipling Worldwide's board. What happened, Jeffrey? Don't tell me you're suffering a few pangs of conscience."

"I am suffering," he said. "That's why I'm here. I want to make a clean breast of this."

Jinx leaned back in Matthew's chair and stared at him. If he wanted to confess, she was prepared to listen.

"I did plot to remove you as head of Kipling Worldwide. I did commandeer those mishaps, but think back, they all occurred when no one was around. They weren't supposed to hurt anyone. They were just supposed to create doubt about the quality of your leadership and lower the price of the stock."

"So that you could afford to buy."

"Yes. I admit it. I did buy more stock, but now I want you to have my shares. I'm offering you my ill-gotten five percent."

"And what about the percentage owned by Zenith Investors? Are you holding on to that for your old age?"

"I'm not behind Zenith."

"Then who is? One of your flunkies?"

"It all got out of hand," Dodge said, deliberately ignoring her question, satisfying the need to purge himself. "I never meant for it to go this far. I never meant for anyone to get hurt, and that's the God's honest truth."

He stood before her, his face contorted with the pain of contrition, his voice trembling under the strain of his guilt. Jinx refused to respond. She simply stared at him with icy eyes, offering no hint of compassion. The man she loved was lying in Intensive Care fighting for his life. The man responsible was standing before her.

"I'm not going to present any opposition slate tomorrow," he continued. "Tonight, I'm going to call the other members of the board and urge them to stand behind you and vote their shares in your favor."

Jinx applauded, her manner sarcastic and unrelenting.

"Very nice, but you can save your breath. I don't need you to do a thing for me, Jeffrey. I don't need your stock and I don't need your votes. I was going to wait to spring this little surprise on you tomorrow, but since you've come here tonight, I'll let you in on my secret now. You didn't stand a chance. You were walking into that meeting a loser and do you know why? Because you made one very serious mistake."

Dodge looked at her quizzically. Was this a prelude to an arrest? A cold sweat broke out all over his body.

"You underestimated me. After all these years, you should have known that there was no way I would just lie down and let you roll over me." Her voice began to rise and she had to fight to stop herself from shrieking. "Your cockiness made you careless, Jeffrey."

She paused, letting him sweat, enjoying his discomfort.

"Did you ever hear of a man named Lee Lassman?"

"It sounds familiar," he mumbled.

"Let me refresh your memory. Lee Lassman owns a string of medium-sized hotels in the Northwest. Seven years ago, Kip bought out Lassman's chain, but because there was a recession and Kipling stock was fluctuating, he couldn't afford to pay the full value of the business. Lee was an old army buddy of Kip's. He wanted to sell and could have gotten his price from another hotel chain, but out of loyalty to Kip, he took a convertible note for the difference. The deal was that Lassman had seven years to convert that note into full payment of Kip's obligation. When he did, since he would then become a substantial stockholder, he would also gain a seat on the board of directors.

"There were two major provisos: one, that he could convert stock only up to a certain price which was no higher than ninety points a share and, two, if the stock never reached that point within the time limit, he could demand cash. However, if at any time, he wanted to exercise his option, he could demand stock at a lower price and get the difference in cash. That, my friend, is just what has happened. This year was the final year of Lassman's option. Thirty days ago, in keeping with the conditions agreed to by the Kipling board, he filed a request to convert. As of today, Lee Lassman owns ten percent of Kipling Worldwide, is a member of the board, and not only plans to attend the stockholder's meeting tomorrow, but intends to renominate me as President and Chief Executive Officer."

Dodge collapsed into the nearest chair. It had all been for naught. All his efforts. All his money. It had all been wasted energy.

"My congratulations," he said with a weak, defeated smile. "I guess I did underestimate you. How did you find this Lassman?"

"The same way you did," she said, watching Dodge's smile disappear. "By checking old stockholders' reports. You thought I'd miss the notation about Kipling's acquisition debt for Lassman Hotels. Do you know what? I almost did. But when I did find it and Milton explained it to me, I flew out to Seattle, met with Lee, and explained the circumstances." Jinx sat back in her chair, narrowed her eyes, and stared at Dodge. "That's when he told me that you had been out to Seattle a few weeks before and had offered to buy out his option. But you had outfoxed yourself, hadn't you, Jeffrey? You and your shenanigans had depressed the value of Kipling stock to such a point that even with cash bonuses, the deal was unattractive. He turned you down. Then I made Lee the same offer you did. This time, he accepted. Do you know why? Loyalty, Jeffrey dear, loyalty. Lee was Kip's friend. He understood what this company meant to Kip. He wasn't about to allow you and your co-conspirators to take Kipling Worldwide away from Kip's wife and daughter."

"I know you won't believe this," Dodge said quietly, "but I'm glad. I'm glad you won and I'm glad it's over."

Jinx leaned forward on the desk and glowered at him.

"It's not over," she said. "Not by a long shot. Matthew Grant is an innocent victim of your corporate treachery and if you think I'm going to let you get away with that, you're sadly mistaken."

"I had nothing to do with that," he blurted out. "I wasn't responsible. I swear it!"

"I don't believe you."

"You have to," he begged, wringing his hands. "It's the truth. I may be guilty of many things, but not of this."

"Then who is? Whoever's behind Zenith Investors? Is that why you wouldn't answer my questions before? Are you covering for someone?"

He took a deep breath and clasped his hands together so tightly his knuckles turned white.

"Look, Dodge, either you tell me who ordered those explosives or I'll have the police drag you out of here so fast it'll make your head spin."

Jeffrey knew he had been bested. He also knew he was in a great deal of trouble. Jinx Kipling would keep her word. If she could, she would charge him with attempted murder and go to any lengths to make that charge stick. Still, he debated.

Jinx was growing impatient. She wanted an answer and she deserved one. He had betrayed her. He had betrayed Kip. And he had betrayed the memory of his sister, Elizabeth. He owed Jinx the truth, but she was right, he had not acted alone, and at that moment, what he feared most was not the law, but the consequences of his next betrayal.

"Matthew is rallying," Jinx said to Becca, closing the door of the lounge behind her. "The nurse said that his fever has dropped and he's beginning to show signs of fighting off the infection."

"What wonderful news," Becca said, sighing with relief.

"How's your headache?" Jinx asked solicitously. "I asked one of the nurses to bring you some medication. I hope it helped."

"It did a little, thank you," Becca said sweetly, looking at her watch. "But it doesn't seem to want to go away. I guess it's the trauma of this whole situation."

"Could be," Jinx answered. "After all, you've been through a harrowing experience, what with a bomb going off in your suite and all."

"It was extremely upsetting," Becca said, her face slightly flushed. For some reason, Jinx was staring and the heat of her stare was making Becca uncomfortable. "In fact, if you don't mind, I think I'll go back to the hotel and lie down. These fluorescent lights are torture."

Becca rose, looked at her watch again, and started for the door.

"You know, it's interesting," Jinx said, leaning against the door, folding her arms across her chest and blocking Becca's exit. "Have you ever noticed that when people are under a great deal of stress, they develop strange little habits? Some people fluff their hair. Some bite their nails. I bite the inside of my lip. You look at your watch." She paused, pursed her lips as if she were thinking, and then looked at Becca curiously. "You did that the other night too. Every few minutes, you kept looking at your watch."

"I simply didn't want dinner to be ruined."

"From the minute I entered your suite," Jinx said, refusing to back off, "you seemed rushed. You kept glancing at your watch as if time were extremely important. You couldn't even wait for Matthew to show up before you hustled me into the dining room."

Becca lowered her eyes and began to massage her temples.

"My head is throbbing," she said. "Really, I must go."

"It must be terrible getting these headaches all the time," Jinx continued, ignoring Becca's attempted good-bye. "I saw the kind of pain you were in last night. You could barely hold your head up."

"That's true," Becca answered, her voice small and pathetic. "That's why I asked Matthew to get me my pills."

"No," Jinx said quickly, pointedly. "You asked *me* to get your pills. You asked me because I was the intended victim of that bomb blast, not Matthew."

"Now I'd say that you're the one suffering from stress," Becca shot back, her shoulders straightening, her eyes growing colder.

"Were you checking your watch because you knew what time the bomb was scheduled to go off and didn't want to be in the path of the explosion?"

Becca threw her head back in a gesture of haughty indignation.

"No wonder you were gone so long. That phone call must have been from your insurance company. Are they demanding an explanation as to how something like this could happen in one of your hotels? I can understand your desperation, but aren't you getting carried away?"

"I don't think so," Jinx said with unnerving calm. "But I'll tell you what I do think. I think you're the one who planned this explosion."

"Now, hold on a minute," Becca said, glaring at Jinx, who refused to move away from the door. "This is beginning to get nasty."

"You bet it is! I just spoke to the police. They found the timing device for the bomb. It was set to go off at eight o'clock sharp, just about the same time you asked me to get your pills."

"So what! You're trying to build a case against me, but it won't work. That's not even circumstantial evidence. It's mere coincidence." Though Becca's tone was cocksure and snappish, small beads of sweat were beginning to dot her forehead and her breathing was becoming shallow and rushed.

"Would your appearance tomorrow at the Kipling Worldwide stockholders' meeting have been another coincidence?" Jinx's voice was beginning to tremble, but she continued to maintain strict control of herself. "Did you really think you could get away with it? Did you really think I would just lay down and play dead? That I wouldn't track you down and find out that you are Zenith Investors and that you've been buying big chunks of Kipling stock in the hope of taking over my company?"

"That's ridiculous," Becca snorted, her face twisting into a hateful sneer. "I think you should call a doctor. It's obvious that you're becoming unglued."

"Ridiculous? I'll tell you what's ridiculous. You are. First of all, I squashed all attempts at a coup weeks ago. Secondly, if you think I'd be stupid enough to accuse you of masterminding that explosion and commandeering a stock takeover without having solid proof to back me up, you're wrong again."

Becca was trapped. Others might have continued to protest their innocence or might have begged for forgiveness. Others might have hovered in a corner, but not Becca. To her, Jinx had just sounded the bell for the fifteenth and final round of a championship bout.

"You're right!" she said defiantly, not caring what proof Jinx had or where she had gotten it. Suddenly, proof was not the issue, predominance was. "I did hire someone to rig that door. And yes, my dear half sister, it was meant for you! *You* were supposed to be the one standing in front of that glass when it exploded. *You* were the one who was supposed to be lying in a hospital bed!"

Becca waited for Jinx to lunge at her, to scream at her, to take a swipe at her. But Jinx didn't move. She couldn't. She was numbed by the intensity of Becca's venom and the depth of her capacity for vengeance.

"And just in case you couldn't destroy me with explosives, you figured you'd destroy me by taking Kipling Worldwide away from me. Is that right?"

"Right!" Becca answered, her manner more contemptuous than contrite.

"How could you?"

"Actually," she said smugly, "it was quite easy. That night you came to the hospital for your oh-so-touching reunion with my father, I overheard you telling Matthew about an attempted takeover. I overheard you talking about mysterious accidents and a plot to unseat you as head of Kipling Worldwide. Frankly, to me, it seemed like a pretty good idea."

Jinx couldn't believe what she was hearing. Her heart pounded in her chest as she listened to Becca's cold, matter-of-fact confession.

"I just don't understand."

"That doesn't surprise me," Becca said with obvious disdain. "From what I can see, you don't understand very much." She turned and stepped to the back of the small room, turned again, and eyed Jinx, surveying her, studying her. Then she walked directly in front of Jinx and laughed in her face. "It's funny, actually. You've spent most of your life chasing after Benjamin Ross, thinking he was God's gift. Do you want to know the truth? Well, let me tell you what Benjamin Ross was really like. He treated his wife like garbage and he treated his daughter like a prize poodle. He chased after every skirt that came his way. He lied and he cheated. He was rarely home, and when he was, he was tough and demanding. He was never interested in anything I did unless it involved a trophy. He never gave me so much as an approving nod unless I came home a winner."

Becca's words came in a rush, leaving her breathless and flustered. Jinx's response was quick and harsh, void of all sympathy or understanding.

"Spare me the unhappy childhood routine. A man almost died last night and you're responsible."

Becca sensed the rage and hatred that was being directed at her, but instead of curbing her fury, it fed the beast who lived on the dark side of her personality. Her eyes grew brighter and her back grew straighter.

"Why did you invite Matthew?" Jinx said, her voice rising. "If you wanted to kill me, why have him there?"

"Why not?" Becca said with offhanded nonchalance. "Why not let him witness your comeuppance?"

"Comeuppance for what? What did I ever do to you? What started this?"

Becca stared at Jinx and for the moment, she looked as if she were lost in the past.

"Years ago, I hated you because I was afraid of losing my father. But you know what?" she continued, her attitude becoming more theatrical, more distracted. "After a while, it had nothing to do with him. It was just a contest, a competition between you and me. Who made the best marriage? Who had the most money? Who had the biggest house? Who had the most social cachet? Who had the best lover?" Suddenly, she grinned triumphantly. "On that score, I'd say you won hands down. I've experienced the physical pleasure of being with Matthew Grant, and in case you ever had any doubts, I can assure you, he's the best."

Jinx cringed from the mere sound of Matthew's name on Becca's lips. If he had slept with her, and somehow she believed that he had, Becca had just befouled the encounter.

"In this world there are only two classes of people—winners and losers." Becca's voice was growing more remote. "Most of the time, you seemed to be winning, but I knew that if I put my mind to it, I could turn the tide. So I devised this plan to get rid of you and have Matthew all to myself." An odd laugh escaped her lips, a bizarre chuckle in response to a joke that only she seemed to understand. "You know what?" she said with a tinge of pride. "I almost pulled it off."

Just then, the door to the lounge opened and Jinx stepped aside. Two policemen entered, followed by a frightened Jeffrey Dodge. As the officers walked toward Becca, she glowered at Dodge.

"I should have known. You're nothing but a spineless coward," she shouted, throwing off the hand of one of the policemen.

The other policeman grabbed her, read her her rights, and began to lead her away. She turned. Her eyes locked on Jinx. Her voice vibrated with unrepentant hostility.

"You should have died. You don't deserve to win."

"Maybe not," Jinx said in a quiet tone that mixed bitterness and pity. "But you deserved to lose."

* * *

It was late. Jinx was alone with Matthew. She sat by his bedside holding his hand and watching him breathe, waiting for him to waken. Though she tried to turn off her brain and concentrate fully on him, she couldn't help reliving the events of the past few hours. She couldn't help feeling battered by the heavy guns of repeated betrayal, wounded by the stinging arrows of pointed, deliberate hatred. No matter how long she lived, she didn't think she could ever erase the sound of Becca's snarl or the sight of her eyes glaring at her as the police led her away.

What had she done to arouse such violence? Was she truly an innocent victim of someone's misguided anger, or was she guilty of some grievous wrong? Had she done something to prompt these attacks? Or were they indefensible happenings completely beyond her control?

Whatever the answers, the fact was that the man she loved was lying in a hospital bed, fighting for his life. Tenderly, Jinx stroked the back of Matthew's hand, remembering another hospital, another man who had died of senseless injury. She had been devastated when Kip had died, and it had taken tremendous inner strength to recover from that loss. What if she lost Matthew? Just then, she wasn't certain she had any strength to spare.

She felt so helpless. His face and his body were bandaged and bruised and the thought that she was in any way responsible for his pain filled her with an oppressive sadness. All she wanted was to look at his blue eyes, to see his mouth curl into a dimpled smile, to hear him speak in that low baritone. All she wanted was to tell him how much she loved him, how sorry she was for what had happened, how foolish she had been to even hesitate about accepting his proposal.

For hours, she sat by his side, immune to the noises of his bedside machinery, oblivious to the ministrations of his doctors and nurses. Occasionally, her eyes closed and she drifted into brief, uneasy spurts of sleep, but as soon as her body relaxed, an inner alarm jerked her into wakefulness.

It was almost morning when slowly, she watched Matthew's eyes open. The feverish flush that had deeply rouged his complexion had softened. His eyes, once he had focused, appeared brighter, more lucid, much less opaque than they had been. He had passed the crisis.

"Hi," he said after looking around the room and reorienting himself to his surroundings.

Jinx was so relieved, she couldn't seem to find her voice, so instead, she merely smiled.

"You look familiar," he said, studying her, trying to tease the somber look off her face. "Do I know you?"

"Intimately," she said finally, biting her lip to hold back her tears.

Matthew smiled weakly.

"How am I doing?" he asked, looking at his bandages.

"Your doctors say that the infection is under control and that within a week or so, you can go home."

"How are you doing?"

"Much better now that you're awake," she said, lifting his hand to her mouth and kissing it.

"Have the police come up with anything? Do they know who planted the bomb?"

"It's all over," she said quietly.

Matthew tried to nod, but suddenly, he winced in pain. She helped him take a few sips of water and wiped his face with a damp washcloth.

"Tell me what happened. I want to know."

"Tomorrow." He was about to insist, but Jinx kissed his cheek lightly. "I have a strict policy," she said, "I never discuss life and death issues with a man wearing a nightgown."

"That's reasonable," he said, comforted by her shift in mood.

"However, I do have another matter I'd like to discuss."

"Discuss away."

"Several months ago, you asked me to marry you," she said. "Is that offer still good?"

Her hyacinth eyes were moist and her skin was paler than usual, but to him, she looked positively ethereal.

"What day is this?" he asked, finding her presence more recuperative than any medication.

"Wednesday."

"Lucky thing. My offer expires at midnight tonight."

Jinx leaned over and kissed him, placing her lips gently on his, afraid to hurt him.

"I am lucky," she whispered, turning serious again. "Twice, I almost lost you. Once, because of my own stupidity and once because of someone else's villainy. I'm not going to chance a third strike."

"I love you," he said plainly, simply.

"I love you too." Her eyes spilled over with tears, tears of relief, tears of happiness.

He tried to wipe her eyes, but she was too far away for him to reach her. Jinx leaned forward, smiling as his bandaged hand dabbed her cheek.

"Don't be afraid," he said, holding her as best he could. "You. Me. Joy. We're right together. We belong together."

Jinx snuggled against him, feeling wonderfully safe, wonderfully secure. All her life, it seemed, she had struggled to find a place for herself, a haven where she knew she truly belonged. She had wanted to belong to the Elliots. She had wanted to belong to the Rostovs. She had thought she belonged to Kip. Yet for some reason, life had conspired against her, tearing her away from every anchor, making her feel like a perpetual outsider, a loose fragment, an untied end.

Lately, uncertainty had amplified her sense of alienation. It had splintered her emotions, scattering them like tiny atoms into a black void of disorder and mistrust. She began to question her instincts and deny her feelings. Worse, she began to repress her need for love.

But here, now, feeling the warmth of Matthew's embrace and sensing the depth of his devotion, Jinx felt complete.

She lifted her head and looked deeply into his eyes.

"I'm not afraid," she said, believing it for the first time in years. "Thanks to you, I know who I am and I know where I belong."

Gently, Matthew brought her face close to his and whispered, "Welcome home."

His lips pressed softly against hers and she felt at peace, with him and with herself. The strands of her life had finally knotted together.